自由人（六）

自由人總目錄

動盪時代的印記——《自由人》三日刊始末

陳正茂（北台灣科學技術學院通識教育中心教授）

一、前言：《自由人》三日刊創刊之背景

民國三十八年是中國歷史上驚天動地的一年，隨著戡亂戰局的逆轉，中共席捲大陸，國府敗退遷台，真是國命如絲風雨飄搖的危急存亡之秋。處此動盪時代中，除大批軍民同胞隨政府播遷來台外；尚有一部分人士選擇避難香江，南下港九一隅，這些人當中，有不少是失意政客和知識份子。基本上，當年選擇避秦來港的知識份子，其心態上有兩種，一則對國、共兩黨均感不滿；再則係看上香港為自由民主之地，較能有揮灑發展的空間。此情勢考量，誠如雷嘯岑所言：「在一九四九－五〇年之間，因大陸淪陷，香港乃成了反共非共的中國人士望門投止的逋逃之藪」。

這些投奔港九的政治難民，以高級知識份子居多；兼以香港時為英屬自由之地，所以只要不違背港府法令，一般而言從事任何活動是百無禁忌，相當自由的。不僅可以高談政治問題，甚至於從事政治活動亦不加以限制。於是，「從大陸流亡到港九的高級知識份子群，乃相率呼朋引類，常舉行座談會，交換對國事意見，而美國國務院的巡迴大使吉塞普（Philip Jessup），斯時亦在香港鼓勵中國人組織『第三勢力』運動，目的以反共為主。」在此背景下，港九地區的自由民主人士，在美國幕後撐腰下，「各種座談會風起雲湧，熱鬧非凡；而諸多以反共為職志的大小刊物，更是應運而興，琳瑯滿目了。」[1]所以，《自由人》三日刊，就是在此大時代氛圍下孕育而生的。

二、《自由人》三日刊誕生之經過

《自由人》三日刊醞釀誕生之經過，最早鼓吹者，一般而言，說法有二，一為由王雲五號召發起。據其《岫廬八十自述》書中提及：「自民國三十九年開始以來，由於中共匪幫建立偽政權，並先後獲得蘇俄、緬甸、印度、巴基斯坦及英國的承認，於是匪幫的勢力在香港突然大振，不少反共分子漸呈動搖態度。旅港有識之士深感囂風日長，漸使全港華人隨而動搖，乃相與集議挽救之道。我因在港主辦一個小規模出版事業（按：即華國出版社），尤以一貫堅持反共方針，遂由多數參加集議人士推任領導。由臨時的集會，變為固定的座談；其地點經常利用國民黨在銅鑼灣某街所租賃之四樓房屋一層。每次參

1 馬五，〈「自由人」之產生與夭折〉，見馬五（雷嘯岑）著，《政海人物面面觀》（香港：風屋書店出版，一九八六年十二月初版），頁二一二。又此種座談會多在週末舉行，也有人稱之為「週末座談會」或「星期六座談會」。見馬五先生著，《我的生活史》（台北：自由太平洋文化事業公司出版，民國五十四年三月一日初版），頁一六一。

加座談者，多至三十餘人，少亦一二十人，皆為文化界人士，或為舊日與政治有關係者，各政黨及無黨派人士皆有之。後來我以香港政府最忌政治性的集會，凡參加人數較多，尤易引起猜疑，動輒干涉。加以如此散漫的座談，亦未必能持久，因於某次座談中提議創辦一小型之定期刊物，每週或半週出版一次，既可藉此刊物益鞏固反共人士之維繫，且刊物一經向港政府註冊，則在刊物辦公處所舉行的座談，皆可諉稱編輯會議，可免港政府之干涉。此議一出，諸人咸表贊同，遂計劃如何組織與籌款。結果決辦三日刊，定名為自由人，其資金由參加坐談人士各自量力提供。我首先代表華國出版社提供港幣一千五百元，此外各發起人分別擔任，或一千，或五百不等；並經決定撰文者一律用真姓名，以明責任。其後，又決定委託香港時報代為印刷發行。因是，籌備進行益力，發起人等每星期至少集會一次，間或二次，一切進行甚為順利。」[2]

二為眾人集議，早有志於此，雷嘯岑即主此說。雷言：「這時候，即有原在大陸上服務新聞界的報人成舍我、陶百川、程滄波，協同青年黨人左舜生、民社黨人金侯成，以及國民黨人阮毅成、無黨無派的王雲五，外加香港時報社長許孝炎、新聞天地雜誌社社長卜少夫一干人等，於每週末午後在香港高士威道某號住宅中，舉行文化座談會。大家談來談去，得到一項結論，要辦一份刊物，以闡揚民主自由思想，在文化上進行反共鬥爭。……適韓戰爆發，預料東亞局勢將有變化，刊物必須及時問世，刊物取名「自由人」，由程滄波書寫報頭兼撰〈發刊詞〉，標題是〈我們要做自由人〉。」[3]

然由當事人之一的阮毅成事後追記，似乎《自由人》三日刊能草創成功，仍是由王雲五一手主導的。阮說：「民國三十九年十二月二十日，雲五先生在香港高士威道約大家茶敘，其中特別提及『今日我約諸位來，是想創辦一份反共的刊物，以正海外的視聽。間接幫助臺灣，說幾句公道話。我們讀書人，今日所能為國家效力的，也只有此途。』」[4]由阮之記載，合理推論，《自由人》三日刊能順利催生問世，王氏為登高呼籲之首倡者，可能性是很高的！

但就在王氏積極創辦《自由人》三日刊之際，突發一件暗殺事件，則頗值得一述；且對後來《自由人》三日刊的發展不無影響。事緣於三十九年十二月下旬，王氏在《自由人》三日刊諸人集會散會後，在香港寓所遭遇暗殺，幸子彈未命中，逃過一劫，這突如其來之舉，使王氏決定立即離港赴台定居。此事來台後，王氏曾將真相告訴繼我而來的成舍我。王氏謂：「到臺以後，除將此次提前來臺的秘密暗中告知兒女外，他人皆不使知。後來事過境遷，才漸漸透露給若干至好的朋友，首先是對於不久繼我而來的成舍我君；因為他覺得我向

[2] 王雲五，《岫盧八十自述》（台北：商務版，民國五十六年七月一日初版），頁一〇四～一〇五。

[3] 馬五，〈「自由人」之產生與夭折〉，同註一，頁二一二～二一三。又見馬之驌，《雷震與蔣介石》（台北：自立晚報社文化出版部出版，一九九三年十一月一版），頁八一。

[4] 阮毅成，〈王雲五先生與自由人三日刊〉，見蔣復璁等著，《王雲五先生與近代中國》（台北：商務版，民國七十六年六月初版），頁三〇～三一。有關《自由人》之發起，另有一說為萬麗鵑博士論文所言：「《自由人》為『自由中國協會』成員所辦之三日刊。」見萬麗鵑，〈一九五〇年代的中國第三勢力運動〉（台北：國立政治大學歷史研究所博士論文，民國九十年七月），頁一六四。但根據「自由人」社發起人之一的雷嘯岑回憶說：「自由中國協會」為當時在美國的胡適、蔣廷黻、曾琦等人所發起，胡、蔣、曾諸氏希望以『自由人』全體發起人為主幹，先在香港成立總會，台灣暨歐美各省都設立分會。嗣經提出座談會詳細研討，大家認為總會以設在台灣為安，香港亦只設分會，庶合體制。結果不知如何，這個會沒有成立，終於流產了。」馬五，〈「自由人」之產生與夭折〉，同註一，頁二一四～二一六。故萬氏此說，恐不確。

來很少患病，在約定聯合宴客之日，我竟稱病缺席，舍我不免將信將疑。其後到我家探病，見我毫無病容，更不免懷疑。及我不別而赴臺，他懷疑益甚，所以在他來臺後，偶爾和我詳談及此，我也就不好意思對朋友有所隱瞞了。」[5]

上述言及之十二月下旬，實際上是民國三十九年十二月三十一日，除夕。阮氏說：是日「王雲五先生約在高士威道午餐，我應約前往，王臨時以腹瀉未到，由成舍我兄代作主人，謂『自由人』籌備事，大致已妥。」而四十年的元月三日，阮氏也說到是日，「應卜少夫、程滄波二兄之約，到高士威道二十二號四樓午膳。據滄波兄言，是日原應由王雲五先生作東，而王於當天上午，離港飛台，臨行前以電話托其代為主人。」[6]

王氏的不告而別倉促離港赴台，也使得後續有不少參與「自由人」社同仁跟進，紛紛來台，這對於原本人力吃緊資金短絀的《自由人》三日刊之發展，當然有不小的影響。至於《自由人》三日刊籌組的經過梗概，雖在王氏離港來台後，仍按部就班的進行。四十年元月十日下午，阮毅成與程滄波及左舜生又約至高士威道聚談。關於創辦刊物事，左舜生主張宜立即出版，卜少夫則以須現款收有相當數目，方能創刊。是月三十一日，雷震自台灣來，亦參加「自由人」社活動。會中大家一致決定《自由人》三日刊，於農曆年後出版。並在職務安排上初步有了規劃，即推程滄波撰〈發刊詞〉，以辦報經驗豐富的成舍我任總編輯，陶百川為副總編輯。又另推編輯委員十四人，分別是劉百閔、雷嘯岑、陶百川、彭昭賢、程滄波、陳石孚、許孝炎、張丕介、吳俊升、金侯城、成舍我、左舜生、王雲五、卜少夫。[7]

四十年二月九日，內定為總編輯的成舍我自香港致函王雲五，說到：「自由人半週刊已將登記手續辦妥，『館主』係由少夫出名，因渠後來未再提出不能兼任之困難，……編輯人經由弟以本名登記。股款雖交者仍不太多，但讀者則頗踴躍。……據弟觀察，維持六個月，在經濟上當可辦到。惟編輯方面，則危機太大，因主力軍如我兄及秋原兄均不在此，其他如滄波兄等不久亦將赴臺，（即弟本身亦恐將於三月間來臺）稿件來源，異常枯涸，然既已決定辦，弟亦只有勉力一試。」[8]尚未正式創刊，但資金人才捉襟見肘的窘境，已被成氏料中，這對好事多磨的《自由人》三日刊日後之發展，已埋下艱困之伏筆。

二月十四日，成舍我向雷震、洪蘭友等人報告，《自由人》三日刊已得港府核准登記，一俟台灣方面准予內銷，即行出版。二十八日，成舍我向「自由人」社同仁報告：台灣內銷事已辦好，《自由人》三日刊即將出版，並出示創刊號大樣。因與會者多係辦報老手，提供不少意見，而成舍我也很有風度，博採眾議，為慎重起見，同意改遲數日出版，以便從容改正，並呼籲社員踴躍撰稿以光篇幅。[9]可見在王氏離港後，《自由人》三日刊真正之台柱角色，已責無旁貸的落到成舍我肩上。

5 王壽南編，《王雲五先生年譜初稿》第二冊（台北：商務版，民國七十六年六月初版），頁七四三。

6 阮毅成，〈「自由人」參加記〉，《傳記文學》第四十三卷第六期（民國七十二年十二月），頁一四～一五。

7 見《自由人》創刊號（民國四十年三月七日）第一版的編輯委員會名單。《自由報二十年合集》（一）（香港：自由報社出版，民國六十年十月十日）。阮毅成說為十六人，疑有誤。見阮毅成，〈「自由人」參加記〉，同上註。

8 〈成舍我致王雲五函〉，同註五，頁七四六。

9 阮毅成，〈「自由人」參加記〉，同註六，頁一五。

三月七日，《自由人》三日刊正式創刊，社址位於香港德輔道中一四九號四樓。目前所知參與的發起人有王雲五、王新衡、王聿修、端木愷、程滄波、胡秋原、吳俊升、黃雪村、閻奉璋、樓桐孫、陳石孚、陳訓悆、陶百川、雷震、阮毅成、劉百閔、左舜生、雷嘯岑、徐道鄰、徐佛觀、陳克文、成舍我、金侯城、張丕界、彭昭賢、許孝炎、卜少夫、卜青茂、范爭波、陳方、張純鷗、張萬里、丁文淵等三十餘人。[10]

發刊後，一紙風行，各方咸予重視，發行之初，每期印八千份。為打開台灣銷路市場，內容安排方面，特別增加一些軟性文字，勿使論文過多，淪為說教。雷嘯岑即言：「『自由人』的作者確實很自由，各人所寫的文字題材雖相同，而見解不必一致，祇要不違背民主憲政與反共抗俄的大前提，儘可各抒己見，言人人殊，真有百家爭鳴，百花齊放的景象，……首任的『自由人』主編是成舍我兄，他包辦大陸通訊版，把大陸上的共報消息，參以陸續從國內逃到香港的難民所述情形，寫成有系統的通訊稿，可謂費苦心。」[11]

誠然如是，由於文章精彩，見解深入，內容多元，析論入理，所以出版後不久，南洋各地僑報即紛紛轉載《自由人》文章。故在香港一隅辦一刊物，無形中等於在數地辦了幾個刊物，影響所及，至為廣大。不僅如此，有關《自由人》所發揮的影響力，可以曾任該刊主編雷嘯岑之回憶為證，雷說：「自由人半週刊，頗受台灣以及海外；尤其是美國一般華僑的注意，原有的每週座談會照常舉行，參加的人亦陸續增多了，風聲所播，國際人士來到香港的，亦來參加我們的座談會，交換政治意見，如美聯社遠東特派員竇定，南韓內閣總理李範，日本工商與新聞界人士前來訪談者尤多，……唯有駐在香港鼓勵華人組織『第三勢力』的美國巡迴大使吉塞普，始終沒有接觸過，大概是他認為『自由人』半週刊這些人，多數係國民黨員，氣味不相投，我們亦以對『第三勢力』之說，不感興趣，因而絕交息游，毫無來往。」[12]

雷氏這段記載很重要，不只說明了《自由人》發刊後之影響力；也道出了《自由人》與「第三勢力」毫無瓜葛，這對坊間有不少人一直以為《自由人》是「第三勢力」刊物有澄清作用。《自由人》三日刊甫發行，負責盡職之成舍我隨即寫信給王雲五提到：「連日為自由人半週刊事，頭昏腦暈，尊函稽答，至為罪歉。現半週刊已於今日出版，附奉一份，即希鑒察。大著分兩期刊佈，並盼源源見賜。今後應如何改進之處，統希指示為荷。」[13]另針對其後外界對《自由人》諸多揣測，如與「自由中國協會」之關係等等，「自由人」社也在三月二十一日的高士威道聚會中也做出決議，大家皆一致表示，「自由人」應獨立組織，以別於其他團體，乃推定董事九人，以左舜生為董事長。監事三人，為金侯城、王雲五、雷儆寰。成舍我為社長兼總編輯，卜少夫為總經理。[14]

---

10 「自由人」社成員，據筆者統計為此三十餘人，且各會員加入時間先後不一，有關會員名單散見於雷嘯岑、阮毅成等人之回憶文章及《雷震日記》中。

11 馬五先生著，《我的生活史》，同註一，頁一六一。

12 馬五，〈「自由人」之產生與夭折〉，見其著，《政海人物面面觀》，同註一，頁二一三～二一四。另萬麗鵑博士論文也提到，為打擊「第三勢力」運動，「國民黨亦透過黨報如《香港時報》、新加坡《中興日報》、美國《美洲日報》，及其所資助的報刊如《自由人》報、《民主評論》等，展開對第三勢力的文宣戰，此即是《香港時報》社長許孝炎所說的以『輿論對輿論』的鬥爭。」萬麗鵑，〈一九五〇年代的中國第三勢力運動〉，同註四，頁一六四～一六五。又見〈許孝炎意見〉，《總裁批簽》，台（四一）央秘字第〇〇八五號（一九五二年二月二十二日），黨史會藏。

13 〈成舍我致王雲五函〉，同註五，頁七四七。

14 阮毅成，〈「自由人」參加記〉，同註六，頁一五。至於《自由人》與「自由中國協會」之關係，馬五在〈「自由人」之產生與夭折〉已言之甚為了稿源，三月二十二日總編輯成舍我又致函王雲五拉稿，其中說到：「自由人在香港銷路尚好，一般觀感亦不錯。惟共匪刊物正以全力抨擊，弟等亦一反過去自由派刊物置之不理的辦法，強烈反攻。臺灣發行未辦好，少夫兄不日來臺，或能有所改進。同人撰稿，此間仍不太踴躍，盼公能以日撰五千字之精神，多寫數篇，並乞即賜惠寄，無任感幸。又此間稿酬，公議千字港幣十元，前稿之款，已送託香港書局轉交。此數雖微細不足道，然吾輩合力創業，知識勞動之所獲，在道德標準上說，固遠勝於以吃人為業之共匪萬萬矣。盼尊稿如望歲，望即賜寄，以慰饑渴。」[15]除簡略報告社務外，重點仍是稿源問題，而此問題也是《自由人》三日刊以後長期揮之不去的夢魘。

三、《自由人》之命名與經費及發刊宗旨

華路藍縷，創業維艱，有關《自由人》之命名，似乎是由阮毅成所起。原本成舍我欲名為《自由中國》，因與台灣雷震負責的《自由中國》半月刊同名而不獲採納。故阮毅成認為可參考台灣趙君豪所辦之《自由談》，而稍改其為《自由人》，卒獲大家一致同意，名稱問題因此而敲定。[16]其實若從五〇年代的背景去觀察，刊物取名為《自由人》並不足為奇。蓋彼時海外正刮起一陣「自由中國反共運動」浪潮，其中尤以香港地區為最。為壯大「自由中國反共運動」，於是乎，海內外的一些知識份子刻意以「自由」二字為雜誌刊物名稱，以凸顯有別於大陸的獨裁極權。職係之故，各種以「自由」為名之刊物如《自由中國》、《自由陣線》、《自由談》、《自由世界》等雜誌，如雨後春筍般紛紛出籠，《自由人》三日刊之命名，應該是在此時代背景下而正名的，且的確有其時空的特殊意義存在。[17]

至於現實的經費來源問題，早在三十九年十二月二十日的聚會中，王雲五即定調說：「我要先與諸位約定，這是一份自由的刊物，所以，一不能接受外國的幫助，二不能接受政府的支援。同仁不但要寫稿，還要負擔經費。」[18]王氏之所以要如此約法三章，是要避免外界將《自由人》視為拿美國人錢所辦的「第三勢力」之刊物的疑慮或揣測；另外，不接受政府支援，也是想以獨立身分之姿，能在言論上暢所欲言，而不受政府掣肘，更不想貼上政府刊物之標籤。揆之《自由人》草創之初，因經費來源由各會員出資，確實能夠如此。例如在籌備階段，王雲五首捐港幣三千元，各會員至少認捐港幣一千元，所以誠如雷嘯岑言：「大家分途進行，未到一個月，即籌募到港幣一萬七千元了。」[19]

創刊經費有著落，但接下來長期的經費支出，恐怕就不是由會員認捐可解決。到最後仍不得不仰賴台灣國府的金錢支助，在《雷震日記》中即披露不少箇中內幕，茲舉日記一則為證。民國四十年五月二十五日：「雪公（按：指王世杰（字雪艇），時任總統府秘書長）

詳，同註一。

15 〈成舍我致王雲五函〉，同註五，頁七四七～七四八。為稿源及素質起見，成舍我亦曾寫信向阮毅成拉稿，信上提到：「在臺同人寫稿，原約每期供給八千字。希望以兄之熱忱毅力，催請同人，公誼私交，達此標準。」又說：「自由人聲譽，雖日有增進。惟經濟及稿件，均危機太大。現此間已只賸左（舜生）、許（孝炎）、雷（嘯岑）、及弟共四人，稿荒萬分。如濫用一般投稿，則水準即無法維持。」阮毅成，〈「自由人」參加記〉，同註六，頁一六。可見身為主編的成舍我，為稿源及《自由人》之內容水準，真是心力交瘁，煞費苦心。

16 同註六，頁一四。

17 馬之驌，《雷震與蔣介石》，同註三。

18 同註六，頁一四。

19 同註一二，頁二一三。

自由人

THE FREEMAN

（第五六〇期）

香港發行所：香港士威道二十號三樓 3rd. Fl. 20 CAUSEWAY RD. HONG KONG

海外總經銷：友聯書報發行公司

台灣總經銷處：台北市館前街五十號

台北市西寧南路壹壹號二樓

台北郵局儲金戶九二五二

俄帝大戰略：反·美·戰·爭

·胡秋原·

智識份子成敗之關頭

去年四月以來，俄帝的和平攻勢一天厲害一天。美國應付失著，使人心頗現沉悶。近來美國似在力圖挽救，然日內瓦的惡影響並未澄清。在俄帝遠略下，中共利用這一機會大作「統戰」。由「抗美援朝」到「學習美國」；由「大張撻伐」到「人民自由」；由「武力解放台灣」到「和平解放台灣」；而且由「改造智識份子」到「百家爭鳴」，到「招待觀光」。毛澤東豬頭三式的殺人凶相，一變而為周恩來式老妖之笑臉了。在這笑臉之下，近年來，我們可聽到中共及他們長期的侵略統戰的宣傳，集中于三點：一，比黨遠于中國人，中共熱愛「祖國」；二，可以反美，不可反對「國家」；三，台灣沒有前途，「美帝侵略台灣」；台灣是「內政問題」，願與「台灣談判」；他們甚至還要求「國共第三次合作」，共同反美。

由于日內瓦會議以來，人心之沉悶，如謂共黨這一套對若干人全無作用，那是自欺之論。如美國還沒有充分主動的政策，而自由中國之政府也還沒有一個全新的做法，人心還有一個沉悶階段，也許是無可否認的。

但我相信，俄帝業已「基本」失敗，中共「統戰」亦將失敗。俄帝快倒了。共黨之策略與宣傳，正表示其恐懼與失敗，而非其勝利。我們要忍耐而苦悶。但實在不必苦悶，當然，我們要有所準備，以應付非常之局勢。美國與中國政府對中共當前的策略……

[illegible]

文章，前兩篇專談俄帝及其工具，第三篇談中國知識份子，另一談外國……一談美國，一談政府。

俄羅斯即戰爭

俄帝從來每一新的戰略，總是以攻心的迷魂藥，而是他們的攻心戰。這並不是對我們的每個支部皆然。而他們一面增強自己的心，一面瓦解各個人的心。他們也知道……他們也知道……

……之戰，也出于這方面的宣傳是「三次大戰必要論」。緊張局勢已經緩和……

我們大家先說俄國人才有共國。他們專門奴役別人。此後大概統計，有記錄不到五百年間，有記錄的戰爭至少一百五十次。伊凡四世，彼得一世，尼古拉一世，二十世紀之大戰。……第一次世界大戰是起于俄奧之戰。第二次世界大戰也是起于俄國。第二次大戰起于一九一八……便當知道九一八事變，一九三九年史達林希特拉之條約……造成歐戰。

起于俄日條約。大家再翻一翻五百年來歐洲史，便可知道沒有一次大的戰爭，少得了俄國的參加。所以止。

，戰爭販子，你的名字是俄羅斯！所以，俄羅斯不死，戰爭不止。

共產主義即戰爭

於是俄羅斯發生了共產主義。此處我要提到俄國共產主義與馬克斯很少關係。大家知道俄國皇帝稱「沙」，所謂「沙」，乃冒于愷撒。沙皇與愷撒無直接血統關係，猶列寧與馬克斯無直接精神血統關係。這在其他地方我考證過了。而今天許多反共俄國學者，也多考證清楚了。共產主義即是戰爭，或戰怪——全部共產主義精怪，論理觀念，組織都是戰爭術語，共黨組織，是兵團式。他的一切觀念「術語」，如「鬥爭」，「無產階級先鋒隊」，「世界革命」，「世界革命大本營」，乃至于「突擊」，「看齊」，無一不是戰爭的。哲學也要戰鬥的唯物論，「戰鬥的哲學上的兩個「哲學」。

俄國最高的「大營陣」，名為「在馬克斯主義之旗下」。文學也要戰。革命後俄國最出名的文學雜誌叫做「在前線」。理論說了，共黨所謂革命，與戰爭同義。階級鬥爭是內戰，世界革命是外戰。這兩戰又互相轉變。這是共產主義「變帝國主義戰爭為內戰」，是列寧有名口號。他立刻又說，「革命歷史證明一連串戰爭不可避免，此不可避免，與革命內戰不可分」。「只要帝國主義與蘇維埃共和國存於世，一連串的衝突即不可避免」；「列寧所謂「帝國主義」，指一切非共黨國家；正如在強盜以外，世界除也看來，

，皆為強盜。大家看任何一篇文章，如果在任何共黨的文章中找不出有關軍事或戰爭的術語，就算我的話靠不住。共黨是一種血菌，血怪；喝血為生，望血止渴。他們的紅旗就表示他們的嗜好。列寧與史達林文中，總是幾十次的說資本主義存在一天，由其發生之不平衡，帝國主義戰爭即不可避免。這是再好不過的事實。列寧最喜歡別人打仗。「帝國主義者打仗就救我們了。」「強盜抽刀相殺，咱們老人就好了。」一九三四年史達林的「第一次大戰拉出俄國」，一次大戰造成地球六分之一的人造紅旗，第二次大戰會造成地球三分之一。」另一乃至二分之一。」又一九三九年米赫立新在第二次帝國主義戰爭，如有責任，我們必須加強國際援蘇維埃共和國的數目。」

蘇維埃共和國增加了五個，蘇維埃共和國「候補者」——人民共和國增加了九個之多，似乎表示這個言之可靠。既然戰爭不可避免，而戰爭又如此之一本萬利，則共黨應萬本萬利乃至認為第三次大戰當然而且大可歡迎了。

然而不然。我們的戰爭販子，我們的戰爭精怪現在變了。他大聲疾呼，亦輕言細語，要求「和平共存」了。

儘管資本主義發展之不平衡如昔，儘管資本主義社會主義之對立如昔，他說三次大戰不會有了，要不得了，這是共黨理論之一大變。這比取消共產國際，清算史達林之變化還大。而後二者，實由前者而來。

這是什麼原因？還是說到老虎想吃齋呢？我以為都是的。完全是關子，煙幕呢

【下轉第二版】

英聯邦經濟第三勢力

·李金暉·

英恐懼市場競爭

被認為是戰後英聯邦總理最重要的第七次會議，從六月廿七日在倫敦開始後，已於七月六日結束。

這次會議之所以被認為重要，大抵是基於第一點，是……英聯邦的經濟勢力的縮小，第二，英本國西德和日本在東南亞等地之商業競爭，東南亞的市場……

畫餅充飢的

國的戰後金和美元的存儲，比一是到去年底，英國的黃金和美元存儲為二十億美元，比一九五四年底又少了大約四億美元，這在過去年八月但英鎊曾一度流通到十八億三千萬元。但英國經濟的危機實存于英鎊尚未完全歸功於英國的管制。這說明英國今年度的經濟新備增加的速度，其中……

英國的如意算盤

了近一億五千萬英鎊貿易逆差，比去年全年增加了一億五千萬英鎊，而是五千萬英鎊的逆差，不是好景……從上述的經濟情況，使人了解英國力……

最近兩三年內，更由於日本航運的拓展，東南亞的商業和中東的市場，要由英國在東南亞和中東的地位，日本上在中東的市場中，英國已失去大部分主要地區，南洋，地帶市場，向東南亞帶下手，用傳統的商品市場，此小，在此次聯邦總理會議上，逐漸有了決議：聯合促進日本與中共間的貿易關係和協助日本貨物對於中共……

支離破碎的第三勢力

所謂英聯邦第三勢力，……

結論從未能判斷卻有一……

「第三勢力」是有其若衷的。英國成為「第三勢力」，是有其若衷的。由于英國本身出口減少，生產萎縮，通貨膨脹，及其逐漸加強的財政困難，此時此際……吾人以為……中近東和遠東地區的傳統市場也逐漸相率縮小，

……

半週述評

·司馬璐·

美國「鼓勵中立」

對於中立主義，我們喜歡不喜歡是一件事，而最近一個時期它的囂張，則又是我們必須正視的。埃及總統納蘇，已經到達貝爾格萊德，埃及、南斯拉夫、印度將於本月十七日舉行中立國的「三巨頭」會議。在最近的英聯邦會議的公報中，又居然說到「承認中共不宜過遲」。

在最近的日本大選中，中立主義傾向的社會黨選票也增加了。中立主義何以如此囂張，美國之「鼓勵」應居首功。

尼克遜之言

有人認為筆者對美國這一指摘是不公道的，他們指出，尼克遜最近在遠東之行中，評論中立主義時說過，美國決不同情皂白不分、善惡不辨的所謂中立主義。是的，尼克遜甚至還說：「余知世界上有一類人，以為對克姆林宮及北平採取友善之中立，即可以得到赦免，但古語有云：與魔鬼相處，惟有敬而遠之。」「共黨為冷酷無情之主宰，凡認為可以憑恃謀略取勝共黨，乃冒犯一可怕之危險。」

愚蠢與狡猾

毫無疑問，尼克遜對于中立主義的這一分析，是透澈深刻的。但是，今天美國對中立主義者所採取的具體政策，實際上與尼克遜的言論並不一致。

美國與蘇俄對中立主義的政策，前者是愚蠢的；後者是狡猾的。美國對中立主義的政策何以是愚蠢的？美國在口頭上打擊中立主義，在行動上鼓勵中立主義。蘇俄的中立主義的政策何以是狡猾的？蘇俄製造中立的戲法是成套的，當中立被扶起以後，就要求你從中立的地位再向它靠近一步了。

「美援」變成「援共」

美國「鼓勵中立」，巴基斯坦，菲律賓都曾因此表示過不滿。美國對于老老實實的反共者似乎並不感到多大興趣，而以「中立」作姿態，以敲詐手段的機會主義者，今天正身價百倍，大行其道。試想，在美國這種精神之下所產生的「美援」政策，豈不是正打擊反共士氣！

試想，在美國這種精神之下所產生的「美援」，豈不是要經由「中立主義者」的口袋變成「援共」，其中一部分

附庸比中立更好

蘇俄對中立國的真正面目，最突出的例子就是最近這次緬甸大選中，俄共和中共支持緬共及其他左翼黨派全力打擊吳努的事實。

是的，吳努是有名的「中立主義者」，而且不久前訪問過蘇俄和中共，「交情」應該是「不淺」的，但在一轉眼之間，共黨的利刃從吳努的背後插進了。

有人問，既然如此，蘇俄和中共過去何以要與吳努做「朋友」，講「中立」呢？

在蘇俄分化自由世界的策略中，中立比敵人好，附庸比中立更好！中立以後，俄共和中共有什麼理由不進一步扶植它的附庸呢？

危險的玩藝

緬甸的新總理巴瑞表示，緬甸願意接受美援了。任何一個中立主義者願意伸手和我們做朋友，我們也應該伸過手去。

但是，不幸的，在美國今天這種「鼓勵中立」的政策之下，給人一種印象：他們要把朋友逼成中立。應該說，這不是政策，這是危險的玩藝。

鐵路交通應有的改革

鐵路公路宜合併經營

特稿

· 木公 ·

鐵路自蒸氣機關發明後，始呈迅速地發展，其後有電車與電氣機車出現，近更見突飛猛進的狄塞爾電氣機車，與豪華壯麗構造完備的客貨車輛，相繼問世；但對鐵路車輛，離開鋼軌，即寸步難行一點，迄仍與十九世紀，鐵路剛發明時期無異。此所謂脫離鋼軌，即無用武地的交通機關，實即鐵路的一大缺陷；不過其能在以機動性見稱的汽車，與迅速舒適的飛機世界裏，仍為世人所不能放棄不用者，實以鐵路在大量運輸一點，仍較其他交通機關，有極優異的性能所致。試觀汽車遍地跑，飛機滿天飛的美國，其鐵路今尚未失掉存在的意義與價值可知。

今汽車與飛機，所載運龐大數量的客貨，原皆由鐵路與輪船一手承運；不特此也，汽車與飛機，刻仍繼續以蠶食鐵路與輪船客貨運輸的姿勢，日形壯大，難怪美國一級的鐵路企業，亦陸續地失掉其昔年獨霸陸運界的光輝。

[illegible]攻復國後，改良提高大陸鐵路機車的動力，似應訂購輕型者數輛試用。

合省內銷的烟酒水泥糧食肥料等等，每年在押運包裝裝卸搬運裝卸方面，所用掉的金錢為數甚鉅，鐵路若能經營貨運的業務，運輸過程中的浪費，既可節省，減此生產成本，國產品與外貨始可在國際市場一競勝負。

台鉄主觀困難何在

台灣鐵路，原有其先天上的缺陷，既遭太平洋戰爭的破壞，光復後，又仿大陸上的制度，硬與鐵公路局分家，各立門戶，鐵路在上述新興交通機關的威脅下，營養不良，體力日衰，負担沉重，疲勞喘息之餘，顧不到採擷各國鐵路現代化優點，從事企業化效率化的運營；更加以財務上，內受限制運價，統收統支，扣繳盈餘的限制，外加軍公學生，民生必需品，免費減價，專價特價的負担，更談不到推行收支經濟合理的經濟計算制度，實行企業經營的自主化了。

狄塞爾機車的利弊

年來此一老大交通機關的鐵路，又於台北台中高雄間，開行飛快車，開辦零担混載，整車混載，零担包裹等途等項新興業務。採用狄塞爾機客車，開行幹綫飛快車，在我國原屬劃時代的創舉，極為世人注目；但以普通柴油引擎，實行集中控制內聯掛，每車不過七二座位，無牽引其他客車餘力，似又與鐵路以長途大量運輸的特長不合。隨此補機車，係依照凌鴻勛先生建議所購，惟不悉是否指今為美國大量採用，日本金澤鐵路局所飭用的，狄塞爾電氣機車（Diesel Electric Engine）？否則柴汽油市價相差有限，燃料費節約無幾，對鐵路經營經濟化的貢獻既微，其於疏運幹綫擁擠的客運，裨益尤小。至於以柴油引擎發電為動力的狄塞爾電力機車，車身較重，台鐵綫路設備，能否負荷，固有待研究；但在起動快，牽引力大，作業時間長，行駛千餘餘公里（等於縱貫綫三個往返，可抵蒸氣機車數輛用）後，始進車房清掃檢查加油等特長，為了研究反[illegible]

對客貨運業務的建議

加強運營能力方面，宜就所有龐大數量的員工中，發掘潛藏的能力，以招攬乘客言，鐵路為何不響應社會要求，倡導舉辦觀光事業（除組織旅行團，發售來回票以外，要做的事還很多呢）？零担包裹接送用的工具，今仍以三輪腳踏車招搖過市，既表示鐵路當局，在政治上的懦弱無力，對拓展業務缺乏信心，尤無意表示公路對鐵路的一種諷刺。鐵路原為一高度機械化經營的企業，欲充份發揮鐵路運輸，經濟迅速大量的功能，必須採取汽車機動性的優點，適當的兼營汽車運輸業務。一方仿英國鐵路，實行所謂的地區接送計劃（Zonal Collection Delivery Schemes）——即前一日接受的零担貨運，準於次日送到門前的服務；一面購置拖拉車（Tractor），改造平車增加裝貨箱（Container）業務，辦理烟酒糧食水泥，自貨倉拖運貨箱至平車上，運抵到達站後，再自平車拖運至收貨人倉庫卸貨的業務。

陸上交通應一元化

吾人為了儲備反攻復國的力量，對國民血汗投資建設的公路，再不忍坐視其浪費蕭條的現象了，況當世界鐵路，已失掉其高度獨佔性的今日，惟鐵路主管當局，仰體時艱，珍惜外援，[illegible]接受交通工具，[illegible]設或迅將國家陸上運輸[illegible]的公路局，改組為一有自主（Autonomic）經營能力的企業化一元化，配合反攻國策需要的陸[illegible]

比外關於興建鐵路，需效率不大的新路，與地方人士要求的臨時車站，亦宜慎重考慮，昔年鐵路以鳴放汽笛一次，消耗五分錢，尚嫌浪費，另於機車按裝鍋鈴；列車客貨每停車一次，銅鐵輪軸輪瓦磨損，燃料油脂消耗，不知高過汽笛一聲若干倍。地方良好公共關係的建立，非犧牲全體國民的利益，所可倖致也。

運機構，將行政監理方面的事項，另設行政監理機關管其事，則鐵公路對國家軍事政治經濟，以及社會大衆福利上的貢獻，更可使得公平合理發揮。再如政府對於鐵路在獨佔時期，為保護一般民衆利益，所訂定的運價限制，尤宜參酌一般物價水準，研究改善。

觀世界各國鐵公路運輸新趨勢，非如此殊難啓發運輸企業化經營的意識，提高員工服務精神，尤難使國民享受良好的服務。鐵路過去[illegible]的缺陷，中外皆同，台省今日，欲謀補救，殊非鐵公路合併，重新劃分行政監督與企業化運營二單位，不克從事近代合理化的運營。

俄帝大戰略：反·美·戰·爭

世界發生「錯誤」

（上接第一版）

此由在共黨看，世界發生「錯誤」，而不是「偏差」，是一「基本錯誤」。此尚須解釋。

我們知道俄國河道甚多，全長二十二萬哩。十九世紀末，俄國學者（包括克魯泡特金在內）發現俄國河道「錯誤」，[illegible]三分之二強全無用處。[illegible]

[illegible]給此說以歷史哲學依據。歐洲快完了，俄國時代即將到來。[illegible]

愈自由愈民主，其反革命愈凶。這便是美國。」他希望日美戰爭，英美戰爭。史達林曾咒駡「英國是世界反動領袖」，並教訓共黨要學「俄國人革命，美國人辦事」。在後一點，他比我國只懂得美國電影的人，懂得美國較多。反英是美之餘，他講列寧的話，出現一個夢境——英美大戰。一九二八年史達林以先知的姿態說：「今日最基本問題，即英美世界爭霸問題。英國日落，美國日興。基本衝突會帶來什麼呢？戰爭。在兩大巨人衝突時，他地是大太小了。」他們將用武解決世界霸權問題。」在二次大戰以前，全部共黨理論之嚮慌論，除了資本主義恐慌論外，帝國主義矛盾，其最大頭彩，[illegible]

寄托于英美戰爭。這一套理論之總工程師，是俄籍匈牙利人瓦爾加。他主持「世界政治經濟研究所」，每年出四本年報，結論總是這一套。當我旅行俄國時，瓦爾加算是他們的聖人。他擁有的書不少。我曾由他的圖書館借閱書籍。

但一九四六——七年間，瓦爾加發現世界政治經濟又有問題了。在他新著「二次大戰結果：世界資本主義經濟之變化」中，他雖然預言資本主義終須崩潰，但若干年內還不至於。這就是說，他已發現「世界政治經濟有錯誤」。這是一個不小的發現。當時日丹諾夫派正得勢，他對瓦爾加的發現，他不信。瓦爾加的攻擊。他的研究所合併，被斥為「[illegible]」，並被迫認罪。但日丹諾夫不久暴卒，馬林可夫得勢，瓦爾加重是第一個經濟學家了。一九五二年史達林的「社會主義經濟問題」，據說他是個正槍手。馬林可夫一派思想，是受瓦爾加影響，承認瓦爾加發現的。

要之，美國資本主義毫無崩潰之象，而英美不僅不戰，反而日益成為「集團」。這是世界政治經濟的「基本錯誤」。而更壞的，美國正對俄國布置全球包圍。世界不戰則已，要戰，不是帝國主義戰爭，而是反俄戰爭。這眞是要命的「錯誤」！

如中共所言，共黨之「長處」，即在能承認錯誤。但如此嚴重可怕可惡的「基本錯誤」，使他們戰慄。史達林在死前之「經濟問題」中，說英、法、德、日、之反美戰爭「可能性」，仍大于「反蘇聯戰爭」之可能性」。不待說，這只是恐怖之餘的希望。此時此後馬林可夫之流，也重複拉恩之言。不待說，這是為「領袖」壯胆的。

變反俄戰爭為反美戰爭

受瓦爾加影響的（日丹諾夫的幹部）馬林可夫之流，比史達林更能面對現實。既發現世界政治經濟有基本錯誤，當然要另想辦法。現在，不但美國留學生米高揚承認美國資本主義正在發展，連赫魯歇夫，也要「重新研究美國」。於是中共，也說要學習美國資本主義經驗了。

迫近的，不是英美戰爭而是反俄戰爭：這是俄羅斯之煩惱，這是戰怪的恐怖。

於是便產生了共黨的大戰略（Grand Strategy）。這便是國際政治上的達維多夫計劃——即所謂「和平共存」。這大戰略有四大目標：

一，阻止，避免，延遲反俄戰爭；

二，製造，挑撥反美戰爭；

三，縱使不能挑撥英美戰爭，也要分化英美；並盡一切可能挑撥任何地區之反美運動，反美戰爭；

四，萬不得已，也要命令中共對美國發動戰爭。

最況俄帝任何行動與姿態，都可由此大戰略解釋：變反俄戰爭為反美戰爭。照「辯證法」說，一切是可轉變的。

其實，中共「抗美援朝」，即此大戰略之第一步。所幸美國強大，只好收兵。此後俄帝高唱和平共存，就是這戰略之有意識的運用。這不僅意在緩和反俄戰爭，而且藉此佈置反美戰爭。現在俄帝在中近東活動自然也是這戰略運用。最近塞島炸死美國人，路透電說是炸英人之誤傷。我想一點不誤。這是故意炸美國人的。這樣的事，今後還會到處出現。而最近周恩來的廣播，就是這戰略第四點的運用。

今日歐美人士只知俄帝笑臉更可怕，而不知其所以然。也的意思是：反俄戰爭——NET，反美戰爭——DA，這才是「和平共存」之秘訣，內的辯證法的精髓。

關于清算史達林

既要改造世界，也不能不改造自己。明乎此，我要談談清算史達林。

俄帝的內爭，當然都由于爭權之鬥爭，然從來是因對外問題而起，至少要以對外問題為題目。列寧在此時，有布列斯特和約之爭。此後史達林托洛茨基之爭，由中國問題而起。日丹諾夫與馬林可夫之爭，由對歐政策而起。此後貝里亞、馬林可夫之倒，背後都有一個對外政策問題。「和平共存」之大戰略是一致的。但執行戰術，意見不同。

姑且分為緩進急進兩派。前者認為和平共存時間可能很長，亦應設法延長。後者認為和平共存時間不會很長，而對蘇俄力量，亦有較大之自信。所謂輕工業重工業問題，乃是緩進急進兩派之內政版。就陣容而言，不是固定的。大體而言，貝里亞馬林可夫米高揚可說是緩進派，而赫魯歇夫[illegible]。清算史達林問題，也必由此着眼。

我相信史達林死後，其黨徒已經十分明白，其領袖有錯誤，而是世界錯誤，而是局勢日益緊張，國內人民不滿，各國第五縱隊動搖，除中共一外，且[illegible]。除和平攻勢為外，對內亦是轉變政策，是開始貶抑史達林，於收拾人心，並患自由世界軍[illegible]及附庸，溫一九三五年後人民陣綫運動；這運動是後來挽救俄帝脫離第二次大戰敗局之姦全辦法。我曾指出，這新路綫之倡導人，實為貝里亞。但貝里亞走得太早，太快，為急進派所乘，送了性命。貝里亞之死，軍特務分化，軍人抬頭。軍人實成急進，實成反史達林。馬林可夫實友朱荣，亦不能久于其位。於是赫魯歇夫勢。但赫魯歇夫又有什麼方法不行貝里亞的政策呢？（以上均見「世紀中文錄」）嗚呼，貝里亞死得好不冤枉！

赫魯歇夫得勢以後，內外都無眞正成就，還想做史達林第二。於是米高揚以及朱可夫之流，遂反史為名，批評赫魯歇夫。在俄共二十次黨大會時，我曾作此分析。不久，二月二十四日，赫魯歇夫在秘密黨幹部會上發表千古妙文，臭駡史達林。這只是說明俄國內部反共反史情緒甚高，赫魯歇夫只有犧牲史達林，並表示共乃眞正老牌的反史達林者，才能鞏固他的權力。而後受乃至加以實行反對派的主張以打擊反對派，原是史達林老手法。關于清算史達林，現至少有五六種解釋。有的以個人原因解釋。有的說俄國社會已有所變化，有一種所謂「新的階級」抬頭，米高揚即其首領云。有人則完全看作俄帝之騙局，赫魯歇夫大演策略。我以為俄帝之演前後赫魯歇夫之反史運動分開（一個俄帝演之妙），決不是俄國社會變化的結果，也不是俄共深思熟慮的策略。這原是俄帝自己形勢[illegible]林，死後嚮于[illegible]險惡，然內爭激烈；內措施之一，赫魯歇夫之魯莽，結果出軌了。而俄帝與赫魯歇夫將很快自食其果的。

俄帝自知處境，知道世局嚴重，實在萬打不得。也知道與國比，只有打，與民怨結合起來的內的弱點。收，也不能拖了，戰，他必盡一切可能拖延戰爭（一至九五五年一九六〇或一九六五年，爭取時間，佈置反美戰略：變反俄戰爭為反美戰爭。七事：是拚命「進行列事，到東方去」之時去」。這是今日俄國的口號。此即加強西伯利亞和蒙新疆的工業原子工業，軍事化；強化對中共之控制，或配合，自是而二，亦是題中應有之義。二是宣佈裁軍，經濟和美國緩和，法軍，。三是對印度統一，阻撓中東，乃至東南亞及中近東的經濟活動，面收公路機關物資，全乘，中立地四，暗中進行滲透運動。四，紅旗上滲透活動。如上再白粉，赤化情報局，揉散狄托五，以活處人實，交換英國，可能動迎力，實如，個情實同燦，六，對內端算史達林。清民族表示小惠，少數民表示讓步，附庸國反抗周恩來的廣播，以及海外對台灣人的美，和最近內部及最近中國外，所以代表的七，是，陰謀了。這是五花八門的，然也忙手亂腳（六月二十九日）。

台北速寫

大工程

喧傳已久，台灣東西橫貫公路，本月開工了。這條公路穿越中央山脈蜿蜒絕巘，工程非常艱鉅，預定兩年半後完工。該條公路完成後，不僅東西交通可獲改善，山地同胞生活也可提高，東部的開發對經濟上的貢獻也大，並可增加二千四百公頃耕地。當然，在軍事上也有其重要的價值。

開會忙

台灣各級人民團體日有增加，全國性的及全省性的大小團體當有數萬。此固然是民主的好現象，但是社會上的工商文教乃至婦女領袖人物都太苦了，往往一人兼一二十個理事，而天天忙着開會，演說，却不能做一點實際的工作。最

反對袍褂

羅家倫為提倡簡體字，該大家駡了一陣之後，已久無動靜。最近為了艾森豪總統致蔣總統函的譯文問題，在報上又發表了一篇短文，主張以後重要文件都用白話翻譯，以免與原意有出入。他說現在必須反對「袍褂主義」。羅家倫在此間一般官員心目中，似乎不少反感，大概就是因為他仍搁住「五四」時代，而為新文化說話吧。

近又出現了一個台灣省國民精神總動員委員會。精神動員一詞，是抗戰時的產物，成績如何，不用多說。今天還注重實，似乎不必把這些大題目搬出來賣弄了。

要人嘆窮

青年救國團負責人胡軌，也是當今黨國要人中不免愁窮的一人，最近他為了太太病倒，家中無人燒飯，曾撰小品文發抒感慨，頗得人同情。不過，各縣市青運負責人，情形較為不同，他們生活比較好。這又說明在地方上當官的，一般都比在中央當官的舒適些。

· 杜衡之 ·

從葉外長在立院的報告 談到如何爭取華僑

海外輿論對此均著論批評

外交部長葉公超日前在立法院外交僑務委員會舉行的座談中，報告這次訪問泰國、高棉之行的觀感，認爲「今後我們必須維持增進東南亞華僑的繁榮生活，不能空談主義理論，要以貿易來對中共的貿易作鬥爭，要以實際的援護來對付中共對海外華僑的誘惑。」葉氏又說：「值茲共黨向海外僑胞大施商業引誘之際，吾人不宜僅以主義理論來策勵僑胞，須知主義與理論，並不能爲生存因素的代用品。政府今日如欲協助僑胞抗拒共黨之誘惑，切實步驟，以保護華僑在海外的利益」。葉氏這番話，立即得到了香港輿論界的共鳴。

香港僑胞何以反共

說起香港僑胞和祖國的關係，可以說是比較特殊的，誰都知道香港僑胞的反共是最澈底的。由於中、英關係的變化，香港當然沒有一個我們辦理僑務的人員。香港僑胞困難的時候，香港常有「官式大員」去東南亞甚至歐美各地宣慰，卻從沒有一次，政府派出了即使有時會路過港的，那也祇是「過境」性質而已，一般說來，祖國對香港僑胞的關係是很不夠的。

港僑對政府的貢獻卻是從不後人。香港的僑胞爲什麼反共得這般澈底呢？一句話說完，那是他們與共黨的接觸，他們對共黨知道得太清楚了。他們憎恨共黨是有理由的，他們的貢獻卻是無條件的。今天，在香港的僑胞能夠鼓勵他們更加反共的，就是我們的僑務。

葉公超部長的談話中，還提到「興論」，這也是反映到一部份僑情。

香港時報指出：

中共透過統戰對國內人民是用「思想改造」的暴行，從事洗腦工作，但對海外華僑另是一套。它宣傳「祖國」如何強大，同時生活如何優裕，人民便利，再借某些親共僑胞加以政治壓力，它在大陸上迫使人民必須學習服膺那一套主義理論，却不施之於海外僑胞，但以商業利益爲釣餌。

示恩市惠，予以若干生活上，對海外華僑取統戰策略，即利用各種機會，採納，專作八股式的說用，不宜濫作鋪張，我們必須研究其實際效果。

我們兩面對著共黨這種統戰魔術，而僅以思想理論宣傳，而無實際有效的對策，那是絕對不足以制勝的。我們應該檢討改進的地方更多了。例如海外華僑無法購買台灣出產的水泥，這當然亦是顧慮有資敵之嫌，並不需要從海外輸入水泥了。至於年來香港從臺灣購進豬隻一事，原係由於中共政府以停止豬隻出口來困擾海外僑胞的日常生活，因而輸給於香港消費的。這項貿易，乃含有濃厚的政治鬥爭意義，我們應該以全力來支持這件事，才是爭取華僑向心力的有效方法。

星島日報指出：

本的兩種顧慮中，自己早已封鎖禁運，專就政府的財經利益設想，似乎亦有改進之必要吧。

政治鬥爭如其沒有經濟鬥爭相配合，結果是流於空虛無力。

對於僑欵的匯兌方面，更不能不顧及僑胞的利益，即停止輸出而不顧，斷錢不能輸入，就斷絕了鬥爭的效能。把能夠援助僑胞的事，要從各方面更加努力，政府在這方面有責任，不只是做幾件事，而是要以政府的力量來實實在在做事。即如經濟方面，從大陸上一切特殊的出產，中共搶佔海外的市場，嚴禁辦港貨、共黨的經濟鬥爭陣線，向海外發展，有以致之。

多年來，政府對於華僑始終缺乏認識，缺乏了解，因此在海外華僑便越來越疏遠，政府應當把昔日被孫中山先生譽爲「革命之母」的華僑，現在都成了祖國的海外遺民，缺乏團結，惟有憑藉其堅苦卓絕之精神，繼續其艱苦的生存，但是，華僑內心是熱愛祖國的，祇是缺乏一番心腸了，華僑既時代改變了，但對熱愛祖國的心，一點沒有變。他們雖然身在異邦，但是，無時無刻都是心在祖國，祇要能夠把握祖國建設，祖國有需要於華僑時，踴躍捐輸，出錢出力，從不後人。

華僑這樣的民心，民氣，與民力，就是祖國的一大力量。政府如果放棄，任由民心渙散，民氣消沉，民力消失，那麼國家雖當前，政府已急於反攻復國之際，又焉能任令此龐大之民心、民氣與民力消失於無形？因此吾人認爲政府對於海外華僑應加緊聯繫，加強聯繫之道，固然一方面需要以事實來說明「官辦」可以收到宣傳的效果，更不是派大官到海外，一般說來，實際需要，並非僅以外交、政府當局的實際接觸，如能以援助華僑工作上的實際需要，政府的政策，與實際的處理，這是中國所急待解決的問題。

行的貿易政策，外匯辦法，以及分所負責方案，以其作爲一次有系統的檢討，實實在在的改進，確實爲當務之急也。

自然日報指出：

「葉外長最近訪問過東南亞若干國家，實地看到中共在那一方面的貿易攻勢，華僑，彼此互相關懷，關顧華僑，切實團結，然後可以於事有補，中意志，以爲國家效力。」今後尤希望政府當局能按就實情，切實協力，集中力量，並且從僑領口中體到不少寶貴的建議，他是本乎實事求是的精神，才會說出這樣明快的話。他已看到自由中國在海外對共黨鬥爭的策略和技術，已到了非變不可的階段了。

幾年來，中共視海外爲一個戰場，不論政略戰略或戰術，都已改變過好幾次。我們反共的決心是不變的，但策略技術却無一成不變之理。政府當局如果漠視中共在海外爭取僑胞的戰略和戰術的改變，本身却永遠一成不變地以空談主義及理論爲滿足，那當然是危險的。

鞏固海外僑胞反共陣綫，不再空談主義及理論，實事求是，當變即變，尤其重視經濟的協調與貿易的聯繫。這應該是當機立斷的時候了。」

青年呼聲

請給我們精神食糧！

方志仁 · 王自珍

有人提倡讀經，說可以挽救人心，還有幾個疑問，藉此提出，請教高明：

（一）

我們是迷途的青年嗎？假如是的，同學李君的想回大陸升學，並使我們感到悲傷和苦悶，但是我們的知識，是強的。不幸得很，但在慈善感覺得迷惘了，真理在那裡？光明何在？我們不曾是盲目者，無從摸索，有誰能來指導我們的出路呢！

（二）

我們不喜歡共產黨那套以殘害人民來達成政策的作風，我們閱讀過一些反共書報和自由言論，不過這些好像藏書和種滿，有些祇是精神的零件，而無法裝配成一具可以發動的機器。我們需要的是：針對現代一般政治性的整套理論——建設性的理論，猶之乎我們需要一架能開動的汽車，需要一條向前光明前進的大道。

（三）

我們時常接觸到眼簾的所謂文學，不是花香鳥語，便是君帶風流；不是標榜目炫，便是誇飾鬪豔。許多色情淫誕的女郎那宗案情，一般無異是帝，不脈求詳池，一動一靜，一字一句，都細心採訪，悉量登諸報端。有人估計刊載該案的紙張，超過在五十噸以上。這對整個社會來說，所得的是什麼呢？是好還是壞呢？

不禁要大聲疾呼：我們的文化道德何處去了？還是爲了生活，而執筆投機嗎？還是爲了苦悶，而盡情暴露？這是負有時代使命，為青年指引做人路綫的態度嗎？

（四）

抵抗共產學說，我們知道，古代經典，內容深奧，便能抗拒人類的慘痛，即走黨對奪人民的「挖」，不是「讀孝經以退黃巾賊」的一套呢？這說來，不是「時代的需要呢」？這是疑問之一。

又有人以佛家因果之說，來解釋今日共產黨的暴行，說數千年來，封建制度，習慣於富貴凌迫貧賤，造下了因，現在共產黨盡情報復，便是果；報應完了，共產主義和資本主義，便是樣一個合理的制度。將來代之而興起是一種合同消滅的制度。這些玄之又玄的說

土地政策，是否仰照合灣的方法施行？抑或另有高明的計劃，又所謂節制資本，不知合灣已辦什麼程度？凡此關係國計民生的大政，現在我們都無法得到滿意的解釋。這是疑問之三。

現在許多人反對共產黨，但似乎有些人，對貧苦疾苦，對他們無理斥罵，在過去宿命論流行之時，受者祇有飲泣自安命賤，在今日被壓迫者的心理怎樣？大家總可以想像到吧。社會上許多不平等的現象，都是引起人們的憤恨的，憤恨什麼呢？憤恨上帝安排的偏差。並且一定有人要衝破這個安排的呵！這些人便很容易走上共產的迷途了？這是誰人應該負責的呢？這是疑問之四。

法，我們是不能懂得，所謂合理的制度是甚麼呢？這是疑問之二。

自然孫中山的「平均地權」，節制資本」是針對着當前過渡殊的設施。我民黨已在台灣切實推行「限田減租」及「耕者有其田」的辦法，聽說成績尙佳，但我們佃有某種耕地，又有日人遺下的公營企業如林業公司、台糖公司等，可以移殖地主以抵償徵收的地價，又有大量公地發放給農民，中國大陸恐怕沒有這樣優越條件。如果反攻成功，將來的

同學李君，埋頭學業，原是班裏最優秀的學生。祇因家境困難，受盡奚落，遂憤而要作「回大陸升學」的嘗試，我們無法轉變他的觀念，我們固爲李君惋惜，同時亦何嘗不爲自己惋惜，我們應走的甚麼道路呢？這是疑問之五。

瘋狂自然不是人的本性，但因社會的引誘和鬱迫，往往使人不自知的陷入瘋狂。像我輩一知半解的青年，無論富貴貧賤，無論智愚賢不肖，終日植植憧憧，橫衝亂碰，多少都有點瘋狂之態了。怎樣才可免於瘋狂？才可有一條和平安全的道路？這是疑問之六。

（五）

許多人都說，注意青年人呵！可惜祇注意到青年人的外表行動，沒有注意到青年人內心的空虛徬徨！文化工作的先知先覺者！請你們負起時代的使命，給我們需要的精神食糧，填補我們內心的空虛，給我們正確的方向，指導我們如何走上康莊大道！我們現在已在歧路上，我們現在正在徬徨中，等待你們呢！

人物

吳其祥及其蓋氏計數器

·子明·

目前人類對於放射綫測定，進而對人工放射性同位素從事研究的有效儀器，是GEIGER與MULLER兩氏所發明的「蓋氏計數器」，台省除台灣大學醫學院已組成一具外，高雄醫學院青年講師吳其祥研究經年所自製成的「蓋氏計數器」，要算是一件值得讚揚的偉大貢獻。

吳氏的「蓋氏計數器」共分兩部：一部爲計數部，另一部爲計數部。惟其中綫路組織，與台大所有者，稍爲不同，但使用效果絕佳。吳其祥係台灣省台北縣人，現年廿八歲，國卅九年畢業台大物理系後，即自行開始其研究工作，台北各大圖書館，成了他常跑的地方，直至前年七月，受聘高雄醫學院，担任講師，已迄於今。他對於放射綫方面的研究，有很濃厚的興趣，也有很深遠的心得。

據吳氏自己表示：他自製此具「蓋氏計數器」以幫助他進行研究工作的動機，早在數年以前。當時因經濟情況欠佳，無法使他展開預定計劃，直至獲得彰化銀行給與他五千元新台幣的研究補助費後，始於去年七月間着手組製。在此歷時將近一年的組製過程中，爲搜購所須零件，他曾跑遍台北、高雄；爲解決若干技術上的困難問題，又曾遍翻中西有關參考書籍，一切一切，都是自個兒在摸索和探討。他說，他之所以如此日以繼夜的研究它並希望早日完成者，是因爲受到一種追求新智識與新經驗的慾望所鼓勵。

吳氏製作此具「蓋氏計數器」的最大目的，除希望對於放射性同位素進行一般之研究外，主要爲有關醫學方面的研究。吳氏說：人工放射性同位素是以人工方法製造之特殊物質，其化學性質與普通物質無異，只多帶一種強烈的放射性，其應用特點，即因帶有強烈的放射性，其極微量的存在，亦可由其放射綫之測定而檢出，且能定量之，其精確度可達普通之化學分析幾萬倍以上。現在放射性同位素已經廣泛地利用在物理學、化學、生物學、醫學、農工業學科等各部門，應用此方法後，尤其在擴散、溶解、原子交換、生物體內之物質循環等現象之研究上，已發揚絕大的效果。

由於吳其祥此種不避艱難，不斷努力進行研究的表現及目前之成就，已獲得各方面人士的鼓勵與勉勵；高雄醫學院院長杜聰明博士亦公開表示：嗣後在吳其祥對放射綫之研究工作上，該校將隨時給予金錢或物質上的協助，以助其研究工作的展開。相信今後的吳其祥在有利的研究條件之下，一定會帶來醫學界驚人的成就，讓我們拭目以待。

（七月八日）

徵稿啓事

△本報擬徵求下列諸稿：

一、三千五百字至七千字左右的短篇小說，不限體裁和故事內容。一經選用，優先奉送稿酬。

二、台灣及海外各地自由文壇的動態報導，作家生活素描及過去文壇珍聞。每篇以不超過五百字爲佳。

三、介紹海內外自由科學家、教育家、實業家、醫護、工礦業工作者的人物事稿，對象以現在從事於工作者爲最佳。來稿不宜超過一千五百字。關於軍政界人物稿件以散見各報者已多，請暫勿惠稿。

編者·讀者

△讀者來函——關於陳逸凡先生的略歷

編者先生惠鑒：六月三十日本刊中梁寒操先生的一篇「悼念逸凡兄」的大作，讀來不僅令人對逸凡先生有「哲人其萎」之同悼！且逸凡先生卓然特立之人格，治貫通之學問，綜覈名實刻苦奮勵之治事精神，經寒操先生之「生花妙筆」予以撰述後，大有音容宛在，躍然紙上之慨，益增世人對逸凡先生高山仰止之情。該文雖短短二千多字，蓋已盡其載道之義，悼惜之懷！乃寒操先生未敘及逸凡先生之姓氏籍居與略歷，此在深知逸凡先生者，固不待贅及，但在不知逸凡先生爲何許人也者言之，則不能不微有惘然之感！且此文傳之異日，更有令人無從查考之慮，此點似爲該文中「美玉微瑕」美中不足之小疵，盼寒操先生有以補述之，俾資國人之共仰共悼！彰賢者之德，存哲人之跡，斯諒亦必爲寒操先生所樂爲者也。

耑此並頌

撰安

讀者杜作棠敬上

七月二日

（按：關於陳逸凡先生之籍歷，可參看本報六月十三日五五一期第二版邵鏡人先生「憶陳茹玄先生」一文。——編者——）

自由談

我對美國的誤解

馬五先生

據紐約時報記者說，美國與中共在日內瓦的談判，還要繼續下去，因爲這「除了人道問題外，亦是使中共未對台灣外圍島嶼進行軍事攻擊的一項重要因素」。換言之：若不是美國與中共有此牛皮式的和談，共軍早已進犯金門馬祖了！其然，豈其然乎？

中共之遲遲不敢對台灣海峽黷武，固然是顧慮到有與協防的美海軍艦隊直接衝突之虞。可是，共黨的慾望並不在乎佔有金馬這一二個島嶼，而在控制整個台澎。只要美第七艦隊未放棄協防的義務，即使沒有日內瓦談判，它還是不敢亂動的。這是力量問題，與談判無關，只有故意裝傻的姑息主義者，才認爲把金馬奉送給共黨，即可相安無事哩！

中共扣留着十幾個美國人，作爲勒索美國的工具，白宮若不能溫習一九四九年艾契遜主義的教訓，宣告台灣地區不在太平洋防綫以內，下令撤退第七艦隊與旅居台灣的美僑，暗示共軍趕快進攻的話，即邇談只是以釋放人質爲日內瓦談判的主題，又何必談甚末與中共聲明對台灣地區不用武的廢話呢？你要他聲明不用武，他就要你舉行外長會議來對解，再進而正式承認他的僞政權，自係題中應有之義，結果美國乃變成「嗜表攝來賓」了！

白宮當局以爲祗要談判不破裂，中共就不好意思大打出手，縱使談上三五年，也不在乎，而且正是維持和平的上策。這樣天眞無邪的想法與作法，共黨心裏一定竊笑不已，艾克總統先生說是美國始終支持中華民國的政策，不容發生任何誤解。很抱歉，區區這個中華民國的人民，關於美國現行對華政策，不但滋生誤解，壓根兒就不敢信任哪！

贈：夏正儀醫師

丁懿安

往昔偶讀古人書，見有以良醫良相並稱者，以爲古人之意，不過就兩者均有能活人之作用而言。近年來，偶居海隅，閉門讀書，冥搜事變相因之來龍去脈。因而悟及良醫良相，不僅活人之目的相同，而兩者所運用之基本治理亦同。此「基本治理」爲何？即，「確辨病源，固本除邪」而已。古之所謂良相，即今所稱之大政治家也。而所謂政客者流，則不與焉。蓋後者不僅未具運用此基本治理之能力，且無此懷抱。因之，殃民有餘而禍國不足也。

行醫係處理衆人之病，政治乃管理衆人之事。病者以生命爲本，故醫家必須在善于保全其生命之大前題下，除其病邪。人民以生存及生活水準爲本，政府必須在善于保障人民生存與保持人民生活水準之大前題下，以言「革命」，言「建設」。因「民爲邦本」，「本固」始「邦甯」也。良醫治病，必深探病情及其所由來。辨「證」既明，始處方以固本，除邪。倘病者在最大可能之安全過程中恢復其健康。良相治國，亦復如是。倘舍此而言政，則政客之流亞也。其不禍國殃民也者幾希。乃今之言政者，常多不深研民間疾苦所在及其所由來，遂爾閉目立方，或引用絕不對症之成方，以欺人自欺。不知固本，只求除邪，竟以爲治國之道，盡在斯矣。不知充其極致，亦不過得俗語所謂「病固愈矣，病人死矣」之後果。例以醫林等第，固屬猶劣之尤者。病疾思良醫，世亂思良相，人之情也。良醫易求，良相難得。世之讀政治學而未成或有志于言政者，何不叩良醫之門而請益焉？探其治理，雖未必遽爾躋于大政治家（良相）之域，但亦可自安于政客者流之禍國殃民也。

醫夏正儀先生，孟河名醫丁仲英氏門人也。新遷診所于加連威老道二號。余之識荊，僅近半年間事。而以文字訂交，則在兩年之前。但耳先生之名，則屈指已逾十年矣，以往昔在滬，見親友中之體有不適者，輒多就診于丁夏兩先生焉，因而知之。近觀正儀先生之治病也，善能運用上古治理。蓋已深得孟河丁氏之學，參以精湛獨悟，而另具風格矣。回憶往昔，嘗以詩論交于若干中西良醫，引爲生平樂事。而於正儀先生，曾未能一面而于歇浦風平之時，而乃相識于港難甫來之後。人生聚遇，抑佛法所謂因緣也歟。

寄飛雲

夢玉生

寫出新詞意著辛，一回吟罷一愴神。瑤台百尺臨風處，猶記書名「譜人」！

深巷依依似昔時，斜陽猶照舊花枝。迎風不見驚鴻影，望斷柔腸君可知？

婦女文藝界新氣象

台灣文壇鼎足三分

謝青

自由中國的文藝團體，組織健全，首推「中國文藝協會」（該會簡稱文協），成立於民國三十九年，擁有文學、藝術界會員七百餘人。四十二年八月，又有「中國青年寫作協會」成立。簡稱寫協，會員約二千餘人，以全國大中學校青年學生居多數。

文協寫協競爭激烈

這兩大團體，表面上雖旗鼓相對，禮尚往來，幾個在骨子裏，卻互相「競爭」，「核心人物」得異常激烈！「文協」以陳紀瀅、王藍等人最活躍；「寫協」則由楊群奮等人出頭。其實眞正在寫文章的會員們，均潛心於研究寫作，而且大多數又是身居兩「會」之員，平時既無你我彼此之觀念，開會時等於藉此機會會會朋友，尤其是南來的不易見面的朋友們，而所謂在「爭」者，便是那些平時不大寫文章的文人罷了！

這種對峙的局面，至去年便已改觀，四十四年「五四」，婦女界的文友們成立了「台灣省婦女寫作協會」，除了所有的女作家都參加以外，還有不少極具希望的「小妹妹」，目下該會擁有會員二百多人，可眞已是集出了她們團體與個人的全副力氣，以「國際行動編印了一部厚達四百二十二頁的「婦女創作集」，該書已於四月份出版，列爲婦女文叢之一。集有蘇雪林、謝冰瑩、涂鍾佩、李曼瑰、李青來、王文漪、王怡之等人的散文。有王潔心、王琰如、王晶心、李蕙、林海音、陳香梅、琦君、張季琚、張雪茵、郭良蕙等人的小說。總計爲散文十七篇，小說二十九篇，質與量都可謂達到了足够的水準，同時，「婦協」並決定替她們的會員個人編纂，版各種書籍，均列入婦女文叢內。據聞緊接着「婦女創作集」即將出版的是王文漪的散文集：「晚來的明珠」。總之，她們的確致力是在爲婦女文藝而奮鬥！

據某女作家告訴我說，她們組織婦女寫作協會，絕不是爲了誰想把持這個名義，滿足某項慾望，藉此可以躋身在「大作家」之行列；或是搞運動，出風頭，而是她們覺得自己急切需要一個眞正彼此觀摩互相勉勵的文藝團體。她說她們會員之間親暱得如同姊妹。

聽了這位女作家的話後，忝爲男士之一的我，不自覺面紅耳赤，好不羞殺人也！

短篇小說　沈園春

慕容羽軍

這天，唐蕙仙回來還願，給靜修惹起了一片忿怒，晚上，她把這消息告訴趙士程，趙士程聽了，不禁興奮地說：

「呵，是她？是那唐家的小姐？」

「怎麼不是？」靜修跺足，說：「你又看上了她不成？我不理，你得替我作主，把她懲戒懲戒，也讓她知道老娘是不好惹的，否則，你以後別想來菩提庵了。」

「唐家小姐！」趙士程一字一字的咀嚼。

「拍！」的一聲，趙士程臉上着了靜修一掌，她說：

「唐家什麼小姐？你別想壞心肝，人家已經結了親，嫁了那位去年高中進士的陸大官人，還有你的想頭？總之，你得設法使她吃點苦頭就是。」

「她眞的嫁了？怎麼我不知？」

「唏！」靜修一聲冷笑，說：「人家的女兒出嫁，難道要稟告你趙太爺不成？」

「那不是這麼說，」他撫摸了一下靜修摑了一掌的臉頰說：「我趙大爺曾經向她求過親的......」

「現在，是陸家的人了。」靜修大聲說。

「你眞的要我懲戒她？」趙士程入了深思，忽然說：「除非是你幫助我把她娶了過來！」

「呵！呵！」靜修大笑，說：「好大的胃口，難道你有方法使陸家自行退婚？否則，又有什麼辦法娶她？」

「哈，......這就是我老趙比你高的地方。」趙士程撫着下頷，說：「人自有妙計，你放耳過來。」

靜修把耳湊近去，趙士程把計較告訴了她，她聽了拍着手掌，連呼妙計。

平靜地過了一些時日，陸游和唐蕙仙過了一段甜蜜的日子。一天，那位尼靜修失魂落魄的走到陸家，找到了陸母，告訴她說：

「昨兒菩薩顯靈，痛驚你家媳婦侮慢神靈，如不立即去庵裏禮拜一天，恐怕要禍及你們全家了。」

陸母聽了，大驚失色，連聲說：

「我老早就說過了，早晚是要出亂子的，如今果然應驗了。」

她連忙把唐蕙仙呼到跟前，致訓着說：

「你知罪了吧！神要譴責你了。」說罷，轉對靜修說：

「明天就去參拜吧，你給我作主，先向神靈禱告一下。」

「這個當然，」靜修微笑，說：「[illegible]一日時間，讓我們替她趕快預備多點香燭罷，讓她早些去庵裏禮拜，……回家，早晚，我自設齋供……」

靜修走了，這位善心的婆婆卻忙着參神各種瑣事，她卻惝然在旁不發一腔。（五）

同光風雲錄

夢山樓

梁鼎芬

梁文忠公，字星海，別號節庵，廣東番禺人。光緒六年進士，授翰林院編修，時年僅二十二歲耳。法越事起，奏劾北洋大臣李鴻章誤國罪狀，請明正典刑，以謝天下。奏入，不報，復追論，妄劾，受嚴議，降五級敍用。雖節庵之直聲已動天下矣。

言盡有淚淚盡血

南皮張之洞總督兩廣，聘主廣雅書院講席，後調兩江，又聘長鍾山書院。南皮赴湖北，參幕府事，時推行新政，凡關學堂事，事無鉅細，惟節庵是賴，奏保署武昌知府，復累擢按察使、布政使。奉旨入覲，而劾慶親王奕劻，袁世凱，謂其爲人謀邁衆，城府阻深，能陷人，又能用人，私黨佈滿津，狼抗朝列，虎視京師，臣不知自愛其官職，並不自愛其性命，但有一日之官，即盡一日之心，言盡有淚，淚盡有血......」此眞言人所欲言，亦言人所不敢言。不阿，降詔訶責。乃引疾乞退。迨兩宮升遐，萬里奔喪，痛哭而返。會南皮正在樞廷，亦不往謁。明年，聞南皮喪，再入都，親送至梁格莊安葬。而後歸里。及武昌首義，倉皇入都，以三品京堂，奉旨爲廣東宣撫使，而勢已去，無可挽回，且粵中紛亂，道阻不得達，乃自請罷免，願留守陵寢。奉旨在毓慶宮行走。張勳復辟事作，臥病強起，周旋事變，憂傷過度，逾年病卒，諡文忠。此眞孤忠耿耿，生死無貳之臣也。

節庵博學多才，守道重義，於四庫全書目錄，皆能背誦。每逢僚屬謁見，輒詢以曾讀四庫目錄否？有孔某者，山東曲阜人，候補知縣也。於四庫目錄讀之爛熟，一日晉謁，節庵仍以詞言問，孔乃高聲朗誦，節庵拍案稱賞曰：「汝眞不愧爲聖人後裔」。遂向上峯揄揚，不數日即授實缺矣。

四兩門包請聖安

節庵課吏，向無定時，僚屬晉謁時，雖二三人，亦可命題考試。某次，以司馬光爲題，有捐班曾某者，未嘗閱及史鑑，以爲司馬光，必爲司馬懿後裔，乃大書曰，司馬光者，司馬懿之孫也。節庵閱之大笑，即書一絕於卷尾云：「長家稍覷李家頭，漢宋何時闘始休？畢竟己寫還可取，務出一句一鈎輈。」因他卷竟有用漢司馬故事，且語語費解也。

清室既亡，所謂遺老者，多任民國官吏，獨節庵仗節不屈，且每謀入宮請安，其時，太監索門包四兩，方爲通報，節庵每照付。有好事者嘗爲詩以嘲之：「一律夷齊去做官，首陽薇蕨采難完，忠臣要算梁星海，四兩門包請聖安。」此雖一時噱嘲，然較之大聲呼萬歲，覗國事敵人者，其人格高下如何哉？（四十七）

念奴嬌　憶匡廬

孟玉

五峯雄峙，望鄱陽、千里澄清明鏡。俯仰古今興廢事，悵惘香爐煙裊。點將台荒，捨身崖險，陳迹存形勝。疊泉飛瀑，驚心仙蹤縱影。放眼樂嶂廬城，奇縱古樹，何處非幽境。豎子謀搖古劍，誤我金甌完整。雲海龍愁，松濤湧恨，往事深追省。長江東逝，叢林空聞鐘磬。

註：一：五峯指五老峯。二、李白詠廬山瀑布詩有：「日照香爐生紫烟」句。指香爐峯。三、點將台係三國周瑜練兵點將之所，台已廢，僅存台基。四、捨身崖係陳友諒敗於朱元璋捨身之處。五、三疊泉瀑布爲廬山衆瀑之冠。六、疊泉處有觀音岩觀音洞，相傳朱元璋幼時曾牧牛於此，遇觀音大士倏忽不見，該地乃名觀音岩洞，並於洞額題「竹影疑蹤」四字。七、伏滔遊山序有云：「重嶺樂嶂，仰插雲日」句。八、廬城指女兒城。該處屏峯連列，約四里許，形如女牆，稱女兒城，非實在之城也。九、廬山岩洞甚多，尤以佛手岩爲奇。十、婆娑古樹，亦名勝之一。十一、豎子二句指馬[illegible]湖七上廬山事。十二、雲海、松濤均廬山特有風景。十三、長江經湖口而東流。十四、廬山叢林古剎甚多，故云。

梨園趣譚

蘇軒

「楊派」別姬詩

舊時伶人，多是不識之無，更談不到文學修養，最糟糕的如楊小樓唱「別姬」中霸王唸詩「力拔山兮氣蓋世，時不利兮騅不逝；騅不逝兮可奈何，......」一節，竟唸成「時不利兮騅不知，誰不知，誰不知兮可奈何」，後之自命宗法「楊派」如採驪之流，也照唸訛。今人手中如有長城出品的「別姬」唱片，可能聽到這一節笑話。

「戰長沙」臨陣脫逃

梨園裏稱伶人性格吊兒郎當的，叫做「狗戎脾氣」，金少山大家都知道他是「狗戎脾氣」的代表，繼此則有馬連昆，在舞台上向角開嬲，喜的玩笑。其實這種不負責職業的態度，總之汪大頭（桂芬）早已首啓其端。汪個性強烈，主演時笑話最多，以前上上海搭班，每大貼戲，時常隨時不唱，有一次貼演「戰長沙」，臨時又告「請假」，戲院經理因營業關係，不准請假，並且在旁「照料」，實在是監視他上場，汪只得遵命勾臉扮戲，衫褲穿齊，尚欠盔靴髯口，忽然一聲稱要去小便，就此一去不回。到了鑼鼓響動，經理查知不妙，急得到處問，才有一個車夫說：「剛才有一個紅臉大漢，由後門出來坐車走了。」

自由人

THE FREEMAN

（第五六一期）

中華民國僑務委員會登記證台僑字第一零二號
中華郵政台字第一〇〇五號執照登記爲第一類新聞紙類
（半週刊每逢三六出版）
每份港幣壹毫　台灣每份新台幣壹元
督印人：陳文華
地址：香港高士威道二十號三樓
3 rd. Fl. 20 CAUSEWAY RD HONG KONG
香港業務接洽：高士威道20號　電話：七〇四五三
承印者：南華印務社　地址：打寧道十六號
海外總經銷：友聯書報發行公司　香港：德輔道中二十六號A二樓
台灣特派員辦事處：台北市館前街五十號
台灣總經銷處：台北市西寧南路壹壹號二樓
台郵撥儲金戶九二五二

「抗美援朝」眞相大白

·王厚生·

中共的「抗美援朝」運動是因蘇聯侵略南韓而引起的，也就是沒有韓國的戰事，才有中共的「抗美援朝」。

在過去，關於韓國戰事的起因有着兩種對立的說法，聯合國方面斷言北韓和中共是侵略者，雖然沒有明說蘇聯是幕後的主使者或眞正的侵略元兇，但聯合國方面曾一再要求蘇聯運用其影響力，勸阻北韓和中共的侵略行爲，這就含有蘇聯縱容北韓和中共實行侵略的意義。在共產集團方面，始終把戰爭的責任推在南韓和美國身上，特別指美國是戰爭的策動者。

證實史太林發動韓戰

事實上，韓戰是蘇聯發動的，是史太林發動的，北韓和中共雖然都是侵略者，但他們只是史太林的走狗而已，嗾使走狗的去亂咬人的人是史太林。關於這一點，共方的金日成和赫魯歇夫最近都已承認了。

根據七月六日英國「孟徹斯特衛報」所載，赫魯歇夫在二月蘇共第二十次黨代表大會上所作抨擊史太林的演詞中曾承認蘇聯發動韓戰，但這段演詞迄未加以公開。今年六月中旬，北韓的金日成經莫斯科訪問東德，根據泛亞社六月十四日柏林的消息，就說金日成在東柏林也承認韓戰應由史太林負責。傀儡的言行永遠是戰戰兢兢的，金日成必須先到莫斯科探得主子的行情，然後才敢在東柏林說史太林應對韓戰負責的話，由此也可以證實赫魯歇夫在演詞中確曾提到史太林發動韓戰的事。

這裏，又一次證明了共產黨的騙人宣傳，因爲當韓戰爆發之初，共產黨說這是南韓李承晚總統的蓄意行爲，並捕風捉影地把責任加在美國現任的國務卿杜爾斯身上，說杜氏在韓戰爆發之前不久到過韓國，還視察了三八綫的形勢，於是說杜氏是戰爭的策動人。

現在，共方的宣傳已因赫魯歇夫和金日成的承認而變成謊言，事實是史太林是韓戰的策動人，蘇聯是侵略者。共產黨的宣傳不可聽和不可信，於此又多一佐證。

中共的宣傳破產了

由於事實眞相的大白，這使中共的處境也尷尬非常，這件事首先戳穿了中共已往的騙人宣傳，當時，北平的毛政權接受了史太林的命令，僞造了一些「抗美援朝」的藉口，說美國依循了昔日日本軍國主義者的道路，採取了北進主義和大陸政策，企圖於侵吞韓國後，進而窺伺中國大陸。中共的人民日報發表過一篇「爲甚麼我們對美國侵略朝鮮不能置之不理？」的社論，其中充滿了辦公室中編造出來的藉口，一九五〇年十月二十五日，中共派「志願軍」入北韓，爲完成史太林交下的任務而犧牲。今赫魯歇夫和金日成已說出韓戰的起因，使中共往日的宣傳破了產，使「抗美援朝」的藉口破了產，不僅是宣傳和藉口的破產而已，更使在北平毛政權中的首要們大感狼狽，因爲毛澤東劉少奇周恩來之流不能學赫魯歇夫和金日成的樣，也把韓戰的責任往死了的史太林身上一推，他們的參加韓戰在宣傳上是另有一番理由的，這番理由在大陸人民的記憶中還很新鮮，一時不容易忘去，假如毛澤東等有勇氣也來坦白一下，承認韓戰是史太林發動的，「抗美援朝」是在美國斷然參戰、北韓支持不住和史太林投機失敗收拾殘局的情形下受命進行的戰爭，那末，大陸民衆要痛罵中共政權，指毛劉周等欺騙民衆，即毛澤東等也無異自打嘴巴，不能再圓其說。所以論到韓戰的責任問題，赫魯歇夫和金日成還可說話，獨毛澤東劉少奇周恩來等不好開腔，猶如啞子吃黃連，有苦說不出。

毛「主席」一錢不值

其次，毛澤東政權被蘇聯和被史太林牽着鼻子走，或者說毛政權是一個隸屬於克里姆林宮的漢奸政權，都是顯然的事實。換句話來說，毛政權中的風流人物做了蘇聯和史太林的傀儡和奴隸，毛政權將二三百萬精壯的中華男兒和數以億計的金錢（機砲捐獻）奉送給了史太林，而所得到的只是毛澤東個人的「主席」地位和只能對大陸善良人民施展的權威。在泛亞社的電訊中，又謂根據一名投向西方的波共高級人員的透露，史太林曾經二度想革除毛澤東，毛自知本人的地位危險，爲了自私的目的，爲了保持一「主席」的地位，乃大獻殷勤和爭寵，服服貼貼地效忠了史太林，一聲「得令」之後，就派遣了二三百萬的精銳部隊以「志願軍」名義進入了北韓，用士兵們血肉築成的長城去與聯合國軍數百架次飛機和汽油凝彈硬拚死拚。毛雖如此忍心，昧着天良，漠視青年們在冰天雪地的韓戰場上血肉橫飛的慘狀，一心以得史太林的歡心和保持一己的地位爲念，但史太林之對待毛澤東者，爲培植高崗李立三等，以取代毛的地位。足見在外表上儘赫赫不可一世的「主席」，在背地裏對於一個異族的獨裁者也還是那般低聲下氣和卑躬屈節，所謂「主席」的品質和人格不過如此，一切動聽的讚頌和嚴肅的外貌，如果拆穿了來說，實在不值一文。

人民是欺騙不了的

韓戰和「抗美援朝」的內容既然如此，我們就知道「抗美援朝」是毛政權的賣國行爲和恥辱，當年大言不慚，要驅聯合國軍人大海，今日所念念不忘，夢寐求之的是進入聯合國是跟美國拉關係，不止一次地片面地要求跟美國召開外長級會議，如果拿這些外交言行跟一九五〇年進行「抗美援朝」時的宣傳和行動作一個比較，就可見到毛政權是多麼的無恥和荒唐！中國人民是講究和重視歷史的，終究會有眞相大白的一天，讓所有作惡多端的，在歷史的面前受審，並低頭認罪吧！（完）

反俄大戰不可避免

現續前文（俄帝大戰略），論三次大戰無可避免，而中共統戰，即由此而來。一般而言，只要俄帝存在，共產主義存在，三次大戰即不可免。無論俄帝如何千奇百怪，事勢發展將與其希望相反。世界將「錯誤到底」。俄帝「變反俄戰爭爲反美戰爭」不成功，反俄戰爭不僅不可避免，而且甚至很快。理由如下：

一，今日只有兩強之局。一般非共國家，與美國無生死利害衝突，無與作戰必要，亦無與作戰可能。故反美戰爭無從說起。要戰，只有美俄之戰。俄帝只有奴國。故美俄之戰，即全球反俄之戰。

二，現在不僅是俄國不會停止侵略，也不會停止反美運動。反之，美國不會孤立，也不會放棄援助自由國家之政策。還恰如史達林所說，「對于兩大巨人，地球已經太小」，必須以武力解決問題。」

三，美俄有無妥協可能呢？沒有。德國統一，東歐衛星國無法解決，裁軍問題無法解決，美國環球基地問題無法解決。其他次要問題，尚不必提。

四，原子武器出現後是否會造成原子僵局呢？俄國現在很泰然的宣布原子庫存量是四位數字，則美國之至少爲六七位數字可知。我不相信美國都將不斷製造武器而又永遠不用，即是最後目標，這事甚難想像。

五，今日冷戰之未熟化者，僅由此一事實，即美國對俄有相對優勢。如俄國接近平衡，俄國一定動手。近一俄特評明俄帝有突襲美國可能，決非危言聳聽。反之，如美國有絕對優勢，美國必採漸進的解放政策，世界形勢亦必不同。而永遠保持現在的距離，是不可能的。所謂競爭共存，無非是爭平衡和優勢。

六，德國建軍完成後（這總是三年左右之事），東德情形必生變化。屆時俄帝如不退却，必然發生戰爭。

七，俄帝內部，以及俄帝邊緣地區之自由運動，是必然要起來的，屆時俄國必以武力鎭壓，而屆時美國亦碍難坐視。

八，至于因俄帝之估計錯誤，或其代理人之投機僥倖因而引起戰爭的可能性，也是不可忽視的。

我要倣效俄帝口頭禪：不是俄國人意識，決定世界形勢；而是世界形勢，決定俄國人意識。世界形勢比俄國人強。

赫魯歇夫且將惹禍上身

我還相信今天俄帝一切掙扎，縱非無效，大部分是對俄帝害多利少的，是其「到東方去」運動，以及和中共之配合作戰。這是積極性的。此外玄虛，効果將極有限。例如裁軍宣傳，美國根本不重視。聯絡法國嗎？今日歐局關鍵，早已不是法國了。聽聽愛德諾的談話好了。

亞非的外交活動，亦必失敗而終。不錯，埃及得到一批米格機了，俄帝中共買埃及一批棉花了。到了明年，納塞將發現其預算因擴軍更不足，而俄帝中共是否能繼續慷慨呢？而尼赫魯要到美國去了。不是俄國的技術不行，即其條件已經非尼赫魯所能接受。所以，我很贊成美國退出埃及的水壩競爭。讓俄國去「建設」。讓他弄不下去，再來不遲。

人民陣綫不會重演的。人民陣綫由反法西斯而起。俄帝總無方法說美國是法西斯，也無方法說俄國不是獨裁。

論俄帝快倒與中共『統戰』

——並答某統戰家（一）

胡秋原

俄帝不是在大淸算史達林嗎？親愛的讀者！讓我老實說一句話，自前年底到現在，一年半之間，我最快樂之事，就是讀赫魯歇夫「同志」之千古妙文了。他說史達林罪惡，無一樣我們不知。但出諸赫「同志」之口，那才算妙。我以爲將今年諾貝爾文學獎金和平獎金一齊送給赫「同志」都是應該的。爲什麼呢？俄帝要倒無問題的。這一妙文，至少有使俄帝提前五年倒台之妙用。我將在「民主評論」專寫一文評論，我並準備放下其他工作，將此文親自譯出，並加註解。如有出版家願意合作，極爲歡迎。此處我只說一點，即罵史達林，只有我們能罵，米高揚罵不得，赫魯歇夫更罵不得。你們罵史達林，我便要爲他辯護說，這不僅是忘恩負義的，而且是其蠢無比的。這證明列甯史達林與赫魯歇夫之流，有龍虎狗之差。須知罵獨裁象徵而又無改于獨裁之道，只是自速其亂的。

然則俄帝不能改革嗎？法國托克維（De Tocqueville）有一句名言：專制不能改革；專制改革之日，即其加速崩潰之時。此自指專制不會眞正改革而言。誰能信俄帝眞能改革呢？淸算史達林，只是獨裁之「王綱解紐」之象。現在歪治亞之暴動，以及最近歐美各國共黨之宣言，只是初步反應。好戲還要等幾個月。史達林之屍，不是那麼不值錢的，要懲罰其負義門徒的。

寫到此處，聽說波蘭起義。讀者諸君，俄國從來是「俄國未亂波蘭先亂」的。這是好事。願大家向波蘭志士致敬。

我不同意許多朋友說法及報紙標題，說印度埃及就擁了，而狄托更已經重回「俄帝」懷抱了。歐美各國共黨實備莫斯科宣言，亦俄帝授意！印度埃及狄托都是投機而已。然而投機與「一面倒」有根本不同。試問俄帝有何好處？戰爭未發生，狄托爲什麼不嘗翱翔二帝之間，左右逢源之樂？所以美國給他一點錢，也是應該的。只要運用得當，俄帝之捧狄托，鼓勵狄托主義，在今日于我們不利；但在明日，對俄帝將有大害的。今〻俄帝對附庸也退兩難。俄竟「授意」發表宣言之說，乃根本不了解共產主義之由來。（下轉第二版）

半週述評

·司馬璐·

公民投票

「自由中國」雜誌提出，在中國大陸舉行一次公民投票，並認爲「這也許是對周恩來的和平建議的最有效反擊。」（根據路透社電訊）。

「自由中國」這次建議，對于中共的統戰是一個有力的挑戰。

但是，問題是，「公民投票」必須在一切黨派處于公平的地位，才有可靠的保證，中國大陸今天是沒有這個條件的。

創造條件

怎樣創造「這個條件」呢？中共必須起碼做到：

一、把俄國人的勢力徹底趕出中國大陸。
二、解散共黨的一切特務組織。
三、釋放政治犯以及被拘禁的奴工。
四、發還一切掠奪自人民的財產。
五、反共人士在中國大陸有公開發表言論和集會結社的自由。
六、懲辦共黨中過去屠殺人民的那些殺人犯。

和平解放

假如能創造以上這些條件，自然是一個「和平解放大陸」的機會。

假如能創造以上這些條件，我們必須與中共黨內眞正的愛國份子配合。

但是我們要問，中共黨內今天有沒有眞正的愛國份子呢？有沒有眞正想以和平手段解決中國問題尋求救中國道路的人呢？

有的，但是他們或則被殺，或則置身獄中，或則被領導上壓制得透不過氣來。

共產黨員

我願意告訴共產黨人，假如除下今天中共所加給人民的一切枷鎖，等於同時解放了他們自己。

我們知道，有些共產黨員當他們最初參加共黨的時候，多少具有革命的熱情和善良的品質，試問，這個黨在罪惡的領導下，你們能長期容忍嗎？

我願意再告訴共產黨人，我們自由人士無限同情在中共黨內那些被壓制被迫害的共產黨員。

愛國思想

中共的八全大會，宣佈延期了，中共黨內潛在的鬥爭正在發展。

我願意再告訴共產黨人，從一九四五年中共七全大會以來，中共黨內領導層中稍有愛國思想的人，已經愈來愈少了。

例如，抗戰前期，新四軍支隊司令高俊亭；抗戰後期，山西決死隊司令韓鈞，都是中共有數的具有愛國思想的軍人，雖「抗戰有功」，但以「內戰無力」，都被中共中央槍斃了。

攜起手來

今天中共黨內的愛國份子，應在黨內進行一項秘密運動，進行推翻這一賣國的、殘暴的黨內領導中心，與中國自由人士的愛國運動相配合，你們才有前途。

攜起手來：

我們共同爲「和平解放大陸」而奮鬥吧！

我們共同爲自由民主的新中國而努力吧！

紀中原文物展覽

‧萬香堂‧

台灣通訊

【台北通訊】中原文物展覽，七月三日在台北展出，雖我乃由國立歷史文物美術館主辦，也等於該館新增了一部新資料。這次展出的文物，有些人初誤爲故宮的文物，其實大多分是民國十幾年在河南出土的，原由河南博物館保存，抗亂之後，由該館館長李敬齋輾轉遷渝，後播遷來台，另一小部分是戰後日本歸還中國的文物，兩部聯合展出價值相當可觀。但以此次之以「中原」爲號召，尚有使台籍人民特別重視之意，蓋以今日之台籍同胞，雖乃由閩南及廣東而來，惟推究本源，閩南廣東之祖籍來源乃屬於河南區域，既有此重大意義，即宜分兩梯展出了！

中原文物曾揚名國際

中原文物約分爲禮、樂、兵、陶四部，而禮器部所陳列者，爲民國十二年在河南新鄭及輝縣出土者，年代尚早，其中精品甚多，如牛鼎，蟠虺紋罍，國寶等名揚國際，都有極高超的藝術價值。樂器部門中，以編鐘、編磬爲最有價值，均河南新鄭縣出土，形制高古，鑄飾蟠彩，均極精妙。兵器部門有戈、矛、斧、箭，及箭鏃等，都是青銅製器，乃民國十八年在河南安陽小屯村出土者，其中殷代戈以及周代戈矛，均有其藝術的價值。陶器部門也極爲豐富，如周代的雙耳陶罐，瓦罐，六朝的淺釉陶，唐代的彩陶，形狀、花紋、色彩均極精妙。

三代政教飽覽無遺

從這些作品中，瀏覽殷，與六禮同功，四時並運者也。不僅可以見先民藝術天才之一斑，而且可以窺見三代之政教。所以唐而夏其所以教民爲禮之至，國民經驗之所表現，得不我神話，使之有所長誠，有所自警，因是國器便成政教工具。

日本歸還九層石塔

至於日本歸還的古物中，有幾件是驚人的精品，如九層石塔是一件精品；這件精品乃北魏時代山西朔縣崇福寺所有，所刻共計九層，底層正面刻有碑文，石塔後，曾陳列於東京帝國博物院，並且選列於世界美術全集之中，並且由刻下所通行之「魏碑」書法所刻成，另一件傳乃北齊石刻的觀音造像，上刻有「大統元年帝王遠業造」，這件作品雖極佳妙，但所刻之年代是否眞僞，似乎尚有待於考證。

台灣與河南的橋樑

此次之展出，在空氣上是相當成功的，七月三日及五日曾招待朝野人士文化教育界往觀，教育部長張其昀說：「中原和台灣在人文上有密切的關係，透過這個古物展覽會，希望台省同胞認識中國古代文化的優美，更希望藝術界人士，從這些古物中研究我國古老優美的文化，而創造三民主義新文化。」（參見）德國大學文化學教授說：「台灣與河南必能通過這項文物建立起一座橋樑，使中國文化重新發揚光大，通過這座橋樑，丟光復大陸」又說：「中原文化不僅在中國歷史文化上佔着重要的地位，在世界人類的心目中，亦佔極重要的地位。」這位外國專家說得確眞有意義呢。

對展覽會的觀感

就一般文教觀衆的評論，以爲此次展出仍嫌規模太小，關於該館內部陳列多不合博物館學，宜即聘專家予以改正，一般輿論認爲既爲「歷史文物美術館」即證明與一般普通美術館不同，以爲凡與歷史無關之文物應該一律撤除，街邊的刺繡品，與時人書畫，（有許多是卄歲的中學生）能算得是「歷史文物」的。

我走展會出來，抱着極滿意的感想，我不斷想起尼采那幾句名言『我們都喜歡根據自己的理想來批判自己，根據別人的行爲批判別人』。而事實上批判是最惹是非的，出於善意的意見或者可算是一點貢獻吧！（七月十二日）

論俄帝快倒與中共『統戰』

（上接第一版）清算史達林對於各國縱隊之瓦解作用，是不可忽視的。如果不是赫魯曉夫之妙文，陶裕里朝帝之文，十萬美金也買不出來的。我們要警覺，但不必將一切選擇寄予俄帝。戈戈里說得好，『咱們俄羅斯人是事後聰明的』。當然，美國要能明白處實方好。但我相信，美國人是大有進步了。

我相信俄帝今日一切，皆動盪之接，終將弄巧反拙。他在各地的活動，可有一時虛名，終將速其實禍。他雖然想誘動反美戰爭，終將蒞禍上身。誘動英德戰爭之史達林，不也終于蒞禍上身嗎？

俄帝一倒共奸即倒

一旦反俄戰爭發生，我不懷疑俄帝很快的倒，俄帝最大弱點，不一定在軍事，不完全在經濟，而在政治，尤在人心。此即王船山所謂『摧離散之人心以當大變，其亡必矣』之人心。而今日赫魯曉夫之輕舉妄動，又將走其失敗更快更慘。表示與史達林不同，是聰明，一旦反俄戰爭發生後，史達林之屍又要吃香的。我們預言，

中共是俄帝今日最大的王牌。然而，一旦俄帝開始倒，銅山西崩，洛鐘東應；中共一定跟着倒。中共比俄帝還凶，這是「一面倒」之邏輯。一旦俄帝倒，中共將不戰而潰。有囊狗經驗的人，將無須我說明。

我不能確切預言俄帝中共何時倒。但我能預言其必倒，而且是我能目觀的。如在三年左右倒，亦不意外。如十年左右倒，我亦不以爲奇。如果那時還不倒，我才願意承認我的看法中，一定有「基本錯誤」。

但我與同胞和美國朋友不可忽視一事，即俄帝最大籌計之一，是逼中共與美國作戰。俄帝在世界各處製造反美戰爭很難，一旦俄帝，然由于中共之手下賤無比，愚蠢無比，一旦俄帝最後命令下來，他是一定執行使命和任務的。周恩來兩次「和平解放台灣」之意，皆在於此。我希望美國充分了解這一點，避免和中共打仗之道，即是將軍隊擺在韓越及台灣海峽，根本不理他。關于這一點，美國人民和政府亦必首先了解這一陰謀，才能打破這一陰謀。（未完）

海外輿論重視葉外長談話 檢討政府僑務工作

指出華僑貢獻對祖國的重要性

自葉公超部長最近由泰國和菲律賓歸來後，在立法院之僑務和外交委員會上報告有關僑務的政策和工作，所引起海外輿論的反響，再以態度進行檢討，上期已將數篇檢討僑務的工作是深深值得我國當局注意的。

僑務工作與反攻復國

華僑日報說：「自大陸赤化後，政府雖偏處台灣一隅，但對淪於鐵幕之難胞及散佈海外之僑胞，均寄予殷切的眷念。而以華僑爲革命之母（國父遺訓），當此舉國上下矢志反攻復國之際，有賴於華僑力量爲之推動者，更爲迫切。故自由中國當局年來對僑務工作，異常重視。

一般說來，僑務工作與反攻復國運動，實具有密切的關係。因之，在致力反攻復國奮鬥的同時，對僑務工作不容漠視。

據僑委會委員長鄭彥棻最近的報告，曾指出僑務工作是包括維護僑胞權益輔導僑胞經濟及發展華僑教育三個重要環節。除華僑教育方面，頗具成績外，鄭氏並不諱言對於輔導華僑經濟和維護華僑權益方面，實嫌做得不夠。因此，我們今後不談僑務則已，要談僑務就得在這兩方面加倍努力。外交部長葉公超於訪問泰棉兩國僑情後曾對立法院表示今日已非對海外華僑空談主義及理論之時，而應立即採取切實步驟，使華僑獲得更多商務上的機會，以使他們能得實益而在海外生活。葉氏進一步指出我們如不能使華僑獲得實益以維持其生活，則他們對於中華民國政府之堅定支持，恐亦難於長此保持。值此共黨大施商業引誘之際，我們竟以主義與理論策勵僑胞，但主義與理論並不能爲生存因素之代用品，政府今日如願協助僑務抵拒共黨之誘惑，必須在商務上使其有更多之機會，同時並圖採取具體切實步驟，以保護華僑在海外之利益。其立論之正確，誠足發人深省。

平心而論，對於僑務問題，葉氏的觀點和鄭氏施政方針，大體上是一致的，但究應如何使其達致合理的解決，則有待於在技術上的研討。我們同意鄭氏的看法，即僑務工作是戰鬥工作，不過我們是在困苦的情況來戰鬥的，故必得要發揮高度的「力行」精神才能爭取戰果，擴大戰果。由於「行的法則」，是克服困難的有效途徑，而發現問題，解決問題，從解決問題中力求發展，也是擴大戰果之無上要義，同時，我們協同一致，分工與合作，更屬克敵致勝的必要條件。」

護僑精神與惠僑政策

工商日報說：「一般說來，海外僑胞對祖國政府最大的期望，約有兩點：第一是能夠充分保障他們的合法地位，生存權益，使他們雖然身在異邦，也能隨時得到政府的照顧。第二是政府有任何足使僑胞生活受益的事情，都優先惠及他們，好讓他們對祖國更多的體驗，有溫暖。上述兩點，前者是屬於「護僑精神」，後者可目之爲「惠僑政策」。

談起護僑，由於中國過去長期積弱，僑胞需要政府的保護，而政府沒有盡到他的責任，事實上無庸諱言。如果拿我們僑民和美英僑民的地位相比，尤足使人發生無窮的感慨。但是最近，政府雖未能在護僑方面，有若何特殊的表現，惟有一事，却很能給予僑胞精神以莫大的鼓舞，那就是我政府爲了維護海疆主權，業已派出軍隊進駐南沙羣島是。此舉雖不屬於護僑，然在僑胞視之，其意義却幾與護僑相等。根據這些僑胞的心理反映，可知政府在任何外交上所採取的強硬立場，都會博得僑胞的好感，深爲僑胞所信賴，政府今後要加強僑胞的向心，對此實應多所留意。

其次說到「惠僑」，最近葉公超外長於訪問泰國、高棉之後，向立院外委會提出報告，認爲根據他此次訪問所得的觀感，政府再不應以空言安慰僑胞，而應多在生活上給予僑胞以實益，否則僑胞對自由祖國的支持，最後將不免有問題。談起這一點以經濟爲表而政治爲裏的鬥爭，我們以爲政府也並非完全沒有方法對付，值得遺憾的祇是過去政府一直不曾予以深切的注意。此中癥結，大抵牽涉到許多方面，自非三言兩語所能盡。不過無論如何，政府坐看毛共對海外僑胞施行物質引誘，而無動於中，總不會爲僑胞所諒解。所以爲今之計，政府要用特惠政策，商務手段，維繫僑胞，首先就要解除本身的束縛，把一切無關宏旨的政治「技術」，予以簡化，則其他問題，便不難迎刃而解。我們相信，祇要台灣的對外貿易攻策，能夠保持與中共相等的機會，僑胞是一定會有所抉擇，而不會讓大陸土產傾銷，獨佔優勢的。」

無國是可討論？

星島日報說：「政府撤出大陸，退處台灣以來，自然忙於準備反攻復國；但對於「僑務」，似未暇顧及。三數年前，有人建議召開海內外同胞，開一次是會議，以期集中意志，集中人力物力，展開反攻復國大業；但當時有某大勢力者却以難於保安問題爲藉口，阻撓開會。官用政論家竟爲之顚倒黑白，妄言「無國是可討論」，主張不必開會議。這樣一來，海外僑胞便以爲有人要「包辦反攻大陸」，不容他人染指。可是，事實上又做不到「包辦」；如能包辦，則早已反攻復國，不必使大陸同胞在水深火熱中，「東看王師」，年復一年！現在却成爲「包而不辦」。海外華僑，關心國是，熱愛祖國者，怎不爲之氣結！

看來秉國政者，以爲一切決於美援，祇要有美國的援助，便可以反攻大陸，華僑力量有限，不足注意。現在毅然覺悟徒靠美援之非計，於是，再想起華僑力量。

另一方面，中共爲了要取得美國承認；爲了要關進聯合國；爲了要向東南亞展開滲透，不惜傾全力以向華僑施行統戰。相形之下，國民政府便處下風。

國民政府要關顧華僑，便要切切實實的關顧。華僑是國民一份子，個個都抱「國家興亡，匹夫有責」之心。這樣，政府一定要滿足華僑愛國的熱心。換句話說：一定要使華僑愛國的機會；一定要使華僑有報國的機會。

我們年來一向呼籲反攻復國，必定要號召全民，傾全力以赴，徒靠美援是不夠的。政府何不「開放」反攻復國，俾所有海外僑胞，都有機會參加？國家光復，海外華僑，自然吐氣揚眉，自然容易生活；而且生活得有意義。」

台北速寫

行動第一

我國軍隊已在南沙羣島駐防，中菲間鬧了許久的不愉快事件，應該告一段落了。許多外交上的失敗，都由於我們沒有堅決的行動與切實的措施。南沙事件是一個教訓。

司法應獨立

政府爲改革司法制度，正在修改法院組織法，將使現行的大陸制，改爲英美制，以配合世界趨勢。一般輿論認爲更重要的還須整飭二點：一、近年來行政部門對法院常常有「指示」，以致減弱法院的獨立審判權，流弊甚大；二、法官待遇甚薄，不足養廉，遂使少數敗類貪污枉法。

輿論落後了

最近台灣省議會及台北市議會各開大會，從議員的質詢內容來看，本省實行民主政治已有顯著的進步。可怕的是許多精彩的質詢，以及行政當局的答復，都未能在報上全文披露。所以目前的現象是輿論與民意機關尚未能盡量配合。須知民主政治而無健全有力的輿論，終究是缺陷。

無官氣的大官

張道藩六十歲生日，沒有舉行任何慶祝性的集會，只由文藝界的朋友題字題畫，裝成一個紀念册贈給他。張道藩至今還保持純樸的生活方式，住屋很小，衣飾無華，所以羅家倫贈詩，說他毫無官氣。

影星的魅力

香港來的自由影星，始終是此間人們最愛慕的對象。影迷情緒之高，爲大陸時代所未有。不過，最近出了幾件不幸的事。周曼華鍾情參加一個剪綵典禮，忽然電燈熄滅，秩序紊亂，二位都被歹徒撕破衣衫。隔了幾日，鍾情又被幾個無恥文人脅迫夜遊，結果由警察押返。這都是台市一般正直人士引爲嘆息的事情。

‧杜蘅之‧

編者讀者

△余高堅先生來函

編輯先生大鑒：昨讀貴報七月十一日吳忠先生人物評述欄內關於司法行政部調派一節，原係本人因年事較高體力略差有感於台灣高等法院台南院首席檢察官職務繁劇，向當局請求准調高本院檢察官以遂所願，故外間所傳與事實不無出入，敢祈惠照賜予更正。專此並請

撰安

余高堅謹啓　七月十二日

△天生，楊志，程外，孟玉，杜蘅之，萬香堂，王況裴，江南，刁抱石，不平，又魚諸先生承惠稿至感。

留美學生的徬徨

讀者論壇

曼青先生係留美學生，現在台任教育文化工作，對留美學生的處境困難，精神痛苦，知之特深。本文所論，極爲痛切，所擬辦法亦極平實，亟爲介紹刊布如左！——編者

·曼青·

據七月八日美聯社紐約電：據國際教育研究所的調查統計，在一九五五至五六學年中，外國留美學生，共達四三、三〇九人，其中有一三、三〇九人，是來自遠東。而本年各國來美學生，中國占第二位，計二、六三七人，僅次於加拿大。由此可見中國留美學生，爲數日衆。雖不必說是中國人才的精華，但其中不乏各種學有專長之士，爲今後復國建國之所急需，乃爲事實。惟此等人才，流落異邦，身心良苦！誠如最近英文時代週刊中所報導：俱是無根浮萍，飄泊無主。很多無合法的地位，其允許居留，乃暫時而無定期，故不能有何久遠計劃，以謀適當生活。多數均甚孤寂，平均約五個男生，僅有女生一人，結婚成家，談何容易。尤以精神上更爲苦惱！有如新澤西州一位中國教授所云：「許多中國留學生，已厭棄孔老夫子的禮教，但並未獲得美人的基督精神。彼等只學了一點技術，卻喪失了中國的人生哲學，所得誠不償所失。」因此彼等精神上無所寄托，遠托異國，昔人所悲！何況現在國亂家破，在海外抬不起頭來。又加接濟斷絕，謀生不易，留學生心理上與生活上的痛苦，誠不易爲外人道！筆者前曾留美，略知一二，但當時大陸尚未淪陷，現已今非昔比，其痛苦更難想像。

中共匪幫多方誘脅

據七月九日出版之英文時代週刊，內載一記者，調查中共誘迫留美學生的詭計。據稱自去歲三月，約有百分之十至廿的留美中國學生，接到家信。最近更不問其住址爲何，很多留學生，本週均接到家信，且爲得人帶來一般沉重的心情，和恐怖的痛苦。因此乃中共的一部份緊張工作，自藉以誘迫留學生，自投羅網者。此等信件學生家庭，一律來自留年不通音問。儘管有數其來。函中很少敘及家中瑣事，祇告以「新中國」的繁榮，並謂大陸有無窮的良機。最可怕的不是信中說些什麼，而是一種事實，即證明中共已發現其姓名和住址，自可懲迫其親屬，迫令速返大陸。中共不僅需要留學生的技能，尤欲消滅此受良好教育的「反革命集團」，使不得自由生活在海外。

由於中共種種威迫利誘，已有少數墮入彀中。上月尚有一大學化學工程副教授名程玉中（譯音），投入陷阱。另一留學生最近偕其妻赴倫敦，取道蘇聯返大陸。且有數十留學生，在猶豫不決之中。但中共的詭計，亦有漏洞。有時被迫寫家信的父母，另有方法告以眞情。有一[illegible]經香港親戚處轉信，告其子「不要管那邊，千萬不要回來！」另一母親函其女：「大哥」問你很多實情」，因所謂「大哥」乃其母預約代表中共的化名。其返大陸的朋友，如何如何，情況很好，即將來一站前的照片，若情形不好，即寄壞照片。後來收到僑片，乃是一騎在公園的長凳子上，頭垂到脚下。

其苦況可以想見。另一留學生返大陸後，親見實況，深痛悔惡絕，設法逃至香港。函謂中共組言當局，講他回去，即隨他說：「不要以爲你們是返國此是特殊的知識份子學生，曾遇洋水，因此你們必需徹底了解，受長期馴化教育，徹下反動的深根，你們想在海外，逃避革命的時候了！」另一學生被迫坦白，「認罪反打倒自己，一切認罪之忠實，即令當衆自血！」前往大學生林入勞動營，曾任上海聖約翰大學教授黃溥（譯音），被迫到煤礦中去工作。另一留學生返大陸後，函其友人，謂「還我我們所有的每一滴髮，一針一線，都是屬於黨的」。該一逃港學生又說：「我感到學習課，這不完全是我的錯，但我想自殺，這只是我的純潔思想使我做錯。在這歷史上空前未有的大騙局中，我不過是成千受騙者的一個而已。」似此血淚字句，實令人不忍卒讀！

台灣的輔導成績如何

在留美學生進退維谷，痛苦不堪之際，自由中國當局，亦[illegible]以爭取留學生返國。最近聯合報黑白集以「溫」的道理爲題，謂自由中國的社會風氣，有許多不得其當。如對自由影人，新來的熱得冒火；而另一方面，某些早時來台的「忠貞影人」，有的形同被凍結，有的更遭遇冷酷命運，而失業，同爲影星，但所受社會的待遇，卻大有冷熱之分。此種情形，在高尚的教育界，似亦同樣有之。如大陸來台教授，忠貞早來者，頗多被冷落（有人事關係者除外），而後來者待遇，則有房子住，待遇較優。早來者被人遺忘，寄跡於難民營或寄食友人者，仍大有人在。教育部爲收容大陸來台教授，經嚴格審查，少數幸邀選聘，聞月入甚微，不堪餬口，既無宿舍，又無福利。迄今七年，一般公務人員，考績加薪，又不如教授，往往似被凍結，既不派往新增許多大學院系任教，又不使參加許多新設文教機構工作。（如教部之各會，張部長早已宣稱擬聘爲委員參加工作，迄未實現。）其中不乏之留學生，且均任教多年，現在海外的留學生，不少爲其學生朋友，得悉此等老教授前期留學生，尚且如此被教育當局冷落，又何怪其裹足不前呢？

留學生和國家脫節

往者已矣！新返國的又如何呢？留學生多之公務資歷，返國後報請任用，一核再核，自不免向人低頭。能取得一薦任職，就算不錯。等因奉此，既非所長，冷板凳工作，亦覺乏味。且待遇微薄，生活艱苦，成家立業，更不容易。台灣雖有待遇優厚之美援機關，但初出茅廬的留學生，自不易插足。自由中國無論在政治、經濟、外交、僑務、教育、交通、工業與各種建設方面，莫不需要新血液，但入世未深的留學生，既無人事關係，又多不善鑽營，那能獲得重用，大展經綸呢？[illegible]長袖善舞的人，[illegible]牌大學畢業，[illegible]持教政，[illegible]本事。還可兼一個美援機關的名義，坐享高薪，留學生能勿自愧弗如？[illegible]生的工作如何，局外人自有[illegible]。[illegible]次有一留學生到港，宣稱不願返大陸，輔導會也曾邀請其父親去港勸其來台，遲遲未去，又被中共拉去，只好以其有神經病搪塞。輔導會[illegible]工作效率，於此可見。聞該會與國際文教處，早有意辦一刊物，介紹自由中國進步實況，以供留學生閱覽，竟以經費無着，未能實現。而在國內辦刊物者甚多，何吝於此而嗇於彼？留學生對祖國情形，恐多不免隔膜。

試擬幾項對策

基於客觀事實，爭取留學生返國，實不能徒叫口號，而應網羅深明留學生情形之士，妥籌有效對策。竊以爲以下數點，似爲先決條件：

一、創辦專供留[illegible]

[illegible]之輔導會，教育部在美所聘多在美作寓公之名流學者，本身既對台灣生疏，又無餘暇往來於留學生陣營，大醫疾呼，實地解決困難，助其返國，似僅有其名而無其實。留學生返國者寥寥，即可證輔導之未能盡力。密切聯繫，爲其解決一切困難，負責介派適當工作。尤須赴美實地分訪各校活動，商取留學生意見，以爲返國工作辦法。以事實證明對留學生的關切與禮遇，造成返國運動。三、對早已返國之留學生，[illegible]

[illegible]待遇從優。

五、留學生錄用，不以資歷爲限，惟以才能稱職爲準。凡需專才之工作，雖資歷較差，亦可就其所學，先行試用，如能勝任，即予實授，破格提升。必要時可再以考試選拔眞才，如有專長，定予優缺，俾得展其長才。

六、組織留學生家長會，凡在台之家長，均常聯絡，以瞭解留學生在海外情形，助其解決困難，一且學成，即促其返國爲祖國效勞。

七、在各聯絡機[illegible]校學生，利用一切機會，與留學生接觸，明瞭其情形，解決其困難，輔導其研究，協助其就業，並調查其所學所長，分向台灣各機關學校，介紹爲謀適當工作，再助其返國。總之，平時在校，即應早有聯絡。此項工作，除由台赴美之留學生均可兼任外，並可加派深明祖國情形熱心服務之前期留學生，前往積極進行，使領館自當盡力協助。[illegible]主自由的樂園，掃除一切政治欄門，不公不平，貪污舞弊，貪慾奔走的毛病，使人人均樂於歸向。雖待遇微薄，則大家同甘共苦，爲反攻復國而吃些苦頭，我想深明大義的留學生，自然不會計較，而必踴躍來歸了。（完）

海外通訊

淵明先生現任教婆羅洲。本文介紹詩巫成爲僑胞的經過，反映僑胞拓荒海外的偉大精神。南洋一帶能有今天的成就，是與[illegible]——編者

「新福州」與黃乃裳

·淵明·

一、新福州是怎樣來的

[illegible]

二、新福州在什麼地方

新福州是在南洋，但南洋範圍很廣，究竟在那一個方向呢？如果攤開一張東南亞大地圖在面前，很容易就找出來了；只要從菲律賓起劃一條弧線，經過越南、泰國、馬來亞、蘇門答臘等處，而那弧線的中心點，就是新福州所在地。它的名字叫詩巫，英文是SIBU。英文的SIBU譯成詩巫，一聽就知道是閩晉了。

詩巫是世界第三大島婆羅洲上面沙羅越邦的第三省省會。沙羅越邦，目前雖然人口不多，在世界上似乎不大出名，但它卻佔據了婆羅洲島上土地最膏腴而出產又最豐富，尤其是石油產量，當前已達到全球總產量百分之十的階段，不久的將來，必然要變成東南亞的重鎮，固不僅因爲它的地形是南洋的心臟而已。

詩巫雖然不是沙羅越的首都，只是一個省會，但形勢卻足以控制全邦，它瀕臨在英屬婆羅洲島上最長的一條江灘，那江名叫拉讓江，蜿蜒從東而來流到詩巫，卻分爲兩支，一支朝北，一支朝西，分別注入南中國海，那狀況頗有點像珠江三角洲的形勢，而江流幅員，則超過了福建閩江的一倍。當日黃乃裳先生發現這塊沃土，是經過了實地考察，與多方比較，才決定下來的。（一）

高雄工校學生請求到南沙羣島去服務

【台南通訊】自菲律賓人克洛馬私犯我國領土以來，我政府於五月下旬起即分別在台北及馬尼拉向菲駐華大使羅慕斯、及外長加西亞，鄭重聲明，中國對於南沙羣島不容置疑的主權。同時中國海軍復於六月上旬巡邏南沙海面，表示中國政府保衛領土的決心。但克洛馬在菲方某政要之個人支持下竟一再發表謬論，否定我南沙羣島已愈五百年的主權，仍圖非法侵佔。繼而，又在我海軍巡邏南沙羣島後，命其子再度潛犯南沙羣島主島「太平島」，並擅自取下我國國旗，攜往馬尼拉。這種汚辱我國國旗的行爲，再加上克洛馬的「定都」狄希杜島（太平島以北）和採用海事學校校旗爲「自由邦」的國旗行徑，已引起我朝野之憤怒。克洛馬的行爲，是每一個中國人都無法忍受的，南沙羣島是我中華民國領土的一部份，有鐵樣的證明，我們保衛我們的領土，也有鐵般的決心。

惟值得注意者，自克洛馬發出謬論之後，有高雄工職校學生，爲提高同胞警覺，表示愛國家、愛領土之決心，並爲鍛鍊青年之身心，養成不畏難不懼苦之能力，自動請求於暑期組隊前往該羣島作戰鬥訓練，該校校長唐智且亦挺身而出自願担任領隊。此種偉大的愛國精神和實踐表現，實堪嘉許，台南市各中學生聞訊後，即行繼起響應，這一行到南沙羣島去的運動，刻已激動了台灣南部青年們的心，這是青年到邊疆去的號召的再度出現，我們希望政府能繼派兵戍邊後，再讓青年們有去邊疆服務的機會。（七月六日）

·天生·

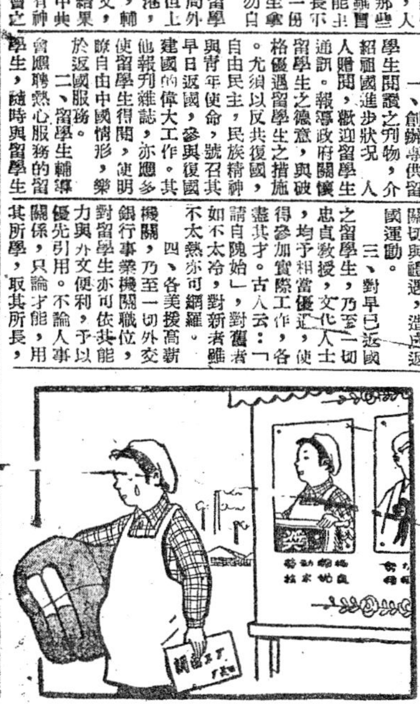

「只是因爲有了孩子」

大陸上的勞工受歧視的事實，是說不盡的，在鞍山某些工廠中，懷孕和有孩子的女工，就經常遭受到無理的歧視，對待她們的唯一辦法是要她們捲舖蓋！

插圖，原載七月六日「人民日報」

除三害

馬五先生

根據報紙上連續刊出來的新聞紀錄，台北這個中央政府所在地區，計有三種社會之蠹：即黃牛，小偷，與夫一些下流無賴的所謂「無冕之王」是也。

黃牛，小偷問題，近年來使治安機關大感頭痛，頗有道高一尺，魔高一丈之勢。尤其是黃牛黨，你越來對付，它就越有新辦法來反對付。我早說過，娛樂場所之出現黃牛，基本原因是人口與娛樂事業之不平衡發展，附帶因素即係限價方法之不切實際。至於有錢的哥兒們願付出去換求門票，而不惜額外的代價以求之於黃牛者，實居極少數。小偷情形卻與黃牛有別，生計艱難，實逼處此，羞惡之心，人皆有之，稍有生路，豈肯作賊？政府近來安與建設事業，需要人力的地方很不少，何不將那般黃牛和小偷們集中起來，編成勞動隊，採取軍事管理法則，教他們從事義務勞動呢？

談到一些不修格不入流的「無冕之王」，如月前李樸兄轎案中的某報社長，如近日綁架女明星游山案中的新聞漫畫家，其人其行，實比黃牛小偷更爲下流，束身司敗，咎由自取。但文化界有此敗類，決非偶然而來的，像那所謂漫畫家，平日專以攻訐他人陰私爲能事，竟可大行其道，名利雙收，因而飽暖思淫慾，跡出擄人事件來。我們新聞界本身，內疚神明吧！今後將如何整頓文化陣營，樹立善良風氣，實爲當務之急。無冕之王，我認爲都有清除之法，而且並不困難。假定黃牛小偷亦滋蔓難圖，全然無力奈何，那就休想要掃除大陸上的共黨大害了！

從鍾情被牛哥「綁票」案說起

傅正

台灣電影方面負責人，爲邀請留港自由影星，回台拍片，費盡九牛二虎之力，但就在這第一次開拍「關山行」的期間，居然發生了吃漫畫飯的「牛哥」（李費蒙）綁架鍾情的事！

像牛哥這種人，幹這種勾當，原無足怪，本不屑一談。但終不能不忍痛浪費筆墨者，在於此事牽涉妨害人身自由和破壞社會風氣，並且沾污了整個文藝界！

從台北五月十二日各報的報導，以及治安人員和鍾情的談話內容看，牛哥的這一行動，顯係有計劃的預謀，眞正企圖不問可知，要非鍾情還算老練，後果恐怕更不堪想像了！

刑法不容寬恕牛哥

根據鍾情自己的報告，她是在五月十日早晨七點，被牛哥以脅迫方式，用車載到烏來：並且在第一關卡檢查處，一再向檢查人員聲明：「我是被綁票來的！」

另根據「新生報」所載一位警籍老人指證：「不像話！不像話！我看到他們的紅色小包車開到分駐所前，鍾情賴在車上不肯下車，牛哥就開了車門，把鍾情小姐硬給抱出來，從分駐所一直抱到橋上，鍾小姐百般掙扎，他才鬆手放下地來，鍾小姐穿着一條長不及膝的短褲，被牛哥抱在手上，兩隻大腿露在外面，實在不好意思……」就這些情形判斷，已不僅是色狼對女影星的侮辱，似已是刑法第二十六章的「妨害自由」了。

依照刑法第三百零二條規定：「私刑拘禁或以其他非法方法剝奪人之行動自由者，處五年以下有期徒刑……」及刑法第三百零四條規定：「以強暴、脅迫使人行無義務之事或妨害人行使權利者，處三年以下有期徒刑……」牛哥的行爲，似已足以構成前一條的：「以其他非法方法剝奪人之行動自由」罪，以及後一條的：「以強暴、脅迫使人行無義務之事」的罪，這種罪行，依法是毋須告訴乃論的。

誰是牛哥背後惡勢力

牛哥花事發後，向新華影業公司總經理張善琨瀝歎的同時，居然表示「不會在漫畫中攻擊」新華，由這段跡近威嚇的自白看來，大有當今自由中國，戲劇藝人的命運，都操在區區牛哥手裏之概。難怪鍾情的行動自由受了妨害，還很胆怯的對張善琨說：「最好不要計較，聽說童佩佩來台灣，就是因爲對那個人『勿領盆』，被罵得落花流水，哭着回香港。」由此可以想到，牛哥其人，在台灣居然有如此的惡勢力，這眞是台灣的最大恥辱。我們眞不懂，何以台灣能容許這種流痒存在？何以文藝界對他以往之歪風未加貶斥？而任其胡作非爲到現在！

對於牛哥的行爲，張善琨雖然認爲：「實在使人痛心。」但卻又表示：「……雖然鍾小姐個人可控告那個牛哥和照像的妨害自由。但恐傳揚到香港，影響香港青年女明星的心理。像林黛吧，就會藉類似的理由，不願担任『關山行』的角色。」這固然是一片好意，但對於這種公然妨害人身自由的違法無恥行爲，如對加害人還不治以應得之罪，此風一長，那還了得，台灣還成個甚麼社會？豈不要更使自由影星不敢來台嗎？其實，任何正常的社會，都難免有這種流痒和敗類，只要社會不放縱不姑息，而隨時加以剷除，便無害於這一社會了。

某公子也曾糾纏林黛

即以林黛前言，據傳說，在她以前來台勞軍祝壽時，曾受某公子的無理糾纏，以至於強迫性的伴舞，所謂「張善琨的根據」，這或者正是類似理由的理由吧？甚至有人說，尤敏也遭受過類似的麻煩。堂堂自由中國的首都，居然發生像某公子及牛哥等這種行爲，可見善良的社會風氣已爲此輩市井流氓破壞無遺！要是不清除這種流痒和敗類，縱然自由影星們還敢往來？拍片固然需要，勞軍尤其邇談，但誰願到台灣受無端的侵害？更誰願來台灣受無恥之徒的侮辱？

再深一層看，從「牛哥」之作風，可以看出，目前台灣文藝界極須自行加以清潔，文藝界不應再允許類似的流氓人物存在自己的隊伍中。

短篇小說　沈園春

慕容羽軍

第二天，她給婆婆催着到了菩提庵，手裏捧着香燭及供奉物。一入廟門，靜修早在那兒等候着，見了她便引她到殿上，靜修還拜了一回，就囑咐她說：「你跪在唐蕙仙像前，我再給你安排一下念經的事。」……

靜修這時，和趙士程擁抱着哈哈大笑。

「如果她把這些找了出來，那怎麼辦？」

「婆婆還有點不放心。」

「你眞傻，她說就奇了，」趙士程說：「她敢說我就不是諸葛亮了，哈……」

……她滿腔悲憤，走回家裏，陸母一見她便連聲問道：……

「禍事，禍事，你家媳婦不止不顧懺悔，還把菩薩的全身摔壞了。」碎片都在裏面。

陸母一見，長嘆一聲，連連念佛，道：

「罷了，罷了，家門不幸，娶着這樣的媳婦，眼見禍事到了，我這條老命不能保呀！還是我和你拚了罷。」

陸母不容分說，執起了身旁一把掃帚，用力掃向唐蕙仙的身上。那冒着火的臉頰顯得焦紅。

她強抑着辛酸，不敢回答半句。

「你爲什麼回來？」陸母立即追問：「快說，爲什麼不回來了？這樣懺悔，神靈肯宥你的嗎？」

……靜修在旁，心下十分高興，口裏卻說：「罪過罪過！」（六）

文壇話舊

程外

「乾媽媽」孫伏園

孫伏園可以說是作品流傳。他與「紹興師爺」魯迅是同鄉，又是學生，也是朋友。「阿Q正傳」的催生婆。但他卻沒有一篇作品流傳。

在他未去法國留學時，他還和「紹興師爺」同遊名勝。他個子很矮，胖胖的，留了一塊四方鬍子，紅鼻頭。他和任何人說話都是笑嘻嘻的，却不修邊幅。

民國三十年，他在重慶編「中央副刊」，報館里的女職員，都成了他的乾女兒；但她們叫他爲「乾媽媽！」的。他的床鋪從不摺叠，有時，他上床睡覺，鞋子也不脫。隔個兩三天他的乾女兒乘他上城去時跟他舖床摺被。

孫伏園做過一任「模範縣長」——湖南衡山縣——但政績並不太佳。他喜歡吃酒，喝茶、抽烟。所以自己說：

「沒有烟酒茶絕對寫不出文章，有了烟酒茶未必寫得出文章。」

他最喜歡的菜是「炒鱔糊」。

他常說一句戲謔自己的話：

「我要刻一顆圖章，上面的文字爲：『沒有作品的作家』。」

姚雪垠的「字與雞蛋」

以「差半車麥稭」的短篇小說成名的姚雪垠，在大別山里住了一段時間以後，跑到重慶，他享受起來了，每天都要吃鷄蛋。那時，吃雞蛋是奢侈品。因此，他很會打算盤，一個鷄蛋等於多少字。於是，他這天一定把雞蛋的開支列入稿費里。當時，稿費最多是「千字斗米」他不得不拚命胡寫了。所以，他後來寫的長篇小說：「春暖花開的時候」，毫不足取。

姚蓬子是市儈

姚蓬子在抗戰初期還寫寫詩，後來，他就是一個「文棍」，跟着郭沫若，矛盾後而轉。他那副相貌，活像一個抽了十年雅片的小商人，尖下巴，黑皮膚，滿嘴黃牙齒。烟，酒：……都來。他赤手空拳創辦了「作家書屋」，時常爲了爭出書，和其他出版商大吵大鬧，活像瘋人。

他編新蜀報的副刊「蜀道」，從不發稿費，仗着厚臉皮，那些稿費下了他的腰包。但他對那些有名氣的作家，逢年過節請吃一餐飯，喝酒三杯，稿費一笑了之！如若是青年作家不但不請吃飯和發稿費，就要索取「廣告費」了。

舊劇新語　曹操的「笑臉攻勢」

軒蓀

平劇裏每一個角色，因其一生事業，地位，環境，功罪的不同，所以扮相身分和表情，也多有變化。三國戲裏的曹操，他在「中牟縣」，「華容道」，「戰宛城」，「陽平關」，「逍遙津」的演出，都有變化。雖然同是狼狽敗竄，在小動作上，卻頗有不同，這個角色在任何場合上，總不時扮出奸雄的特徵，「笑臉攻勢」，這個狡猾之輩老伶工，常能把握這種細微的動作，博得觀衆的好彩。老伶工在演「逍遙津」裏曹操出場白口是：「某，大漢丞相，加九錫，魏王曹。」按此時曹已跋扈萬狀，劍履上殿自稱「魏王」，這種自我介紹，是恰合身份的。今伶扮演此角，報名……急義了，昔時郝壽臣和侯喜瑞都是擅扮曹操的名角，他們二人的路數與氣魄，却各個不同，侯是科班出身，武功有根底，所以「戰宛城」之類氣氛緊張的戲，演來甚爲精彩。至於封王加錫以後的曹操，郝演來有不凡的氣度，侯喜瑞從不演唱「捉放」，而郝壽臣却對此劇享了盛名。以後的王泉奎、裘盛戎、馬連昆等人，有的偏於唱工，有的亂灑狗血，則遠不如郝、侯之能體會劇中人性格而時有變化。

同光風雲錄

夢山樓

于式枚（上）

于式枚，字晦若，本蜀人，因父宦粵，僑居平樂，遂爲平樂人。少時卓犖有大志，性敏慧，博聞強記，文尤華贍。惟家貧不得與郡縣試，其父謀於紳耆，欲索鉅金，始允著籍。晦若語父曰：『兒年尚稚，可緩議，且讀書亦非專爲科名計，勿徒耗資爲也。』父從其言，欲罷議，其同學友力勸試。晦若曰：『吾將入金馬玉堂，不過假道於州耳，豈需此一領青衿作敲門磚耶？如終不見容，吾將遐蠲，或納監就北闈試，不與窮子爭逐鹿。還君傳語，吾去後，恐貴郡無翰林也。』旋棄去，潛求身心，益肆力於學。既而，籍隸平樂，郡鄉兩試俱捷，

於光緒六年成進士，以庶吉士散館用兵部主事。時李鴻章總督直隸，疏調居幕府，奏牘多出其手。當鴻章以欽差大臣賀俄皇加冕，因禮聘德法英美諸國，晦若充隨員，歸授禮部主事，再由員外郎授御史，遷給事中，參贊辛丑和約，賞五品京堂，大學堂總辦，譯學館監督，旋擢郵傳部侍郎，數年之間，位至卿貳，殆績學所致歟？

當是時，政潮激烈，自詔預備立憲，舉朝競言西法，無敢持異議者，於是晦若奉命出使德國，充考察憲政大臣，瀕行疏陳曰：『言憲政者，必以本國爲根據，采取外國以輔益之，在求其實，不徙襲其名；……凡有大政事，大興革，內則集廷臣之議，外或待疆吏之章，勤求民隱，博采公論，與立憲之制，無不符合。……此在朝廷，本一定之指歸，齊萬衆之心志，循序漸進，先設京師議院，以定從違，舉辦地方自治，以植根本，尤要在廣興教育，儲備人才，凡與憲政相輔而行者，均當先事綢繆者也……。』晦若抵柏林，居年餘，於其立國之本原，民政之純駁，政令習俗之沿革，考察甚詳，研討益精，歸國後，編著德國憲政史，備擬進覽。明年調禮部侍郎。（四十八）

自由人

THE FREEMAN

（第五六二期）

中華民國僑務委員會登記證僑新字第一〇二號
中華郵政台字第五〇〇〇號執照登記為第一類新聞紙類
（半週刊 每逢星期三六出版）
每份港幣壹毫　台北市價新台幣壹元
地址：香港高士威道二十號三樓 3rd fl. 20 CAUSEWAY RD HONG KONG

共產主義的經濟死症

·曾旭軍·

蘇聯共產主義的癌症，在其奴役人民的掠奪集中經濟制度。長此下去，如不死於人民反叛的潰瘍暴發症，即亡於枯竭虛脫。

史魔在自知蠟盡油乾時，便連忙發表其『蘇聯社會主義之經濟問題』一文，可知此問題已如何嚴重了。

共產主義的病根

現在鐵幕內統治層之鬥爭，已不是單純的政權爭奪，而且是加上經濟歧見的鬥爭，其內容甚爲複雜，有內欲挽救其統治集團壽命而發生歧見，有因爭取其所代表之經濟集團之利益而鬥爭。史達林在世時尚能以其個人權威鎮壓，不致發生此種鬥爭和人民的反叛，他死後逐漸加重危機。

共產主義最大的病根，是『人民無自由處置其勞動成果之權』。這樣就喪失了生活的意義，喪失前途的希望，加之統治者爲維持其政權而增加軍備，以致連維持最低的生活亦不可能，東柏林與波蘭的波茲南之暴動，是一個明證。

史達林在其『蘇聯社會主義的經濟問題』一文中，建立其教條說：——『價值（指交換的效率）亦如價值律一般，是歷史上的一種範疇，與商品生產的存在關連。由於商品之生產消滅，價值以及價值規律亦消失。如謂在目前的經濟制度中，尚如以往一般的，各種生產部門勞動的分配，尚受價值規律所調節，則係不正確的。』

他又寫道：『假如說價值規律調節各生產部門勞動的分配是正確的，爲甚麼我們不發展輕工業到最有利的限度呢？尤其是我們爲甚麼特別發展重工業呢？重工業當是較少生利的，甚至無利可言。』

這是『一切爲國家，一切爲建立新社會主義，』的瘋狂掠奪集中的措施。這是蘇聯共產主義的正統派，所謂『到共產主義的過渡時期』，『政治目的軍於人民福利經濟』，『重工業重於輕工業，』『完全拋棄價值法則』。

兩派的經濟理論

但統治階層之專家羣，及技術智識階級自成一派，與史達林這一個正統派相對立。他們的主張內容剛剛和上述的每一項相反。而且感覺到蘇聯攪了幾十年的共產主義，這社會主義制度的基礎依然是個幻想。

馬連可夫登台，感覺他沒有史達林的獨裁勢力，不易推行史魔的正統主義，便想變通，謀折衷兩派的主張，所以主張不延宕輕工業生產，以謀解救經濟危機。但史派不滿，因此馬連可夫祇能實行獨裁政治九天。即從一九五三年三月五日至三月十四日。認眞來說，馬亦無實行獨裁政治的氣魄。三月十四日眞理報發出一幅由史達林、毛澤東、與馬連可夫各別的像片合成的一幅假會影像片，表面上意味着馬連可夫已是蘇聯的唯一領導人了。但實際上暗示馬氏必須下台。所以十四日馬氏便不能不放棄了共黨書記一職。馬連可夫便失去獨裁權了。

一九五二年九月赫魯曉夫師史達林的故智，製造一個由自己去担當的重大使命，即『開墾處女地』，攪的什麼『農業城』，好像史達林倡導『集體農場』一般的，以鎮壓還反者爲藉口去掠奪大權。但一九五三——五四年沒有他所要攪的農業改革的基礎。他終不如史達林之奪權成功。

他雖然奪得黨權，但政權却在一九五五年初落於布爾加寧的手中，不得不勉强做成現代的雙頭政權（DUUM VIRDATE）。[illegible]來在經濟建設上做過一番工作，他可以代表『專家與技術智識分子羣』與軍人。那麼便可與代表黨的羅之赫魯曉夫發生平衡作用。

史魔的經濟政策未死

但蘇聯經濟政策仍然執行史達林的正統派主義的。在反史潮中，我們要分別反對史達林的『崇拜個人英雄主義』，和反對史達林的經濟主張。兩種是不同的反對。

因爲爭政權的趨於尖銳化，彼此同意反對史達林的『崇拜個人主義』，由赫魯曉夫出頭。其實是赫魯曉夫所不願的。反史對於他最爲不利。但他亦可藉此遏抑在政敵。

至於米高揚的反史，則在反對史達林的經濟主張。米高揚懷疑史達林的工作成就。共產黨中央委員團中若干委員與米高揚抗衡一氣，指出史[illegible]家現在有許多人不適當的研究社會主義生產的價值法則』。[illegible]蘇斯洛夫（Suslov）說：『在蘇聯現代的發展，已開創一個新時期，必須注意經濟問題與解決經濟科學問題之智識。[illegible]用此種法則。經濟學更不在話下了。

共產經濟死路一條

史達林這篇東西[illegible]包含有特定的訓示如何實行到共產主義的過渡辦法。特別是集體農場國有化，以物物交換代替普通貿易，此種計劃，大有專家技術智識份子以及國家企業經理等人的利益，也爲大多數人所反對。在理論係：第一國有化集體農場，將使國家完全操縱其勞動成果；第二，此種計劃與共產主義的過渡時期辦法，將實行『各取所需』『原則』，而非係『依其勞動程度性質而取得報酬』。至多也只是限止，完全無視和自由處置勞動成果之權，這是有勞動成績可考的技術智識份子，和農人的所不願。至於那些無權人士，則願意實行『各取所需』。假如價值法則與利潤原則，重復成爲生產要素之一，不獨蘇聯共產主義經濟要完全變質，而且共產政治的獨裁要崩潰，共黨政權要傾覆，這是蘇聯俄共集團不能容許的。

但若不改變，使『人民有自由使用勞動成果之權』，則長此下去，即陷於經濟枯竭虛脫，終歸是死路一條。

至於中共的經濟前途亦與蘇聯看齊，其榨取集中的手段比蘇聯更兇。毛澤東大呼『社會主義化的合作制度』。也就是共產主義癌疾加深的呻吟！

蘇聯共產集團雖然有了此種盲死症，但自由世界不能袖手坐視，以待其滅亡。而且它未滅亡之前，必然瘋狂的向外擴張，以謀挽救其垂絕的性命。如此則世界大戰不可免。所以自由世界必須同時加以外在壓力，以加速其奴役統治的覆亡，才可避免大戰。（完）

孫秉乾與米案無關

一個多月前，我發表了一篇『使領人選與僑務』拙稿（五四七期本刊），承余克非先生閱後指正說，當日的曼谷領事孫秉乾先生確是一位有能幹的總領事，但他所以調走，是因爲米案問題，不是上級不歡喜他。我很感謝余先生對拙稿這麼留心閱讀，但我深知孫秉乾先生是一位有爲有守的人，他似不會和米案有什麼『瓜田李下』的嫌疑，承余先生指正，我得調查一下。

據我現在查得，我駐泰國大使館的人員當日因米案的問題，確引起僑胞和中央主管機關的不滿，財政部曾派專人周某到曼谷調查，有很詳細的報告。其中某人某人有關，都說得很淸楚。外交部根據這個報告分別處分使館的人員，調去職務的確有。但這是民國卅八年三四月間的事。當時的曼谷總領事館，是獨立的，還沒有併歸使館。米案是使館人員的事，和曼谷總領事館完全無關。即是說，米案和孫秉乾先生完全無關。

把曼谷總領事館併歸我駐泰國大使館，是卅九年初的事，因爲共匪猖獗，大陸淪陷，政府遷台灣，外交經費困難，外交部便有把若干總領事館併入大使館的措施。不只曼谷總領事館併入駐泰國大使館，岷里剌總領事館也併入駐菲律賓大使館。孫秉乾先生在卅九年九月纔奉調回外交部。這時，距離米案的結束已有十七個月，外交部的行政效率縱使不高，如果因米案關係，也不會拖擱得這麼久，纔舊事重提，再把孫秉乾先生調回部。且這時，孫先生的上級，不是外交部。（總領事的上級是外交部，併入大使館後，他的上級官長是館長，而不是部長。）

我在民國四十四年到曼谷，住足兩個月，接觸的僑胞很多，對孫總領事特別稱道的有張蘭臣先生夫婦，有許多青年僑胞。最近，葉部長公超先生親率代表團到泰國，代表僑團任主席歡迎葉先生的就是張蘭臣先生夫婦。聞說還有若干人和葉先生談及使領人選與僑務問題，僑情也可概見。

僑胞是不易受騙的

李樸生

僑胞意見應重視

一般官場上的人情，對在台上有權有勢的時候被歌頌，不足貴，魏閹有權勢時稱九千歲，生祠徧國中。史魔有權勢時稱偉大的領袖，稱天上的太陽，有數不清的銅像與照片，到了失去權勢的時候，便受唾罵，便被淸算，天下之罪惡皆歸之。所以一個官吏在離職以後，纔有去思的稱道，纔是可貴的。我在夏威夷，聽見僑胞稱道已去職的于總領事[illegible]（現任駐西班牙大使）。我到曼谷，聽見僑胞稱道孫總領事秉乾。有人說，僑胞太重感情，有時特爲介紹。有人說，僑胞爲着私人的恩怨，地方的成見，論人論事，不見得够公平。但這只能解釋到被僑胞攻擊的事，會受成見的影響。僑胞是有政治意識的人，應該是難得的，一片愛國家做好的誠心，簡單而天眞，少數人即有成見，大多數人的眼睛是黑白分明，不肯把黑白顚倒的。所以一個壞官吏，而想欺騙僑胞很不容易。僑胞的意見，因都能够有自由的表達，所以有時朝內眷顧方隆的大官貴人，他們也不知天高地厚，硬去碰釘子。我曾回想抗戰期中，如果行政當局稍重視僑胞的意見，把福建省政府主席陳儀的職務調整一下，近若干年的新加坡僑情，會不會這麼隔膜？是值得研究的。

我們當時固執支持一個[illegible]的陳儀，把新加坡，馬來亞愛國僑胞的意見，視同無物，眞是國家的大損失！（我不是到今日還打死狗，指摘陳儀，在民國[illegible]，看到激昂反對陳儀的僑情，我即主張調整福建省政府。）現在陳儀這樣專橫，荒唐，暴戾的官員當然沒有，但思想脫不掉舊官僚的窠臼，不親近僑胞，不積極反共，濫竽充數的恐怕還有！

僑胞並沒奢求

在反共這個嚴重的階段，正要多多爭取僑胞。若對於某一個官吏，尤其是使領人員，僑胞皆曰[illegible]，而不察之；僑胞皆曰[illegible]，而不察之。這是使僑胞增加對政府的[illegible]的反感，是不爭取僑胞[illegible]。爭取僑胞的正常道理很簡單，就是僑胞之所好，好之；僑胞之所惡，惡之。僑胞現在沒有什麼奢求，對中央是希望政治、軍事、經濟力求進步，早日反攻大陸。對派出的使領人員，希望遴任[illegible]領導他們團結反共的[illegible]應該樂于接受的希[illegible]違反了用人的道理[illegible]胞的要求是與我們爲難的！

半週述評

·司馬璐·

三面作戰

今天中國的自由文化力量正在海外艱苦作戰，我們不僅要同正面的敵人作戰，而且要同敵人的統戰政策作戰。

我們不僅要和敵人的統戰政策作戰，而且要同受「國鼓勵的「中立投機」政策作戰。

美國鼓勵的「中立投機」政策，現在正達成怎樣的效果呢？第一是打擊反共士氣；第二是孤立反共力量。

中立投機

我們要求，一切有文化良心的中國人，一切有民族自尊心的中國人，一切有堅決反共意志的中國人，正視這一事實的嚴重性。

美國人當然不肯承認，美國鼓勵「中立投機」這一說法。他們說，他們是爲了「爭取中立主義者」。

不錯，「爭取中立主義者」，是個好主意。但是，怎樣「爭取」呢，是不是，堅決反共的應該跟着中立投機的份子後面走呢！

打擊反共

是的，美國今天所執行的政策正是要我們如此。

不僅此也，美國的力量今天正在亞洲直接影響中國反共的力量。

美國爲了執行它的「爭取中立」政策，對於中立投機者不惜曲意承歡；那些中立投機份子又借重了美國的力量，破壞中國自由文化運動，打擊中國最堅決的反共力量。

我們要問，這難道是美國人所願意見到的悲劇嗎？

美國之風

自從葉公超先生在立法院的報告發表後，海外輿論正紛紛討論如何爭取華僑的問題。

筆者認爲，今天自由中國無論派出「宣慰大員」也好，加强海外宣傳也好。加强貿易鬥爭也好，但是，問題必須從根本着手，遏止美國「鼓勵「中立投機」之風。

因爲，我們經過多少努力，重振華僑反共士氣，美國鼓勵「中立投機」之風，一陣風就抵消了我們許多努力。

國旗之爭

筆者從不反對任何反共者與美國合作的態度，但：任何一個反共者如果放棄反共的和國家的立場，去做無原則的屈從美國的政策，則是我們所堅決反對的。

不久以前，香港某一新成立的社團，雙方發生國旗之爭。問題的本質即在此！我們堅持堅定的原則性的反共立場呢？還是屈從于美國所鼓勵的中立投機的政策呢？

呼喚良心

筆者從不反對爭取中立份子，甚至認爲，爲了擴大我們的影響，使得中立份子易于接近我們，在無關緊要的問題上我們可以讓步。

但是，在原則性的問題上，我們必須堅持。否則，不是我們爭取中立份子，而是中立份子爭取我們了。

最後，筆者願再呼喚今天文化的民族的良心，同美國鼓勵的這種中立投機的政策作戰。

為了解決將來職業問題 香港學生多重視英文

英文中學大量增加專門學校亦投所好

本港教育現有一項大轉變，中學生大多數希望轉入英文中學就讀，因此，英文中學或英文書院的學位非常滿市，無不有人滿之患。新設立的英文中學如雨後春筍，漢文中學為了迎合學生趨好，許多都在醞釀加設英文班。由於這種趨勢所影響，漢文中學的就讀人數日減。

這種趨勢的促成大概是學生在英文中學畢業以後易獲得出路所致。特別是香港政府近年來招僱了許多新職員，大都規定必須是英文中學畢業會考及格的學生，同時許多大公司大洋行招請職員，也都要熟諳英文的，青年們為了在畢業後容易找尋出路，都湧進英文中學去，使英文中學的學位非常吃香。

英文中學人滿之患

已經有悠久歷史的英文中學，不論官立或私立，無不早告額滿，即使新開設的，也吸收了不少學生。

今年內新開設的英文中學不下有十間，這是香港有史以來所僅見，其中有幾間是規模頗大的。[illegible]

許多漢文中學為了適應潮流，紛紛考慮加設英文班。另外一間有悠久歷史的漢文中學，也在計劃開設英文班。[illegible]

五千人考工業學校

由於香港工業發展，[illegible]已提出申請書者凡五千五百餘人，除二千二百餘人[illegible]及有六百餘人[illegible]投考科外，其餘一千[illegible]機械工程系等工[illegible]

師範生出路漸難

[illegible]

以配合下學年之計劃，[illegible]亦以此期間最頻繁；而一般學校之需要聘請教師者，亦多在[illegible]九五二年公佈施行之新教育條例規定：凡學校聘請教師者，應注意是否有適合該校之檢定教師可以聘用，然後始得聘用[illegible]之規定，即常於期中有適合之檢定教師可用時，即不須聘請教師。

在本港之初中及小學之檢定教師，多係師範及葛師兩師範學校之畢業生。每年該兩校即有大批學生畢業，可以出而任教，除在官立學校任職外，甚多則在補助或津貼學校任教，亦間有在私立學校任職者。根據教育司署發表之工作年報，每學年開始時，將有若干官校，津貼學校缺乏教師，可以聘用甚多之畢業生。通常於八月中旬開始，可經由教育當局召集，介紹往某一校任職，如本人及校方均同意時，即可派出任事。惟仍有部份因名額所限，未能讓得派出者。當局花費金錢與時間，栽培此批學生，用意為培養更多之合格師資人材，以配合整個教育事業之發展，故學校欲聘用教師時，似應以此批人材為優先考慮對象，始能符合當局培養之意。頃據教育署消息：此兩間專校之畢業生，由本月始，可以出任教職。教育當局希望港九各補助、津貼、或私立學校，現在或將來有教師空缺時，能對此批檢定教師，予以優先之聘用考慮。

論中醫設校問題

答丁文淵先生並就教於醫界賢達

·楊日超·

先於自然醫學脫離正統醫學另立治療方法者，德國哈尼曼博士所創之「同樣療法」，此派醫學在近數十年來，已為醫學界所重視。據調查，在美國已有兩州承認其為正統醫療法與正統醫學地位相等。據數年前統計，美國有同樣療法醫院一百零二間，在英國亦有病床六百張之同樣療法醫院。德國許米特博士等，亦採用同樣療法治病。日本西醫坂口弘氏，更遠赴德國研習此學。同樣療法治病之原理，純以人體患病時所現局部及全體之種種證候，為辨證用藥之標準，絕不理會正統醫學所重視之病名及疾病本質。故對正統醫學所重視之解剖，生理，病理，細菌，甚至於藥物學等等，概置于次要之地位（詳說請看中國新醫學第十三，第十四，十五，十六各冊）從同樣療法，自然醫學之興起，可知科學界反對正統醫學者亦不少。

至於中國醫學，國人大都明其要義。中醫之辨證用藥，一方面注重病名及疾病本質；另方面則根據種種證候而區分其柴胡湯證，四逆湯證，白虎湯證等等，然後按證投藥。故常于一方中兼採協助抗體，消滅病原等藥物同時並進，此即中醫全體療法之特點。惟在理論方面因受時代知識影響，不無可商之處。

吾人若將上文中醫設校先決前提各段所舉有關中醫學之例證，再與本段東西兩大醫學主張及其分支醫學，作一綜合研究，則可知中國醫學，既具有自然醫學注重人體之長處，且具有正統醫學注重消滅病原之特點；況中醫藥在某些治療方面，較之正統醫學仍有其若干之優點，又與同樣療法有其共通之點。似此中國醫學實兼有數者之長。在今日一部正統醫學家，已由懷疑正統醫學，而另闢新途之時，吾人將兼有所長之中國醫學，予以設校闡揚，誰曰不宜。

至有謂今日中醫之針灸學術，經證明其合乎科學，可于西醫學院中增設一課程，以作中醫學之一部分。此一「按件論價」之見解，吾人實不敢苟同。蓋針灸學術只是中國醫學之一部份，吾人試一回顧三十年來之舊事，祇過去針灸之術，又何非被視為「歷史殘餘」，而須澈底予以打倒。然而曾幾何時，今日德、法、日、瑞之正統醫家，已竭拙而研究之矣。此種對本國學術之評價，率以外人之是非觀點為然否之態度，不但過於「自卑」，抑亦可哀！「前事不忘，後事之師」！吾人應鑑於針灸學術，尚能合乎科學而為世界醫學者採用之事實，為免有誤吾人下代計，切勿妄謂針灸表裏為用，且經現代學者證明在千數百年來已採用抗生藥物，及協助病體抗力療法之藥物治療學，無其設校研究之價值也。

中醫學校教材問題

中醫學校之設立，確為「茲事體大」，故對教材及教員方面，必需審慎編訂與選聘。所幸今日中醫兼習西醫者及西醫而熱心研究中醫者，均大不乏人；倘能搜羅聘用，對教材之編訂當可依據科學方法，面討辦理。若謂因教材編訂困難，遂不設立中醫學校，此一因噎廢食之舉，智者不為也。或謂中醫學校之設立，必俟有十全十美之教材，始可辦理。是則又非確證！蓋今日之國立中醫學校，事屬創舉，教材方面只求其能系統分明，無違科學原則即可。如謂必俟十全十美始可辦學，則不但中醫學校永無設立之期，即西醫學校亦難以辦理矣。不觀西醫學校教材，自清末丁福保等譯述之各科講義以迄今日，中間又何嘗不迭經更改？即以今日之西醫教材而言，誰又敢保其將來永不更改？再者，試問一部內科學中，有多少疾病不知其病原；有多少疾病知其病原而無治法；又有多少疾病對病原治法盡付缺如？在過去已需更改，在將來亦難保其不再更改，且有不少疾病不知病原不知治法之教材，又安得謂之十全十美？已非十全十美，則過去之辦理西醫學校，亦應有所待。然西醫學校自設立以來，終能隨時代之進步而進步者，以能接受時代新知不斷改進耳。似此則中醫學校之進展，又何嘗不可循此途徑求其臻于至善至美之境？況今日歐洲醫學者，在針灸學方面，依中國古法十二經絡，奇經八脈及五行論取穴法，以教授現代醫生，結果不但治愈疾病，且謂有與內分泌關連之證現，以致日本西醫坂口弘氏，亦提出日本少用奇經八脈治病之檢討。此許米特博士所以有「東洋醫學應用東洋方法解決之，研究之。」之言也。明乎此，則對中醫教材之編訂，自不致吹毛求疵矣。

總之，在二十世紀原子時代，歐洲醫學者，尚相信可以作為另一新醫學領導之中國醫學，吾人忝為炎黃後裔，不論中西醫學界，均應在政府設立中醫學校之措施下，竭其愚誠，貢其綿薄，庶期中醫學術，躋于國際醫林。斯則不但國族之幸，亦人類之幸。此為筆者一得之愚，未識醫界賢達以為然否，願聞教！（四）—完—

「新福州」與黃乃裳（四）

·淵明·

四、港主黃乃裳這個人

據林子超先生（撰「亡友黃公紱丞傳略」）上有說：

「公諱乃裳字紱丞，福建閩清縣人，少治舉業，應清甲午鄉試中式，而非其志，戊戌方盛言變法，公八上書陳政，既不報，則日與六君子講論新學，難作，凡上書者皆治罪，有密促使行者，公黯念，勢之難挽，事功之不集，思得海外地，以生聚教訓，則周歷南洋群島，庚子得詩巫埠於拉讓江……上下原隰，可耕可墾，因嘗其水草，知其美沃，乃請於沙王著約墾田招僑，官，閩清，古田，永福願往者千餘人從，名其埠曰新福州，擇黍稷，薯，芋之利，種植者以試，先後斥鉅金無算，逾年在載墾田若干萬畝，成利倍徙。」

實際上黃氏不但是一個腳踏實地的革命志士，而且是一個有膽有識的革命殉士。傳略上說他：

「漫走瀛洲，星洲，潮，漳，滬，廈，揭革命之說，以倡人心。與孫中山先生交尤篤，辛亥義師興，公先在閩部署，事定，臨時參議會推公長交通司，籌備局事辦。時滿兵積餉，及償還舊政府，需格百萬有奇，公為請助南洋僑商，得銀七十餘萬。北伐軍起，新福州志士許遜夫率衆歸，集北伐學生隊之滬，翌日共和，衆無所附，陸軍總長黃克強留其中二百餘人，入南京武備學校。公旋籌辦閩南蠶織女校，於會城外大妙山，舊約龍書院，擢女生詹植為之長，袁氏當國公謝所事去，有陷公者，南洋僑商環起而救，脫於獄，公自是里居不復出。」

黃氏於戊戌時代，原是康梁一路的人物，也可說是保皇黨。但後來他又變成了革命黨，這一轉變，多係受了國父孫中山先生的影響，也可作為保皇黨終於失敗，辛亥革命終於成功的一個具體象徵。這轉變的關鍵，也就是在黃氏得了沙勞越拉惹的特許，於庚子五月與沙王訂約以後，他又回到星加坡的時候，據「紱丞七十自敍」上說：

「六月初，孫中山先生由濟南洲來星加坡，與康南海事，康以是年二月為南洋中國革命往，其宗旨在保皇，而擁護滿清招酬其富貴封王之願，而孫在推倒滿清制之滿清政府，謂我與若合而為之事成民主為國，任全國人民民主選舉，我與當不少居此位，康聞之，大拂其意。」

（近因稿擠，今始續刊。特向作者讀者致歉）

讀者論壇

應消除的不平現象

·望治·

革命目的為「打破不平等」的現象，自由中國今日仍有許多不平現象，急應糾正，茲試舉數端，藉供檢討之助。

一、經濟　人人知自由中國為海島偏高之區，而自三十九年至四十四年度止，美國經援我者計美金六億四千二百萬元以上，為消耗性之物資用商業採購方式購入者，甚多直入商人之手。同時，貿易進口商因有結匯權利，並可頂讓牌照，坐收鉅利，又查獲得美援之工廠，除獲（1）期間頗長之低利貸款；（2）初辦時期之免稅；（3）關稅及限制設立之保護等為工業基礎薄弱國家應有之鼓勵措施外，其借得外匯以官價結算；如核准一百萬美元，即不勞而獲四十萬元。以上均為經濟不平之例。又今在自由中國送子弟入美國人學校（在台之美人學校，國人數目遠過於外人。而入上項學校之每一子弟學費，即為普通公務員收入之二倍）；及如七月一日華報所載四十萬元娶妾之人，即為此項在經濟方面得有特殊利益者。

二、政治　去冬財政部長曾以斬釘截鐵的口氣說，因財政關係公教人員改善待遇無望，但即在同時期，立、監委員等人之出席費便增加二個中級公教人員待遇之數額，國大代表亦以光復大陸設計委員名義每月增交通費二百元。他如政府收購土地，增加設備，經議員介紹賺取佣金始能順利完成手續等亦曾見報載。更就政府本身言，亦多無「分層負責」之效，而有「以上吃下」之弊！例如附屬機關職員活動「調」上級服務後，即可以上級名義通知其本職機關要「車子」「房子」。人如此，物亦然，如七月十六日民族晚報載財政部長徐柏園氏之小汽車被禁，附註云「車係公賣局調用者」（聞此車前以監察院長于右任氏之坐車已舊，監院秘書長曾暗示公賣局購新車以進，但于氏見此新車詢悉來源後即行拒用。而徐財長調用公賣局車後，原有中國銀行所供之小汽車二輛，全由眷屬使用。此於新人新政，亦為一諷刺）。可見一斑。

三、社會　最近所謂「牛哥案」，轟傳遐邇。依七月十四日香港工商日報報導而分析，知有（1）洋機關。（2）文化界。（3）高級治安人員之背景與關係，如無陳副總統、行政院俞院長之「極表關切」（見工商日報原文），則道德、法律在此案前即完全無用。而未為副總統、行政院長所「知」或「關切」之違反道德、法律、社會秩序之事，在無形中時有演出，亦可想可知。故七月十二日聯合報有云：「今日所謂流氓，由於社會生活的複雜性，竟使其形成『上』『中』『下』三流。上焉者出入公門；中焉者招搖社會；下焉者橫行市井，……」，讀之令人不寒而慄！

以反共復國要求之迫切，任務之艱鉅，筆者以為無論朝、野，對前項現象不可忽視，更應探本尋源，有以根除之也。

延年益壽

鐵幕內傳出消息：說蘇聯科學家將血液及養氣注於老人的身體內，以作延年益壽的試驗。

這消息傳到毛澤東、周恩來之流的耳裏後，當然是個大大的喜訊。他們可以請蘇俄專家給他們注射大批俄國人血液，一方面長壽「萬歲」，一方面改造成俄國人血統，儘管斯太林爸爸死了，也許血液改換，慢慢地把鼻子變得大大的，高高的，俾得赫魯歇夫一般新統治者們另眼垂青哩！（源）

何事驚惶？

英法對於蘇彝士運河糾紛，氣急敗壞，有如熱鍋上的螞蟻然，美國卻蕭灑亭亭，主張以和平手段，從長計議。如是乎，英國輿論界為之發芽，倫敦『每日素描報』乃刊出『權威』消息，說杜爾斯因為不滿意於艾森豪總統對埃及的軟弱態度，提出辭職了。果得美國務院連忙發表聲明，指這項消息為『毫無根據的奇想』！即此我們今後對於西方新聞電訊中之所謂『權威』報導消息，應該知所鑑矣。

英法如果是有種的，一聞納塞以非法手段攫沒運河公司財產時，即派兵佔領蘇彝士運河，再找納塞講理，埃及絕對是無可奈何的。光是揎拳捲袖，高呼武力對付，實際上係銀樣鑞槍頭，沒有美國撐腰，即不過像我國蘇州人吵架，吐吐口沫罷了！

法國的莫萊總理與畢諾外長，不是曾經指斥集體防衛為無用之長物嗎？不是曾經到莫斯科作親善訪問，認為蘇俄『確有和平誠意』嗎？現在埃及仗着蘇俄的軍火供應與政治支持之力，沒收法國的財產，莫萊就應該再次訪問克魯歐夫與布爾加甯，請他們本其『和平誠意』，幫忙幫忙，才是合乎『和平共存』的原則，何必又要美國從事於無用的集體防衛工作呢？畢諾早就說社會主義才是反共最有效的力量，現在埃及與俄共狼狽為奸，何不拿出『社會主義』這項有效的法寶來對付它呢？英國對於東南亞公約素來視為無關宏旨，認定毛澤東可變為『亞洲狄托』，不必在遠東反對共黨，如今納塞之所為，確是十足的『中東狄托』姿態，何不一視同仁，予以優容耶？

我若是艾森豪，決不教杜爾斯去倫敦，英法如要美國拔刀相助，可以的，但須將三國關於自由世界的全盤政策先行談判妥當，立下信約來，然後斟酌行事。大家講講現實主義，有何不可呢！

馬五先生

從「青年戰士報」——看軍中文藝

江水寒

幾年前文藝界發起『文藝到軍中去』運動，此後，軍中文藝氣象即日以千里。即以當前的『青年戰士報』來說，該報創刊於民國四十一年國慶日，當時工作人員祇有二十二人，且多是自各部隊調用的，這張小報的發行對象是救國團（青年）及軍中（戰士），其實是以軍隊為主，發行到各軍事機關學校，部隊及於連級，救國團僅及於支隊。該報在內容上、編排上、印刷及校對上，都極精美細緻，在當前小型報陣營里可謂翹楚者。在副刊方面，有『副刊』、『副刊周末版』、『學習』、『生活』、『娛樂』、『漫畫周刊』、『體育』等，而以『副刊』、『學習、生活』及『漫畫周刊』為主，執筆者初尚有少數社會知名之士，其後他們的作品逐漸減少，而為軍中後起者所取代。目前絕少社會作家的作品出現，這並非由於排斥他們，而是因為軍中新起的作家湧現了。副刊內容之充實與精采，不亞於其他任何報紙副刊，且更為適合其讀者羣之胃口。現在一般人對該報都極具好感，許多社會人士及軍中個人想訂閱，都不克如願。這是因為受了發行額的限制。

據我所知，軍中文藝所以如此勃興的原因，一方面由於軍中克難創作風氣之激揚，一方面由於扶植與獎掖之得當。在扶植方面，國防部訂有完善的辦法，並能切實推動；在獎掖方面，軍中發行之報刊除『青年戰士報』外，他如『軍中文藝』、『國魂』及陸總海總等發行之報刊，各軍師部自辦之刊物等，都積極獎勵官兵閱讀寫作，他們愛惜每一篇作品，給每一作者以希望與鼓勵。有些單位為了鼓舞創作興趣，自制單行法，凡官兵接到稿費通知單後，即可憑此向福利機構領一份獎金，等於雙料稿費。其他如晚會時朗誦作品，介紹作者等等更是普遍現象。

現在，軍中作家輩出，有些已有相當成就，已把作品打入了社會，爭取更大的讀者羣，而把軍刊軍報的園地讓給了後進者。

說瓜

刁抱石

「種瓜得瓜」，殆為天經地義，個中樂趣唯有種瓜人獨享，何況還能根據得瓜的經驗，去分享「種李得李」，以及「種豆得豆」，「種麥得麥」的安慰。所以，自古以來，種瓜這一件事情，就變成讀書人的副業，不讓做田人來專美，現在舉幾個例子：邵平——秦廣陵人，封東陵侯，嗣為布衣，種瓜於長安城東，瓜有五色，甚美。所謂「種瓜侯」，「故侯」，「青門瓜」，「東陵瓜」也者，都是這個故事的產物。王維詩：「路旁時賣故侯瓜」，「金盤五色瓜」，頗饒田園風味，我想，這位大自然詩人，他對種瓜一定有一手。「幅巾我欲相隨去，海上何人識故侯」？東坡之羨慕對方，亦與種瓜有關。陸放翁詩：「小園烟草接鄰家，桑柘陰陰一徑斜。臥讀陶詩未終卷，又乘微雨去鋤瓜」，足見興趣濃厚。趙孟頫曾表示：「令人苦憶東陵子，擬向田園學種瓜」，惜乎未能學得。

話說筆者在童年也許受了「也向桑陰學種瓜」的啟示，偶將種子安置在泥土裏，竟綻出嫩芽，徐徐成長，漸漸蔓延，生出了小瓜，充實了空地，終於瓜熟蒂落。如今事隔三十年，猶覺歷歷在目，津津有味，假使環境許可，何樂而不恢復故技，調劑生活？俗云：「老王賣瓜，自賣自誇」；又說：「賣瓜不講瓜苦」，的確，當地產的瓜更甜，像故鄉出產的西瓜，紅到邊，香瓜香撲鼻，眞是揚州靈眉呱呱叫，種類最多的是香瓜，形形色色，有的叫「小麥子」，有的叫「鴨蛋青」，有的叫「洋南瓜」……在台灣那兒有這種口福？對於瓜的選擇，有一句土話，也可說是一種秘訣，叫做「歪瓜正棗」，意為外表好看的不見得好吃，亦即中吃的恐怕不中看，這和「賣柑者言」含着同樣的道理。猶憶勝利還都之際，曾乘興返里，時值端午節後，瓜正上市，瓜味依然如故，但是，人事則已全非！涉足田間，聞見泥土的氣息，聯想到過去作文，如「瓜田夜話」「瓜棚一夜」之類的題目，所描寫的情景，不勝感慨繫之。轉瞬間，故鄉遭了七八年的浩劫，閉目試思，那些自食其力，種瓜賣瓜的人，還能活着嗎？

挽楊愿公先生

·余少颿·

著勳開府奠初基，八桂堂堂建鼓旗。施政得民年少事，登壇挾策國危時。巴山話雨空回首，香海招魂賸有詩。筆陣後昆籌什富，軍光家祭藹雄辭。

懷特納夫人

——一個英國軍官的戀愛故事

謝永年譯

「當她大約三十五歲的時候，她底丈夫因為患中風病而變成了一個殘廢的人，這一來，倒使她得到了行動上的自由，您可以想像一個這樣漂亮的女子驟然恢復了相當限度的自由以後，當時會有多少有地位有權勢的男士去追逐她，但是，她通通婉言謝絕了他們，並且對他們表示，不是故作假正經，只是她底丈夫的病狀，使得她對於朋友們的往還，更加要採取保留的態度罷了，今後她還要注全力來教育她底兒女，他們一共是四位，其中有三個是男孩子。

「她在家裏接見的客人，只有幾個最有信心的朋友，其中的一位，就是狄斯萊埃里（M.R. Disrae l.），他每天從國會裏出來，照例要去看她一次，他還寫了許多柔情的，非常的，而帶憂鬱感的信札給她，彼此間可說是異性的知己，當懷特納爵士去世後，有人以為她很快要再嫁，然而事實卻並沒有發現，她也許想到她底女兒如果同後父相處，或者沒有同寡居的母親在一塊這麼有幸福！也許女王曾經勸她守節，使她不好意思再嫁？到底是怎麼一回事，我們無從知道，總之她經常拒絕許多名人許多望族勳爵的求婚這卻是事實。」

柏克夫人似乎表示惋惜的意思，然後繼續說：

「當懷特納夫人將近四十歲的時候，人們開始注意一個陸軍中尉正向她獻殷勤，他是頗得人愛的運動家，長於騎馬射擊，他叫做格魯佛，比她小十五歲，在維多利亞時代，別個女人要是這麼選擇一個年輕的男子，一定會受到輿論所指摘，但是，懷特納夫人因為平日的名譽很好，因而她這一次大胆的嘗試，也沒有引起多大的批評，人們以為她對於這位青年的感情，不過是一種母愛的表示而已，可是這一回，大家又把她看錯了，事實是這一對男女的互相愛悅已達到熱戀的程度呢？

「愛德華爵士曾經好幾次對我說：當他接到陸軍部的命令要他到非洲蘇丹地方去做工作的時候，懷特納夫人極力鼓勵他去，並且說：『去吧！為什麼留在這裏？……無論如何我不會同你結婚的，不然的話，我底兒子們將要責備我給他們選擇了一個後父，年齡和他們一般大！……就以你自己而論，幾年以後，你將要懊悔，為着一個老太婆斷送了你底青春，……我並不懷疑，我是在愛你，但是正因為我深深地愛你的緣故，纔希望你脫離我，軍部給你的這個崗位，在你這個階級，實在是一個特殊的榮譽，如果你拒絕這個光榮的使命，我將一輩子不能饒恕你！當你再回來的時候，無疑的，我已經失掉了一個半老徐娘所僅存的使你迷惑的最後一點風韻，那時候，你也因為經歷了許多險阻和負起了責任的觀念，把你改造成另外一個人……那時節，我們彼此相見纔可以免於後悔，現在必須立刻起程纔對！』

（四）

同光風雲錄

夢山樓

容閎（下）

倡導青年赴美留學

純甫新政之計劃，重點在於教育，故選派青年赴美留學，以為國家造就建設之人才，以為新文化運動之啓發，殫精竭銳，併力以圖。曾國藩、李鴻章，據其主張，會銜奏陳，奉旨照辦。純甫遂與翰林陳蘭彬，共負辦理赴美留學之專責，而第一批學生三十人遂聯袂放洋矣。

自第一批以至四批，約計一百餘人，其中廣東籍佔三分之二，次為江蘇，學成回國，多有建樹。其中尤顯著者，為梁敦彥、唐紹儀、梁誠、詹天佑。敦彥於光緒末年，任外務部尚書，紹儀為侍郎，出為奉天巡撫，民國建立，第一任內閣總理，梁誠為駐美大使，天佑為漢粵川鐵路督辦，而於京張路工，立功尤著，出居庸關，抵八達嶺，則見青龍橋畔，銅像矗立，萬古不朽也。

贊助變法維新

當留美學生大多回國以後，純甫以任務終了，賦居美土，會值朝鮮事起，乃上書湖廣總督張之洞，主張亟向英國借款，購辦鐵甲兵船，僱用外國兵，由太平洋襲擊日本後路，必可轉敗為勝，轉危為安，之洞深韙其議，而相國李鴻章已與日本議和，此議遂寢。

未幾，奉之洞電召回國，遂以變法維新進陳，之洞雖稱善，而格於當時之環境，無從實行。遂辭之洞，再赴上海，轉遊北京，建議清廷，設立國家銀行，開辦全國鐵路，亦為守舊派所反對。斯時康有為、梁啓超，以鼓吹變法維新，上書清廷，與純甫所主張，多不謀而合，故北京客寓，遂為維新黨人集會之所。詎料，晴天迅雷，政變突起，康梁潛逃，六臣殉難。而純甫亦為清廷所忌，乃潛赴上海租界，旋偕族人容耀垣，再逃香港以避之。

孫中山先生致書歡迎

香港為革命黨人活動區，以排滿清，建民國號召於天下，奉孫中山先生為領袖。原欲聯合純甫，共同奮鬥，而終未得請，惟其族人耀垣則加入同盟會。純甫遂於一九〇二年，再赴美，優游晚景，著『西學東漸記』。中華民國成立後，中山先生當選為臨時大總統，以純甫首倡洋務，於溝通中西文化，厥功甚偉，乃致書促其歸國，略云：『……民國建設，在在需才。素仰盛名，播譽寰宇，加以才智學識，練達過人。用敢備極歡迎，懇請先生歸國。倘俯允所請，則他日吾人得安享自由平等之幸福，悉自先生所賜矣。』純甫得書，欣慰之餘，頗欲成行，而老病復起，於民國元年十二月二十三日，卒於美國哈特福德州，享年八十有四。有子二，長名覲彤，次名覲槐，亦均畢業耶路大學。

（五十三）

談談：畫譜大辭典

金城

近代西洋畫成了時代的寵兒，國畫幾乎給淹沒了；能欣賞的人少，能作畫的也不多，但被稱為國粹的國畫，畢竟是經過了數千年的錘鍊，有它獨立的藝術價值，所以仍能與西洋畫分庭抗禮。被許多人愛好着，提倡着。

不過就學習國畫的畫譜來說，在台灣可說是太少了，雖然中央書店在卅七年出版了一本芥子園畫譜，號稱全集，事實上只是芥子園畫譜的初集，包括樹譜、人物屋宇譜、山石譜、梅譜、蘭譜、竹譜、菊譜等而已！至於花卉草蟲翎毛各譜，則付闕如。唯卷首青在堂畫法淺說的文字裏包羅的很齊全。

最近台北畫局印行畫譜大辭典，分訂成十二冊，一是名家畫訣與理論，二是樹譜，三是山石譜，四是人物屋宇譜，五是草蟲花卉草本畫譜，六是翎毛花卉木本畫譜，七是蘭譜，八是竹譜，九是梅譜，十是菊譜，十一是摹仿名家畫譜，十二是名家畫譜，全部仿古綫裝，廿開大本，紙張也好，誠為學國畫者不可多得的。

可是其內部畫幅樣式，大部與芥子園畫譜原本雷同。但同原本芥子園畫譜相比，則大有遜色了，不知台北書局為何不刊印芥子園畫譜眞正的全集，以匡中央書店之不逮呢？

曾國藩的蜀道吟

李仲侯

和使旋過新都，縣令張宜亭招飲桂湖，賦五律五首並親題：「五千里秦樹蜀山，我原過客；二萬頃荷花秋水，中有詩人」一副楹聯至今猶存外，其餘對蜀都風物，很少見有其他吟詠，他去都循川陝驛道行走，只可說是看到了劍閣天下險的一角，這距成都不遠號稱天下最幽的青城山，他都無暇去欣賞。

那時他離家已六載，讀其途中生日所作：「何時却返初衣好，歸釣蒸溪縮項魚」，及「故山鷗鳥吾盟在，記取江邊各忍飢」等句，與梓潼道中懷馮堂陳岱雲之作，入陝所詠：「忽憶老翁吉西傣，汨羅江上苦吟秋，未成嘉會方王貫，便恐才名隱劉」一絕，都可見其思鄉懷舊之情，甚為迫切，如果平時居翰苑清閑之職，儘可能在主試之暇，或假便還鄉，一省庭幃，悅親朋之情話，樂琴樽以消憂，況蜀中山水甲天下，名勝古蹟，俯拾皆是，當日秋高氣爽，如得放棹東下，則三峽猿聲，巴國烟雲，是可盡收筆底，載滿奚囊。

考他當時急謀還都的最大原因，或許是因他三月才升侍講，七月即奉旨補實，眷畀之隆，迥異尋常，宜其王事靡盬，不遑將母，故試務甫畢，即告旋軫，讀他早發武連驛詩，「疲馬可憐孤月照，晨雞一破萬山蒼」句——更可想見華史節，在回途中載馳載奔之狀了。

他因時間關係，雖在蜀道所吟詩篇最少，然入陝後在途所賦六絕句：如「破曉七盤山上望，回看蜀國萬峯環，英雄割據終何有，陵谷滄桑事等閑」，「鳳山合處響沉沉，古洞千年海線深，獨臥藍輿初夢覺，時聞腳底老龍吟」，「江流日夜走荊襄，隴蜀由來四戰場，故壘無人談往事，空中有客弔斜陽」，悲壯蒼涼，與杜甫秦州雜詠，及陸游劍南道中所作，略無遜色，可謂失之東隅，猶可收諸桑榆。（下）

自由人

THE FREEMAN

（第五六七期）

中華民國僑務委員會
登記證台教新字第一零二號
中華郵政台字第五〇〇號
執照登記爲第一類新聞紙類
（半週刊每星期三 六出版）
每份港幣壹毫
台北市售價台幣壹元
督印人：陳文華
地址：香港高士威道二十號四樓
3 rd. fl. 20 CAUSEWAY RD.
HONG KONG
香港發行及事務接洽
高士打道66號 電話：七〇四五三
承印者：東南印務出版社
地址：高士打道六十四號
海外總經銷
友聯書報發行公司
香港：彌敦道中二十六號A二樓
台灣特派員辦事處
台北市館前街五十號
台灣總經銷處
台北市西寧南路壹號二樓
台郵撥儲金戶九二五二

論美國的援外計劃

·曾旭軍·

美國援外計劃的失敗，在于只講求技術，而不注重援外之目的；在于只注意使人免於匱乏的自由，而不注意于使人免於恐懼的自由。

此次埃及將蘇彝士運河收歸國有，引起極緊張的局勢，其直接原因起自美國撤回援助建築艾思文水壩計劃，筆者並非認爲不應撤回，乃歎惜美國未確立其援外的宗旨，以至處處被動。

貧窮未必是共產溫床

美國人似太泥守一句話，就是『貧窮是共產主義的溫床』。此話係有條件性的，而非絕對性的。因爲雖貧窮而精神有所寄托，虔奉宗教信仰于種子的地方極多。故是難以傳播共產主義的。貧窮未必即是共產主義的溫床，貧窮並非供共產黨利用的主要因素。惟要政治的腐迫，方是主要的因素。我國先賢說，『不患寡而患不均』，可然後生出不滿現實的偏激心理。蘇聯顛覆陰謀的實施方法，不從貧窮之徒入手，而從最富野心的智識份子入手。試統計共產黨徒是何等人物，便可知道此理。

免恐懼的自由更重要

美國實行馬歇爾計劃以拯救歐洲，以爲島國成功，而對於久處殖民地狀態之下的亞非國家則不能成功，其原因是因前者已具有民主政治基礎，而後者則無。……們必須擺脫新舊殖民地主義的壓迫。美國人過以爲有了美國的富庶，便會有美國的民主精神，此實錯誤顛倒的想法。試一觀美國歷史，即知如果美國不獨立，則無民主的政治，亦必無富庶自由之可言。

援外必須沒有政治作用

今日之言援外者，最畏人說他有政治作用，故以不談政治爲偉大，其實此乃共產黨惑人的邪說。在受援外之國，……援外目的，在使獲得免於恐懼的自由，以扶植其實行民主政治。」這是很穩當健全的說法。否則試問援外目的何在？所以我說，援外要大膽的，堂堂正正的有政治作用。否則便變成富人的施捨了。

援外之附有政治條件與否，是雙方協議的技術問題。但不能因此說援外並無政治理想。故時至今日，援外必須標出反奴役，反極權的正大政治理想。如不能符合這一原則，可以乾脆的不予援助。南斯拉夫的往事可爲前車之鑒。

俄援只是物物交換

此外，美國還有一種敏感病，即懼怕蘇聯乘機取巧，給予投機取巧作勢，實行勒索的機會。蘇聯亦可……別人接受蘇聯的援助，在旁撚鬚微笑，正中下懷。

其實，美國何必如此猴急相，蘇聯是絕對沒有援助能力的，也不是眞正肯援助他人的。蘇聯所謂援助，實際只是『物物交換』而已，（Barter not aid）。蘇聯以「工業化」餌引埃及，印度，緬甸，印尼，以燃料和機器換取此等國家要推銷的米，橡膠，小麥，棉花。所謂援外也，只是派遣技術人員，去「援助」他們，實行工業化。而且這些技術人員，也就是控制受援國的代表，甚至也是變相的實行顛覆滲透的間諜。蘇聯爲赫魯曉夫和布爾加寧兩位推銷員，他們在印度說，他們沒有政治附帶條件，祇是平等貿易。這就是自行表示沒有援助，只是物物交換。

美俄外援的比較

赫魯曉夫在一九五五年十二月二十九日所舉行的最高蘇維埃會議中，發表援外的言論，美國便因此恐慌起來。艾森豪要作長期非軍事援外了，每年使用一億元，以十年爲期，目的在防止蘇聯搶去「四點計劃」。

其實，蘇聯又有何能力呢？這一次蘇聯失信於埃及，無法援助她建築艾思文水壩，已暴露無遺了。但蘇聯是很狡猾的，專向幾個搞中立的國家，開出空頭支票。時期拖得很長，數目字又大過現成實施的美援。例如，蘇聯對印度說，要實行爲期數年的一億五千萬美元計劃，（包括一億元用在一間出產百萬噸鋼鐵的工廠），而美國的一年計劃援款，只有五千萬元。蘇聯對埃及的數年計劃，又是一億六千五百萬元，而美國一年只指援四千萬元。鐵托元帥對蘇聯的新友誼，是莫斯科開出八千三百萬元「支票」換來的，再加上取消一九四八年所欠的蘇債。但美國只撥給南國四千四百萬元。我們必要記住：蘇聯是以物物交換爲基礎的，而不是像美國的援助，用在改善受援國的生活上。美國是不能隨便開「長期支票」的，所有援外款項一元一角一分都要經過國會五個小組委員會，分文計較，再經參衆兩院各別爭論之後，才能決定的。（下轉第二版）

對日蘇談判的檢討

·李金曄·

日蘇和談在七月卅一日於莫斯科重開，會談從倫敦移到莫斯科，從大使級轉變爲外長級，雙方都在企求能夠順利地獲得協議。

日堅持收復北方島嶼

但自卅一日的第一次會議開始，到本月六日第三次會議止，莫斯科和東京傳出的消息，都不十分樂觀。其次會談的唯一特色則是，重光葵所持的立場極爲堅定，而其發言也相當激烈。他表示「日本決不放棄北部各島嶼之主權，以換取日蘇和約」。但蘇方的態度是：除了可能歸還色丹及齒舞兩小島外，不擬再作讓步。所以直到目前爲止，日蘇會談實已又陷入僵局。

第四次的會議將在本月八日繼續召開，在未見新的報導前，只能說雙方有可能將「領土問題」擱置不談，改談貿易問題和簽訂和約問題。但我們相信，如果基本問題不獲解決，其它問題也顯然不易得到結果的。爲此，須先研討「領土歸還」問題的癥結所在。

北方諸島的重要性

在現階段，日本要求蘇聯必須歸還千島羣島南部的擇捉島、國後島、齒舞島和色丹。但對其他的島嶼歸還問題，東京外務省表示可以留待將來決定。易言之，日本對庫頁島、千島列島的其它各島嶼的歸還仍作保留的態度。

日本極端重視北方離島及不肯輕易放棄主權，是有理由的，首先在國防上說，庫頁島、千島列島和齒舞羣島，是日本國防後門的屏障；在經濟上說，這些島嶼如不獲歸還，影響漁業也極大；至於在政治上，自從戰後這些島嶼爲蘇聯佔領以來，已成爲蘇聯赤化日本土的跳板。北海道的標津與國後島間僅相距二十公里；宗谷與南庫頁間僅爲四十五公里；至於根室與齒舞間更是一衣帶水；其它如札幌、小樽等港口，皆成爲蘇共和中共活動的主要中心。庫頁島和千島列島在形勢上恰如「老虎鉗」一樣挾制住了整個北海島！

鳩山失言種下禍根

在一九五五年三月，鳩山曾在日參議院全體會議上說：「在日蘇關於恢復外交關係談判過程中，日本要求收復齒舞羣島和色丹島；關於南庫頁島和千島列島的問題，擬採取其它途徑」。在此之前，二月二十二日的朝日新聞，曾强調「日本將堅決要求收復齒舞羣島和色丹島，因爲這兩個島一向屬於北海道的一部分」。

正因爲當時日本朝野發表了上述的言論，因此反而促使在後來的倫敦談判及現在的會談中，關於歸還國後島及擇捉島的主張，爲蘇聯拒絕了。

根據蘇聯方面的解釋，這些不歸還島嶼的理由是，因爲一九四五年七月廿六日的波茨坦公告規定，日本主權應限於本州、北海道、九州、四國以後一些其它島嶼在內。同時並强調一九四五年二月十一日的雅爾達協定規定了庫頁島南部及該島附近的一切島嶼應歸還蘇聯，千島羣島也應交予蘇聯。就波茨坦宣言和雅爾達密約相比較，關於日本北部的離島歸屬問題的規定，顯然是有出入的。同時重光葵現在也堅決否認雅爾達協定所加於日本的拘束力。因此在莫斯科向蘇聯力爭歸還國後及擇捉島。

蘇併北方諸島入版圖

可是蘇聯現在却不擬再作「讓步」了，認爲「庫頁島和千島列島已經劃入蘇聯的版圖，作爲它的不可分割的一部分」了。（註一）

這一爭執，事實上也是倫敦會談破裂的關鍵，而這次重光和謝比諾夫間一開始就談到這個問題，又怎能令人對此寄予樂觀。

蘇聯既早已決定不在領土問題上作退讓，則實應謂其是預知日蘇談判不會順利的，和約既會因此難產，則其一再纏住日本者，要在藉此從經濟上鼓動對日本的牽制作用。

俄再發動貿易攻勢

蘇聯和中共不斷地對日宣傳擴大貿易，期間誘惑日本放棄主權方面的要求。但是最近日本通產省大臣石橋湛山在八月號的「東方經濟學人」雜誌上發表的文章結論中說，中共領袖不該錯把日本在對華貿易上的努力作爲日本政治傾向的表示，「而應速經濟關係保持爲純粹的經濟關係」。這顯示日本官方固贊同與蘇聯和中共進一步發展經濟關係，但對於共黨方面的附帶的政治要求是極端厭惡的。

由於蘇共在談判中一再玩弄花樣，重光也極不客氣地指斥蘇方代表的態度代表了强權政治。

蘇聯積極希望能在不喪失其所佔領的土地，達成和約，發展日蘇貿易的另一目的，與其開發遠東地區是有關係的。蘇聯無疑想運用日本的工業加速其完成遠東地區的建設。故在倫敦會談時，曾表示一俟和約締成，「蘇聯可能增加對日本的訂貨，例如修理和製造船隻，提供裝備」（註二），這次則又表示可以購買日本的「布疋、生果、絲綢、船隻、火車頭與漁網」，輸出的物品是「煤、油、木材、礦產等」。

日對俄關係的總結

自從一九五四年十月十二日布爾加寧、赫魯曉夫訪問北平，與中共發表「關於對日本關係的聯合宣言」後，日本朝野就開始浮動起來，左翼政黨固希望藉促進三者間的關係以自高身價，而大企業主們也希望能夠大做生意，至於像鳩山等，則也不顧利害和影響，亂發空言。在我們看來，如果當時日本朝野，不爲此刺激而興奮得衝昏頭腦，冷靜地考慮問題，不作有損國家主權的發言，輿論界也不興風作浪假作前進，任性向政府攻擊，相信日蘇間的問題不至於會如此棘手。今日蘇聯（和中共）之所以還一再向日本作歪纏和覬覦，就是因爲日本的政黨間、朝野間、商人與政客間彼此充滿了矛盾和對立的爭執。

我們很同情日本的現狀，尤其是日本極圖在經濟方面謀出路，但是我們也請日本人民自己衡量一下，是不是應該爲了貿易而放棄國家的土地和主權？還是爲了保衛土地和主權拒絕吞食貿易之餌。

目前，正當你們的外相在莫斯科作寸土之爭的外交戰，我們希望日本朝野和政黨之間及輿論界，應爲自己國家的土地和主權的完整支持你們的外相。

（註一、註二）見一九五六年蘇聯「國際生活」第四期謝夫斯基作「蘇日關係」文。

半週述評

·司馬璐·

中東打不起來

目前中東局勢，劍拔弩張，英法艦隊出動，埃及宣佈動員，人們要問，他們眞的會就此幹起來嗎？放心，打不起來的，雙方摩拳擦掌，虛勢兒兒，都不過做做樣子而已。

爲甚麼要這麼說呢？

英法在這件事上，誠然是憤怒的，甚至情緒上是不惜一戰的，但是情緒是一件事，理智又是一件事，如果我們的行動受情緒支配，適中陰謀者之計，那陰謀者是誰，就是蘇俄的謝米洛夫！

冷靜不是姑息

誠然，納薩這個人和他所執行的對外政策，是我們所不喜歡的；但是，如果納薩衝動，我們也衝動，好了，我們和納薩都是演戲，這世界上祗有蘇俄一家在看戲，謝米洛夫豈不得其所哉的說：「蘇俄是世界上唯一的和平堡壘」，甚至這個魔鬼要以仲裁人的身份出現呢！

所以，在中東問題上，我們必須冷靜；一怒動手，我們是要上當的。

冷靜不是姑息，冷靜之下，要我們不放過那個眞正狡猾的敵人！

民族主義魔力

人們要問，區區納薩，英法要打敗他豈不易如反掌，怎能說是我們要「上當」。

問題是，我們不喜歡納薩這個人是一件事，而納薩這個人今天利用了埃及的民族情緒又是一件事。

問題是，埃及的民族情緒又是以整個的阿拉伯國家爲背景的。

人們應該注意這一事實，像伊拉克那樣積極反共的國家，今天都宣佈「同情埃及」，伊拉克不僅反共，而且反對「納薩」，他爲甚麼「同情埃及」呢，阿拉伯民族主義的魔力也。

至少，今天納薩利用了這項武器。

向莫斯科進軍

現在人們可以明白，納薩利用「這項武器（民族主義）」，蘇俄又利用了納薩，如果我們衝動，我們就跌入蘇俄所佈置好的陷阱，這陷阱是史達林生時夢寐以求的自由世界的內戰！

我們必須下定決心，不讓自由世界的內戰發生，爲此目標，我們必須耐心的說服阿拉伯國家，讓他們明白，蘇俄帝國主義才是民族主義眞正之敵！

阿拉伯的兄弟們，珍惜你們這股可貴的民族主義的活力，回致的聖戰應該是：向莫斯科進軍！

救埃及的道路

關於埃及問題，筆者願意重述前次所寫的三個基本觀點：

第一，我們對埃及以至整個阿拉伯國家的民族運動寄予同情。

第二，但是，納薩這個人，納薩這次攫奪運河的手段，給共黨以擾亂中東的機會，這是有違于埃及人民以至整個阿拉伯國家的利益的。

第三，因此，我們雖同情埃及民族的願望，却反對納薩個人的野心和行動；我們希望埃及內部眞正的民族民主的力量起來。

這是一個埃及，救埃及的道路！但是同時我們希望通過國際會議，「必須使埃及人受到最公平的待遇。」（杜爾斯語）。

捐建軍眷住宅實況

·愛民·

——爲黨員捐款二十萬事補充說明

讀者論壇

本報十一日台北速寫欄中「權利義務不相等」一文，說蔣夫人發起捐建四千幢軍眷住宅，全體國民黨黨員捐二十萬元，在比例上，數目太少，並以台糖公司一處所捐三九萬元作對比，結論爲「今天國民黨黨員，無論在朝在野，都居優越地位，出錢之事，似也不應落後」。

蔣夫人以軍人衛國辦勞，須紓後顧之憂，而發起捐建軍眷住宅；上文作者杜蘅之先生過去曾任職黨部，而深悉軍眷生活，故注意這一運動，都是高度的愛國表現。不過在這運動的過程中杜先生說今天國民黨黨員的義務落後，筆者就其見聞，應稍加說明。

捐建軍眷住宅運動因由蔣夫人發起的關係，所以社會各界都熱烈響應，尤其是行政和企業部門的首長，更不斷召集僚屬和辦理業務人員開會辦理，就是台灣省議會也通過了「發票加捐」的議案（曾引起民族晚報「請省議員弗慷他人之慨」的批評）。行政部門大都採捐一日所得由出納在薪金中代扣的方式，企業部門有採一日所得亦有在福利經費中動支或即用捐獻開支的（是項支出，大家知道在私營企業者稅捐處不會挑剔；公營者審計部也會同意）。所以，現在四千幢的數目已經接近，而婦聯會總幹事皮以書女士（蔣夫人的助手）希望超出號召數額，以示成績的優異，結果會遠超理想，當無疑問。

至於國民黨黨員本身，大都在黨政機關服務，各機關主管人員要表示成績，附屬機關都要由主管機關

名譽職務；像海關要入財政部戶；港務局要入交通部戶等是。所以黨員的一日所得，此服務機關會預爲墊付（某臨市政府爲響應總統而建築介壽堂，市長要所屬人員捐獻三日所得，即於七月份薪金一次扣除。這是十五卷二期的自由中國，曾有讀者投書，以爲像某臨市府的措施，是違背總統本旨的。如何上行下效的響應總統號召捐建的號召，才是眞正「樂捐」？）依據以上實況，筆者以爲杜先生所云黨員捐二十萬元者，當係中央黨部所倡導性的表示，而不是全體黨員的表示，是無庸置疑的了。

論美國的援外計劃

（上接第一版）

五年前，由納爾遜路克菲勒主持的國際委員會，會建議由國際機構去實施援外，即擴大世界銀行的方式，以貸款給予受援國，加速受援國興建公用事業，如鐵路、公路、電力廠、交通事業等。這樣由聯合國主辦，自然使人易於接受。免致新興國家，因受援於一個[illegible]心理。我以爲同時可邀蘇聯參加，蘇聯如不肯參加，便顯出她懷有政治野心。這個辦法，自然亦有流弊，因如此，則不便於實現援外之目的。

受援國的執政者，[illegible]反攻[illegible]，反而[illegible]「中立」[illegible]的援助，非但無益，實爲有害。

蘇聯的援外，係[illegible]東歐附庸國的工業[illegible]換取[illegible]，[illegible]以至發生反暴虐運動。

施予的藝術

美國日日講求「施予的藝術」；還有時不必施予的，切勿強求施予。一九五三年，緬甸總理宇努會拒絕經濟援助計劃。緬甸官員說明他們的理由是：他們不喜歡美國拉他們列入反共集團，以至切斷他們對中共的貿易。到了去年，美國欲實行以農業剩餘產品給予緬甸，不收取美元，以所得緬幣供緬甸發展其國家事業。緬甸的宇努反認爲這是美國的傾銷政策，而造成緬甸憤怒的氣氛。今年初，緬甸曾給蘇聯二十萬噸的米，而緬甸由蘇聯共產集團的輸入，所佔輸入總額，由百分之三增至百分二十五。蘇聯的米高揚到仰光，又同

「意每年購入緬甸四十萬噸之米，爲期四年。緬甸將於今年得價值五千二百萬美元之蘇聯及其附庸國的機器及日用貨物，每年輸入緬甸的貨物，約值三千五百萬元。這便是蘇俄對緬甸「物物交換」的援助。

大約在同時，宇努問美國務院，美國是否能恢復援助，並表示「商業的」基礎。即意味着以米相換，寧可接受緬甸不所謂「商業的」條件。後來美國[illegible]米，實已嘗到「中立」的苦頭了。

我以爲，[illegible]到援助的效果，必須[illegible]不合理，有改革必要[illegible]

中共爲甚麼侵緬

辛植柏

可爲明證。近傳美國[illegible]，如果成爲事實，以此壓威信，當係有意恢復援助埃及建壩，不免爲蘇聯所愚，智者所不取。（完）

埃及的危機，於上月二十六日晚宣佈蘇彝士運河公司收歸國有，上月三十一日，中共武裝部隊[illegible]入緬甸領土六十哩[illegible]。依我看，這兩件事並非出於偶然，而是[illegible]計劃的一個行動。[illegible]以爲中共在此時發動[illegible]。

有所藉口。現在，中蘇彝士運河公司的事件發生後，蘇聯要在遠東製造事件，俾在東南亞方面，吸引美國的力量，使美國不能以全力協助英法，恐怕這才是中共侵緬的眞正原因。以筆者看來，中共侵緬，間接證明中共的自利是蘇聯的利益，但中共必須爲蘇聯的利益服務，不能顧及自身的利害，這是中共政權的悲哀。

最可惜的，是一般中立主義的國家，還在做他們的春夢，以爲中立就可以[illegible]，殊不知中立主義的根本[illegible]玩物。[illegible]

由世界這一面，我相信中共決不敢以一兵一卒犯境。現在還應該是中立主義者覺悟的時候了！我們不應希望緬甸起來覺悟，也希望所有的中立主義者都能抬起頭來。兩面討好，結果，就會兩面也得不到好處的。

詩人教育家潘葵邨先生

·李樸生·

二十年前認識的朋友

民國廿五年夏，我奉僑務委員會派往東南亞視察僑務。第一個地方便到菲律賓。[illegible]好幾位，我在碼頭便識得王泉笙先生。因爲他身材高，戴着很深的近視眼鏡，和我握手很用力，使人極容易記得。

當時岷市有幾個較大規模的僑校，中西學校是[illegible]先生任校長。我看到中西學校的打字機有幾十架，學生每人有一部，[illegible]。普智學校[illegible]是王泉笙先生任校長，他又是[illegible]中央委員，[illegible]我們[illegible]談得最多。但我對菲僑教育[illegible]

評介

各人意見頗不同，而我對潘葵邨先生有深刻的印象。當時，他似乎只有二十多歲，文雅的態度，講話很有條理，又有新的見解。他辦的曙光學校很小，但有朝氣，學生很活潑。我問他學歷，他說他是燕京大學畢業，正來不久，和[illegible]先生創辦曙光，只有兩年歷史。

曙光學校的精神

民國廿六年，我因海外部的工作，再到岷里拉，和潘先生第二次見面，想不到相隔只有一年，曙光已大量增多，且在建新校舍。我非常希望曙光[illegible]擴大。

太平洋戰爭爆發後，菲律賓淪陷，我極懷念菲島的朋友，尤其幾位[illegible]的朋友。[illegible]後，[illegible]到重慶，我知道許多同志都無恙。並聞曙光已被日軍炸毀，大家正籌恢復。

後來我回廣州市政服務，離去海外部，海外消息便不清楚了。

民國四十五年夏，我第三次到岷里拉，在機場歡迎的人中，我見到潘先生，[illegible]和二十年前一樣。[illegible]

達忍島的紀事詩

某天，我出席[illegible]大會，座上有公理報，[illegible]達忍島紀事詩廿首，[illegible]是潘葵邨先生所作。[illegible]

太平洋戰事爆發後，日寇於一九四二年一月二日佔領菲島，岷埠僑教人員紛紛逃難，多向南路內湖省找尋安身的避秦桃源。於是內湖的湖中小島和沿岸的小市鎮，都有僑教人員[illegible]的庇護所。就中以達忍島TALIM IS LAND爲最著名。

避難內湖中的岷市曙光學校校長潘葵邨先生，便是[illegible]一個。他在岷市淪陷後，避[illegible]的達忍島，堅守三年，艱若日軍逼迫，瀕於死者數次，[illegible]鎮靜自持，[illegible]免於難。潘[illegible]在這三年的長遠時間，都以[illegible]，極盡篳路藍縷，以啓山[illegible]，以吟詠自娛，所作七律紀事[illegible]傳誦一時。[illegible]京詩人親歷其顛沛流離之苦[illegible]蒼涼之感。潘校長在其三年[illegible]生活上或者萬苦備嘗，但在精[illegible]閒逸致，具有[illegible]，范成[illegible]綠樹，魚躍鳶飛之樂，故所[illegible]，而其關懷大局，則又近乎[illegible]涼之感矣。」

[illegible]首七律詩都讀過。我精神全[illegible]吸引，這一個多鐘頭雖身在[illegible]情形，全然不知道。我最喜[illegible]

第七

達忍湖心小島間，水邊雲樹一枝安。
花香鳥語饒情趣，竹影鄉險任往還。
解渴爭飴『鷺曼當』，佐餐喜食『參姑喃』。
滄浪浴罷渾無事，日日開門且看山。
（原註鷺曼露及參姑喃，皆爲菲產水[illegible]

[illegible]聚名）

第十四

一入深山山更深，滿山草木鬱成林。
結來茅屋大如斗，臥聽山泉韻若琴。
翠竹千竿知勁節，白雲一舳見閒心。
洞前廻有迷津者，知是仙源不可尋。

第十六

達忍棲遲又一年，晦光養晦學前賢。
但期坦蕩如湖海，何用煩憂問佛仙！
遣興每尋山與水，消愁不借酒和烟。
達觀自古聞莊子，且讀南華第幾篇。

第十五

老籐似鍊垂深谷，古木參天掛斷雲。
鳴鳥娛人如對語，頑猴偸果每成羣。
晚懷明月繁星睡，朝挹清風玉露芬。
此日生涯誰得似？泰山瀟洒可同論。
（原註泰山即電影上的TARZAN譯音）

亂世文人的風骨

潘先生淡泊寧靜的精神修養，僞達到很高明，很自然的境界。在亂世，這種淡泊自適的精神修養，是極重要的，是文人在最後一綫保衛自己人格，反抗敵人侮辱，『留得丹心照汗青』是最偉大的力量。清初，許多有名的文人忍不住博學鴻詞虛榮的誘惑，有『一隊夷齊下首陽』之譏。袁世凱稱帝，許多有名的革命黨人，文壇雅士，忍不住攀龍附鳳新貴的誘惑，踴躍『籌安』。現在，中共爲其暴政必亡的命運掙扎，在史大林被清算之後，思想大混亂，更努力於統戰的拉攏，以銀彈，笑臉向香港及海外的文人誘惑。如果我們沒有『小人窮斯濫矣』的警覺，便會給崇拜唯物主義的中共，恃着鈔票在手，把我們文人看作舐骨頭的餓狗一樣。潘先生人格與詩品之可貴，就是在極困窮，極危險的情勢中，寧願在深谷做人猿泰山，滿不在乎的讀南華秋水。

卅八年大陸淪陷，赤燄高騰，蔣介石先生飛碧瑤晤季里諾總統之際，潘先生和一班變成反共的僑胞領袖，從岷市趕車上碧瑤謁蔣先生，不幸途中翻車，受傷頗重，眼睛幾乎盲了。但他仍很興奮，他認爲他已爲國家盡了忠誠，爲反共出了力量，即使傷死，也可無愧。如果盲了，則盲於目而不盲於心，仍然可以爲反共盡力。這是何等的襟懷！

詩人很多因精神集中於推敲，在生活中是夠吊兒郎當，在事務上是夠馬馬虎虎的，但潘先生卻沒有這種舊氣習，辦事很能幹，曙光曾兩度燬於火，第一度燬於日軍，第二度燬於鄰居，他都能收拾餘燼，艱難奔走，獲得姚酒現先生等熱心僑胞的支持，在廢墟中重建！現在的曙光，是小學中規模大，學生多，與中西並駕，馳名洋溢的學校了！

二十年來，潘先生的奮鬥與成就，可泣，可歌，我們老朋友談到這些問題，自己就覺得慚愧。（四十五年，七月卅日）

台北速寫

嚴防假祝壽括財

本年是蔣總統七十華誕，台北各方面已開始籌備祝壽。已見報載的是國民黨婦女工作會舉辦婦女祝壽徵文。其館所翻印的二十五史也預定在總統誕辰那天出版。往年總統都特頒論示不許大家[illegible]祝壽；本年[illegible]，以免下級官吏假借祝壽之名，而援括民財自肥。

不在辯 貴在做

某刊物報導[illegible]在星洲談話，其中有指責僑務當局的話，當局對此雖已有所辯正事實，似還須多作自我檢討。最近僑務當局頗受海內外人士之指責，看來除口頭或書面內辯正之外，是非以新作爲新建樹，作事實的表現，不足以醒人耳目了。

臭氣四溢

[illegible]市政府已有普遍建公廁的計劃，這是好消息。但是目前本市還有一個問題，家庭所堆滿了的糞便，卻不能每天按時清除。不知市府對此另有新計劃否？

防患未然

自從政府遷台以來，台北尚未遭逢過[illegible]颱風，但是「上帝的恩典」。[illegible]颱風風力之強，爲光復以來所未見，幸而在北面海上吹向北去。本市雖僅在風力半徑之內過了一天，已[illegible]大颱風，是十分必需。此後該如何安加準備。

·杜衡之·

狂笑而死

東京路透社電：「中川君子夫人在日本南部的大阪戲院，參觀該院所演的喜劇時，狂笑而死。」不幸而生斯世，與其「飲泣而生」，不如「狂笑而死」，[illegible]痛快？只有在鐵幕內的人們，卻永遠找不到這樣的機會！生死不得自由，實在太可憐了。（源）

瞎吹

有一次，莫斯科電台評論中，大吹大擂稱：「早在八十一年前，蘇聯人波羅帖[illegible]了「盤尼西林」……」與其這樣地瞎吹，不如說：「早在八十一年前蘇聯人××××夫已經製造了「××××氫彈」，在××××秘密舉行試爆，成績圓滿。……豈不更使世界驚嚇！（蘇）

中共軍進據緬境事件
教訓了「和平共處」的國家
香港輿論指出「亞非」的迷夢可以醒了

中共軍隊進據緬甸境內的消息，分去了世人所矚目的蘇彝士運河事件的一部份視綫。在中東，局勢雖然緊張，但仍在密雲不雨之勢，但緬境事件，却已進入短兵相接的階段了，根據仰光的消息進據緬境的中共軍，一度公然向緬軍襲擊，如果緬甸出乎意外的振作一番，豈非就此燃起戰火？

雖然，媚共恐共的緬甸政府一再在「息事寧人」上做工夫，但是舉世已經看出中共這回出兵是支持緬前總理宇努主持肅清緬共的一種表示，再進一步的說緬甸懦弱的表示，祇能給緬甸製造機會，也就是讓自己成爲中共的囊中物而已。

把這個問題看到最清楚的是有着切身關係的東南亞國家，她們已感覺到中共的觸咀已指向這一個地區來了，香港的輿論界更爲那些所謂走中共路綫與「和平共存」的國家而感到悲哀，這就是中立路綫的結果。

中共看中緬甸的懦弱

香港的輿論界對這次緬境事件的看法是完全一致的，據指出：中共軍的進侵緬甸北邊，在滾弄北中緬未定界五百哩邊境進侵，已深入六十哩。緬甸對於中共軍的進侵，始則遮遮掩掩，不置可否。終則因係事實，緬甸外交部不得不正式承認。緬甸政府對於中共進侵事件的解決辦法，爲與中共進行談判，希望中共能夠撤兵。如果不能解決，仍是不敢反抗，想「和平」解決，避免進一步的激怒中共，擴大進侵，軟弱已到極點了。

緬甸之所以對中共委曲求全，是緬甸本敢言戰，同時也沒於力量言戰。中共深知道這一點，無論它是武裝進侵，緬甸固然不敢興抗，就是在未來與緬政府解決這一事件，緬甸也不敢不唯中共之命是聽。中共是勝算在握，所以始放手深入緬境六十哩，造成既成事實，將來再通過談判，達到它控制緬甸的目的，處在中共高壓之下的緬甸，只有徒喚奈何而已。但這是緬甸中立其名，親共其實，引狼入室的後果，又怨得誰來？至於中共所唱的「共存」高調，和亞非集團國家所標榜的「亞非精神」，也爲之破滅無遺，那更是不在話下。中共之所以要否認進侵緬甸，正是爲了要保全它和平的假面孔之故。

大舉清共觸怒中共

緬甸在前總理宇努主政之下，高唱走中立路綫，事事親共，以期博得共黨一時的信任。但是後來宇努辭職之後，聲言他所領導的政黨，和緬甸社會的各界，已被「野心者」所滲透，危及中立政策，要以在野之身，來整飭內部，以期取得緬人的信任。宇努所說的「野心者」，即是指的共產黨，這已爲中共所不滿。更因他所領導的整飭內部運動，已收初步之效，於是復招中共的大忌，加之以現任總理字巴瑞，又與宇努合作，大舉清共，益增中共之怒。中共深恐它「滲透活動從此發生障礙，或甚至無法活動，又復料定緬甸不敢言戰，遂藉口入緬尋採「解釋葉材」爲名，派遣武裝部隊深入緬境了。

以中共進侵緬甸的事件爲例，凡是「中立主義」的國家，只有唯共黨之命是聽時，它便稍假辭色，若對它一有違忤，那它就毫不客氣了。身當其衝的緬甸，受了這次的教訓，自應猛省，其餘自稱「中立」的國家，看了中共如何對緬甸，也應猛省。這一次的中共進侵緬甸，謂之是緬甸的警耗可，謂之是所有的「中立」國家的警耗亦無不可。

中共這一次侵略緬甸的目的爲，支持緬共，能夠取得合法的地位，以利其活動。就現勢來看，因緬甸政府無法抗拒中共之壓力，在未來的談判中，有不得不同意之勢，若果如此，便等於緬甸無條件向中共投降，從此緬甸便將落入中共的控制之中了。

中立路綫無路可走

憑藉內部叛亂以進行其滲透控制的陰謀詭計，原係俄共集團的拿手好戲。尤其像緬甸這類脆弱而缺乏抵抗能力的地區，殆如探囊取物，毫不費事。今後中共對於緬甸的策略，除非緬軍出乎意料之外地敢於跟共軍敵對，否則它決不會再增兵前來，因爲它要玩弄着所謂和平共存五原則，以期實現其不戰而屈人之兵，亡人之國的計劃。將來它一定接受緬方的和平要求，從事談判，表面還要裝出「不干涉內政」的姿態，維妙維肖。談判結果，至少要使緬共取得合法政黨地位，享有過問國事的政治權利，以與印度、印尼及其他各國的共黨相提併論，誰曰不宜呢？祗要做到這一着，緬共在中共間接卵育扶持之下，再配以緬政府中立親共的政治環境，它要奪取政權，可說是易如拾芥，相時而動，不成問題。緬甸一旦嘗到中立苦果，河山變色之後，印度的危機就快將走上[illegible]，向自由世界發出SOS信號了。

誰都可以理解的常識問題，凡在兩大勢力敵對角逐之中，要想保持不作左右袒的中立地位，則必須具有自衞的相當實力，才可以運用外交技術，倖免於難。像今日以印度爲首的亞洲這些毫無自衞能力的中立主義者，專憑投機獻媚的言論，來挾寇以自重，希收混水摸魚之效，到頭來沒有不陷入殘滅之途的。狄托如其不是擁有百萬以上的武力，南斯拉夫的地位，與蘇俄關係縱然再好，也沒法藉中立而銳而苟安。中共只要把西藏內部切實控制，印度的噩運就再再來臨了。假使緬甸有如泰國一樣，始終站在自由世界的一邊，且係東南亞集體防衞組織之一員，俄共集團即不敢隨便以武裝部隊進入境內。

「新福州」與黃乃裳（五）

·淵明·

那個時候，保皇黨與革命黨的領導人物，均流亡海外，竭力爭取華僑的支援，而雙方勢均力敵，各有發展，蓋華僑對於祖國的富強，政治的改革，熱望極殷。但究竟實行君主立憲，抑或民主共和，則仁者見仁，智者見智，頗不一致。爲的兩者都有榜樣在先，如美國、法國是實行後者，自然很好，而英國、日本乃實行前者，也並不錯。且因勢利導，較之改絃易轍，來得省事而易見實效，於是老成持重的人，或者惰性較深的人，乃多趨向於君主立憲，觀以英國爲法，尤其看到日本維新成功，更見傾心喜，亟欲追蹤。因之保皇黨的聲勢頗張。孫中山先生遂不得不與康有爲攤牌。乃有新加坡之會晤。康有爲自有他的「天王聖明」、「國士之報」的打算，二人談判的沒有結果，不問可知。這其間就顯得黃乃裳的見識卓越了，他居然在那個當口，捨棄了老搭擋，而傾向於新路綫，黃氏自敍上接着說：

『余心嚮往孫君已久，因造其寓晤談數四，見其人謙冲鎮靜，學問淹博，滿懷悲憫，流露於言動舉止之外，且於基督教有深造之功，有堅卓之信，嘗謂華盛頓乃宗教家，迺以十三洲拒英，竟令美人脫英羈軛，先生亦同識中人，視華氏爲何如，余曰，吾嘗譯美國史，知華氏美之堯舜，而其事雖易，更與堯舜懸殊，孫曰，美史爲先生手著乎，曰然，因離座爲揖，遂相與訂交，臨行之前夕，酒闌，肅然爲余言，凡人欲爲社會國家謀幸福壽樂者，須自頂自始至終，貫徹負悲哀痛苦之責，觀路得馬丁與華氏諸人，可爲榜樣，余聞其言，肅然有感曰，先生之心志，毋亦基督教救世之宗旨乎，孫垂首曰，得罪得罪，意似爲獎借踰分也者，而余受其言之刺激，覺向所存公德之心，略爲提高，而對於所爲公德事業，亦略有把握，而信仰於基督者，亦稍有所增益。』

原來黃氏是虔誠的基督教徒，當他十八歲的時候，基督教傳到福州閩清，他就加入，後來他學業日進，又習英語，遂佐西籍牧師薛承恩翻譯「天文圖說」、「聖經圖說」以及「美國史略」等，那時他對於美之開國，即甚爲景慕，而『不勝環顧吾中原四萬萬里版圖，四百餘兆百姓，可冀以一躍千丈，步美國之後塵，而以共和致强與富也。』——自敍語。

黃氏不但具有理想，而且能夠實幹，他一生事業，方面至多，他從事宗教，從事革命，辦教育，辦報紙，辦財政，辦交通，辦礦務，辦墾殖，又辦水利，無不著有成效，非特遺績猶存，永垂瞻仰，即當其在南洋的時候，海外華僑，莫不信賴，則有一言九鼎之譽，所以他號召力之宏大，可想見。當袁世凱稱帝時，派人主政福建，寬捕民黨，遂誣黃氏阻撓帝制，以「遷延」爲名，加以拘禁，擬處以極刑，海外華僑聞之，大爲鼓譟，南洋各埠僑領齊集星加坡，數百人擁入領事館，請轉電向政府抗議，領事見羣情憤激，知公理難違，乃於電後加按語，計那次電報費即花了四千餘元，前後共花電費九千餘元，日本，英，美各埠，所費不下數萬元，呼籲與營救之電，連續不斷，歷了九十多天，先由死刑改爲無期徒刑，後又由無期徒刑改爲保釋了事。這該是何等的力量，與何等的聲望啊！目前更逢那樣的時代，像黃乃裳氏這樣的人物，中國究竟有幾個呢？

新書評介

談談：「生命的潛力」。謝青。

著者：劉心皇　出版：台灣中華書局

一

「生命的潛力」是一本包括十二個短篇的小說集；作者劉心皇先生是一個詩人，而且出版過三本詩集：「人間集」，「平原詩草」，「懷鄉集」等。另外，他的散文在台灣的評價很高，也有這四本集子問世。而他的幾本短篇小說集，似都受了詩與散文的影響：情調是浪漫的，却缺乏小說本身應具有的實際的規則與技巧。這也是本書的唯一的遺憾！幸而本書的十二個故事，都是有血有淚充滿了愛心與善惡；是我們這個大動亂時代中許多個實事物的寫照，一字一句，感人至深——尼采有言：「一切文學，吾獨愛以血書者。」這是本書及其作者的可愛處，也是我們當前戰鬥文藝的實際需要。

二

作者生長在風沙彌漫的北中國，在他的筆下，便也處處流露出屬於北方的獨特爽朗風格；活生生地寫出了那些與強暴者戰鬥的血淚事實！這便是一種最有價值的貢獻——一種革命的重於文學的貢獻。在這本「生命的潛力」小說集中，我們所看到的，是愛國重於愛家的精誠；愛人重於愛己的表現；邪惡，卑鄙，自私，狂暴，都必在至善至聖的人性下消滅；眞理必然伸張於人間！

本書中有些是大時代的小人物，小故事，但透過作者眞摯的情感與生動的筆觸，讀來便覺其味津津，絕無枯燥之味的感覺。同時，書中大部份起伏着浪漫主義的波瀾，使這一本戰鬥文藝的小集子，洋溢着另一種新的格調，堪稱佳構。

三

一個小說家，應該同時也是一個最精銳的觀察家，判斷家，進而還必須是一個謹嚴細密的組織家。如果說這本小說集少有瑕疵，那麼，便是組織稍嫌鬆懈。這也是我的一項最懇切眞誠的建議。作者雖然組織了故事的形式，但在實質上，細則上，還有加强工力的必要。這便是所謂文學的深度！另外，在對白上，也須再付予生活與藝術的精華——有生命的語言。

儘管台灣的文壇，不斷在掀起戰鬥文藝的運動事實，但其成效尚須一番努力。而劉心皇先生則從未遠離過戰鬥文藝的崗位，一心一意，寫出他所經歷過的反共戰爭的歷程；在這項奮鬥中，甚至是一個小小的烟屑彈痕，都在他搜集之列。

因此，我對於這本「生命的潛力」及其作者，便有寄莫大的信心與敬意了。

馮友蘭再度爲文自斥

認爲以「腐朽的思想」「阻礙」「革命」

·小言·

馮友蘭是對中共已經屈膝降服了的，但中共並不滿足於他只跪下一條腿，而要他兩腿下跪，雙手交出他的思想體系。因此，在本年「北京大學學報（人文科學）」第二期上，又發表了他的「自我批評」的文章。

馮友蘭這次的「自我批評」，着重在自貶其過去的著作，重心放在他的「中國哲學史」「中國哲學史補」和抗戰期間寫的「新理學」，「新原道」等書。

他儘否定了自己的思想體系，更着重地自貶爲是「腐朽的思想」。

在他的「過去哲學工作底自我批判」的文章中，顯示他必須再度如此「自我批判」，是因爲在上述這些著作中，尤其是抗戰期間寫的以「新」字爲標榜的這些書中有「教人安于現狀，不要革命」的作用，是對他在當時號稱「超然」底態度的自斥和認罪。否定他自己對中國哲學所作的「極高明而道中庸」的結論。

此外，根據七月廿八日轉載該文的「人民日報」的編者按語，也可以看出中共必須要在所謂「百家爭鳴」的現在，着馮友蘭自己貶斥的原因是，因爲他「過去是我國舊哲學界的代表人物之一。他寫的『中國哲學史』曾經是大學裏流行的教本，而在抗戰時期寫的『新理學』等書，則系統的建立和發揮了自己的哲學見解。這些書在解放前曾經在知識份子中產生過許多影響」。

所謂在當時產生過的影響，就是上文所述的「教人安于現狀，不要革命」的影響！大陸知識份子的悲哀，于此可見一斑了。

北平怪現象

旅店鬧荒旅客露宿　原來共幹長期租用

最近「人民日報」『透露』，僞都北平出現人們的怪現象——全市發生旅館荒。這既不是市區日臻繁榮的表徵，也不是有車水馬龍般的外地旅客齊集於此，而是一般共幹爲了貪圖旅館的設備和招呼方便，竟不願住在自己家裏，長期包租旅館居住，影響外來的旅客找不着旅館，形成旅館荒。

「人民日報」首先說：「北平市」只有郊外旅店因爲地區偏僻營業較差外，其他旅店，每天都客滿。幾處車站裏經常聚集有兩百多名旅客露宿，都是來到北平後而無法找到旅店的。該報繼指出：「北平市」的旅店大大小小並不算少，何以造成目前這樣供不應求的怪現象呢？究其原因，除了旅店的地區分佈有些問題外，主要的是由於很多旅店被機關和部隊長期包用，並由於一些貪圖個人方便的共幹長期租住了。

該報並指出：根據本年三月份的調查，被長期包租旅店的總戶數有一三二戶（佔全市旅店戶數的百分之廿一），被長期包租的房間共二・二四一間（佔全部客房間數的百分之卅）。有些被包租的客房使用率很低，只有百分之四十至百分之六十。各單位包租旅店的房租總額每年達八四七・五〇〇元，數字相當驚人。（源）

逢三取二

在莫斯科產科醫院中，護士向等候着的丈夫說：「恭喜先生，尊夫人一胎三女！」等一會，她把一個女嬰抱出，說：「請你帶一個去撫養。」「爲什麼只一個！」丈夫不禁大叫起來：「那兩個呢？」護士說：「對不起，這是政府的宣旨。根據政府法律，一個歸你自己，其餘兩個繳還國庫。」（蘇）

自由談

閒氣與稚氣

馬五先生

美國當局聲明對埃及尼羅河水利建設不擬給予經濟援助時，英國馬上響應，亦表示同樣態度，法國更認爲明智的措施。迨納塞宣佈沒收蘇彝士運河公司的財產和管理權之後，美國不贊成實行武力對付。如是乎，英法政治人物乃異口同聲地說納塞這項非法行爲，就是美國對埃及建築艾士灣水壩不予經濟援助的聲明逼出來的。這副嘴臉，實在是夠醜的啦！

假如我們亦學習英法這類世界列強人物的作風，那末，當一九四九年美國政府發表對華外交白皮書，把中共竊據大陸的所以然，完全歸諉於我國當道之「腐敗無能」，卻將馬歇爾特使強迫我們跟中共組織聯合政府，杜魯門總統聲明如不跟中共妥協，即莫希望美國再予援助，以及艾奇遜等再三宣稱中共是土地改良主義者，是與蘇俄無關的社會革命運動等等言行，一概抹煞之際，我們更有十足的理由興事證，向美國反唇相稽哩！然我們不特當時打脫門牙連血吞，即最近關於白宮準備發佈過去民主黨政府的對華外交實錄，亦認爲大可不必。這就是東方文化的恕道精神，不知「山姆叔叔」懂得不？

「不聾不啞，不作冤家」，美國今天既爲自由世界的盟主，而且有錢有勢，當然要忍受一些求全責備，甚至於無緣無故的寃枉氣，否則不成其爲盟主了。但是，像艾森豪先生讚譽蘇俄偉人榮譽稱號的領導方法，也就不敢恭維。誠然，美國人民現在的經濟生活欣欣向榮，政府的收支亦已平衡，「和平總統」之名，是當之無愧的。然其他的自由人類，有的陷入奴役境地，有的受着侵略威脅，有的被共黨滲透脅持，身爲盟主的美國，究竟有何辦法與作爲呢？俄共聞艾森豪政躬違和，莫斯科教堂內即有多衆相聚爲艾氏祈禱健康。敵國之賢，友國之仇也，我盼望將來自由世界不要爲艾克「和平總統」「錯錯錯」呀！

商社第三次平劇彩排記

·張瘦碧·

商社票房，是由台北市幾家華洋百貨棉布綢緞商店愛好平劇同仁所組織，成立迄今，爲時雖短暫，由于社友們苦練，孜孜不倦，再加上聘請了幾位如關鴻賓、李金棠等名教師循循善誘，所以已經先後彩排過兩次，尤其在第一次演出的新四郎探母，可說是相當成功的。今春該社舉行第二次演出，可惜只側重在裝璜方面，外表是佈置得富麗堂皇，風頭十足，而演出的節目，反不如第一次夠理想。昨天七月三十一日，該社又在中山堂，舉行第三次彩排，在佈置方面，已力求簡約，甚至連花籃，一共也不過三四隻，據說他們省下這筆開支，去作勞軍之用，這才是明智的辦法，無謂的浪費，實在是不需要的，值得讚揚！

此次計三個戲碼，實則有四齣戲，人員非常齊整，爲百涼樓，武家坡連演大登殿，及羣英會，可說是有生有旦，唱做並重，非常完備，稱得起一台好戲。

首齣百涼樓，道漢軍之興績，趙瑞要槍，工架，都能走入正軌，而且有幾段唱詞，都能應付裕如，這是不容易的。大凡演武生，能唱者少，尤其票友，身上用功之後，把唱工擱了起來，叢君居然兼而有之，前途大有可爲。顧朱瀛仙與徐翕穗琴之武家坡，顧夫人爲台北有名之老生坤伶，曾在中廣晚會露演全部四郎探母中的前四郎，坐宮一段，的確不壞。本日飾平貴，竟穿箭衣，持馬鞭，究感手足無措，難以應付，而吃調亦低，至對唱流水及「提起當年淚不乾。」始稍稍振作，惟身段尚須研究。徐夫人寶釧，連演大登殿，相當吃力，沒有真功夫是頂不下來。加以她的小公子，搡得一手好胡琴，格外覺得錦上添花。惟大登殿時有許多身段，水袖，眼神，不夠自然，此外如能在穀香佳味的本位，再下一番工夫，定有燦爛前途。大登殿之平貴，由顧易紅葉扭任，唱來尚有韻味。馬靜珠小姐的代戰公主，恐係初次登台，顯得十分胆小，唯恐有失，那顧綠子，倒也很是有趣！

大軸爲一波一折，終于出演的羣英會，名票毛家華扮演魯肅，飾扮相極佳。通常的人，都以爲魯肅扮爲一位忠厚長者，這當然是不錯的。但是他除了忠厚以外，還有精細，幹練，大方種種特長，不然怎麼能夠有魄力，周瑜執掌水軍都督呢？所以每場表情，總對要避免悲觀之態，才能表示出他的身份。雖然唱句不多，更要雍容純厚，不能犯乞輕佻的毛病。不論什麼派，只要演得神似，即爲上材，而且這裏面有許多小動作，往往極易毫不自覺的忽略過去。還諸毛兒，諒亦以爲然也。

至該劇配角方面，如高德稱洋洋大觀，如松之黃蓋，劉玉麟之蔣幹，周瑜，周金福之孔明，因此，皆爲一時之選，能格外使人提神。至王友錫之孔明，已屬爐火純清，溫功不錯。

可惜是晚正值颱風過境前夕，場中未能滿座，而我則冒着風風雨雨，照常去過戲癮，歸而記之如上。

懷特納夫人

——一個英國軍官的戀愛故事

謝永年譯

正在這個時候，柏克上校看看他底手錶，並且笑着說：「是的現在必須立刻起程，我們還要讓格雷佛先生去十五分鐘，現在已經二十分鐘了，走吧，在路上你們可以繼續談談這個故事」。

我們於是通過一片草地，走向高爾夫球場的那個山凹。那一天不是週末，球場上沒有人玩球，向前面的樹林望去，懷特納堡巍巍大宅在太陽光輝中，好像仙女的洞府一樣，我們在坦白中走着，柏克夫人繼續說下去：

「雅克，對於當時英軍在蘇丹的形勢，你知道比我清楚，不過這對於我們所講的故事，沒有多大關係，我只知道蘇丹土人的騷動對於尼羅河以西駐防的英軍是很危險的，而且情況很不明朗……這時正在歐洲列強瓜分非洲，很像分食一塊大餅，我現在所講的這塊地方，正是和你們法國的屬地接壤的地區，地也不謙，常常不免發生糾紛的。

「那時格雷佛只帶很少部隊，所負責的防區，卻並不多。而且，他所負的使命，還不過是一個中尉的，使得他底工作更加難以進展，那時正是格拉斯東（Gladstone）做總理的時候，[illegible]

大臣，他原是不贊成帝國主義的雄闊的。但是，組成內閣的閣員，不一定純粹是一個一致的單位，[illegible]

[illegible]說：他底殘餘部隊，只有足供兩個月的糧食和彈藥，過此期限，即不能支持，在此消息，發表的時候，距離他寫諜報又已經三個星期了……他底處境險惡，似乎是絕望的了。

「雅克！你不會以爲我在一個法國人面前批評英國的政治是不對的吧，當時首相格拉斯東很同情蘇丹土人的獨立運動，和一些主張殖民地政策的大臣，意見有很大的距離，於是，有人將這項好的消息報告首相，並請派援兵，不料首相勃然震怒，握着拳頭大拍其桌子，認爲不能考慮，這個問題，許多人因此都以爲這是沒有希望的事，只有聽命運的擺佈罷了。」

「孰知格雷佛命不該絕，有一個熟悉政府秘密的一個女人看見了這條新聞，她深知道彈盡援絕時被土兵俘虜去的危險，她一心一意要援助格雷佛她心愛的人免於受種種酷刑的慘痛……我不知道您能不能想像一個這樣著名的無可責備的女人好像懷特納夫人在清明的維多利亞王朝裡自出來干預政治，其困難和危險，可能達到什麼程度！因爲她所要挽救的正是大家知道她所鍾愛的一個青年軍官呢。（五）

王闓運之學術文章

萬思同

萬山樓君同光風雲錄記王闓運事，頗錄其傳，足資前輩風流，惜僅稱其文章，而未及其學術。其實闓運爲近代今文學之開山鼻師，其學術思想之影響於世者遠較其「擬古」之詩文爲鉅也。

錢基博「現代中國文學史」云：「十五十年來，其機段風之變，自湘之王闓運；由湘而蜀（廖平），由蜀而粵（康有爲梁啓超），而皖（胡適陳獨秀）以滙合於蜀（吳虞），其所由來者漸矣，非一朝一夕之故也」。世許爲知言。

按闓運刻苦勵學，十五明訓詁，十九補諸生，二十四撰「儀禮講」十二篇；二十八通春秋，張公羊，申何休，一變乾嘉諸老之古文學家言。川督丁寶楨，嘗禮聘闓運主講成都尊經書院，時井研廖平（季平）稱高弟焉。平承師說，而不專主於師說，演爲「經學六變」，於晚香齋所，傳其學於康有爲，有爲據以著爲「孔子託古改制考」，「大同書」，傳梁啓超；迨胡適、陳獨秀出，復與平弟子吳虞（又陵）合倡非孔廢經，「打倒孔家店」，風氣所趨，一時青年學子如中瘋狂走，國脈所託之孔孟思想，倫理文化，邊於摧廢，卒肇今日陸沉之禍，當非闓運始料所及矣！

闓運文章，根柢六經子史，間涉佛乘，落其紛華，獨標神明，超宋邁唐，直追漢魏。除關於經、史、諸子專著外，其「詩法一首示黃生」！「湘綺樓記」，「到廣州與婦書」，「遊華山記」，「秋醒詞序」，「錄祺祥故事」，「哀江南賦」等均沈博古艷，的爲傳世之作。古近體詩及聯語，亦當行出色，雪霽登玉皇頂詩云：

「黃河如綫海如杯，表裏泱泱四面開。戰國會嫌天下小，登封常見聖人來。扶桑浴日光先照，西練浮雲首重回。一片空明盡冰雪，便疑身在九瓊台」。

襟抱之超，紐比之妙，可以概見。嘗贈所眷妓秋雲一聯云：

「幾夕起相思，秋草獨尋人去後；他鄉復行役，靈山兒是客中過」。

又南京莫愁湖一聯云：

「莫輕他北地胭脂，看畫舫初來，江南兒女生顏色；儘消受六朝金粉，祗青山無恙，春時桃李又芳菲」。

歿後，所眷女傭周媽輓以聯云：

「忽然歸，忽然出，忽然向清，忽然凋衰，恨你一事無成，空有文章驚四海；是君妻，是君妾，是君執役，是君良友，嘆我孤棺未蓋，還誰紙筆定千秋」。

說者謂頗能概括闓運一生，並道出兩人關係，不愧湘綺樓掌書仙手筆。信楚多才，的是靈魂所從出也。（八月一日於台北。）

同光風雲錄

夢山樓

詹天佑

詹天佑，字眷誠，廣東南海人。清咸豐十一年三月十七日生。中國赴美留學第一批之學生。歸國後，以經辦京張鐵路工程，建奇績，爲中外人士所景仰者也。

最早最幼的留學生

清同治十一年，曾國藩，李鴻章，會銜奏准選派優秀青年赴美留學，天佑中選，年甫十二歲。抵美先入小學，最後畢業於耶路大學土木工程科，至光緒七年，學成回國。經綸滿腹，一心用世。然當時庸臣，把持朝政，興築鐵路，徒成空論而已。

天佑抑鬱不得志，適兩廣總督張之洞，聞其賢，延爲水師學堂教習，執教鞭以授生徒，非其志也。直至光緒十四年，伍廷芳爲津榆鐵路總辦，始任爲工程師，自此三十餘年，用其所學，以建偉業，豈偶然哉？

『誰謂中國無人才』

初期計劃，蘆榆，萍醴等綫，而其最大成就，則在京張鐵路。自北京至張家口，長三百七十餘里，南口以北，岡巒重疊，溪澗歧紛，出居庸關，過八達嶺，橫縱其前，其上爲長城，峭壁百尋，驚心怵目，較諸平原建築，艱難萬倍。外人估計此路工程，需款九百萬元，需時七載。然而，天才工程家之天佑，僅費款五百餘萬元，甫滿四年，全綫通車矣。

先是，天佑初次履勘，擬由石佛寺向西北行，當鑿洞六千餘尺，既改由東而斜行，就青龍橋施工闢峽，僅鑿洞三千五百尺耳。是時天佑所攜工程專家二人，晝則躡足登山，夜則繪圖計工，無一息之安閒。而工程專家，又因故他調，乃獨任鉅艱，冥心孤往，歷時十八月，而山洞鑿通矣。

通車之日，王公士庶，及東西人士來觀者數萬人，咸嘖嘖稱奇。其先英國報章，嘗論曰：『中國安得有建築此路之人才？』今則改論曰：『誰謂中國無人才？』此不獨天佑一人之榮譽，實中國全面之偉業。故英國工程研究會，選其爲會員，中國列名此會者，天佑一人耳。

青龍橋畔銅像巍然

清廷至此，亦認天佑爲曠世之奇才，乃賜授進士，並擢爲漢粵川鐵路督辦，湘鄂川漢各綫，甫經開工，而中德宣戰，工程因之頓挫。嗣後，歐洲協約國召開共同管理俄國鐵路會議，天佑代表中國參加，折衝樽俎，不卑不抗，故中東鐵路華人獲有工程師地位者，天佑之力也。

民國八年四月二十四日，因積勞成疾，歿於漢口，享年五十有九，噩耗驚傳，天下悲悼。筆者於民國二十年，曾作內蒙漫遊，於平綏道上之青龍橋畔，則天佑銅像，巍然猶存，臨風瞻仰，幾欲屈膝而拜焉。

（五十四）

文壇人物

記艾雯

·天生·

女作家羣中，艾雯是以清新雋永的散文見長。青年寫作協會舉辦「四十四年度全國青年最喜閱讀文藝作品及最推崇文藝作家測驗」時，她的「青春篇」就當選爲散文第一，由此可想知讀者對艾雯散文的喜愛。

艾雯的作品，無論小說或散文，都特別注意文詞的修飾，玲瓏剔透，淡遠幽深，讀來令人清新可喜。她在台灣已出版了六部書，三部小說：「生死盟」，「小樓春遲」，「魔鬼的契約」，三部散文：「青春篇」，「漁港書簡」，「生活小品」。自由中國女作家，除了早期成名的蘇雪林和謝冰瑩外，已經出版六部創作的今尙少見。

艾雯是江蘇蘇州人，今年三十二歲，她的眞實姓名叫「熊崑珍」。蘇州的女孩子具有歷史性的美，端莊，溫和，爽朗，秀麗，艾雯自然也具有這些美點，你從她的作品裏就可幻像出她的人品來。

她有一個美滿幸福的家庭，她的外子朱樸先生在空軍任職，他們在民國三十五年便結了婚，現只有一個九歲的千金承歡膝下。他們夫婦倆都好客，家裏常有三兩文友聚會。可是自己卻極少離開家門，總是在家裏默默地寫，甚至一年一度的「文協」年會，她都不逐年參加，因此在許多文藝界的活動裏，很難見到她的蹤影。

自由人
THE FREEMAN
（第五六八期）
3rd. fl. 20 CAUSEWAY RD HONG KONG

最近亞洲的兩件大事

蘇聯霸佔日本的領土。中共出兵緬甸。

・左舜生・

最近在亞洲方面，有兩件極可注目的事實：

其一，日本外相重光，親赴莫斯科交涉，蘇聯對日本所提領土歸還的要求，似已毅然拒絕，甚至連色丹，齒舞兩個原屬北海道的小島，也須附有條件始能重歸日本，至於千島羣島以及南庫頁，當然更談不上。

其二，中共出兵緬甸，據仰光英文『民族報』所派赴緬邊兩記者觀察的結果，則中共此次出兵，完全係一種有計劃的行動，計在緬邊所佔駐兵地點，共有十處之多，其範圍達一千平方英里，每處派有軍隊五十，兩百，三百不等，總計已在千五百人以上；每一據點一均築有永久性工事及兵房，與雲南保持交通上密切的聯繫，且以騾馬隊不斷向緬方輸送軍火，大有久佔不歸，或隨時擴大範圍的可能。

這兩件事未來的演變如何，目前尚不可知，我在這裏只想提出若干基本的看法。

蘇聯才眞是日本的敵人

目前全世界的人口總數，據估計約爲二十七億。蘇聯人口不足兩億，其所佔土地則爲全世界的六分之一，即二千二百二十七萬方公里。日本的人口已接近九千萬，其領土乃不過三千六萬五千大百方公里有奇。

蘇聯在歐亞兩洲擁有這一大塊舉世無比的廣大土地，其中一部分乃完全由侵略而來，遠者姑且不論，在二次大戰中及戰後，蘇聯以侵略方式霸佔的土地，即有七十餘萬方公里，幾等日本現有全部領土的一倍。

在上次大戰中，日本誠然是戰敗者，但她是敗於中華民國，敗於美國和英國，而決不是敗於蘇聯。蘇聯在上次大戰最後所採一種戲劇式的行動，乃是背信棄誓，乘人於危，將別人打下的一個『落地桃子』輕輕拾取，而她自己並沒有耗費任何氣力。

雅爾達協定簽字於一九四五年二月十一，在蘇聯方面看來，這是她今天霸佔千島羣島和南庫頁惟一的條約根據。我們充分了解，當日羅斯福總統其所以忍痛接受蘇聯的敲詐，其惟一目的乃在促成蘇聯提早對日參戰，以減少美國的犧牲。假定當日蘇聯於協定簽字以後，立即表示對日宣戰，則日本的投降一定可以提早，而廣島長崎的兩顆原子彈也可以不投。可是史大林依然遲延了將近半年才開始動手，我們可以說直接向日本投下兩顆原子彈的雖是美國，間接促成這兩顆原子彈投下的確爲蘇聯！現在每年八月的六，八兩日，日本照例舉行廣島長崎兩地被炸的紀念，他們只知道抱怨美國，而不知道眞正的殺人犯乃是蘇聯，這實在是日本左傾分子的幼稚病。

戰敗日本的儘管是中華民國和美國英國，可是中國除收回一個確確鑿鑿屬於她自己的台灣以外，此外即無任何要求，其對日寬大的程度，可以說在人類戰爭史上並無先例。此外美英兩國也同樣寬大，而美國這十年來對日本復興的援助，更是不遺餘力。我們只要以中，美，英三國對日本的態度和蘇聯一比，我們便可認識蘇聯是什麼東西！

今天的日本人應該醒醒了，要懂得全世界只有蘇聯才眞正是日本的敵人！

中共侵緬爲蘇聯亞洲政策的一部

關於中國雲南和緬甸間的疆界問題，這是一個古老的問題，即令中緬間有把這條界線加以劃清的必要，但中共也沒有具備這一資格。

緬甸，位於中南半島的西北，越南乃伸出於中南半島的東北，而馬來半島以迄新加坡，則延展於中南半島之南。現在越南北部已完全落於共黨之手，而馬來半島及新加坡，則共黨正在加速的加以滲透與破壞。假定在中南半島的東北、西北和極南這三點，全部入於共黨的掌握，則整個中南半島，包括越南，緬甸，泰國，高棉，寮國以迄馬來，即欲避免不整個爲共黨囊括以去，將爲事實所不許！

現在中共的出兵緬甸，還只是初步的嘗試，一經站穩，她一定要得寸進尺！

蘇聯自己說，她已自動裁減陸軍兩百萬以上，這件事我們信其是眞的。但同時我們必須明白：中共現在擁有現代裝備的陸軍五百萬以上，而海空軍則依然貧弱。蘇聯以裁減陸軍所騰出的人力物力擴大武器的製造，以加强裝備中共的陸軍，而蘇聯自身則專注意海空軍的擴大，一面用以對美，一面即用以控制中共。這樣一來，只要美國永遠不敢與蘇聯一戰，蘇聯便永遠可以躲在後面高唱『和平』，而同時嗾使中共的陸軍在亞洲四出擾亂，而蘇聯則安坐以收漁人之利！

我們必須懂得：中共的出兵緬甸，這僅僅是蘇聯侵略亞洲政策的一環，如果因爲她所出動人數尚少，便加以忽視，這便是大大的錯誤，我們要知道中共開始支持胡志明的時候，其所運用的武力原也是不大的。

制止武力的只有武力

總而言之：

蘇聯是今日全世界最具有侵略性而最富有領土佔有慾的一個最落伍的國家。所以共黨所叫出的所謂『和平共存』，這已由事實證明完全是一派鬼話。

以和平方式反共，希望求得人類眞正的解放，這永遠是一種夢談。

在未來的第三次大戰以後，世界將有不少的國家必須變更現有的形態，而土地的分配，須按照人口的密度以爲差，決不能照第一次大戰後以民族爲分合領土的惟一標準。

日本目前在莫斯科以外交方式希望求得領土的恢復，這無異於與虎謀皮。日本目前的當務之急，乃在修改憲法，正式建軍，加速製造核子武器。在第三次大戰勝利以後，不僅南庫頁島千島羣島，應由日本收復，凡赤塔以東以迄堪察加半島，包括鄂霍次克海一個內湖，都應該劃爲日本天然的領地！天然的漁區！今天日本有一班死不爭氣的懦夫，他們還在反對修憲，反對建軍，這實在無異於爲蘇聯的侵略行動張目！（完）

援助港澳流亡知識份子平議

・趙滋蕃・

（一）

訪台時，曾數度拜訪大陸救災總會理事長谷正綱先生，暢談甚歡。谷先生木訥平實，藹然有仁者風；做事有担當，肯負責，而已飢已溺的熱情，並不亞於青年。處困境而不怕非難，有傲骨而堅持緘默，谷先生畢竟是一條硬漢！臨別之際，谷先生搵『援助港澳流亡知識份子草案』一份相贈，希望我有所補苴。六年投荒異域，對于『難民之家』的事體，義不敢辭；爰就管見所及，借箸一籌。

據草案所載：此次援助港澳流亡知識份子的總經費，一共十五萬港幣，分五個月由大陸救災總會救濟款項下撥付，每月三萬元。以千字港幣十元的收稿方式，對流亡港澳、貧病交迫、舉家啼飢號寒的文教人士、作家，進行援助。老實說，以今天流亡港澳知識份子人數之多，及其生活的艱苦，亟需援助的殷切，這十五萬元的小數目是無濟於事的。然而，做總比不做强；何況祖國的溫情，同胞的摯愛，那種由一粥一飯、一絲一縷節省下來的深厚的情意，對于流亡人士慰藉，我們沒有辦法來形容。人間有許多東西，是金錢購買不到手的！這超乎金錢之外的眞情摯意，是最値得寶貴的！希望執行諸公好自爲之，不要喪失援助的眞意。

（二）

每月三萬元的援助款項，最有效的使用辦法，是三萬元不折不扣地送到流亡知識份子的手上，此是最高理想。萬一行不通，二萬九千九百元送到流亡知識份子的手上也好。只留下百把元作郵費、辦公文具用品的開銷。過去某救濟機關那種『救濟了救濟人員』的歪作風，此次萬萬不能『翻版』！對待援助委員會諸公，除以白開水一杯聊表心意外，無薪給報酬，無車馬費開支；最好採榮譽義務制，交通費自理，香烟錢自己掏腰包，枵腹從公，勉爲其難。好在時間只有五個月，中國讀書人這種急公好義、先天下之憂而憂的風骨，總歸是有的。涓滴之惠，及於被援助者，錢雖少還是可以派大用場。而這種工作精神與工作態度，本身就是表率，此種『國爾忘家，公爾忘私』之情，在心理上對于流亡港澳知識份子的安慰，簡直無法估計！援助辦關並非衙門。它來自流亡人士羣中，也必然會好好地替流亡知識份子辦事。責任就是榮譽。一念之間，當下即是。深盼執行諸公留意。

事有本末，物有終始：援助範圍和步驟，也應當預先詳細規劃。我個人的意見，最好先在香港調景嶺，澳門氹仔設立收稿辦事處。辦事處不必另外找房子，借用中山室中正室或諸如此類的公共場所試行。辦事處不必用職員，委託營內的自治會員就近幫忙，也可以圓滿完成工作。各辦事處只收稿，不審稿；收稿後給收據，以明職責。辦事處一星期或十天，將收集的稿件，彙齊送『援助』委員會；而負責甄審稿件的委員們，漏夜開工，務求做到又迅速、又確實，無滄海遺珠之憾。這是援助的第一個對象和第一個步驟。行有餘力，則港九天台、樓梯間和木屋區，澳門木屋區，也可以『照本宣科』，分區設立收稿處。愛惜流亡知識份子的腳力，節省流亡知識份子往返奔波的時間，其原始意義也是一種援助。這是援助的第二個對象和第二個步驟。再其次，則對于住徙置大廈、住單層石屎屋、住小客棧、住公寓碌架床的流亡知識份子，進行收稿。由援助委員會統一辦理之。這是援助的第三個對象和第三個步驟。援助不是錦上添花，而是雪中送炭。我主張：對于住洋房的朋友，對于起碼生活已經得到解決的朋友，對于有固定工作，且有較優的固定收入的朋友，甄審委員會有權退稿！因爲，羊毛出在羊身上，援助款項如果不能集中使用，備多而力分，不會有好效果的。

（三）

甄審稿件的標準，我以爲也應該有幾個簡明易行的原則。蓋標準過高，有失援助之旨；漫無標準，則易啓僥倖之心。過猶不及，理宜斟酌。

我無意在此文內越組代庖，擬定甚麼辦法，因爲那是援助委員會諸公的事。不過，原則性的標準，談談也無妨。

『文抄公』之稿當退，譯稿附原著，論著附參考書目，這該是甄審標準之一吧。援助對自己的思想，自己的良心負責的港澳流亡知識份子，委員會固責無旁貸；但委員會亦應有責任不援助絕對少數的存心作僞的人。他們沒有責任鼓勵浮薄倖進之風。

對自由世界毫無幫助，或對反共復國基本國策有害的作品，亦應列入退稿之例。言論著述儘管有自由，而且我們要堅持此種自由，但敗壞人的善良品德的作品，爲匪張目的作品，作人身攻擊藉以洩私憤的作品，委員會有權拒絕收受。因爲知識份子其所以要流亡港澳，推原禍始，其罪惡全部來自鐵幕世界的極權奴役制度。而上述作品的基本傾向，對于當前的反共鬥爭，有百害而無一利。【下轉第二版】

半週述評

・司馬璐・

日俄談判

俄共眞理報於本月九日刊出了一篇對日俄談判措詞强硬的文章，路透社記者從莫斯科發出報導說：「此間觀察家認爲，眞理報之文章，等于俄人正向日方提出最後通牒；除非立刻同意一項和約，拋棄對領土之要求，否則祇好請日本代表回東京去。」同日美聯社的電訊也稱：日俄談判已到達成敗的最後關頭了！

當莫斯科的記者以眞理報的文章問重光，這是否意味談判可能決裂，重光答稱：「永不會如此，吾人均渴望獲得某種程度之結果。」

基本分歧

眞理報的威脅與重光獎的答話，代表目前日俄談判癥結所在。

蘇俄的態度是：或則日本就範，或則繼續僵持下去；所以蘇俄對日和談，原則上是，先行復交，再解決懸案。

日本的態度則相反，主張先俟懸案解決，然後才能談到復交；所以重光在動身到莫斯科時曾經反復表示，日本在和談中，將堅持歸還領土及釋放日俘兩大要求，作爲恢復日俄正常關係的先決條件。

日本讓步

倫敦談判的失敗，也即由于以上所指出的雙方立場的基本分歧。

但是，倫敦談判失敗以後，蘇俄又與日本簽訂了漁業協定，進行對日本新的誘惑，它給一部份日本政客的感覺是，蘇俄可能不再堅持「先行復交再談懸案」，日本的左翼份子也爲此振振有詞，于是就有了這次莫斯科的二次談判。

日本方面，在這次談判中，顯然也作了讓步，關于領土問題，日本原來向蘇俄要求歸還者，包括南北千島，南庫頁島及色丹齒舞兩島在內，現在日本只堅持千島羣島中最南端的擇捉與國後兩島，願意將其他各島，留待將來的國際會議解決。

吊吊胃口

日本讓步，蘇俄卻又認爲日本示弱可欺，一面堅持不肯將擇捉與國後兩島歸還日本；一面又繼續吊日本人的胃口說：他們願將色丹及齒舞兩島歸還日本。

這是什麼把戲呢？

二次大戰以後，一九五一年的舊金山對日和約，一九五五年的日本進入聯合國，蘇俄都沒有理由和日本爲難的，但是卻一次又一次的出此一策，這又是什麼理由呢？

蘇俄的陰謀是，每當日本有新生的機緣時，蘇俄必欲逼日本置于死地；然後再向日本人吊胃口。

蘇俄的宣傳又說，如果日俄和約成功，生意大有可爲，其故也在此！

各做各夢

蘇俄吊日本胃口，用意要在于分化日美之間的關係。當然，日本人並非全部傻瓜，他們也會看穿此點的；但是，由于美國姑息與鼓勵中立投機的政策，于是日俄談判也同時變成鳩山之流向美國敲詐的武器。

重光在日本是有名的主張對蘇强硬的人物，爲什麼出任這一和談的主角呢？這正是鳩山的妙計：日俄和談，成則鳩山內閣之功；敗則重光之過。以鳩山爲中心的主派希望重光在莫斯科當烈士，而重光則另有打算，他企圖逐漸爲他的首相夢鋪路。

圍着日俄談判，鳩山重光，各做各夢！

黑人物犯罪日形猖獗 影響社會秩序安寧

輿論界一再向治安機構提出警告

由於最近本港發生多宗罪案，均與黑社會中人有關，故引起一片以全力撲滅此等組織的呼聲，我們從警方年報中透露：本港黑社會人物的猖獗，顯示當局已非常重視，並決心予以鏟滅。

前些時候，有人提出撲滅黑社會的辦法，他們認爲並不是將黑人物捕於法庭，由法官將之判監若干月，便期滿後，由警察監視其行動兩年，而可以清除黑患的。須知這些他們是很狡猾的，他們視被捕與入獄如無物，經過若干日期又告出獄，於是，更比前爲害，對警察監視行動，亦毫不介意。所以，唯一徹底消滅黑社會的良好辦法，唯有將黑社會人物押解出境，如查出某人爲黑社會人物即將出境，假如發覺某一黑社會份子是香港土生，照例凡屬土生即不能遞解出境，但爲一般香港市民身家性命安全著想，亦應將他們解離香港，以絕後患。

這些話，說來也是很有見地，不過我們認爲治標治本還要兼籌並顧，最後還是應從根本清源之道着手，不能完全依靠警方的行動，採取強硬手段的，而是要社會大衆具體的反抗才行。固然要靠警方的努力，但市民能予以合作，還事半而功倍呢！

如何根本消滅非法會社

事實上，黑社會肇事或受法院判決的新聞，幾無時或斷，而黑社會的非法事件，因受害人恐懼報復，而噤若寒蟬的，更十數倍於官方所紀錄的案件，據入會的敲榨，勒索和報復，是受錢或害他人更是黑社會的專營的職業。勸員數百人來大『開片』，猶使一個工讀學生因被不出會費而自殺，不過是較爲顯著而使社會知道的例子而已。

警務處會公開答復報界有關黑社會的問題如次：「黑社會近來曾犯了很多罪惡，是否可能有法控制或根本消滅這些非法會社？」

警方發言人答：「這是值得懷疑的，如果說這些非法會社可被完全的消滅，秘密會社的形式和會員始終會勾起某種方式的傾向心，特別是在較年青的一代中。不過仍可使這些黑社成爲完全無害，但不能全依單獨的警察行動，而要社會大衆具體的反抗才行。」

「全港黑社會會員數目已超過六萬名，其中有一千多名是黑社會的首領，警方關於此點是否有詳盡的記錄？」

「舉出黑社會全部會員的一個正確數字，是很困難的，然而應當記得的是：黑社會毫無疑義地僅有少數的死硬中心份子，而有極多數僅是被動的會員。警察總部偵緝部已有一個特別專科，專門處理調查黑社會及其人員的工作。」

「香港最具有勢力的黑社會是那幾個？」

「本港最大的黑社會是十四K，「和」字頭，「同」字頭，「聯」字頭等，不久以前，警方曾對十四區黨採取了堅強的行動。並且努力繼續來撲滅這些非法會社。」

「除了陸上的黑社會以外，在避風塘及海上活動的黑社會有那些？」

「黑社會在避風塘的活動，已有所知，但並沒有一個特定的黑社會，它的勢力範圍是特定地伸展至這區域。海洋來往於港船舶之間的黑社會並不活躍。」

全港黑人物共六萬名

「如果一個良好的公民被逼入會或付出黑社會要求金錢，他應該怎麼辦？」

「他應該向該管警署偵緝部高級官員報告，警方會盡一切力量保護他，並且警方對這類消息是十分感激的。」

「但是警方能給通風報訊者什麼保護呢？」

「向警方提供有關黑社會的消息會被當作絕對的機密來處理。」

「然而，如果他當真報告了警方，他會遭受到報復，甚至於被殺害，在這情況之下，他怎樣才可使他自己不會找到麻煩？」

「這裏又可回到第一問題所答覆了，那就是一般市民大衆必須協助警方，因爲社會大衆必須認識黑社會的恐懼，幫會組織並非如很多人想像一般的有勢力，舉例來說，在去年中，所有刑事案件的百分之二和十二宗謀殺中的一宗，是由黑社會所犯的。社會大衆必須理解，除非是警方有一件罪案已構成的證據，否則警方不能採取行動。」

「黑社會還從妓女、烟格和賭館中抽保護費，並且在其他不道德經營中賺錢，警方可消滅此種不法活動嗎？」

「黑社會是以非法手段取得金錢的，警方很多次曾有効地制止了他們這一方面的活動。」

「是否因遞解令的未被應用，而使黑社會勢力再度膨脹，警方是否考慮重新執行遞解出境條例？」

「非法會社的會員，並未因此而增加，遞解出境條例依然存在，當認爲需要的時候仍可執行。」

「如果一個黑社會人員，向警方自首，他會被控嗎？什麼控罪？」

「會社條例中已提供了控制非法會社的法律。」

香港有二百五十萬善良的公民，如說二百萬是成人的話，我們的力量較黑社會大二千倍，還有正義，法律在後面支持，爲什麼要受黑社會人物的欺侮而不敢出聲呢？（完）

香港大學的中文部

・陳永昌・

香港大學文學院中文部年來力加改革，該部主要目的在培養學生對中國文學與藝術的認識及欣賞，增進學生使用中國文字的能力，又用歷史及科學方法研究中國文化的進展，以期了解中國文化的基本精神及其在現今世界上的地位。

凡入該部的學生，[illegible]除選定科目外，其餘課程全部用英語講授，[illegible]仍用中文課本。

怎樣才能入學

怎樣才能入該部讀書呢？要幾年才畢業？讀些甚麼課程？試將三年課程及其所需的入學程度分列如下：

第一年共有三大科目，第一次考試，每科有試卷兩張。[illegible]三大科目爲：（一）中國語言及文學（國語講授，每星期四次），（二）中國歷史（國語講授，每星期四次），（三）中國哲學（[illegible]）。

第二三年——這兩年共有四大科目：[illegible]（四）中國藝術及考古學和中國地理史（英語講授，[illegible]每星期三次）。

[illegible]最後考試時，每科有試卷三張，第一次考試及格後，同時完成下述需要條件者，可選讀第二年。

升入第二年及第三年的先決條件爲：選讀第一科及第四科者，須第一年第一科及格，[illegible]或完成文學院其他部門之一年考試。（文學院其他部門爲：經濟及政治，英文，地理學，歷史，數學，[illegible]現代語言[illegible]）但仍須在大學預科初級中文考試及格，並經過該部認可。

研究些甚麼學問

該部入學程度，略如上述，茲將各科內容分述如下，可以見到在香港大學文學院中文部研究些甚麼學問，其範圍如何了。

第一年

（甲）中國語言及文學：[illegible]特別課程（精選）：禮記、書評；五、作文。

（乙）中國歷史：一、中國歷史的概觀；二、中國古代歷史（商周朝代，紀元前一五〇〇年至二二一年）；三、特別課程（引論及精選）；史記。

（丙）中國譯文：此乃實習科目，中英文交互繙譯，附進入第二及第三年的中國文化引論。由中譯英，多採中國文學、中國歷史、地理、考古學及文藝爲資料。同時研究權威人士中國作品的英譯本。

第二年

（甲）中國語言及文學：一、文字學、漢學引論、及目錄學；二、漢、魏六朝（公元前二〇六至六一八年）文學；三、特別課程（精選）：詩經、楚辭；四、作文。五、高級研究：下面課程任選其一（兩年課程：A、駢賦，B、詩，C、詞曲，D、戲劇小說，F、散文及詩。）

（乙）中國歷史：一、秦漢至五代（元前二二一至元後九六〇年）；二、宋代（元後九六〇年）至現代；三、特別科目：中國對內對外的交通，及其對於經濟與文化的影響；四、特別課程（引論及精選）：前漢書及新唐書。

（丙）中國藝術及考古學：一、陶瓷——陶瓷在中國的歷史，[illegible]附中國考古學之發現；二、青銅——青銅器、武器、及其飾品，由商朝到漢朝；青銅鏡，由國朝到唐；青銅佛像，由六朝至唐；附金石學引論。三、中國漢代之地理發現：中亞——張騫及班超之武功；朝鮮；中國西南部；東南亞。四、高級研究：根據學生資歷，給以特殊資料，供閱讀研究。

（丁）中國哲學：一、中國哲學歷史（第一期）：一、先秦哲學家（元前五〇〇至二〇〇）；三、漢代儒學及其他（元前二〇六至元後二二〇）；四、佛學（第一期）——漢代及六朝（元後一世紀至六一八年）；五、特別課程：道德經、莊子。

第三年

（甲）中國語言及文學：一、文學批評；二、唐代至近今之文學；三、特別課程：易經、春秋；四、作文；五、高級研究（繼續第二年精選）。

（乙）中國歷史：[illegible]；特別科目：中西關係（由十五世紀至近今）；三、特別課程（引論及精選）：新元史及明史；四、高級研究。

（丙）中國藝術及考古學和中國地理史：一、雕刻——[illegible]漢代之浮雕，中國之佛像雕刻[illegible]；二、[illegible]初四王，明清之宮廷畫家及民衆畫家）；三、中國地理史（元朝，唐，至元明）——到印度取經，中國在中亞之伸展——土耳其、阿拉伯、西藏、日本、東南亞、蒙古、明代太監下西洋；四、高級研究。根據學生資歷，給以特殊資料，使閱讀研究。

（丁）中國哲學：一、佛學（第二期）——漢代（元後六一八至九六〇年）至現代；二、新儒學——宋朝（元後九六〇至一二六年），明朝（元後一三六八至一六四四年）；三、中國之新思想及其對西方之關係（十九及廿世紀）；四、特別課程：六祖壇經，近思錄。

主要的任教學者

於此筆者附帶報告，現時在港大文學院中文部任教職的有林仰山先生（英人），劉百閔先生，羅香林先生，陳君葆先生（兼任職）及饒宗頤先生等。

（完）

波蘭人繼續爲自由與麵包而奮鬥

・風行譯・

下面的文字是本年九月份『國際自由勞工報導』報告的節譯。原作者亞當塞奧爾柯斯，他是從共黨獨裁下的波蘭逃亡出來的。他現任在英國波蘭社會黨主席，也是在倫敦波蘭民族統一協會執行委員會的主席，可稱爲流亡波蘭政府的總理。

經過十二年共產黨的統治，波蘭的經濟變成千瘡百孔。共產獨裁政治基礎之官僚階級，將軍扭壓在生產羣衆之上，令到他們透不過氣來。統治階級賴生產羣衆才能維持其生命，這裏有兩個最重要的因素：第一、是迅速積聚資本，以支付加速國家工業化。第二、要向蘇聯進貢，其方式爲以荒謬的低價收買波蘭的出口貨。去年波蘭出口百分之六十三點五，都是運往共產黨集團的。

工人工資異常低微

波蘭工人的憤懣，有幾個原因：（一）是工資。依據官方統計，工人的總生產量及國家的收入是增高了。但生活水準還是很落後。官方統計，一九五〇——五五年的六年時期內，物價已增高百分之七十六。但直到波茲南暴動發生後，波蘭共產黨書記奧查伯，在七月十八才自認：共黨中央委員會委派的小組委員會證實六年時期內工人的收入增加，不到百分之十三。

波蘭報紙二月三日雖稱，國營工業工人平均每月工資爲一千零一十斯洛特（波蘭幣）。但四月六日，奧查伯承認：波蘭六百五十萬工人當中，有三百四十萬人的工資不及平均數。而定在一九五六年應提高新預算，撥出五十億斯洛特，作加薪之用。這數目祇比往年增加百分之五點七，如果以物價增高指數，（大約每年百分之十二）和通貨膨脹情形來看，這種增加，實在微乎其微，無濟於事。

奧查伯又說：最低工資每小時二點五斯洛特或每月五百斯洛特。當時甚至有五十萬工人還未能獲得這個數額。到四月十六日這些工人獲准增加工資，規定最低數額。但不能充份提高生活水準。因爲一個工人領到的五百斯洛特，只能購買下列的一些食物。

食物	價值
六六磅麵包	值九〇（斯洛特）
一二二磅番薯	七二（斯洛特）
四磅肉	五四（斯洛特）
八磅糖	四八（斯洛特）
三十三磅麵粉	九〇（斯洛特）
三磅脂肪	三五（斯洛特）
二磅臘腸	二六（斯洛特）
卅六夸特牛乳	八五（斯洛特）
合計	五百斯洛特

顯然的，縱然每月增加到五百斯洛特，亦不能維持一個成年人的正常生活。據華沙週刊說，一個成年男子維持營養的生活，起碼要三四七斯洛特。假如一家有夫婦二人和兩小孩，則每月至少需一〇九三斯洛特，但據該華沙週刊說：工業工人只有三分之一能賺到一〇〇〇斯洛特的工資。其他都是困苦不堪。

大暴動的原因

暴動事件不斷發生，自然是工人許多怨憤的表現，但在波茲南的史達林冶金工廠的工人，他們的冤憤却不止此。

他們苦訴：自一九四九年以來，波非法征收所得稅，以及其他横征暴歛，共刮去六百五十萬斯洛特。如果不是老鐵棉油，決不只這樣多。他們不滿工資基本數太低，要求提高，以保證在工程進行太遲時的收入不足。他們不滿規定的工作標準過高，要求更改。

這種情形，不只是波茲南局部情形，而是全波蘭普遍現象。積聚很多的怨恨，才演成歷史性的大暴動。

波茲南的「史達林冶金工廠」（ZISPO）在戰前原爲Cegielski工廠。其廠址在遠離市中心的郊外Debiec。廠內僱用一萬五千餘工人，製造火車頭、汽車、農業機器及軍事裝備，在戰前是自由工會的大本營，也是波蘭社會黨的總部。有少數共產黨份子滲入其間。

此等工人對於他們的勞動狀況甚感不滿。波蘭共產黨書記奧查伯在七月十八日演說中，承認一九五三、五四、五五年所定的史達林冶金廠勞動標準，增加勞工生產達百分之二四點六。另一方面一九五五年下半年廢除計件工作工資累增制，工人收入漸減，大約有百分之七十五的工人蒙受損害。

波茲南暴動的教訓

共黨書記奧查伯雖然認錯，並虛僞承諾改善波蘭工人生活。但若波蘭不能擺脫莫斯科的『經濟互助委員會』的控制。波蘭人民永無脫離奴隸生活之可能。此經濟互助委員會實際是爲蘇聯的利益以實行向波蘭及其他受其奴役的國家作殖民地主義剝削的機構。

從波茲南事件，可得三項教訓：（一）工業工人是共產獨裁政權的脊骨。共黨和他們的政府雖有新官僚和經理階級支持，有警察士兵的保護。但如無工業工人，便只是一個空殼。共產黨統治波蘭十二年，到了今天，結果是全國人民反對共黨的統治。（二）共黨十二年的統治，已沒有反對他們的，有組織的地下組織均被解散。但本能性的反抗是仍然存在的。波茲南事件是第一次表現積極的反抗。（三）波蘭工人要求得麵包與自由，故從經濟與政治兩方面表示反對共黨的統治。

談塑像

南韓有個青年人在美國發表談話，指述李承晚總統在國內鑄造了許多本人的石膏像，耗費公帑不少，言下頗表不滿之意。

自由談

我不知道李老總懂不懂漢文？如果他通曉漢學的話，希望他能夠看看司馬遷所著『史記』中的高祖本紀與淮陰侯列傳。韓信請劉邦封他爲假齊王，劉邦說道：大丈夫要就做眞王，幹麼做假王？李老總也有啥意思呢？李老總既要鑄造自己的形像，鑄像之後，何不乾脆就鑄銅像，以垂久遠？塑些石膏像，既不堂皇，又不經久，而且給後生小子們以口實，何苦乃爾！

李老總是大韓民國的開國元勳，功業彪炳，鑄造幾座銅像，矗立於通都大邑之中，實屬理所應爾，當之無愧的事。若說銅像應由後人甚於崇德報功之義，

既然本人在生時不宜有此，那麼自己的石膏像就合理嗎？不特此也，俄共頭目赫魯雪夫指斥史達林在生時即喜歡塑造自己的石膏像，林立於別墅內，自己常常行進於其間，欣賞不已。造石膏像已成了清算史達林的罪狀之一，不祥孰甚？李老總更不必搞這種不祥的玩藝啦！

若按照一般的義理，替生人造祠堂，爲達官貴人鑄造銅像等等所爲，都是不合理的，因爲這多半是奴顏婢膝的人兒，有所爲而然的諂媚行爲，即我們湖南話所謂『捧卵泡』是也。如今李承晚先生率性自己來捧自己的卵泡，公然塑造石膏像，這叫別人來捧卵泡，這點氣派也就值得欽佩了。……率性一下，全國遍立銅像，藉以打破世人只爲死者立銅像的觀念，豈不妙哉？

馬五先生

古來義士島人多

·文鑑·

光緒二十一年（一八九五）四月十七日簽訂馬關條約，割讓台澎予日本的消息，全台譁然，撼告天地，誓不屈服，夫以中華兒女，爲異族之奴，樵心泣血，將何以堪？台灣民性激昂慷慨，以致兩國交接典禮，只能在基隆港外一隻兵艦上舉行了。

當時台灣詩人，寄深情於文字河山，故詩社聯袂而起，不下五十餘處。而其發揚民族精神，激勵愛國思想最偉大的著作，除連雅堂的「台灣通史」一書而外，則首推台灣進士邱逢甲的「古來義士島人多」一詩了。由於台灣人民在血統上是最純潔的中華民族，受着優良文化傳統的薰陶，富人格，尚氣節。因此，在日治期間，光榮悲壯的抗日事件，也不下百餘次，足證有高度愛國精神的表現！

日人佐田弘治郎（前南滿鐵路調查課課長）曾謂：「中華民族爲世界最優秀的民族，斷不可輕視云。」日人在台施行霸法之治，日人與華人約爲一與十八之比，彼此甚少接觸，所以日人想同化華人，是亦絕對不可能。

日人統治台灣歷半世紀，使台灣全島每個同胞，身受日人的種種壓迫，備嘗政治上和經濟上的各項虐待，以及不平等的痛苦。是故時時發生反日運動，而且前仆後繼地威武不屈，殊屬難能可貴呢！

關於『詞壇趣聞』

——給周棄子先生的一封公開信——

·彭楚珩·

大約在一年以前，曾有署名寄華，『東京懷周棄子』七律一首，登在『自由人』報上，起聯是：『驚才絕豔周夫子，爲問清狂減幾多』？當時讀到此詩，我對於周先生，眞是不勝景慕，想到周先生，一定是逗人喜歡的『清狂』。可是，事有出人意料之外者，今天讀到八月十一日第五六八期『自由人』刊載的『詞壇趣聞』一文，周棄子先生撰，……所得印象，至爲惡劣。

……

『益友』而要作他的『損友』呢？歷代的詩人和詞人當眞的只是各有三個吧？如果眞的，請原諒我說句笑話，江先生是『少讀詩書』了。再不然，說句半眞半假的話，江先生是犯了『今之少年，喜謗前輩』的毛病。還有一句全是眞的話，那就是『打倒死人出風頭』了。『狂』，我是贊成的，『狂』而至於『妄』，那就不敢苟同了。

周先生說『文人相輕，自古已然』，也不見得是正確的，江絜生沒有在那裏擺擂台，味腴也沒有打過他的擂台，他們根本不會交手，有何『輕寰之可言』？這都是『好事者』的傳言，使得味腴動了肝火，惹出這場是非來；正如你我一樣，也都是事不干己，而竟大冒火氣，挺身而出，援筆相助的神情，是絕無二致的；所以，我本想指責味腴先生，說他愛管閒事，愛惹一棄子，和我彭楚珩的是非，但一看到你周一這股傻勁，我的話又立即收起了。實在的說：『文人相輕』，並不算壞事，因爲這是一種變相的競爭，和運動場上的田徑賽，沒有多大的區別；我們不能說運動員的競賽是『相輕』，當然也就不能說文士們的互相批評是『相輕』了。要緊的：還是在競爭行爲上，品格上；有品格，『雖敗猶榮』，沒有品格，『勝亦不武』，所謂『文人相輕』，就要看他輕得有品沒有品？有格沒有格？如果沒有品格，便不是『文人相輕』，而是『文人無行』了。雖然所謂『獨狂』和『狂妄』，不能拿去和那沉淪『醇酒聲色鴉片烟』的『無行』標準作對比；但總以少『獨』和少『妄』一些爲好。周先生，你眞是多事，無原無故的又把『二王詞合刊』拖了出來，這部詞集的出版，是一位和王蘊桑先生神交卅年，最近才在台灣見面的俞教詩先生所編輯出版的，俞先生覺得王國維的小令好，又覺得王蘊桑的中調好，所以就台編起來出版。這是俞教詩的事，而不是王蘊桑的事，周先生竟不察過明白，把『攀龍附鳳』四字，加在王先生的頭上，眞是既『獨』又『妄』了。我奉告你的：假設另有一個姓王的，擅於長調詞，我就要將『二王詞合刊』，擴編而爲『三王詞合刊』，出而問世，周先生又有何說呢？

最後，周先生還是錯誤了，將于右老和袁守謙兩位先生舉了出來，所作的比擬，又是不倫的；于右老是黨國元老，是文人，是詩人，更是偉人，但卻絕不能以『達官貴人』的字眼來局限他的。味腴說他主張詞的解放，那是不錯的；周先生的比擬，實在就太差勁了。於此，我要請周先生存點忠厚，開玩笑不要開到元老的身上去。至於說到袁守謙先生，他是軍人，是現任的交通部長，偶爾寫了幾首好詩，是他的意外收穫。周先生如不相信，去問問他看：看他承不承認是『詩人』？是『達官貴人』？因爲，歷代以來，還只有三個詩人和詞人，誰願在狂妄的『詩閥』門下，自討沒趣呢？——

一九五六年八月十三日于台北——

折翼

短篇創作

·皮述民·

「他已經走在許多人的前頭。」

——爲紀念小二去世三週年作。

大約過了二十分鐘，兩個人被先後救上了岸，身邊都是冰冷的。待江路找了醫生來，經過診斷，醫生指着余漢平說：『這個還有萬分之一的希望。』再摸小二，脈博停了！醫生再撿查了一下，肛門收縮也不靈了，瞳孔反應也沒有了，『這個怎麼樣也沒有辦法了！』醫生嘆息着說。

汪路赤着腳穿着游泳褲，到街上找電話去通知兩家的家人。余漢平的爸爸和小二的哥哥在辦公室裏都聽到汪路顫抖的聲音：『我們在水源地游泳，出了點事……』電話便斷了。

余漢平到台大醫院去了，沙灘上這時候祇剩下小二一個人在躺着。

小二的哥哥來了，他走到小二身邊，撿起蓋着小二臉孔的白襯衫，用手撫摸着他的肩胛。他不相信小二就這樣死了吧？但四面圍着死人的人都聽到了他乾澀的抽泣。

小二的爸爸和繼母也來了。他爸爸站在屍體旁邊，木人似的，表情沉痛而嚴肅；他繼母蹲在他身旁，嚎啕大哭着，好像要用眼淚來懺悔他們母子間以往的隔膜和芥蒂。

警察局的人來了，作死亡調查。法醫來了，證明死亡。小二學校裏的教授和同學也來了，對他作一番憑弔；追述着小二生前的種種，說他在繪畫方面的天才，說着他本來應該有無窮的希望，遠大的前程。

法醫走了，教授和同學也走了，看熱鬧的人們也走了，最後，殯儀館的汽車在暮色中挪去了小二；水源地又恢復了平靜，依舊是寂寞的沙灘和嗚咽的淡水河。

汽車，停在殯儀館門口，汪路抱着小二，走進太平間；他的身體已經發硬了，抱着他，汪路覺得就像抱着素描用的石膏像。在殯儀館裏，汪路忙着許多事情，也看到小二的哥哥和爸爸在忙着許多事情；忽然別人告訴他，小二下身還穿着游泳褲，上身就是用白襯衫在包着，他才想起要回校去替他拿衣服。……

汪路在床上反側着，他把枕頭翻了一個面，因爲那一邊已經被淚浸濕了。他從床上坐起來，拿出新樂園點了一根火柴。他的眼光落在牆上的三幅水彩畫上。即使沒有朦朧的月光，他也背得出這三幅畫的結構；這三幅畫是他們三個人所畫的，同是蘇花公路上的風景——公路，懸岩，浩浩的海洋。那是一年以前的暑假——（三）

梁啓超（下）

助段誓師馬廠

袁氏殂後，黎元洪就任總統，新會原欲踐其津門送別蔡鍔『行矣勉旃，事幸而擠，吾儕毋以寵利居成功，敗則以死殉之』之諾言，然而，『樹欲靜而風不止』，張勳復辟事起，民國又亡矣。新會狼狽逃天津，說段祺瑞曰：『今日之事，非公莫屬。』遂爲定大計。段氏馬廠誓師，再造共和，亦即新會護國之役後政治上之第二次成功也。被迫任財政總長，顧時逢紛亂，無所設施，徒發財政之計劃書而已。自此去職，結束政治生活，而從事學術上之發展矣。

專心整理國學

民七遊歐洲，欲以人道，正義，申訴於世界，以期不合理國際間關係，根本改造，以奠定世界永久和平之基礎。惟一年間，無可實現，歸後著『歐遊心影錄』。雖然，因此次之遊，益瞭然於西洋致富致強之道，而中國學術，以研究人類現世生活之理法爲中心，對於人生哲學及政治哲學之解答，往往有獨到之處，爲世界任何部分所莫能逮。於是竭其心力，研究各種學術，著書在兩百萬言以上。並擬創設『國學院』，編審國學叢書一百種。編輯近代歐美日本各國之學術。編製百科辭書。重整佛藏。續輯四庫全書。校理經史諸子百家。其『中國文化史』，已着手編著，規模宏大，空前所未有，惜均未完成，而天妬其才，齎志以終，此中國學術上無可彌補之巨大損失，抑亦中華民族之不幸也。

同光風雲錄

文祭南海曲筆求全

新會與南海意見蓮異，至『復辟』及『孔教』問題，而裂益甚。惟南海病歿，親撰祭文而悼之曰：『……先生以爲理想可懸鵠於極高，而推行必取次於條貫，春秋之所以致太平，其作始乃在於據亂。若雞狗豢生以自爲功，其心術先自不可道，況囁嚅黎民以邀功名，其去郅治之道，抑更遠甚。故慨然以破壞之不可以嘗試，而常思別用心力以消弭禍變。……復辟之役，世多以此爲師詬病，即我小子，亦不敢曲從而漫隱。雖然，丈夫立身，各有本末，師之所以自處，豈曰不得其正？報先帝之知於地下，則於吾君之子，以行吾義，而縱不以人去辭巢，貞松不以歲寒改性，寧犯天下之大不韙，而毅然行吾心之所以自靖，此師之所以大過人，抑亦人紀之所攸託命。……』由前節之說，新會固早懸知馬克斯之徒，終必雞狗豢生，以邀功名。由後節之說，純爲復辟辯護，辯護之文，誠不易作，由難言之中，曲筆暢論，灑落自如，以作南海之定評，是誠經天地，亘萬古之文章，非新會不能致此也。

風流韻事抱恨無窮

新會才氣充沛，風流自賞，宜乎亦有韻事。己亥客檀香山，邂逅僑女何蕙珍女士，蕙而擅英文詞令，因挽之爲譯事，紅袖添香，青燈鬥韻，久之示求婚意，女士知其君有婦，以文明人類不屑重婚，且稍有智識，有廉恥者，孰肯爲人之妾。新會知其志不可奪，乃爲無題詩以解嘲云：『人天去住兩無期，啼鴂年華鏡自疑。多少壯懷都未了，又添遺恨到蛾眉。自愧茫茫虎穴身，忍將多難累紅裙。君看十萬頭顱價，遍地鉏麑欲噬人。一夫一妻世界會，我與瀏陽實創之。尊重公權割私愛，先將身作後人師。含情慷慨謝嬋娟，江上芙蓉各自憐。別有法門彌缺憾，杜陵兄妹亦因緣。』

民國十二年，新會講席由北平移南京，講授『先秦政治思想史』，筆者時方稚年，親承教誨，竊以爲榮。而一年講畢，重返北平，遂以民國十八年一月十九日，病歿於北平協和醫院，年五十有七。今筆者以不通之文，記其學術、文章、政事、勳業，誠不得其萬一，而錯誤亦在所難免，故不勝慚愧惶恐也。（六十）

夢山樓

百家哀鳴

可憐的陸定一，喊出「百花齊放，百家爭鳴」的口號，是中共完全想掩飾其統治七年中，學術研究毫不自由的事實。但是大陸的學者，在「思想改造」過程中，吐了許多苦水，誰也不敢「爭鳴」，怕惹出一「鳴」之後的許多麻煩！反應太冷淡了，觸惱一個共產黨徒，開口向學者們罵道：「現在是准許你們『鳴』了，爲什麼又訥訥不『鳴』呢！」學者們囁嚅着說：「我們早就『鳴』過了呀！」共產黨徒猶憤怒不息，說：「我沒聽到，再放大聲些！」學者們哭喪着臉，顫顫抖抖地又喊了聲：「共產黨萬歲！」（辭）

自由人

THE FREEMAN

（第五七四期）

中華民國僑務委員會登記證[illegible]

每份港幣壹毫

地址：香港高士威道二十號三樓
3 rd. fl. 20 CAUSEWAY RD HONG KONG

香港發行及事務所
高士打道66號　電話：七四〇五三
承印者：東南印務出版社
地址：高士打道六十四號
海外總經銷
友聯書報發行公司
香港：彌敦道中二十六號A二樓
台灣特派員辦事處
台北市館前街五十號
台灣總經銷處
台北市西寧南路[illegible]號二樓
台郵劃撥儲金戶九二五二

美國的新資本主義

——怎樣維持「繁榮與和平」——

·曾旭軍·

美國工業繁榮（Boom）在一九五五年，大體上已達到頂峯。現在有趨於鬆弛（Slackening）的現象，但未必即係衰退（Recession）。然而美國以往對於經濟的盛衰循環週期性，很爲熟悉，他們十分注意，以免再陷於眞正的不景氣（Depression）。

經濟鬆弛現象

鬆弛的現象首先見於農業生產過剩。其後農產品價格驟降，農業地帶感到痛苦。其次是汽車工業出產過多，故意減少出產數量。例如通用汽車公司董事長寇蒂斯，將原定一九五六年之產量六百五十萬輛，減少到五百八十萬輛（去年的產量幾達八百萬輛），通用汽車公司預期今年尾有起色。但福特公司即不敢樂觀。從今以後這兩公司大概以去年的產量百分之七十爲生產標準。此外還有一個清楚的危險象徵，是未售掉的美國各種存貨總值幾達八百六十億元。比去年多七十億元。而仍有增加之勢，主要的項目是電器——洗濯機，雪櫃，冷氣機等，比通常季候性的存貨數較多，這是商業部本年四月份報告中的重大事項。

在鋼業方面也顯示警耗。鋼業中人知道他們的出產「不足」，一部份原因是購買者在今夏預見鋼業工人工資可能提高，鋼價將升起，因而爭購。以至有數百萬噸的鋼，積滯在購用者的手中。他們漸漸減少需求，可能取銷許多定單。

其次是紡織業的弛滯。新發明的化學纖維，乃造成弛滯內業之一。目前出產縮減，工人亦隨之而減。

兩種樂觀的根據

上述現象，有人歸咎於銀根太緊，不滿意於聯邦儲備局，目前「通用汽車公司」即持此見解。爲甚麼不滿意聯邦儲備局呢？其主要理由，以爲不宜把現時這種鬆弛現象看得太過嚴重。因爲今年全國生產總值將達到四千億元，消費人的收入亦空前提高——三千一百七十億元——消費者的購買力並不弱。公司今年的利潤與紅利亦將增大，明年大概也是如此。但一九五六——五七年必不能弄成和一九二九——三〇年一樣，成爲一九三二——三三年經濟完全崩潰的前奏。

持樂觀的人，大概信賴一種事實，即私人工業已宣稱他們將把三百五十億元作投資本，用爲工廠建設及現代化與自動機械化（Automation）之上。如此可使重工業保持繼續進行。

持樂觀的人，還有第二個希望，即聯邦儲備局至今夏以後，將放寬銀根。這似乎是極有可能的。但事實上，不論信用貸款如何多，利息又如何低。若非商人認爲借來的款，有獲利潤的把握，他們是不肯借用的。

以往銀根之緊，是有一個新因素的，這個因素是與繁榮也有極大關係的。

消費劇增的原因

美國近年來售用的貨物激增，其中一大原因在消費者的借用賒欠（Consumer Credit）。以具體的例證來說，就是分期付款辦法。有此辦法，大多數的消費者，不但量力購買，而且可以用未來的收入作抵押而購買。因此生產不但要依照通常的需求，和人口的增加爲增減。而且要加上大戰後造成的物資缺乏現象，和消費者信用賒借辦法，而增減。

茲以汽車工業爲例：一九五五年爲「通用汽車公司」宣佈其爲一個盈利十億美元之年，在美國銷售的載人汽車達到七，一六九，九〇八輛的紀錄，通用汽車公司即佔了三，六三九，一二〇輛之多，到了一九五六年便轉淡了。

這種情形的關鍵，在乎分期付款的辦法。一九五五年銷售汽車之多，並不是該年需要汽車特別多。而是汽車商特別活躍，一方面力求繁榮，另一方面熱心使汽車使用普遍化。消費者既有分期付款的便利，自然願意購買。以往現款購車的與分期付款購車的，大約各佔一半。但去年夏季競爭最烈時，大約售出四架，即有三架用分期付款的。有先付一小部份的，餘款在兩年至三年內分期支付。結果賒欠購車者分期付款的，達四十億美元之巨。因此銀行便不能再無限的貸款給工業家了。

新資本主義的內容

我們從上面觀察，便知美國的新資本主義，實有它的新內容。約而言之，是「生產」者極力培育「消費」者的購買力，力求享用的普遍化。那麼便可以不讓以前的『繁榮——鬆弛——衰退——不景』的惡性循環再出現。可能止於『繁榮——鬆弛——繁榮』的小循環。

舊資本主義是勞資雙方利害矛盾衝突，沒有購買力之培養，也不講求享用普遍化的。亦即不能普遍提高生活水準，故易陷於經濟恐慌。新資本主義便是力求改革此弊。所以現在美國一般的經濟學者，對於繁榮是否將轉入衰退，都有了樂觀的和警惕的看法。

繁榮與世界安全

但目前的世界，不能作一國孤立的打算。繁榮是基於世界安全之上的。普遍提高一國的生活水準，還是不安全的。所以，應以普遍提高全世界的生活水準爲最大目標。但世界上如果有了一個奴役和極權的勢力存在，則世界永不能安全，自不足以言普遍提高生活水準了。

話不要說得太遠，就以南美洲來說。還是和美國有極密切關係的地區。可以說大家都眞正同在一個共榮圈之內的了。蘇聯現在已轉其覬覦之心到南美洲。假如蘇聯的勢力眞正伸到南美洲，那麼縱然不談軍事和政治的侵略威脅，美國只就經濟一方面而言，就必然會發生經濟迅速趨於衰退，不景，和枯萎死亡之途。

蘇聯造成的危機

蘇聯在本國內，和衛星國家內雖實行奴役制度，但爲了擴張勢力，她會致力於實行資本主義貿易。也會高唱『不援助，只貿易』，『不施捨，只投資』的口號，以引誘自由世界企圖發展經濟的國家，使陷入其圈套。她的資本從何而來呢？原料資源，是從中共大陸得來的，工業機械及製造品則是從東歐附庸國榨取得來的。克姆林宮御用經濟學家莫洛蒂夫基即首先倡導以自由世界的經濟方法破壞世界的自由。他說：出口不是入口的支付手段，而必需爲外交政策而服務。可見其居心叵測了。現在蘇俄集團已將「物物交換」穿上「外援」的美服，以實行其舊資本主義的剝削殖民地的勾當了。

因此，如果說美國有經濟危機的話，那麼就不是在她本身的資本主義身上，而是在蘇聯的實行舊資本主義以向自由世界蠶食的政策之上。（完）

日本獨力難解決「領土歸還」問題

——我國對日要求應加支持——

·許俊·

（本報東京航訊）正當舉世矚目於倫敦會議和蘇彝士問題的發展時，日本朝野卻因日蘇莫斯科會談無結果停頓而沮喪了。

鳩山感到自危

在民間，一般認爲欲收回國后、擇捉兩島已屬無望，若非有奇蹟出現產生影響作用，難望在會議桌上達成協議歸還二島。在政府執政黨方面，尤其是鳩山，則感覺到會談的中斷已危及到他的地位了。

日本執政黨內部，自重光赴莫斯科，傳來今後觸礁的消息後，更加深了各派間的暗鬥。鳩山所說的要親往莫斯科談判，實亦不過是政治手法。尤其是河野，更希望談判無結果，能再有機會出馬，諸如吉田茂、蘆田均、岸信介等，則根本反對鳩山赴蘇。

各派暗鬥互相扯腿之目的，無非想在自己手上能解決日蘇問題而抬高聲價，或繼續保有政治地位的現狀。換言之，自民黨內部各派並不以國是爲重，而以各派的未來政治地位與個人的出處爲前提，但擬還含有倒鳩山的作用在內。

這種情況，固反映出日本政黨政治的弱點，但日本輿論界和識者，亦均了然，即使日本執政黨內部意見統一，也難實現痛快解決日蘇問題。蓋關鍵在蘇聯本無歸還日本領土的誠意與決心，而只是止於想和日本復交而已。

蘇無誠意對待日本

蘇聯建議採取阿登諾式的方式，先恢復日蘇邦交，而將領土歸還問題擱後再談，其狡黠也即在此。本報八月八日五六七期刊載「對日蘇談判的檢討」一文所引證的，蘇聯既已將國后、擇捉併入了蘇聯的版圖，則現時日本期望她無條件吐出來，誠無異是「緣木求魚」。

同時，根據朝日新聞莫斯科特派員的報導，謝史洛夫和另一參加談判的蘇聯對外貿易部副部長庫米金，在會議桌上用鉛筆畫了「仔」、摺紙條、而完全不參重光的發言，其輕視日方全權代表和無誠意解決問題之態度已躍然紙上，也就難怪日本民間對蘇聯的「誠意」感覺失望了。

杜爾斯談話的影響

再從另一角度來看日蘇問題，顯現出美國對日本領土的歸還相當重視。而且也公開支持日本此一要求。在河野赴蘇作漁業談判時，美國曾有關心的表示，這次杜爾斯更斷然表示，如果蘇聯不放棄據有日本的島嶼，而日本也放棄對蘇作領土歸還的要求，則美國也將作長期佔有琉球群島的計劃。杜爾斯的話確是震驚了全日本，大家都不知道，杜爾斯作此發言，是否意味美國將改變對日政策，抑或借此以影響莫斯科，用新的形勢來壓迫蘇聯讓步。

但不論美國對此問題所持的立場如何，顯將會有新的反應從蘇聯發出。是否此舉可迫使將「領土歸還」問題從雙邊的談判而推到另一次多邊的國際會議上去呢？如果根據日本前首相吉田茂於七月廿一給重光葵的一封公開信上所暗示，建議重光將對蘇談判「轉移到吸引前盟國參加的國際會議上去」的策略觀察，至少目前的情勢對日本是有利的。蓋這一發展，決不會有壞的結果，即使壞也只是使解決問題的時間拖得長點。日本也應該了然「領土歸還」問題本是匹「死馬」，沒有新的因素產生，是無法解決的，能有機會使之變成多邊的國際會議桌上的問題，尚不失爲是「醫死馬」的辦法。同時，美國這一提議的發出，或許可能有助於日蘇談判的順利發展。故代理外相高崎在廿七日的衆院外委會上一方面表示不滿於杜爾斯的談話，也同時認爲日本政府相信尚有機會與蘇聯再度磋商以達成協議。

我應支持日本要求

在日蘇問題糾纏不清期間，足以一新日本人耳目的是，中日關係在最近有顯著的增進。自從日本親善訪問國自台回日後，日本的輿論對我中國當局所表示的態度，認爲是雪中送炭。朝日、每日和產經時事各報也均有好評。日本輿論界對人民的影響極爲重大，這種友好的表示，實爲近二三年來所罕見。因此，値此日本正對這問題上遭遇到困惑之際，筆者希望我國輿論界和有關當局，能夠對此一問題多發表一些支持的輿論和意見，予日本朝野以精神鼓勵，該不是沒有用的吧。（八月廿八日寄）

伍特里女士

美國名作家伍特里女士，現正在訪問香港，伍特里女士在美國向以「反共親華」的態度聞名，她爲當代美國知識份子中對於國際問題最具遠見智慧者之一，因此我們願意熱忱的歡迎這個朋友。

伍特里女士在一九三八年經過香港到中國，曾經出版過一本關於中國抗戰的名著「日本的泥足」，這本書中國人應該是很熟悉的，當許多西方知識份子正在爲「大日本皇軍」的「赫赫武功」所震懾，甚至認爲中國要在幾個月內屈服，伍特里女士卻指出：日本已經踏進中國泥淖，最後的勝利是中國的！

當時和現在

是的，伍特里女士的預言一點沒有錯，後來日本失敗，中國勝利了！

十八年後，這位伍特里女士再度來到香港，她發現一件事實，現在和她十八年前到過的香港一樣，充滿了所謂「中立主義」者。

伍特里女士對一九三八年回憶說，在那個時候我們雖已認識日本是我們最大的敵人，但是那些短視，貪婪，無知之輩，正經由香港將戰略物資源源運往日本，不少人主張以「貿易」與「中立」安撫日本，數年以後，這批人都被日本人逐出了香港。

當時和現在，這是多麼生動的現實的對照和諷刺！

半週述評

·司馬璐·

可驚的無知

產生「中立主義」的主要背景，是由於我們對敵人的無知。

例如英國是個執行對共黨安撫政策的主要國家，伍特里女士說，當她于一九五三——五四年在英國時，她發現英國人關于中共的知識是「可驚的無知」。倫敦市上，竟找不出一種反共的關于中共問題的書籍，一般人關於中國的知識，他們還憑幾本批評國民政府在大陸時代的小冊子！

英國人關於中國的知識既如此無知，落後，貧乏，在這種情形之下，怎能不產生對中國問題錯誤的政策呢？

困擾與製造

英國如此，美國又如何呢？

伍特里女士說，在美國也有不少人，主張「獨善其身」，換言之，美國也有一批「中立主義」者。

伍特里女士又告訴我們，艾契遜與馬歇爾時代的姑息共產主義的政策已被糾正；但在另一方面，今天的美國政策，也「尚未完全鞏固」，換言之，美國今天也還缺少一個堅定的有力的「鞏固的」反共政策。伍特里女士認爲，這是由于「美國目前正受我們中間的一些中立主義者困擾。」

筆者認爲，在這個問題上，伍特里女士僅說出了一半眞相：美國受中立主義者的困擾固係事實；但同時美國也在直接製造與鼓勵「中立主義」者。

應仔細檢查

何以說，美國正在直接製造與鼓勵「中立主義」者？我們願意提醒美國朋友注意，在中國自由人士中間，持這一觀點的相當多。例如不久前香港華僑日報一篇社論就說：「自由世界目前所面臨的困擾，莫甚于中立主義的擴張，但中立主義者爲什麼會如此猖獗呢？這固由于蘇聯的煽惑，而美國亦難辭其鼓勵之責。」

爲什麼香港反共的中國人士普遍的產生這一印象呢？我們認爲美國朋友應該仔細地檢查。

蘇彝士運河的領航員

·養之·

前幾天，英法若干外交官，據說：如果埃及不表示與西方謀求某種妥協解決的話，那末，蘇彝士運河的外國領航員，大多將拒絕工作，或者紛紛辭職。這雖然是西方國家似乎帶有一種消極性的恫嚇，但，如果真的這樣做，很可能使通過該運河的海道交通自動停頓。因此，埃及爲了預防這一着，於八月廿五日，公開招募不限國籍的新領航員的措施，藉以避免運河交通運輸的受阻或中斷。據說已有三十名德國人願充蘇彝士運河的新領航員。埃及計劃將運河國營前的二百名領航員增至三百名，務使運河今後的船運，能保證其爲最圓滑的通行。

不過有人認爲：恐怕埃及計劃，在短時期是無法招集得這麼倍大數字的技術人員呢！由於這些好比老馬識途的領航員，他們工作多年，對於整個運河的幅面和深淺，統統瞭如指掌。而且工程處及運輸處爲了管理便利起見，曾將運河分爲三段。每段都有一個總領航負責人，分駐賽德、伊斯美和杜菲克三港。

做領航員的條件

同時運河領航員應具備的條件很多，不僅有領航的技術，並且還要懂得船隻的噸位和通過的規矩，以及航行的時間等，都不可忽略半點。在一八八七年以前，船隻祗准在日間通過。即至一九三四年，裝載石油及危險性貨品的船隻，仍不准在夜間航行。

至於航行時間，在一八七○年船隻通過運河共須四十八小時五分，其中停留時間佔三十小時十七分，那末實際航行時間僅有十七時八分。一九二八年停留時間減至十五時九分，實際航行減至十二時七分。現在停留時間減至十三時廿三分，實際航行僅十一時三十一分。航行時間最快紀錄爲十一時十一分，通常船隻通過運河時的速率規定爲每小時七浬。

無論任何國籍的船隻通過運河時均須互相等候，即獨行的一隻船必須等候對方的多隻船，但有時也有多隻船等候一隻船的。惟領港船、裝載易燃性液體船隻，及郵船等便有優先通過的權利。蘇彝士運河沿岸共有河站十四處，船隻駛近河站時，須懸掛信號，指示該船以後是否可以繼續前進？目前船隻寄碇河站時，不需停靠碼頭，因運河沿岸每距八十二碼，已豎有繫船桂桿，以備船隻暫時停泊之用。

英法籍佔大多數

凡是自南往北船隻的噸位，通常大過自北往南的船隻。就通過船隻的大小而言，當以載重六千噸（毛噸）至八千噸之間爲最多，八千噸至一萬噸的次之，四千噸至六千噸的又次之。若超過二萬噸的船隻，領航員就要特別小心。本來一九二二年疏濬計劃完成後，船隻通過非常順利。但巨輪在河道灣曲處，領航員卻仍須謹慎。運河因領航得宜，故以往船隻的通過，失事情形很少。且公司在賽德、伊斯美和杜菲克三港都駐有三千匹馬力的拖船，如船舶在運河中發生困難時，拖船即往救助。

據說五百噸以上船隻通過運河，就有三個領航員引導。一個負責進出賽德港；一個負責賽德伊斯美一段；一個負責往伊斯美至杜菲克。公司以往共僱有領航員一百二十名（後來逐增至二百名），其中在蘇彝士城的二十五人，在伊斯美的四十五人，在賽德港的四十五人，在各碼頭供職的又有青年領港二十人。其中三分之一的領航爲英國籍，三分之一爲法國籍。每一領航導任某一段，當船隻抵達該段時，便把任務交接下段領航。卸職領航則乘車返回原地。

船長領航與運河

領航員與船長的關係，僅供諮詢而已。惟全船責任仍由船長自負。而船長爲了行駛便利起見，往往准許領航員直接發號施令，但全船上作人員對於此項命令，仍視爲船長發出一樣。

運河以往是不許船隻夜間航行的，但近年來卻可以通行無阻。只是船頭須備有探海燈，因兩岸浮筒上均裝有反射器，領航員利用反射強光作航行指標。假定船隻從地中海下紅海，當船抵達賽德港，即請公司派領航上船引導。領航員登船後，即以運河航行規約繳呈船長，並請船長填寫領港證。

船抵港後，領航和船向向運輸處報告噸位，載客數目等，並在桅桿上懸掛信號，表示該船的性質及其他。

總之，船隻通過運河，無論在晝夜，都不許爭先恐後，若遇前方迷糊不辨路綫時，必須立刻停駛。經過河站與其他船隻相遇，以及駛抵正在修理中的堤岸時，也必須緩行。如遇大氣惡劣時，船上即以無綫電與沿岸公司保持密切聯絡等。這些都是運河領航員的全部責任。因此有人覺得運河是西歐國家的動脈，而領航員卻是運河的靈魂呢。（八月廿七日）

（按：據廿九日倫敦外電謂，蘇彝士運河公司已予該河領航員以五週限期，以與五國委員會成立協議，否則即下令召回現在該運河服務之非埃籍主要人員——領航員、管理員、工程師、保養專家。本文作者的推測似將實現矣——編者）

本刊特譯

國際主義的沒落

—一個史學家對民主自由的看法—

·陳文華·

耶魯大學史學教授哈里盧田氏，于本刊上一期「十九世紀與廿世紀的根本差異」一文，指出十九世紀歐洲在軍事和經濟上得到一種安全感，以此民主自由得以植基滋長。現在盧田氏續在本篇指出，廿世紀歐洲的國際主義已經沒落，故專制獨裁繼之而起，文末舉出如何恢復安全之四項辦法，甚見精闢。（以下譯述原文大意）

十九世紀，歐洲的經濟安全與軍事安全，其國際基礎雖然缺乏堅固的組織力量，然在第一次大戰前，此種國際主義（基礎）實爲真正的重要事實，絕無可疑。一九一四年以前，各國海軍力量增加，關稅增高，軍事同盟日益發展，恐懼心理不斷擴大，於是此制度逐漸見削弱。從此，貨物和人民的自由移動亦消失了，因此我們可以說，一九一四年以前，歐洲有沒有組織的國際主義，一九二○年以後，歐洲有了組織，卻絲毫沒有國際主義了。

經濟國際主義消滅

第一次大戰後，各國分峙，于是十九世紀由商業，海外帝國，與外交所造成的錯綜複雜的國際結構，隨之而互解，以至形成現代的種種困難。以前依靠世界遠處的糧食和原料供應，變成軍事上的重大任務。

經濟封鎖使德國降服，此一原則後來成爲國際聯盟的武器之一。此原則的濫用，可視爲大戰後，國際經濟混亂的根源。戰前從海外貿易所得利的經濟安全，由此而成爲經濟動盪不安。國際聯盟的政策很明顯的造成了嚴格自給自足的國家經濟趨勢。過去極有利於歐洲富庶和安全的經濟國際主義，至此已正式宣告消滅。近來聯合國辯論自決權問題，會討論到自決權應否包括國家主權可以控制其本身資源。殖民國家於一九一九年贊成經濟制裁的辦法，但現在卻反對自決權包含此種控制權利。因爲深知承認此種原則，則要求獨立的殖民地將獲得一種有力的經濟武器。即國家安全所繫的殖民地重要礦藏，將因此而無法取得了。

國際聯盟的經濟制裁條款，本不至十分削弱國際貿易，但一九二○年以後許多國家所施行的高關稅，外滙限制，配額，及其他對入口的嚴格限制等，對於歐洲取得糧食及原料的影響，最爲嚴重。

從歐洲商業觀點說，兩次大戰實屬最爲不幸，兩次大戰，時間不短，歐洲各國以專力從事戰爭，出口因而減少，昔日銷售歐洲工業品的國家，已乘機自行製造，無須歐洲供給。

新集體主義

此外尚有其他影響歐洲商業的因素，即歐洲各國因工人要求增加工資，使得勝利，國內購買力增加，本土消費擴張，以至出口減少，英國的應付方法，爲削減軍事服務，俾得勞力以維持工業，保持出口。削弱軍事安全，以求經濟的安全，事極困難，英國如此，他國亦然。

美國爲唯一能兼顧軍民所需之國家，蘇俄則簡直不顧人民需要。有人不免懷疑，若美政府停止大量購買國防物資，美國是否亦將失去工業品的海外市場？這是有可能的，美政府可能購買沒有銷路的工業品和現在購買沒有銷路的農產品一樣。用生產者強迫政府購買的方式，以替代蘇聯那種由政府強迫生產者出賣的方式，這將形成世界上一種新的集體主義。

殖民帝國互解，亞非兩洲已出現許多獨立國家。凡從事生產的國家，如果不能根據別國家的生活水準及生產成本，將自己的經濟商業政策加以適當調整，將沒有市場之可言。從長遠看，富庶如美國，若果建立關稅壁壘，實行孤立，不顧國外的購買能力，她的經濟安全亦將不免有受威脅之虞。

蘇俄攻擊西方的武器

現在共產黨自命爲反對帝國主義的使徒，極力主張世界人民應該自治自決的原則。自決的原則在一九一四——一九一八年，很有力的打擊德奧土三國帝國的力量。一九一七年，共產黨可能是一切帝國的理想家，現在，在冷戰之中，此一原則已成爲攻擊西方的有力武器。結果，殖民地獨立了，在東西鬥爭之中，獨立的殖民地採取中立姿態，殖民地的重要礦藏及軍事基地，這是對西方安全極關重要的，現在已不能利用了。

蘇聯可以說是世界上最不需要殖民帝國以供給礦藏的國家，因此成極力宣傳反帝國主義與自決原則。西方列強即由此而喪失了他們所最需要的海外土地，且不說殖民地的礦藏和軍事基地對西方的價值，過剩人口現在也再沒有可以移殖的餘地了。

即使沒有蘇俄的煽動和協助，民族主義遲早也要破壞殖民帝國，於是，一九一四年前已存在的商業和殖民帝國的國際主義遂迅速銷沈萎縮。一次大戰前，人們所享有的安全感亦不復存在。不論國際聯盟也好，聯合國也好，都不能建立國際的秩序，使人民和貨物得到移動的極大自由，因而產生可靠的安全感。實際上，國際聯盟的成立，只是葬送了國際主義。

安全重於自由

西方有些國家，許多人的經濟情形比較從前好，但他們要面對現代戰爭的憂慮，並且因備戰而忍受慘重的經濟負擔。

（下轉第三版）

特別移民的事實真相

—李樸生先生來函—

記者先生：

讀自由人第五七二期，載林世先生大作『加強僑務與民族自強』一篇。林先生對僑務有所檢討，有所建議，具見關懷，良用欽敬。

但林先生對『主辦當局』辦理特別移民的經過事實，完全不明瞭。他說：

『艾森豪批准的特別移民，亦爲主辦當局提前關閉申請之門，使此區區名額尚不能滿，坐失大好良機。似此固步自封：』因爲特別移民是今日僑胞大家都注意的事件，卻時有不正確的批評，所以我會于本年七月十日在香港華僑日報發表一封公開辯正的信。林先生如果要檢討辦理這一個案件的是非，似乎應該多搜集有關材料，作客觀的判斷。現在林先生對于這個案件的基本事實尚未搞清楚，武斷地說：『使此區區名額尚不能滿。』似乎不是忠于讀者的寫作態度。

特別移民的基本事實，是：（一）中國名額只有二千名；（二）在四月十七日以前，向僑務委員會申請的人數有四千零四十八人，超過名額兩倍；（三）在四月十七日以後八月一日以前，僑眷繼續申請的共三千二百六十六件，（人數尚未計清楚，因一件之中有未成年之子女在內，）超過名額至少是四倍。

所以這個問題，不是『此區區名額尚不能滿』，而是超過名額甚多，會使很多僑眷被擯到失了簽證的良機。艾森豪批准這個法案，似乎也沒有注意到中國方面一個基本嚴重的事實。這就是中國大陸的人民有四億五千萬，比歐洲被共匪暴政所迫害的人數多得多，而特別移民的名額，卻和歐洲特別移民的名額相差極遠。這在反共，救助僑胞的意義上是不合理的，不公道的。現在美國國會要求美國增加中國名額以應事實的需要，是合理的。

至林先生關于文化交流的建議，很有價值。政府都已在提倡中。如鼓勵華僑子弟返台就學，如獎助華僑學校教師回國進修，凡到過台灣的智識份子，都可以知道僑生在台大，師大等大專學校的情形。又如球隊出國，現在中國的足球代表隊正到韓國，力力籃球隊正在香港，民生，鴻運籃球隊正在新加坡及馬來亞，碧瑤正在馬尼拉。還有數以百計的僑生正在台灣軍中服務。若讀者以爲在林先生未發表高論以前，政府都沒有做，又非事實了。

我們希望社會人士多注意僑務，多對僑務發表偉論，如果需要參考材料，我們願意供給。但我們希望大家先把事實明瞭，在事實的基礎上給我們指教。我們不是滿足現在的工作情形，『固步自封』，但有若干事實一定要請大家明瞭，尚希賜予指教，實是中肯。

李樸生敬啓　四十五年八月廿七早

文化自由論叢

我們的防綫

Frang Boehm 作（本刊特譯）

自由社會應付極權主義的襲擊，防綫有三。第一、整軍經武，或從事政治談判，以鞏固本身防衛。此乃現代世界各自由國家唯一可能，而且也是十分鄭重從事的行動。但防禦愈固，自由與極權敵對雙方的軍備及其他力量，彼此亦愈趨平衡。彼此拔劍張弩，對立愈久，則困難的解決與終了之可能性亦愈少。並且，兩個社會在經濟情勢之下對立，結果勢必斷絕自由社會生活發展之機，使得極權國家更加努力集中權力，此則有利于極權國家，而有礙於自由國家者。因此另外其他退卻防綫，還須極端重視。

第二防綫，吾人必須努力從事改良自由社會的社會條件，務期其成功。如此既可堅強自由社會的本身，又可使極權國家的領袖及其人民獲得信服的實例。

第三防綫，即極權社會本身趨向腐敗與破裂。吾人如能正確估計此種趨勢，小心加以研究，實爲心戰作戰的重要之法。吾人的目的要在尋出足以加強此趨勢的條件，而充分應用之。此種條件：當爲和平，國際的安定，與政治的修明。（作者 Frang Boehm，係法蘭克福大學法學教授）

台北速寫

兩種人物

某刊物社論說：「近年來我們政府的高級官員，漸漸有點怕談民主。」其實，這只看到一面，因爲另外有一些時髦的官員，嘴裏最愛講民主，而本身作風卻絕對專橫，有我無人。這種口是心非型的人物，較怕談民主者尤爲可怖。

關門不是辦法

從中央以至地方，都在倡導游覽事業，使這個寶島成爲一個國際游覽中心，單從財政上着，這也是賺取外滙的好辦法。但是，只聽雷聲，不見雨點，並未見有關方面有什麼新的開展。仔細研究此中癥結，原來是與安全有關，當局生怕給予旅客方便，容易爲匪徒利用爲滲透之途。某報則指出游覽事業在各國都有，而並未阻礙了安全的措施。說得簡單些，消極的關門主義，並不是安全唯一的保證，在不妨及安全的原則下，仍可開展游覽事業，仍可加強國際合作與文化交流。

高等華人

本省教育當局，最近勸告中國人的子女不要進本市的美國小學。美國小學原爲此間美僑子女而設，實則，收容中國孩子甚多，讀洋書，說洋話。這些孩子都是富家子弟，父母希望他們讀完小學，就出國升學，根本不理本國教育。這是怪現象，那些忘本的家長，有些都在各方面位居要津，尤屬可恥。

信用第一

台省已開始自製小型機器脚踏車（即斯古特），最近更由政府補助民間工業自製吉普汽車。這些車輛都可節省大量外滙，價格也特別低廉。過去台灣的工業品，因品質不齊，始終不能在市場建立信用。此項自製車輛，要建立信用，最要緊的是如何求品質之精良，否則雖價格低廉亦未必能與舶來品競爭。

·杜衡之·

世界、亞洲、自由中國

摩根、伍特里談觀感

自由中國有精銳的部隊；可是亞洲卻受害於所謂中立主義

最近有兩個曾經訪問過自由中國的外國友人相繼自台北抵港，也先後向新聞界發表他們的觀感。

這兩個外國朋友一個是澳洲的工黨議員摩根，另一個是美國著名的女記者伍特里。他們雖然因為政治觀點的不同而有着不同的看法，但對自由中國的進步與政治修明的事實那看法是一致的，他們並且以為外間對中國所知的實在太少了。

特別是伍特里女士，在他的談話中，指正了對中共安撫主義所造成的嚴重錯誤與中國所受的影響。

和中共勢不兩立

摩根說：在台會謁見蔣總統，對總統有特殊印象。他說：蔣總統是一個沉默而有理智的長者，同時也是一個虔誠的基督教徒。他和蔣夫人每晨都花一小時來為解救他們的同胞而祈禱。

摩根駁斥外傳中國國軍為日漸老去的軍隊，表示這非事實。他說：在台國軍都曾經優良訓練，軍官年青而富有鬥志，他們隨時準備在戰鬥，他們矢志與共黨勢不兩立，士氣高昂。假如共黨冒險侵犯，定必遭受重創。

摩根在台考察所得，雖然對自由中國已有一個相當的瞭解，可是他對於共黨醜惡的本質，尤其是中共的真面目，仍是一知半解的。他認為自由中國政府和中共政權，都是取締國內大地主和社會改革，僅方法各有不同而已。關於台灣土地改革實施，他認為自由中國在這方面已有輝煌成就，政府自大地主手中收購土地，交至自耕農，然後把國營工業機構的股份讓給地主，以補償他們土地的損失，這樣不但能增加就業人數，同時亦能刺激農產品的增加。所以自由中國之土改，為一最成功之方法，此為渠在台所目擊者。

摩根又說：中國人實為愛好和平之民族，目前為自身利益計，應立刻選擇一自由民主之政府。

他認為遠東共產戰爭一觸即發，此種戰爭，不僅牽涉整個亞洲，簡直可引致另一次世界大戰，威脅整個世界文明，倘有人將彈藥燃起，則不難如第一及第二次大戰之爆發情形相同。照渠觀察，如果聯合國承認那一個中國為合法政府，以圖消弭戰爭，實為時已晚。

摩根對日本局勢亦抱相當憂慮，渠認為日共表面上企圖控制工會已告失敗，但實際上，日本已利用日本國內失業和青年問題，成功地促使日本走向所謂「中立」途徑，以及煽動日人反美、反西方的思想，他認為西方國家實應協助日本解決此等問題，以免日本局勢更趨惡劣。

西方國家的忽略

伍特里的談話中，力斥「中立」主義者的無知。伍女士說：十八年前我到過香港，當時係取道前往漢口和中國前線。我那時是倫敦新聞紀事報的通訊記者，當時和現在，香港充滿着「中立人士」；那些人均與敵人做生意。我回憶一九三八年，戰略物資運到香港轉往日本，而日本在數年之後，把英國和美國人驅逐出香港、上海和菲律賓，它是資給它的那些罪惡的英帝國和美國的人們助的。今日呢，蘇俄帝國（中共是其中一部份）威脅着歐亞兩洲自由世界的生存，而短視，貪婪與無知之輩，與它做生意，而且想做更多的生意。當時和現在，中華民國政府對目的在驅逐吾人出亞洲的敵人作戰，但幸而今日美國認識我們的危險，援助刻在台灣的中國政府，和它的軍隊，雖然我們阻止他們作解放中國大陸的企圖。

伍女士說：為什麼西方國家未到最後

漠視共黨目的　不明台灣進步

關頭之前，常忽略它的危險呢？我想：這個答案在無知與乎避免面臨不愉快事件實現的人類心理偏向中，可找出來。正如往日一樣，許多西方國家的作家向我們保證說：我們不怕日本，日本在中國大陸會有綱紀，有法律，有需要我們的財政和經濟援助來發展它努力開闢的帝國。今日呢？又有許多新聞記者、政客、著作家等等，告訴我們，謂與共產黨和平共處，可以辦得到，而且也相宜的。

伍女士指出：漠視由莫斯科指揮的共產黨勢力的性質和目的，是西方國家自敗的政策的根源，尤其是英國。當我於一九五三年及一九五四年在英倫時，我發覺了對於共黨中國的眞正可驚的無知。極少書籍，係由眞正知道他們的材料可以在英國取得的反共作家所寫的。反之，很多誹謗中國政府的過時材料，那裏幾乎沒有英國作家、國會議員，或可能影響的人，去把事實告訴英國的民衆。他們從未到過台灣，親自目睹過中國政府在大陸的時代，它以前的大部分弱點，已經改正了，施行了一個模範的土地改革，樹立了一個憲政政府，它現擁有自由世界在亞洲訓練與配備最佳的軍隊。

英印安撫錯誤　不抵抗便死亡

伍女士又說共產黨的目的及手段，更令我們所知道的，比英國人為多。以前在艾奇遜及馬歇爾等下面的一班人，對共黨主義本質之不了解，縱使中國淪於共黨之手，他們又主張國共聯合政府之謂。彼等今日已下台了，但共產黨及其同路人，已被清除而不能再影響美國，此種功績，應歸功於麥卡錫參議員。今日在艾克及杜勒斯領導之下，美國完全明瞭中國之事實，它確已有一切之認識，而所有轉變，已經深刻了解到中共之所受的血的教訓，決不可靠，此點可從美國目前民主共和兩黨黨綱，無一事可以證明。

伍女士又批評英印安撫政策的幼稚想法，她說：英國和印度政府，[illegible]

伍女士向世人提出呼籲說：「和你們的人民站在一起吧！他們的經濟能夠在這種軍負之下獲得生機嗎？如果中立主義者只是表面上，是非常熟悉共產主義的危險，[illegible]」

伍女士最後說：「如果吉卜寧今日在生，見英國人如此愚蠢、懦弱與無知，他一定大為憂憤了。請我們來熟記他的名詩吧：『不要被敵人征服，如果你不抵抗便是死。』」

大陸國畫家的生活

沈著

最近從「人民日報」經常透露有關大陸上國畫家們的處境，可以簡略報導如下：

中共統治大陸之後，國畫藝術即被視為「有閒階級的欣賞品」，負有盛名的國畫家如齊白石等還少數人外，其餘國畫家們便都陷入了失業狀態，或奴役狀態。

原來大陸的國畫家們淪入了中共統治，便已失去了畫畫的自由，更沒有自由出賣。同時，所作的畫也很難賣得出去。[illegible]

國際主義的沒落

——一個史學家對民主自由的看法——

．陳文華．

專制獨裁的產生

歐洲，第一次大戰後，新的經濟恐慌發生，這種經濟和政治均衡發生動搖，這種問題，就其性質與範圍言，均極大，只有用極端方法才足以應付。因此形成政治上極端的黨派。沒有中立之可言。[illegible]

如何恢復安全感

過去數百年，既顯示「歐洲人的文明優越，也顯示了他們的野蠻劣根性。一個人在感到安全時，即成為高尚動物，能夠謙恭有禮以對待同僚。若果感到不安全，他[illegible]

（三）任何人民的軍事或經濟的安全，都不能建立於其他人民的不安全之上，所謂其他人民，非洲人都是一樣的，法西斯黨人以至一切極端分子的行動，均可證明人類一到了感覺本身安全的時候，便會變得野蠻殘忍。本性出來。

（四）人們必須放棄一心寄托在現在的政治和經濟制度之上，其安全感對於未來的安全和現在的制度都相信比有效。人們必須知道，任何制度如果不能適應變遷情勢的，都不能視為永久不變。人們愈保持制度，對於安全的變遷情勢的危機愈大。把安全感寄托於必要的犧牲，一切希望才有實現的一日。人們必須懂得一個簡單的道理，現在的一切不能永遠不變，以至永遠如此，這是歷史最明白的教訓，但也是很不易了解的。（完）

四世同堂一間屋　五六百人共一廁

這幅畫原載八月廿五日「人民日報」，並說，領導級的共幹和一般職工相比，住的條件相差太大了。「以一個局長的家來說，公家為他購置了沙發四件，皮椅八個，靠椅二個，餐桌連椅子一套，玻璃的衣櫃、書櫃、茶櫃、床頭櫃三張，還有藤椅和藤椅一套，寫字檯、衣架和架子棕床等大批家具。而職工們房子想向局裏借一張桌子，對不起，鋪板也辦不到」！

住的是「高幹宿舍」，每戶七間房，每月房租五元一角六分。設備齊全，幹部宿舍許多上下濕，沒有廚房，平均五、六百人共用一個廁所」。至於職工那怕家有十口，也擠在一個房間裏，有些職工連一間房也分配不到，只好住在席棚裏，而工人的工棚連窗戶也沒有，裏面潮濕陰暗，臭氣熏人。而這也就是共產黨為工人階級「謀幸福」的最好事實說明。

一天左右有工可做，故每一畫家每月的收入，都不足共幣二十元。在此種情形下，別說有妻子兒女者，啼飢號寒，即單身一人，除此以外，亦無法生活。畫家們還要遭受組織的欺騙和剝削。中共用對付工業者的手段，同樣用之於畫家們。中共組織了所謂「國畫工作者互助組」，都要參加此項組織。名為集體「檢討」，且要思想改造」，實即被「國營公司」扣住加以嚴密控制。甚至了畫件和工資，實行還迫令他們「自動請求」降低畫工工資，這說是積累「國家資金」，表現「愛國主義精神」！

國畫家們對此種措施，自然無法容忍，上海、杭州、蘇州一帶的國畫家們，曾于今年七月間向有關的「國營公司」及「合作社」上書請願。但請願的結果，反招來了更大的迫害。不但被迫在「互助組」家們對於「檢討」這一套，既已習之有素，對於「經濟制裁」，自然亦只好忍辱屈服。從此，國畫家們不但要以極低微的工資繪畫，並且在交貨時，還要飽受挑剔，（顏色深淺不同，不收；花瓣大小不勻，不收；顏色稍有滲透，不收。）拖延工資，剋扣工資之類的事情，更不必說了。

記者節的話

今天是記者節，海內外凡屬奉行中華民國正朔的報章刊物，都不免要發表文字，紀念一番，大意總不外是爭取新聞自由之類。可是，年年爭自由，……而管理新聞事業的人，却認爲新聞界的自由已經太多，又得毛病百出，隨時見着「不……」新聞自由的程度還覺得很淺，而管理新聞的人……此，說些空洞話，結果是記者們嘗盛覺……兩種說法皆能言之成理，持之有故，流行於社會。這兩……健全的輿論」，不容易得到完整的。

我今天對此佳節，不想談甚末「新聞自由」的空話，要提出一項關於新聞管制的事實問題來請教一下。

依照自由中國政府的現行法制，凡是海外申請進入台灣島內發行的書報雜誌，其審核管理的機構爲「台灣省府新聞處」。但實際上新聞處並無審核之權，它只是負責收發文件的機關而已。審核書報雜誌是行政事宜，省府新聞處乃決定的行政機關，既不能依法執行其應有職權，豈非等於贅疣？主管的行政機關不能審核應審核雜誌，究竟是那個「黑市衙門」越俎代庖的呢？我們隨時聽到一般官僚們高談甚末「崇法務實」、「分層負責」的美麗論調，衡諸事實，適得其反。管理新聞事業的作風如此，其他更可想見了！

其次就是政府管理審核書刊雜誌的法令根據是甚末？除了現行的出版法以外，還有那些特別法規，何不佈告天下，咸使周知呢？譬如在海外的作者，所寫的文字，每天在報上刊出，進入台灣，並無問題。然一字不改的印成專集後，却變成違禁品，不准進入台灣了，這是根據甚末法規和理由而然的？作此決定的機構，它在現行憲法和國家政制上，是甚末地位與職權？似此漫無標準，胡來一氣，「自由中國」之謂何？

沒有法治的習慣，就不必談自由，而法之不行，乃由於一些無知無識的政治人物濫用職權所致。此新聞記者年年爭自由，而自由之神却不可捉摸，可憐記者又何不思所以也。

馬五先生

是中國人發現新大陸。

·蘇民·

讀八月十日中央日報載：「四大航海家歷史上……」我有前英國（？）……除以上四大航海家外，我國晉朝時代，還有一位大航海家法顯，經過三十餘國，（見歷史……）法顯於東晉隆安年間……熙十年），已發現西半球，（見太炎文錄）較哥倫布早一〇七年。這位佛教徒法顯，生於東晉，……是世界上發現新大陸的第一人，……茲根據法顯傳，略述其經歷如左：法顯，晉朝山西平陽（即晚都平陽，今山西臨汾縣）人，……

人知之。在法顯回國，正值晉宋爭奪天下，國家大亂之時，政府無暇過問，較諸玄奘回國，蒙唐太宗之盛大歡迎；哥倫布歸國，蒙西班牙王之特殊封贈，迥不相同，所以彼之豐功偉業湮沒無聞。近數年來，我常向小學中學大學各校學生試問：「發現新大陸者，是中國人還是外國人」？皆答：「是外國人，哥倫布」，概無一人答是中國人，我們祖先，有如此偉大之功業，如此輝煌之光榮，而後輩子孫茫然不知，深爲遺憾，故特述其梗概，藉以喚醒社會人士之注意焉。（本報讀者蘇氏）

短篇創作　折翼

·皮述民·

（三）

計劃度過漫長的閑個多月暑假，使生活過得有意義些，這三個藝術系三年級的學生作了竟夕的商談。

平時在同學間，彼此批評作品，說用的話是「匠味太重」，匠味太重的畫不只是減低了藝術價值，也正是他們少了生命力，缺少創作的天才，現在他們正符了找錢隨材，商量決定要以「環島旅行寫生」來度過他們的暑假。

但環島旅行得有錢，……不得已，他們又決定道這地的做一次實匠，於是他們到處跑和酒店兜覓了大量的畫商生意，還答應了某裡的一套宣傳漫畫。綜計大大小小，接了五十來幅「生意」。

布、紙、木框、木架、顏料、油彩和各式畫筆統統準備了，他們治借了系裏一間畫室，三個人便日以繼夜的在裏面畫。除了大小便，他們絕不出門，連飯食都是附近的小飯館按時送來的。

有時疲倦了，就躺在地板上睡，但是不等他睡足……就被其他兩個人用腳踢醒的。「喂，醒醒吧，米蓋朗琪羅在這鼎天井裏時候你還這樣死睡嗎？」……身上的那件工作服也更是五顏六色。整整半個月，對他們三個窮小子來說，已經不是空談，他們眼看着自己一步步的走近了。他們內心的喜悅掩去了疲倦，蓬亂的頭髮和一根根的短鬚子，皆無法掩蓋他們臉上閃爍着的歡笑。整整半個月，結束了這他們都畏的「匠人」工作，室內除了五十多幅滿意寫畫以外，便是滿地的烟灰和烟頭！推開窗中，他們打開了這房間的門，三個人用手搭着肩頭，齊步跨出這個「籠子」時，眞是說不出的高興。

收回了飯店，酒店，家具店，烟攤上的欠賬，完全還清了，每人手裏還拿着一叠鈔票，是十元一張、一張一張的新台幣。

「你們說怪不怪，」余漢平褒開了：「昨天晚上你們睡覺我的時候，我發誓今天一出來就回寢室去睡足十八小時，可是現在……我可不想睡了。」

「你小子這叫見錢開眼！」小二得意的喊着。

「說實話，」汪路說：「我這會也可算開眼了。媽的眞爽！」

他們不是爲賺錢快活，是爲了可以自由自在地去作環島旅行而興奮。

從台北出發，他們經過蘇澳，花蓮，台東，屏東，高雄，台南，台中，回到台北。火車上，汽車上，或是走路時，每人帶着一大掛子畫具，高聲談縱聲唱，眞是旁若無人。清晨的高山，蒼鬱鬱的高山，無盡的大海，歸航的帆影，無盡的森林，枝頭的小鳥，無盡的田疇，生動地出現在他們的筆下。他們去他們高興去的風景區，住他們愛住的小旅館，吃他們從來不知道名稱的各地方的小吃。太美了，連汪路這時回憶起來，也是美的。……

汪路的目光又移到另外一張畫上面，那是馬奈的「奧林比亞」，小二從一本舊雜誌上撕下來貼在牆上的，望着這張畫，汪路又跌進另一個回憶裏——（四）

日月潭夜坐觀月

姚琮

日暮一登樓，劇傷千里目，漢漢四山雲，清晉響空谷，少坐東方白，渺渺天地肅，誰祈月中桂，清光薄林木，昔聞匪已稀，今來瓜未熟，四運不肯停，西代勞化育，往迹休復道，逆旅誰久宿，惟抱故園心，歸來且就菊。

偕李中將宿新柏宮

莫言離市遠，所見入山深，舊雨羅峯晚，松雲一徑陰，漉巾彭澤酒，流水伯牙琴，與子同遊處，何嫌擁鼻吟。

偕李中將宿谷關

泉暖宜長浴，山深可解憂，振衣新滌垢，小酒未銷愁，雲起峯巒變，風高艸木秋，連床仍悵惘，頭白困戈矛。

同光風雲錄

譚嗣同（七）

譚嗣同，字復生，又號壯飛，湖南瀏陽人，生於清同治四年二月，光緒二十四年，戊戌政變，以八月十三日斬於市，爲中國憲法而流血者，其第一人也。

少負俠氣吐屬豪放

復生，湖北巡撫譚繼洵之子，幼失母，爲父妾所虐，故操心危而慮患深，智慧反因以日增。五歲受書，即審四聲，十五爲詩文，斐然可觀。好任俠，喜劍術，悲歌慷慨，絕異尋常人。從同邑孝廉涂舜臣遊，爲文益進。其大兄赴陝西父任，賦詩贈之曰：『一曲陽關意外聲，青楓浦口送兄行。瀟瀟連夜雨聲多，一曲驪歌喚奈何？我願將身化明月，照君車馬度關河。』以弱齡之人，吐此等警句，無怪乎長老咸爲擊節也。

打入孤臣心抱琴不敢泣

同母兄嗣襄亦有慧才，病歿台灣，復生哀之慟，題其墓石云：『恨血千年，秋後愁聞唱詩鬼。空山片石，蒼然如待表阡人。』又題文天祥蕉雨琴句云：『陰沉沉，雨寂寂，芭蕉雨聲何急！打入孤臣心，抱琴不敢泣！』某年與兄同舟涉江，風大作，浪高於舟數尺，舟人大恐，兄弟相視而笑，因口占兩絕云：『波揉浪簸一舟輕，呼吸之間辨死生。十二年來無上險，布帆直挂武昌城。』『白浪紅頭話旱雷，逆風猶自片帆開。他年擊楫運師事，會向中流鍊膽來。』其造句悲憤，奇崛，往往如此，其能爲國家一大事壯烈犧牲者，固早蘊藏於文字間矣。

著仁學驚駭腐儒

自甲午戰敗後，益發憤於新學，時南海方創設強學會於京滬，復生自湘遊京師請謁，稱私淑弟子，又與新會訂交，自是學益進而名益高，激昂慷慨以論天下事，海內志士，聞其言論，仰其丰采，莫不傾而慕之。以父候補知府，需次南京者一年，閉戶養晦，於是冥探孔佛，會通哲學之學說，而著『仁學』，以大無畏之精神，闡明微言大義，以期挽世運而救衆生，其衝破禮教藩籬，尤多精奇語，足使腐儒頑夫，聞之咋舌驚走也。

參知新政見嫉西后

未幾，樂官歸湖南，襄助巡撫陳寶箴推行新政，設南學會，講愛國之理，求救亡之法，故湖南風氣大開，新政日隆，以一省之地，足爲全國楷模，復生之功爲最高。迨至國是之詔既下，經學士徐致靖保薦，被徵，奏對稱旨，德宗特擢四品卿銜，軍機章京，與楊銳、林旭、劉光第、同參新政，時稱軍機四卿，幾與宰相之職權相等。凡南海之意見，即易達上聽，西后及頑固之諸王大臣，則嫉之更甚也。（六十一）

夢山樓

讀「自由人」雜感

尤參

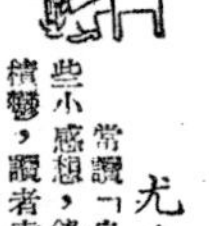

常讀「自由人」，不免有些小感想，錄幾條，藉舒積鬱，讀者幸恕其狂妄爲好！

△大韓民國選舉，以李承晚總統爲首的反對黨的副總統張勉先生，未致發生流血事件，馬五先生爲中國的迷眼砂子」，馬五先生大不以爲然」，親愧煞。大韓民國只有十年歷史，便已有此成就，中華民國建國已經四十多年，還是一團糟，眞是後來居上，能不愧煞人也麼哥！能不愧煞人也麼哥！

△台北政論家，認爲「根據民主自由的原則來做事」，就是「匪特們所要散播」……事事與廣州反」！愛」馬五先生，你錯了！這叫做「反諷必……

△丁文淵伍憲子丁露安諸先生大家討論「中國漢學」問題，可惜至今尚無人能討論「中國幾何學」，「中國水利學」。又是否可以根據陰陽五行之說演繹出一種「中國無綫電學」。

△羅家倫先生的小姐回台省親，有時和爸爸一同參加宴會，竟「轟動了」街坊不相識的人，以至謠傳羅老先生與一位小姐同居，後經羅先生老友沈君問明，才結束了這段「笑話」，如果眞有這樣「笑話」，可見羅先生的街坊，平日並不重視達官貴人，羅老先生也未曾以達官貴人炫耀於人，這倒是很難得的社會現象。

舊劇的編導

·軒蕪·

舊劇新語

「南天門」一劇，現在演唱的不多，因爲劇情曲折而唱作却繁重，不易討好。如果就舊劇裏有「嶄新的編導手法」，「南天門」便是一例。

它開頭像現代的話劇和電影一般，一老一少在風雪載途中掙扎，描寫暴政之下被迫害逃亡的忠貞份子所遭遇的悲慘情狀。它能截取劇情裏的一部份，來表現整體。如果出自庸手編排，一定把魏忠賢怎樣賄賂曹小姐的父親，曹正邦如何地殉於正義，一場一場像「新玉堂春」似的「監會帶團圓」，看來又有什麼勁兒？

「南天門」表現一個無知識却有良知的僕人，怎樣爲他的主人而犧牲生命，反映了魏忠賢的不忠於國家，不如一個無知的僕人，這多麼具有深刻感人的力量。其後裴綸曹福的結局，不忍寫得過悲慘，讓一個悲劇有「好轉」的傾向而已。

「小放牛」是一齣「輕鬆香艷」的喜劇，雖也是一男一女場面簡單，但恰恰得趣，是戀情歌舞發有正面的好戲。它提唱出從牧童和村女的互相對歌，唱出，如「天上梭羅什麼人栽？……」進一步的入於調情，如「那裏見也[illegible]……」「……丈夫是個打漁的郎，單等魚兒上了網……」之類，充滿鄉士氣息，都是村俗得極可愛的。

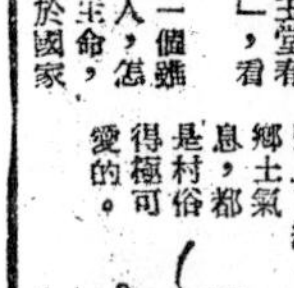

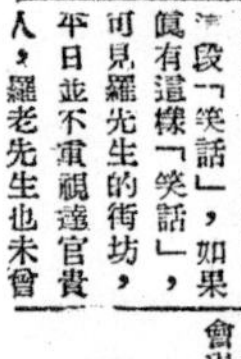

自由人
THE FREEMAN

（第五七五期）

中華民國僑務委員會登記證僑新字第二○三號
內政部登記證內警台誌字第五○○號
台灣郵政登記執照掛字第一號認爲新聞紙類
（半週刊每星期三版）
每份港幣壹毫　台幣壹元
督印人：陸文華
地址：香港高士威道二十號四樓
3rd Fl. 20 CAUSEWAY RD HONG KONG
香港發行及事務接洽
高士打道66號　電話：[illegible]
永來印務公司承印　東昌印刷所出版社
地址：高士打道六十四號
海外總經銷　友聯書報發行公司
香港：彌敦道中二十六號A二樓
台灣特派員辦事處
台北市館前街五十號
台灣總經銷處
台北市西寧南路壹登壹號二樓
台北郵政信箱金戶二九五二

思想鬥爭的結果如何？

——中共繼續清算胡適思想原因——

·金達凱·

近年來中共在學術思想領域內，曾進行兩方面的論爭，一是在唯物主義的原則下，對中國社會問題的爭論，如「中國古代社會分期的問題」，「中國民族的形成問題」，「中國資本主義的萌芽問題」及「中國近代史的分期問題」等。參加這些問題論爭的，都是他們的理論工作者，其主要目的，是要在中國的歷史社會上，找尋符合於他們的社會發展規律的事例，以加強其社會主義理論在中國的應用。但這只是討論性質，最多不過是爭論性質，彼此都有發言權，都有駁辯的機會，而且也還沒有得出一個誰是誰非的結論。

最突出的思想鬥爭

另一方面，則是動員和集中他們整個理論戰綫的力量，展開對若干高級智識份子的所謂唯心主義的批判。其主要對象，先後有胡適、胡風、梁漱溟，以及梁思成和朱光潛等。而這則是屬於鬥爭性質的思想批判運動。在這幾個被批評的人物中，除去胡風與共產黨內部宗派主義的矛盾因素外，其在思想方面，僅單純是文藝認識論和方法論方面的問題，至於梁漱溟的批判，只限於他的中國文化論和鄉村建設論，對於梁思成的批判，只限於他的古典建築論；對朱光潛的批判，只限於他的「文藝心理學」的美學思想方面。而胡適的思想方面，則關涉到哲學、社會學、政治學、教育學、文學、考據諸方面，因此中共對胡氏的批判，範圍最廣泛，付出的鬥爭力量也最大：可以說是大陸歷次思想鬥爭事件中的一個最突出的事件。

提出百家爭鳴的用意

中共提出「百家爭鳴」的口號，依照他們的說法：他們將在大陸範圍內，容許形成有獨創見解的學派，將允許對同一學術問題抱有各種不同的見解，將鼓勵展開自由爭論。很顯明的，這只是他們宣傳的手法，其主要作用，一是緩和大陸智識份子的消極心理與反抗情緒；一是配合其海外統戰工作的進行。實際上，是不會准許思想自由，不會放寬言論尺度的。因爲如果眞有思想自由，它就不是共產黨了。

百家爭鳴一詞，原是史家描繪春秋戰國時期學術思潮的多彩性。先秦時代，除儒道墨三家分庭抗禮外，尚有法家名家農家雜家縱橫家陰陽家等各家各派，互相爭鳴。即以儒家來說，自孔子死後，又有子張，子思，顏氏，孟氏，漆雕氏，仲良氏，孫氏，樂正氏等八大派；墨家自墨子死後，也有相里氏之墨，相夫氏之墨，鄧陵氏之墨，（見韓非顯學篇）。他如管子，莊子，尹文子，愼子，韓非子，公孫龍子，惠施，非子等等，都有各自不同的學術思想，他們眞正是思想自由言論自由，著述自由，不受當時的政治影響，也沒有任何權威的壓制。而共產黨是主張思想定於一尊的，他們所推行的學習運動、思想改造運動、及通常的坦白批評等，都是爲實現其思想一尊的手段。因此，今日他們提出的「百家爭鳴」，只不過是假借這個動聽的口號，通過爭論的方式，來達到「定於一」的目的而已。

一家獨鳴一人獨唱

郭沫若在其「演奏出雄壯的交響曲」一文中，說得很露骨。他說：「我們今天的「百家爭鳴」，既不同於戰國時代諸子爭鳴的爭鳴，也不同於歐洲近代初期的「文藝復興」的爭鳴：而是以建設社會主義，進而建設共產主義作爲我們的母題（MOTIVE），要圍繞這個母題來組織我們的管弦樂隊，演奏出一種交響曲。萬種樂器齊奏或叠奏，總要按照一定的樂譜，如果亂鳴或亂打樂器，那我們便勞蒙着耳朵，或甚至要請你退出樂隊』。這個比喻，正好道出了共產黨的「百家爭鳴」的實質，他說的這個「樂譜」便是馬列主義，因而所謂「爭鳴」，是要從馬列主義的理論基礎上出發，並以它作爲爭論和評判是非的標準。否則就是「離譜」，就要干涉你，要你退出去。這也說明了將來參加「爭鳴」的人們，是要受一個指揮來指揮的，要你低就不能高，要你停止就得停止。不可能有自由的爭論，不可能容許抱有不同的見解，更不會容許有獨創見解的學派形成。在這樣的淸規戒律之下的「百家爭鳴」，我們可以預見得到：一開始即會被打掉九十九家，祗剩下獨鳴，一人獨唱。

繼續清算胡適思想

在上述意義下，目前他們仍然強調對胡適思想的批判，「光明日報」上五月二十三日的社論說：『十分明白，在這裏，是沒有讓唯心主義對唯物主義「爭鳴」的天地的，在這裏，一定要堅持唯物主義的觀點，應當批判，就必須批判，對胡適和胡風的思想批判，就好得很，就非常必要』。陸定一五月二十六日在僞科學院講演「百家爭鳴」問題時也說：『現在有些部門對胡適的反動思想的批判工作的原定計劃並沒有做完，應該貫徹進行到底，不可以半途而廢。因爲只有把這些工作做好了，才能爲今後的工作創造有利的條件』。因此批判胡適思想，將仍是他們今後思想論爭的主題。

壓制自由必然失敗

從人類歷史文化的進程來看，一切違反人類自由意志，壓制學術思想的朝代或人們，都必然是失敗的，其卑劣企圖終會被時代車輪撞得粉碎的。中共統治大陸以來，對思想的統制，可說是到了無所不用其極的地步，然而迄今共區人民對於社會主義仍採取保留態度或反對態度，周恩來本年一月十四日在中共中央委員會召開的關於知識份子問題的會議上所作的「關於知識份子問題的報告」中，說出大陸知識份子擁護社會主義的不過是百份之四十，而中間份子也佔百份之四十，其餘的則都是反對社會主義而反對共產黨的。他承認在共黨的企業、學校、機關裏，都還有這樣的知識份子，『他們不滿共產黨和人民政府的政策和措施，留戀資本主義，反對蘇聯，拒絕學習馬列主義。並認爲擁護共產黨的都是投機的』。由此可見任何壓制和禁錮之下，知識份子的心靈深處，仍嚮往歷史文化的大流，仍潛藏着自由的火種。而我們在深刻認識了中共的眞實面目和揭穿了他玩弄的把戲之後，自會提高我們的警惕和堅定我們的信心的。（批著「中共批判胡適思想研究」序）

印度的宗教法律和政府

·張君勱·

本文係張君勱氏前在印度講學時旅居彼邦之見聞，原文名「印度共和國見聞」，載於八月十六日「再生」雜誌。

張氏在本文中對於印度現行之文官及外交官任用制度作極深刻簡要之介紹。謂印度政府考選文官，往往用推薦及考試方法：…祗問人才，不問黨派，因此尼赫魯政府中之重要位置如[illegible]克立須那，財政部長德須摩伽，工業部長漢瑪黎雅，均非國大黨黨員，與我國執政黨之視在野黨如仇人者，不可以同日語之矣。（小標題爲本報編者所加。）

旅居印度時，目擊其社會生活，殊起奇異之感，先就關於階級，飲食，言語，衣服若干事以爲發端。我先抵加爾各答，即去平日嚮望已久之亞洲協會，查考佛教書目，與印度學者在會中者交際，交際中共人語我曰，我爲印度之婆羅門。我聞此語，殊起異然之感。良以吾國人見面之時，只道姓名爲止。印人乃以本身所屬之階級語人，可見其重視本身之階級。

不同階級不共食

我所謂印人中，有穿紅色小圓於額上者，我詢其所以作此之故，乃知其爲婚期屆滿之人。

我抵巴那拉司後，寓居藩王樓上，晚間印度教大學宴客，主賓爲邀里政府之某部長屬於不可觸階級，我亦被邀，席上兩主人對坐，一爲藩王，一爲校長，兩主人端坐，絕不舉手飲食。事後我詢席間一人，何以主人不食，其人答曰，此爲婆羅門之規矩如此，今晚席上有不可觸階級，又有足下爲來從外國之人，階級不同，故不共食，但主人坐席上以款待賓客，繼聞印度風俗，兩夫婦即使同爲婆羅門，然同一婆羅門中，復分上中下若干等級，夫婦所屬之小等級不一，即其飲食各別，各自預備其食品，各在另一室中食之。

在巴那拉司時，招待者語我，此間爲素食之地，故不得肉食。某晨我詢以可否得一雞蛋，彼答曰，此間不得將雞蛋列桌上，爲人知印人之素食者，雞蛋亦視同殺生之肉食。

引言中述印度教大學中畢業典禮，由印度教僧主持，身服黃衣，與我國僧之裝同，晚上演戲爲梵文戲，演員之語，即梵語。我平日以梵文爲死語言者，（Dead language）在印度教大學中乃知梵語猶有現世界活語言之效用。（上）

半週述評

·司馬璐·

「論前途」嗎？

中共打不倒我們，嚇不倒我們，誘不倒我們，最近又有一個新玩藝，與反共人士「論前途」了。

講理，是民主主義者信仰的基礎之一，我們樂于與任何人藉講理解決問題，今日中共一手提着破飯碗，一手提着大刀來和我們「論前途」，這簡直對我們是一個侮辱。

但是，筆者認爲藉這個機會讓共產黨人認一認他們自己的前途，倒是十分必要的，倘因此能多救幾個共產黨員，亦筆者之一片「菩薩心腸」也！

我們必返大陸

首先，我們願意告訴中共黨人的，中國大陸是中國人民的土地，中國是中國人民的國家，我們隨時隨地準備重返我們的祖國，重建我們的家園，但是，我們又可以用最堅決，肯定的語氣告訴中共黨人說，我們必返大陸，而且當我們返大陸時，也同時是中共政權崩潰的時候。

有什麼事實可以證明嗎？很多！這裏我們就用中共特務頭子羅瑞卿來作證吧，他在今年中共的人代會中承認，在過去一年中，大陸的反共活動普遍的增加了。

羅瑞卿的作證

羅瑞卿在他的報告中又舉出廣州市的例子說：在廣州一市，今年二月到五月的三個月中，發現的「反革命份子」就比去年全年增加了將近一倍。

中共根據「唯物論」的觀點，宣傳說，我們「反攻大陸」是不可能的。羅瑞卿却替我們作證，大陸的人心在我們一邊。

當然，羅瑞卿這一報告對於「反共宣傳」十分有利，至於他個人是否與「美帝」或者「國特」有所勾結，則筆者不得而知。

共黨的可靠性

中共黨人們，你們認爲筆者對羅瑞卿這一推測是故意開玩笑嗎？

不，筆者願意嚴肅的提醒你們，「天才的斯大林同志」都可能有一天被清算爲奸細，爲什麼「羅瑞卿同志」不可能呢？甚至像「劉少奇同志」，「周恩來同志」，「毛澤東同志」不可能呢？

馬倫柯夫在清算貝里亞的報告中說，「資產階級的代理人，帝國主義的特務，不僅滲透黨內，而且攫得了黨內領導地位。」黨的領導如此不可信靠，每一個共產黨員，還談到什麼個人的前途呢？

「一面倒」嗎？

中共在宣傳中竭力挑撥中國與美國之間的情感，他們說「我們共同的敵人是美帝國主義者。」

今天中國的反共人士對于這個問題可以很驕傲的答復共產黨人說，美國雖在反共的立場上和中國並肩作戰，但是沒有一個眞正反共的中國人民，「一面倒」向美國，或者準備把中國變爲美國的附庸地位。

我們可以和美國人爭論甚至痛駡他們，但是美國却永遠是我們的友人。

我們充滿信心

所以今天眞能代表中國的，是中國反共人士，我們充滿信心，終有一天我們將帶着我們國家的榮譽，民族的榮譽，人民的榮譽，回到我們的祖國！

中共黨人們，在這場「論前途」的論爭中，他們不是要面紅耳赤嗎？你們有勇氣讓李立三，陳紹禹，潘漢年，胡風這些人直接和筆者談談嗎？

人才為甚麼不肯下鄉

論大專畢業生的就業問題

奇苗

本年八月二十八日中央日報載台灣省主席嚴家淦與議員陳和錦及胡丙申討論本省大專畢業生的就業問題。當時嚴主席認為任何人必須打破陳舊的「士大夫觀念」才有辦法。他認為我國傳統下來的「學而優則仕」觀念，害人不淺。他主張，一個讀書人應視各人的特長，去從事各種事業，恥於勞動工作，那是不對的。所以他說，在美國，著名大學畢業的理髮師及汽車司機或擦皮鞋的人，都是習見的事。

從嚴主席這段談話來看，似乎本省大專畢業生的就業問題並不成為甚麼大問題。所以成為問題的，只是大專畢業生的觀念問題。事實上並不盡然，試略加探討如下：

就業考試已失作用

大專畢業生須參加就業考試，考試及格後，由政府按志願分發就業，這是台灣特有的制度。制度本身是很好的，尤其是在我們這個靠人事關係，去求昇遷調遣的社會裏，確能發生一些作用。同時也可以保障一些窮苦而有才能的學生，使得到合理的出路，但是，由於各級政府機關以及事業機關員額凍結的限制，無法容納大量畢業生，於是便談不上學以致用，或發展個性特長了。一個學農業的往往被分派到稅捐機關裏工作，在青年則為了生活，在政府則為了安插就業，都考慮不到個人的特長了。一個大專畢業生能夠得到就業分發的機會，實在不是一件易事，因此，就業考試制度早已失去原來的意義了。

過去兩年的經驗

四十三年大專畢業生就業考試，曾經鬧出一個第二次放榜事件，原因是第一次發榜未被錄取的學生，迫於生活威脅，吵到省府嚴主席的辦公廳，結果雙方協議，嚴主席答允只發就業考試及格證書，不負分發就業責任（按新頒公務人員任用法規定，凡未經高普考試及特種考試及格的學生不能任公務員），後來這批最後錄取的學生，大部份擠到學校裏去作教員，至於對教育界的供獻，和影響如何，此處不必論述了。這是四十三年大專畢業生就業問題解決的經過。四十四年政府依舊舉行大專畢業生就業考試，可是錄取名額有限；被摒門外的，大概祗好自己「發展特長」去了。但是，我們要知道，台北市擦皮鞋的人，都是要經過編組的，各有各的碼頭。擦鞋也不是一件簡單容易的事。四十四年及格的學生，大部份被派到台灣各鄉鎮公所服務。但據省府人事處沙德堅處長在某次臨時省議會的會議中報告說：大專畢業生實際去鄉鎮公所報到服務的，並不符合理想，可見「人才下鄉」的號召，是頗爲令人失望的。本年（四十五）的就業考試，將在九月初舉行，錄取名額多少，以及是否分發，均不得而知。但是我們可以判斷，不管錄取多少，「人才下鄉」的原則還是必然推行的。

為甚麼人才不肯下鄉

「人才下鄉」的口號已經喊了這麼多年，爲甚麼始終沒有收效？人才似乎不但沒有下鄉，反而休閒在都市裏。本來大專畢業生，多數都是年青力壯，具有相當學識能力的，他們也應有工作的熱誠，和實現理想的願望。爲甚麼不肯下鄉？我以爲最主要的原因，還是政府未能注意改進鄉鎮的工作條件。當局只知道提高嗓子，在議場裏，或在報紙上，大聲疾呼大專畢業生要下鄉工作。但對於下鄉工作者的實際困難情形，從來不加考慮，平心而論，那一個人會願意跑到污穢荒落，而缺乏現代設備的窮鄉僻壤，去過食住都發生問題的生活的呢？這是事實問題，任何人無法否認的。故此人才之不肯下鄉，並不是像嚴主席所說的「士大夫觀念」或「恥於勞動工作」，這樣的簡單話所能解釋的。筆者曾到台中台南，訪問過許多鄉鎮公所，對鄉鎮實際情形，頗多瞭解。各鄉鎮公所的職員，百分之九十以上都是當地人，所以沒有職員宿舍的設備，也沒有伙食團一類的組織。一個外地人被派到這些地方服務，食住自然不易解決，更談不到身心娛樂了。外地人到這些地方，要向民間租用一間房屋，連水電費在內，起碼要新台幣一百元，再加上伙食費二百元，合計是三百元。一個大專畢業生的待遇，是從委任十級起薪的，本薪一四〇元，服裝費五〇元，醫藥補助費四〇元，房租津貼四〇元，總計二七〇元，外加二十五公斤糙米，這樣只是食宿問題，已經很難維持。此外還要穿衣服，要零用，如遇生病或意外，更是無法應付。照這種情形，要一個青年人在鄉鎮裏，安心工作，談何容易。雖美其名曰「人才下鄉」，事實是不能發生多大作用的。我敢斷言，如果不設法改善鄉鎮的工作條件，人才是永遠下不了鄉的。

不要過份責備青年

我們希望政府不要拚命的責備大專畢業生，更不要對大專畢業生的要求，過於刻苛。聖賢不是人人可以作得到的，我們也不能希望每個人都做到聖賢。凡事應當從普通人的實際問題上去尋求解決，高尚的理論，美好的口號，是無補於事的。美國大學畢業生去作理髮師，及汽車司機，或擦皮鞋，即使是事實，也不見得是可以令人嚮往的。我們國家的高等教育，畢竟有它的目的，不然的話，爲什麼要消耗那麼多納稅義務人血汗，去辦高等教育呢？因此我覺得解決就業問題，要勇敢的正視現實。（八月廿九日台北）

我世運代表團組織完成

天生

（台灣通訊）定於今年十一月二十二日起在澳洲墨爾鉢舉行爲期十五日的第十六屆世界運動大會，中華民國已決定選派代表團出席參加。經台灣體育界的數月籌備，代表團業已組織完成，由曾任台灣省教育廳廳長，現任中國青年反共救國團副主任鄧傳楷，担任代表團團長。此次自由中國參加世運會的比賽節目，計有田徑、籃球、游泳、舉重、射擊等五項：

田徑由中華田徑委員會主委關頌聲担任領隊，齊沛林出任教練。關氏業建築師，在台北頗負盛名，北市即將完工的綜合大運動場就由他親手設計；同時在台灣體育圈中，他也非常活躍，有最佳的人緣，因爲他早年也是一位著名的運動健將，曾任足球隊的選手。齊沛林是往昔的「三鐵大王」，關心體育者無一不曉，他曾於兩月前代表中國赴美參加全球田徑教練座談會，是一個不可多得而學識經驗又極豐富的田徑教練。這次由他二人領隊田徑隊出國，甚足恰當。至於選手方面，在台北舉行的兩次選拔賽中，亞運會十項運動冠軍楊傳廣，將以「亞洲鐵人」的榮譽代表自由中國。三級跳選手吳春財亦以十四公尺九十的紀錄，超過了選拔會的標準，而獲代表權。另一位四百米中欄選手蔡成福，也有希望獲選。

籃球在五項參加比賽的節目中，籌備較早，選手隊早於前月即開始在台北三軍球場進行集訓，該隊由易國瑞將軍担任領隊，易將軍現爲國防部總政治部副主任，教練爲一名叫許彼得的美國人，許氏爲全美國著名籃球教練之一，數年前曾率領美國天主教青年歸主籃球隊來台勞軍，他的球技，曾使台灣籃壇大爲震驚。

其他各項，游泳選手，正在選拔中，張宗慈女士四百公尺自由式已獲代表權。舉重選手，則由菲律賓僑胞中選任。射擊選手由旅美僑胞吳道源獲選。據最近由美傳來消息：吳道源參加在全美小型來福槍三式射擊比賽，初賽過得一三一分，超過世運會射擊冠軍一二二分的最高紀錄。

世運代表團其他的職員：最重要的是代表團總幹事江良規博士和英文秘書吳平，吳君現任職外交部，曾任亞運會中國代表團英文秘書。另外隨團前往澳洲觀光的尚有奧林匹克中國委員會的十位委員，如郝更生，魏振武，林鴻坦等。（八月卅日）

台灣文藝界的檢討

孫旗

上月間留港的愛國的反共作家趙滋蕃返回祖國觀光，去國之後，在自由人報發表「台灣文藝界面臨的問題」一文，留給我們無限去國之思，也可以說提出我們文藝界值得檢討的方案。其動機，可謂「愛之切而責之深」，秉春秋之筆責備賢者，我們當如何審思明辨以圖改進，謀求文藝的良好前程。

首先，我們要有恢宏的氣度，能容人所不能容之才，而返躬自省，也即是趙先生所謂：唯喜人能納直言。唯善神狀態健旺，氣宇恢宏的作家才樂於承認別人的優點；而敢於反省自己的弱點。絕不能不問動機而對人家的指責妄作惡意，良藥每多苦口，忠言每多逆耳。如果只圖耳朵愉快，而不明辨是非，便有失作家的胸襟；有很多人喜歡人家當面恭維，不願人家背面詆毀，此種胸襟狹窄，當爲我們的作家所不取法。我認爲我們今天的作家要備具智仁勇三種精神態度，古哲謂：智者不惑，仁者不憂，勇者不懼。智者是貴有明智，知道人家之優劣點及我之優劣點，不爲情感的一面情願所迷惑，不爲非正言所疏忽。仁者是有愛與忍的情性，愛他人的優點，容忍他人的才識；勇者直言直行的行爲，敢於認錯，敢於容忍異，敢於創新，而不因襲。從這樣的胸襟上說，我們才能從趙先生所要望於作家們的三點希望，尋求改進的途徑。

「權力引退，文藝方滋」——所可憂者，近代的權力與權威觀念，侵入文藝作家的思想領域，權力觀念希望爭取統治，權威觀念希望爭取領導；趙先生以中共之文藝設官造就「束手束腳的文化」或「特准之思想」爲例，必改文藝殺滅生機，證明文藝是無任何權力所可統治，也無任何權威可以領導；文藝須在發揮各人之思想才能，有搞運動才能者可以搞運動，有創作才能者可以搞創作，不必集各種才能於一身。試檢討一下，我們的政府並無文藝官之設，可以說是給予作家無限創作的自由，而我們的作家有權力觀念者尚不乏其人，就是說以其政治地位而進身爲文藝團體之負責人，因而透過團體發揮干涉的權力，把團體性的文藝組織視爲政府的權力機關者，具此一觀念者亦不在少數；其次，有少數人在爭奪所謂「權威」「泰斗」，企圖領導文藝，他如果是兼有編輯大權者，則必取用與他同一風格之作品；即是說，他錯也希望作家們都錯，他對希望作家們都和他一樣的對，希望作家們以他爲一像。另一情形，是在文藝界植黨營私的作家們，打擊別人，用口去破壞，從編輯入處毀滅信譽，把別人踩下去，使他和某一小組織中人站起來；這些情形，可以說一直在滋暗長，有時其手段還近乎卑鄙，深諳中共「只達目的不擇手段」的三昧，證據俱在，恕不例舉。這就是文藝作家夠可哀處，也是值得檢討處。

「面對生活，不是面對技巧。」——作者中論文藝，乃先有生活後有作品，若創作在前生活在後，便是面壁虛構，無智無情，單憑寫作技巧，便只有套公式摸做到底。惟有從生活中間扎根，自生活底層滾出來，才能深刻地認識生活。這便是一切文藝的財源。我們試檢討一下，我們的文藝作品，前幾年被人稱爲反共八股。

（下轉第三版）

科學研究與工業前途

——沒有研究就沒有工業——

王先鎔

偶然翻閱本年三月二日美國出版的柯里爾（Collier's）雜誌，這本刊物上有一篇關於日本近況的報導，作者引用一位日本人的話，他說中國是一個生意人的國家，在科學發展方面，中國人沒有競爭的能力。看了這一段話，我不禁回想過去。

五四前後的狀況

滿清末年，政府感到工業的重要，曾派人出國考察，那時日本和我們一樣，也派遣人員到歐西各國觀摩。據說日本派遣人員與我們不同：日本人每到一個工廠，他們注意技術問題，想法翻印人家的藍圖，我國人多詢問機件的功用和價值。他們計劃回國後仿造，我們則打算買人家現成的設備。雖經後來日本工業蒸蒸日上，我們却沒有收到什麼效果。民國初年，國內雖然設立了一些小規模的工廠，那裏面的生產設備大多是由外國買進來的。對這段時期來說，今日那位日本人的批評未嘗不是我們前幾年的毛病。

五四運動以後，有些眼光遠大的人看出以前的錯誤，知道要發展工業必須提倡科學研究。蔡元培先生曾提出辦工學院的大學，最好也設理學院，使工業研究有其良好的科學基礎，正是矯正時弊的主張。目前工業先進的國家，他們在工學院裏盡量增加基本科學，如算學、物理學、化學等科目，和蔡先生當年的主張，辦法雖然不同，用意則完全一致。

現況使人放心不下

我在工廠裏担任技術工作，常有機會到各工廠參觀，我發現不少有志之士正在爲我們工業前途做正確的奠基工作。但是，也有少數生產機構，看起來使人放心不下。他們的設備是向外國整套訂製的，安裝，試車統統由外國工程師指導，等工作進入常軌，再由國人接管。那些接管人員多不明白原理，僅學會操作，一旦機件發生故障，便束手無策，只好再把外國人請回來。有些機件常需用某種特殊物品，此種物品又往往只能使用一定的時間，到期就須向外國換購。這種依賴他人的情形，希望不久能夠改善。

研究工作的重要性

要發展工業必須努力研究工作，這種工作大多是科學上的問題，沒有良好科學根基的人便談不上在工業方面研究什麼。

有些技術人員常忽略了這一點，他們不去努力充實學問，一心想發財，盲目地做些在學理上講不通的試驗，希望有所發明，自然不能夠達到目的，空消耗許多時間和物質。二次大戰期間，昆明有一位工程人員試製某項光學器械，費了十五年的工夫，沒有什麼成就。有一天，他把研究的情形和一位物理學家討論，這位物理學家很輕易地便發現其製作的程序上一步不合學理。那位工程人員化了十五年的工夫，雖然未做成什麼，他卻因此深深瞭解學問的重要。他認爲沒有優良的學識，研究只是白費功夫。

現在我們社會上一般人都比較貧窮，大家容易存一種急功好利的心理。工業研究方面，化下去一點錢，往往就急於要求成效，這種想法是很吃虧的。研究工作要肯下大本錢，並且還要不計近功，着眼於大處、遠處，才有光明的前途。

今後，我們應該循着正當的道路從事科學研究，謀取工業發展，務使那位日本人的批評只是我們往日的陳蹟，決不適用於今日和未來。

文化自由論叢

保障民主的要義

殊萊新嘉

民主人士今日的責任，要對於民主的拱衛，能和共產黨人之拱衛共產主義的一樣有權威。要暴露和指證共產主義的詭秘力量，能和廿年前暴露和指證納粹或法西斯的詭秘力量一樣的竭智盡力。

我們必須堅守自由的原則，始終不渝。有時即使似乎有利於敵人的自由，也不應因此而有絲毫的動搖。共產黨的行動雖成爲非法的行動，自由社會必須準備以合法的，迅速的，和堅定冷靜的行動，以保衛自由。須知民權自由的傳統並不否認社會的自衛權利。民權自由祇求自由權利之能夠確實行使，並不加懲罰於不信服或幻想的人，惟對於眞正有碍公共利益的則必須加以排除。

這當然是目前的困難問題，但並非不能解決的問題。一方面，能警惕譴責自由社會，使不至被動的接受國內的叛亂，又一方面警惕譴責自由社會，不能從事狂熱的預防壓抑，以根絕國內的叛亂，都是有同樣效果的。故問題的解決必須對保衛社會與保衛個人自由，雙方兼顧，這實爲吾人目前複雜艱巨的任務。爲應付這一艱困，自由社會對於尊嚴，創造，和勇毅之源泉的激勵發揚，機會並不常用。此等德性在吾人視之實爲自由之結果亦爲自由的標誌。（作者Arthur M. Schlesinger Jr.係哈佛大學史學教授）

本港教育展望——新學年有一良好開端

港府七年計劃已有巨大進展

本年度第二學期已隨九月開始而來臨，根據教育事業最近之發展，顯示此新學年有數項現象爲異於往年者，此數項人爲亦可稱爲大預之進步，於港府七年教育計劃之推進，無疑有甚大之協助或配合。教育界人士每有相同之感覺，認爲本學年之開端，予人以教育整體發展之愉快展望，渠等認爲本學年有異於以往各年之表現，可分如下各端：（一）小學發展計劃，大步推進；（二）師資訓練之配合；（三）中學發展之配合；（四）專上教育之積極推進。此數項工作，或已奠下基石，或已在拓展中，一切均顯示一種良好之教育制度，正逐漸趨於實現。

官立新校

第一方面，由於迫切的需要與當局之大力倡導，是現蓬勃之氣象。在本學年開課之新官立學校，港九新界共有五間，每間分上下午班，共可容學童一萬五千餘名，此無疑將減低全港適齡兒童之失學數字，並可爲今後每年出生爲數約八萬之兒童，安排不少入學機會。

貸款津貼

此外，政府又極力協助團體興辦小學，[illegible]計劃，據悉數年前即已展開，政府本年來用於此方面之資金，數以千萬計，此計劃包括無息建校貸款，撥予校址公地，全部津貼[illegible]，推行以來，[illegible]撥地建校及將來給予津貼[illegible]，政府現復擬成立一大規模之組織，以支持此計劃。

私立學校

此外，私立學校（包括團體及教會所辦）之在本學年新設或擴建者，據悉初步約有十間左右，有數間俱定日間開課，此等學校，類多有良好校舍及設備，爲學生家長所歡迎。一般認爲：此種新建設將陸續彌補本港若干學校校舍及設備不佳之空隙，而直接提高學校之物質條件水準，並預料此爲無限度之發展，甚至能幫助當局縮短發展小學教育事業之時間距離。至於學校放寬學額申請，聞當局亦將繼續受理。

師資訓練

第二方面之師資訓練工作，除羅師專校及師資講習班均續開辦外，專爲中文小學培植師資人材之葛師專校，本學年新收人數，將增至三百二十名左右，另於校側興建新課堂及其他部門之建築物，[illegible]政府及津貼小學之增加[illegible]之需要，[illegible]，即須有大批合格師資產生，俾能分配在各新成立之學校任教。

中學發展

第三方面之中學發展，主要力量來自教會及社會人士，現在建築中之中學有兩間，最近完成擴建者，積極計劃由教會及社會人士興辦者，最少亦有三、四間，此外，本學年開課之私立英文中學，更有自置校舍者，另附設於基督教兒童福利會在烏溪沙開設之兒童新村內之中學，亦可望於本學年內成立。此均爲每年數字龐大之小學畢業生升學機構，有助於原有之政府及教會中學學位之不足。由於社會之需要，辦學者似以開辦英文中學爲更感興趣。

大專學校

第四方面之大專教育發展本學年初期明顯之成就，厥爲新亞書院之興建新校舍落成，崇基書院亦積極進行新校舍建築工程，及浸會書院，聯合書院之創立。浸會書院已定期開課，暫時假培正中學部份課室上課地點，聯合書院亦大致組成，由九月起，將以[illegible]負大專教育發展之部份責任。該院分日夜班，在港九兩地租用華僑工商學院及新法書院部份課室爲校舍，如時間趕及，可即開始招生，而爲港高等教育創一新頁。凡此均足表示本學年爲十年凡之一年，爲良好之開端，而非官民兩方之教育界人士協力，方能使教育效果更臻美好，並解決「學位荒」問題。

大陸生活實況——不愉快的星期天

這是一篇共區眞實生活的素描。原載在八月廿六日天津「大公報」上。看完這篇短短的文字，會你捧腹大笑，也會使你由衷地感嘆和同情。當你再閉起眼睛時，你的腦際會感到大陸上更多的不愉快的生活畫面了。——編者——

我們好幾個星期沒有吃過豬肉，孩子一直嚷著要吃餃子，和老婆商量了一下，決定星期六晚上，[illegible]請朋友吃中飯。第二天天麻麻亮，一骨碌我就起了床，提着籃子就往外跑。

剛走下台階，老婆再三囑咐：買香油和醬油，另外給孩子買些水菓。[illegible]門口，我就[illegible]進了買豬肉的隊伍。等呀！等呀！太陽照上了屋脊，太陽晒上了鼻子。門開了，「一、二、三……」我是第二十四名。太陽晒了肚子，輪到我了。「同志，一斤豬肉，要瘦一些的。」我義不容辭地提出了要求。

「就是這塊，你要瘦的，肥的賣給誰？不要，后面一個……」

「好吧，好吧，肥就肥一點吧！」我抬頭看看售貨員鐵板似的臉，回頭又看看那麼一長串的人，我立即表示同意。

「二斤，七角七分。」

「啊呀！這許多毛，這皮，就是一大塊！」我嚷嚷了一句。

「不要？后面一個，你要多少？」

「要，要……」我連忙付錢。

離開肉案子，我又排上了打油、打醬油的隊伍。

「一、二、三……」我是第十二名。

「香油半斤，白糖半斤，醬油一瓶，味精一小瓶……」

「得、得，這裏只賣油，白糖、味精那邊。」

「就在你邊上，請你順手拿一下吧！我已經排了一上午了。」

「不能，這是我們的分工，黃牛角水牛角，各歸各」。

我轉過東櫃，排進了西櫃台，拐過西櫃台又擠進了南櫃台。香油、醬油、白糖、味精，還有孩子吃的水菓樣樣買齊，擡頭一看鐘，十一點四十分！走出零售店大門，肚子一陣餓，才想起早上還沒吃東西。我腳下一帶勁，三步併兩步往家趕，拿出豬肉來，一股腥味刺入腦門，——臭的！

「把我們婦女累死了」！

爲什麼「把月亮當太陽」？在中共施行「農業合作化」後，共區農村婦女的「勞動壓力」過重，間接也影響了幼兒的成長。

我們可從這個共區農村「生產隊長」的自述中窺見一斑。（所引原文和插圖均載本年第八號「中國婦女」雜誌上）

[illegible]

他痛苦的掙扎，喉嚨都哭啞了，頭也碰破了，鮮血淋漓，等大人回家時，孩子已奄奄一息。村里經常發生孩子燒傷、摔壞、掉進水里或糞坑里淹死等慘痛的事故。[illegible]

[illegible]們婦女累死了」。這些矛盾問題，我想決不是個別現象，而是普遍存在的問題，希望各級領導和婦聯組織幫助我們解決吧！

把月亮當太陽

台灣文藝界的檢討

孫旗

（上接第二版）

近年來的只有概念的故事的情節，人物成爲概念化的人，人物缺乏生活的眞實感；場景事實上，故事不是小說，有的小說可以沒有故事，人物們成爲乾枯的機械動物，沒有在生活中的思想情感，沒有生活的言行，好像只在作家所設置的魔術圈子里亂衝亂撞。可是，現實的情況限制頗多，譬如說生活吧，那一位作家不是在生活中和生活過來的，絕不是在船上或飛機里度過生活的歷史時間，今日用回憶來捕捉生活，便只剩下人和其活動，生活的情感、思想、色彩，因爲在當時並未膠着於作家的印象里，用鐵鍬鋤頭也掘不出來的，所謂生活成爲文藝的財源，是作家把頭沒入生活中去，門去看去嗅去感去觸，閱讀到生活的聲響，看到生活的多彩多姿，感到生活的脈動，觸到生活的冷熱，用心靈去擁抱生活，像泥沙之滾入蚌殼的懷中，經過唾液的磨潤成爲珍珠的生活，才能成爲文藝的珍珠；可是，作家從前的生活如在冰凍上走過，不知冰凍的水是溫是冷，也便不知生活內層的底細，現在便不得不面壁技巧，投入文藝世界去攫奪寵幸；我以爲只要作家們再重新投入生活，體驗生活，還是可以找回過往的生活經驗的。同時，依現狀來說，我們的作家底技巧已達到飽和點，必須充實生活的實感，以及思想的溶化於作品中，把混稿費和爭名位當作寫作的重心，仍然是沒法自救的，唯有從生活下手，然後創作，好在文藝之門，永遠爲內容與形式俱佳的作品而常開的，文藝世界的能華的寶座，永遠爲天才而虛待的。

「作家無以爲寶，惟自由以爲寶。」——作者指出作家在創作之時，除受自己所堅持的信念，思想與感情的制約外，永遠不受外力的干擾。作家的服務對象是廣大的人羣，而非私人或小團體，既不是政治的辯護律師，也不是爲任何主義而存在。首先，作家是具有先知型的，以及人類靈魂的工程師的意義，他得首先是一個具有智慧、善良足可爲人類代表的人，他的信念、思想與感情，不屬於他個人的自私性，而是代人類發表信念，抒發思想與感情，人類透過他的眼睛看世界，透過他的耳朵去聽世界，透過他的心去思考世界。所以，作家的自由創作的心靈可貴，他不必扭變一切的干擾，正如教人爲善的耶穌，只有猶太出賣他，所有的人類都敬愛他。文藝作家的心靈爲世人所珍愛，文藝作品也被人類所珍愛。但是文藝作品一旦爲政治的辯護律師，文藝的靈魂已失其清譽，不爲任何主義之宣傳工具，中共之控制文藝，弊端俱在，令人不齒。可是，檢討一下，我們的作家，將文藝作爲政治宣傳品的，爲主義作說教的，尚不缺乏例證。有些作家將文藝視爲攻擊人身之武器，可謂濫觴已極。括言之，前者放棄作家的自由，後者濫用自由。作家不能以自由爲寶貴，心靈之珍貴，向政治和主義出賣，固然可悲；而作家在正義之前，眞實的藝術良心之前，採取迴避的態度，只有蠢幕的作家才被迫爲之，而在我們民主政治的自由中國，可謂作家的自甘放棄文藝的自由。我們必須提出，作家應及早有獨立的人之意識，個人有人的莊嚴和價值，承認他人的個人的莊嚴與價值，否定權力與權威，讓人的人權放射異采。

「公正而健康的書評運動，迅速展開。」——作者指出書評家應抱「與人爲善」的態度，實作品的好壞，替讀者介紹好作品，替作者找尋漏洞和缺點，供再創作時的參考；替出版者指出出版的方向，以及讀者的迫切需要，供給他們作爲營業的藍圖。首先我們檢討一下；像這樣的書評家，爲作者讀者出版者服務，以春秋之筆，鑑賞優劣，固然少，即使有也不能爲作家們所接受，我們的時代已到了虛榮的時代，自尊心過份發達的時代，每位作家都自比爲世界著名作家，因爲有恢宏氣度的人太少，能納直言的也鮮矣哉！我們以任何一部世界名著來說，用以古視今的眼光，當然無法掠其瑕疵，但若以今視古，則其瑕疵不難提廝出來。且文藝爲百年事業，豈可盡屬一鳴驚人？作者又指書評家對待作品與作者應公平合理，纖而無私；必須具備智、狠、拼的三種條件，且須有氣魄，有氣度，有担當，有爲有守。這幾種條件，必須學囊，智慧、勇氣、識見各種修養，至爐火純青者不可；然而，我們可以說：一將難求，衆兵易得。像這樣的書評家，我們實在求之不易。總言之，我們的文藝書評，只是宣傳廣告，讀後感已是較好的書評了；實際上，書評家不在少數，而可觀的書評尚不多見，「有百樂而後有千里馬」，我們的作家必須能納直言，恢宏氣度，爲書評闢一條路。

最後，作者指出我們的新詩，抒情詩太多，敘事詩，史詩與劇詩太少。我認爲中國的新詩，以抗戰時期進步最速，而今天已到式微的時代了。我們的若干詩人還在個人主義的抒情詩時代，還沒有觸摸到時代的脈搏，大概就是趙先生所說：在正義之節，在眞實的藝術的良心之前，採取閃避的態度以求明哲保身。將個人感情的浪花，用手工業製造出來的彩飾品，可以遠觀而不可以觸摸。尤其是當以翻出陳年古代的詩派，奉之爲神明，未免是在開倒車，這好像醜女多作怪，一個醜陋的女人偏愛濃粧，添姿作態，豈不令人欲作三日嘔嗎？我認爲什麼時代就在式微的時代，偏多而唱高調以獨掙扎。同時，一種文藝作品創作得好，本身即可屹然獨存，不需倚恃，唯有在創作不出好作品時，且又欲人們倚之爲權威，泰斗之時，才提出其支持的力量。我感覺玩詩魔術的人未免太多，裁縫匠式的詩人，味讚王式的詩人，唱頌詩式的詩人也不少。眞正的詩人太少，「詩言志」，藉客觀事物以具現主觀精神的形象，歌自然而照像式的自然主義，寫情書的戀愛主義，必須從詩的王國清除出去。我認爲詩人之所以被稱爲先知，是他能引導人類到達理想的幸福境界，是他之所以被稱爲苦頭僧，是他遍歷人世的憂患，時間空間的思想與感情層，積累成爲詩人的思想與情感，然後藉外物以寫意，不論其爲快悅或憂傷之情，始能從人們的心靈，使情感與思想沸騰起來；使生活的思想情感化入詩的思想情感！

詩人趙滋蕃已懷無限去國之思，殷望深切，我們當如何檢討以謀文藝的前途，答不遺在遠的愛國的報以共的作家？

四十五年八月四日下午於台北市。

編者　讀者

△本第五七三期第二版「文化自由論叢」係專欄名稱，該欄文字原有標題：「國內自由與世界和平」漏植，合併更正。

△杜蘅之先生的「台北速寫」是本報讀者極注意歡迎的專欄，現杜先生因本學期從事教學，功課甚忙，無暇繼續撰稿，該專欄從本期起，暫向讀者告別。謹向讀者致歉，並向杜蘅之先生致謝！

△杜爲，俞敦詩，張瘦碧，毛乃先，江南，伽楣，楊海宴，陳酒塞，傅正，陳晉犬，老黃，旭初，金溟若，奇苗，外行戲迷，諸先生惠稿均拜收。

適應失學青年上進要求
香港普遍舉辦夜中學
爲容納更多學生學校多改上下午班制

由於學校校舍及樓宇珍貴，港九各繁盛街道之學校用樓宇，甚少空閒。除日間開辦日校及下午設特別班外，晚間多利用爲英文夜校或專科學校。此種現象，差不多已蔚成風氣。惟現又出現一種新現象，相信在若干時日之後，此種嶄新之教育現象，或將取上述兩種學校之地位而代之，事實上，本港之教育現況，或將促成此種現象之發展。

鑒於本港中學之全部學位，未足應付按年遞增之小學畢業生數字，同時又鑒於甚多之小學畢業生，因家境所限，畢業後，即須踏上社會門檻，無暇或無力於日間升讀中學，而中學教育，又爲人生整個求學過程中，日至感需要之一環。因此，有等「先見」之教育界人士，即在此種需要情況下，倡辦中文「夜中學」。此種在本港尚屬少見之教育新組織，現已首先見於入烟稠密之某區。校舍與傢俬設備，俱租自原有之學校。開學學生人數尚不甚少。此種夜中學之上課時間，爲每晚兩小時至兩小時半。因時間所限，其編制與日校有所不同，（目下之中學多爲全日制），科目亦不如日校之多，大致言之，對於中英數等主要課程，仍頗注重。其他如有限於設備、時間、地點之科目，自不能如日校之規模畢具。收費亦遠較日校爲廉。聞港九兩方在籌備中之夜中學，尚有兩三家。

教育界同意夜中學

關心教育現況之人士，對於夜中學之設立，頗表同意。彼等認爲：如夜中學不爲教育當局所反對，則頗有存在之意義，此種中學，縱不能使學生接受完整之中學教育，亦不能使學生於畢業後能獲得與日校同等資格之學歷；惟無論如何，彼等將可獲得有助於實際生活需要之學識如中文、英文、數學等。若以一般日間已有職業之青年而言，此等夜中學之設立，尤感需要；蓋較諸部份通晚上時間亦無法運用之職業青年，則夜中學學生，尤勝一籌。

以香港適合學齡兒童按年遞增之現象觀之，新建之學校，實未能趕上需要。去年之適齡兒童，將達四五、○○○名。估計至一九六一年，將達七一、○○○名。小學年齡（六至十四歲）之兒童，將由現在大約估計之二二五、○○○名，增至三六六、○○○名。教育司署以前曾加指出：每年增加之數字，不會少過二○、○○○名。政府在七年教育計劃內，預算在期間增闢一八○、○○○學額。惟建校計劃，仍只限於小學，對於中學缺乏問題之解決，尙待籌措。故有關中學　育之發展，不論爲官方或私人主辦，亦同感需要。

學校改制分班上課

香港失學問題固待解決，而用以辦學的樓宇，亦已達到了「地盡其用」的境地，目前教育界人士提供意見，認爲有效解決失學問題應助私立學校舉辦下午班，此對香港教育發展，將發生一定作用。

據悉：本學期始，已有幾家私立學校實行此辦法，實行以來，教學上固毫無困難，而對失學兒童則惠益不淺。查其中一家學校，在上學期時原辦全日班，即由上午九點上課，至下午三時放學，中間一段時間休息午膳，但當時所收學費小學每月廿七元，全日授課共六節，其後，得當局之鼓勵與協助而改爲上下午班上課，將學費減低，計上午班上課由八時半起至十二時四十五分止，下午班則由一時卅分起至六時，上午班收費十六元，下午班收費十二元，上課節數仍爲六堂，祇將休息時間略爲縮短。

據教育界人士稱：由全日班改爲上下午班後，學生比較已增加頗多，因而費之廉而對窮苦兒童惠益很大，比如下午班而說，前全日班收費廿七元，今收十六元，已平十一元一個月，上午班亦照七元，至於家長方面問題，在未開始改制前曾分別徵詢意見，結果亦認爲教育上一種良策，彼此予以贊同，在學校本身上說：雖然在教員方面須比全日班增加一半，但在學費上乃可以彌補。

學校和兒童皆有得益

又據指出：目前私校普遍難做，兼失學兒童衆多，倘積極施行此種新制度，學童及學校方面，皆有得益，例如學校方面可以增加收入，不致經濟拮据。學生方面，所受課程教育一樣，而失學或窮苦兒童乃有學校攻讀，家長方面，在商業不景氣中，兒女負担過多者，但希望學校能減低學費，特別爲窮苦兒童方面認爲然，所以，家長方面並無不贊成之處。

上述之改制私立學校，並無受政府之津貼，祇係在相當條件下而獲得申請批准，教育界人士，希望政府積極鼓勵私校實行此上下午班制度，辦學者亦應從失學兒童設想，履行上下午班制，更有人大概估計，香港私立學校足近一千幾百家，如每家改上下午班後，隨時可以增收三、四百名學生，統計將可增加收容十數萬兒童就學云。

論共產黨之前途

（上接第一版）

這結果不過是三光政策：俄帝將中國人民殺光；中共領袖將共幹殺光；共幹將老百姓殺光。這就是中共的前途。如果你們能平安走前途的話。我不一定勸你們不殺。但爲什麼專爲俄國人殺中國人呢？你們那麼會殺，爲什麼不敢殺俄國人呢？你們殺來殺去，還是要被俄國人殺掉。你們縱使勇于犧牲，何必要這麼犧牲呢？我要作根本一問：誰派俄國做老大哥的呢？你們縱不讀歷史，了解俄國是中國世仇；你們總看見俄國人在東三省乃至內地的行爲。那像老大哥嗎？俄國人又眞把你們當小老弟嗎？[illegible]

新貴升官發財算得前途嗎？

各位共幹先生：你們的黨大會剛開過了。[illegible]

共黨人前途在那裏？

[illegible]

（下轉第二版）

（下轉第二版）

出版評述

（台北通訊）最近正值各級學校開學伊始，地圖出版商爲推銷地圖，因業務競爭而互助登報攻擊，指責對方地圖內容錯誤叢生，誤人子弟，這種以攻擊對方爲推銷術的手段，固屬非當，但坊間出版之各種地理教科圖，錯誤之多，實亦令人詫異，如本月十五日，有人在此間銷行最廣之日晚報（中央日報與大華晚報）同時刊登巨幅廣告，指出由內政部主管地圖審查之某科長所校訂之某地理教科圖，大小錯誤竟達百餘條之多。經由內政部審查合格，發給許可證，准許出版之地圖，何以會有如此多的錯誤，這實在是値得有關方面深切檢討的事。

地圖編繪與審查出版
—對現行辦法的評議—

一愚

審定的弊實

政府對一般書籍之出版，均未採事先檢查制，獨規定「凡出版之本國水陸地圖除由內政部、國防部編製者外，非經審查認可，不得註冊發行」。究其用意，自因特殊重視本國地圖，爲防止錯誤，而於事先加以審查。但經審查認可出版之地圖，仍然錯誤叢生，反之，多年來被公認爲最好的中國地圖（申報六十週年紀念所印之分省新圖）却是並未經內政部審定的。可見，事先審定並不能一定達到預期的目的，要減少錯誤，最重要的還是在編繪出版者的是否負責與認眞。當然，這並不足以證明「水陸地圖審查條例」應該廢止，但如欲審查減少錯誤的目標，則在方式上，人事上，應更臻合理完善。否則，則審查反而養成編繪者的依賴心理，養成出版商的僥倖心理，甚至有形成變象的官商勾結的可能。

現在若干地圖之錯誤甚多，實際上就是審查機構的方式欠妥當合理而發生的流弊。地圖審查，例由內政部辦理，部設有方域司，由域地專家主持，[illegible]理地圖審查，因而經審定之地圖，錯誤較少。政府遷台以後，[illegible]構緊縮，方域司取銷，而以地圖[illegible]關疆域經界的事併歸地政司，[illegible]政策的機構兼管性質大不相同[illegible]，實太不相宜。據聞，身爲地圖[illegible]會主任委員的地政司長，實際上[illegible]出席審查會，而主持其事者也[illegible]於「地政系」對地圖缺之專門[illegible]

審查方式的錯誤

[illegible]

出版商與校訂人之間

[illegible]

建議應注意事項

[illegible]

自由談

不受歡迎之人

馬五先生

美國有個民主黨的參議員，叫作甚末「艾倫鄧」其人者，最近在南韓發表談話，公然指說自由中國和越南爲消耗美援的「吃血者」。我曾經在香港別一報紙上，申斥這個沒有常識的妄人，認定他是跟拉鐵摩爾、費正清那些共黨同路人一鼻孔出氣的傢伙。

近日據說這傢伙又要到台灣來訪問，而我政府亦正在準備迎接這個友邦「驚棍」的一應事宜。我不知艾倫鄧是代表美國政府來台灣公幹的呢？抑是他個人以參議員資格來炫耀其大少爺的身份？若屬於前者，政府應該按照外交常例，向藍欽大使表示艾倫鄧爲「不受歡迎之人」，請白宮另派高明人物，以便竭誠接待；若係後者，根本就拒絕他入境，「請迴俗士駕，爲君謝逋客」，對不起，反共軍地，閒人免入！這決非意氣用事，而是一個獨立國家的國格與民族人格攸關問題，萬不能唾面自乾，恬然以「吸血者」自居！——除非他先把在漢城的胡言妄語宣告撤消。個人的生存決不怕窮困，祇要窮得有志氣，終歸不愁無出路的，國家尤然。如果爲着取得美援，即隨便忍受彼邦一些混蛋之徒的侮辱，還要陪着笑臉歡迎他，這成甚末話呢？我們指摘中共對俄國老毛子有如奴婢，難道自己能以妾婦之道來對待美國的混蛋子兒不成？

我知道這些話或許失之猖激，與政府當局的觀點不相脗合。但，我的民族自尊心決不願毀棄，至少亦要向友邦人士表示，中華民族是不能隨便侮辱糟蹋的。政府若基於遠大的國策，不得不容忍這類妄人一下，倒無所謂。可是，千萬不能又教他去看國軍演習，有如表演游藝以娛貴賓然。否則我將不憚口誅筆伐，痛加攻擊的！一個「先生不知何許人也」的參議員，算得了甚末呢？

怎樣逃避「免試升學」

·寒士·

我有個弟弟正是新竹地區內一所國民學校六年級的學生，當他看到同學們獲了這個消息時，大家都興奮得瘋狂了，像是每個人都得到了二十萬愛國獎券。但是，他卻說並不感到高興。因爲他自信成績一向很好，對考試入學並不懼怕，自然對「免試升學」也不感到興趣。

我父親是一個種田的莊稼人，他老人家卻對「免試升學」這回空前創舉，感激萬分！他向我說：

「這回可好了，老三老四都可以「免試升學」，不會嚐到像你們去爲考學校而担心的苦楚了！」但我不十分同意父親的看法，我回答說：

「爸：不論進中學「考試」或是「免試」，其實只要將書讀好，升學考試並不是一件可怕的事情！」

父親責備我說：「嘿！小孩子家真不懂事，能夠「免試升學」對大多數人來說總是一件好事情」。

此後，我發覺左右鄰家的孩子都變了，原來頑皮的固然不必說，即是用功的也都懈懈了。聽聽他們談起來一致都有着這樣的論調：「怕什麼？國民學校是義務教育，本來個個都會畢業的，現在畢了業又可以直升中學了，用不用功還不是一樣！」

同時，一般在學校教書的老師們也似乎沒以前那末起勁了！原來每天增加兩小時課外時間的補習，也立刻取銷了。過去外界都批評新竹方面國校的「惡性補習」風氣最壞，這一下，倒是自動地放棄了「惡性補習」，在教育當局大可以自吹自擂一番，說是收了改革風氣良好效果哩！

當畢業考試完畢後，孩子們就像是一脚已經跨進了中學的門，但嚴重的實際問題緊跟着來了，我們當地的中等學校還是容納不了這批「免試升學」的學生！地方教育當局在請示上峯，再三開會研討以後，決定了增加班次，增加設備俾能全部收容畢業學生，完成「免試升學」任務，但是這筆龐大的經費又從何而來呢？卻議決了攤在每個入學的學生頭上，每人要樂捐新台幣五百元才能踏進學校大門，才能有書讀！

我父親知道了這個驚人的決定後，猶如兜頭潑上了一桶冷水。負担一個普通中學生的費用，在他已經感到吃力了，意外地要他一次先繳五百元，這如何負荷得起呢！他始終料想不到「免試升學」會給他帶來這樣大的麻煩和苦痛！

我看他一天到晚爲籌這筆錢而愁眉不展，便安慰他說：「現在離開學時間還遠，我們慢慢兒想辦法吧！」

自那時候起，我心中便打定了主意，決定想辦法要讓老三逃避這需要五百元才可以換得的「免試升學」！

鄰縣桃園中學招生了，我瞞着父親，偷偷地去報名，參加了考試。發榜以後，也果然錄取了，於是他興高采烈的去告訴父親：「爸：你不用發愁了，我已經考取了桃園中學，那五百塊錢也不要了！」

「啊！孩子，你真的考上了桃園中學了？以後去桃園每天來回……」父親驚愕地說。

「來回乘火車，[illegible]長期火車票，一學期要不了五百元的！」我不等父親說完便插上去。

就這樣，老三逃避了「免試升學」，後來，我才知道新竹的許多學生們，都是用同樣辦法升了學，也省掉了那五百元的「樂捐」！

現實小品

自從教育部頒佈了學畢業生免試升學的辦法後，喜煞了多少學生和家長們！事實上，中等學校太少，每年都容納不了更多的小學畢業生，確實傷透了所有做家長們的腦筋。如今能「免試升學」，也就是說每個小學畢業生都可以進中學，這不是一件劃時代的德政嗎？

不知究竟是因爲這個辦法並未經過立法程序，還是實際上也有不能全面實行的困難，以致引起了立法院和各方面的指摘，檢討！結果，勉強的通過了暫在新竹地區試行辦理。這一來使得其他各地的學生和家長們空歡喜了一場！

美援官（新樂府）

·萬思同·

美援官，皆援官，一般公教不一般。一般公教啼飢又號寒，美援之官腸肥腦滿而臃腫。借問「何術得致此」？「其中有秘君莫宜。少年十五二十時，韶氏之訓早鑽研；學成智囊並胡語，解事貴人承其歡。一般公教台幣耳！我管美援美元呼。從來近水樓台先得月，事有必至理宜然。監察老爺愼勿言：美人詢之，影響美援！君不見商女如花首貫聲，出入港埠酒吧間，一般食笑兩樣錢」。「政府有能」「民有權」？請君試看美援官。

燕塵識小（四）

無負生

無負生先生的燕塵識小會在本刊五四期以前各期連續刊出。因故暫停，茲繼續刊出，以饗讀者。——編者

湖湘閭氣

曾左科名

曾滌生（三甲出身）[illegible]

清史稿曾國藩傳，於名誠藩世家之下，緊接着就寫「國藩道光十八年進士，二十三年以檢討典試四川」，輕描淡寫一句照例的書法，[illegible]者諱」之意，殊不知此中還有小小波瀾。原來道光戊戌會試，公以第三十八名中式，可謂高標，不知以何緣因，殿試大不得意，列在三甲第四十二名，[illegible]

[illegible]盡於此言矣。於是世俗流傳有一付諧聯云：「爲如夫人洗腳，賜同進士出身」。謂曾左二公也。[illegible]

[illegible]明，又添花樣。[illegible]

[illegible]，先在禮部有一場覆試[illegible]文，此一覆也。如果[illegible]舉人，輕者也要罰[illegible]（同治十年李慈銘禮部[illegible]寫「致」字，偏旁[illegible]抑置下等。）[illegible]正式會試。會試中式[illegible]有一場新貢士覆試，[illegible]仍是一詩一文。此[illegible]述張南皮正大光明殿[illegible]指此一覆試而言）覆[illegible]試。按說點鼎甲賜出身，全憑殿試，人都快烤焦了，應該是考到最高峯了吧？然而不然。雍正帝察察爲[illegible]雍正元年論云：[illegible]士於引見前，朕欲先[illegible]一切仍照殿試預備[illegible]各體出題，視其所[illegible]二三篇，或各體俱作[illegible]」[illegible]，其實仍是覆試。此[illegible]才算功德圓滿，通籍[illegible]朝考，三甲而點翰林[illegible]但恐無比際遇矣。有[illegible]庶常，會公而外，不[illegible]君子，幸有以教之。

序胡品清女史湄窗集

·王世昭·

（一）

「水驛山城亦可哀，知君心爲故鄉來；獨憐江上梅花晚，欲寄從茲路更迴。」

[illegible]

題。我都一一爲之解答。之後，她回到曼谷去，通訊也有十幾封。兩月前寄來詩詞稿一束，題曰「湄窗集」，要我寫一篇序。我的文章又何足以序胡女士的詩詞？但文學一門是我一向所愛好，從頭至尾細讀一過，頗覺有些小感想，謹以此意求正於胡女士，並及讀到湄窗集的讀者們！

胡女士是研究過外國詩人「詩內」，在她自序裏，曾揭櫫英國詩人箕炎的一句話，即：「一件美麗的東西，即是永恒的愉快！」

（二）

箕炎爲英國浪漫派三大詩人之一，與拜倫、雪萊，爲莫逆之交。拜倫三十六歲在革命軍中死於熱病，雪萊二十九歲遇風溺斃於意大利俾衛却海灣，箕炎二十六歲因肺疾卒於羅馬。其生世頗同中國初唐四傑，才華縱橫，思想超絕，不羈亦彷彿相同。質言之，拜倫似駱賓王，雪萊似王勃、箕炎似盧照鄰也。

胡女士詩詞在思想上初期既受英國浪漫派三詩人的影響，而後期似又受法國象徵派詩人波特萊爾，保羅哇萊茲的影響，所以她說：「第三階段：…常採用象徵主義。」

而且她會譯中國詩四百首爲法國文，對於法國詩人的詩，自必也做過很深的工夫。不然，「象徵」兩字是說不出來的。

（三）

記得去年她回曼谷之後，寄了一首詞給我看，調寄菩薩蠻，云：「激星初轉瑤台路，嫦娥嬌嫩無心緒；千里月華孤，秋靈淡欲無！玉樓長寂寞，深悔偷靈藥；只合住紅塵，如何慕文神？」這不食人間煙火的語句，所用的確是象徵主義手法。這個手法在中國起源已經很古，假使我們熟讀屈子離騷，便不難瞭然了。

至於她的詩，極佳的頗似蘇曼殊，得清新淒惋之致，如「即事」云：

「月上槐梢是滿天，銀河倒影小窗前；輕移玉指敲琴鍵，半是清愁半是閒！」

此外，她不但愛鄉，而且愛國，更愛朋友，尤愛家人；湄窗集中隨處可見，恕我不再一一爲之介紹了。（完）

寶島拾零

史雲飛

中秋景象

台市因爲颱風猛襲，人們多無心於中秋佳節的點綴，於是月餅和其他各種秋節禮品，雖然陳列滿街滿店，也很少有人問津，各食品店老闆於垂頭喪氣之餘，只好廉價，由七折到五折，希圖傾銷，雖說生意較好，但也並不理想，迄中秋日晚上打烊時，成貨仍在各店擺中堆積如山，其中最高價每個七元的十景月餅至此已降至二元便可成交了。

中秋夜月亮躲在雲層中，很久很久才羞人答答地出現於大空，夜茫茫，月昏沉，疏星點點，遊子有家歸未得，行吟月下，益增傷感！

德欽巴威訪台

中共的軍隊正繼續侵犯緬境的時候，緬甸反共領袖民主黨主席德欽巴威等蒞台訪問，很爲各方所矚目，連日晉謁蔣總統及訪各界首長名流，參觀軍經建設，都獲得深刻印象；

無疑，德欽氏此次訪問，將有裨於中緬國交的增進，雖彼已非正式向我朝野表示，邀請我國名流訪問緬甸，俾增進彼此互相瞭解。此一反共領袖的卓見，是值得讚佩的。

香蕉豬排治血壓

寶島患高血壓病者甚多。前美軍援顧問團團長史邁斯將軍亦因患心臟病和高血壓症，于七月間離職返美。據南投縣政府傳出，該府文書股的一位職員說：將香蕉花採下，加上少許豬排，煮熟後吃之，可以使人體的血壓降低，屢試屢驗，效果甚著。香蕉豬排，寶島生產甚多，惜人未知使用。

睡眠種種

·陳永昌·

（一）

睡眠不舒適，對於一個人的健康是有妨礙的，如果睡眠不暢，會使疲勞繼續，精神上萎靡不振，食慾開始減低，以致生活上全部也感到索然之味。當昨夜的睡眠不夠舒服時，那第二天的生活亦決不會愉快，在辦公室裏打瞌睡，固然令觀瞻有礙，電影散了場還在做夢，也未免貽笑大方，且會感覺到紙烟也變得辛辣之味，肚子餓了什麼東西都吃不下去，這都是意料中事。

但在歷史上多少有名的人，他們都並不重視睡眠，而且各有各的催眠方法以適用於失眠之夜。故世的英國作家威爾斯氏，每晚睡眠前常常站在窗口，對着窗外深呼吸數分鐘，直到稍爲覺得一些涼意的時候就上床，溫暖的被窩，會使他在幾分鐘之內，即入夢鄉。有些人主張睡前不宜吃東西，但美國故總統羅斯福卻是這個主張的反對者，他說吃得太飽，固然不相宜，然而一杯滾熱的牛奶和兩片薄打餅乾，卻只會增加睡眠的舒適，許多醫生都認爲羅斯福的主張是合理的，因爲胃的收縮往往能夠使人從饑餓中醒來。

（二）

科學家說，易於入睡，本爲一切動物的特性，但人類之所以比其他動物難於安睡是爲了過度的思想，與不必要的憂慮。有人曾向失眠者調查，發現了百分之七十五以上的起因，是由於憂慮與計謀，而在這類憂慮中金錢問題是一個嚴重的因素，對於「在甚麼情形之下，你睡得最爲舒適？」這個問題一般最通常的回答是：「在這一天辛勞的工作圓滿之後」，這足以證明睡眠與心緒有關。

睡眠前不宜用腦，最宜翻翻書報，或者閱讀一些純粹趣味的小說，睡眠前的用腦與力，都會使睡眠難入佳境。（上）

自由人
THE FREEMAN
（第五八一期）

中華民國僑務委員會登記證僑新字第一二一〇號
中華民國內政部登記證內警台字第五〇〇號
中華郵政登記認爲第一類新聞紙類
（半週刊每星期三六出版）
每份港幣壹毫　台幣壹元
督印人：陳文
社址：香港高士打道六十四號三樓 3 rd. Fl. 20 GAUSEWAY RD HONG KONG
香港發行及事務接洽
高士打道68號　電話：七四〇五三
承印者：東南印務出版社
地址：高士打道六十四號
海外總經銷
友聯書報發行公司
香港：德輔道中二十六號A二樓
台灣特派員辦事處
台北市館前街五十號
台灣總經銷
台北市西寧南路登記二樓
台郵撥儲金戶九二五二

朱九江先生一百五十年生朝祭

·伍憲子·

（一）

夏曆丙申，八月廿二日，爲朱九江先生一百五十年生朝祭。旅港九江商會同人紀念先賢，隆重祀典，請予爲文，宣揚禮山之教，予義不能辭也。予忝侍簡岸南海兩大師之講席，於九江先生爲再傳弟子。每念此一百五十年中，學術不能支配政治，政治逸出於學術之外，以致吏治不修，民變叠起。先生生於清嘉慶十二年丁卯，正當白蓮教蹂躪川楚陝豫之後，瘡痍未復，繼以天理教擾亂冀魯，且及於京師，其餘湘黔桂粵藏皖閩浙乃至回部台灣，幾無歲無之，而太平天國又起，捻匪復分擾於北方。蓋清代康雍乾三朝爲極盛之後而中衰，嘉道咸正當其會，地方之亂，人心之失，皆由於政治之不良。但不能不追源到學術。清初諸儒，重著書，不重講學，考據之風，至乾隆四庫全書之修，總算太平盛事。然風氣所趨，以考證名物訓詁六書爲實學，以身心性命之說爲空疏，吏才已失其根，政治家更無從陶冶，此是政治與學術脫節之最大原因，亦是「下無學，賊民興」之顯然事實。先生生當其間，深窺其弊，思以學術之用，救政治之衰。可惜天不假緣，年三十三，始登賢書，年四十一，始成進士，分發山西，署襄陵縣政，年已四十六矣。强仕服官政，雖未算失時，然在任百九十日，甘棠之愛，僅留去思。漫天烽火中，先生南歸，似孔子之自衞返魯，天其有意使負學術之責也。

（二）

於是先生講學其鄉之禮山下，凡二十餘年。先生不滿意於清代漢學家之瑣碎文，叢大義，叢雜無用。先生告學者，謂學孔子之學，無漢學；無宋學也。修身讀書，此其實也。先生特標惇行孝弟，崇尚名節，變化氣質，檢攝威儀，以爲讀書之實。特標經，史，掌故，性理，詞章，以爲修身之實。其鵠的全爲培養人格，培養復興中國之人格。先生深痛政治之日壞，並深知外患之來，非徒「師夷之長技以制夷」所能爲力，一切科學運用，皆須人格領導之。鴉片之役，與英法聯軍之入京，皆先生所親見，先生非抱殘守缺者。先生深信「爲政在人，取人以身，修身以道，修道以仁」之義，覺得非從培養人格做起，則所謂主義政制，皆等於空談，此義無論何時，亦不能易也。先生卒於光緒七年辛巳，世壽七十有五。自是再歷七十五年，到今日，其變故之大，使人觸識之深，後七十五年，比前七十五年尤甚。

（三）

然吾人試一翻歷史，清代當亂極之後，尚得一短時間之中興，其成就全在講理學之曾胡諸公，與江忠源羅澤南等之道義朋友，平日以修身讀書相砥礪。惜其勢尚孤，未能造成强有力之風氣。而官僚政治之舊勢力，仍蒂固根深，功名之士學襲宋儒而急於自見者，又乘時而起。復興之業，遂頓挫而不進。從鴉片之役，英法聯軍之役，繼而有光緒甲申中法之役，與甲午中日之役，逼出戊戌維新，此最有希望之轉機。然而其失敗，仍在於不夠道義急闖功利之朋友，依附舊勢力，以顛覆之。自是政局益趨於紛亂，政治愈離開學術而出軌，固有之人性文化，日以沉淪，稗販之人權文化，以失去人性之故，亦不能運用。半世紀來，先生所提倡修身讀書之實，已不復爲時流所知，且遭攻擊，受摧殘矣。於是以惇行孝弟崇尚名節爲迂儒，以變化氣質檢攝威儀爲僞學。豈知孝弟不惇行，天性必日趨澆薄，大學云，「其所厚者薄，而其所薄者厚，未之有也」。凡天性涼薄之人，朋友必無肝膽之交，除酒食徵逐，營私逐利外，求一能談問題，共患難者，戛戛其難。名節不崇尚，根本不成人，勢必卑鄙嗜利，敗於賣友求榮，社會事業，雖望成功，國家政治，更無從談起。

（四）

今事實擺在眼前，大家感覺苦悶，爲什麼國家弄到如此田地，正是殷憂啓聖多難興邦之時，人才反形寥落。許多以博學多識自命，擁有不少羣衆之領袖，結果，亦不能領導羣衆，賦予國家以新生命。許多平日交誼相當深厚，共事相當長久，一到利害衝突關頭，就不惜反眼變寇仇，結果，遂無三人以上之團體。此無他，平日對於國家民族數千年來所以鑄成人性之文化，能貫通數萬萬國民，乃至世界人類心靈之人格感動，不曾深思熟慮，身體力行之。且以炫惑於新知之故，而鄙棄之。以致做中國人之基礎，建築不起，而不良環境之習染，則迎合其壞氣質以禍害之。各牽其氣質之偏，以鬥智、鬥氣、勝者專橫，敗者繼續搗亂，數千年來中國之局面，就如此混亂過來。

（五）

今痛定思痛，以百五十年來歷史之經驗，當悟身不修，不可以齊其家，更安能治其國。文化積累而成，無歷史，不成國家，等於野蠻荒地，又安有資格談復興。然不幸，經過百五十年來之嚴重教訓，依然不悟。今世界大通，物質科學進步，民主政制亦已開端，嚮歡迎接受之，使裨補國家復興之業，此義尚有人能明。然根本必先培養成中國人，培養成中國人之民主人格，而後可以吸收世界所長，而消化之，創造一個新中國。此義了解者尚少。故四十餘年間，所謂改革，都是精神馳騖於外，離開數千年來所以立國之寶藏，而耳食西方學說以爲新，影響許多青年，不講做人，而但講獵取知識。由此一人一義，十人十義，各是其是，各非其非，中心思想不能建立，極個人功利之所至，卒變成離羣無國之人，此眞千古之大變。吾人若能正視現實，亦應廢然思反矣。功利主義終不可以安其身，民主政治必從養成民主人格始，禮山講學之言，在現代中國猶有重大價值也。今本此意紀念先生，愛國之士，好學深思，當不河漢吾言。

丙申中秋仲，伍憲子寫於九龍。

以台北市公務局爲例

自由人第五七八期載陸浮先生論行政效率何以低落一文，於台灣公務人員待遇，人事凍結，機關權責三大問題，言之頗詳。

我認爲三者之中，「人事凍結」尤關重要。如果這死結不予解開，則治絲只有愈棼。

在未剖本題以前，請先引台北市長高玉樹本年五月的一段公開報告：他說：「……台北市政府的員額編制，還是卅六年所訂，當時全市人口僅卅餘萬人，目前則已超過七十萬，對人力之支配與運用，似感不足，設擬擴大編制，增設員額，又以格于法令規定，難以呈准。如前年爲改善全市下水道系統，須先成立水溝勘測隊，編制技術人員九人，經市議會通過後，呈報省府三次均予批駁，而事實上又因業務需要，所以不得不雇用臨時或額外人員。以公務局爲例，編制員額僅六十餘人，實際上工作人員則有六百餘人，也就是說有五百五十餘人未納入編制，則薪津給與，由事業費內匀支，使事業計劃遭受影響，且臨時或額外人員待遇匀支僅四百餘元，待遇既低，又無法升遷調動，甚有若干學養技術優良的工程人員，因限於原有編制員額，祇能以技工名義派用，工作情緒難免低落，而政府又以人事凍結，更難獎賢汰劣，此爲人力不足，困難所在之癥結……」台北市政如何？高氏的政績如何？於此我們不欲具論，惟高氏此一報告，實可窺台灣當前人事行政不合理的實況。

從速解開人事凍結的死結

·李聞一·

人事凍結之流弊

人事凍結這慣例，原本開自卅八年政府退處台灣之初，當時爲緊縮開支，杜絕倖進，未可厚非。現在台灣人口已由當時八百萬，增加達千萬以上，情勢已大非昔比。如果政仍是卅六年的政，人仍是卅六年的人，有如老牛破車，要責其長期馳騁於危巖峻坡之上，求其有濟，不其殆哉。他勿具論，祇就人事凍結的流弊，臚舉數端如下：

妄自尊大白首爲郎

一、所謂人事凍結，就是把卅六年原有的員額編制，固定起來，凡是在這額限以外的，就是所謂臨時人員或額外人員。這些人待遇低微，並可由主官隨意進退。因此無形中容易養成編制以內的少數人員，妄自尊大，予智自雄。以爲金邊飯碗，有了鐵的保障。這種人不但是臨時人員或額外人員遇事得讓他三分，即監督指揮的主官，有時也須虛心下氣，將就一點。試問在這樣的情勢之下，還能談得上提高行政效率嗎？這當然是指極少數人而言。

可是編制以內的人員，也還有許多不滿于現實的，譬如各機關的待遇，迄未拉平，有些待遇確實過於菲薄，盼望加薪的情緒，在日益擴大增漲。尤其是一些年邁力衰的人員，雖在編制之內，咸感馮唐已老，李廣難封，白首爲郎，何日是了。這就如陸浮先生所云，牽涉到退休制度問題，聽說這退休辦法，在大陸的既早已不適用，前年由銓敍部擬訂的新辦法，再由立法院，咨回行政院，提出了立法院，現又一腳不響的回到了銓敍部。關係因爲經費的安排，到處需討價還價，讓它長期在旅途上兜圈子，至今還是祇聽樓梯響，不見人下來。我想眞能如陸先生所言，解決退休問題，中央及地方每年全部支出不過三千餘萬元，這個數字，在目前台灣經濟現狀下，也並不是絕無辦法可想的。那末，何若還要讓這班油枯燈草盡的老人，每日勉强支持去聽鼓點卯呢？

茹苦含辛只爲麵包

二、今日台灣許多公務員中的臨時人員，誠如高玉樹所說，確有若干技術優良，或聰明練達之才，高氏並指出在大陸任工程司的，只能以技工名義派用，薪給不得超過四百元，升遷調動，更談不到。以如此的待遇，如此的名位，要去驅使天下才智之士，豈不近於滑稽？凡屬臨時人員或額外人員，並無年資可以計算，年終獎金與他們無分，年終考績，他們無名，老去沒有退休金，死了領不到安埋費。遇到編制內額定人員，偶有出缺，臨時或額外人員中，善鑽營，工吹拍，或加以有外力聲援者，自能捷足先登，否則只有永遠沉淪下潦，自認晦氣。爲了麵包問題，只有茹苦含辛，苟且度日。這樣的人事行政能算是合理的嗎？又怎能說得上行政效率？

十扣柴扉九不開

三、政府遷台，至今七載，由港澳陸續申請入台者已不下若干萬人，這些人多是具有一技半藝之長的人，而且不少奇能異才之士，故有膽量死裏逃生，衝破鐵幕，逃奔天涯海角，度其流亡生活，最低限度，他們對共匪的猙獰面目，已徹底認清，是絕不甘受共匪殘酷暴政而出走的，也正是反共的急先鋒，他們拚命的要申請入台，都是一些投奔與國的伍子胥，他們日夜腐心切齒，思報父兄之仇。這些人來到台灣，歷來政府因財力所限，不大管他們的生活。他們爲謀出路，就祇得向各機關去瞎撞，可是各機關都把人事凍結這塊大牌擋住了他們的去路，十扣柴扉九不開，這纔不免失望起來，感到英雄乏用武之地，懷着滿腔愛國的熱情，和一腔痛恨共匪的憤怒，無從發洩。他們有些竟不免想及調景嶺的幸運者，過去碰上機會，還很容易弄得一張飯票，如果在台沒有親朋的照顧，一日三餐，就會很成問題，你說這般人的懷抱，何得舒展，精神又何得暢快。

（下轉第三版）

半週述評

·司馬璐·

支持新加坡

新加坡當局對共黨採取了斷然措施，解散左翼團體，逮捕共黨份子。當中立妖風瀰漫聲中，新加坡當局這一有力步驟，無疑獲得舉世贊響，並對目前動盪中的東南亞，發生深遠的影響。新加坡的愛國僑胞們，支持新加坡政府，支持林有福先生！

醫治恐共病

新加坡政府這一有力的英勇的反共行動，對于全世界的恐共病者是一個很好的教訓。

恐共病者早已說，新加坡這個地方沉淪在赤色威脅與赤色恐怖之下，沒有救了。甚至若干英國人都抱有這個態度，準備拱手把新加坡讓予敵人。

然而，當林有福的鐵腕伸出以後，新加坡的共黨有什麼有力行動嗎？沒有，甚至左翼工聯所號召的一小時的「同情罷工」都流產了。

鬥爭中團結

相反的，對共黨的鬥爭卻加强了新加坡的政府，加强了林有福的勞工同盟與自由社會黨的團結。

新加坡政府採取反共行動以後，自由社會黨秘書長陳翼樞立刻發表談話，表示擁護。

自由社會黨本來是新加坡政府有力的反對黨，平時他們處于對立的地位，一遇到政府對共黨有堅定的立場，爲了新加坡人民的共同利益，反對黨和政府站在一邊了。

默迪卡運動

以上這一事實，又給我們一個教訓，新加坡人民的團結，祇有依靠對共黨的共同鬥爭行動，在鬥爭中求團結。

新加坡當前最大的政治課題是獨立問題，上次馬歇爾在倫敦談判的失敗，人民行動黨李光耀的搗亂，實爲一重要因素。

新加坡人民應該永遠記取這個教訓，新加坡的「默迪卡」（馬來語，「獨立」之意）是和共黨不能相容的。

更進一步吧

明年一月，新加坡政府首席部長林有福又要到倫敦進行「獨立談判」了，在這以前，新加坡採取這大有力行動，是非常適合時宜的。

林有福的談話中說：「吾人收到不少之建議書，責備吾人採取此項動作尚嫌不夠。」

更進一步吧，林有福先生，新加坡，馬來亞，東南亞，世界，都在贊美你的勇毅行爲！

治本的辦法

怎樣更進一步呢？

目前的行動，僅是治標的辦法；更重要的是治本的辦法。

治本的辦法是，應該採取積極的政策，讓新加坡的反共抬頭。

例如，像目前新加坡政府對于共黨與反共書刊一律看待，不准進口的政策，就是十分不合理的，應該改了。

世界新聞學校與台灣新聞教育

·石永貴·

台灣通訊

（台北通訊）在台灣，升學不僅是一件大事，而且是一件嚴重的事，接受新聞教育，更是加倍困難。

最近由有「北方報業大王」之譽的成舍我主持的世界新聞職業學校，經二年的籌劃，已準備就緒，正在招考新生。開辦的第一年，僅招收高中程度的報業管理與相當初中程度的印刷科各一班。

世界新聞學校的校址，設在風景如畫的木柵，與考試院爲近鄰，和國立政治大學亦僅隔公路車一站，故木柵實已成爲文化新都，新中國新聞人才的搖籃。

成舍我在中國現代報業史上，就是一個傳奇的名字，一個報人的成功，總是歷盡艱苦，尤其像成氏，在新聞的戰場上，僅夠得上一個常勝英豪，其成功更非偶然。

立報爲中國小型報之典範，亦爲吾國最成功的一張報紙，其發行數字上曾高達二十萬份，爲中國日晚報未有之紀錄，這在抗戰前後的教育水準，立報遍銷大江南北，風行四海，能不算奇蹟麼？

成氏成功的最大資本，除了具有報人的吃苦精神外，更要得利於他的新聞教育的成功。成氏曾回憶經營立報的經過時云：「我從北平帶來的一批新聞專科學校初級畢業生對報館成功貢獻最大。」這是民國廿四年上海立報的事，抗戰勝利後，北平世界日報，銷路成直線上升，也是得利於他的成家班。成氏手下留學生，雖然不一定樣樣精通，卻是樣樣通，像排字、校對、譯電、編稿、採訪，在學校時，成氏的要求是相當嚴格的。從台灣女作家林海音撰文回憶道的學習生活，可以看出強將手下無弱兵也不是偶然的呀！林女士的「新職司新專」，有這樣辛苦的追述：「在成師的嚴格訓練的教育下，我們讀書、譯課，吃緊，工廠裏的實習，校外的採訪實習，樣樣都來。」

能幹的人不會寂寞

證成氏的辦報經驗與創業精神，該校的成立早爲各方所注意。新聞同業除了物質協助外，並全力給予精神支援。無怪人云：能幹的人是不會寂寞的。

主張儲備十萬人才

新聞教育在中國，是近三十年來的事（民國三十八年前後，大陸變色，自由人才蜂擁港台二地），但新聞學府最早的是民國七年北京大學時代的北京大學）民，直至去年政大在台復校後，新聞系開始招生才漸露曙光。政大復校之前，台灣新聞界力呼養士之急刻不容緩，其中台北市編輯人協會奔走最急，成舍我流汗最多，主張十萬新聞人才之儲備，氣壯山河。可惜的很，聲際雖大，講演人却勵於衷，成了「空前的勞而無功的壯舉」。其中最大的癥結：由於傳統偏對於新聞教育培養之偏見，因爲大家都把視線集中在台大，也只有台大有力量開辦新聞學系，錢思亮接長台大後，已有多受編輯人籌設新聞學系建議書之誠意。建議書尚在研究中，文工幹部學校先揚一鞭創辦新聞組，政大的復校，自由中國培養高新聞人才業戎所，更是非政大莫屬了。

先養士後創業

成舍我的精神是先養士而後創業的，故世界新聞職業學校的開辦，給正入佳境的台灣小型報（晚報）的老闆，多少有點不安。事實上大家都相信：一家別開生面的小型報，將在台灣異軍突起。在這多颱風的季節裏，越老越壯的成舍我與他的學生們，挺豎着世界新聞的大旗，益顯着堅強。（九月廿日）（完）

讀者論壇

論共產黨前途

（續上期）

不過要自即日起，記得下列三件事情：第一、絕對避免參加賣國殺人的工作；第二、少說話，多吃飯，決不做積極份子；這就是，保重身體，少出風頭。第三、這不是消極鬼混之意，而是要在必要時候，我的意思是說，到了反俄大戰要起的時候，趕快和一般老百姓合作，聯黨內有愛國心的人作，倒起反共旗幟，恢復中國人生活方式，反對繼續降俄，反對爲俄國人作戰，制裁漢奸行動，並和一切愛國愛自由的人共同攜手，合作建設。

各位可以相信，我對你們是無惡意的，我的話是老實而誠懇的。我只是反俄帝，反漢奸，爲中國，爲自由。我相信，中國有前途，中國人個個有前途。而共黨則斷無前途。但各位還得忍耐，不過，要準備做中國人。所以，我必須誠懇懇的奉勸各位一句話：

俄國快垮了，共黨團該覺悟！

以上的話，我想許多同胞和文化界的朋友，也能有體得到的。我希望大家把這意思暗中傳達，我希望知識界的朋友，對共黨任何姿態號召，要消極抵抗，積極抵抗，說到消極抵抗，我們中國人是長于此道的。老子們就要裝聾作啞，決不入共黨，也決不捲入毛周鬥爭漩渦。對他們可以客氣，但內心嚴厲，決不容其侵犯。老實說，共黨無法餓死我們的。敬鬼神而遠之，他們也不能殺人的。此非他們要行「仁政」。大勢于他們不利，共幹不知道，領袖知道的。所以只能色厲內荏，不敢大殺。

在共黨之下，對共黨之法，是既不惹他，也不怕他。這八個字，本身就是一種感召，一種教育。到了必要時候，也就到了世界大局有變時候，亦即反俄戰爭要起時候，不待說，大家都要出來號召反俄了。老實說，中共固然可憐可恨，祇要俄帝解決，中國問題，中共問題是容易解決的。這個意思，也希望各位隨時很謹慎的暗示共幹。再談（九月十二日起由正聲電台連續廣播七次。）（完）

論大專聯考與軍校招生

·奇苗·

本年度大專學校聯合招生考試（包括各軍事學校），已於九月初放榜，錄取名額與報考人數比例，約爲百分之二十六強，錄取標準，甲組爲二九八分，乙組二七九分，丙組二八五分，但由於選系關係，雖其考試成績超過他組錄取標準，致未被錄取者計甲組有一百餘人，乙組二百餘人，丙組十餘人，共計四百餘人。

省議會的建議與結果

省議會於九月十一日的大會中通過了周百鍊等五議員的臨時動議，建議政府爲不受選系限制，儘量錄取，俾培育國家人才而昭公允。決議：「由省議會教育組負責，向教育部陳情，請予從寬錄取。」（九月十二日徵信新聞）。對此教育部現尚無任何表示。但據九月十五日台灣新生報載「大專學校聯合招生委員會，爲此次大專聯合招生中考試成績合於錄取標準，但在報名時未填報考陸軍官校志願而有志赴陸軍官校求學之青年學生得償宿願，經商得有關軍事方面同意，可補報志願，攜帶聯合招生委員會通知單，於本（九）月廿日前逕赴陸軍官校報到，經參加體檢口試及格者即可入學，並規定不論及格與否往返車費均由公家發給。」

軍校招生爲何不足

軍事當局爲培養軍事幹部，對有志赴軍校深造的青年學生，考慮之週於此已可見其煞費苦心。但是這批學生究有多少去軍校報到，雖不得而知，但根據上面的一段報導，則使我們意識到，在目前欲投考大專學校的學生已成過剩現象；相反的，軍事學校的考生則感到不足。歷年的情形也是一樣，軍事學校總要續招新生，不可諱言的，軍校學生的素質很難提高。許多關心軍事教育的人都爲此而感到憂慮，軍事當局也可能會覺得煩惱。陸軍官校雖然已經改爲四年制，畢業後並由教育部授予「理學士」學位。在軍事教育上雖是邁進了一大步。事實上，似乎吸引學生的作用並不大。究竟問題在那裏呢？

是青年太現實了嗎

像美國的西點（West Point）軍校，所以名譽遠揚，爲美國青年所嚮往，並非偶然的，而確有它的因素，據說：一個西點軍校的學生入學必須有兩位參議員的保證。最主要的是入學考試嚴格，錄取標準高，所以學生素質整齊，在學期間施教也比較容易，並採嚴格淘汰制。四年畢業後，除了具有軍人的知識與儀態之外，硬是有「理學士」的內容。在軍隊中自然會建立起威信，在社會上也會被人重視。那裏會像我們的軍校這樣寬大？另一方面是美國軍人的待遇優厚，作一個軍人更能夠享受普通人沒有的榮譽。因此，在物質上，精神上對軍人都是莫大的鼓勵。相反的，看我們的軍人，既談不到物質生活，就連子女的教育費都無法籌措。更談不上社會的地位，唯一的精神安慰，還要等爲國捐軀之後，才能使靈魂走進「紀念塔」。我們不必滿口的責備「青年太現實了」，像這種希望不是太渺茫了嗎？在台灣有許多青年領導者，似乎對這些問題還缺乏瞭解，只知道搞什麼運動一類的玩藝兒，豈不知那些暫時的作用會對國家的百年大計又有多大裨益呢？

對政府與軍校的建議

筆者認爲軍校欲吸收優秀的學生，提高軍官的素質，第一：政府要設法提高軍人的待遇，起碼要跟其他階層的人看齊。第二：要軍校本身充實設備，加強師資陣容，改善教學方法，拖定「寧缺勿濫」的宗旨，嚴格的舉行入學考試，在學期間採淘汰制，絕不能以收容的性質來遷就學生。如此的話，我深信在三年以後，軍校學生的素質一定會提高，第一流的學生都會擠着去投考軍校。軍官在社會上的地位自然會高起來的，也不需要任何人去宣傳。這樣，改制後的軍校才有光輝的前途，中國西點的願望才會實現的。（九月十七日台北）

人物介紹

菲華的最大報人吳重生

·李樸生·

華僑各報的分析

菲律賓華僑的人數，據菲政府的統計是二十萬，集中在首都岷里拉的有十萬多。他們智識水準與經濟能力，平均比較高于南洋各國。學校發達，報館也有許多家。

報紙最老資格的是公理報。中國國民黨員及擁護政府的僑胞多少年來都靠公理報作思想的指導。由于中國革命潮流的有時高，有時低，他的銷路便有時起得很多，有時跌得不少。他本身是風雨如晦，雞鳴不已；人家却有在惡劣的天氣中，想蒙頭蓋面作夢，不願意聽雞鳴。這是公理報與中國革命相依爲命的遭遇，不能順利發展的總原因。

大中華日報比較是小弟弟，血氣方剛，嫉惡如仇，共匪極怕他，但因鋒鋩畢露，也會惹出其他枝節的是非，銷數未能達到第一。

華僑商報在今日反共的戰場上，如果旗幟鮮明，披堅執銳，有與共匪作殊死戰的勇氣表現，更可以滿足僑胞「漢賊不兩立」的心理要求，銷數會更大的。因爲菲僑胞對共匪中立的極少，附匪的更少。

新聞日報的優點

惟有新聞日報，創立了三十年，由于歷史上與商家的人事較密切，一向注重經濟消息，材料較多，對重商的僑胞，十分需要。而吳重生先生在報館中發揮其經營的天才，羅致優秀記者，裝置新式機器，整頓經理部門，加強推銷方法，對政府有善意的批評，對共匪採高度的攻擊。新聞所刊登的閱讀，小說，戲劇，詩歌等，表面沒有刺激性的反共口號，而在故事內容的描寫中，反侵略，反暴政，反反人性，無不藉文藝技術的烘託與影襯，躍躍紙上。

因具有此種種優點，銷紙成爲最多，乃辛勤努力的結果，實非偶然倖致。

正氣歌的崇拜者

吳先生是一個苦學的小學生出身，他在華中西小學讀書時，要兼做校工。他對報館的興趣，似乎和他尊翁有關係。因他尊翁是在公理報服務的，公理報是倡導國民革命，經費來源缺乏，在報館服務的同志，不止要身兼數職，而且待遇微薄。但因有民主自由的信仰，不計報酬，力撐下去。吳先生這種只問耕耘的奮鬥，如果有助于他次一代對報紙的發展，天之報施善人，亦夠公道了。

吳先生對中國儒家所重視的氣節，認爲中國人在世界上對道德重整及反奴役的自由運動，有最偉大的貢獻。他每日辦事的辦事室內，牆壁上高懸一幅大中堂，是筆力遒勁的文天祥先生的正氣歌。某天，我和何宜武先生去拜訪他，他指着正氣歌對我們說，『我對國家，一以正氣歌爲依歸！』正氣歌在今日，眞是中國靈魂最深處的呼喚！尤其是中國文人在今日共匪笑臉與銀彈夾攻之下，人獸關頭的最重要的警覺！

兩大貢獻

一個成功的報人，一定極關懷僑胞的福利與進步，他一向主張僑胞大團結以應付當前艱難複雜的環境，而各僑團有不少重要人物奉吳先生做智多星，尊重其意見。年來共匪對各重要僑團極挑撥離間的能事，而僑胞却益加團結，反共工作愈做得有聲有色，粉碎了共匪挑戲的陰謀。吳山人（他有別號正碧瑤山）羽扇輕搖，借箸前席，遂能化戾氣爲祥和，策羣力以克敵，厥功甚鉅。

吳先生對中菲國民外交也非常盡力，新聞初時有英文版，後來停了，但仍注意英文的宣傳。他每年都有一本印刷得很精的幾周年紀念刊。裏面的文章都有學術性的研究價值。尤其關于華僑與菲律賓進步繁榮有關的史料，特爲表揚。並且中英文合刊，分送菲律賓學者，名流及有識之士作參考。所以這本紀念刊，不啻是中菲國民親善最可貴的禮物。例如他今年三十周年的紀念刊，內容豐富，眞是難得！也許是我的淺陋，我沒有見過一個僑報曾有這樣中英合璧，發揮國民外交，促進文化交流的紀念刊！

四十五年中秋節于台北

阿里山下

誰管制新聞？

新聞局長沈錡，在立法院答覆詢問稱：政府無權要報紙登那條新聞，或不登那條新聞。誠然！誠然！在中華民國憲法上，誰能證明政府有這種特權？但台灣的報紙，事實有時與此恰恰相反。怪哉！那究竟又是誰在管制新聞？

願從上始

俞院長在立院作施政報告時說：「反攻的機運，却需我們流汗流血去開拓。」這話言之有理。不過，今天的問題在：全國上下是否都在流汗流血？是否只要下級公教人員和老百姓流汗流血？子曰：「政者，正也！」願從上始，願從上始！

羅東的大謀殺

羅東三星鄉，在鄉長選舉前夕，發生了一件空前大謀殺案，兇手劉××，以火油焚燒現任鄉長陳清江住宅，並以雙刀堵門，企圖殺滅全家，以至造成十餘人傷害。據有人推測，這與陳清江準備競選下屆鄉長有關，假使果眞如此，那眞是政治權位害了人；但這比到現代政客，善於濫用殺人不見血或借刀殺人的手段，畢竟又棋差一着了！

·傅正·

中文私校聯會改選前夕 淺談校聯過去工作

福利研究兩組均有進展

成立了三年的「香港私立中文學校聯合會」第三屆選舉即將舉行，在這改選前夕，我願概括地論述一下該會年來的成就。

在這裏，我們先來盱衡一下本港的教育現況：除了大學教育和專科教育之外，中學、小學和幼稚園教育，都與該會有密切關係，原因是該會的成員，都是中學以下的學校，而中小學，迄今爲止，仍然担任着香港教育事業的主要責任，在芸芸中小學之中，又仍然以私立的爲多，那麼，我們不難由此窺見校聯會在整個教育事業中的影響力了。

香港教育事業與校聯

也許這是比較誇張的說法，但事實上，本港自光復以還，私立學校始終佔有一個相當重要的教育地位，以光復初期來說，官立或教會、團體所辦的學校，還未有具體的發展，那時的教育責任，差不多是由私立學校担負絕大部份，到了晚近幾年，政府積極興學，同時又鼓勵和協助團體或教會興建學校，經過多年開拓之下，私校的責任，纔稍爲輕一點兒。這僅是一點兒而已，由於香港適合學齡兒童的數字按年遞增，使人感覺私立學校的存在意義，迄未稍減。在政府大力倡導之下，香港各階層教育責任，最後仍將由政府學校或政府津貼學校作爲担承的主力；這是合理的預測，但政府每年的教育經費預算，是有所規定的，在港督葛量洪爵士宣佈發表七年小學計劃以後，教育經費預算，今年已比往年提高，但這提高也僅是有限度的提高，換言之，政府在這七年內新建或協助擴建的學校，仍是有限，如果和本港適齡學童的按年增加預算數字作一比較，還是容納不下，新建的學校，還有待私立學校去收容。這種現象，除了社會在今後數年內，會因世界局勢而有所轉變外，事實上，恐怕不輕易有更大的改進。準此以觀，我們對今後私立學校的存在價值，不難獲得一個概念，這便是香港教育事業的蓬勃，在目前與及今後若干年內，仍須私立學校來維持一部份。

校聯會年來工作表現

現在，回述到校聯會年來工作路向這一方面。顧名思義，私立中文學校聯會是由許多私立中文學校組成，以這種組織來發動與該組織有密切關係的教育工作，事實上是最理想最利便不過的。一年來，該會在各方面工作的表現，着實很不錯，都有崇高的目標和良好的開端，但在速度方面，似乎還是不够，因一個教育組織，擔有[illegible]的事業，則我[illegible]，似乎很爲應該的。

福利研究兩組的成就

校聯會年來工作的重心，似乎放在福利和研究兩方面，本年二月，曾召開一個春節聯歡會，參加的校單位有數十間，席間議決五點工作：（一）向政府請求建築價廉屋宇，租予教師居住；（二）籌募失業教師救濟金；（三）請教育當局將「暫准教師」名稱更改；（四）請求當局減收校消費；（五）籌設教師醫療所。

在研究方面，因爲範圍祗限於會員學校，所以較易進行，第二屆任內，該組曾召開規模甚大的教學研究，分門別類，逐點討論，將結果耙錄下來，對[illegible]的

舉個例說：該會發動「幾項事工」，如籌建會所、籌募老弱教師福利基金等，都是值得敬佩的，但進行迄今，僅已數月，還沒有搞出成果來，這點，相信凡關心社會教育的人士，都是希望能早觀厥成的。

改進，貢獻良多，而且，也使該會成爲更有學術性的團體。此外，歷次舉辦的各項校際學生作業比賽，都有滿意效果，一方面提高學生對各學科的研究興趣與水準，一方面也足以顯示私立學校的良好教學效果，我相信，所有該會的會員，都會認爲這是值得稱讚的工作計劃。除了這幾點，該會爲會員學校向當局呼籲放寬學額的工作，亦有部份成效，學額的放寬，和學校本身所具備的條件有密切關係的，准許放寬與否，要由教育司署決定，但該會實在已盡了很大的努力，不能過事苛求的了。

有經驗然後有改進，然後才可以有收穫。校聯會主事人在回顧過去的一年，當然會發生這樣的感想，問題只是今後他們應該怎樣努力，使這成果更加擴大，以配合香港整個教育事業的推進。

從速解開人事凍結的死結。

（上接第一版）

對大專畢業生的影響

四、政府自卅九年起，年年舉辦大專及高職畢業考試，這種新人才的出籠，當已不下萬餘人，這確是良法美制，使許多貧苦具才能而無出路的學子，獲得了進身的階梯，他們從大專或高職畢業後再參加就業考試，是要走過一段艱苦的途程，茲爾跨出校門，就得到就業的機會，以青年人那股英俊勃發之氣，誰不想振衣千仞岡，濯足萬里流，可是頭一個難關，就碰上了政府機關人事凍結這一限制，事實擺在面前，有了這一限制，各機關決無法可以容納這大批大專高職畢業生，但就業必須要兌現，迫不得已，只得將一個學工程的或分發稅收機關服務，學農的，權且派去兵役方面工作，能夠獲致小學教師一席或充任里幹事，才下鄉的號召，已屬幸運，[illegible]國家不知費了幾許心血，才培植出來的這批人才，任他擁擠於仕途上，不能學以致用，發展各個的特長，自不能不歸咎於人事凍結這一惡例的存在，在人事不能爭取新陳代謝的作用，政治上就自然難獲突飛猛進的功能。這是無庸贅述的。

痛割毒瘤此其時矣

上面不過就其簡要者言，政府今日果斷然改轍，釐正人事組織，對過去人事凍結不合理的處所來一次大調整，務求切納入正軌，發揮高度的政治效能，留強，退老進少，確立堅強的人事制度，一時會使中外的觀感爲之一新，如果今日我們的措施證實有了錯誤，[illegible]知，如前在大陸一般，因循敷衍，諱疾忌醫，那就不堪設想了，就事論事，今日在政治上積果下來人事凍結的這個毒瘤，還不予以痛快割除，[illegible]我敢說前面陸先生所提的三大問題，前者對公務員待遇調整，將近於[illegible]對[illegible]劃分，更屬徒勞，故我不惜再[illegible]告鑑請台灣當局，從速解開人事凍結這個死結。（完）

新書介紹

肯南新著——「蘇俄擺脫了戰爭」

孫頤

美國前任駐俄大使肯南，最近在他新著「蘇俄擺脫了戰爭」一書中，提出他自己的肯定意見，他認爲自從共黨政權建立的第一年起，美國對蘇政策就一直搖擺不定。他在美國外交界已服務了廿七年，但他與杜勒斯的外交政策却有強烈的不同點。

他曾主持國務院政策計劃局業務三年，現在他是普林斯頓高等研究院教授。他能否在未來出長國務院還是疑問，即使是民主黨在這次大選獲勝，可是他將成爲未來美國對外政策極具影響的人物確是有可能的。

「蘇俄擺脫了戰爭」一書，主要在檢討美國對俄估計或高或低所引起的危險性。他說：外交上有一個極重要的守則，沒有外交家或國務卿不能命令任何人開槍：「沒有人能充分了解國際事件造成的因素，及其最終目的是什麼，那僅是一致要求的正直主義。」——不是有預言能力的天才，或自詡有鑑別能力——「達成最佳結果」。

在一九一七年十一月當中，沒有先見之明的美國人和政府由於來自蘇俄的混亂消息，掠過他們所見略同的眼睛，因事態的急轉直下，全感到手足無措，克命派甚至失去了控制權。而爲一個激烈的黨派所攫奪，他們那些人僅知道固守着最偏激情感的社會主義觀念，並激烈的反對俄國繼續戰爭。

肯南在一九五二年十月是被蘇俄正式發表爲最不受歡迎的外交官，由於這種情形，他開始由布爾希維克革命初期的歷史事跡敍起，顯然的一看，這纔有條有理的研究過去事實，似乎不過是敍述陳舊的歷史，對於終日忙祿而又無學識的讀者，則實在是一本難讀的書。可是他確有與人不同的論點，他認爲要糾正自一九一七年以來，美國外交政策的混亂和處置的錯誤，必須要調和對蘇俄政權的真實性。

他描述俄國內戰的綜錯複雜的畫面，以及布爾希維克攫奪政權，所常用的是不擇手段的混亂。在共黨領導人潛進了彼得格勒的多宮以後，蘇維埃會議控制「城市」以及郊區，雖然許多忠心政府的軍隊被打垮了，可是高級指揮官仍然對克命派效忠，「反革命」在南方又集結起來，時俄國軍隊依然與土耳其德國作戰，托洛斯基的委員會進行與德國談和，同時所希望的是他們革命性的要求能夠鼓勵群衆，建立他們自己的蘇維埃政府。

當時美國缺乏對俄國問題了解的人才，遂使美國政策在原則上犯了基本的錯誤。

威爾遜總統和他的顧問當時相信，蘇俄人民已走上民主政府的大道，免除了由獨裁所引致的混亂危機，這是在事實上不可能的，而蘇俄政府担當反德戰爭的能力，只有藍辛國務卿對蘇俄未來的真誠，表示懷疑，他說，「蘇俄充滿了血氣，將導非法和暴力而犧牲」。

但是粗略的低估了蘇俄的實力真和蘇俄的眞誠態度，也同樣使美國失去了轉移蘇俄的將來，及阻止布爾希維克的擴[illegible]會，同盟國家雖採取武力干涉，但那畢竟已太晚了，因爲列寧和托洛斯基已把政權固定下來。

在那時節，美國外交家感到進退維谷，其中包含有許多些動搖不定無用的資料，可證明對俄國取「不理睬」的態度，這就使美國在後期的對蘇政策一樣，在「等待塵埃落下去」。

在他經歷的外交生涯中，大多是處理動搖不定的對俄外交，他在國務院主持蘇俄問題研究部門，李維諾夫有一次說：「那些人對我們的外交問題，所知道的比我們所做的還多」。在一九三七年，[illegible]於「我們把俄國人看得太嚴重了」。

在蘇俄被承認以後，日漸長大起來，他們那些人被攻擊乃是因爲他們是反俄，肯南回憶說，「甚至外間謠傳我們都跟俄國公主結婚了」。

肯南認定，美國的宣傳機關對[illegible]來的任何種的蘇俄人民的反抗運動，必須要加強該項工作的積極性，同時維持軍事強大力量，這樣美國才能堅持其和平外交的明確計劃。

文化自由論叢

俄國人民的真需要

斯高爾瑪

目前蘇聯國內的緊張情形，比較一九一七年的俄國更爲嚴重，蘇俄人民因受一種政治制度的壓制，實已無法[illegible]動彈。全人口中大概僅有百分之十五忠誠於這一政治制度，其中包括安全機構的人員，共黨黨徒，集體農場的官員，以及工業管理人員，軍隊中一部份軍官。蘇聯青年中的一部份也是强烈信仰共產主義的烏托邦理想的。

在國內發生嚴重衝突的情形之下，這些人究竟有多少人準備用武力支持蘇聯現行的制度，這問題可從一九五三年六月東德的暴動，得到解答。[illegible]至上述百分十五的人，很少人願意[illegible]，大家認爲必能如此[illegible]東德蘇維埃政權支持的，也屬如此[illegible]

蘇俄農民，工人，知識份子反抗運動的呼聲，雖無法獨立於世，然而，運動的綱領，爲蘇聯人民中英雄豪傑之士，在極艱難困苦，無限犧牲的秘密鬥爭中所追求實現者，已經可以窺見其綱領，主義以實現一新的東方自由，顯示其鮮明的遠景。這些綱領大要如下：

（一）工廠歸于工人；根據自由選舉以產生工人會議，指導有關工業事項。

（二）土地歸于農民；解散集體農場，以選舉方法產生農民會議，由會員會議分配土地。

（三）政權歸於人民，實行自由和秘密選舉。蘇俄領域內的各邦，均各有其獨立的代表政府。

（四）解散秘密警察，保障每一國民的人身自由，保障言論和出版自由。

（五）廢除軍備；改變工業，使成爲和平工業。

（六）開放國境；使經濟，文化，以及個人，能與西方人民發生密切的接觸。

（作者Joseph Scholmer，乃東德一個醫生，一九五四年才從蘇聯Vorkuta的集中營釋放出來——編者）

大陸工人淪入地獄 中共宣傳自打耳光

在大陸的工人，不是生活在「無產階級天堂」，而是日夕顛簸在牛馬般的人間地獄裏。從「長江日報」上一段描寫，就可證實了礦幕內工人的遭遇，是相當悲慘的。

「長江日報」供認說：「武鋼土方公司先後從湖北湖南一千八百多農民充當臨時工人，這些民工初來工地時，情緒都很高，可是現在因爲[illegible]，工資不能分到，拿不到基本工資，生活上一些問題得不到解決，民工情緒很受影響，[illegible]

[illegible]

粵共承認糧產萎縮

[illegible]

[illegible]

自由談

故事與新事

馬五先生

最近有人從大陸來到海關，談及投誠於予衛某的近狀，說共黨認爲他過去在大陸統領師旅的前一段歷史，固然是血債滿身，但在北伐後半中段內戎馬生活中，暗裏對共黨卻曾盡過不少的忙，所以暫時尚未清算他，留以有待也。對比，我才恍然於美國對華外交白皮書中所載的一段史事，即當年美軍事顧問團長巴大維關於東北戰役的報告，指出衛某接到統帥命令，飭其揮軍自瀋陽出擊錦州之綫，以解錦州之圍，然彼竟遲至十天後纔開始行動，以致全軍被殲。巴大維稱譏衛某爲「騎將」，並斥其未能將東北的軍用物資予以破壞，原來他早已通敵了！海外人士頗怪自由中國政府不能將他請到台灣去爲失策。照上述情形看來，如果讓他闖入了台灣，不啻是引鬼上門，容納一個共諜升堂入室，多麼危險啊！

即此一端，可見台灣的入境限制辦法，原則上是未可厚非的，祇要手續上予以簡化就行了。有些人光是藉着中國人有自由出入本國境內之權利的理由，攻訐台灣現行限制入境辦法爲違背民主自由生活，實爲漠視實際利害的高調。

不過，台灣現行祇准入來不許出去的政策，我也認爲不甚妥當。某些對反共復國無裨益，而且只是有害的人物，到了台灣仍不如過去在大陸爲非作歹，致與共黨新聞記者名義而事敵詐欺安份，與夫攻擊別人驗入境不准，以致招來物議，何必硬教他們住在台灣，予以嚴加處理？上帝的歸上帝，凱撒的歸凱撒，讓這些「自淸運動」才是必要的！

台北劇聞

・張瘦碧・

今年台北夏令劇事的活動甚少，如今眼看着秋已來臨，話劇影劇平劇各方面，漸趨活躍起來，日下正在分頭開展，先講了案物的景象。如國語方面，在台北新竹各地，先後演出，頗得一般好評，觀衆劇團的「清宮殘夢」，在新世界演出已久，該劇被譽人才，側屬超級演員，十分精彩。由五幕七場，當以金陵影業公司與台灣凌波公司合拍的台灣片「林投姐」，取材于台灣民間通俗故事爲背景，富有社會教育意義的愛情悲劇，其中風俗習慣得合乎本省人士的歡迎，現仍在繼續放映中，盛況始終弗衰。此外在國語方面，除了新從星加坡返台的焦鴻英，在中山堂借戲演出了洪門寺以外，綫各地勞軍，又有人請青衣祭酒金素琴出來組班演出，並邀李金棠參加，但以戲院子問題，沒有足夠理想的場合，因此始終沒有作最後的決定，這件事恐怕不容易順利成功。在各社團方面，因爲不久即將國慶，同時一到十月，便是自由中國慶祝節日最多的月份，不論業友票社，都已到了醞釀的時候，當然最令人期待的，還是由政府機關員工所組織的平劇研究社，此次排出一次好戲。此社由社長陳彥克的一再努力，就社員中選拔新人才的十分優秀份子，排練全部法門寺及全本龍鳳呈祥，其中可以看到很多人才。此外並請名票蔣宗權承影的日來正在積極練習，中山堂夫人之三娘教子，同時更特請北國天才小弟名票李長城，客串韓生小弟最近考入國立藝校，從此該校可以多一位唱工老生了。將來演出日期，可能爲十月二十七二十八兩天，地址決假中山堂，尚有杜月笙夫人姚谷香女士，久居台北，從未演出，總統七旬壽慶，姚女士亦將參加一次晚會，聞劇目尚未商定也。

名爲「三進士」，上大香港影星李麗華所裁聽台下，她看到本年元旦日之情況，氏會席散中即試演吊嗓，由郭曉農先生操琴，周曼華，李湄，葛蘭，氏紫薇，仍甚嘹亮，比誠如其能見現，定能博得好評。上面拉雜寫來，已經很多，掛一漏萬在所難免，姑且作爲一部份的報導，讀者諒之！

簡王蓬累先生

刁抱石

寬作窮居客，秋風欲白髮，中調誰能敵，相逢猶未晚。
偶成獨臥時，漫雲著清詞，虛懷不負聲，來日有深期。

原韻奉和抱石先生見贈之作

王沉裴

相逢誠恨晚，淮海同欣賞，放翁家國恨，高山與流水。
況復亂離時，春風絕妙詞，披老文字知，畢竟遇鍾期。

睡眠種種

・陳永昌・

研究睡眠的權威者指出，普通人入睡後須作二十次至六十次的翻身，由於所躺的單人床沙發，或帆布床過於狹窄，睡者常會在担心跌落地上的潛意識下，也無認覆得十分暢快舒適的睡眠的。

根據研究，單人床和沙發以前的長度不比睡者高大多少，睡者常會在担心跌落地上，在這種潛意識之下的牽制下，是不容易睡得十分暢快的。

（三）

關於另一個條件，睡衣要寬暢，據專家們的意見，最好衣物解除，一絲不掛地躺在被窩，許多衛生專家都認爲裸體睡眠最合乎「衞生之道」。從十七八歲起至五十歲止，無論男女，每晚必須有八小時的睡眠，通常女性比男性更宜多睡半個鐘點，每一個人都應該充分睡眠，在許多世界偉人中內分之八十以上每晚都是睡八個小時以上，而假使這樣害一足者，亦較經常失眠一種病來，睡眠充足者易於醫治及早復康，由此可見睡眠是何等重要了。

德國的大哲學家叔本華，在他晚年的時候，他是患着失眠症的，有時候雖然入睡了，也會給各種夢幻驚醒，整夜睡不着。因此，引起他研究爲甚麼不能入睡的問題，給他發現原來磁力對於人類睡眠的位置發生着很大的影響。經過多次把睡床的位置和方向試驗，並以紀錄以後，他找出頭向東腳向西的睡眠常是最酣暢的，而且，這以後，他底健康大大地恢復過來。很多的西方人都同意這一見解，把身體與兩極的磁力擺成相反的方向，人們是可以獲得比較舒服的睡眠的，這是因爲在這個方向的睡眠裏，磁力對人體內細胞的影響是會較爲輕微的。拿破崙是歷史上著名的一個能在空曠沒有遮蔽地方酣睡的人，據說他每天只睡四小時和另外蓋上一張草毯就夠了，但是當他行軍到任何地方，要睡覺之前，必定先拿出指南針看準他底睡眠方向。英國近代的大政治家迪斯萊爾，格蘭斯迪南人，也是在睡眠前先看指南針找方向的著名人物。最偉大的發明家愛迪生，他雖然成功細赫，但他要找好的睡眠，一定要跑到自已工場附近的一所簡陋的茅屋裏去住，那原因是這所茅屋的方向剛巧與兩極磁力相反。到了最近幾年，科學家更證明人類睡眠的方向是有着很大的關連的。根據醫學博士當特的解釋：當睡眠的時候，人身的疲熱是會減少的，恢復精力的一種必要過程，在睡眠時，人的活力並不是停止，而是在靜養，而不是停止，使一睡醒的人充富於活力，而這種活動的充盈是有秩序地均衡的。韋特醫生的解釋說：因此，方向對於一個人睡眠是不無發生影響的，但也不能找出一種確定的法則，因爲有些人頭向北腳向南會睡得好，這睡眠的方向，大半是由於習慣的形成，但是，奇異得很，許多人都是習慣了採取與磁力相反的方向睡眠。」在人類的紀錄上，最長的絕食而不死的時間是六十三天，而且徹是七天內不喝水是最高的限度，但對於不睡眠的紀錄，恐怕沒有人能夠支持超過十天以上的。從歷史的考據上，我們發現古埃及人對於睡眠方向頗有研究的，因爲在金字塔裏的棺木裏，所有的古埃及人的屍身都是頭向東腳朝西的，而古埃及人是迷信着人不會死的，他們底死後的一切也是依照生時習慣的。

雖然沒有一定的法則，足以範圍人類的睡眠方向，但是，說也奇怪，許多年以前，阿西里亞人，埃及人和中國人就已經曉得用金屬製成睡床，使得地球上的磁力給床上的金屬物吸着，而使睡在上面的人不受磁力影響。而更奇怪的是好些人卻非要睡在地上不可，要他睡在離地較高的地方，他永遠睡不着，而有些人卻越睡近地而越覺得舒服，這都證明有些人對於地球的磁力一些都不受影響，而他們睡眠的方向與磁力平行是最酣暢的。（下）（完）

左季高舉人拜相

燕塵識小（五）

樂魚生

識到左公科第，不免異說紛紜了。我先下一定案：「左季高以舉人生而拜相，死而諡文，卻無欽賜翰林之事。」按之清制，非翰林出身，及舉人不得大拜，易名不得諡文。而左公居然拜相諡文，於是乎是悠悠之口，遂曰會試之年，公乃疏請賜兵入京會試，其時左公已功在中國，適逢會試之年，公乃疏請告退入京會試，朝廷知其意乃欽賜翰林以慰之。錢此官者，意在歸美元戎，勉符定制，立意亦未可厚非。惟史可誣，事之有無，亦不可不辨。

先引近人之記載，以明其事之必無。林琴南畏廬瑣記云：「故事，大學士到任，必用翰林衙門文襄以學人入閣，不由館選。辛時「文襄以學人入閣，不由館選。辛時深以爲憾。」如自謂曰：「適促何來，遽集於此。」聞者絕倒。」同治十二年十一月廿五日記云：「左季高制軍進位協揆。由乙榜入相，本朝第一人也。」

林琴南二老，總算與左公並時人物，加左公果邀欽賜翰林之異數，豈可如此下筆例也。總之，非翰林不拜相不諡文，此常識之若夫元老勳臣，平夷大難，則以學人生登殿閣，卒諡文襄，皆出國家之異數之大者」。左公平生儘管目空一切，然在大關節目，何至甘冒不韙。勝保前事，可爲殷鑒。說一句笑話，不怕有人「寅明相居，要你的腦袋」嗎？故宮刊「軍機處檔存檔案中，不知祕存檔案中，整理十年，曾否發現左公原奏。若至今文獻猶不足徵，則此事有無，存而不論可也。

此一證也。再看清史稿：「宗棠道光十二年舉人，三試禮部不第遂絕意仕進。」止此而已。下筆洋洋萬言，曾無一字涉及罷兵之請，翰林之賜，此又一證也。

王壬秋欽賜檢討

然則清代究竟有無欽賜翰林之事呢？當然有的。不談以前的博學鴻詞科以後的留學洋翰林，單說湖南，就有王壬秋先生拜翰林院檢討之賜。湘綺樓日記，光緒三十四年四月初二記云「得電報授我檢討，從來不喜此名，今蒙惡謚矣。」又甲寅九月廿八日記云「大會翰林以余爲首。實乃最後翰林也。無後於我者。」王壬秋晚年得此，科舉已成弩末，有人傳其自述詩云「已無齒錄稱前輩，幸有牙科步後塵。」因有留學西洋專習牙醫者，經國廷試，居然授予牙科翰林，一時騰爲笑談。即名震平津之徐景文博士也。然壬老此詩，亦有所本，似脫胎於桐城張氏「已無朝士稱前輩，猶有慈闈乳名」之句，張氏原作，已見清人筆記嘯亭雜錄之類。惜手邊無此書。文和喬梓，語出何人，無從確指矣。

曠典。戀功戀賞，不拘常格，更何有於翰林非翰林也哉。一班老友，談及此事，吾輒舉此數條，以資談柄，聞者或信或不信，亦未盡同也。

短篇創作

友情

・真誠・

我請准了假，交代了一切，暫別了相伴多年的弟兄們，和渲鐵鑄般的堡壘——金門，去參加一個深造的機會。

在一個下着毛毛雨的下午，到達台北，我提着二個草綠色的旅行袋，蹣跚在茫茫的雨中，生平第一次到台北，在車水馬龍的火車站前，我竟不知向何處走好。

『同志！要到那裏去？』我吃了一驚，連忙摸摸自已的帽子和紐扣，是一個帶白帽子的警察說的，臂上帶着『交通』兩個字。

『……到師範大學去』

我吶吶了半天才說出來。

『那很方便，左邊就是車站，坐三路車子，師範大學站下車就到。』他用手指着公共汽車車站，看了看我的符號：『從南部來的吧？』

『不，我是從金門來的，要考學校的。』

『那太辛苦了，看衣服都濕了，現在正好有一班車。』

『謝謝你，再見！』我行了一個舉手禮。

『再見！』

從車窗裏，我看到了熱鬧的重慶南路和壯麗的總統府。我不時的注意着每一站的站牌，車子轉了幾個彎，在師範大學站停住，我下了車，向前走幾步，就到了師大的校門，我問門房：『男生宿舍在那裏，我要會張鐘的，他是我的同學。』

『男生宿舍嗎？順着大門走向那邊一轉彎就到了。』

我朝着他指的方向找到了男生宿舍，門口靜靜的，我站了一回，沒有一個人，就自已走了進去，當時我心裏有一個下意識的感覺，難道女生宿舍也是這樣可以自由的進來嗎？後來我才知道師大女生宿舍是門禁森嚴，來賓止步的。因爲不知道張鐘是在幾號房間，只得問了幾個同學，他們那麼和氣的告訴我，使我一點不費事的就找到了。

張鐘正好在家，相見之下，悲喜交集，我們是在抗戰時的同學，我們一塊兒吃，一個彼窩裏睡，一塊兒讀草紙印的書，一塊兒肩着行李跋涉，勝利後就分離了，大陸變色，他到台灣考取了師大，我隨軍隊撤退到金門，就在金門我披上了征衣，這次在這裏見面，好像見了家人骨肉，都說不出是什麼滋味，他對我能來參加考試，特別高興，他留我同榻，作長談，事實上我也無處可住，台北沒有別的朋友，旅館又那麼貴，我很感激的答應了，接着他給我介紹同房間的同學，我一一握手。

我問他，『留宿客人，校方可以通過麼？』他說：『規定是留客過宿要記大過的，不過假期裏可以馬虎點，現在每宿舍裏差不多都住着『外賓』。』

次日，他給我借了好多準備應考的書，指點着叫我看：『這是中外史地，這是一本俄帝侵華史，國文，國父遺教沒有問題，數學怕你已經忘乾淨了，代數，三角，幾何都要考的，我先給你借來了一本幾何……』

白天我跑到草場找一個清淨的地方坐下看書，晚上我就利用他的桌子，這樣一天一天的過去，我終日埋頭在書本上，格外覺到日子過得快，離考只有五六天了，那能不加油，能否考取，在我可說對前途是一個決定性的決定，這種機會對我是少得太可憐了。

（上）

自由人
THE FREEMAN
（第五八二期）
中華民國僑務委員會
頒發登記證台教新字第一〇二號
中華郵政台字第五〇〇號
執照登記爲第一類新聞紙類
（半週刊每星期三　六出版）
每份港幣壹毫
台北市售價台幣壹元
督印人：陳文華
地址：香港高士威道二十號四樓
3 rd. fl. 20 CAUSEWAY RD
HONG KONG
香港發行及業務接洽
高士打道66號　電話：七四〇五三
承印者：東南印務出版社
地　址：高士打道六十四號
海外總經銷
友聯書報發行公司
香港：德輔道中二十六號A二樓
台灣特派員辦事處
台北市館前街五十號
台灣總經銷處
台北市西寧南路登峯號二樓
台郵撥儲金戶九二五二

論中共現勢與反共前途

·李金暉·

爲時十一天的中共「第八次代表大會」，已於本月二十七日結束。從中共「第七次代表大會」到這次的「八大」，其間相距有十一年之久。按照中共自己的說法，這十一年來是在不斷「勝利」中過去的，但實際上中共黨內在這十一年來却是鬥爭頻繁，貌合神離，從黨內的派系對立發展到地方與中央抗拒的局面，至於在黨的政策上，也曾發生了所謂「路綫」的爭執。這情勢一直發展到高、饒事件結束（一九五五年三月廿一「全國代表會議」，通過「關於高、饒反黨聯盟問題」的決議），內部權力爭奪的醜劇才告一段落，再進而到同年十月四日經「六中全會」通過了毛澤東的「關於農業合作化問題」的決議后，「路綫問題」，才得到解決確定。同時才決定籌備召開「八大」。

於此可見十一年來中共黨內的問題是相當嚴重的。也就難怪乎蘇聯的眞理報九月十五日的社論，對中共的黨的團結作了這樣的評語，它說：「在召開第八次大會的時候中國共產黨是團結一致的」。這話確是事實：在「八大」召開前，中共的不團結有事實在，往後去團不團結，也只有天曉得。

但有一點是可以確定的，即不論中共內鬨到何種程度，它必須依賴俄共才能生存下去，固不論是誰領導中共。米高揚今次在「八大」的致詞中，特別引用毛澤東的媚詞來讚美他和中共黨，他強調毛澤東的「走俄國人的路」的結論是正確的；同樣的，劉少奇在他的「政治報告」中也說，「總結我國的革命有自己的許多特點，可是中國共產黨人把自己所幹的事業看成是偉大的十月革命的繼續」──換句話說，俄共並不偏愛於任何一個中共頭子，但他必須要能保證貫徹「走俄國人的路」，才能獲得俄共的垂青和寵幸。

在這次「八大」中，主要由劉少奇、周恩來、鄧小平分別作了「政治報告」、「第二個五年計劃的建議報告」和「修改黨章的報告」。其他的發言，都是照本宣科，重複地表示贊同和加以演繹。綜合上述三個報告的內容，大抵上有以下各點值得吾人注意和警惕，並需針對之作有效的對策。

從內政的角度言，中共對海外的華僑，確立了實行「愛國統一戰綫」的政策，企圖以此和自由中國作爭取海外華僑的最後一戰。這一政治性的戰鬥，其成敗將足以在形勢上決定中共政權的前途。至於對待所謂「台灣問題」，也明示「避免使用武力」而改以「願意用和平談判的方式」，除非「是在和平談判喪失了可能性，或者是在和平談判失敗以後」，才使用武力。此誠如我當局所預言乃是一個「和平攻勢」，但吾人必須注意，中共在這一問題上特別強調和歪曲了美國對中國的地位關係，硬把台灣說成係「美帝國主義所霸佔」！觀其用意，在造成國際間普遍的感覺，並企圖進一步和美國談判「台灣問題」，和進行政治分化。若將之與「愛國統一戰綫」策略綜合起來觀察，這顯然是一極大的毒辣陰謀，即中共欲從進行爭奪華僑而達到孤立自由中國，並從而促成政治分化。

因此，在軍事反攻前一階段，吾人與共黨的政治鬥爭，勢將較以往任何時期爲艱巨，但若能在這一仗上取得決定性的勝利，則無疑爲軍事反攻奠定了有利的基礎，開拓了決勝的道路。

從對外關係言，整個共產集團，在今後必將利用民族問題擴大東西雙方之間的矛盾關係。在「八大」會議期間，中共不僅在黨的立場上表示了支持埃及和阿拉伯民族，並通了「人民代表大會」的形式，以「政府」的姿態宣稱支持阿拉伯民族對抗西方集團。在東南亞方面，特別值得注意的是馬來亞共黨已公開向中共的「八大」乞援（註一），其他像印尼共黨和印度共黨代表，均在「八大」的致詞中，表示了要從民族獨立的方向走向「社會主義」─也即是學中共「走俄國人的路」（註二）。這一新的情勢，必然將導致使國際間題愈趨複雜，形勢愈見緊張，迫使亞洲各國政府退而求中立自保，使亞洲的反共國家處於長久的不利情勢下，這一影響對自由中國言，固是不利，但目前的情況只要吾人能在對外關係上再作積極的拓展，逆勢並不難於扭轉，問題還是可以解決的。

（下轉第二版）

△　▽　△　▽

美國兩黨競選觀感

·張君勱·

張君勱氏近因胃病，在美入院調治，尚未完全康復，於病榻上撰文，論民主共和兩黨競選之外交政策，及其候選人提名之經過，最後對於兩黨之勝負亦有所推測，原題爲「病榻上讀收音機報告美國民主共和兩黨選定總統候選人情況，並其爲吾國人所應知者」，載再生雜誌一卷五期，茲特轉載如左　──編者──

吾國從事於政黨活動，向以爲只知有爭，而不知有和之另一面，兩黨之間或一黨以內，一旦或因問題或因人事爭執既起，則意氣用事，相責相爭，至於不可收拾，雖黨內分裂，雖國事敗壞置之不顧。此類事例，自袁氏叛國迄於退出大陸，殆不可勝舉。其所以致此之故，曰只知有黨而不知有國實有以致之，黨爲一家觀念，國爲舞台，倘因爭吵而演台毀壞則獻技之人將何所憑藉以各顯身手。吾在病榻上聽美國兩黨指名候補人大會情形，其中六事爲新聞記者所忽視而吾認爲含有重大意義者。（第一）各州民團獻旗，爲軍隊國家化之標幟，所以鎮定會場秩序，（二）會場人員宣誓效忠於惟一不可分之美國，（第三）同唱國歌，所以表示全國之團結，（其中絕不以黨義夾雜其間，（第四）教會祈禱，力言去私心重公義，賴上帝靈共同協力於國事，（第五）公私界限分明，如艾氏赴飯山之飛機，以其爲黨而去，與國事無涉，故渾費由共和黨負担，（第六）相爭而終相讓，如杜魯門始雖擁護哈里曼氏，然史蒂文生氏既獲多數後，爲團結計，轉而聲言爲史氏奔走。凡此六點，乃政黨政治共同背景之至重且大者。孔子曰：君子無所爭，必也射乎？揖讓而升，下而飲，其爭也君子。射所以定中的與否，然彼此間應有一種禮貌，即指揖讓與對飲言之，所以示競爭之中，終歸於和解。吾國人不知爭之他面爲和，將四十年之中華民國，斷送於共產黨人之手，不知今後亦能翻然覺悟否乎？

（一）民主黨政綱中之外交部門

東方政治智識幼稚之人民，讀他國宣傳或外交文字，每字每句，信以爲必眞，不爲之打折扣。其讀共產黨之政綱如是，其讀西方民主國各黨之政綱，亦無不如是。吾國人試靜心思之，各黨政綱，其在未執政前所宣言當爲冠冕，既登台後，將所言與所行者兩相比較，其中竟有自相矛盾者，或置之而不顧者。可也，文字欺人，自古已然，况今日之宣傳作品乎？譬之一九五二年共和黨政綱會云解除台灣對大陸之束縛，然實行之結果如何？最近艾氏致台灣之函曰：美國不忘亞洲之盟友，然盟友之行動自有限度。即此二端推之，吾東方人之讀西方文字者，其何能不自具隻眼而竊情推敲之乎？吾人心中有此戒備，乃可進而讀民主，共和兩黨之政綱。

民主黨政綱中「外交及國防」部分，多針對艾氏而發，表面上言之動聽，其自身實行時如何，惟有靜以觀後效。茲錄其一節如下：○

「共和黨之大言與偸離……四年前共和黨自誇言其外交政策，將解放共產黨各衛星國，除去對蔣介石之束縛，否定戰時條約，一反邊緣上禁止共產黨擴張政策。然自一九五三年共和黨之所行正與相反，對於東德與波蘭之起義，淡然置之，因以削弱民主國對於防共之積極政策。

吾國之盟友，懷疑吾人之誠意，昔日民主黨時代之集體安全之諸言，成爲共和黨個人之外交之搖擺不定。盟友認爲昔日同盟之聯繫，因共和黨之擺佈而趨於削弱。

此類民主黨批評執政者之語，言之固自成理，然如蘇彝士運河問題，即令民主黨上台，除調停於埃及與英法間外，吾不信民主黨人將以軍事動作爲英法後盾也。

史蒂文生氏許中共加入聯合國之言，求之報紙記載，已不止一次。然此次却有決然之表示。其言曰『吾人贊約對於中共之加入聯合國，堅決反對。因中共所行與聯合國宗旨完全相反。吾人贊約對於國民黨中國，繼續維持下去。吾人要求對於中共所羈留之美國人，繼續要求釋放。』以上各項對中共對台灣之約束，確爲民主黨之新政綱，其語氣堅決，不易翻案，殆亦有鑒於共產主義之猖獗，自知非退讓所能了事者歟？更有一段關於「被俘國之自由」者，當亦爲吾國人所樂聞，錄而出之如左：

吾人宣言吾人對中歐，東歐，亞洲之愛好自由之人民者處於蘇維埃獨裁制度下苦難之極端關心。美國政府在民主黨領袖之下，從未承認立陶宛、拉脫維亞、愛沙尼亞之被吞併，又對於波蘭、保加利亞、羅馬尼亞、捷克、匈牙利，亞爾巴尼亞與其他國家處於克姆林宮專制之下，從不認之爲既成事實。

吾人展望將來，此諸國能有恢復自由之一日，且在自由國之團體中、取得其應有之地位。

吾人在聯國合中提倡此項原則，即蘇俄應自各被俘國撤退軍隊，且依照大西洋約章許以自由，公道與不受牽制之選舉。

吾人重復聲明信守威爾遜氏所宣言之民族自決之原則，良以此項原則之下，數百千萬人民取得其自由與獨立。

民主黨之政策，鼓勵鐵幕內外之小國家小民族，在和平秩序中，達成其政治上地理上種族上自存自立之志願，且得享有自由與尊嚴，以處於主權國家之林。

吾人反對殖民地主義與共產帝國主義。吾人適用此原則於志在自決之一切人民。

以上所云，以東歐，中歐之人民逃至美國而爲選民者其數不少，故設爲此條，所以吸引其投票之計，倘信以爲美政府眞有意於恢復此諸國之獨立，則又不免有過信宣傳文字之嫌疑矣。

（二）民主黨之總統候選人

美國兩黨之推舉總統候選人，如同吾國女家之挑選女婿。女子之嫁也，必有爲媒介者。兩黨中則有若干政客，以冷眼注視於大學教授，州長或其他能幹人物可以號召於全國者，暗中討論其是否具此資格，及其既得衆論之僉同，乃爲之鼓吹，爲之寫傳記，且以之提出於兩黨指名大會之中，經各州代表正式通過後，則此人即爲下屆選舉之總統候選人。如威爾遜氏爲一名教授，爲霍烏斯氏所賞識，先試之以紐澤西州長，政績卓著，乃奉之爲總統候選人，如胡佛氏爲吾國開灤礦之工程師，第一次大戰後辦理歐洲救濟事業爲世所知，於一九二七年被舉爲候選人，且連任總統兩次之久。如艾森豪威爾氏因共和黨歷次競選失敗之後，紐約州長杜威氏認爲艾氏大戰有功。

（下轉第三版）

半週述評

·司馬璐·

反共救國會議

又聽說政府要召開反共救國會議了，就這件事的本身而論，政府的動機當然是好的，當然是應該擁護的。

兩年以前，政府曾經也表示過這番熱心，醞釀過，但是不久又無聲無息了。

筆者相信，如果兩年前的反共救國會議召開成功，在政治上對中共的打擊一定是很大的。

雖然，現在我們採取這項步驟也還不算太遲。

溫習一下教訓

兩年前的教訓，如果我們溫習一下，對于今天政府重新發出召開反共救國會議的號召，一定是很有幫助的。

兩年前，反共救國會議的醞釀，爲甚麼變得「無聲無息」呢？

有人說，因爲各方面的反應欠熱烈。

但是另一部份人則說，政府召開反共救國會議，我們豈有不熱烈擁護之理；但是政府在表示召開反共救國會議的同時，却又唱了一些反調，因此，自然就有人懷疑政府的誠意了。

民主太不成熟

若問，究竟政府對于召開反共救國會議有沒有誠意呢？政府既然主動的有此表示，當然「大部份」有此誠意的。

政府的意見可能不是「絕對」一致的，這正證明我們的政府還有「相當的」民主基礎，「小部份」的「反調」也就成爲難免的了。

但是，這「小部份」的「反調」，居然給人一個印象，懷疑政府的「誠意」，這又證明我們的民主太不成熟了。

尊重和包容

我們的政府內部何以有此現象呢？

唐君毅先生在台時一再提出，政府對于各種動機不同觀念不同的反共力量應該加以尊重和包容。

唐先生所提出的，是這一個問題的關鍵，如果我們政府內的「小部份」人，不排除「尊重和包容」反共戰友的心理障礙，即使反共救國會議開成了，依然沒有解決問題。

綱領與基礎

筆者認爲，反共救國會議籌備期間，政府應從速公佈一個「反共救國綱領草案」，並以這個「草案」爲基礎，進行討論，徵詢各方的意見。

筆者認爲，反共救國會議的召開，應眞正建立在對反共有實際貢獻的人士的基礎上，因此必須精甄人選，根據資歷和「黨派分配名額」，都是不切實際的辦法。

反共之下競賽

反共救國會議的精神是團結一切反共力量；但是，這種團結必須同時有一個更積極的意義，那就是要求，人民反共中担負起更多的責任。

那同時也就是說，這個會議應該人人都是主人。

那同時也就是說，這個會議應使一切反共者，縱然他們的認識與觀念不盡相同，應在反共的大目標下共同競賽。

鳩山赴蘇吉兇如何？

許俊

赫魯曉夫說：「蘇聯是盡可以等待的」。「等待」者，即拖也。於此更可證明以拖來破壞談判，不欲恢復邦交者乃是蘇聯。赫魯曉夫顯然是想藉「等待」來拖垮自民黨，間接造成有利於日共活動的政治情勢。

（本報東京航訊）八月十三日，日蘇終止了外長級的復交談判後，日本政壇上的混亂和相互的攻訐，達到了高潮，這種現象迅即引起了日本人民對右翼政黨的反感，也無形中增强了社會黨的「聲譽」。

日本人民的反感並不在於輕視右翼政黨對蘇問題上的政見，而是不值其內部各派爲其背後經濟利益，不惜站在各家財閥的利害觀點上發言和提出主張。但是此種混亂的造成，實爲蘇聯預佈的陷阱，只是自民黨各派不自覺地掉了進去。

赫魯曉夫曾對日蘇談判表示過這樣的意見，「關於日蘇簽訂和約問題，蘇聯是盡可以等待的。問題是：日本能夠拖多久呢？」這話實已顯示出蘇聯根本不重視談判也無意解決問題，所謂「等待者」，就是拖！在蘇聯認爲值此日本上下鼓噪着要加入聯合國；要求釋在蘇日俘，要解決一切懸案，企求歸還領土，而政黨間意見既不統一，則拖下去只有對蘇聯有利。甚或可以因拖延而使日本朝野間，黨派間的分歧愈深，也可使大企業主和中小企業主之間因切身經濟利害，而擴大矛盾。蘇聯甚至更看定了，如果日本內部上下各派紛擾不休，則更可因此促使日本人民的反美情緒增高，所以在宣傳上也一再强調，日本右翼政黨之所以缺乏談判誠意，乃是受了美國的阻擾。

日蘇談判事實上已經發展到「推車入壁」的階段了。即使鳩山赴蘇成敗仍未可知，但是爲了向人民有所交代，爲了證明蘇聯的野心，鳩山此行即不從成敗上去看，也是值得的，但是天曉得在鳩山到達莫斯科後，蘇聯又會玩什麼花樣。

從大處來看，蘇聯無異想藉此打擊談判，來破壞自民黨的威信，間接讓社會黨抬頭執政，予日共以更大的政治活動機會，儘管社會黨的黨綱上也明明寫着不與共黨合作的字樣，但是只要社會黨能組閣，總是對日共利多於害。這種情勢，自從今年七月間日本參議院選舉右翼政黨勢力減弱之後，更是起了鼓舞作用。

以左翼政黨言，既明知無法在內政上獲得財經界的支持以獲得組閣機會，就只有推出所謂「實現日本獨立自主的外交」來向人民作幌子，所不幸的是，右翼黨派間也有人以此爲登台拜相的終南捷徑，這使蘇聯共堅定了「等待」的態度，希望拖下去，拖垮自民黨！

九月廿一日，倫敦泰晤士報對日蘇談判所作的評論，是極恰當的，該社論謂，「此項談判拖延已久，愈是拖延，在東京的牽扯便愈多，鳩山執政期間黨內各派爭權奪利，非常難看，日益激起輿論的反感，在日蘇談判又將恢復之前，執政黨政府的意見竟是這樣的分歧，實在不是吉兆，所有的矛盾都明明白白地暴露出來了」。

分歧、矛盾，能否在鳩山行前獲得統一呢？看來是很難的，因爲各派之間所持的觀點皆爲其特定的背景所左右。

松本俊一在二十日起啓飛蘇前，曾表示「決心盡力爲調整日蘇外交關係作出貢獻」，但這話也只能說是松本個人的願望，即或是此話暗示自民黨各派意見已獲調和一致，但作不作得出貢獻，關鍵不在日方而是在赫魯曉夫和布爾加甯。

這裏固且作這樣的推論：自從鳩山執政以來，保守黨雖已合併統一，事實上以本身並無一定的決策，這是一個沒有決策的黨，（但是黨內各派卻盡多的是以私利出發的成見）其所以如此，即在自民黨沒有能夠產生一個眞正的黨領袖來調和各派的意見，來影響各財閥間的利害衝突。現在，照岸信介在本月廿一日所宣稱，鳩山從蘇聯回國後，即將下台，自民黨將在十一月間另行選出新總裁，並組織新閣。日本政壇上既有這樣一個大風暴將出現，而蘇聯會在此時拿出誠意來和鳩山談判，其誰能信！除非是鳩山能完全照着赫魯曉夫的曲子跳舞，再不是蘇聯又出其它的老仟花樣。

老實說，鳩山是根本無須自行出馬的，何奈以前不斷地以「不惜自行前往莫斯科」爲政治招貼，致勢成騎虎。再深一步說，日蘇談判既已在外長級會議上觸雷，則已是完全可以用以證明蘇聯的態度了。今天蘇聯明明是在玩弄日本的這些政客，在嘲笑日本，在製造一種便於日共活動的政治情勢，而日本右翼政黨的政客還以此沾沾自喜，像河野之流，竟以能向莫斯科邀寵而自大，而鳩山也竟然爲河野所動（傳說河野與鳩山間有經濟關係），則將來的日本政治發展，就不難付其兇吉了。走筆至此，不禁爲日本無政治家而三嘆了！

論中共現勢與反共前途

李金暉

（上接第一版）至於中共黨的本身問題，從「八大」會議上反映出來的是，中共正爲已經滋長成爲毒瘤的官僚政治，作挖肉補創的工作。劉少奇大聲抨擊官僚主義和中共修改黨章改組中共中央和地方黨組織機構，均係針對於此。但吾人明瞭，任何型態的集權政治，絕難逃毀變成爲官僚政治的末路，獨裁的結果必然走上命令主義、享樂主義的道路，從而發展成爲官僚政治。從俄共廿次黨代表大會鞭屍斯大林，清算個人崇拜以來，會使共產國際內部掀起大亂，目前雖有平定迹象，然終必因其先天的集權型式和獨裁的實質，而仍走入官僚政治的絕境。官僚政治之爲政治上的絕症乃是鐵則，即使是有民主政治之名而無其實的國家亦難倖免，何況集權獨裁如共產黨者。因此，儘管中共闘謀自拔，但其終必爲人民所唾棄，則是必然的。

從經濟關係上反映到政治上來的問題，是「工人階級和資產階級之間的矛盾」依然存在。照劉少奇的報告所示，這是「近幾年來我國內部階級鬥爭的主要形式。」這一矛盾的重心，不僅表現在民族資產階級身上，而且還普遍存在於中小資產階級和農民身上。企業和土地，在經過若干次的清算鬥爭之後，現在都成國有，資本家不再是企業主，農民不再是土地的所有者，他的身份永遠是被僱傭者，是農奴；即使工資或工分獲得一定限額的調整，但自由經濟永爲共產主義者所不容，故雖然社會經濟制度被徹底推毀了，私營企業和土地皆變爲「公營、合營或合作化的形態」，但階級矛盾和階級鬥爭，卻未因此終止，而這一事實因素的存在，對中共政權不能不說是一個潛在的相當有力的反動力。

綜觀中共這次的「八大」，主要目的在求黨內和黨外的「團結」，並力圖利用國際關係製成新的形勢，以謀其政權有機會能獲得相當時期的穩定，作「長治久安」的打算。這可以說是中共本身的現階段的最大慾望。但能否一如願以償」呢？這固要看中共本身的變化，主要的還決定於自由中國和海外華僑的影響力。從目前國際環境來看，對我們是有利的，如果吾人切望提早實現反攻，結束中共政權，勢非還要能有一個新的、尖銳的形勢爲助不可，那還未在自由中國方面，必須從各方面加速努力，僑務、外交、內政、經濟的工作，是當前重要的改進更是刻不容緩的。在新的國際形勢未曾出現之前，吾人尤希望在內政治上能更早的出現一個雄偉而具大氣魄的新局面。爭取華僑和團結國民黨外的反共人士，將對開創一個新局面起決定

阿里山下

任顯羣與龔德柏

與國楨時代的台省財政廳長任顯羣，因明知匪諜而不告密檢舉，已判處有期徒刑七年。這使人憶起了龔德柏和馬乘風兩人，這兩人爲甚麼還是在「不審，不判，不殺，不放」的長限羈押中？

兼職與兼責

關於公務人員兼職是否應兼薪的問題，近聞立委張其彭提出質詢，俞院長也照例作答覆。其實，問題的癥結在於：兼職的本身，是否有絕對的必要？政治貴在各有專職，使權責分明，庶能發揮高度效率。目前流行一人身兼無數要職，至無人負實責的現象，實在更該糾正。

嚴防勞軍自肥

最近台中縣發生承製勞軍月餅的商人偷工減料與延時交貨的事，引起有關單位注意，並且集會商討對策。近年來，盛行勞軍，原是好現象，但假手越多，流弊也越多，眞是防不勝防，幾經週轉，就難免沒有中飽了。

繁榮農村經濟

改善農家生活工作實施方案，近經台灣省輔導委員會決定，頒發各鄉鎮農會推行，主要工作在推廣農村家政指導，據報載，項目有九個之多。實則，農家生活的改善，主要的並不在指導家政，而首在如何繁榮農村經濟，只有農民生活更富裕了，農家的家政才能趨於完善。

學生公費九十三元

各大專學校紛紛開學，學雜費已一再增加，但若干貧苦學生所享受的公費待遇，還是新台幣九十三元，兩三年來，迄未調整，試問如此數目，那能維持一月伙食？今天的學生，奉公守法，比到當年大陸時代，動輒鬧甚麼「反飢餓」或「吃光運動」，眞不可以道里計，所以政府理該更加體貼點，公費似是應該迅作調整了。

妓女管理須合實際

基隆市辦理妓女登記，準備改善妓女管理辦法，但爲時雖兩月有餘，據報載，迄今尚無一家妓女戶登記，原因是警察局的要求太高，嚇退了娘兒們。所以一切改革，必須切合實際，否則，空有理想，還是寃哉枉也。（九月二五日）

讀者論壇

請國民黨人想一想

胡業存

國民黨桃園縣黨部主任委員李天行，因心臟病逝世；社會傳說是出于自殺，這是莫大的寃枉。傳說的起因，是爲了桃園鎮的鎮長選舉。第一次，國民黨所提名的候選人，以數十票之差失敗了，于是國民黨方面，控告選舉有弊，最高法院的判決，選舉無效，只好重新再選。再選的結果，對方以千餘票之差又得到勝利，因此，負指揮選舉之責的主任委員，便羞愧自殺。其實，這種年頭什麼是「羞愧」，什麼傻子會羞愧到自殺的呢？眞是天大的笑話。

不過，自殺固然是笑話，但此種笑話的來由，似乎很值得國民黨的領袖們平心靜氣的想想。國民黨改造以後，時至今日，已發展到了這樣一種地步：即是一遇到選舉，除非做到一人競選，否則沒有辦法。而國民黨爲了負有反共抗俄的神聖責任，又非當選不可。于是「一人競選」，在目前便成了國民黨指導的中心理論與策略。例如台中縣縣長的選舉，對手方的王地，于正式的投票的前夜，被兵役機關徵調以去。台南縣七個區選舉，已有六個區是個人競選，剩下一區的對手方，也被各種形勢所逼，退出競選，結果是清一色的大功告成，七區區長，全是國民黨的黨員。現在台灣正流行着「一人競選」的風氣。如果偶有缺漏，便像過去的嘉義縣，台北市，現在的桃園，弄得辦黨的人無法交代。因之，對于國民黨的聲望大有影響。

這「現象到底是說明什麼呢？競選是向人民說服，大家平等競爭，是大家以平等的地位向人民講理。只有平等所講的理，才成其爲理，選舉的結果才算是人民所下的判斷。否則所講的，只是片面的理，而選舉的結果，也不能眞正代表民意。國民黨如果怕與人平等競選，甚至要做到沒有人和國民黨人相競，這是說明國民黨沒有氣魄在人民面前公平的與他人講理，浮是說明國民黨一遇到平等講理的場合，便心虛膽怯。一切技術運用窮了，最後只有出于「一鐵三分理」之一策。在民主世界中的政黨，發展到了這種地步，國民黨許多人的內心，未必不感到愧怍難安罷？

以台灣地方之小，交通設施的完全，社會秩序的良好，教育的普及，實已具備了辦好選舉的條件。以國民黨黨員之多，機構的完備，經費的有着，而且又有情報，警察，法院，行政，教育，宣傳，各方面的便利，黨內又有無數的組織和技術專家，而對着赤手空拳，平時無組織，無宣傳機關，只有阻礙而無半分半毫的政治乃至政黨憑藉的單槍匹馬，國民黨人應該在平等競爭的條件下，得到勝利的。當然不能要求全面的勝利，只有希特勒、史達林才兒橫霸道的要求全面勝利。但是結果竟弄到今日的地步，實在也出于國民黨人士的意料之外。這樣的選舉如果繼續辦下去，自由中國的政治，豈不變成國民黨一方面單獨在台上唱戲？一方面還要扯住社會的人站在台下看戲。單獨唱戲不難，要扯住人家看戲却不容易。這種情勢之造成，還是在增加反共抗俄的力量？抑是在減少反共抗俄的力量？不可不深長思也。

國民黨人在這種沒有競爭的選舉之下，除了在選舉前夜，黨機關內多幾個人來往往，經手選舉的人，多吃幾餐飯以外，當選的人，往往把行政弄得百興俱廢。即對于國民黨自身，似乎除了攤歉坍塌。黨費津貼外，豈特不會推動國民黨的政策，（我們必須承認國民黨總有一個想把事情做好的願望或政策）似乎也並沒有因其當選而增加對國民黨的忠誠。這些人的內心，只不過覺得和國民黨又做了一次生意而已。

我對於國民黨的朋友，總是希望您們能挺得起來的。因爲事實上，您們的命運，也關係到我們的命運。但演變到這種樣子，情勢是够嚴重的。您們不要再在組織技術上去打主意。因爲凡可以用的組織技術，你們都已用過了。總要想到，這是在組織上面，在組織後面，還有點什麼東西你們不會了解，不會把握到的。我希望你們從政治的根源上重新想一想。但不要一想便想到辯證法的天人合一的哲學上面去。這種哲學，是少數人的事，而政治却是大多數人的事啊！（八月卅日）

性的作用。

從中共內在的病症觀察，「八大」會議後勢將繼之有龐大的清黨運動出現。目前山西和甘肅，「整風運動」已在開始（註三），形勢對反共前途是絕對有利的，吾人還須要在這最後關頭，作最大的努力。

（註一）見九月廿一日「人民日報」載「馬共總書記陳平致中共「八大」的賀信。

（註二）見九月廿日「人民日報」。

（註三）見九月十六日、十七日「人民日報」。（完）

史雲飛

寶島拾零

縣市幕僚長難做

台灣各縣市正展開區鄉鎮長競選中，各縣市長除積極支持自己人競選外，並將各該縣市府主任秘書分別予以調免，以迎合各方心意，爭取支持，其意在表示有過是主任秘書的事，有功才是我縣市長的。如台北市府主任秘書柯台山調任民政局長，而以前台北市警察局長楊濟華繼任。台北縣府主秘徐德綸原是戴德發縣長首次競選時的第一員大將，現亦被迫去職，而由戴縣長面請國民黨台灣省黨部主委委員郭澄遴派該部視導鍾煥臻繼任。宜蘭縣長甘阿炎亦將其主秘田唯農調職，而以徐德綸繼之。嘉義縣長李茂松因案停職後，省府以民廳科長金略代理，於是李的主秘林伏壽奉令調省，而由民政局長曾爾威代理，桃園縣長徐崇德亦將其主秘向友楠與苗栗縣長劉定國的主秘某某對調服務等不一而足，弄得賓主都不歡，大呼縣市府幕僚長都將被出賣也。可慨也夫！

宜蘭發現鈾礦

今年暑假大專學生戰鬥訓開道大隊的地質礦產隊學生，係由成功大學助教黃時傑率領學生陳震寰，郭龍宗，余獻瑞等，於八月十二日在宜蘭縣大南澳山區採集標本時，由所攜美製「蓋氏計算器」的指示，而發現了放射性，乃大量採取礦物標本，回校細心分析與鑑定，終於九月中旬以事實證明台灣也有鈾礦了。今後的問題是如何大量勘察其存量，設計開採，以利國防供需，有待於經濟部門的積極進行了。

新水泥「土水灰」問世

台灣水泥公司以所產水泥供不應求，飭由蘇澳水泥廠特製新水泥一種，經以台幣千元登報徵求命名「土水灰」，已於九月廿五日上午十一時在該廠正式舉行土水灰工場開工典禮。按土水灰最適合用於填磚和砌牆，每包四十分斤，售價二十元，每噸售價五百元，較之普通水泥官價約便宜一半，値此水泥供不應求現象下，土水灰的問世，定將發生調劑作用。該廠已決定生產量爲每日一百噸，每月三千噸，計七萬五千包，年產量將爲三萬六千噸至四千噸云。

教師應不斷尋求改進教學妥善方法

副教育司毛勤指出講習班的意義

認定一個目標之後 須鞠躬盡瘁以達成 教師宜具有這種品格

本港副教育司毛勤在最近一次教師講習班開學禮中，發表了一篇富有意義的演講，他特別提示勃克斯頓的話：「我活得越長久，我越覺得人與人間的最大區別，就是弱者與強者的最大區別，偉人與凡夫的最大區別，就是毅力和堅忍不拔的決心，一個目的，既經決定以後，必須鞠躬盡瘁以求其成功，這種品格，可以達成世間任何可成之事」。

毛勤的演講說：訓練班主要乃訓練新教學方法，當然合格教師待遇實提高，知道其中一部份人待遇較低，但你們要求好的待遇而入訓練班，這是一個錯誤，如果大家有這一個目標，教育當局，就會失望，因爲縱使訓練結業，政府及津貼學校未必有合格教師，即有機會容納各位，此點特別向大家提示的，如果要改善待遇，必須從資歷方面着手，然後可以得到改善，自己更要考慮是否眞正爲「一個良好之教師」，如果各位資歷改善，但正成爲良好教師，自然不會有點力待遇太低問題，就是如果教得好，人家自然設法將待遇提高，如有人認爲目的在改善待遇的話，不如將其改轉爲「改善資歷水準」，各位參加此訓練班後，應該時常找尋研究妥善方法去改善教學，有妥善方法去教學，學生得益必大，如盡所能去教學，必得滿足，但非提高待遇之滿足，而係教好學生的滿足，此滿足比待遇更佳，這一個目標，爲大家所必須認識的，目標者，即是大家盡所能教導學生而得更好教育效果。

本席再舉出訓練班方法及課程，希望大家在二年內能熟練及有信心的教員，除此外，更望清楚的單是學問不可以作爲一個好教師，因除學問外，仍須要有品格及教學方法，本席又記得當年一件事，一個炎熱天的下午，大家倦透了，其中一位教師向其同問，他日一種不好的學習，他日一種不好的教學，本人希望各位在兩年之內能認識學習，多多提起學生的學習興趣，才能達成最高教學目的。

同時，更希望大家今後養成更良好的品格，經常分組討論，隨時彼此提出問題討論，結果向大家報告，如此得益更大，大家要知道者，經兩年訓練後，就成爲一個良好的教師，大家是從嚴格挑選出來的，必要千萬予以珍惜，努力學習。

中共承認迫害奴工

欲整肅鞍廠共幹抑壓工潮 又驅河南數萬青年赴新疆

大陸工人，長期受中共壓榨，進入吃不飽、穿不暖的絕域，確已忍無可忍，企圖掙扎反抗，以致在各地掀起一片工潮。中共也承認這醞釀中的工潮，是相當嚴重的，乃把責任推卸在一些領導共幹們的身上，欲加「整肅」以討好工人，俾挽救日形惡化的奴工抗暴運動；但在另一地區，却又擴大奴工隊伍，極盡其奴役工人的能事。

如鞍山鋼鐵廠方面：中共現正準備「整肅」鞍山鋼鐵廠的共幹們，中共曾供認該廠大多數共幹，長久地普遍犯着嚴重的「主觀主義」和「官僚作風」，只知忙於追求「生產成績」，對奴工們的需求和安全則漠不關心。全廠奴工普遍發生吃不飽、穿不暖和住房破漏等生活困難的現象，工作情緒大大地降低了。

中共指出：鞍山廠奴工們曾屢次發生怠工情事，本年六月間，並有奴工千餘人罷工，抗議共幹強迫奴工在高溫的場房中加班工作，而不設法改善通風設備，後經僞軍荷槍實彈奔至彈壓，並以空言撫慰一番，始將工潮平息。這種情況本爲家常便飯，但中共特別提出指責，顯示對該廠共幹的「整肅」已將來臨。

可是，中共在河南地區却又擴大奴工隊伍，將更多的男女青年移入「新疆生產建設兵團」。據中共透露，自六月份起至八月下旬止，僅從河南調派前往新疆參加該「兵團」的「農墾部隊」的男女青年即達四萬五千餘名。中共對這批新注入的奴工隊伍，都冠以「青年志願墾荒隊」的名義。中共爲使這批青年在新疆生根，曾強迫隊內男女青年結婚，此批青年抵新後，即不准再返原籍。（源）

美國兩黨競選觀感

·張君勱·

（上接第一版）非北人殆無以與民主黨競，爭於是杜氏自己讓賢，舉艾氏以自代，以上爲近年兩黨選定候選人之實例。

此次民主黨之有志於爲候選人者，以史蒂文生第一，其次爲紐約州長哈里曼氏，其餘各州之所謂「寵兒」（Favorite Son）僅爲各州之人爲之捧場，待正式出面諸人相持不決之際，然後各州各舉其「寵兒」爲角逐之計，或名之曰『黑馬』，言其不爲衆所周知而暗中活躍以出者也。民主黨之候選人，同時在各州之初次試選（Primary）中對峙者，爲史氏與基佛二人。基佛失敗於加州初選之後，自甘退出，且囑其擁護者移其票額以投史氏。如是史蒂文生於民主黨大會中之當選爲候選人，本已無可疑矣。不料大會前一日（八月十一日）杜魯門氏召集新聞記者會議，且告之如下：

『自我來芝加哥，各代表、各候選人、各黨公職者，各政治領袖、工人代表與大商界代表，或少數領袖，或來詢我以誰爲最堅強候選人。今日我心中人選已決定矣。我知我所決定之人選，不免令某方失望，某方恐慌。處此世界危機之中，大會惟有選一有經驗之人以爲總統，不需經過一試驗之時期，而可以措置裕如。我信其最適於擔任下屆美國總統者，無過於現任紐約州長哈里曼氏。……哈氏對於政府內部各部，有長時之經驗，且爲駐外使節，深通歐洲之問題，其人爲毅力之堅強，爲羅斯福與我政府所任用。我深知其爲人，君等亦可信賴其人。』

杜氏發表此宣言後，哈氏下樓與新聞記者見面，且告之曰：『總統責任之重，知之者莫如杜氏，杜氏既提出我名，自然予我以自信與決心。』

同時新聞記者請史氏下樓，詢以對於杜氏所言之感想。史氏答曰『我不因杜氏所宣佈而變更我對於杜氏之尊敬。我之所以爲候選人者，以我簡單明瞭之根據，一九五二年我所得之民衆選票與此次各州初選人民對我之投票是也。』史氏以爲哈里曼氏所恃者爲杜氏之口頭推薦，渠所恃者爲民衆，故其答覆記者態度安詳，毫不以杜氏之反對爲意，故其最後之語曰『我爲民主黨之候選人』自若也。

杜氏提出哈里曼氏，由於其平日對黨之忠勞，以爲足以左右一切。杜氏常自言，『我爲活政客，非老政治家。』其意若曰我非無所可否，而乃有主張之人。其平日又與民主黨之黨會人物如紐約之田藤比爾（De Sapio）相結合，其心目中以爲如哈里曼氏之爲田氏爲工會所擁護者，自有與史蒂文生氏一決雌雄之資格。孰知此次民主黨幹部之決戰方策，（第一）不讓南部之民主各州分裂而投共和黨票，（第二）既求南部各州不分裂，遴選一中和派人爲總統候選人，對於黑白人同等權利問題，既不可右袒白人，亦不可左袒黑人，但求其主張正義，而爲南北所共認爲公道之人，（第三）以南部爲基本選區票（electoral votes）之所在，進而求中部之同情，則選區票二百六十六張，或不難獲得，而選舉之勝算在是矣。此爲幹部派之方策，似乎史氏，大會主席與下院議長之山姆朗朋氏，與上院林藤約翰生之間，均有默契。惟杜氏向爲好持己見之人，雖在其提出哈氏之後，史氏陣容絕不因之動搖。迄乎八月十三日，史氏方面有把握之票爲五百四十八張，與大會場上所需之多數票六百五十二張，相差不過百餘票而已。以云是日哈氏方面之票僅二百四十張，視史氏瞠乎後矣。杜魯門氏更號召記者日向之宣佈曰：『史氏主張中和，實即等於躊躇不決。民主黨需要一個主張堅定而決心戰門之候選人，若史氏決非其儔，史氏非能戰勝艾氏之人也。』各記者聞此言後，均以杜氏自毀民主黨候選人之聲價爲奇事，乃下一斷定曰，此必杜氏已陷於失望之餘，乃不得不作一極端語，以爲孤注一擲之計矣。及乎投票之日史氏票不特超過六百五十二，且達於九〇五，於是杜氏哈氏等自認失敗。杜氏於史氏當選後，自行登台重復宣言擁護史氏，雖其所言未必爲心之所願，然其期望民主黨之團結與勝利之心，則始終無二。此殆於耶穌教之所謂原宥（forgiva），與東方人以意氣用事到底者自不同也。

史氏爲人，向爲美國智識界所佩服，一九五二年選舉中，哈佛大學之歷史教授許爾辛格氏即爲其參謀之一，其他如肯南（Kennan）氏亦爲其左右獻議之人。史氏長於文字，長於思想，對於實際政治如海軍如聯合國憲章均爲其所嘗參預之事，其爲依里諾州長之政績，尤膾炙人口。下院議長山姆朗朋有介紹史氏當選後之三語：『史氏之文字如威爾遜氏，史氏之遠識（vision）如羅斯福氏，（大戰中之羅氏）史氏之勇決如傑克遜氏與杜魯門氏。』蘭朋氏列史氏於威氏羅氏杜氏之林，可以知史氏爲美所推崇者何如矣。（未完）

「論中國文藝的方向」讀後感

·陳塵·

著者：孫旗 · 出版者：香港亞洲出版社

近幾年來，台灣文藝作品，在量上說，是驚人的，但在質上講，不但作家們自己慚愧；即我們這些讀者羣，恨起來也只好自己關在房間裏讀古典作品，更是貧乏得可憐。至於一些所謂「文藝理論專家」們，根據一定的格式（「文藝理論」之有格式，乃因有一定的立場，運用凡因×××觀點之類流行名詞寫些不倫不類的東西，至於各種形式作品之規範，典型之創造，文藝新作手法之追尋，一些眞正是說理的文字外，亦少見眞正具有分量的作品。除另一類型文藝雜誌與報紙之書評，有之爲另一類型之「讀書筆記」，却又多出自抄一類，其引述一些有文藝修養的讀者。是極容易指出的。

最近，細見孫旗先生之「論中國文藝之方向」，是值得人欣喜的。謹就閱後所獲之數點感覺，就教於著者。

× × ×

第一感覺，是「中國文藝的方向」一詞，包含甚廣。最少也要能指示出中國文藝今後所要走的路向。但本書雖廣泛涉及各種「形式」作品之新寫法，與社會、時代所影響文藝作品發展之必然性，却甚少有系統的敍述；故讀本書之最初觀念，是感覺亂，沒系統。表現出接觸的面雖是夠廣了，但不夠深、不夠精，也只至於提出各類型形式文藝常識。其他像「文藝與政治」、文藝改造運動、「文人相輕」等篇，乃屬概括性之文字，與「方向」並無太重要的關聯。又非文藝之主體，姑且不論。

關於「文藝批評」方面，書中有兩篇文字：「掀起文藝批評運動高潮」與「再談文藝批評」。根據「亞洲編者」的介紹：本書著者是「活躍於台灣文藝批評界，以持論激昂，筆鋒雄健見稱於時」的，又台灣文藝界的傳聞，著者是「春秋之筆」的[illegible]家，[illegible]章雜誌，時以「馬丁」之筆名發表書評於[illegible]，因此，照說這力而是著者的本行，必有精確見解。可惜著者僅只指出現階段文藝批評之病態，而不能詳細的指示評論的新路，這是不夠的。當然這也並不是一兩篇短文所能盡道的。

× × ×

其次，談到新詩之「方向」，著者在本書中有三篇文字，是一、論詩之風格，二、新詩體式論與三、論戰鬥詩之創造。讀此三篇文字，使我們對於著者對新詩「常識」的淵博深爲敬服。因此，我們也僅能得到一些「常識」，而不能發現新詩的「方向」在何處。我們讀到「詩之風格」。也讀到西洋體詩之格式、韻律。如SONNET TRIOLET VILLANELL以及日本之俳偕體與冰心之小詩體，還有給軍中詩人談一些常識之類。但我一直未發覺現今新詩之路向。隱產生那一種新的形式，隱含有那一種新的而非八股的內容。是該採取西洋體式之死化格律；或是不顧一切遵隨台灣一些小貓小狗詩人之特殊的「我們家裏的規矩」的形式呢。至於說到寫詩之技術問題，以便利初學者，也僅只是概念化的規定，並無實際効果與深入淺入的指標。據悉：著者於抗戰期間服務於軍中時，曾以「蘇東平」筆名，發表新詩頗多，並得到當時很多名詩人的好評，來台後，聞不玩此道已久，然於前數年以「田望陽」筆名發表幾首小詩，頗爲詩界注意。若著者能以詩人立場說點創作經驗，似將較此數篇「概念化」文字實際得多？

× × ×

著者論散文文字雖只有一篇。但所觸及之問題却多種多樣，由概念至主題，形式內容；至情感、文字、風格、美學等。最後結論是：「去打破這感傷浪漫的情調，而開展清新堅實之領域。」

但著者却忽略，現在散文之最大特徵是表現個性，所謂個性是指個人與人格兩者的合一性而言。故散文特有「性靈色彩」。其次特徵是範圍擴大，即寫「杜鵑之下尾閭骨的一圈」（錄郁達夫語），甚至引車賣漿、村婦鄉間與風花雪月等，亦能寫出人與社會、時代性，這是那好的散文。散文之路向是與人性之合致，只要與人性並非陷入「一種病態」，也非「感傷與浪漫色彩」。未悉孫先生以爲然否。

×

最後讀到關于小說部門，著者用五篇文字談到這部門。假使「中國文藝之方向」能指示「方向」者，亦僅只此五篇而已。

著者首先提出小說因爲近代「科學發展之後，對物質文明的影響，也使文藝更進了一步。而在演劇之演出，電影之放映，也表現文藝更進之進展性中。因而人在接受文藝更經濟的精神享受方面，也就採取了更經濟的態度，幾十萬字的小說，不但印刷成本高，即在閱讀方面，也要化費幾晝夜之功夫。但如果經過戲劇之演出時就只需三四小時，電影只需兩小時就能映完。」

從引述孫著看，即已指示小說的新路。因近代謀生不易，讀者無暇依在沙發上大讀其古典巨帙。故過去之「報紙手法」與「筆記體手法」已不適於近代讀者羣。

跟着著者指出新小說之寫作手法，應該是採取「戲劇手法」。這種「手法」，「除了人物的言語行動以外，不另加說明。」

著者在如何走向新小說之路上的方法說明，是別具慧眼的一種看法。其指示出「戲劇手法」的優點，要以情感動人，不須太多的場景描繪。一切場景，人物性格皆寓于對話裏。此是「海明威小說之新技巧。」但對話必須口語化，是人的語言，活的語言。而先決條件是合乎說話人的身份、地位、教育、職業。更不能是「文藝化」了的對話。是小說中人物之言語，而非作者之言語。

最後又談到新小說之寫作技巧，此數篇文字實爲本書之主體，引述廣博，深入淺出，是值得讀，再讀的幾篇不可多得之作品。此處不再加以介紹。

走筆至此。綜觀全書：雖有其缺點，但因有後數篇關於小說部門的，可彌補。而至於本書之文字，筆者感覺很多地方晦暗，著者更愛引述一些×××等類名詞，以至使行文方面，頗有故意堆積之現象，讀時稍感困難，此是否正是著者的「風格」呢？

筆者爲一熱愛文藝之青年人，根據一個讀者之直覺，寫出一部分讀後感，雖不免有「主觀強調意識」，謹以此就教于孫旗先生，並像我這種強調的讀者羣，未悉以爲然否！

自由談

舊調重彈

馬五先生

報載：喧嚷了若干年的「反共救國會議」，最近據說是眞要準備實現了。敵人在海外狂施統戰魔術，我們未嘗採取主動的、有效的反擊策略，而對於國家元首迭經告誡，不許鋪張揚厲的祝壽運動，却孟晉不懈，屆時將有海外僑胞數千人回國祝壽。假使以策動祝壽這項勇氣與毅力來促進反共救國會議的工作，我們又何致於讓敵人的統戰魔術猛着先鞭呢？

有人說：召開這項會議的第一點顧慮，就是害怕着要請他駕臨預會的或不來，而不請他來的，偏多自告奮勇者，豈不窮於應付？實則祇要誠意邀約，事前必爲樂洽，徵求一些對方的意見，採擇施行，那就沒有不惠然肯來的。因爲今天每一個眞正具有反共救國意志的人，對中華民國政府總是愛護的，既然有了這項大前提，其他祇是方法問題而已。

其次是耽心一般預會者議論多而建樹少，甚至競發牢騷，徒亂人意。這亦是多餘的顧慮。開會本來就免不了百家爭鳴的現象，即使有人對施政得失加以批判指摘，這又算得了甚末呢？民主政治的要着就是貴乎容忍精神，只要是被約到了台灣來開會的人，即有識大體、顧大局的智識修養，最後一定能在異中求同，同中容異的原則上得到共同結論，不成問題。

還有人主張這會議應該等到實行反攻大陸的前夕才召開的，這是不切實際的廢話。此中的事實與理由，非短言可盡，但有一點可以指出：到了那時候再來召開這項會議，我敢保險，有些人就決不願預會了。凡屬懂得社會心理學、政治原理和國際間的內在形勢者，都能洞悉其中的義理。

有誠意，有辦法，此時此事，確爲必要，否則不如其已也！

「志未酬」——一位科學工作者的自述

生活與思想

。王先銘。

三十五年暑假前，我在昆明一所大學裏求學、教課，連續呆了十年，其後過了一年動盪的生活，三十六年七月三日就進入高雄一所國營生產機構的試驗室裏服務，至今已經九年多，還沒有離開這個職位。

九年多的歲月對個人的壽命來說，實在是一段漫長的時間，但是，像我這樣一個從事科學工作的人，天天按時到試驗室處理公務，下班回家也過着相當規律的生活，覺着工作日和週末相間地飛來，一個禮拜好像最短的時間單位，九年多的時光簡直一晃就過去了。

前天和一位朋友談起我這九年旅居台灣的生活，他似乎爲我惋惜。他說：「你初來高雄時，曾有人約你去美國密士根大學研究，如果當時應約而去，在那兒工作九年，你一定有比現在更好的成就。」

就個人在科學方面的造詣來說，他的話是有相當理由的，如果對國家民族來說，那就又當別論了。

我向他解釋：「要發展我們的科學事業，固然要派人出國研習，同時必須有人在國內努力建設試驗室，不能總是存着一種不健全的想法，要研究科學非出國不可。我們應該趕快在本國的土地上播下科學的種子，讓它們生長、發育、開花和結果。」近九年，我在國內的工作使我這種理想得到不少印證，我格外相信必須使這種理想成爲事實，科學事業才有發展的希望。

半生科學工作的訓練，雖沒有因此積蓄一些什麼財物，却養成了一副好作觀察分析的腦筋。自然界的物質和事理固然是我研究的對象，有時，我也留心人事，發掘人性。也許是我愛護社會的心過切，常常發現目前一些不合理的事情。站在社會教育的立場，我往往把它們描繪出來，希望發生改進的作用。

譚嗣同臨死的時候，曾有一封信給梁啓超，信上有這樣一句話：「而今國家需要啓發，讓我的血震撼他們，你的筆啓發他們吧。」這句話多少年來一直深印在我心版上，而且時間愈久，愈覺得話眞切有力。我雖沒有天賦的一支妙筆，却未嘗不嚮往這一條道路。近幾年來雖曾寫了一些東西，可是，那點微小的成績還不能滿足自己的願望。

我很欣賞梁啓超志未酬一文，錄之用慰過去，並勉未來。

志未酬，志未酬，問君之志幾時酬？志亦無盡量，酬亦無盡時。世界進步靡有止期，吾之希望亦靡有止期。衆生苦惱不斷如亂絲，吾之悲憫亦不斷如亂絲。登高山復有高山，出瀛海更有瀛海。任龍騰虎躍以度此百年兮！所成就其能幾許？雖成少許，不敢自輕，不有少許兮，多許奚自生？但望前途之宏廓而寥遠兮，其孰能無感余情？吁嗟乎！男兒志兮天下事，但有進兮不有止！吾志已酬便無志。」

舊京鞠事瑣憶

。外行戲迷。

（四）堂會、義務戲

從遜清到民初，顯宦鉅賈，遇有喜慶往往邀集當時京城中名角彩串傑作，稱觴祝賀。地點或在各省會館，或假飯莊。稱之爲「堂會」。

平時名角們分隸各班，互不相下。雖然各有所長，但搭配未必銖兩悉稱，旗鼓相當。堂會則可將其匯合一台，而收牡丹綠葉之效，例如四郎探母這齣戲，主角楊四郎與公主不必說了，總是由陳德霖配演蕭太后，龔雲甫飾佘太君，乃至七姐八妹亦非泛泛，其精彩自可想見。又如郝壽臣和侯喜瑞，這兩位架子花臉，有一個時期都在當紅，各擁羣衆，勢均力敵。而在堂會中則常爲他們倆排出「鬧江州」戲碼，一個飾李逵，一個賣牌黑旋風，加倍賣力，甚至爭起風來，弄得假戲眞做，在台上幾乎要拼過上下。台下的觀衆呢，眼見這樣好戲，自然喜笑顏開。

老戲迷隨時在留意何處有堂會，到期不問與主人熟或不熟，披上馬褂，袖籠「紅封」，上得禮堂，長揖致賀，便有「知賓」前來招待，入席欣賞，筆者髫齡時也曾跟隨大人闖過堂會。記得有一次似是同仁堂樂家作壽，聽過老譚（鑫培）的南陽關半齣，爲時已在子時，到後來支持不住，竟倚案睡着了。辦堂會，一定得有一位好「提調」。此君須和各大角有交情，了解他們的脾氣，吃得開，兜得轉。而且深知每人的戲路，擅長所在，然後排出戲碼，才能精彩百出也。担任提調的，任勞任怨，並非爲利，只是喜愛這一套玩意兒。

爲了公益籌款，由各名角會演，並不拿「戲份」（演戲的酬勞）的，謂之「義務戲」。舊京梨園公會每當陰曆歲尾，總演一兩場「窩窩頭會」，爲若干同行發放戲鍋，過年時還可飽吃一頓窩窩頭（玉蜀黍粉做的食品，北方窮人多以此充飢）。又如過去各省有水旱災荒，旅京同鄉會常請名角演出義務戲，以賑災民，是否沾到實惠，那是不知道的，但戲迷們，總還趁此機會，又得一飽耳福，大過戲癮，仍不失爲一大功德。

論義務戲，多在「第一舞台」，以其場子大，座位多也。再說到「堂會」，日本人侵華前，宋哲元任冀察委員會委員長時，還爲他老太太祝壽，演過一場好戲。今日在香港的人士大概有不少曾躬與其盛的。今日的大陸也已革命了，堂會這名稱，名之曰：「文藝晚會」。究其實，還不是有一班人在台上賣苦力，而另有一班人在台下享受。

短篇創作　友情

。眞誠。

張鐘突然接到救國團受訓的通知，於是他匆匆的收拾了行李到復興崗去了，他的床，桌子就讓我了。我心中怪不安的，我總覺得我不應該來使張鐘違犯了校方的規定。

事情終於發生了。

這天晚上，我剛熄了燈，才躺下就聽見外面有人講話，腳步聲移近了我們住的房間，我好像有一種預感，把臉朝裏裝睡着，接着有人來敲我們的房門，『查號的來了！』同房的同學打開門，電燈隨着也亮了。

『幾個人？』

『四個』。

『張鐘受訓去了，還有四個？』

『有一個客人？』

『誰的客人？』

這時我驚惶的只好起來，我看見一個警察，另外一個便衣，想是訓導處的人員，我站起來，想自己對他們講吧！但怎麼說法呢？雖然張鐘是朋友記一大過不在乎，可是我講他們是否相信呢？要是同房間的同學全體受罰，那我怎麼辦！

『誰的客人？』他們又迫着問了一聲。

『我是……』

『我的客人。』一句堅定的話截斷了我要說的。

『誰！李宗，是李宗。』

『把他名字記下來。他是什麼人，有證件嗎？』他指着我。

『有的！』我從口袋裏掏出來假單遞給他們。

他們看完揩起來，但沒有還給我，向李宗說：『走！你跟着到訓導處去。』

他們一齊走了，李宗回過頭來向我說：『同志！你休息吧！沒有事的，』不等我說話，他把門帶上了。

我那能睡得着，一會，李宗回來了，把假單交還了我。

『你受委曲了，』我說。

『沒有事，沒有事。』

『我明天要搬走了，在此我心裏不安。』

『不要慌，反正他們已經知道了，明天我出去到朋友處找好房子帮你搬去，我同老張都是一樣，不必見外。』

『不必！不必！那太麻煩你了！』

『別客氣，我們都是流浪在外，誰背着房子來，先休息吧！快四點了。』他看看腕上的錶說。

次日，師大佈告牌上貼出了：李宗因留宿外客，記過一次的佈告，我聽到了這個消息，心裏難過極了，我該如何向李宗道歉呢！他成了張鐘的替身，却是爲了這素不相識的我。

我需要見他一面好離開這裏呢！但我到處找不到他，中午他回來了。

『走！我們搬走，』見面他就說。

『那裏去？』

『我給你找好房子了，我帮你去。』

『我看還是我自己走吧！』

『不是我已講過了嗎？我就是老張，老張就是我，朋友是一樣，……走吧！』

『……』我說不出要說的話，提起了草綠色的旅行袋，跟着他離開了師大男生宿舍。

街上又是落着毛毛的雨絲。（下）

譚組安末科會元

燕塵識（六）

抗戰前不久，我在北平午門樓上歷史博物館中，看見一張光緒甲辰科殿試金榜。甲辰一科是千百年來科舉取士最後的結束。在科舉史上，此榜大有其文獻上的價值。在我說，也算眼福不淺了。榜上文字，渺渺茫茫記得大意。大概是：「奉天承運皇帝詔曰」起首。下接「光緒三十年三月某日試貢士譚延闓等二百七十三人於廷，以下還有幾句，記不得了。再下開列等第：

第一甲第一名劉春霖 直隸省……縣人

第一甲第二名朱汝珍 廣東省清遠縣人

第一甲第三名商衍鎏 廣東駐防旗人

以上賜進士及第

第二甲第一名是誰，想不起來了。

二甲第二是廣西賀縣林世燾。譚延闓名次稍後亦在二甲第四五，所謂前十名也，全榜人物，頗多知名之士顯於民國者，容後述之。

此榜文中，以貢士譚延闓領銜，乃知此科會試，譚中會元。湘綺樓日記光緒三十年三月十五日記云「看京報，文卿兒得會元（按組安先生尊人名鍾麟字文卿諡文勤），補湘人三百年缺憾，闓……榜眼流蜚也」。王之於譚，恒以前輩目之，故言之不莊若此。論兩家世交，固然王是前輩，譚是後輩，若論翰林前後輩，則譚前而王後亦無疑也。

劉春霖大魁天下，當亦有說。齊如山先生評言之：「再有末了一科，劉春霖也另有原故。當時第一名本定的朱汝珍，劉係第六名。前十本卷子，送西后看。西后一看便有不豫之色，因她恨珍妃，乃問這是什麼一個男子用女人的名字？當然有意把狀元更換，她再看第二本，乃是廣東清遠人，就是第一名之朱汝珍，因她因中山先生及康有爲梁啓超的原故，極恨廣東人，這也是她不想中爲狀元的一種原因。因爲恨廣東人，而波及駐防旗人，這也可說是令人想不到的事情。又往後看，看到第六名，乃是河北省人，已經合了她的心思。又因那一年天旱，春霖二字更合她意，遂提升了第一名中了狀元，朱乃改成了榜眼。這又是因爲名字及省籍不同的了。狀元者，是見中國科名不是專憑文章得而故事還多，不必多寫了。」（以上引第三二二期中國一週「中國的科名」），齊老先生之言如此，可謂信而有徵矣。

台灣影圈

諸葛均

點眼藥開倒車

「中製」繼「蓋戈湖」後，開拍兩部新片：其一爲「偉大的領袖」，據說係一套宣傳而新風格化電影，攝成後將以爲……故事內容，據說寫大陸中共政權欺詐人民之一般。但都離不了公式八股這一套，誠不知攝製目的何在？觀衆乎？抑點眼藥乎？其一爲「鵲巢鳩佔」，與「惡夢初醒」，「風塵劫」，二而一，一而二，也。此類題材，到今天還仍死不放，台灣影業其眞無人而開倒車乎？

「袁世凱」死而復活

華僑攝製的「袁世凱」，在台上映問題，像拉鋸般，已鋸拉了一年有半，最近聽說又予通過准映。從禁映到准映，都是檢查的決定，竟是如此。……有時，電檢尺規不過是一道失實的「神符」而已。

台語片黃色泛濫

台語片自「范蠡與西施」後，影圈一時口傳，製片商紛紛投拍，完成的作品，計有「范蠡與西施」、「林投姐」、「雨夜花」、「五子哭墓」、「運河奇緣」等片，看來台灣的方言影片，將有一番熱鬧景況。不過，其內容，黃色泛濫，令人擔憂，恐非台灣片之福呢！

一場大火損失輕微？

上月「中製」遭回祿之災，據估計值台幣二億元，惟「中製」自行發言，謂「損失輕微！」果然，一場風波，效果極佳。於今看樣子，也就不了了之。其實，追究是否，反正……

自由人
THE FREEMAN
（第五八三期）
中華民國僑務委員會登記證僑台報字第一〇〇二號
中華郵政台字第一〇〇五號執照登記為第一類新聞紙類
（半週刊每星期三六出版）
每份港幣壹毫　台北市價新台幣壹元
地址：香港高士威道廿二號四樓
3 rd. Fl. 20 CAUSEWAY RD HONG KONG

赫魯曉夫與狄托談什麼？

。曾旭軍。

蘇共巨頭赫魯曉夫，與南斯拉夫獨裁者狄托會談，突引起全球人士注目。有人認為此與反史達林事有關，亦有人推斷蘇狄二人謀建立共產軸心。此皆有可能。但對於自由世界為福為禍，端賴乎我們是否能把握時機，否則赫魯曉夫的新策略『順應人們的情願想法，製造錯覺得逞，』則終為蘇共所乘。

擴張斯拉夫野蠻主義

蘇聯共產主義披着馬克斯的外衣，而實質上為斯拉夫的野蠻主義之結晶，不外四要素：特務政治，農奴制度，工奴制度，和大斯拉夫帝國擴張。共產黨標榜的所謂馬克斯列寧主義的辯證唯物主義，和歷史唯物主義世界觀，完全是一種引誘不滿現實的人給他們做工具的符咒，實際上，在每一個共產主義的國家，實行特務政治，箝制人民自由，殘殺虐待人民。實行農奴制度，工奴制度，奴役與剝削人民。積極推行大斯拉夫帝國，驅附庸國人民上戰場作砲灰，以擴張俄帝勢力，征服全世界。這是有目共見的事實。最近十年來蘇聯共產主義的思想，觀念，理論，均急劇的破產。三十年來蘇共集團的獸慾主義，政治的卑鄙，道德的墮落，及將人類化為奴隸，已露出蘇聯國際共產主義的可怕，可惡，可恥的性質。鐵幕內一般人民，知之而無可反抗，鐵幕外大多數人雖知之，而因畏大戰且圖苟安，祇少數不滿現實者受其愚惑而已。這是當今世界人類最可歎的一幅人類趨於懦弱墮落的圖畫。

空言認錯欺人之談

最顯明的證據，就在克姆林宮當權者的反史。史達林是他們的養育恩人，他們奉之如父母神明。為什麼竟厚顏無恥，以致將其鞭屍？無他，這是赫魯曉夫之流的苦心，將共產主義一切的醜惡，推歸史達林的身上。欲由此以挽回共產主義的信仰而已。可見共酋如何的心虛胆怯。赫魯曉夫的策略，完全是努力求阻止蘇聯共產主義的崩潰瓦解。

但我們要分別主義的腐蝕崩潰，和權力的腐蝕崩潰，是兩件事。照目前看來，前者已崩潰，但後者則否。赫魯曉夫深信兩者皆可挽回，是寄托希望於下列兩個因素：（一）自由世界由於自私與惰性，不能利用共產主義的道德與政治思想之破產。（二）自由世界易上蘇聯「新面貌」的鈎釣的人太多了。

因此赫魯曉夫的策略，是努力製造自由世界人士的錯覺；以挽回共產主義的道德與政治思想的破產。其秘密上文已說過，就是『順應自由世界人士的一廂情願的想法』。換言之，表面上做出一些如你們所願的小做作，實際上是引誘你生出錯覺或幻想。這是一大原則，至於其運用做成的事實，多不勝言，讀者必能推想得到，隨意俯拾即是。

其製造錯覺甚至厲害到用『認錯計』與『苦肉計』。例如蘇聯共產黨的廿屆會之反史鞭屍，中共八全代大會共酋的報告和批評都認錯，大有「下詔罪己」之氣概。——共產黨最無恥之勾當無過於此，以認錯而不追究責任加以懲罰，交出政權，觀其下人如愚蠢孩子，自欺欺人可稱為『認錯攻勢』，其用心亦太毒辣！請鑒共產黨是無道德觀念的，在列寧的『左翼共產主義』，一借用一切戰略戰謀及非法手段。因此這是不足為奇的。但可注意的，不是『為什麼』，而是『為什麼在這個時期？』

擺脫離俄共姿態

在這時期，蘇聯及中共內部一定潛伏有危機。蘇聯共產黨和普遍的政黨不同，它具有世界性，對於附庸國的共產黨有無限的權威。從歷史成因看[illegible]任。當時蘇聯共產主義的政治思想紛歧，且尚未到行不通的牛角尖。所以藉政治思想理論去實行整肅。史達林之整肅布哈林與托洛茨基，與馬連可夫之整肅貝里亞不同之分歧者，已祇無政治憲同之資本主義的低牽強勾通的單純罪名作整肅理由，但倡導集體領導，排除異己，赫魯曉夫是從史達林學得來的。至於對附庸國共產黨，赫魯曉夫便改變史達林的明明白白要附庸臣服的作風。他企圖改變世人的「俄國製品」的共產主義的印象。最顯著的例，是最近赫魯曉夫的訓令共產黨表現脫離俄國共產黨獨立的姿態。一九五六年六月二十四日宣佈「脫離莫斯科而獨立」。在莫斯科訓令之下，義大利、英國，以及歐洲頭腦左翼社會黨同路人，對南斯拉夫等國家的共產黨宣言尼，均作此種的宣言。其他國家亦作這種情形。和史達林時代大異，在一九二九年，美國共產黨因為支持共產國際局，被史達林懷疑他們同情布哈林主義，故而被整肅。將成千之美國共產黨員驅逐出黨。

狄托擬組東歐聯盟

本來各國的共產黨都成為蘇聯共酋之傀儡。所謂「政治的機械人」。但為着配合蘇聯人的統戰手段，則又必要作與莫斯科分離的姿態。我們記得：當解散共產國際情報局時，各國共產黨揚言獨立，各與蘇俄祇有變過關係。然而實際上，依然是共同臣服於史達林。這一次蘇聯共第二十屆大會，蘇聯為要推行其「和平共存」騙人詭計，統一戰線，爭取民主社會黨，僞言各種社會主義殊途同歸，故而又鼓吹各國共產黨的獨立性。

赫魯曉夫本無特別與狄托有好感，無其所以與狄托拉攏，非是以狄托為配合他的政策之優異工具，亦去鼓勵中立主義，是僞示各國共產黨獨立性之良好標本。但誰知假戲真做。狄托欲乘機組織東歐一以南國為領袖的「同盟」「世界革命中心」，向共產黨以「工人祖國」自居，何物狄托，居然有此異念。這是赫魯曉夫所不能容忍的。因此蘇聯着急了，連忙分發訓令給各國共酋，勿仿效狄托，繼而赫魯曉夫因被國內擁史達林派的攻計，及同僚的指責他的反史做作過份，鼓勵狄托思想，造成附庸離心危機，故而赫氏本人急急赴南國與狄托[illegible]。勿做得太過份。「獨立性」最重要的是狄托在外交、經濟與政治各方面，不在若干點維持其獨立性。最重要的是南斯拉夫不能不向西方國家乞求經濟援助，否則南國立即經濟破產。這是南斯拉夫政府二十九日宣佈狄托，與蘇聯高級官員舉行雅爾達會談「[illegible]」的南蘇關係內容分歧分析見解。

中共與歐洲共黨不同

現據羅馬電，又悉：在俄南發生歧見中，義大利共酋又將訪南學習南共經驗。這又是蘇共一件傷腦筋的事。一旦附庸共產黨都來學習南共的「經驗」，豈不是成了分崩離析？至此，我們便明瞭新的「中共黨章程」的總綱上，為什麼有「……反對任何教條主義的」「或經驗主義的偏向」這一句話了。可見中共是諸附庸國共產黨最徹底一面倒，屈從俄的傀儡。從俄南意見分歧中，可見共產主義理論與信用之破產，蘇聯對其衛星國關係亦潛伏着危機。自由世界是否能把握時機，去擊潰蘇聯的野蠻制度，端視乎諸政治家的智慧了。

[illegible]政風　示民以信以德

。孫瑋。

本報第五七八期陸浮先生的「行政效率何以低落」，及五八一期李聞一先生的「從速解開人事凍結的死結」兩文，都是鍼砭時局而有建設性的正言讜論，足供執政者反省參考。惟文中所論列問題均屬責任內閣的行政範圍，筆者認為俞內閣能夠採納施行的希望似乎很微。說這話並非瞧不起俞內閣，而是以俞內閣執政二年餘來的作風為據客觀地觀察所得。

我覺得俞內閣成立以來，就整個作風說，小心謹慎有餘，魄力却嫌不足，茲數事為證：

年來自由中國的軍事，確在飛躍進步中，可是政治的進步速率始終趕不上軍事。行政部門普遍患着遇事互推責任，只求無過不求有功的毛病，這毛病當然不自俞內閣始。但却以現階段為最嚴重！「新速實簡」的政風，亦迄未見切實奉行，何所見呢？請看：

編制外的機構太多

（一）、現行行政編制，相當完備。凡百政事，本應分別性質劃歸憲法規定的當設機關去經辦，以省人力、物力及時間，以專負守。但偏偏每每要臨時組設什麼委員會或專案小組，湊集許多似是若非的機關人員去辦，可是甲種委員會中委員是趙錢孫李，乙種委員會是孫李趙錢。或者丙種委員會少一趙而多一張，丁種委員會少一孫而多一魏。變來變去，總不離那幾位常見的開會專家。從好聽方面來說叫做集思廣益，凡事公開，好壞大家負責；實則是案論紛[illegible]相推諉，負責無人。固然[illegible]起來便多遲[illegible]效率低微[illegible]勝計。我[illegible]在執行方面使絕對[illegible]要簡化[illegible]互推責任的毛病。

優柔寡斷缺乏魄力

（二）、試以國產片檢查法而論，雖經港台影界一再請求修改，俞揆亦三番兩次答應請願代表王元龍等將予修改，但為時年餘，祇聞風聲，不見雨點，難怪王元龍這回要高呼請政府饒命了。關於此案，有關機關都主張修改，中央黨部第六組因業務配合需要主張尤切，但公文旅行到行政院便似入了凍房。聽說俞揆因有小部份立委說話故不敢辦理，那我們要問：那條不合理的檢查法是立法院制定的還是行政院自制的？立委中說話的是多數人還是少數人？是經立法院會通過送政院執行的議案還是私人意見？如果屬於前者，則責任在立院，但政院亦應認明是非，公開交代。如果屬於後者，則責任在政院，理難推[illegible]延觀望。照我們所知，問題都屬於後者，這豈不說明俞內閣的優柔寡斷缺乏魄力麼？

「商鞅治秦徒木立信」

（三）、再說：政府早知年來國產影業，受到不堪的摧殘而奄奄一息，於是乎撥存呑池集合十一個有關機關組設國產電影輔導委員會以謀補救，該會由教育部長任主委。又擬訂獎助辦法公佈施行。這個辦法本是消極而非積極是治標而非治本，但既經積年累月的研究製訂，且經公佈實施，香港製片人亦經遵照政府製發表格申請，輔導會亦經審議而通過了七十五部受獎助者的片名，送請行政院轉財部辦理，此事本已告一段落，可是公文到了政院便數月沒有聲響。又記得幾個月前片商公會曾呈請主管當局仿照英法日意等國辦法規定各大戲院輪映國片，輔導會認為確屬必要，決議通過送政院執行，當時筆者曾為文預料，實施恐尚需時，果不幸而言中。這又充分說明政院做事不免有點拖延的作風。

此時此地無功便是過

我們也意識到俞內閣在處理政務上或有若干掣肘阻力，但阻力是需要肩膀魄力當機立斷。加以處理的，不是敷衍得了的。政府年來在人事凍結辦法上已種下公務員普遍惰性，只求無過不求有功的麻痺狀態（其實此時此地的公務員無功便是過），政治圈中形成一池死水，俞內閣在此種情勢之下，要展開蓬勃朝氣實行「新速實簡」的政風，是頗為困難的。七年以來，大家心情都非常沉重，求全之心當然過分迫切。集全國人材來辦理這彈丸之地的事，我們無理由不使達到各方面都有長足進步的目的。否則我們何能把一切進步成績推而反攻大陸？

半週述評

・司馬璐・

雅爾達之會

蘇、南、匈的共黨頭目正在雅爾達集會。雅爾達，這個不祥之地，它往往是和陰謀連結在一起的；狄托這個人，尤其是陰謀的化身。

俄共的反應

二次大戰期間，狄托政權的建立，利用英國的援助；二次大戰以後，狄托政權的鞏固，利用美國的援助，有史以來，利用英美如此龐大的資助以推行共產主義者，狄托要算是第一人。

無可否認的，共產集團的內部嚴重矛盾是存在的，南共發言人也承認蘇、南之間有歧見存在。但嚴格的說，南共發言人這一說法雖然「體面」，却不是完整的。

因為，所有俄共與其他國家共黨的矛盾，都是俄共黨內矛盾的反應。

所以，赫魯曉夫要先跑到南斯拉夫去。

嚴重的錯覺

從「狄托問題」發生以來，西方國家一直對南斯拉夫執行錯誤的政策。

原因是，西方把史達林，狄托個人之間的翻臉，看成是蘇、南共黨政治上的衝突。

這是一個嚴重的錯覺。

從史達林到赫魯曉夫，從過去到今天的蘇、南關係，不就是俄共內部矛盾在蘇、南關係上反應的一個最好的說明嗎？

一路錯下去

錯誤的認識，產生了錯誤的政策。

不僅此也，更嚴重的是，已經知道錯了，由於害怕自己下不了台，只好硬着頭皮一路錯下去。

例如在美國，國會屢次要停止對南斯拉夫的美援，但是國務院方面却遲遲出來否認。

餵得更肥點

美國國務院為什麼要「否認」呢？因為他們不肯承認過去執行了對南斯拉夫的錯誤政策。

不僅此也，美國有些人還要把狄托餵得更肥一點，他們振振有詞的說：「如果我們不如此，狄托就要倒過去了。」

是的，如果沒有「美援」，狄托早要「倒」的，不是「倒過去」，而是「倒下去」。

拷了中國大陸。

美援和狄托

二次大戰以後，一個最顯著的事實是，「美援」救了狄托，

「美援」救了狄托，狄托又救了蘇俄，沒有狄托，今天的蘇俄早已孤立了。

「美援」救了狄托，狄托又催生了中共政權。

這話怎說？因為有了狄托，遂產生美國的「孤立狄托」之夢，產生美國對中共的種種幻想，遂產生美國對中共的姑息政策。

這不是說，共產集團將要利用「美援」實現全世界共產主義嗎？

中共如何對待宗教

斥李維漢在「八全會」中的謊言

胡養之

中共統戰部長李維漢，在「八全代會」上說稱：北平政權「保障宗教信仰自由，雖然我們共產黨員爲唯物主義者，因而並不信仰任何宗教。但是由於我們瞭解宗教信仰將長期存在的原因，所以我們才採取尊重宗教信仰自由的長期政策。」

先天的反宗教

中共這一套謊言，從表面上看起來，好像這一個是有先天的反宗教政權，已一改變其初衷；可是從事實去分析，我們絕不相信中共的狗咀裏能出象牙的。

根據馬列的言論和共黨一連串的迫害宗教情形，就可充分了解。列寧說過：「無神論是馬克斯主義理論與實踐的不可分的一部份。」馬克斯也曾肯定地說：「宗教是人民的鴉片烟。」列寧對一九二三年的事件中（追悼[illegible]）說過：「我們對人民的鴉片烟作第一次總攻擊，在文化革命工作上佔着重要的地位。」不錯，自蘇俄共產黨政權成立以來，他們對宗教的處理，除因爲策略運用暫時轉變步驟外，骨子裏還是奉行列寧的遺教。一九二四年齊諾洛夫曾發出一個警告：「我們要在適當的時機抓住那個『上帝』消滅他，但我們必須要提高警覺。」所以反宗教政策要算是克姆林宮各種政策中做得最一貫而且是徹底的。

無論從任何方面看，共產主義的思想與宗教教義都有着基本上的矛盾和衝突。共產黨講鬥爭、講殘暴，而宗教却講感化、講仁慈；共產黨要殺人存己，而宗教却是捨己救人；共產黨相信極權，相信戰爭，而宗教却相信平等、相信和平；共產黨是無神派，是唯物論，認爲宗教是人民的鴉片烟，是封建的產物。

如何消滅宗教

是故，中共一奪得政權，即開始其反宗教運動，尤其是當它參加韓戰後，發動「抗美援朝」，高唱「打倒美帝」，可是在戰場上打不倒「美帝」，却一怒之下，先把教堂裏的「美帝」開刀。它們對天主、基督教方面，於一九五〇年十一月便發表一篇「檄文」。大意是說：在中國，天主教和基督教的問題，一方面是宗教問題，一方面又是在長期中被美帝利用作爲工具來向中國人民進行侵略的問題。

據估計：天主教和基督教在中國羣衆中間已發展相當多的教徒，天主教徒約有三百萬人，基督教徒約七十萬人；而天主教教士中外國人差不多佔一半，一萬二千人至五萬五千人；基督教佔百分之十七，兩宗教都以英美教會佔主要勢力，活動一開始就和帝國主義的對華侵略有深切關係，發展而爲「帝國主義利用作爲侵略的工具。」至於對兩教的處理問題：一方面在兩教中展開「愛國反帝」運動，與「帝國主義」脫離關係，實行自治、自養、自傳，從事所謂「宗教革新運動」，爲保障社會秩序安寧。教徒要共同反「美帝和特務份子」，教會的財產要公開處理。這，不但是取消宗教。另一方面對教士教徒，則實行驅逐和屠殺，據一九五四年非正式的統計，在華的天主教外籍傳教士（包括主教、司鐸、修士和修女）一萬多人中，只留二百多人。中國人的司鐸三千人被處死，其餘兩千多人被拘禁下獄，至逼迫自殺的，更無法統計！

至於迫害佛教的方法，也是很有步驟的，而且比其他宗教還消滅得徹底。第一步驟，是利用土改政策，把全國佛教所有廟產、廟田分配得乾乾淨淨，寺院則爲軍隊、學校、鄉鎮農會所佔用。第二步驟，是派出許多幹部負責每個寺院僧尼的改造任務。改造的方法，一爲學習運動，把佛經改爲「時事研究」，「主義認識」。二爲勞動服務，要僧侶耕種所分得的零星田地，並限定少用農具，祇好用人力耕種，使僧侶變爲牛馬，並禁止人民的施捨與捐助香火錢。三爲還俗運動，破壞佛教的體統，強迫和尚與尼姑結婚，更鼓勵共幹與市井無賴強姦女尼。四爲參軍運動，用盡威逼利誘的方法，把年青僧侶送到戰場，年青美貌女尼則組護隊，慰勞隊，以供共軍淫辱。衰老的僧侶，會自然的凍餓而死。因此今日大陸的佛教，已到正地被消滅了，道教的遭遇更慘，所有的道士都以「國特」罪名處死了。

對回教的企圖

中共對天主教、基督教、佛教、道教等，既不惜採取一切暴手段去毀滅，難道對於回教就有所偏愛嗎？只能說中共對回教的手法有所不同而已。第一，因回教有着固執保守的性格，有嚴密的組織，有堅頑固的抵抗力。第二，全國回教大約有五百萬人，是少數民族中人口較多的民族之一，分佈於全國各省市，凡是交通比較方便的大城市，大集鎮，差不多都有回族人民居住，大部集中於西北區的甘肅、寧夏、青海三省，力量雄厚，所以中共要把回教問題劃入少數民族的範圍去處理。第三，回教徒與中共的鬥爭史很長，過去在西北戰場上曾表演得有聲有色，「三馬的」回騎，曾給徐向前的彭德懷，王震等共軍以最大的打擊。據估計中共死在回教徒鐵騎下的幹部，幾乎達十萬以上，中共猶未完全消滅回族的反抗，所以盡量避免與回教發生衝突。第四，尤其是最近兩年，共產集團企圖拉攏中東阿剌伯的回教國家，中共一面是俯首聽命其主子蘇俄的，蘇俄蓄意向阿剌伯集團滲透，自然命令它的附庸，僞裝向回教送秋波，目的無非是要這些回教集團倒向它們的懷抱罷了。

星政府拘捕赤色分子　首席部長竟遭受恫嚇

新加坡政府最近逮捕左翼教育界人士及職工運動領袖，掀起軒然巨波。九月廿八日星期首席部長林有福收到署名「馬來亞解放軍」的恐嚇信之後，星洲教育部長周瑞麒氏，亦收到一封恐嚇信。周部長特招待記者，公佈該信內容，此封恐嚇信末署「人民解放軍」，但未加蓋印章，日期爲九月廿七日，乃由應被寄出者。該信之內容如下：「忘本的周瑞麒：請勿濫用草帽上之『學習』與『共產』等文字來加罪我那無辜被捕同胞及年青中華學生，當心吧！你那條狗命！」

周部長稱：這封恐嚇信是以毛筆書寫，抄於一張練習簿的紙張上。周氏說他收到這封信，正好說明他的行動是公正的。周部長又說：這是第二封他所收到的恐嚇信，這一封亦係以中文書寫者，日期爲本月廿六日，信封蓋有本坡郵戳，寫信者係「星洲市民」。（文）

菲僑團四騎士

·李樸生·

方言家鄧英達先生

鄧英達先生是全菲律賓華僑商會聯合總會（簡稱商總）的秘書長，他有學習方言的天才，英語、菲語、國語、閩南語、廣府語，都講得很好。他又長得一表人才，[illegible]的代表大會爲小，他任秘書長，只靠幾名助手，開得整整有條。他還要任翻譯，[illegible]把英語翻譯一下。尤其最重要的是菲國會開會時，有關華僑的議案，審查會常邀商總出席陳述意見。我曾問陳大使，在菲國會折衝中，鄧先生的表現如何？他說：「佩服！」

他太太是僑生，他在三寶顏有生意，到了商總秘書長就不能兼顧，幸賴他的太太有本領，撐持下去。但他總覺自己的生意太緊張，曾想辭職，無奈楊啓泰先生等不肯放他走，他是二十萬華僑中放棄了自己的生意，犧牲了自己的家庭，被僑團看爲僑胞服務的，多勞的能者！

人事甘草蔡顯祖先生

有政治性的人到帆里拉，要拜訪各領袖僑團，徵詢意見，陪同他去的常是蔡顯祖先生。因爲各僑團領袖的人事關係很微妙，在同一反共的大旗幟下，人與人間的情感，還有若干程度的不同。[illegible]可見他的家同是累積着人生以服務爲目的。[illegible]

青運主角柯叔寶先生

柯叔寶先生是中國國民黨駐菲總支部的書記長，他比歷任的同志都年青，與青年便極接近。他曾在大中華日報任主筆。當其帶有情感的筆鋒，撐起青年文藝的大纛，正是中國哲人教青年『以文會友，以友輔仁』的用意。青年節在菲慶祝得特別高興，他的努力爲多。于是帆里拉支部有藝術宣傳隊的組織，數度回國勞軍，深得三軍的好感。這兩年柯先生和他的同志們鼓吹青年利用暑假參加軍中服務，更激發青年愛國反共的情緒到高潮，如果我今年不是在帆里拉親看見實際情形，不會相信軍中服務運動在整個僑胞社會受到這樣狂熱的震動。華僑需要祖國，時代訓練青年，在菲律賓見得最清楚。

柯先生有四好：文章好，演說好，辦事好，酒量好。他能夠對青年運動做得有聲有色，四好是極重要的原因。我覺得他有好酒量而平時不飲酒，有時飲酒而能自己節制，不及亂，就可見他的修養是能達到克己復禮的境界。如果孔子復生，他是會被列做七十三賢了。

五十年奮鬥的楊世炳先生

帆里拉中華商會有五十年的悠長歷史，誕生在本世紀的開始。十九世紀和二十世紀最不同的地方，就是十九世紀是帝國主義的殖民地主義最時髦，連美國也要取得一些殖民地來點綴自己強大的氣派。二十世紀則殖民地主義漸被揚棄，民族主義成爲最時髦的政治指導思想。美國首先不要菲律賓做殖民地，扶助其成爲獨立的國家。俄帝領域的擴張，也把殖民地主義的方式，改穿了附庸的外套。（他不用總督的制度去宰制，而用共產黨的組織來操縱。）

菲律賓的政治在這五十年來有很大的變化，隨而華僑的遭遇也日見複雜。中華商會爲紀念今年是半個世紀的週年，特出版了一大鉅型的紀念刊，所搜集編輯的材料很豐富，文字很條暢，全部菲律賓政治的變化與華僑的奮鬥經過都可以得到很具體的跡象。特別是最近的十年，菲律賓的政治變化更急劇，中華商會在這波翻瀾湧的政潮中，應付更困難。而裏面有一位辛勤負責的工作者——楊世炳先生不停的用腦，用眼，用筆，用口，消耗了他青春寶貴的光陰，消耗了他做生意賺錢的精神。

我和楊先生不很熟，但我聽到談及商會的事，一定會聽到楊先生。一個人能夠和他所服務的團體，打成一片，『你中有我，我中有他，』他的成就，也就了不起了！

阿里山下

速開反共救國會議

行政院副院長黃少谷，近在立院公開透露，各方矚目的反共救國會議，將於明年上半年在台北召開；但黃氏又同時表示，其所透露者，尚未經政院討論，也未向俞院長報告，是否有修改，還不得而知云云。這一會議，海內外各界，從四十二年起，便一致熱烈要求，不幸而一延再延，但要促成反共非共的中國人之大團結，而結成聯合陣線，則從速召開反共救國會議，擬訂共同行動綱領，實爲迫不容緩之事，願勿再事遷延。

從宣傳再進一步

港澳地區受騙「還鄉」人士，張乃文等八人，所組成的「大陸脫險華僑來台觀光團」，在最近到台，情形相當熱烈，這固不失爲反共的有力宣傳；但願政府的做法，不只是止於宣傳，並能在台灣的出入境辦法上，加以合理的改善，讓一切愛自由的反共非共人士，都能有來台的機會。

豈止民間

保安司令部洗動查緝組，最近曾同台北市警察局及稅捐處，向市內三百多家廠商行號，檢查賬簿，竟發現其中兩百多家，有逃漏稅捐等非法情事，足見此種風氣之普遍；不過，可惜這只是限於民間；假使審計當局，對政府所屬全國各機關，也能依法嚴格行使職權，不知結果又將如何？！

如此軍訓教官

省立花蓮師範學生，近因連日風雨，未將衣褲等按規定晒掛，不料該校軍訓教官仇某，竟在一怒之下，將此類衣褲，付之一炬，以至有不少清寒學生，當場對火哭泣。如此教官，似也可算得執法如山，但手段究嫌太辣，[illegible]軍訓教育的救國團，對教[illegible]人選，特別鄭重。

樂捐與攤派

教師節前夕，若干熱心人士，爲教師們發動了一項樂捐，用意倒也不壞，但據說有少數學校，對於捐款，竟至規定起碼數目，這是借樂捐之名，而行攤派之實，直是要不得。近幾年來，台灣樂捐之風特盛，項目層出不窮，而實情又大抵如此，小市民每以爲苦，戒之戒之！

·傅正·

寶島拾零

重視國際宣傳

刻在自由中國訪問的澳洲名政論家高達博士與中國廣播公司記者談論英澳二國與中國關係時，高氏特別指出英國政府與人民對我缺少瞭解，雖然近來情形較好，但仍嫌不夠。由此吾人可以體會，不但英澳人如此，就是其他反共非共國家亦多缺少瞭解，原因是我們的對外宣傳不夠了。

貪污浪費令人咋舌

貪污浪費，是盡人皆知的事實，但少數人的貪污浪費，却也是不可否認的事實。即如台北縣某中學校長的貪污情形：凡有項目的經費，只見校長交下發票，絕無貨品交出，員工薪津亦多剋扣，家長會經費和學班費也都中飽，教職員正當出差旅費不予轉報，校長則每月報支出差旅費均在廿四天以上。家中便紙和太太小姐的月經布都由學校供給等，校中員工和地方人士無不深惡痛切，但他善於對上逢合，所以始終穩坐校長寶座。再就某公營公司首長到某地視察工廠兩日，竟由台北攜去酒枝三十餘人，由台北至某某地間的洋酒洋烟，被搜購一空。事後該工廠所報兩日招待費即爲四萬元，如此浪費，能不令人咋舌。

中小學濫收費用

[illegible]學是義務教育，台灣的小朋友到達學齡（六足歲）時，即由各鄉鎮區公所通知至指定的附近國民學校就讀，不收任何費用。但年來各該校向小學生平時所收雜費和捐款不一而足，記得某國校上期新舊校長接送時，該新舊校長與家長會主席聯名發出油印通知，每生應繳送壹元，作爲送舊迎新之資，並限三天內繳齊，不得延誤。不但死要錢，而且官腔十足，各家長看到兒女持回的通知，都有啼笑皆非之感。現在各國校又於九月廿一日開學了，註冊時該校又勒令每一小學生一次繳足所謂「代辦費」二十元，並有油印收據及經手老師蓋章爲憑，不知何所據而出此。該校現有學生兩千餘人，五萬元的數目不算少呀！用途多不明，

又前面所說的某中學校長，每一學期向學生捐款不一而足，於是在上學期結業時，當衆宣佈要每一學生捐款至少二十元，多多益善，以便向日本購買新鋼琴一架，需款四萬餘元，應由全體學生負責捐獻，現時又開學了，錢也到手了，而新鋼琴之事，校長再也不提了。總之，錢不論多少，東西不論大小，都是校長的，他人無權過問也。如此校長，予不禁爲莘莘學子哭也。

·史雲飛·

威迫利誘得不到人心 一片慘象看「十一」

中共出盡種種手法但終告失敗

（本報專訊）中共今年以大灑金錢辦法，務期在僞國慶之日，多掛出幾支汚腥旗來，人民的血汗被攫取了，却用在海外做無聊的點綴。據悉：左派人士對於拉人掛旗、拉人聚餐努力異常，有等以掛旗可以獲得津貼，有等地方如准許架搭棚樓二房東之類亦可獲得的好處，至強迫聚餐之事，更爲普遍，不論識與不識，大多數人都接到請帖，若干團體的會員，更非參加不可，諸如此類，左派人士都是希望盡量將場面攪得熱鬧些，銀紙化多些之外，還得盡量利用各種無恥的伎倆，好多易於報銷。

吃虧的是香港居民

但另外的一面，深圳關在這幾天來，均緝獲很大批的手錶，都是用竹籮來盛載。原來在上月末，中共以放寬入境爲詞，對於所有入境的人，都採取「寬大」政策，關員檢查，甚爲馬虎，致凡入大陸者，帶幾只手錶圖利，已成爲公開秘密，甚至凡入大陸者，百分之九五以上，均帶有[illegible]外國貨品而因爲[illegible]隨便關係，獲得通過而獲利，但及至上月廿五日以後，深圳檢查制度忽轉嚴厲，所有著走私獲利者，皆無所遁形，是以只係手錶一項，即緝獲數籮之多，入大陸者，至是無不大呼中計，但已無可補救，照心水清者的估計：只係深圳關忽然嚴厲執行緝獲手錶的兩三天所得，已足應付此間「十‧一」僞國慶大灑金錢的所需。中共的手法就是這樣：向這些人攫取血汗錢，撥出一些與另一部份要爭取的人來花費，到頭來，吃虧的依然是香港居民。

強迫懸旗自欺欺人

巡視中共所謂的「十‧一」紀念日，本港佔了極少數的左翼機構、工會及商店，被迫懸掛紅旗，表示紀念。

雖然在此之前，中共雖然大量耗費民帑，意圖做到有更多團體懸掛紅旗的成效，欺騙港九[illegible]但事實[illegible]的表現[illegible]港九兩[illegible]數的幾面紅旗出現，[illegible]大諷刺[illegible]已告[illegible]一面，自尖沙咀沿彌敦道、大埔道至[illegible]尾，所可[illegible]見的紅旗不足五十面[illegible]。祇有幾家中共的地方銀行、書店和工會有彩牌掛出。

香港方面的雪廠街銀行區，一如去年一般，[illegible]銀行等，循例[illegible]掛彩牌，「自欺欺人」一番。德輔道中[illegible]見的紅旗也未見[illegible]去年增多，[illegible]幾片紅[illegible]慶祝[illegible]渡海輪上[illegible]對中共[illegible]可[illegible]看到市民對今天的[illegible]有憎恨。中國銀行上雖然張燈結綵，中共自認爲是佈置中的典型代表，但渡海輪上的搭客，對於興建中的新天星碼頭所給予的注意興趣，似乎遠比觀賞中國銀行的佈置爲大。街上的行人簡直沒有人談論今天是「國慶日」一回事。

最易使市民衝口讀出的是那些綵牌上一行「慶國祝慶」四個字。「慶國祝慶」是怎麼一回事？很多人簡直摸不着頭腦？必須經過一番重讀後，才知道是中共的「中文蘇讀」排字法。

中華商會未見懸旗

早已明目張胆的中華總商會，在衆目睽睽之下，這回仍不敢冒天下的大不韙，[illegible]掛[illegible]。雖然該會的新任會長[illegible]卓雄[illegible]了所謂「各界[illegible]慶祝[illegible]」主席，[illegible]只能在他們[illegible]掛旗。這點足以顯示[illegible]力量，高於中共力量的明證！於數年前，[illegible]會對該會若懸掛「汚腥旗」，即予扯下[illegible]。[illegible]的該會會[illegible]仲勳，昨日不[illegible]會員來電詢問是否有懸旗，也可[illegible]在商[illegible]正商人，不願在他們商會出現這枝人神共棄的「汚腥旗」。

有一被迫懸掛「汚腥旗」的商行，其中職員却來函表示憤慨，其中指出：「本港靠攏商人，今年中共僞「國慶」節，均張燈結綵，並懸旗以祝其慶，此乃靠攏商人之靠攏手法，不意今日代客接駁各國洋船貨物之機利文新街×號大×行，由於總理「靠攏」，不顧各職工的反對，竟懸「汚腥旗」，並置酒慶祝，此等兩樣投機分子，眞是無恥之尤！」

由此，我們知道中共爲了有意做成一次「盛會」，不惜威迫利誘，然而終於澈底的失敗了。

論文藝批評

是什麼阻遏了公正的批評？

‧凌人‧

自由中國文壇，年來確是呈現着生氣蓬勃，欣欣向榮的氣象！作家輩出，「名作」（？）亦大量出籠！因此好的作品固屬很多，而「曠世的大胆作風」（引用無忌先生語）的作品亦復不少，遺憾的是文壇上竟看不到「嚴正的批評」！

如果將文藝比着爲花木，批評家就好比是一個技術優越的花匠。他的主要工作在清除和揚棄蕪枝什葉，站在爲文藝開創新路的立場，與作家共同邁步前進。

目前在台灣能夠讀到的一些「書評」，多數是捧場，喝采的。有些則乾脆按着個人的喜好摘錄原著片段文字，歌頌成某某世界名作家的作品亦不過如此而已云云。像這類「批評」，實已失去其意義了。

有些人認爲現在一般作家，大都喜愛虛榮，很少有恢宏氣度的修養，來接納直言的批評，因此，批評運動不易展開。這種論調乍一聽來，似不無有理，但稍加分析研究，便可知其不能成立。要知作爲一個眞正的評者，他是基於學術和道德上的義務，這種義務是只忠於藝術，並不受任何人的約束和限制的。更不應該以作者缺之恢宏氣度接納來接受就中止了批評的進行。

但，我們也認識到批評運動之所以不能興起，與當前社會風氣不無有關。「明哲保身」的風氣，不願說眞話，說實話的風氣。不幸亦影響到了文藝界，於是乎眞正的批評閉塞了！

此外在台灣文藝界，還盛行着一種互相標榜利用的風氣。就這幾年來說，不少作家彼大家捧出來了，少數作家兼編者的，更利用互相交換採用作品的便利，盡先刊登自己或熟人的作品，而將一些不常寫稿的作者們的優秀作品擯棄了。（近來此間文藝界人士均認爲香港文藝界稿件較台灣公正，拿此次香港雜誌文藝徵文成績來看，好多在台灣名不見經傳的作者，其名次却列在許多台灣名作家之前。實爲最佳事實證明。）在這種惡習流行下，批評之風也就無由抬頭了。

同時一些文藝園地的編者，濫用其「生殺大權」，壓制公正的批評，實亦爲主要原因之一。

因此，今日文壇上曠世的大胆作風所以會如此猖獗，批評運動的不能建立和展開，那些少數作家兼編輯的先生們，是應當負相當責任的！（參看本刊八月廿五日所載無忌先生作「鷄蛋裏的骨頭──替「落月」作宣傳」一文，可見梗概。）

自從香港作家趙滋蕃先生來台觀光後，在本刊發表了「對台灣文藝界面臨的問題」一文，繼之又有孫旗先生「台灣文藝界的檢討」一文刊出，引起了台灣文藝界對沉默已久的批評問題的談論。我們認爲若僅止於討論，研究不是辦法，而要希望評者能克服社會的腐化風氣，立刻提出嚴正，公平的批評來！不過，首先我們還得要求雜誌，刊物的編輯先生們拿出良心來，對選載作品千萬不要純以私人感情，友誼爲尺度，同時，請儘量多刊載嚴正公平的批評文字，對捧場之類的書評概予免登，這樣才可以談到眞正的批評，才能展開批評的運動！

最近，台北聯合報藝文天地上刊出馬怡紅先生三篇批評文字，（九月三日刊出「如此出走──評繁露的愛之諾言」。九月五、六日刊出「貪困、老調、美麗的僵屍──評余光中底詩集「藍色的羽毛」」。九月十八日刊出「矯飾、殘酷的愛情──評琦君的短篇小說集「菁姐」」。按繁露，余光中，琦君均爲目前雜誌，報刊，發表作品最多之台灣名作家之一，）就已得到很多讀者的共鳴！這充份證明了自由中國的讀者不需要粗製濫造的作品，不歡迎捧場，喝采性的介紹，我們需要詞正義嚴的正確「批評」！

要做一個嚴正的評者確非易事；除了豐富的學識，良好的修養，超人的見地外，最重要的是在於是否有勇氣，有胆量，抱定甯願得罪人，而必定忠於文藝的態度，對良心，對廣大讀者負起責任來！

自由中國文藝界的先生們，請不要繼續向腐敗，落伍的風氣低頭，要遏止文壇上曠世的大胆作風，減少粗製濫造作品產生，促使文藝進步，走向眞，善，美的境界。

粵共造林自承失敗

勞民傷財一無是處

粵共進行的「造林」工作，是列作「經建計劃」主要工作中的一部，近年來積極推行，但由於各級共幹存「本位主義」「官僚作風」太濃厚，不僅傷財，而且勞民，結果一無是處。可以說：年年都在造林，到處還是牛山濯濯，粵省人民對中共之虐耗公帑，奴役人民的殘暴行爲，憤懣已極，但敢怒而不敢言，暗中在各地區流行着民謠說：「春滿山，夏一半，秋不管，冬不見。」於此可見一般。

由於造林工作有名無實，穗共南方日報九月八日曾提出指實謂：「陽山縣的林業處長期處在自流狀態，全縣在今年春季計劃造林九萬多畝，結果只完成了六萬餘畝。播種育苗二百三十二畝，因爲無人管理，已有九十九畝全部枯死，其餘的也長得很差。原有的林木的撫育工作也被忽視，背區坑口鄉小水林業生產合作社，去年種了一百二十畝杉木，現在只有八百株成活。」該報又說：「目前，高要專區各地的苗圃，大部份處在無人負責的狀態，苗木大量枯死。據鬱南、廣寧、羅定、德慶、封川、開建等六個縣統計，最近幾個月來，死了二百八十五畝，情況比較嚴重的是新興縣，有二十二個鄉所育的苗木，已全部死光。」（源）

美國兩黨競選觀感

‧張君勱‧

（三）共和黨之正副總統候選人與其政綱中之外交部門：

美國政治史上，總統之第二次競選，如其政績爲人所滿意，例得連選連任。艾氏與共和黨人對於今年大選處之泰然，以爲連選之事[illegible]如探[illegible]安穩過去，內部不生紛擾，則下屆之白宮寶座屬於艾氏，殆無可疑[illegible]也。共和黨所[illegible]者[illegible]艾氏之政績在和平與繁榮[illegible]言之，曰[illegible]曰[illegible]日內瓦高[illegible]曰就業人數，以一九五六年[illegible]爲最高額[illegible]罷工，以協議解決，曰投[illegible]公路建設。共[illegible]以爲選舉勝利之左券矣。艾氏因心病[illegible]腸病[illegible]故，其健康不免成爲問題。其最懊惱之[illegible]統問題，[illegible]氏，[illegible]命奔走，頗有「不辱使命」之譽。然老[illegible]客史塔森氏目爲眼中釘，必欲去之而後快。史氏嘗爲州長，亦嘗自居於總統候選人，對於尼氏之一帆風順，自不免怒火中燒。乃託名格魯布氏民衆假投票。謂尼氏如爲副座，將減選民投票百分之六。此言既出，艾氏告之曰：身爲內閣閣員，不應以個人活動政治。於是史氏自請假四星期，不受薪金。設總部標明『擁護艾氏爲總統，麻省州長赫脫氏副之。』史氏更[illegible]於金山，且言贊助其意者日多。[illegible]翌日，史氏見形勢不佳，[illegible]放棄其主張，[illegible]願於明日[illegible]總統之際，自起而爲贊成者[illegible]尼氏[illegible]及尼氏之風波如氣象台之報告終於內風向轉移而止。說者謂艾氏嘗於處理黨事，不偏不倚，故能和平了結如是也。史氏本爲共和黨老政客，我嘗見其於金山聯合國會議中，奔走於美俄代表[illegible]有出於其右者。一九五二年艾氏競選於共[illegible]黨大會，史氏見艾氏將得多數，乃立刻召[illegible]記者會議，宣佈其家鄉米[illegible]州之[illegible]票移投艾氏。此爲艾氏一[illegible]點。及艾氏既任總統，乃報之以相互安全署署長與裁軍特別助理。其此次之舍尼氏推赫氏之舉，亦有意於爲其自身功名之計而已。史氏忽反尼忽擁尼，頗類於民主黨方面杜氏之忽反史忽擁史，然就兩人之動機言之，杜氏心中猶有爲國選才之成份，高於史氏多矣。

共和黨之正副總統選人，爲會前已定之局面，可以不必多贅。茲錄其政綱中之外交部門如下：

吾人重復誓言『吾美之目的，在追求公道的和平，在保護人類自由與民族獨立。』

吾人繼續堅決支持聯合國。

吾人繼續與美洲之姊妹國合作，以加強美洲之安全與經濟的社會的聯繫。

吾人繼續支持一九四七年以來所開始與兩黨合作所發展之集體安全制度。此制度已使美國與其他四十二國家爲保衛自由而聯爲一氣。此爲對戰爭之防止方法，非蘇俄之否決權所能使之歸於無效。

如爲形勢所需要，吾人將援助友國訓練地方武力充實其經濟力，以成爲對於共產侵略或滲透之第一重保障。吾人將加強此種保衛之軍事能力，使其依據聯合國憲章，對於侵犯者予以懲處，俾其自知無利可圖而退。

吾人將繼續與盟國友邦共同努力，以援助自由世界之落後區域，俾得達到更大之自由、獨立與自決，且提高其生活程度。

吾人認定近東國際和平有大威脅存在。吾人繼續支持對於回教國與猶太國不偏倚之友誼，以圖緊張之和平解決。其中含有巴勒斯坦之回教難民問題在內。

回教國與猶太國間爭執之公平解決，因蘇俄集團出售軍火於回教國而被推翻。然和平之展望，又因美國提議派遣聯合國秘書長至巴勒坦斯而增長。

吾人認定猶太國之保存，爲美國外交政策中之重要訓條。吾人決定猶太國之爲獨立國，應當維持。吾人支持猶太國對於武力侵略之反抗。中東和平之最大希望，惟有寄之於聯合國。吾人誓言繼續努力，以掃除此區域內長久和平之障礙。

[illegible]

（中）

春遊芳草地　夏賞綠荷池　秋飲黃花酒　冬吟白雪詩

談蕭傳文與潘琦君

見心

……該文中所提到的……似覺漏掉蕭傳文和潘琦君二位，……凡是對台灣文壇稍稍注意的人，是沒有誰不知道這兩位的，因為她們二位的作品，僅擁有廣大的讀者，而且也為一般所熟愛，兩人的作品結集…… [illegible]

……員，寫作為其業餘興趣，似乎都只為興趣而寫，蕭傳文雖曾有人稱之為多產作家，但實際較之一般作者，其作品並不算多，…… [illegible]

……及小說集「……」及散文……等，而潘……小說著稱，亦……散文，其小說如……文閑所謂「很能反映時代」，善以寫實的手法表現各種……相，關于此點，我們一般讀者……認的了。

……她們二人雖不說是自由中國文壇大將，至少可稱為健將，這點想為…… [illegible]

日本影業現況
——合廠長龍芳氏訪日觀感——

江南

[illegible]

戰前與戰後的比較

[illegible]

影棚佈景設備新穎

[illegible]

影片的成就高

[illegible]

歌舞劇與劇場

[illegible]

燕塵識小（七）

[illegible]

滿相論文不論出身

[illegible]

最早的中文雜誌

王剛然

最早的一本中文雜誌，應該是一八一五年初發行在馬六甲的，察世俗每月統紀傳，係由倫敦佈道會的馬禮遜及麥都思和廣東籍人梁亞發等所主編，至一八二一年計出版七卷凡五百七十四頁。此雜誌的編輯梁亞發先生是我國第一個基督教新教徒，亦是我國正式服務報界的第一人。

察世俗每月統紀傳所載以宗教爲主，次爲新聞及新智識之介紹，每期出五〇〇餘册，每逢廣東省試、府試、鄉試時，由梁亞發攜往攷棚分送攷生，其餘則藉友人之便，銷售於南洋羣島暹羅等華僑衆多地區。

至一八三三年始有東西洋每月統計傳在廣州問世，是發行我國境內最早的雜誌，刊載之內容爲宗教，政治，科學，商業等，編輯人爲郭實獵，至一八三七年止計出版四卷，後來遷至新加坡。

道光二十二年（一八四二年），香港以雅片戰爭之後割讓給英國後，傳教士從英國而來者日多，所製中國鉛字也日漸完備，於是出版事業日興，雜誌之發行與創設也越來越廣。

邛海瀘山憶舊遊

李仲侯

邛海瀘山，要算是西昌唯一的最好名勝，出東門不到兩里多路，在綠蔭夾道上，看見前面汪洋洋一片，映入眼簾，這就是邛海，海邊屹立一座雄偉的高峯，直上插雲表，這就是瀘山，這一個海，其實只能說是一個湖，它比三萬六千頃的太湖，只能小一半，湖面半徑大概自十哩至十二哩，面積大概有六萬方公哩，這裏湖水晶瑩，一望無涯，並無太湖中的那些小島，邛海景色清幽澹遠，輕舫小艇，碧波夕照，確是一幅天然優妙的山水畫，全湖既透明透澈，好像造物好奇，在這裏擺下一面鏡子，如果是白日泛舟，不把你人身的鬚眉，衣褶照得清澈無比，而且有許多城郭衣冠，樓台亭榭，若隱若現的在你的眼底幌動，仔細端詳，恍惚各處還可看出幢幢人影，往來活動，這種水底海市蜃樓的發現，我曾訪過當地人士，詳其究竟，據說這個湖，原爲古時邛都縣治所在，在隋時，一夕突告陷失，登時巨浸稽天，城郭人物，皆已不知下落，後來湖中就有這些異狀發現，這算神話，姑妄聽之。揚眉展視，挺秀的瀘山，在雲端天際露出它的娉婷，佳麗無儔，我想以這樣豔秀的山水，應該鍾毓出偉大的人物，可是翻閱西昌縣誌，數百年來，人才甚感寥落，豈造物生材，猶有待耶，最佳景色，還是在夏季當湖西長滿荷花時，萬朵白蓮，亭亭玉立，一片清香，撲鼻欲醉，此時泛棹湖上，皓月一輪，映出環湖的四圍山色，長天一碧，羣峯盡青，水光與月色融化協調，發出一種異樣的幽和氣息，清風徐來，水波不興，使人飄然動泛槎銀河，徜徉月宮之遐想，此際翩翩若仙，殆若不知道身入世間矣，這「邛海泛月」一落，確有說不出之情趣，它是永遠在昔人所詠的西昌八景上，站着首要地位。

邛海邊上的瀘山，雖然較江西的廬山小得多，但匡廬多霧，常令游人有難認真面目之感，這裏瀘山則無論晴雨晦明，均青翠明朗，雖遇着大霧，山頭偶被雲封，但半山以下，則仍翠綠如滴，決不若廬山那樣常見雲海漫漫，一片汪洋，使人如墜五里霧中，春秋雨季是遊廬山最佳季節，這個瀘山則四時皆具備春和之氣，隨時可遊，無日不可遊，所可惜的是很難遇到廬山的那種雪景，這裏山腰也有自天而瀉的垂空白練大瀑布，與杭州的白龍潭瀑布，有點相像，雖沒有廬山大犬池，文殊台，神龍宮，鐵船峯下臨懸崖萬仞的那些奇險，可是危峯峭削，不能攀登的處所亦不少，山麓除建有｜｜委員長行宮及西康技專學校外，還有行轅，在這裏陸續建了許多精巧瓏玲的房舍，用些現代化的工程點綴於這佳山佳水邊緣，到也覺得相映增趣，初上山時，兩旁古松若張翠蓋，形狀古怪，株株皆饒畫意，上山第一寺名開元寺，繞寺萬竹參天，綠雲似海，梵宇巍峨宏敞，清幽絕塵，寺側有十人合抱的古松一株，惜樹身已枯萎，惟東面一枝獨秀，亭亭如蓋，有若虬龍曼衍，仍未失去拏雲拂日雄姿，據說這株枯了的古松，已有近千年的壽命，相傳此山在三百年前有一位容華絕代的比丘尼，不知何事在這株神松上投繯畢命，此松即日見枯萎，漸在樹旁另抽新綠，即爲現存之枝幹，這一段佛中豔華史，我們亦無法稽加考訂，不過枯樹生稊，能夠閱盡二三百年滄桑，依然屹立獨茂，這也不無奇怪，山上風景最佳處，要算玉皇閣爲最勝，閣中廊廡特多，可供百數遊客下榻，如上山最好在這玉皇閣，經過一夕方能領略到避暑之趣，午夜夢回，留當甚多，俱寂之中，惟聞山上瀑布水，橫流亂石山澗中，漸近漸發出奔雷似的響聲，驚醒時足下雷鳴，衣襟那護，使人冷清清的有點再難入睡，披衣出戶，明月在地，照得眼前的邛海。（上）

征衣緣

抱石

自古以來，男女間離不了因緣，其因征衣做媒介，而促成雙方的結合，更是一種緣份。值茲秋涼，我想，一定有許多人在爲將士縫綴征衣，爰把傳爲佳話的故事，在此重述一遍，以供參考。唐開元年間，塞上有士兵於短袍中得詩，寫的是：「沙場征戍客，寒苦難爲眠，戰袍經手做，短落阿誰邊？蓄意多添綫，含情更著綿，今生已過也，重結後生緣！」這件事情被唐玄宗知道，他却詢問寫這纖衣詩的宮人，將她嫁給那位阿兵哥，對她說：「我予汝結今生緣」，邊人皆很感動。又僖宗曾以征衣千件，頒發到邊軍，神策軍馬眞打開棉袍，發金鎖一把，詩一首：「玉燭製袍夜，金刀呵手裁，鎖寄千里客，鎖心終不開」，此詩傳至僖宗面前，他非常注意，令查出是誰寫的，於是宮人很幸運地和馬將軍成了眷屬。最後，敢再奉勸兩句：「是前生註定事，莫錯過因緣」！

自由人

THE FREEMAN

（第五八四期）

中華民國僑務委員會登記證僑發台教新字第一零二號
中華郵政台字第五〇〇號執照登記爲第一類新聞紙類
（半週刊每星期三六出版）
每份港幣壹毫　台北市售價台幣壹元
督印人：陳文蔚
地址：香港高士威道二十號四樓
3 rd. fl. 20 CAUSEWAY RD HONG KONG
香港發行及事務接洽高士打道66號　電話：七〇四五三
承印者：東南印務出版社　地址：高士打道六十四號
海外總經銷　友聯書報發行公司
香港：德輔道中二十六號A二樓
台灣特派員辦事處　台北市館前街五十號
台灣總經銷處　台北市西寧南路壹零壹號二樓
台郵劃撥儲金戶二九二五二

論南越華僑越化案問題

·麥兆豐·

作爲一個中國人，一旦給人以一紙命令改變國籍，免不了會感到難過。但是念及故國山河，僑胞們托命越南，食毛踐土，休戚相關，只要吳總統可與有爲，祇要吳氏抱有誠意合作，亦何嘗不可攜結爲民，共謀匡濟。助吳氏即所以自助，救越南即所以救中國。願僑胞們不必過份衝動，以澀吳氏之措施，以待兩國當局之協商。

近月以來，自由中國由於東南亞一帶華僑迭遭歧視，我們關切關心，因此綜合各方報導，加以研討。越南總統吳廷琰頒佈兩項法令，影響到我旅越僑胞百數十萬人，[illegible]

越方對法令的解釋

消息之一是：吳廷琰於本年八月廿一日，發佈有關「土生華僑越南化」之命令，凡其父母或父母之一爲中國人而在越南出生者，可以取得越南國籍。此法令宣佈後，越南政府即停止對越南出生的中國人發給外僑證。

消息之二是：繼之於九月六日，又頒佈一種有類商業，主要是小型零售貿易的命令。政府發言人稱：此項命令[illegible]

留居的法國商人，亦受打擊。命令限外僑於十二個月內，脫離魚、雞肉、雜貨、燃料、紡織、當押、拆鐵、米糧[illegible]及輸出品之商業。

上列兩點，即南越政府此次主要措施。九月七日，越南外交部又發出公報解釋：吳總統所頒發的法令，華僑在越南所生子女，自動成爲越南公民，係越南對華僑有利待遇的反映，絕對信心的表示。

又據越方法令[illegible]中越之關係不同，中國法律上以血統，越南則以出生地爲國籍[illegible]

越化案對僑胞的利害

我方對於此事的反應[illegible]

[illegible]

未遂退出，尤其商業金融尚多操在法商之手，吳廷琰要用越南人經濟力量，排除法人，故欲華僑在當地所營工商業，其出生子女一律改變國籍，可以轉移名義，不受新法令限制外商之限制。九月十四日，駐越代辦李漢魂返國，謁蔣總統表示越南政府[illegible]越化案。

在民族立場言，當然不願有這種事發生，但就華僑在當地利益看，越化有利的，因爲華僑改變國籍後，可以享有和越人許多應得的權利。目前越南政府支持這項問題的理由，認爲可以加強反共力量。我們綜合各方意見，到此而止。最切身關係的旅越僑胞，大抵因越南政府尚未將施行細則公佈，[illegible]態度，我們此刻談論此事，似乎尚嫌太早，但從客觀立場注視問題的輪廓，先來一個假定的看法，也許不是多餘之事。

中越民族風雨同舟

首先，我們要追溯越南民族與中華民族的歷史關係。越南古爲交趾、越裳、駱越之地，[illegible]漢唐俱爲交趾郡，不殊內地。五季，中原多事，安南諸豪，乘時割據，乃有越南獨立之勢，然歷代均列藩封，貢使不絕。宋末明末，來自北方的異族入主中國，當時中國臣民萬里南奔，由海出陸避居越南落籍者爲數詩多。清嘉慶七年，阮氏王朝建立，即受清封爲越南王，同治、光緒間，法人侵越南，黑旗將軍劉永福以自桂入越，伏義爲越王阮福聘力抗法軍，越人至今猶多稱頌，福聘即已退位越王保大之前，其事去今不過七八十年而已。永福留越達二十年，與越人相處無異內地，及至被迫歸國，部下眷屬無法內遷留爲越民者，爲數亦不少。由於國境毗連，淵源深厚，在昔兩地人民遷徙居住，實無限制。但自法國統治越南，苛政百出，我國人到越經商求食乃始以僑民身份插足其間，由是與越人同受殖民主義壓迫之苦。時至今日，越南已形成南北分割之局，南越處境，實與自由中國相同，由於越南民族與我中華民族，自古以來即有濃厚的血緣關係，「風雨同舟」，「患難兄弟」，正應充分合作，抵抗共同敵人，斷不會更還一時之私見，授人以隙吧。

從好的方面去觀察

其次，吳廷琰氏的爲人如何？此所領導的南越政府因何於此時竟有「華僑越化案」的措施？我們也應探討。如所周知越南的分割，起因於北越共黨的索絆，四是教派軍閥的跋扈，內外相迫，真是四面楚歌，好在這位出生於北越信奉天主教的吳氏，具有忘身爲國的精神，深得民衆和友邦支持，先把保大王朝推翻，當時實受四股勢力緊密包圍：一是越共的威脅滲透；二是法國殖民地主義的作怪；三是保大王封建力法的阮文與將軍欄走，掌握到二十萬越南國軍。

（下轉第三版）

新儒學，新文化

·陳健夫·

「文化」這個名詞，涵義甚廣。簡單的說，凡有關人類生活的活動及人類追求的創造，這都是文化。文化是人類改善生活促進文明的燈塔。人類循此文化，開拓個人類所築的世界，否則世界便是一黑暗世界，人類將無幸受優美生活及現代文明之可能。人之所以爲人，人之所以能超乎萬物之上，而與天宇宙爭光的原因，即由於人類具有文化的賦與創造。人不可一時沒有文化而存在。文化是由於高度精神而有，文化最初的發生是源於精神，但無論如何，文化非抽象的，非空虛的，文化的活動，仍邊積於物質而進行。文化的性質有精神的，亦有物質的；二者互爲運用，乃生文明。文明是文化的成果。所以任何偉大文化，必包有輝煌的精神及豐富的物質。二者缺一，便不能產生健全完美的偉大文化，自不能偏廢一方。

文化有其偉大目的，一切文化，無不以解除人類壓迫，痛苦，恢復人權，改善人性，完成人格，並至最後最終目的，凡無此目的者，不能成爲文化。可知文化的實要意義即在改善人類的生活，促進人類的幸福。尤其在人類的品性方面須有所改造。

中西文化的特徵

各個民族，由於所處的環境及歷史過程之不同而產生不同的文化。文化本屬大同，但因此而有小異。儘管有其小異，但並無根本之大不同。人類的文化，在其最後階段是終必歸於一致的。

我們於此必然論到中國文化與西洋文化各別不同的特徵，因此兩大文化系統乃代表今日世界的特徵，二者的發展及其結合，將造成一美麗的世界文化。

一般的發展是指中國文化爲屬於德的文化，西洋文化爲屬於智的文化，因此中國注重倫理道德，西方發展智識科學，這種說法大致是合乎事實的。中國文化，注重內向，所謂誠，所謂仁，所謂良知，皆是指引人向內做工夫。故中國文化始終以修身，養性，建立人格爲基礎。這種文化的精神完全集中在這一個理性道德，因此，有人稱中國爲精神文明的國家。這種文化不免有保守固滯的習性，其進步的速度是非常緩慢的，假若近百年沒有受到西方文化的影響，可能仍是一個古老的文化。這便是表現了中國文化的缺點在何處了。至於西洋文化則注重「外放」——向外奔放，一切科學實驗，皆指引人做向外奔放的工夫，故偏重知識與實證。這種文化便富有冒險進取的特性。由於知識的發達，乃產生了現代科學文明。正與東方的精神文明相互映照。這種科學文明發展的結果，使人忽視或淡漠理性與道德，人類不免淪爲物質的奴隸，而喪失其崇高自主的道德與天賦。這便是西洋文化的流弊。這兩種文化各有其特徵，各有其流弊。就整個世界文化趨勢來看，中國文化無法抵禦西方文化的影響力，今後必然向知識科學方面邁步前進，迎頭趕上，而西方文化也必然接納一種道德理性的觀念，以提高人的意志價值，這一個新潮流，雖爲時已數十載，但實際上今日仍不過是一個開端而已。過去數十年，中西文化還不過相互接觸而已，彼此難免敵視或猜疑，今日則已開始有真的認識與覺悟，今後的攜手合作，共同創造新的世界文化，那是必然的趨民。中國文化在今後百年內必然復興，朝向新世界文化的前途邁進，我對這一發展是深有信心的。

精神文明與物質文明

精神與物質是一體之兩面，彼此關係，如人之頭腦手足，密切而難以分離，但世人往往將它們區分爲二，各趨一端，在學術上有所謂唯心唯物兩派，在文明的建立方面有精神文明與物質文明之分，但不論唯心唯物，不論精神文明或物質文明，若追究到最後的關頭，誰也不能捨去誰而獨立。世上沒有絕對獨立的精神文明，也沒有絕對獨立的物質文明。此爲不變眞理。

物質文明離開了精神文明，必歸於毀滅，同樣的，精神文明離開了物質文明也難以存在。世間祇絕對單獨存在的文明，文明不是原子，而是文化的結合體。其中成分是複雜的，自然有精神，也有物質，二者缺一，即不足以構成完整文明。

現代物質文明的發達，使人類生活及思想都發生了重大的改變與進步，有許多人對現代文明存着恐懼心，或懷疑心，深恐物質文明將爲人類帶來災禍。比如空前的第一次第二次世界大戰，都是物質文明發達以後的大災禍。因此有一部份人，尤其是我們東方人，對物質文明便不免存着戒懼心。我必須在此鄭重說明的，今天人類如果畏懼物質文明之發達，科學進步，那是愚蠢的。因爲現代機械文明，科學進步，乃是無可免的，且不必避免，人類文化由此進步，乃是正當的，任何落後民族，無不渴望着現代文明。反對科學，反對進步，那是不智的。科學及物質文明本不應爲人類的禍患，問題是在人應如何運用精神文明以操縱駕馭物質文明，使機械文明爲精神文明所充分運用，爲人類忠誠服務，今日文明，必須是人使用機械，而非人爲機械所奴役，現代人使用機械文明正如武士騎馬一般，若非駕馭有力，勢非顛覆不可，機械文明脫離精神文明，正如無韁之馬，必至爲害不淺，今日科學文明乃爲增進人類生活幸福的手段，過程，絕非人類文化的最後目的，人類文化最後的目的始終是在充實人生的理想，改善人類的生活。現代物質文明斷不容拋去了精神文明而獨馳，同樣的精神文明亦不容抱殘守缺，因循懈怠，而應急起直追控制着物質文明，方爲今日世界的福音。

今日及今後世界乃是一個物質文明的世界，人類的[illegible]，精神，使宇宙的物質[illegible]盡其用，因而建立了燦爛的物質文明，這一物質文明世界，今後必然有更大的成功，令人不可思議，[illegible]更燦爛的文明乃從而誕生。人們指斥唯物主義，斷不可因此忽視物質文明，須知唯物主義乃是一錯誤思想，實不應與物質文明混爲一談。當世之人，多視物質文明與唯物主義爲一事，因此發生了愚昧的偏見，而本爲文化進步的大阻力，此一觀念應予澄清。

（下轉第二版）

半週述評

·司馬璐·

亞洲又一強人

林有福先生在新加坡的強有力的反共措施，戰果正逐漸擴大，新加坡有此一位強人，今後的局面將漸趨安定，亞洲又多此一位強人，反共的前途就更令人樂觀了。目前共黨的騷擾戰術（罷工、罷課）已趨慘敗；總之人民行動黨以「武裝革命」的聲明恐嚇新加坡人民，這一聲明，已由新加坡的立法議會團結一致支持政府的有力行動答覆了他。

反共的「頑固派」

共黨最怕遇到強人。在亞洲，遇到蔣先生，遇到李承晚，遇到吳廷琰等，在歐洲，遇到阿登諾等，他們都能夠有力的攔住了共黨的箭頭。什麼是強人？就是反共的「頑固派」。很多人，甚至包括很多反共的人在內，他們是不喜歡反共的「頑固派」的，他們害怕這種強人闖禍，給他們帶來戰爭的麻煩。

思想的自由派

歷史和眼前的事實都證明了，祇有這種反共的「頑固派」才能在反共行動中發揮威力，產生有力的效果。但是，反共的「頑固派」一定要和思想的自由派結合起來，才能有更大的作爲。

觀念需要生根

歷史和眼前的事實又會證明，如果一個強人，一個反共的「頑固派」，具有更大的包容，那麼他的反共效果不僅是收到「守」與「防」的效果，而且收到「進」與「攻」的效果。

反共的「頑固派」同時是一個思想的自由派，這就是說，我們堅定的反共態度，不是出于意氣，不是出于一時的利害，而是建立在我們信念的基礎之上，在這基礎上的反共觀念是生根的。

今天中共對我們的統戰攻勢，花樣層出不窮，我們反共觀念的生根，這一問題是多麼重要啊！

兩者缺一不可

中立投機之產生，由于信心不固；信心不固又由于無知和短見。

如何使我們的反共觀念生根？看台灣，南韓，南越，西德等處，一股什麼動力使我們抵擋住共黨呢？

一個是民族主義！一個是自由信念！

千萬記得，我們要打敗共產主義，兩者缺一不可，否則，我們就等于少了一隻臂膀。我們在思想上有此兩個武器，就根本不會對所謂「狄托」有絲毫的幻想了。

以新加坡爲例

話說回來，爲什麼林有福這次在新加坡的反共行動如此堅強有力呢？正是：

民族主義的動力，新加坡人民的獨立要求無疑是值得同情的；但從另方面安全考慮，在整個自由世界的利益上亦不無理由，因此新加坡人民如欲真正獲得獨立，必須首先證明他們反共的決心。

自由信念的動力，這一點，我們從新加坡的輿論與立法議會對林有福的普遍支持中可以看出，反共的「頑固派」加上思想的自由派，共黨怎能不孤立呢？

新聞自由與社會風氣

——立法院的新質詢

楊年

（台北通訊）立法院第十八會期已開始多日，迄今尚在對行政院質詢階段。在以往的兩週質詢中，除國防部組織法爲何尚未送立法院審議，係屬老問題外，有兩項質詢，最爲台省社會所注目。一是問行政院新聞局，有無新聞政策？爲何各報對立監兩院的新聞登得甚少，而社會新聞却登得甚多。一是問行政院，台省各縣市酒家歌場開設日多，影響社會風氣，政院有無轉移風氣的決心與辦法？這兩項質詢雖非由一人提出，但兩者間却有關聯。因爲社會風氣成了問題，社會新聞自然也跟着多起來也。

關於第一個問題，一般反應並不算好，因爲該質詢，有一點暗示政府，要對新聞自由的範圍，加以限制。幸而新聞局局長沈錡答覆得好：「新聞局對於某一項新聞應該登，某一項不應該登，並無干涉之權。」然而，話也還是表面上的話。不久以前，曾有人建議，要加重刑法上的誹謗罪，其辦法有三：（一）誹謗罪本來是告訴乃論的，要改爲檢察官也可以提訴；（二）誹謗罪本來是可以處拘役，短期徒刑，或罰金的，一律改爲祇處徒刑。這樣一來，各報紙雜誌的編輯採訪人員，就不得不格外謹慎，而於政府有關人員的紀載，尤其要火燭小心。因爲即使其本人不想告訴，而檢察官可以奉命提起公訴。但是修改刑法事非簡單，而政府也不願意只修改這一條，引起新聞界的不滿，因而，此項建議，一時尚不致實現。惟修改出版法，提高政府的監督權與取締方法，則是官方經常提到的，遲早不免要送到立法院。如果立法委員也主張報章刊布的新聞，在內容上要加以分別，何者要多登，何者要不登，則行政與立法變方便趨於一致，此後的新聞自由，將可能受到限制了。

台省報紙的篇幅，始終限制每天一張半，除去廣告之外，版面的容量極爲有限。而長篇大論非登不可的文章，又不在少數；再要多登立監兩院的新聞，是不可能的。立法院在開大會時，委員們一天的質詢與行政主管的答覆，常達數萬言，絕對無法完全刊布。若全部刊布，其他的新聞勢必均將被擠去，而讀者的興趣也大受影響，報紙的功能，更完全抹煞。何況立法院之外，還有監察院，也常常開會。國民大會代表聯誼會，最近也有公函給台灣省新聞處，說是各報對他們的活動紀載太少，新聞處也就「來文照轉」，要各報以後多登他們的消息。果如此，則台灣各報，以後非變成爲民意機關公報不可了。

不過，有一件事，却是兩項質詢中都未提到，而實在是應該提出的，就是自由中國對於酒家等的開設，毫無限制，而却對新的報紙的創刊與報紙的篇幅特加限制。這樣，是不是無形之中，鼓勵人民上酒家等處，去消費金錢，敗壞風氣，而不鼓勵人民多讀報紙，增進智識？

關於第二個問題，原質詢可以說並未抓住要點，故行政院很容易的就答覆過去。我們先要說明台省近來的娛樂場所，除酒家外，都已逐漸沒落。首先是電影院自從爲取締黃牛而加門以後，黃牛雖則依然存在，而看客因負擔太重，却自動減少了。許多名片都還不到滿座，如非星期假日，甲級戲院日場常常只有三四成。現在經常客滿的，是小城小鎮專演台語片的戲院，這對於光復十一年以來的國語推行運動，當然是極大阻礙，但是比之過去日語片風行，使台省同胞再多接近日本文化，則顯然地又略勝一籌。至於跳舞場，設在基隆和新北投以招待美軍爲名的，因娛樂稅增加，都已在上月關門。其除各地，本來禁止開設。歌場則本來只有台北與高雄兩地，有以歡唱反共抗俄歌曲爲名的音樂廳，而台北原有七家，現只存兩家，高雄也只存一家。這三家中的歌星，只有一位是過去進過音樂專科學校，現在還繼續在名師教導之下習唱聲樂的，其餘的歌女，都是臨時雜湊。從以上所述情形，可以看出台省社會經濟，並不繁榮，而社會風氣的敗壞，更與此無關。即以電影而論，凡館上演的，都經過政府的檢查，或者剪接，如果說對社會教育，還有不良後果，其責任也當由政府負之。

但是，台省目前最繁榮的，確是酒家與酒吧。台北市的南京西路與中山北路三段，每晚的酒綠燈紅，看不出有一點戰時景象。其他的縣市亦復如此。而酒家的主顧則多爲台灣本省商人，酒吧則爲友邦人士。政府只限制創刊報紙，限制私人設立大學，却決不限制開設酒家酒吧。酒家酒吧既經過政府許可設立，並且依章納稅，其營業即具有合法性，也不便以敗壞社會風氣的責任，全歸於他們。尤其是今年春季，軍人之友總社發動「敬軍花運動」，每朵售價十元，要各酒女、吧女競相兜售，得款最多者稱爲花后。花后的產生，既並不是看她敬軍勞軍的熱誠，而要用錢買，則社會風氣因之敗壞，其責任又當誰負？這是行政院也無法答覆的。（十月二日）

新聞界的新聞

·昌增勳·

【本報台南九月廿日航訊】本報五七六期（九月八日）報導「台灣記者節的紛擾」，已引起海內外新聞界注意。但，這不祇台南一處的問題，以筆者所知，鄰近高雄，南縣皆會發生不合理的理監事的選舉，及「罷採」縣府消息的支節。

今（卅）日台南記者公會拾起九一聯局，舉行會員大會，新會員廿獲通過入會。然而理監事幾全爲內定者，其官方報紙與電台，在十一名理監事中，有九人。台南廣播電台台長林枝其當選理事長，這是數年來，當地某報讓出理事長之先例。

選舉已經過去了，筆者所望於同行者：台灣甚多報館，雜誌社，在縣，市，鄉，鎮看看，掛起某某報辦事處，分社等等招牌。機關，學校，爲應付記者，特派員，辦事處主任，社長，社長幾已搞得頭暈腦脹，其目的十八九是推銷，或招攬廣告。機關，學校，等稍一應付不當，不是當即遭碰口大駡，即是說「你等着瞧吧」！結果，還是得請客，送禮，才完事，這種風氣，是必須即速改正的，也希望公會在這方面而努力。不要發展到由治安機關出而干涉，那就太難看了！

記者節同仁濟濟一堂，這是同業一年中僅有的機會，除了紀念九一以外，要檢討一年來彼此工作的情形，接受大家意見。比如：「牛哥挾持鍾情案」，輿論界似有落井下石之嫌。及某氏强姦，有遮蔽庇護，而不主持正義等……應加糾正，」進而研究對國策之宣揚，應取如何更妥善的辦法與技術來達成目的。憲法所賦予之言論自由，應向政府及政府官員如何爭取與發揚，這才是記者節同仁所應做的事，動武爭新聞官，演醜劇何足以領導社會哩！（九，卅）

六項經濟質詢

（台北通訊）九月十八日立法院第十八會期第一次會議，立委周樹聲對行政院院長施政報告，提出各項有關經濟問題的質詢，足供了解目前自由中國經濟情勢之參考，茲錄其原文如下：

（以下爲立委周樹聲質詢原文）

（一）業務檢討報告中，屢續實施台灣經濟建設四年計劃之乙項內列，「對外採取適當保護，對內鼓勵自由競爭，」云云，乃是經濟部之政策，關係可謂重要，惟一經細按，不但文字簡略，方法似亦簡單，是否能盡保護及鼓勵之能事，不無疑問！又丙項「吸引僑資外資」爲政府既定政策，而鼓勵華僑投資條例，及鼓勵外人投資條例，均早經立法院通過，事實上僑資外資來台者極少，與理想相去甚遠，因何僑資外資不能吸引？應探本窮源，尋其障礙所在，設法改善，以求達到目的，不知政府有無改善計劃？此應請答復者一。

（二）國營事業之台糖公司，近年砂糖產量，尚頗不少，外銷業務及生產成本，均著良好成績，顧以該公司之設備，尚有再增產之可能，雖因蔗田所限，欲達日據時代之最高額（一百四十萬噸）無法達到，然如增至一百萬噸，即可增加鉅額之外匯收入，當於台灣經濟及財政，大有裨益，惟以受國際糖業協定之限制，還基本配額六十萬噸之數，尚須削減，致我糖業不克充分發展，此事關係台灣經濟甚大，其實只要外銷確有把握，縱使退出糖協，似應在所不惜，十月內世界糖業會議，又在日內瓦開會，我之增加配額要求，倘能如願，固屬最佳，萬一不能，我政府擬採如何對策？此應請答復者二。

（三）中國石油公司，四十四年實際產量，較之預定生產目標，超出甚多，尤以精煉噴氣機油，供應軍用，大量煉製對油，爭取國際貿易，均對國家頗有貢獻，深堪嘉許，惟鑽採工作，活動太少，成績尚差，須知歷年原油，皆向國外購運；（多係購之中東）非僅每年耗費鉅額寶貴外匯（即以四十四年一年而論，購原油之款，已達新台幣二億八千餘萬元，實支美金一千萬有零）尤可慮者，萬一某處海洋發生戰事，航路受阻，原油不能運來，我之飛機汽車，勢將無法發動，請問如何應付？根本之圖，應求自給，則鑽探開採之工作，實不容緩，（查本省西部濱海各地，以及八卦刀，山子脚，通霄等處，或有儲油構造，或已發現油氣，）似應購買最新鑽機，（舊式鑽機，僅能探至二三千尺，新式鑽機，能探一萬數千尺，現在世界上淺層油田，幾已開採殆盡，故多向深井採油，）從事廣泛探勘，如能發現確實有價值之油源，立即迅作大規模之開採，則亡羊補牢，猶未爲晚，所懼始終不作此項計劃，即終無實現之一日，不知經濟部對於此事之計劃如何？此應請答復者三。

又經濟部業務檢討報告內載，四十四年原油輸入五十八萬餘長噸，原油及購料支出二億八千三百五十七萬元，而行政院經濟安定委員會編印自由中國之工業第五卷第六期內列，四十四年原油進口四十七萬六千八百五十二噸，價值一億二千四百八十六萬四千元，又第六卷第一期內列四十四年原油進口七十六萬二千零六十五噸，價值二億一千八百六十三萬七千元，三方數目，各不相符，所差甚鉅，殊屬不解，尤以工業委員會之自相矛盾，尤足詫異，不知究以何者爲準，因何互相歧異？更使人對於統計數字之確實性，不免懷疑，應請一併答復。

（四）台灣鋁業公司，當四十四年上半年，雖在停電減電之嚴重影響下，鋁錠鋁片之生產，至年終仍能超出預定生產目標，[illegible]不知經濟部有無大量增產之意？此應請答復者四。

（五）民營輸出一切工商業，政府尤應特別輔助，現台灣棉紗最高生產能力，[illegible]件，而本省消費量，[illegible]件，棉布最高產額，可達[illegible]，而本省消費量，只有一億[illegible]，[illegible]額，可達二百四十萬磅，本省消費量，只有一百數十萬磅，似此均有大量餘額，非在外銷出路不可，所幸此數宗之外銷市場，東南亞，香港等地方，已現光明遠景，尤宜再作進一步之推廣，其他產品，雖不及此數宗數目之大，然凡能外銷者，均應特別予以鼓勵扶助，並設法解除其障礙，減少其困難，固知政府業已採取此項政策，不知是否尚有再行推廣之辦法？此應請答復者五。

（六）大半年來，一般物價，尚稱穩定，除一部份食品外，輸入及輸出貨品價格，多見下跌，雖有種種因素，而主管當局對於穩定物價之努力，亦頗足多，關於[illegible]限制銀行放款，固收一時收緊銀根之效，惟如持之太久，各工商業周轉困難，或減少生產，或完全停工，[illegible]於高利貸，或竟不得已而[illegible]，不但有虧蝕之苦，甚或有倒閉之虞，其影響當然非常重大，此項情形已露端倪，值得重視，亟應迅謀補救，不知政府擬採如何措施？此應請答復者六。（發九月卅日咨）

阿里山下

·傅正·

軍法與司法

從十月一日起，國防部爲實施新軍事審判法，建立初審及覆判兩個審級制度，特成立軍法覆判局。今後受軍法裁判的被告，都可以獲得審級救濟，固不失爲軍法制度的一大革新。但各有關單位，如何嚴格遵守軍法與司法的既定範圍，以免侵犯司法權，實又爲當前急務。

不自由，毋寧死

大陸來台各界反共義士代表大會，近在台北舉行，大會主席曾坦率指出，成千成萬投奔自由的反共義士，都抱的一個共同願望，那就是：「不自由，毋寧死！」其實，人類是具有盧騷所謂天賦自由的，故人類有愛自由與求自由的天性，極權主義無論如何壓抑橫暴，都不足以絕滅這一天性的。

抛棄權力萬能觀念

第一次全球性的華僑經濟檢討會議，已定於十月二十八日至三十日，在台北召開，目的在謀求有關華僑經濟問題之解決。但願會議中能多接受僑胞意見，尤其在吸收僑資回國生產方面，政府要拋棄陳腐的權力萬能觀念，少擺些所謂輔導的把戲，多給僑胞一些方便就好了。

常識第一

全台灣實施都市平均地權，四十五年首期地價稅徵繳，已於十月一日截止，據說業主地主有滯納現象，所以只繳到百分之六十左右。其中主要原因，是沒有在時間上和方法上，給納稅人以最大便利，這顯然是連亞丹斯密的租稅四大原則都不懂。現財政廳既已決定調訓稅務人員，但願少講些主義思想，多灌輸點基本常識。

宋靄齡來台

前行政院院長孔祥熙的太太宋靄齡女士，最近由美國回到台灣來了，據說此來還帶有觀光性質。是不是預謀擺脫，局外人不得而知，前兩年盛傳孔氏回台，始終沒有實現。現在他的太太回來了，是否和孔氏的行動有關？這在政治敏感性的人看來，總不免多少有些推測的，我們且看以後的事實罷。

只准州官放火

行政院國民住宅興建委員會，在台北縣中和鄉南勢角，未依法取得建築基地，便興建住宅達百幢左右，雖經警察局制止和縣政府勸告，仍然是照建不誤。堂堂政府機關，在政府嚴格取締違章建築聲中，竟公然違背法令，難道法令只有小民百姓該遵守？

新儒學與新文化

復古非整理固有文化

（上接第一版）建設新文化，不是憑空製造的，而是有其歷史的依據，有其時代背景。如尋求歷史依據，首先就要整理固有文化。整理固有文化不是幾篇文告或翻印大批古書所可濟事的，必須有志的學人痛下一番工夫，發現其中的特徵，尋出其中的脈絡，找出其中的缺點，再加有條理有系統有內容有見解的整理，使現代人認了古書，不僅認識固有文化的精神，而且從而啓發新的思潮，新的觀念，這才是整理固有文化的正途。

有不少人誤解了整理固有文化的意義，他們認爲整理固有文化即是復古，因此主張强迫讀經，提倡古詩古文，將許多已過時的古董搬了出來，他們以爲這便是整理固有文化。尤其有趣的是他們印一本書或出一本刊物，也是由封面至底頁充滿了古香古色的國畫詩詞，而沾沾自喜以爲這在整理固有文化方面是一大貢獻。還有些投機的書商，也在大量的翻印古書乘機圖利。這就是整理固有文化嗎？殊不知復古絕不能與整理固有文化混爲一談，復古是機械的，形式的，向後開倒車的，例如有人提倡讀經，還不能算是復古，但若强迫學生讀經，而不將其價值作新的闡釋，這便是復古。復古的觀點解釋，即是迷信古人，食古不化。必須將古人的資料消化得下，成了今人的營養品，這才算是整理固有文化。整理固有文化，斷不是東翻西印將已死的古人再搬出來嚇人的勾當。魔鬼是嚇不走的。

（未完）

自由人

THE FREEMAN

（第五八九期）

中華民國郵政登記認爲第一類新聞紙類
香港政府註冊

社址：香港銅鑼灣道廿號三樓
3RD. FL. 20 CAUSEWAY RD. HONG KONG
TEL. 771726

論波蘭變局與狄托路綫

・李金暐・

一　「伴隨社會主義建設而來的是具體的政治階段鬥爭上的勝利和經濟困難」！

這話是蘇聯總理布爾加寧，七月廿一日在華沙慶祝共黨波蘭十二週年國慶會上講的。（註一）這句話也是共產黨人自己推翻共產主義理論和共產主義政權的最有力的證詞。也正表明共產主義學說及其政權的破產已成必然性。在共產主義理論下的「社會主義建設」，既只能給波蘭（其實是所有的共黨國家）帶來「具體的政治和經濟困難」，那末，繼六月廿八日波蘭工人暴動事件而出現十月廿一日的政變，乃是一定的轉變過程。這也正是我曾用「波蘭還有亡」爲題作文的主要原因。（前文載七月四日本報五五七期）

波蘭政變的影響

波蘭這次的政變，雖然繼起者爲曾遭清算的波共領袖，政權仍在共黨手裏，但政變成功的最大意義，乃在波共能藉自己的力量反抗蘇聯，這一事實顯然將對共產集團內的附庸起鼓舞的作用。因此，我認爲不能把波蘭的政變僅看作是「走馬換將」。在現階段，若以爲蘇聯極權即將就此告終，亦似嫌過早。但至少可以肯定地說，共產集團內部的困擾必將因此擴大持續下去。波蘭政變的不能不說是極具意義的一頁。

從一九三九年九月至一九四一年，二年內波蘭遭受到希特勒和斯大林的瓜分，終於又成爲戰爭在波蘭國土上來回拉鋸的結果，使波蘭失去了東部土地十八萬一千方公里，劃讓予蘇聯！並在其餘的波蘭土地上培植樹立了傀儡政權。

波蘭是東歐附庸國家中最大的一個，地理形勢和政治關係上，使她天然的成爲蘇聯西部的屏障，沙在歐洲地理上是交叉的中心點，因此她的動態就成爲歐洲國際政治關係的風向儀。

蘇聯欲向歐洲西南向控制巴爾幹，則必須先獲取波蘭，如果她就此失去波蘭，則表明蘇聯不僅對歐的政治攻勢受挫，也將削弱對巴爾幹的控制。

甘慕卡是在一九四九年失寵於斯大林，被控以「狄托主義」的罪名被捕，現在他成功了，而蘇共中央[illegible]軍均無力阻止，[illegible]了，擺一轉變不[illegible]慕卡的成功，而[illegible]是屬於波蘭人民全體的[illegible]爲爭取自由，在第一件，說成是西方特務[illegible]

波共內政上的死結

在波茲南事件之後，[illegible]所採取的一點，更是爲[illegible]蘇共[illegible]波共中央[illegible]和容忍。[illegible]若干人士所不能接受[illegible]委員會主席諾瓦克[illegible]月廿一日的「國慶」演說中曾承認：從一九五〇年起的三年內，[illegible]和消耗是「整個國民」[illegible]

經濟的一個相當的負担，是「對生活水平的提高了一些不好的影響」，同時他也承認了：「農業發展落後」、「國民經濟計劃工作過於集中」、「國家機構過於龐大」以及「官僚主義」的影響。[illegible]由於這許多因素，波共內部的分歧已發展到公開化的程度。在領導[illegible]關加會同時命令波共有類似的黨內「路綫」[illegible]

俄帝曾圖重整控制力

但莫斯科方面，[illegible]對於波蘭的實際情況，[illegible]

南蘇之間的分歧焦點

[illegible]「同盟」的爭執，發生於新的形勢發展到整個東歐與莫斯科形成了對立狀態。赫魯曉夫與狄托之單獨會談以及此後的雅爾達的集體會談，焦點亦即在此。

[illegible]、政策，路綫的分歧。同時，在十月十日出現的波蘭報紙上，也出現了新任不久的部長會議第一副主席[illegible]的消息。明茲因病辭職的消息（註三）至此波共內部鬥爭，而已顯露[illegible]西方通訊社的消息開始[illegible]月八日的消息[illegible]蘇聯當局呈現不穩態[illegible]軍隊來波蘭[illegible]保持地位。（註四）[illegible]旬日以來，波蘭政局即急轉直下，雖赫魯曉夫、米高揚[illegible]親赴華沙，也無能爲力了。（下轉第二版）

鐵蹄下的匈牙利

・胡養之・

匈牙利是東歐鐵幕附庸國家中最殘酷的國家，莫斯科的奴役統治政策，也實行得較爲徹底。在消滅了城市工商業後，由於農民反抗集體化，採取了不合作態度，國內發生嚴重糧荒，形勢迫使她非接受美國的糧食援助不可。對於美國所提議的緊急糧食援助，據說已向匈駐使館表示了接受。這雖然是共黨集團國家中表示願意接受美國糧食援助的第一例，可是匈牙利對美英兩國卻一向都是仇視的。

匈共仇視西方人民

在一九五三年匈牙利先後發生三大案獄。被告曾以充當西方國家的間諜被控。首先公審的是羅馬天主教匈牙利區主教明聖諦，判處禁錮；第二次審的爲匈牙利前外交部長伊拉克，判處死刑。第三次的被告，計有美僑羅勒格，英僑山德斯，前者處十五年禁錮，私產沒收，監禁期滿後驅逐出境；後者判處十三年禁錮，私產沒收。其餘匈牙利人十二名一律判處死刑。

當這兩位英美人民被控審時，只准美國一名記者採訪新聞，而不許美國公使派人觀察，也不准延聘美籍律師辯護。是以美國政府所得到的報告，大部份都是蘇聯社駐布達佩斯的一名匈籍助理所報道，並經過匈當局的檢查新聞稿。因此美國政府認爲羅氏的供詞，是酷刑打成招的，是受了催眠術，吃了謎藥的結果。

消滅私營企業的手法

匈共實際上不僅仇視英美人，因爲它是蘇俄在東歐附庸國中最殘暴的國家，故不惜濫情壓榨人民。在一九五一至一九五二的兩年之間，匈共先發出債，每名工人至少要認捐兩個月的工資，分十二個月扣除，最後一次於一九五三年九月才扣清。十月間又馬上推行新的購債運動，農民們每人要認捐現款收入的百分之二十五，於十二月以前交清。而商人卻於十一月以前便要繳足，凡是未能如期繳交的，就統統都被集體屠殺了！計有工人三千一百二十五人，商人一千六百五十八人。從此以後，所有的工人商人及僱員們一律自動認捐各種的捐款，認訂各種的刊物，平均去了工資百分之四十五以上。因此再沒有人能買得起匈共貿易公司的商品了。可是匈共當局卻把缺少糧食和日常用品都歸罪工人和農人們的不賣力，而匈共總理拉科西說礦業生產比預定的少了百分之十五，並說懶惰和不服約束的工人，必須檢舉。匈共機關報「工人報」的數字「一天比一天多」，更有許多是虛報生病的。

農業集體化失敗

不過匈共當局對農民施行的迫害手段，卻始終沒有收效。匈牙利是農業國，在九百多萬人口中，迄至目前爲止，參加農業合作團體的只有二十餘萬戶，農地面積也只有百分之二十。糧食部長奈斯基也承認國營農田，耗銷超過預算的規定，可是收成卻不及私營農田的平均數額。這些失敗原因，只有歸咎於地主的破壞。所謂地主，包括從前的大地主，和不肯放棄自耕農田參加合作社的小農戶。

殘酷的放逐政策

由於農人和工人被匈共壓迫得喘不過氣來，因此歷年來冒險逃出鐵幕的青年不斷增加。另一方面匈共又大舉放逐人民，凡是被押送出境的多半在深夜或是清晨接到通知，限令於幾小時之內，到達某車站集合，他們除了隨身衣服之外，所有財物一概充公。被拘放逐的人，比較好的，是被送往集體農莊，倒霉的人，大多被送往強迫勞動營，從此再沒有重見天日的希望！勞動營的待遇，平均的殘酷，沒有性別年齡，或體格強弱的區別。前匈國首相貝塞侖遺孀，已經八十歲，仍被強迫去做農田工作。她數度昏倒地上，而匈共幹部卻依然扶起來，穿上襤褸衣服，直立田中，代替草人來嚇走雀鳥。

至於被放逐的人數目究有多少，沒有可靠的統計。據去年八月匈共機關報所稱：這舉措不過是送走那些危害及公共秩序的貴族餘孽，銀行財閥及以前的憲兵特務而已。其實在五年之前，已經把十幾萬政治犯送往蘇俄，「反動份子」早已根除。故可說這次放逐中大多數人並沒有對共政府有仰的。這行動的大的目的，乃在徹底消滅匈牙利的自由智識份子。

二萬餘人死於偷渡

總而言之，匈共的所有政策，都是敵視西方而師承莫斯科的。對外排擠、歧視；對內壓迫，加緊控制；甚至連小兒童玩具等等，無一不以莫斯科爲模範。匈牙利人民處於這種殘酷的暴力之下，只有兩條生路：一是偷渡奧國，二是自殺。但與匈接壤的奧國邊境一帶的鐵絲網，地下埋有地雷，比諸從前嚴密十倍！然而，仍阻止不了匈國人民的大批投奔自由。光是去年一年中，偷越鐵絲網的就以萬計，有的觸電，有的僥倖脫險，有的觸著地雷炸死，同時也有被守兵槍殺，有自殺於半途的。據估計去年約有二萬五千人死於這地方。匈共當局爲了避免動搖人心，不准喪車由大街上經過街市，但國內民不聊生的事實，卻不是一紙禁令所能遮掩的。

半週述評

・司馬璐・

波蘭事件

[illegible]波蘭事件，其[illegible]，給予敵人的煩惱，等于共黨的敵人[illegible]我們必須估計到波蘭事件的影響，自由世界[illegible]如果我們對波蘭事件估計過高，幻想其實現[illegible]主要的是適當地指出，不要表現過于消極的態度，也不要過于樂觀的態度。

謹防假冒

我們看到波蘭人民所要求的是什麼？波蘭人民要求的是自由，是民主，是獨立，一個民主的波蘭。[illegible]波蘭共黨的改革，只是共黨內部的換班，而不是人民的革命。[illegible]

共黨換班

[illegible]波蘭共黨的所謂「換班」，實際上是共黨爲了緩和人民的憤怒，把波蘭人民的革命淡化了。[illegible]

適當估價

[illegible]對波蘭事件，我們必須適當估價[illegible]

兩派妥協

赫魯曉夫等匆匆趕赴華沙，並不足以說明蘇俄與波蘭共黨的關係已經破裂[illegible]史達林派與反史達林派[illegible]赫魯曉夫，米高揚，莫洛托夫，卡岡諾維奇[illegible]

當前急務

史達林派在俄共內部的抬頭，反史達林派在東歐國家的發展，所以在另一方面波蘭事件又是俄共內部的反映。[illegible]當前我們的急務是：第一要提出「自由波蘭」的口號；第二要援助波蘭真正的自由力量。

西藏抗暴運動的觀察

·孽子遺兵·

下面這篇文字，是一個西藏青年寄給本刊的，原文甚長，討論的問題亦甚多。茲摘錄其中有關西藏抗暴運動的觀察一部分發表如左。它不僅代表了西藏青年的意見，也說明了西藏抗暴運動的精神背景。——編者——

近半年來，關於西藏抗暴運動的消息，時斷時續的在報章出現。雖交通阻隔，真象難明，我以一個西藏青年的立場，據我所了解的西藏實際情形，我敢說這種抗暴運動一經發動以後，非達到成功，是決不會輕易停止的。

果畏威而不懷德乎

西藏同胞的抗暴運動，我可以說，純以「人性的覺醒」做出發點。[illegible]

文成公主的影響

普天下的老百姓，[illegible]都是良善的，自然西藏的老百姓也是良善的。[illegible]

達賴十三的預言

[illegible]

（下轉第三版）

有關我國古史的兩封信

——羅家倫和金達凱兩先生來函——

今年雙十節金達凱先生在本刊（五八五期）發表了一篇「中國史學研究」的文章，頃得羅家倫先生來函，對文中某一段話有所聲明，金先生讀羅函後，也有一封來書，茲一併刊出如下：

羅家倫先生函

記者先生：

在雙十節的「自由人」中，金達凱先生所寫的「中國史學研究」一篇文章裏，[illegible]

金達凱先生函

[illegible]

……「卓絕的貢獻」係「卓絕的貢獻」之誤，「現化知識」係「現代知識」之誤，「不前久」係「不久前」之誤，「斷絕的貢份子」之誤，「不前倒排，併乞更正。

金達凱敬啓十月十八日

特寫

電台密集如林

台灣的廣播事業，因近年來社會經濟安定繁榮，工商業活躍，廣告競爭激烈，市場購買力強，故民營電台如雨後春筍，[illegible]

生活在台灣，收音機成了必需品，尤其在電視價格低廉之後，從收音機裏消除密度，[illegible]

節目各有千秋

最近一年來，民營電台在節目內容上盡力充實，尤以正聲公司旗下各台，號召力較強，其中最精彩的二項節目是「先生們不要聽」——該節目由詼諧有趣，已成了家庭主婦每日不可缺少的消遣；「你說對不對」——簡短有力，兼具各報短評之鋒利，言來針針見血，在台灣輿論中頗有影響力，如「自由中國」什誌在社論中亦有時引用該等短評佐證。

對國際廣播的自由中國之聲，除英語外，計使用：阿拉伯、俄語、日語、越語、韓語、印尼語及客家、潮州、閩語、粵語等。節目內容與發射力俱佳，單就日語節目言，日本廣播界亦認爲「無論在發音和內容上，都是遠東最好的。」該節目之聽衆函件，每日來自歐美者源源不絕，據統計歐洲的聽衆，多喜歡自由中國之聲的新聞評論節目。駐台灣的國際貴賓，亦多喜客串該台之節目，像中國之友柯克上將夫

台灣的廣播事業

·石永貴·

……台十六所，以立法院副院長……正聲廣播公司，聲勢最爲……正聲電台第一、第二部份……專對大陸廣播）及設在台中……台（該台本爲大陸時代的報……資創辦，在台灣已有二年的……八月一日起併入正聲公司。……在岡山的正言廣播電台。

……容，公私營電台因經費來源不同，私營電台靠政府的補助，是不濟……台收入，節目也就不得不遷就……一般的聽衆和政府主管當局……免公平。據可靠統計，以民營電台認爲太生意化了，事實上……二十左右是新聞報導，新聞評論……作方面的。

對大陸廣播扣人心絃

人，當選期間，即曾義務擔任一項……

自由中國對大陸廣播，爲台灣心戰最重要的一環。每晚自廿三時後，計有：空軍、軍中、警察及正義之聲，均有特別節目，特別對象（如空軍電台的「飛向祖國來」），深夜人靜，緊扣鐵幕內人民的心絃，最能與美國之音，並駕齊驅者，爲對大陸廣播達十二小時的自由中國之聲（以中央廣播電台呼號），爲大陸同胞之強心劑，其強力中波機與六個短波機同時發射，效果甚佳，因使用九種方言，故可達到新疆、西藏。從韓國歸來的一萬四千名反共義士中，很多人曾在共軍中竊聽台灣的廣播，也就是自由中國之聲。對大陸同胞，奔向自由之勇氣，鼓勵甚大，例如：青年工人李寶羽，就是在上海因收聽自由中國之聲，而得到鼓勵的。

軍中與空軍兩電台，負三軍精神食糧供應之責，但其聽衆對象仍是一般的。警察電台爲公營電台後起之秀，負宣揚政令、治安維護之責，如「警民之間」、「鄰里對話」、「公共安全」，其特點：設備最新，節目謹慎，緊湊，大部預先錄音。插播尋人，小心火警，防止盜賊，輕鬆裏有警惕，最惹人注意，節目前奏均喜用國樂配音，亦得與衆不同之處。

台灣中美軍人電台，其前身爲中美軍人之聲，更名後，設備換然一新，節目內容除新聞外，以娛樂爲主，且得天獨厚，均爲美國最新電視節目。

空中大學與好農村

最後，筆者要介紹的是台灣廣播電台：第一廣播部份偏重教育與服務，第二廣播部份偏重知識與娛樂，以本省習用方言爲主。台灣台的節目內容，最能代表本省廣播事業發展之趨向——負教育使命之重責。除「兒童時間」，「家庭時間」，「音樂的話」，「夫婦之間」，「英語講座」，「教育廣播」等專設節目外，每天自上午六時半起，開始空中教學，其教授內容除數學，理化外，中學的課程，樣樣都有。自本月廿一起，大學課目，開始廣播教授，乃即渴望已久的空中大學，正式開學，這是在欣欣向榮的社會教育，具有劃時代的意義。「空中大學」每週五天，每天九十分鐘，以社會科學爲主，所聘教授都是目下台灣最負盛名的權威教授。

在日新又新的節目競爭裏，台灣電台目前最受歡迎的節目爲「歷史上的今天」，「聽衆時間」（名曲點唱）及每日一次的空中猜謎晚會。

筆者在前面已說過，因台灣的經濟繁榮，收音機已不是奢侈品，台灣農村生活之安定進步，爲歷史上所罕見的。農村復興委員會（中美合作之機構），不斷以腳踏車及收音機，運用分期付款方式，廉價配給農友。台灣台的「好農村」，不但擁有無數的聽衆，且採訪亦已深入了農村。（完）

阿里山下

……，政院如不同意，原可依據憲法第五十七條的規定，移請覆議。今政院既有異議，卻不循憲法途徑解決，如此行爲，除充分表現其不敢勇於負責外，實爲憲政之惡例！

迎接新風氣

蔣總統壽誕發表六項昭示，希望海內外同胞，直率提供意見後，台灣輿論界，開始有了新的轉向。非但有幾個報紙公開撤文，即連向來沉默的黨報，也連續大膽進言，這真是個好現象。但願此後對於國是，都能知無不言，言無不盡，造成一種新風氣。

民主豈止一問一答？

立法院第十八會期，對行政院長施政報告所進行的質詢，已於最近結束。一問一答間，固可表現民主精神，但就實際政治言，還需在要政院各級負責者，切切實實做去才行，如果總讓立委們翻覆辯，則不過徒有民主政治之名而已。

如此「崇法務實」！

立法院近有決議：對於行政院的處理台灣鐵路有案，居然不依立院第十五會期的決議辦理，而再度提請政院按原決議執行。對於立院變更政院政策之決議

增產與改革

省林產管理局，爲配合第二個四年經濟計劃，近根據省內所需木材，而擬定作業計劃，將於四年內造林四萬一千多公頃，計劃不可謂不好，但林政制度方面，如不作激底改革，則多一個計劃，不過是多造成一些貪污的機會而已，何著來哉？

合作第一

泰國觀光團團長盛閣臣，近曾在一次盛大宴會上，提出發展中泰貿易的意見，希望政府主管當局，多與僑胞合作。但願政府在吸收僑資方面，少搞些名爲輔導而實爲管制的把戲，多採取合作的辦法。

提防冒牌醫生送命

中醫師檢覈出賣試題案，正依法辦理中，近又有治安機關查獲，省衛生處前任主管科長楊某，曾賄賣西醫執照四十多張，貪汚達二十多萬新台幣，眞是無獨有偶。奉勸在台灣治病者，無論找中醫西醫，還要小心謹愼才好。（十月二十日）

·傅正·

本港歷史教師進修班
討論歷史對人的意義
指出歷史係對眞理之研究和尋求事實的方法

教育司署課程及課本委員會歷史小組主辦之歷史教師進修班，經於日前舉行。該班共舉行演講四次，每次演講後，即由各組加以討論，及提出問題。各組人員，係照其每人興趣，共分爲小學，中學，及高級中學等組。該進修班係初次舉行，經已引起莫大興趣。約有教師一百名及羅富國師範專科學校畢業生與學生參加。

研究歷史不存偏見

香港大學歷史講師安達葛君主持該班開幕禮，彼强調由小學至大學歷史教法之一貫性。安氏又稱：歷史乃爲對眞理之一種研究。對於此一研究，須具有坦白胸懷，不存任何偏見，或至少抱有誠實態度。至對此種研究之大阻礙，乃爲宣傳及對自由加以拘束。關於歷史教師，安氏稱：彼等特質爲對歷史研究具有熱心，對人類失敗，表示同情，及對人類本性，能予了解。

伊利沙伯中學軒教講「學校教授歷史之目的」。軒氏以爲：學校教授歷史之首要效用，乃爲一項事實，即學校成爲教授學生以超脫觀點，考慮人類行爲，觀念，及偏見之優良訓練地點，並加以判斷。此外，學生並獲得鼓勵討論過去事實，並對此等事實，養成一種判斷力，再根據此等判斷，考慮各項事實及獲得尋求事實之方法。安氏認爲此等工作，較祇累積詳細資料，更爲重要。

歷史在於道德培養

軒氏復强調歷史教授道德觀念之重要性。彼又强調促使學生對歷史感覺興趣之重要性，俾彼等長成時，能不斷閱讀及思維過去，因歷史主要乃爲一成人研究之課程之故。

軒氏曾提及防礙此等目標之兩種困難，一爲試驗之問題，即在注意力集中於思想之訓練方面，而非於事實之教授時，則如何加以試驗，一爲語文方面之困難，因爲若非針對所用之語文自由運用之能力者，則難望其能了解歷史。

軒氏並引用但斯所著由聯合國教育科學文化組織印行之專論內容，以概說其本人之態度。

「歷史之性質，在精神與道德培養方面，比邏輯智識爲多。向歷史學習，實比單純認識歷史爲重要。因爲向歷史學習，吾人可以陶冶性情，使致於成熟之境」。

助長教育眞正目的

瑪利諾學校奧利化女修士亦曾担任演講，講題爲「歷史之等級」。奧利化女修士曾强調歷史之基本觀念爲演進，此種演進係指世界之聯繫及一致性而言，隨後彼並將世界一致性之各種觀念，如羅馬，希伯萊，馬克斯，唯俗論及基督教等之觀念加以討論。

奧利化女修士由此種哲學性討論轉而談論教授歷史之問題時謂，教授歷史可以助長教育之眞正目標，此等目標（引述尼伯列特在「迷失範圍」一書內所說之語）「並非在尋求快樂，而在於培育更大之機警性，加深人類之了解，提醒及約束理智之眞正力量與及正確之行動出於自然」。奧利化女修士又擬將歷史之事實分爲三類：

一、人類及其物質環境
二、古人之言論與行爲
三、思想，或促人類行動之力量。

彼繼謂用實際方式表現之事實屬於初級性質，用抽像方式表現之事實則屬於高級性質，因此較低級之歷史應屬於紀事性而非分析性者。兒童可以由有關其本身環境之簡單故事，然後進而認識過去社會之歷史。在於高級學生方面，應教其分析歷史之時代，在已知之條件下，找尋古今之異同，聯系與傾向之點，選擇某一時代之要事，並從而解釋其意義之所在。

教授歷史有新辦法

第三項演講由羅富國師範專科學校教授馬倫尼担任，講題爲「歷史科教具及教學法」。馬氏以爲，對小學低年級之最佳歷史教法，厥爲以戲劇化口吻，講述故事。另一種對小學及中學一年級極有價值之教具，即爲透視畫。該種教具，係以紙皮，或積木，繫上顏色紙成人物，置於一個繫有顏色以代表現場之背景中。此種教具大小均可，並可由學生自製。教師可根據此種教具，以對答方式講授其課程。

馬倫尼先生建議，對於較高班級，可採用「專題」教學法，將全班學生分爲若干組，每組各担任一項工作，藉地圖，圖畫及模型之助，以從事研究，寫作，及解釋，然後將其結果陳列，供其他學生參閱。

馬氏又建議，對於中學第六年級，可採用「指定教學法」，將課程分組研究，然後對所提出之問題，寫作文方式，作出答案。此種答案，可互相交換。

馬氏力主採用由學生自製之彩色掛圖之價值，惟彼對於影片之價值，表示不大信賴，因此種影片，大部份係爲英國兒童攝製者，對本港學生，不甚適合。

歷史之各種解釋

最後一次演講係由香港華仁書院之譚壽文神父主講。講題爲「歷史之各種解釋」。譚神父首先敍述經時間證明已成爲謬妄之各種歷史解釋。此即歷史係人類進展，爭取自由獲勝以及如何變爲文明之經過。歷史之眞正解釋，必須包括所有或大多數之事實，每一人對歷史之解釋，受其個別人生觀所影響，係爲不可避免者。而其個別人生觀，更爲其哲學，宗教學或背景及教育環境所左右。黎比謂彼曾建立一種不與哲學觀點或宗教學說相關連之歷史哲學，惟渠則認爲黎氏之歷史哲學係屬學說，一如以往之歷史解釋爲然。渠認爲祇由歷史觀點觀察所有歷史，係屬不可能者，而須從哲學或宗教學之頂點予以檢討。

出席會議者之踴躍顯示歷史教師確需聽取歷史教學法從而予以討論之。在每一次演講之後，均有充份之討論，並提出極多之問題，惟感遺憾者乃時間限制此一段之程序。希望今後可以經常舉行相同之會議。

「披星戴月騰雲駕霧」
汽車司機每日工作十八小時

在中共統治下的工人，要成爲英雄或模範，只是一條捨命幹的路。本文插圖和引文，皆係錄自十月十七日的北平「工人日報」。原文是重慶運輸公司工會的一個工人張孝三寫的信。他說：「四川省公路運輸系統的汽車駕駛員，一般工作每天十二到十四小時，有的達到十六至十八小時」！

由於「駕駛員長期加班加點的結果，大家都很疲勞，開起車來昏頭昏腦，好像騰雲駕霧，很多人鬧了病，車禍接連發生」。張孝三說該工司有百之八十的司機是患有職業胃病的，「根據盧、成都、雅安、瀘州、南充五個運輸公司的統計，今年上半年發生車故二百五十次，傷八十人，死十八人」。

於此可見，所謂「工人當家作主」者，不過是共產黨推行奴役勞工制度的幌子而已。（裕）

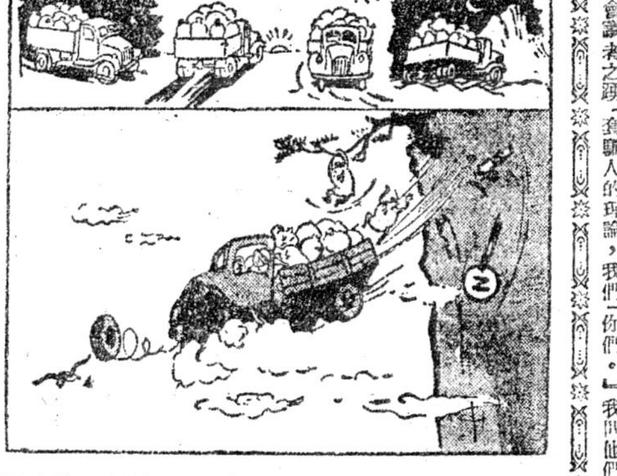

西藏抗暴運動的觀察

（上接第二版）

西藏青年的看法

四十一年八月，自拉薩經過喜馬拉雅山的原始森林，衝破綫幕封鎖，而抵達印度北境的許多西藏青年，曾經對我說：「我們研究了中共到西藏後的一切措施，覺得我們今後祇有革命的一條路子了。中共對西藏雖用極大的武力加以鎭壓，也決不能阻止我們革命力量的發展的。」

這些青年們還很憤慨的說，「中共以征服者的姿態，出現西藏人民的面前。中共口口聲聲說爲「人民」，「人民」，原來他們所謂「人民」也者也就是他們自己。他們那一套騙人的理論，我們現在完全看穿了。我們今後還想生存下去的話，祇有革中共之命一條道路可走了。」

這裏，我覺得共產黨好像現在都市的噴火女郎一樣，不知多少沒有社會經驗的青年，一時爲她傾倒。可是一班認識正確，具有民族觀念的西藏青年是不會爲她的「性感」所迷惑的。他們已明白，原來共產黨是[illegible]的尤物，[illegible]的魔鬼，是「紅色骷髏」。[illegible]決心要打倒這個魔鬼的，現在[illegible]運動也就是由此而生的。

西藏人民受了幾年來中共的暴行迫害，民族自尊心受到損害了，愛好和平愛佛教文化受到[illegible]，於是不得不恢復了過去那種騎士精神，起來反抗，「大開殺戒」了。藏人這一抗暴運動，對中共在西藏所建立的脆弱政權，無疑是一個極大的震撼，非到中共完全退出西藏，是不會停止的。

不要讓刀子生銹

八年前，我曾和幾個「中共佈爾塞維克」黨徒，談過「解放西藏問題」。「你們西藏是需要我們共產黨來搭救的。西藏的無產階級和內地的無產階級的一樣痛苦，祇有共產黨能解放你們。」我問他們，「解放」後，你們對西藏人很深刻的宗教信仰，採取甚麼態度呢？你猜他們怎樣答覆呢？他們說，「共產黨就是一個最偉大的宗教，有了共產主義，甚麼宗教都可以不要了。」阿彌陀佛！共產黨人竟這樣無恥，這樣荒唐，[illegible]

[illegible]

上海——現代中國之鍵

．姜道章．

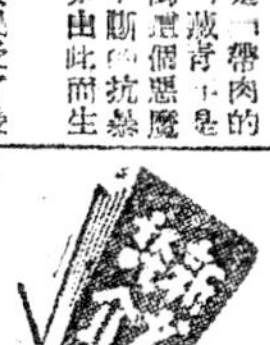

莫菲（R. Murphey）著，一九五三年美國哈佛大學出版，二三二面，每冊美金五元五角。

[illegible]

論波蘭變局與狄托路線
對波蘭政變及狄托路綫的評價

（上接第一版）

[illegible]

響應聲援波蘭人民

[illegible]

等因奉此罵官僚

自由談

馬五先生

蔣總統最近以大事諮求民隱，希望國人暢所欲知，直言極諫，其中有指摘官僚政客的一項。如是乎，自由中國的輿論界即一窩風似的大罵官僚主義了。區區過去在本報和海隅其他的刊物上，曾經寫過不少的攻擊官僚政治的文字，由於人微言輕之故，當然引不起人們的共鳴。現在欣逢大家等因奉此，詛咒官僚主義的盛會，理合秉摛衷湊熱鬧，以表擁戴國家元首的偉大號召之忱。

總統在一個月之前，即已通令告誡各機關，不得有對他祝壽的舉動。但據旬日來新聞消息，海外華僑赴台的祝壽團絡繹於途，而台北本地的祝壽事宜，亦表現着十分熱烈的景像。這種陽奉陰違的情形，是否跟官僚政客們的揣摩逢迎作風如出一轍呢？謭陋如我，竊所未喻！

官僚主義之產生、存在和發展，根本乃是政治制度，以及積重難返的政治風氣所使然。那怕他是個官僚世家出身的人物，一旦置身於上上下下皆實事求是，紀綱井然，毫無「打衙門」氣味的政治環境中，也未有不變換觀念，易置思齊的。當民國十六七年間，若干北洋政府的標準官僚份子，進入了革命精神甚濃厚的政府治下，受任為官，他亦就不能不改變其舊有作風了。這是現時許多健在的政治人物所親見的事實吧！

嚴格樹立人事制度，奠定其不許非法侵犯或破壞的權威，實施識拔義貴的功過考核，信賞必罰，虛偽不齒；又輔以「公忠體國」「正色立朝」的宰字大臣所表現的言行；然後藉言論自由的功用來經常消毒。官僚主義自然非絕迹不可的。

不從根本改革制度與人事問題着手，而只是指摘官僚，咒罵政客，實際就等於作賊的高呼捉賊，那有絲毫用處呢？官僚主義根深蒂固之後，就有大力且不容易推毀，光是罵一下，恰若蜉蝣之撼大樹。想別事或許可以藉宣傳工夫來收效，想削除官僚主義却是下工夫末顯單的事，你縱然罵他的祖宗三代，那他還是好官自爲，奈之何哉！

台北的漫畫界

·蝶泥·

台北報紙與刊物上的漫畫，都是在水準以上的作品。這些作者與國畫家們不同，國畫家們是靠開個人展覽會賣畫生活。而漫畫作者則是靠稿費生活。

只有現在囹圄中的李費蒙（牛哥），開過一次漫畫「牛老二日記」的原稿展覽會，據說是賣錢來勞軍的。因爲「牛老二日記」長篇漫畫是在民族晚報發表，該項漫畫展，亦由民族晚報主持，地點在記者之家。那次的成績據說很不錯。

因此，牛哥就成了一派的領導者，在他的一派中如王小癡，劉成鈞，梁乃予等皆屬之。曾出有「兄弟畫報」。

還有一派爲梁中銘，梁又銘兩弟兄所領導，以中央日報爲大本營，旁及「中國一週」與官辦雜誌如軍中文藝，（現改爲革命文藝）憲兵什誌等刊物。二梁因爲乃兄梁鼎銘的鼎鼎大名，所以勢力雄厚，不愁出路。而且普通刊物，對于他們的漫畫，有時還求之而不得也。

此外，則爲來自香港之盧如羌，張英超教授。他的資歷與技法，憑心而論，遠報章什誌間有其作品發表而外，他專門注重教授學生。三年來列入門牆者，有六百人之多。

在表面上看起來，張派不如梁李兩派之普及，然而一般人的批評，認爲張派的「藝術價值」較高，尤其是關于漫畫理論，那就「祇此一家」。最近張教授出版了一本「漫畫技法講義」，轟動了他們的「漫畫壇」。

這三派漫畫作者，暗下競爭是難免的。但這究不失爲是好現象，因爲有競爭才有進步。

自李費蒙二月前因「一摘星案」而跌入牢門以後，牛派漫畫尚未走下坡勢，祇是他的漫畫沒有了。而王小癡諸人仍不斷的佔據固有地盤，未能讓別派之畫插足。如他的「三寸釘」仍在新生報上逐日刊載。

總上所述之漫畫界三大派系，對于反共抗俄的宣傳上，都盡了他們應盡的責任，成績不算少，祇是有些人因爲地盤穩固，稿費優厚，在生活舒適之下，對于藝術的進步，就不免滯澀了。這在我們讀者看來，就有「今不如昔」之感。

記新亞晚會

·劉霞如·

十月十八日晚，我參加了新亞書院新校舍落成的晚會，新校舍建築巍峨瑰麗，令人回憶幾年來錢穆博士和幾位教授的艱難締造，篳路藍縷，他們在有限的財力和陌生的環境中，有此輝煌成就，這種毅力和精神，實在是令人贊佩！誠如教育司高詩雅當天致詞所說：「此校舍所代表的進步，和今後發展的希望，必定使我們大大的受到鼓勵」。

錢穆院長是京劇的愛好者，也認爲京劇在中國社會上已有很大的力量與影響，然而京劇縱不算是中國的文學，也確爲一種藝術。他在「中國京劇之文學意味」的講演詞的結論中說：「中國人的人生理想，一般講來，在中國戲劇中，可說全表演出來了，能欣賞中國的文學與戲劇，就可瞭解到中國的人生哲學，京劇在有規律的嚴肅的表演中富有深厚的感情，但看來又必輕鬆，因爲它是戲歌戲舞，亦莊亦諧，這種藝術運用，同時便是中國人的人生哲學了。」

這天是晚會，由新亞的同學們，演出平劇助興，節目計爲「五花洞」，「借東風」，和「三娘教子」。這三齣戲都是唱工戲，非有足够的嗓音，和名師指導，是演不好的。

這晚演出的「五花洞」和「借東風」，均屬平平，但在初學戲的學生演來，自不能作求全的責備，初演有此成績已屬難能可貴。所以一般觀衆仍報以熱烈掌聲，以資鼓勵。不過最後的壓軸戲，「三娘教子」居然有驚人的演出。飾演王春娥的賈嫦娖小姐，不只合步純熟，舉動自然，實非一般票友所能及，火候功深，大有科班出身的架勢。所以當她唱完第一段二簧慢板，即已博得觀衆不絕的掌聲，觀衆的情緒，亦已進入到了高潮。

本來以一個廿歲的活潑少女演一個哭喪着臉的寡婦，確不容易，但賈嫦娖小姐演來，却能輕而易舉把三娘活活地表演無遺，可見她除了有演戲天才之外，還能溶化於劇中人物的個性環境中，[illegible]

[illegible]該奪得冠軍，無如人已打天下。惟以「貨真價實」之故，也還遲一步，[illegible]人捷足先登，只好自「相當出風頭」。除了在[illegible]

短篇小說 陋巷人家

·蕭傳文·

她首先走向丈夫一個好友趙君的家裏，趙是張君若小時的同學，後來又同事十多年，他們的友誼有如手足。她抱着滿懷的興奮和希望，敲開那扇黑漆小木門，出來相迎的是趙太太，由於彼此的丈夫是最好的朋友，所以她們平日也往來甚密。在雙方熱切握手寒暄之後，張太太便將來意說出，不料對方臉色陡地變了，猶豫了一分鐘後，堆着滿臉歉意地說道：

「張先生的不幸，我們當然是十分同情和關切的，不過談到輸血的事，嗯，不瞞你說，張太太，我們都是公務員，彼此的情形都明白，我家趙先生的身體也不見得好——」她旋即轉臉對她，笑着繼續說道：「不過我們都是好朋友，等我趙先生下班回來，我一定將這事告訴他。」

然後她又說了許多表示萬分關切的話，而且用確實的語氣說，一俟她丈夫下班回家，就立即一同來醫院看他們。

張太太辭別出來，置身在陽光滿眼的街上時，幾乎站立不穩了，身上感到砭骨的寒意，她決定不再向別的親友們求救了，因爲她知道那是更少有希望的了。她一步一步慢慢走着，當她突然想起已經一天沒有回去的家時，腳步陡地又加速起來，急急向前跑着，不到半小時便到了那條狹窄骯髒的小巷了。

她剛一踏進巷口，就看見一羣婦人蹲在水龍頭旁洗衣服，她當然不願意招呼她們，不料其中一個偶然回頭看見了她，像發現了奇跡一般地，立即拋下手中的衣服，尖着嗓子，大聲喊道：

「張太太，你回來啦，你家張先生怎樣了？」

這一呼喊，驚動了不少的人，大家紛紛地跑過來，將張太太團團圍住，問長問短。

「怎麼啦，你的臉色多難看，張太太，張先生不要緊吧，現在怎樣了？」

「天哪！撞着什麼地方呢？傷勢不重麼？」

他們的關注熱切的眼睛和問話，純眞樸實，沒有絲毫做作，是眞正從一些誠實善良的心裏發出來的，張太太平日極少和他們交談，但是此刻再也無法避開了，只得勉強敷衍着回答他們，並表示謝意，她實在無心跟他們多談，因爲急於要回到家裏了。她擠出人羣時，不期遇到老趙，得了昨天的輸血，她又向他道了謝。

「張先生今天怎樣了？」老趙高聲問。

「還要大量輸血，不然就——」她簡單地回答他，便匆匆地三步併作兩步，奔回家裏。

兩個孩子正在廚房裏玩積木，完全出乎她意料之外的是，兩間小屋收拾得乾乾淨淨，跟她在家裏一般，所有的傢具仍整齊地擺着，什麼也沒有挪動，她驚異地問孩子們吃過飯沒有，兩個人一齊回答吃過了。

「那來的菜飯呢？」

「阿黑的媽送來的，她昨晚還來陪我們睡，說怕你嫌她髒，她自己帶來一條被子，睡在廚房裏。」小華說。

當她正聽得出神時，忽然聽見老趙在門外大喊，她奔了出去，吃驚地問他：

「有什麼事嗎，老趙？」

「大夥兒都願意替張先生輸血，我們還可以再輸點——」

「不，老趙，你昨兒已經輸過了，也不能再——」

「不要緊啦，你看這幾個小伙子，身體多棒！」他指着站在他身邊的幾個年青人說。

張太太抬眼望去，他們之中，三個是賣小菜的，兩個是老趙的同行，他們古銅色粗壯的臂膀，在陽光下閃亮，而他們的熱誠懇切，臉色和態度，更使她感到得實在沒有勇氣拒絕了。這時她纔深深地覺得人類的語言是無用的，她連一句話也不會說了。

半個月以後，她陪着丈夫從醫院回來，那是個晴朗的日子，她覺得小巷的每個角落都灑滿陽光，連平日使她掩鼻而過的那個垃圾箱，此刻也彷彿顯得親切了。這時鄰人們都從自家的門口，丟下了活兒，紛紛地迎上前來向他慰問時，他的心底裏湧起陣陣溫暖，當輕微的寒風掠過她的髮間時，她愈感覺到臉上是熱辣辣地了。（六）

——全文完——

燕塵識小（二十）

鼎頁生

彼時，一無號外，二無廣播。一切消息，全靠報紙。辛亥賤多，十二月二十六日早上，不才打開報紙，目光一掃，看見了如此這般一篇上諭（此是當時法定名詞，姑仍其舊，以存其眞。）茲按原來格式照錄如下：（原無圈點）

朕欽奉

隆裕皇太后懿旨前因民軍起事各省響應九夏沸騰生靈塗炭特命袁世凱遣員與民軍代表討論大局議開國會公決政體兩月以來尚無確當辦法南北暌隔彼此相持商輟於塗士露於野徒以國體一日不決故民生一日不安今全國人民心理多傾向共和南中各省既倡議於前北方諸將亦主張於後人心所嚮天命可知予亦何忍因一姓之尊榮拂兆民之好惡用是外觀大勢內審輿情特率皇帝將統治權公諸全國定爲共和立憲國體近慰海內厭亂望治之心遠協古聖天下爲公之義袁世凱前經資政院選舉爲總理大臣當茲新舊代謝之際宜有南北統一之方即由袁世凱以全權組織臨時共和政府與民軍協商統一辦法總期人民安堵海內乂安仍合滿漢蒙回藏五族完全領土爲一大中華民國予與皇帝得以退處寬閒優遊歲月長受國民之優禮親見郅治之告成豈不懿歟欽此

內閣總理大臣　袁世凱
外務大臣　胡惟德
民政大臣　趙秉鈞
度支大臣　紹　英
陸軍大臣　王士珍
海軍大臣　譚學衡
學部大臣　唐景崇
司法大臣　沈家本
郵傳大臣　梁士詒
農工商大臣　熙　彥
理藩大臣　達　壽（同副署）

宣統三年十二月二十五日

前清自太祖建國凡二百九十七年世祖入主中國凡二百六十八年至是清亡。數千年家天下之局，亦至此結束。則此短短一文實是時代的轉捩點，所關甚巨矣。

據聞，原稿係張季直手筆，由南通電寄北來。復經袁氏左右增加授彼全權一節，而後發表。其所插入語意，殊不知發生不少影響。亦言民元時事所宜知也。又末三語，爲天津某巨公所擬，末一語尤爲人所稱道。蓋分際輕重，恰到好處。欲易以他語，實不能有此妙。[illegible]

[illegible]知須是政治史上一件大事。對於「豈不懿歟」四字，[illegible]不可言，可也說不出究竟如何之妙。四十年後人海飄流，全文已淡忘無遺，獨此四字常縈心目，[illegible]夢。[illegible]凡喜談清末民初京華掌故者，此誠不可不讀，堪珍視也。

容我再說一句，民國初年定二月十二日爲南北統一紀念日放假一天，當時的學生是身受其惠的。舜生曉得諸公自能憶及也。

讀鏡人「病中偶成」二律即韻遠慰

·李克恭·

其一

年老霜華[illegible]頭？可念[illegible]
愛榮豈徒增痛擾？榮枯信不[illegible]
且疏薄酒宜添[illegible]
好共黃花女淡雅，一枝[illegible]

其二

平居若抑鄉心！怯[illegible]
聲寂長街知夜久，涼生[illegible]
雞辭戎馬人偷息，儘[illegible]
將采淑闇宵遠道，漫[illegible]

秋夜和邵鏡人先生病中偶成一首

·刁抱石·

未須刻骨中詩頭，偶讀[illegible]
風雨無情秋易老，山河[illegible]
偵知隔海仍鼙鼓，不忍[illegible]
讀[illegible]伯牙輿信句，雖非[illegible]

自由人
THE FREEMAN
（第五九〇期）
中華民國僑務委員會僑務登記證台僑字第一號
中華郵政台字第五〇〇號執照登記爲第一類新聞紙類
（半週刊 每星期三六出版）
每份港幣壹毫　台北售價新台幣壹元
督印人：文華
地址：高士威道二十號三樓
3RD. FL. 20 CAUSEWAY RD. HONG KONG
TEL. 771726
承印者：東南印務出版社
地址：高士打道六十四號
台灣總經理處：台北市西寧南路壹零號二樓
台郵撥儲金戶九二五二
海外總經銷：友聯書報發行公司
香港：德輔道中二十六號A二樓

華僑經濟會議的期望

——並應蔣總統的廣開言路號召——

· 陳式銳 ·

十月是自由中國的大月份，國慶是其一，華僑節是其次，蔣總統的誕辰是其三。在這一個月中，最顯著底是海外僑胞由五大洲的僑居地紛紛地回到祖國，與政府及民間作廣泛底接觸。過去幾年，這些接觸，或許僅是「會親」而已，殊少積極性底功效。華僑代表一次一次底回來，離開之後很容易地就被遺忘了。因爲他們在祖國沒有遺留些什麼，同時也沒有帶回去什麼；大體言之，過去底來往，僅做了些表面工作，尚沒有有關事業基礎的建立。

今年蔣總統對其每年一度的祝壽，禁止各機關發起任何有關祝壽舉動，希望海內外同胞「對國家反共抗俄政策之貫徹，以及內政興革之意見，貢獻具體意見」以爲祝壽之代；他並提出六點，「切望」全國與海內外同胞「直率抒陳所見」。台北已於十月十日舉行國慶紀念，十月廿一日舉行華僑節，同時僑資工廠產品展覽會在台北中山堂開幕，局面均稱盛大；而首次華僑經濟檢討會議，亦訂於十月廿八日至三十日在台北召開。這些，希望是在世事演變的當中，有總變的意向，不再是「以不變應萬變」了。

華僑空前的困難

根據統計，華僑分佈五大洲，總數約一千三百五十萬人；在亞洲佔九七・四%，且偏在於東南亞一帶，通常稱爲南洋。泰國華僑三百五十萬人，佔當地人口二一・三%，印尼二百五十萬人（三・二%），馬來亞一百八十八萬五千人（四七・九%），越南一百萬人（一一・一%），新加坡九十六萬人（四六二・三%），緬甸三十萬人（一・六%），菲律賓三十萬人（一・四%），高棉二十一萬八千人（五・六%），砂勞越十五萬人（一七・六%），寮國三千人（〇・二%）；以上各地華僑，總計一千零八十一萬六千人，平均占當地總人口的六・三%，這一龐大底僑民數字，爲世界任何一國之所無；他們沒有政治意向，僅是「出外謀生」而已。在華僑數量方面，以泰國、印尼、馬來亞、新加坡爲最多；在占當地人口比率方面，則以新加坡的四六二・三%及馬來亞的四七・九%，最爲特色；就以菲律賓華僑言，雖其數量及比率較低，單零售商一項，亦足以顯示其地位，他們的商號占當地總數一二・七%，投資占三九%，交易量占四六・六%（一九五一年）。他們由於勤儉、與忍耐，曾經創造不拔底經濟地位，亦獲得了「革命之母」底榮譽。但是，月不常圓，今日東南亞底華僑在國際政治轉變中，正遭遇着空前底困難。

西方對華僑的疑懼

東南亞地區於第二次大戰後，西方的殖民地相繼獨立；這些新興底國家，由於民族主義的過分擴展，大多流於排外，尤以華僑人數最多，爲其集矢之的，菲律賓的菲化案，越南的新國籍法及禁止華僑十一種行業，是其例子。一方面，蘇俄集團爲統治全世界，對亞洲的侵略積極推進；中共爲配合此一政策，在此一地區無疑地已有滲透工作；由此，不免引起西方對此龐大華僑有所疑懼，美國的「美國新聞及世界報導」（一九五四年八月廿二日）及「新聞周刊」（一九五六年一月三十日）均提出中共對東南亞的企圖，此「千萬華僑」有變爲中共「最大底第五縱隊」的危機。我三年來對此不斷注意，曾在國內及海外爲文喚起同胞及自由國家（包括東南亞有關國家）正視這一問題；時至今日，此一局勢迄未改善，政府亦沒有一個明確底政策，將來恐怕愈演愈甚，我們的華僑處境勢必益加困難。

自由世界十字軍

我以爲對此問題的處理，首先認識它的「國際性」。今日華僑在東南亞的困難，已不單是華僑與當地國家的問題；以共產集團的介入，致使其內容複雜化了，西方既曾疑懼華僑，我們應正告他們：華僑參加共產集團的活動，究屬極少數份子，絕大多數華僑的思想與生活無法與共產主義並立，他們不但不願充其「第五縱隊」，並且以此爲恥辱；反之，此一「千萬華僑」，正是自由世界的十字軍。東南亞國家不應當排華，而且應該進而與之攜手合作，共同建設其新興國家。在這一點上，「新聞周刊」亦說：「在乎亞洲國家的雙重努力，吸收華僑並停止現存對華僑不利底歧視」。在自由與極權鬥爭的當中，我們的政府應妥善運用外交，建立自由世界陣線，排除障礙，發雲霧而見青天，讓我們的華僑得在僑居地立得腳跟。

華僑經濟弱點及補救

其次，華僑在東南亞爲的是謀生，政治非其願望，只要能安居樂業就滿足了。但在解除客觀障礙之外，華僑本身的經濟事業，亦有加以檢討的必要。華僑在海外大多數以經營商業——尤其零售商——及手工業爲主，土產加工及出口亦占重要位置；在當地經濟社會，居於中下層，而勢力深厚。不過，華僑的經濟結構亦有其弱點，一般言之，約有：（一）「附庸性」，（二）「落後性」，（三）「呆滯性」，（四）「幫派性」。因此之故，一方面旣受西方大公司的控制，復經不起其競爭；另一方面又易爲土著新起的企業所取代，況當地政府又以政治力量迫使華僑退讓。按東南亞國家既獲政治獨立，正求經濟之建設；其路向則由農業經濟轉向工業經濟，以謀經濟獨立。而經濟的進程，商業轉入工業，正是遵循底軌道。華僑此時應當作及時底適應，除打破「幫派性」以求全體華僑的合作外，第一，化獨資及小本經營爲公司組織，藉以解除「附庸性」及「落後性」；第二，由商業轉入工業（及其他經濟事業），蓋當地正推行工業化，需要外人投資，華僑正可在這一方面作新智識及新技術的追求，則他們不但可以插足，而且可以起先導作用。

實際的應變辦法

另一方面，自由中國的經濟，應與華僑經濟打成一片，亦惟有如此，華僑回國的來往乃有其實際性與永久性；我希望這一次華僑經濟檢討會，能如蔣總統所提示：「不尚空談，務求實效的具體辦法」；換言之，產生一個實際底應變的辦法。譬如華僑回國投資，四十年至四十四年五個年頭，來台的資本才有三百五十萬美元；「華僑回國投資條例」公佈後，本年一至十月也不過核准一千三百五十萬美元，又滯留六百萬元，仍待外匯貿易辦法的改善，始能全數來台。華僑資金于抗戰後把香港工業化起來，救了香港；這些資金，脫出於「禁運」後的經濟崩潰，原是自由中國的資產，不意我們的國門深鎖，我們竟然使財用；我們反而陷入資本的渴望中。一般人都知道，癥結在僑資進入台灣就感受損失；經濟部長江杓九月十八日答立委質詢：

（下轉第三版）

致唐君毅函論中國哲學不可廢墜

唐君毅先生前在本刊五五二期（六月十六）發表「讀張君勱致丕理教授書有感」一文，頃張先生書覆唐先生，刊再生第一卷第六期，特爲轉載如左

君毅先生：頃友人寄來兄論丕理教授一文，讀之不勝同感。東方人之治哲學所以去私解蔽，以歸於大中至正。孔子曰：毋意必固我；荀子曰：不以所已臧害所將受。皆所以告人不可先存入主出奴之見而已。反之，西方人之治哲學，雖見解精微，分析明白，然不免辯勝於理，或收集材料以證實其一己成見，如陸克之「白紙」說；如休謨之「一堆觀念」云云，皆大著中所嘗評論者矣。丕理教授，鄙不深知其爲人，僅讀其書一二種，近得一美友蘇德氏在哈佛大學治哲學十有餘年者，知丕理氏心格，所以告我之言，倘亦爲兄所樂聞，譯而出之如左：

「丕理氏如何反駁，極爲我所樂聞。依我觀之，你所持理由，實在無可反駁。爲丕理氏計，一方固須答覆，他方須坦白誠實抱持自己見解，二者實不可得兼。自哈佛時代起，丕理氏至今活現於我記憶之中。尤其丕理氏論美國理想，予我以至深之印象。丕理氏對於蔣氏之態度，其忿懟之深，超於其恨德人之上。我之爲此言，指其在一九二〇與一九三〇年之間，多反德言論，今乃知其恨蔣氏者更遠過於其恨德人之上矣。丕氏成見之深，尤以對吾人共同之友康德氏爲甚，以言本哲學的客觀分析康氏，去之遠矣。」

自蘇德氏之言觀之，可以知丕理爲人何如，豈足與語「廓然大公，物來順應」之義哉！吾國人三十年來無不寢饋於西方哲學，西方不論何派何人，各有其精深微妙見解，然目之爲學說爲一家之言則可，以云「天地之鑑，萬物之鏡」之境界，西方古代蘇格拉底、柏拉圖近似之。自哲學變爲認識論，則不外乎理性與觀念，外在與內在之爭而已。迄於今日認識論忽又飄然遠引矣。其代之而興者爲存在主義。良以認識論爲研究知識何以爲知識之一把利刀，終日磨刀而不得一割之用。（昔年在德時屢聞此種評語）其轉而歸向人生，自爲其自然之趨勢。吾人徬徨於外人門戶之下，於茲有年。至今乃深感吾國哲學自孔孟以至程朱陸王，自有其一貫相承之至道，雖孔子之言仁，孟之更輔之以義，程朱曰性即理，陸王曰心即理，後之於前，不免於小異，然自有其共同者在，以成爲吾國之所謂道。此其爲特點者一。自孟子至陽明，好言良知良能，然良知良能之標準，不外乎仁義禮智，此四端者，昔人名之曰德性，吾再三思索，以爲此四者即價值判斷之四種格式，猶之康德氏理解方面之十二範疇也。此四者既自有生以俱來，自爲人性中之內生觀念，此乃程朱性即理也之結論所以成立，而美惡是非之標準在是矣。此其爲特點者二。儒家以鑑空衡平爲心，以海闊天空爲量，故曰道併行而不相悖，萬物並育而不相害，言乎異中之同，同中之異，皆有相濟爲用之妙存也。此其所言與正反合之辯證法有相類處，然其多相容而少排斥，又非辯證法所能及。此其爲特點者三。各家之立言，非徒騰爲口說，必見之於身體力行，且以身殉之，所不計焉。此其爲特點者四。吾國哲學有此特色，即求之於孟子、伊川、晦庵、陽明與曾文正數人，所以維持人格尊嚴；所以抵抗潮流，所以影響於天下後世者何如？此眞吾傳國至寶，現代學人惑於西方急功近利之言而輕棄國寶，視爲一文不值，此則吾人應盡其力之所及，不令廢墜者也。兄之大著「中國文化之精神價值」與「人文精神之重建」藉西方黑格爾氏之方法，以闡吾國文化精神之發揚光大，其融會中西思想還非適之東蓀輩專思想方法而忽略生活內容者所能及。兄之自評曰「辭繁不殺」，又喜用西方式之造句，以曲達一義。然實由於超越、普遍、精神等名詞，皆源於德之唯心派，不通康氏黑氏書者何能曉其深有得於大著之精義乎！黑格爾學派在英在意，初藉黑氏之主張，繼之以轉移兩國思想，其在吾國，則兄與宗三爲其鉅子矣。吾人既讀西方之書，藉以闡東方文化之復活，則爲東方者自知不可存一排西方之見，反而言之，爲西方者奈何抱狹隘之心存鄙視東方之見乎？此爲眞正之併行並育主義，爲吾國人所當共守者也。勱本中西比較方法寫成新儒學思想史一書，一月內外，可以出版，當以一冊寄尊處，並乞評正爲幸！專此

順頌

教安

張君勱拜啓八月廿八日

· 張君勱 ·

半週述評

· 司馬璐 ·

華僑經濟會議

明天（廿八日）中國僑務委員會所召開的「華僑經濟會議」開幕。筆者認爲，開好這個會議，對於我們的華僑與僑居國（特別是東南亞地區）的合作是很有影響的。

因爲，在政治上，在反共的大前提之下，我們在國際間需要朋友；但是我們的華僑與僑居國（特別是東南亞地區）之間的一些不愉快事件，往往都與經濟的因素有關。

因此，這一「華僑經濟會議」的召開，具有莫大的經濟和政治的意義。

發動經濟攻勢

我們祝賀「華僑經濟會議」的成功，並認爲這一會議的基本任務應該是，鼓勵與組織華僑的經濟力量，進行對共黨的經濟攻勢。

這一經濟攻勢中應該包括：

第一，「要以實際的愛護來對付共黨對華僑的欺騙。」（葉公超先生語）在今天共黨對華僑的統戰攻勢，威脅利誘不擇手段的情勢下，我們欲維繫華僑對自由中國的向心力，欲鼓舞華僑對反共復國的熱情，僅靠宣傳是不夠的，我們必須針對華僑的切身困難，研討辦法，加以扶持。

與新興國合作

第二，我們不僅應穩定我們的華僑經濟，而且我們的着眼點，應運用我們華僑在東南亞的經濟力量，穩定和加强整個東南亞的經濟發展，我們華僑的經濟與僑居國的經濟活動，必須是共存共榮的，一個新興國家，對外僑的經濟事業，處處表現小氣，這誠然是很遺憾的，我們華僑尤其吃虧的是，若干新興國家，把他們過去所受的西方的怨氣出在我們華僑身上；我們華僑對於這些新興國家，必須耐心的讓他們明白，我們以合作的精神協助他們，繁榮和提高他們的生活。換言之，我們華僑的經濟活動與僑居國的人民必須是互利的。

亞洲反共聯合

第三，這種使華僑與僑居國互利的經濟政策，不僅使我們華僑與僑居國人民間的關係趨于友善，而且可能發揮亞洲反共聯合戰綫的作用。這種使華僑與僑居國互利的經濟政策，也是切實可行的。例如，擴展自由中國與東南亞國家的貿易，就應該是這次「華僑經濟會議」的主題之一，也是當前自由中國政府的急務之一。

我們要有效的對中共的傾銷政策作鬥爭，必須使我們和整個東南亞的經濟關係，從貿易上建立利害相共的關係。

產生一個運動

筆者最後希望，在這次「華僑經濟會議」中，能產生一個華僑經濟制裁中共的運動。

這一運動是，我們號召華僑，在僑居國內，採取和平的合法的手段，相約並勸說僑居國的政府和人民不買中共貨，不用中共貨，不吃中共貨！

由于這一運動的性質是和平的，加之阻止中共的傾銷與東南亞國家的利益又是一致的，我們相信這一運動必能產生很好的效果，同時也必能加强我們的華僑與僑居國家和人民的經濟合作關係。

論反共救國會議——在現階段的重要性

王世昭

一

自中華民國憲法頒佈後，行憲至今九年；政府退處台灣，現在亦將七載。政治上，財政上，經濟上，軍事上，教育上，設施究竟如何？儘管有各主管部門分層負責，可是海內外一千三百萬的同胞，有很多地方還是很隔膜的。假使說成績很好，我們所知道的，似乎也頗嫌太少。而所表現的究竟如何？依憲法，可做的事還真的很多，但根據實際說來，却也有不實不盡之處。要怎樣才能求得補救之方？立法院不知不覺，已經過了九年。這究竟是怎麼一回事？為了這些緣故，我們希望反共救國會議開得成功，請比較公正的一些人，替我們問一問，或許看一看，詳細報導出來，讓我們了解台灣內部更多的東西，此其一。

世界上的政治形勢，即管不大明朗，但我們也應該多少採取主動，老是跟人家牽着鼻子走，或許還是因襲着過去的老作風，似乎也不大像話。因為失敗是教訓，不是苟且因循所能了事的，此其二。

當前大陸的中共極權統治，使全國的老百姓處於水深火熱之中，反攻既一時不能實現，有人希望中共內訌，可是始終訌不起來，又怎麼辦？而且，他們跟着蘇聯的一連串和平攻勢，與在這個攻勢之下，所採取的統戰行動，我們似乎應該如何去應付？決不能任敵人佔上風，這又怎麼辦？在中共控制之下的各政治團體，雖心裏不滿中共的驅迫奴役，但是仍不能不跟中共走，受中共的利用，中共似乎也運用得頗靈活。這似乎也值得中華民國執政黨去反省的，此其三。

這三件事由政治到外交，由國防到社會，由文化到教育，無不息息相關。長此拖下去，除非有奇蹟的出現，否則，一綫的生機恐怕也要被斷送了！

二

如果說反共救國會議是一種循序漸進，那也未必見得。不過，照後看，九年的成績如何，我們也想略知梗概，照前看，要應付未來的大局面，與適應敵人當前的攻勢，也似乎非整齊力不為功。否則依樣畫葫蘆，究竟要到何時為止？

三

若論反共救國會議，在政府方面，籌備已近四年，而海內外人士在期望中，亦已六載，時間不可謂不長，考慮不可謂不周。但在五年前，有許多人士，以為時機還沒有到，還是以不開為是。也有人覺得，此會非開不可。現在，應該是時候了；不過，還有不少的人，以為反攻時期沒有到，開了有什麼用處？我覺到這却大大值得研究。何以故？依我的看法：反共救國會議是政治性的，政治不改革，人才不集中，談不到反攻與復國。在反攻復國的前期，應該有個反共救國會議，先謀政治上的調整與安排。到了有一天形勢對我們絕對有利的時候，開一個反攻復國會議，以謀全盤的檢討與準備行動。故前一會議是屬於政治性的，後一會議是屬於綜合的，全體性的。截然是兩件事。

四

政權這個東西，在中國歷史上幾乎成為惰性。無論任何人一旦拿在手上，不到全部覆亡為止的時候，多數都不肯鬆手。正如賭場的賭鬼，手上的錢不輸光，身邊還有衣物可質的話，無論如何最後一注是要拚到底的。一種心理是想翻本，一種心理是輸的是我的，與旁人無干。俗諺云：「不見棺材不掉淚」，這正是一般統治者的心理，反映政治上的，亦莫不如此。這個心理如果不革除，將國家的事當作自己一人的事，或一黨的事，民主政治在中國恐怕永久不能實現，中國的禍亂恐怕也永無寧日。

何以故？二十年前國民黨打倒北洋軍閥的時候，由軍政時期轉入訓政時期，一轉就是十幾年。如果不是為了抗日，國難會議恐怕不會開得那麼快。勝利之後，如果不是為了共產黨的壓迫與國際形勢的促成，制憲，立憲與行憲也很難說會不會變了樣。就為了訓政時期的拖長，致貽國民以口實，共產黨的勢力一天比一天大，大陸的失陷，這都是殷鑑！今日中國共產黨仍陷在過去的名詞叫作「人民民主專政」，這人民民主專政與國民黨過去的「訓政」，而且更加肯定不多。所以，毛澤東的政權必須打倒，就為了這種觀念。

五

今日的台灣，名義上是三黨聯合，實際上還是一黨專政。……〔此段部分文字無法清楚辨讀〕

六

綜合上述的理由，反共救國會議實有召開的必要。在台灣的人們，當然也很知道外邊的顧慮情形，所以在外邊的，為了關懷民國，當然也有許多的意見與要求。……至於代表名額的分配，第一：國民黨，青年黨，民社黨的代表人物。第二，社會性的，如：……第三，國內外的名流學者；第四，區域性的，如：海外各地區的華僑領袖以及台灣各地的人士……

七

不過，在反共救國會議未召集之先，……〔此段部分文字無法清楚辨讀〕

鐵路與公路之爭

·王況裴·

台省的鐵路與公路，因為營業上的競爭，發生了許多糾紛，王況裴先生曾於本刊發表一篇文章，為公路鳴不平，後來交通處來函，說王先生的文章與事實不符，現在王先生再給本刊一篇稿子，列舉歷年事實和數字，證明他的看法。本刊對鐵路公路兩無成見，所望交通當局能善為因應，使兩方面得合理的發展，以適應社會需要。——編者

台省交通處的公路原函見本刊第五六四期……一些新的頭腦實際，期——只好再行列舉，讓讀者判斷。

……限制。由汽車到配件，由路綫到班次，由汽油到酒精，採用凍結政策。我在本刊第五四七期寫了一篇「面臨人為危機的台灣公路」，……多處長說捕稿「……失實」——

由汽車到配件

原函第一二三四個外匯問題。因為公路局所有客車，除自屬所稱限車、報廢、座位、外匯等問題，行打裝車身外，一切歸納的說，就是一個機件均仰給外匯；而汽車問題，也就是一所需外匯，又大部用於購車。先之以限車，繼之以限外匯，便是交通處加於公路局的兩把刀子。

不錯，自四十一年至四十五年公路局預算購車三八四輛，實購三四四輛，祇短購了四〇輛，實際上卻大有文章，決不如此簡單。

公路局依據台灣省第一期四年經建計劃——四二至四五年——客運業務四年計劃，分年造具購車預算。但在呈送之初，交通處不要預算，祇要預算草本，就在草稿上把購車數字大加削減，再交還繕正呈核。不怕官祇怕管，每年都是這樣，胎死腹中。等預算核准後，又以外匯為藉口，祇許少購，不許照購。茲以預算草稿請求數字做基準，四三年少購百分之五五，四四年少購百分之四六，截至四五年六月底止少購百分之八四。綜計以上三年平均少購百分之七三；現在每日平均旅客人數已增至二十三萬，較三年前估計數字十九萬人者反增百分之三十。益使車輛供不應求。上級核減下級的預算不怪，核減了不認賬才是怪。

交通處自然要把外匯核准權，推到行政院外匯貿易審議委員會身上去；實際上又大有文章，決不如此簡單。外匯貿易審議委員會的前身，就是台灣省政府關於一切交通器材外匯核配案件，交通處均被邀參加。原函既承「據理爭取」，可為明證。究竟交通處出席代表是「據理爭取」，還是授意退讓？姑以小事為證，便可舉一反三。四四年公路局參照美國客車運輸公司行車一公里消耗配件美金八釐至一分二釐之通例，按每公里消耗配件美金一分計算，全年共需美金四二萬元。交通處代表却向行政院外匯審議委員會建議：每車核給配件補充費一四〇美元，全年減為二十一萬八千美元。由此類推，四三年綜計核減外匯總額百分之五十，四四年綜計核減外匯總額百分之四四，四五年綜計核減外匯總額百分之三十。大體上都是照例打個七折至五折。

至於報廢才准換新，更是交通處限車的高度表現。其中最刻薄處，莫如報廢三十一座車三輛——祇共九十三座位——祇許新增四十六座車二輛——共九十二座位。還可說不是凍結座位麼？

由汽油到酒精

現在台省公營汽車每輛每月配油一千二百公升，公路局每月且加配十萬公升。但從在四二年至四四年五月一段時期，台省液體燃料分配審議委員會以公路局車輛行駛里程最高，准按實際需要每月增配十餘萬公升至二十三萬公升不等。自四十四年五月二十五日交通處函請台省液體燃料分配審議委員會定為每月增配十萬公升後，再也不能增配一滴了。公路局迫不得已，改向糖業公司每月定購酒精十五萬公升，雖然成本增高，機件易損，總算也把汽車開出去了。革命實踐研究院交通研究組觀此情形，建議糖業公司大量生產酒精，搭配其他公民營運輸單位。經當局飭據交通處簽覆稱：「酒精原料為糖蜜，屬為外銷品，不能作燃料」。茲外之音，好像公路局除減少班車四分之一外，連酒精都不准燒。

由路綫到班次

在上述限車限油的嚴密規定之下，公路局雖已修築北起基隆南至屏東五百餘公里的柏油路面，但已無力行駛台北高雄間的直達班車。便見交通處的全面限制已收了實效。原函乃以「凡與鐵路平行之路段不宜再行增車」為理由：不僅在邏輯上為遁辭；尤與孫中山先生歷次強調公路與鐵路平行開車的遺訓相背馳。

【下轉第三版】

台灣通訊

女教員兼吧孃新聞之謎

·昌增勳·

（本報台南通訊）公教人員的待遇問題，……〔此段部分文字無法清楚辨讀〕……凡是有血有肉有良心有道德的人，都不應漠視此項事實。

近來報載台南市，女教員兼營酒吧的消息，映動了寶島，傳遍了海外僑區。筆者首見當地中華日報十月五日刊載，其標題：「雙執教鞭，夜捧酒杯，女教師兼「游富美」，徐立敏行為失檢」。次日，各報又一窩風地刊載了這消息，報紙一連登了三天。至後，游富美發表了一個書面聲明：哀訴遭丈夫遺棄後的悲慘情形，她被他誘騙辭去教員，收拾行李，攜以為可破鏡重圓，復享天倫之樂。因下忍兩個女兒（三）及老母活活餓死，被迫而操酒吧女業，幸已及時，尚在醫院治療中。並聲明，終因不甘受辱，憤而服毒自殺，被父女兒報後，則矢口否認，且謂不甘受辱，憤而服毒自殺。

這件害人幾至死的消息，筆者曾五向三詢市政府及教育科，兩操徐女，變兩個酒吧老闆，（一係茶室局，）警局主辦科長說：「七日的中華日報，（六日）曾再度傳訊檢舉本人，……與事實完全不相符，」……教育科長羅旭升說：「一、游富美已離教職，且領有牌照正式作酒吧，報紙不應冠以女教員的身份，已不復存在，教員操吧孃。二、十七歲國民學校未畢業的孩子，竟能寫成洋洋五千言的檢舉書，顯係暗中有人教唆。三、「天馬」茶室，「夜都會」酒吧兩老闆，在警局的應訊，一個否認該等酒吧與茶室有徐立敏其人，一個未到法定年齡的孩童，所言一字一句，警局均予採信而詳見報端，為人難解。四、警局對酒吧時有員警巡邏檢查，而對非法營業的徐立敏，出沒吧間，接待外賓，何不當時即予逮捕。五、徐立敏家庭富裕，父母兄弟均曾受過高等教育，乃父徐增明現尚執教本市中等學校，游富美實情更理，決不致操吧孃。」他又說：「游富美發表的書面聲明，竟有甚多報紙，不甘受辱，憤而自殺事實，不予刊登，消息顯已失去嚴正之新聞立場。」不獨有意在侮辱女教師，而且所有教育界深受了沾辱。」游富美為環境所迫，已脫教育界作正人思意誹謗，復再是教員身份了。徐立敏已的清白身份，服毒自殺，用生命來保證自為解決，對於某些報紙，乃父將收法律途徑過份渲染之報導，為爭取銷路，而作（十月廿一日）不能不說是一件遺憾的事。

阿里山下

開源乎？節流乎？

財政部長徐柏園，近在立院透露：稅課的收入，今年一月至九月，較去年一月至九月，增加達八億元之多，但因支出浩繁，財政仍有困難。然則，今後究該是不顧納稅能力，而無限制的增闢稅源呢？還是盡力節省不必要的開支，並根絕浪費貪污呢？政府當局該抉擇了！

美援黃豆被盜

高雄港一號倉庫庫存之美援黃豆，自去年七月至今年九月間，先後被盜達七十餘噸，價值新台幣三百餘萬元，該港務局倉庫管理員劉某等，近已涉嫌被押。近幾年來，台灣呼籲美援，頗是煞費苦心，但，要是一切漏洞不能阻塞，縱有更多的美援，又有何用？

對外要合作

台灣方面的香蕉，外銷日本，近來輸出量大為減少，以至共匪的廣東香蕉，乘機銷日。查其原因，台灣蕉價數量不敷，固有影響，而經辦香蕉出口的台灣區青果輸出業同業公會，與台灣省青果運銷合作社聯合社，發生意見及人事糾紛，實為重要因素之一。現主管單位已邀請有關機關商定緊急措施辦法，此類無謂的糾紛，如果還不能了結，還談甚麼對外貿易呵！

嚴防倒風

台北市南京西路金龍商行，負債達兩千餘萬元，該行老板邵某，忽於最近公開宣佈破產，以至震動台北商場，影響市面。據說這是歷年來最大的倒閉案，但不管怎樣，其影響整個社會經濟甚為顯然。這是奸商蓄意性欺詐，還是另有其他原因，似乎不可輕視。

如何對付人口問題？

近據台省民政廳長張騰毅稱：這次戶口普查初步統計，顯示全省人口已接近一千萬人，軍人尚未包括在內。這數字，較之幾年來一般所說的「八百萬軍民」，約已超出三百萬，今後假定再在台灣拖上十年八年，僅僅人口問題便是個極其嚴重的難題，我們打算如何對付呢？（十月二十三日）

·傅正·

反奴役的人民站起來
匈波反蘇反共大流血
香港觀察家認爲共產暴政臨末日

東歐鐵幕內人民那股反奴役的怒火不但燃燃而且開始蔓延了。

當波蘭不流血革命之初，克姆林宮的共魁已經極不滿意了，然而原則上他們在無可奈何之下，還是會接受下來的。然而，在戈慕卡組閣後，波蘭人民的憤怒還在繼續，接着匈牙利的革命志士更以武裝行動對付共黨。

從波、匈事件中，全世界的人類已認識到東歐人民非但反蘇而且反共了，共產主義的末日也隨着來臨。至少，香港的輿論界大多是同意這種看法的。

成爲反蘇的熊熊怒火。而匈牙利暴動的意義更超過了波蘭事件這一點，更可以證明：在鐵幕之內，絕不可能有些微的自由，一旦稍有自由，爭取更大自由運動便會如火蔓延，不可遏止。這項運動，不但已創造了蘇維埃帝國崩潰的開端，而且將來可能發展成爲自由的怒火，把鐵幕焚燬。

最幽默不過的，便是蘇共以策動暴動爲拿手好戲「搗亂顛覆」的共黨，今日亦面臨十萬羣衆暴動的威脅，「以其人之道，還治其人之身」！「須知剃頭者，人也剃其頭」，正是「天道好還」的妙處。另外一點則是，那班多年來在共黨洗腦教育下的共黨學生，卻並不肯「擁護蘇聯這社會主義的祖國」，竟然要求蘇軍退出，要匈牙利獨立，這無非是匈牙利究竟不是蘇聯，人民無論如何洗腦，總不至無恥賣國；同時亦是因爲在蘇聯式共產帝國主義壓迫剝削之下，既無自由而又生活痛苦的緣故。

人總是人，不能「唯物地」當他是機器。「爭取人權」比「爭取獨立」更進一步。波蘭已替蘇維埃帝國敲響喪鐘，希望匈牙利人民的首發其難，終能釀成解放鐵幕的革命！

猙獰面目暴露無遺

自然日報稱：繼波蘭人民反抗蘇俄控制而後，匈牙利馬上又發生同樣的巨大風暴，匈牙利人民的表示，且不止於要蘇俄人滾回去，更有大呼還我自由的，這便是連他們目前的執政者也在反抗之列，波蘭人民祇是反蘇。匈牙利人民簡直是反共。雖然目前要觀察匈國人民的成功會至什麼程度，似乎是言之過早，但有一點爲自由世界所樂聞的，即是世界共產主義，在蘇俄的附庸國家中已站不穩，已爲當地人民所憎惡！

今日的蘇俄，已是到了進退維谷的時候了，在波蘭，他們已讓人們嘲笑而不敢有所舉動，那不是蘇俄不敢動，蘇俄心有所怵，恐怕一旦動起武來，會令到其他附庸國家反感，可是，匈牙利人民跟着又來了，這回，可迫到蘇俄的不顧一切而動武了，在坦克炮火之下，匈青年的被犧牲的數以百計，蘇俄的猙獰面目已完全暴露無遺，蘇俄的魔頭們以爲如果不大力鎭制匈國人民，則跟着來的將是整個附庸集團的解體，但他們忘記了這麼一來，不是便可以將反蘇反共的怒潮平息下來，而是更加速惹起其他的反抗，我們對被犧牲的匈國人民，寄予無限的同情，同時，我們要大聲疾呼，共產主義是洪水猛獸，一天不將它打倒，人類一天沒有自由。

蘇俄帝國分崩離析

中聲晚報稱：匈牙利京城布達佩斯大暴動！這是繼波蘭狄托化事件之後，東歐共黨另一衛星國反蘇的怒火。狄托化而兼有反蘇意味的人民暴動，已經有如狂瀾洶湧，不可遏止。蘇維埃大帝國的分崩離析，已是必然。這是多麼痛快的一回事！

在鐵幕內的匈牙利，而有十萬人迅速聚集的暴動，蘇聯當然不能指爲那是「帝國主義者的策動」，事實指出，那是因爲匈牙利人民受到蘇聯多年壓迫之極端痛苦，絕對憤恨，所以一旦獲得機會，便爆發

波匈事件看出兩點

環球日報稱：從匈牙利昨日獨立要求演變爲反共抗俄大暴動一事看來，至少證明下面兩點：

蘇俄帝國主義者的新侵略已此路不通，已成的罪行正受到被奴役者的反清算！

蘇俄本身權位之爭造成附庸國家傀儡政權的混亂，附庸國家的人民獲得了革命的機會。

了，可是如果自由國家的世界在情況下忽略自己的責任，以爲附庸國家人民的行動是新鮮的，那麼，不乘時予革命的人民以全力的支持，則被奴役者的在清算不過爲製造自己更慘的命運，而革命的機會也要消失，無疑，這是自由世界鼓勵共帝及共鬼傀儡加添罪行的罪行 [illegible]

赤色帝國主義不容立足

何況雖然

工商午刊稱：波匈爭自由獨立之火正燃燒熾烈，而匈牙利之反蘇運動亦急速的進展了。據布達佩斯電台廣播：「匈牙利首都舉行學生大示威，要求將被捕之前國防部長洛卡斯公審。」匈牙利人民，久在蘇 [illegible]

[illegible] 能够恢復獨立，不受莫斯科政府所控制，而蘇俄併吞歐洲的計劃，可謂將完全粉碎。赤色帝國主義是不再容許立足於現世紀的了。在政治上而言，赤色帝國主義是違反民主自由精神的，是開倒車的，「強幹弱枝」的辦法在這時代已行不通，而卻說在二十世紀間可以實現，這眞是絕大的笑話。

匈反俄反共大流血

工商晚報稱：匈牙利方面，共黨當局也和波蘭差不多，匈共現領袖格羅與狄托商談後，發表聯合公報，表示發展，不受任何干涉，而布達佩斯三萬名羣衆，則在示威運動。這一方面是表示，一方面是表示反對格羅統治。關於第一點，他們要求驅逐俄軍，取消俄共的鈾鐵權，修改貿易協定，與取消俄文課程；打倒史太林像。關於第二點，要求舉行各黨自由選舉，報紙有報導新聞及發表意見之自由，要求一九五三年被黜之前總理納基復職，改善經濟生活。示威羣衆高呼「俄人滾回去」！「打倒格羅！」的口號。廿三晚的巡行，演變爲武裝「大暴動」，死亡達二百人。匈共頭子格羅尚謂「任何鬆弛匈俄關係之嘗試，均將失敗」，被人民擁護復任之前總理納基，亦居然請求俄軍鎭壓。由這，可見匈共與匈人民的意志是相反的。

由上所述，我們可以斷定波匈共頭子們於取得對俄共控制下獨立之外，今後還是要和俄共藕斷絲連的，而人民則不但反俄，而且要求國內自由，一反過去統治之所爲。故預料東歐附庸問題，第一階段是共黨頭子與俄共爭，第二階段是人民與共黨統治爭。

簡介自由中國的雜誌

顧樹型

（台北通訊）自由中國的雜誌，已在內政部核准登記出刊的，有三百八十種，以土地面積比例計算，它的發行已到達了飽和點。在這三百八十種雜誌中，有的因經費關係，有的因人事變遷而停刊的不下八十種，故實際經常發刊的，最多不過三百種而已。這三百種雜誌，大約可把他分成政治，財經，軍事，教育，法律，醫藥，社會，交通，衛生，文藝，宗教，青年問題，自然科學，農工商，綜合，其他等十六類。所以自由中國雜誌的性質，早已應有盡有了。另外還有在港九出版的今日世界，家庭生活，婦女雜誌，新青年，世界文摘，民主評論，兒童樂園，人生，西風，好孩子，集郵天地，小良友，祖國，工商觀察，新聞天地，星島週報，小說報和東西，東風，四海，亞洲，良友，大觀等雜誌，在台灣的各大縣市都可購到，也是人們所比較喜愛的。

上面已經把自由中國的雜誌分成了十六類，現在再把他歸納成三大類，第一類是黨政機關或公家出資辦理的，如大道，中國青年，幼獅，中國內政等，數量最多；第二類是私人經營的，像今日工業，法律評論，青年基地等，數量也不少。第三類是私人經營而受政府補助或支持的，像自由中國，今日大陸等沒有幾家。也許他們自己不可能承認接受補助或支持的事實，但這已是公開的秘密了。

這裏筆者將比較有代表性的刊物，分別一一予以簡介。

研究性的文章，水準較高，對政府的措施適當與否，直言不諱，並且是善意而客觀的批評，所以頗有地位。[illegible] 以遊記小說見長，每期廣告 [illegible] 路相當廣的一本刊物。[illegible] 原名教育通訊 [illegible] 授學者專家 [illegible] 大衆化多了。

文章，都是預約的，教授學者，與之所蓄暢所欲言的文章反而看不到，故現已較過去爲遜色，但仍不失爲教育性的權威刊物。反攻半月刊，[illegible] 所創辦，他們 [illegible] 定要在預定的時間內 [illegible] 用心至苦，故該刊物對反共抗俄盡了很大的責任。[illegible] 物，對國防問題探討研究，有很多的貢獻，發行人劉詠堯 [illegible] 顧問。中國青年月刊，爲青年服務團團長楊爾瑛所辦，內容充實，且具悠久的歷史，擁有全國廣大的青年讀者，但因青年服務團於本年六月底停辦，故該刊早已停辦。[illegible] 半月刊，爲青年法學家 [illegible] 所主辦，立論正確有據，站在法的立場，就事論事，深受法界歡迎。[illegible] 五千份了，將來定有一個光明的前途。中國經濟建設 [illegible] 名人專家，對政治經濟心理建設 [illegible] 封面精美印刷優良價格低廉而深得讀者好評，在台灣曾有行銷四萬份的紀錄，平均銷數約三萬份。其他每期能發行一萬份以上的，除了中央，[illegible] 自由談，暢流，[illegible] 恐怕不多。銷得最少的，一期僅有三五十本。這中間有一個原因，就是「一般人要看雜誌的買不起，買得起雜誌的人並不想看」。在這種情形下，雜誌的銷路，自然是不樂觀的了。有很多看雜誌的人，常常擠在書報攤上，看了兩三個鐘點，[illegible] 雜誌爲了要維持銷路，所以只好對買到手後，再 [illegible] 這個現象，實在說明社會經濟能力的普遍低落，讀者買一本雜誌，已經成了一個小小的問題。

台灣的雜誌都是反共抗俄的，他都是反攻的工具，現在政府除了有一點配給紙價購以外，其他並無補助，所以有許多不能自給自足的私人雜誌，簡直痛苦萬分，廣告出納登記文書和一切雜務，全由一二個人包辦，一個雜誌社的整個編校分發，多辦雜誌的人，都十分精幹練達，是辦雜誌把他磨練成功的。希望政府對私人雜誌，多多給予幫助，一定可以收到代理政府宣傳的功效。

自由中國還有許多雜誌，像飢司，世界評論，中國新聞，新聞觀察，自由亞洲，專門報導內幕新聞，也擁有相當多的讀者。有人批評說，這些刊物，沒有反共抗俄的理論，似乎是不太重要，然而仔細一想，沒有這些刊物，則社會上會污穢得 [illegible] 糾紛和其他一切不法情事，一經揭發，就再無法立足於社會了。所以這些刊物對警戒人心是有其重大價值的。（當然有些藉此作敲詐活動者又當別論了。）

在雜誌事業協會的領導下，自由中國的雜誌團結起來了，進步甚速，大家有一個共同的目標——發揚祖國文化，宣傳國策，建立思想戰的灘頭陣地，負起復國建國的神聖使命。（寄自台北）

鐵路與公路之爭

（上接第二版）

現在成爲懸案的，祇是原函第六點所稱「增關或延長路線，或超區行駛，或增加定期班次」的事先核准問題，亦即一個要限制一個不受限制的問題。公路局對增關路線一點，已呈復遵辦。對超區及行駛增加定期班次二點，則不肯讓服。我在前次面訊裏已經說過，茲不再贅。據說交通處承辦人也不同意予以太多拘束，無奈侯家源硬要這樣做。公路局於奉到交通處四四年九月最後指令時，批個「存」字，以不了了之。

侯家源限制了公路，却限制不了行人，他於第七點說明四五年一至四月公路局客車每日平均行駛四千八百次，比四一年每日平均增加二千二百次。足見孫中山先生所說「國民以自動車爲行具」一語，實有先見之明。侯家源既目擊短程旅客變坐汽車的興趣日趨濃厚，却又全面限制汽車運輸業的發展，似乎太對不起交通二字。

公道自在人心，台北各民意機關對此案業經紛紛提出糾正案。立法院徐委員源泉彭委員善承已向行政院提出書面詢問。監察院又派陳委員大榕馬委員鳴瑞段委員克昌進行調查。台灣省議會並建議擴充公路業務。究竟我的報導是否確實，不久當有官方的證明。民國四五年十月十七日（完）

華僑經濟會議的期望

（上接第一版）

「政府爲進一步的鼓勵華僑來台投資生產事業，現正考慮對僑資來台通用優惠匯率，以補救僑胞匯款來台在匯率上的損失」。但是，現行外匯貿易辦法之 [illegible] 管財 [illegible] 人所 [illegible] 了。郝早已宣佈不輕予改變；他這一次到美國開會，回來時對記者說有「新見解」，十月二十日立委在研究他時，又說「正在研究中」。一個國家的經濟政策，僅取決於一個人（連其政黨的決議都不發生作用），[illegible] 人對現政治發 [illegible]

再說，自從中共年初在東南亞發動經濟攻勢之後，由於南洋輿論的推動，當局對東南亞的貿易乃開始重視。其實，華僑在南洋各地的商業網，爲任何一國的商人所 [illegible] 紙，自由中國欲發展東南亞貿易，華僑就可擔當先導；只要外匯貿易辦法改善，開發台灣的南洋的貿易，不難水到渠成。其次，無論華僑回國投資，抑或發展東南亞貿易，現有金融機構均不足以負重任，所以不能解除「呆滯性」；我以爲開放商業銀行——尤其是華僑投資銀行——已到了刻不容緩的時候了。九月間，報載政府對「投資銀行的開放」已予審慎的考慮，並可望在近期內得到結論」。如果政府、華僑在工業、商業、與金融各方面打成一片，在南洋不但可以強化華僑的經濟地位，且足以加速自由中國經濟的發達；這一舉兩得的工作，究竟什麼人在阻礙它的發展？

我欣逢燃開底十月，當茲華僑代表回國，舉行經濟檢討會議的時候，又値廣開言路之時，懷，乃再「直率抒陳所見」，再呼籲，我這些我已一一提出，其實，我希望這一次或可以得到注意，亦得以看到好底改變，故又言之。（完）（十月廿三日）

中共官僚政治即景

有一件「公文」，「歷經十五天的旅行，和一百四十八公里長的路，經過四個部門」來到了貴州省大定縣雞場區供銷社，當該社共幹打開一看時，竟是一紙「無字天書」！插圖原載十月十六日北平「大公報」。

自由人
THE FREEMAN
（第五九五期）
中華民國僑務委員會
登記證台教新字僑第一第二號
中華郵政台字第五〇〇號
執照登記爲第一類新聞紙類
（半週刊每星期三六出版）
每份港幣壹毫
台北市售價台幣壹元
督印人：陳文韜
地址：香港高士威道二十號四樓
3RD. FL. 20 CAUSEWAY RD. HONG KONG
TEL. 771726
承印者：東南印務出版社
地址：高士打道六十四號
台灣總經理處
台北市西寧南路壹壹柒號二樓
台郵撥儲金戶九二五二
海外總經銷
友聯書報發行公司
香港：彌敦道中二十六號A二樓

戰敗蘇聯必先挽救中東

· 李金暉 ·

今年十月，是個血的十月，世界上有許多地方都有流血事件；在東歐，有波蘭人民和匈牙利反抗赤色極權統治而大流血；在中東，有埃及和以色列與英法聯軍的衝突，幾乎一發而不可收拾。此外，像新加坡和日本，也都發生了或大或小的流血動亂。

姑不論這些流血事件的範圍大小如何，實質的原因只有一個，即都與國際共產黨的作祟有關。

勝負決於殖民地問題

但是有一個絕大的問題，却是須要注意的，即使現在開始，[illegible]

中東混亂對西方之害

[illegible]

……是有彼此不能相背……者在，這種不同的觀點和作法，却構成……非民族與歐洲大……衝突的主要原因，……國際共產也僅此唯一的弱……然是反共集團的弱點。如果西方……一步說，這也……走上了用戰爭解決問題的道路，……通過戰爭可以征服……小民族的話，這將是人類最大的不幸！……今天談反共，就……全球性的反共，……能盲目地偏袒殖民地主……國際共黨的尾巴……者！如納塞之流……面問題該更深入地……節。這也就是必要……的問題的身後重要……中所有力量「一切……問蘇聯直接幹」（本報五七八期左舜生先生文）的基本認……。同時也希望軍事家們和研究國際問題的專家，不可過分依賴原子武器……勝論的觀點來研究……殺性的問題。解決共產主義，蘇聯，決不是唯武器論可濟事的。

西方必須保住中東，蘇聯也力求赤化中東，中東確已經成爲東西雙方爭奪的重要的一點，在雙方同時爭奪中東而勝負未決時，大戰的爆發可能性極微。一旦中東……軍行圍到了西方陣營，而東歐問題和德國統一問題逼使蘇聯不得不攤牌時，捨戰爭之外蘇聯已無第二條路可走。但大戰的爆發，失敗的必不是西方，而是蘇聯。因爲她才是一個眞正的帝國主義者，只要附庸國家和被她壓榨的蘇聯共產政權必同時相繼崩潰。

所以，東西雙方對中東問題的處理上，用戰爭來解決中東問題對西方是不利的，對自由中國也是無利可言的。

東歐動亂的特質

東歐地區的動亂，[illegible]……已經走上了民族革命的道路，東歐民族……推行的社會主義……是蘇聯帝國主義的內容，惟流血革命……但在亞洲非洲地區，情形恰恰相反，國際共產黨偽裝的民族主義，換言之，即赤色帝國主義却正在大行其道。

這樣的事實，似可怪，而實不可怪。揭穿了說，誰是民族問題矛盾的所在？在亞非地區，所存在的是亞非民族的利益與歐洲大國間殖民地主義的衝突；在東歐地區所存在的是，蘇聯赤色帝國主義者壓迫東歐民族的衝突。換句話說，蘇聯和歐洲的大國……民族反抗的包袱……對西方尚比較……因爲亞非民族與西方國家的矛盾衝突，不若東歐民族與蘇聯關係之尖銳深刻。如果不是英法和以色列與埃及的運河之戰，沖淡了東歐民族革命的氣勢，我們相信不僅匈牙利可以贏得獨立，自由的火炬已經燃遍了整個的巴爾幹。那末世界大局的面貌也必因此完全改觀。

目前尚無大戰的可能

現在一般關心的是，由於東歐和中東的衝突，大戰是否會一觸即發？我的看法是，現階段有局部的小戰，而無全面大戰的可能。大戰是要待到東西雙方直接有接觸的機會，而且是不容許避時才會發生。它只有在雙方任何一方具有最後一戰的決心或估計錯誤時才會發生。現在，我們看不出任何一方有此決心，至於估計判斷的錯誤，當然……的蘇聯方面，也……衛星國家的背叛牽制了莫斯科，蘇聯決不敢輕下……和判斷，既不敢……估計或判斷，當然更不會有因估計誤判斷的錯誤而發生大戰了。

逆耳之言

——再論反共救國會議——

· 王世昭 ·

王先生在本刊五九〇期，已發表過一篇「論反共救國會議」的文章，現在又寄來此稿，對時人的主張有所論列，再爲刊出如下：——編者——

對於中華民國，我是絕對尊奉的；對於孫中山先生以及革命先烈，我是絕對敬仰的；對於總統蔣介石先生，若論北伐，抗戰，我是信服的；至到了台灣之後，在現階段的環境下，我當然不敢苛責。然而，就因爲好的地方太多，壞的地方太少，我們談政治的，偏偏是[illegible]精鑽鬼，好的地方無從說起，只好從壞的地方，找到一二痛腳，希望總統先生好上加好，壞變不壞，那就是中華民國的福祉了。

我主張開會的理由

有一天我遇到一位朋友，談到反共救國會議問題，他說：「你的文章裏，會議的人數爲什麼開得這樣少？」我說：「老兄！國內應處理的事務，有總統，中有行政院，立法院，監察院，考試院，司法院，下有省政府，縣政府，層層負責。今天的反共救國會議，目的在網羅全國優秀錄選，老成，有學有識的若干人物，代表海內外許多熱愛國家的老百姓底意見，替我們的國家，想出更好的辦法，輔助總統，爲中華民國打開一條新路。這個任務，非德高望重爲全國所仰佩，能代表大家意見的人，是不夠分量的。如果勉強拉多些人湊數，那麼台灣人才已是汗牛充棟，車載斗量，這個反共救國會議就未免是多餘的了。」

開名單與蔣總統

「你以爲有些報紙開出反共救國會議的名單對嗎？」我說：「誰是代表？誰有資格開名單？除了總統先生之外！而且，我們所能提供參考的，祇是原則，絕對不能列舉，眞要列舉也是各人的自由，當然，我們無法反對啦！」這位朋友點點頭。接着說：「有人反對開反共救國會議，你又覺得怎樣？」我說：「反對開的，是他的自由；就像我，贊成開的，也是我的自由。不過，在目前，如果不開個反共救國會議，在政府說，是不智；在我們說，是不負責任，所以，我還是支持我自己的看法與見解。」

大與公的作用

「你說要政府派人到各地延請反共救國會議人員，這當然是對的，但照左舜生先生所開的名單，恐怕有些人，政府不會同意。你不見吳國楨，一到美國就胡說道嗎！」我說：「老兄！你錯了！政府如有做法，再加一百個吳國楨也無損於中華民國，乃至于蔣總統。今天的中華民國，蔣總統已成一人在上，萬人在下的形勢，衆望所歸在蔣總統，衆怨所集也在蔣總統。蔣總統如能從「大」字着想，任何人都是他的朋友，也都是他的幹部。蔣總統如能從「公」字着想，任何人都是他的支持者，甚至保護人。即使有些人對他不相信，出來之後便成吳國楨，那也無損於蔣總統。從古至今，最偉大的政治家，沒有不虛懷若谷，視敵如友的。因爲政治這個東西，不是永久不變的，今日之友，可成明日之敵，而明日之敵，亦可成今日之友，只看你的做法如何。有做法，人趨之若水之就下；無做法，古人云：「舟中之人皆敵國也。」蔣總統今年七十歲了，倘能及時示人以大公，中華民國尚有爲，否則有志之士可能裹足不前，過去的胡漢民，李宗仁就是一個例子，今日的張漢卿，龔德柏，也是一個例子。」

蔣總統應能接納多數人的要求，讓王世杰，白崇禧，雷震，吳忠信諸人到海外走一走。又讓受法逾期的張學良，倘未定罪的龔德柏等，離開看管的地方，讓他們在台灣自由居住。這樣，不但海外的觀聽爲之一新，即全國的輿論也會對蔣總統歌頌之不暇，比祝壽觀光會更加有力些！

會議的先決問題

再論台灣的形勢，已成自由國家的一環，說好點，七十萬大軍已足應付一切；說壞點，沒有美國第七艦隊守住台灣海峽，中華民國的人未必能高枕無憂。因此打破沙鍋看到底，台灣今日之所以成爲炸不沉的航空母艦者，美國人之力也。七年來總統先生的勵精圖治，全國上下的一德一心，無論那一方面，都有好的批評。所缺的是美中不足，蔣總統本身似乎還不能做到「大」而無外，「公」而不私的程度，我們所望於蔣總統的，百尺竿頭更再進一步，讓王白雷吳等到海外走一走，讓張龔等在台灣恢復自由。我們敢保證，這些人不會脫隊，即使脫隊，也將爲輿論所不容，古人云：「千夫所指，無疾而死」，誰敢以身試天下之斧鉞，而況，至誠感人，誰又會去做那冒無謂之事！

所以，此舉有三善，一、人心團結了，二、天下歸仁了，三、而總統呢，將成爲全世界最偉大的政治家之一。

因此，反共救國會議先決的問題，是一個誠字，能誠而後才能公，中庸說：「誠者物之終始，不誠無物。」要反共救國會議開得好，自今日起，總統要「開誠」，開誠以後才能「布公」，這話古人已經說過了，端在力行如何而已！

半週述評

· 司馬璐 ·

聯合國大會

聯合國第十一屆大會已于前天揭幕了。在這同時，聯合國開始有了自己的武力——聯合國警察部隊。

路透社記者說：「在聯合國的十一年歷史中，國際緊張局勢及政治方面的分歧情形，從未有如今日之甚者，所謂『世界議會』的聯合國大會，在此種情勢下召開會議。」這意思就是，今天的國際情勢，是二次大戰以來最緊張的時期。

緩和當前緊張的國際局勢，無疑是這次聯合國大會的任務。

蘇聯志願軍

聯合國這次大會中，正優先討論中東和匈牙利的局勢。目前，聯合國警察部隊已開入埃及境內了。看來，中東的局勢是可能暫時緩和一下的。

但是蘇聯却在這時透露說，有廿五萬的「蘇聯志願軍」要赴援埃及。倫敦方面也指出，蘇俄大量軍火及一千名技術員抵達埃及。

看來，蘇聯是不願中東的局勢在這時緩和的。

事實勝雄辯

蘇聯不願中東和平，中共當然也「以俄爲師」，于是在這個時候，中共送埃及二千萬瑞士法郎的消息也公佈了。中共的「援埃志願軍」也在開始登記了。

事實勝雄辯，今天誰願見中東和平，誰不願見中東的和平，不是最好的對照嗎？

據聯合國秘書長哈馬紹說，聯合國警察部隊已獲得埃及的同意進駐，那麼，共黨的所謂「援埃」，當然也更失掉一切的藉口了。

到匈牙利去

英國外長勞哈德說，我們已撤出埃及，蘇俄也應該學學英國和法國的榜樣，把軍隊撤出匈牙利。

法國總統莫萊說：「在埃及，我們已經要求瓜代了。我要想看見在匈牙利馬上也有同樣的聯合國軍瓜代。」

是的，這似乎是有欠公道的，爲什麼聯合國軍可以進駐中東，就不可以進駐匈牙利呢？

古怪的邏輯

美國駐聯合國的代表洛奇說，爲什麼聯合國軍不能進駐匈牙利呢？因爲那裏有觸發大戰的危險。

據洛奇先生分析，英法以同意從埃及撤退，進駐是沒有危險的；反之，蘇聯拒絕從匈牙利撤退，所以，如果聯合國派軍前往，必須「冒一場新戰爭的風險……。」

這是一個十分古怪的邏輯。

九九九電話

譬如說，我家裏遭了劫，撥了「九九九」電話到「聯合國警察總部」去。接電話的正是洛奇先生，洛奇先生在電話中說：「如果強盜不答應先撤退，我是不能派警察來的，因爲那太危險了。」

希望洛奇先生這篇談話，只是一外交辭令，否則，那是多麼傷了鐵幕內反共志士的心！

更正：上期「述評」中第一節「在他死後四十年」應改爲「在他死後三十年」；第二節第三小段裏的「民族主義思想」應改爲「民權主義思想」。承熱心讀者指正，並致謝意。

應時文章

·華忠國·

台灣通訊

（本報台北通訊）最近台灣的報紙，雜誌，刊載許多過去從未見到的文章，這些都是出自民青兩黨暨社會各方面人士的手筆，直率抒陳意見。這些文章有人稱爲「應時文章」，點綴點綴而已！這！不僅是民間經營的報紙和刊物，作此點綴，連國民黨的黨報和官方經營的報紙亦不例外。不管它是點綴也好，應時也好，這種現象對民主法治的前途總是好的。這些文章綜合起來，中心問題不外下列諸端：確立民主政治制度；培植有力的反對黨；有效地保障言論自由；司法要獨立；速開反共救國會議。

目前，自由中國民主政治的內容是缺少了一個與國民黨相等地位的在野黨，筆者希望民青兩黨人士要負起這個責任，勿存自卑感。執政黨固然須要寬容，而在野黨更要團結，健全自己。發揮民主自由精神，爲中華民國憲政鋪下一條康莊大道。

陳啟天先生指出台灣爲「七分黨治，三分民主」。筆者就平時經常與各階層人士的接觸，和深入社會所得的體驗。陳氏此語實有許多事實做根據，相信國民黨人亦不會予以否定的。茲列數事，加以分析與說明。如宜蘭縣議長，副議長突然辭職，此即「黨治」的結果。因前任議長非國民黨籍人，國民黨爲了鞏固黨治權威，且以「府會一家」爲理由，始作此舉。不能不說執政黨缺少政治風度與寬容。但在野黨未能盡責也是事實。其次是台灣言論自由受到干擾。夏道平先生說：「就現代民主政治的理論來講，我們不得不說，台灣沒有言論自由。」如新生報派駐台北縣記者陳子問，因非國民黨黨員，且因直率抒陳北縣[illegible]，而以至爲國民黨籍的縣長戴德發等不滿，在此種關係之下，陳君遭受無故降調職務的處分。許多記者，爲執政黨黨員，爲遵守黨的紀律，許多言論，不能受束縛，不能盡所欲言。「自由人」五九一期，「怎樣爭中國的前途」一文，作者牟力非先生說：「然今日報人——至少在台灣的報人——究有幾人「肯」或「能」如胡先生所說的盡職，實在可疑」。這句話如果出自非報人之口，「實在可疑」，而牟先生爲報人，報人說這樣的話，不免令人痛心了。言論自由之外，讀者自由訂閱報章雜誌，也有時受到某方面的干擾。如「自由人」，「自由中國」，「公論報」就不能隨便銷到某些機關和某些學校或軍中去，有些地方甚至公開禁止閱讀他黨的刊物，這些都是有憑有據的事實。又如台北縣政府，在民選的國民黨籍縣長戴德發治理之下，竟可抗拒省府的命令不能不服從黨的決定。凡訂閱報紙和刊登公告，都以黨營報紙爲首，民營刊物不以拒訂或拒登公告，就是敷衍了事，甚至根本不理，如刊登公告即是一例。

民主政治的特質，是大家要有守法的精神。實徹法治是司法獨立，所謂司法獨立，乃指審判獨立而言。現在台灣的審判，在「例外」和「特殊」的事和人之下。於是面子，關係，金錢成爲法治的阻力，法律往往退避三舍。誰不守法？誰做例外的事？誰是特殊人物？這些都不是筆者隨便說的。例如地方法院書記官朱×××，於今年九月十六日因竊盜案被台北縣警務機關傳訊交保。關[illegible]黨籍特殊黨務，要對方而寫「誤會控告」的和解書。最使人費解的，是一向被人稱爲主持正義的記者林××，黃××（某晚報記者）竟從中奔走說項，以及代擬和解書。終因無法律根據，案移地院後，該書記官反控其「誣告」與「誹謗」之罪，使另一當事人交保候訊。類此「例外」和「特殊」事情，以台灣之小，已屬不少。×××書記官不過其中一例而已。上述幾位「特殊」人物，也都是國民黨籍的人。

以上各節，筆者深信國民黨的領袖，是不會知道的。國民黨的工作幹部，不只對黨外如此，而對黨內有違法亂紀的事情。如國民黨××縣黨部主委李×就是一例。他爲了個人利益，居然提拔一位特殊人物，這位特殊人物是縣長×××的胞弟楊××，他是去年四月拿到黨證的黨員，同年九月間任縣黨部幹事，十一月任總幹事，今年九月任書記，依國民黨的規定，非有二年以上黨齡者不得充任幹部。此事，是一位國民黨籍的人對筆者說的。

國民黨黨內尚有如此特殊情事，況黨外乎！由此推論，民主政治和言論自由以及司法獨立等等，更難言矣！（完）

于台北市
十一月四日

一個中國人爲匈牙利呼籲

·上陽子·

讀者論壇

現在成千萬的匈牙利人，爲了爭取獨立和自由，爲了不甘做亡國奴，正在慘痛的流血！他們以低劣的武器，在他們自己的國土上，和俄共侵略者的噴射機坦克車周旋！自由世界，尤其是美國，竟這樣遲遲止於口頭上的支援，待美國的經援到達，吾恐匈牙利人已經不會呼吸了！

美國人今天和平的論調，高唱入雲。其實世界上每一個人都需要和平與安定，不獨是美國人需要和平安定；但是侵略者不允許你過和平安定的生活，大家就只有起而和侵略者對抗了。

我說的這個「大家」，是包括自由世界一切強國和美國。美國人不要以爲只要不妨害美利堅的和平生活就可以，要知道今天科學的發達，世界已經縮小，無論歐洲，美洲，都是息息相關的。一個能左右世界的大國，看着別處戰火連天，自己想單獨過和平生活，是不可能的，尤其是俄共最後侵略目的就是美國。

在二次大戰結束時，美英未能追蹤俄共退出東歐，以致若干東歐國家淪爲附庸，使俄共坐大，能有今天侵略力量，爲害世界！美英綏靖策略既已錯了於前，今日必思有以彌補，不能再縱容於後。

美國今天應以全力來支援匈牙利人民。能支援匈牙利實際等於支援自由世界，也就是支援美國自己。何以故？因爲匈牙利人民能獲自由，東德和其他俄國附庸都受鼓勵，都會起而推翻蘇俄，甚至俄國內部也要起而革命，則蘇俄無力擴張，這樣才能避免三次世界大戰。否則，匈牙利失敗，波蘭再受威脅，有復倒回去的可能，蘇俄又重整旗鼓，那時戰火會遍歐亞非三洲，美洲也不可能倖免。究竟使戰火在俄國的大門前燃燒好呢？還是以後遍地燒起來，也燒到美國的領土好呢？這要美國人聰明的抉擇了！

我並非對美國苛求，而是今天能對抗俄的，只有美國有這樣國力。時機稍縱即逝，要看今後如何善爲把握了！如果美國改變以往的綏靖策略，還有可爲。倘由聯合國出兵，迫使俄共撤兵。雖然已晚一步，可是匈牙利還是有救的。

十月四日台北

克里姆林宮進退維谷

·式一譯·

克里姆林宮史達林一系的人會時常辯說，對附庸國家的控制如一旦鬆弛，必將引發動亂，由於這種理由，他們反對與狄托和狄托主義者作任何妥協，堅持繼續用殘忍的軍事鎮壓，控制住東歐附庸國家。

舊路綫人物能否再起

克里姆林宮倡導這樣路綫的人，是莫洛托夫和卡岡洛維奇，他們是少數的老派領導人，莫洛托夫就因爲拒絕改變對狄托的意見，而讓出了外長職位。

後來，反史達林和安撫狄托新政策的發起人赫魯歇夫和布爾加寧，由於最近波蘭和匈牙利事態的發展，已佈置防守的方法，至於他們將要被黜或被清算，那是不致隨之發生的，而那些意外揣測的話，亦不足置信。

莫洛托夫和卡岡洛維奇將東山再起，亦不是不可能的，在蘇俄、抨擊史達林一舉雖得人心，可是這一情勢仍然能夠突然倒轉過來的。

馬倫可夫可能在目前混亂局面繼之而起，他很年青，在國內和附庸國家之間，素孚人望，而且他有政治鬥爭的經驗，他有更進一步的優點，他對狄托主義問題不同意全力支持，他受過紅軍將領的不利影響，很少接近，因爲他任總理時，是被他們攆了台的。

紅軍是否可靠呢？

紅軍可能是蘇俄最近將來的一個關鍵，秘密警察實系破壞，遺留的權力已轉到軍隊手裏，雖然它的領袖——朱可夫——是一個好好先生，沒有野心，不想爭權奪利，可是有些更年青的將領，雖然在國外沒有聲望，在蘇俄可能成爲煊赫的新人物。

在匈牙利，有許多事要依靠紅軍的作爲，據說，有些蘇俄士兵已違反了革命，所以紅軍本身的可靠性，顯然有了問題，這種情形對蘇俄統治者是嚴重的打擊。附庸國家對蘇俄反抗，情勢的嚴重，已掩飾不了，最近在莫斯科一個歡迎會中，赫魯歇夫和布爾加寧如此的鬱鬱不樂，他們甚至也不掩飾他們的沮喪。

對附庸讓步是詭騙

克里姆林宮現在不論怎麼樣，是處於被挨罵的地位，如果允許附庸國家人民所要求的一種獨立，將冒赤色帝國全部解體的危險，可是給予無情的打擊，不啻自承近來所說的改變，完全是欺騙。赫魯歇夫和布爾加寧，或他們的繼承人，將試着做的事情，不論安撫或鎮壓，將走向妥協的道上，他們將可能有許多的讓步，同時加強他們在附庸國家的兵力，這種讓步將是一個詭騙的行爲。直到最近克里姆林宮已這樣做的非常成功，在國內和外國的時間表，將要回復過來，很明顯的，西方國家冷戰的敵對行動，在最近將來不如過去的一樣可怕了。

（譯自十一月五日墨爾什誌）

林啟宗醫治「小兒痲痺症」新法成功

·劉靄如·

（一）

日前友好蔡君的小孩，患了小兒痲痺症，當即代之慎重介紹台灣的專家林啟宗博士，因爲他已經有了顯著的成效，而且獲得美國著名小兒痲痺症權威學者巴爾的摩城的斐爾普斯博士的注意和讚揚。

國際上除了美國的斐爾普斯博士以外，尚有美國的小兒痲痺症權威梭克博士，法國著名小兒痲痺症研究專家賜諾博士，最近則有日本東北大學教授佐野保博士，他是最近才發表「小兒痲痺用溫泉療法」，使日本四十萬患小兒痲痺症的兒童獲得救星，最近才爲國際人士所注意，其他則實在是寥寥可數。

（二）

林啟宗博士，現年才四十二歲，他是台北市人，在台北市廣州街設有小兒科腦神經科醫院。林博士自台大醫學院的前身台北醫學專門學校畢業後，即專心研究腦質化學，及血液化學，三十一歲，就獲得日本九州帝國大學醫學博士的學位。學有專攻，孜孜不倦，再經這十年來的臨床研究，卒有治療新法的發明，獲得今天的成就和殊榮。

小兒痲痺症是一種流行的文明病，發病時身體突然發生三十八、九度高熱，正像感冒後病痢一樣，經過四五天後，高熱雖然退去，但小孩的手足却變成癱瘓。也有小兒在胎生期或分娩時期或分娩後，基於種種腦疾或頭部外傷等所發生的腦運動機能系統的障礙，不但可使小兒的神經機能一部或全部痲痺，而且也能招致智能，視力，聽力等障礙，以及不能言語。在台灣俗稱「軟骨子」的小兒，就是患着嚴重的弛緩性腦性小兒痲痺症的兒童。

迄至現在爲止，世界各國醫藥雖然發達，但對於小兒痲痺這奇怪病症還沒有完全的治療法。據美國醫學界的苦心研究結果，小兒痲痺是一種濾過性病源體侵入消化器官而繁殖，再向神經中樞侵蝕所致。過去對於此病採用注射維他命與按摩法，但全癒比率並不高。年來美國梭克博士發明了預防血清，得到相當功效，不過仍有副作用。

（三）

林啟宗博士對於這個醫學界尚未能解決的難症，經過十多年來的潛心研究以後，在多年以前發現了一種新的治療方法，並自三十九年直到現在，曾經患有弛緩性及強直性小兒痲痺症的小兒一百餘人，施行實驗的結果，證明他的治療法已獲得成功。

據林博士向台灣醫學會提出的研究報告書指出：此種新治療法，對於輕症者在開始治療後第二至四個月間，其痲痺狀態逐漸改善，並恢復常態；病症重的，經治療後，頸頸軟弛垂下者，在第二至四個月即能挺直其首頸。上體不能挺直者，在第三至四個月亦挺直，四肢軟弛無力者，在第六至七個月，可以坐定爬行。在第十個月後可以持握木欄或牆壁起立，第十二至十四個月，可以自力起立，練習步行，然後經過家人的扶助，可以逐漸恢復運動機能，回復常態；同時患兒的視力及智能障礙的症狀也可以改善。

林博士的新治療法，是使用各種維他命混合製劑，使患者促進腦病灶及神經障礙部份的恢復，同時對於中樞性機能誘生直接作用，並對於新陳代謝亦有良好的影響；另一方面可以補充營養及恢復運動機能系統，並對各筋的患病，狀態，促其改善，使之能運動，這與過去的治療方法，祇針對障礙部份的末梢筋加以醫治，迥然不同。由於林博士的成效卓著，幾年來國際專家莫不一致承認他的治療新法，是合理而功效顯著的特效療法，這應該是自由中國兒童的福音。

現階段的政大新聞系

·石永貴·

政校、復旦與燕京，是大陸時代新聞教育的三大支柱，政大的嚴格通才教育，復旦的自由研究風氣，燕大的美式教學，眞是各有千秋。

目下在台灣，新聞官、報社、通訊社，可說是政校新聞系的天下。台北的大報行列中，除了英文中國郵報余夢燕爲燕京出身外，可說政大新聞系最吃香，這當然要歸於他們幹的精神。

現階段的政大新聞教育，分爲兩個階段：研究所與學系。研究所眞是名符其實的[illegible]培養所，台灣幾個大報屬於年青力壯的大手筆，不少都在指南宮山麓下（政大所在地）埋頭研究。新生報自購入新器材後，遷入新聞大樓，氣勢之盛，大享清譽。謝然之手下的二張王牌（編要聞版的姚明，省聞版的荊溪人）就是上面年青力壯大手筆的二個。研究所已畢業了一批，成了新聞與文化界爭取的對象。不過大部份仍返回原來的工作崗位。

研究所與新聞系都由曾虛白主持，第一學期，曾氏把新聞學系的責任讓給謝然之，謝氏亦爲新聞圈內多才能手，且學生實習問題解決了。

政大新聞系的近況，新聞圈內、圈外，都異常關懷，最近從歐美歸來考察與渡假的海外新聞工作者，如毛樹清等，在幾次茶會中，都喜歡聽聽新聞教育的動態。

該系二年級的課程已排出：屬於專門課程者有：新聞學概論，編輯學和成舍我擔任的新聞文學，曾恩波主講的新聞英語，曾氏現任中央社總編輯，被視爲英語新聞第一把手，過去曾駐英倫，時有精彩報導。

在政府決心加強海外宣傳聲中，該系特增援外交宣傳戰略，故對英語要求亦甚嚴格。

星馬新聞界訪自由中國

星馬新聞界人士一行十四人，應台北市記者公會之邀，前往自由中國作爲時兩星期之訪問。

該星馬新聞界訪問團名單爲南洋商報陳振夏，何桂發，陳松亭，南方晚報林獻雄，黃炳修，星洲日報黃休榮，合衆社黃金輝，馬來亞前鋒報巴魯星，星洲英文虎報方回林，中興日報王振聲，中國日報李雁賓，馬來亞郵報佛力德士，馬光華日報謝丕淵，莊耿波等。他們表示：他們訪問自由中國兩星期內，將往各地考察觀光，並將在金門、馬祖前綫訪問，所得，返星馬後將報導於該地人士，以增進他們對自由中國之瞭解。

他們抵港之日，原想在港稍留一兩天，再繼續飛台北。但接到台北電報，知道昨天台北已準備一切，熱烈歡迎他們，故祇得取銷留港之意，即乘原機飛台北。

香港中國筆會支持匈國奮鬥爭取自由

該會昨電響應國際筆會

匈牙利全國人民爲爭取自由反抗極權政體發動革命，官義者爲作家及新聞記者等二十三人，其中數人且已殉難，此項救國運動，現已全面化。倫敦國際筆會總會，昨致電此間中國筆會云：「香港中國筆會主席黃天石先生台鑒：自由歐洲電台報告稱：頃收到匈牙利筆會向全世界作家之呼籲，懇迅即向若離中的匈牙利作家及知識份子表示全力團結支持國際筆會主席安德勳遜，國際筆會秘書大衞卡佛。」此間筆會接電後，當即電覆響應，原電如後：「國際筆會總會傳匈牙利作家及知識份子爭取自由之英勇奮鬥致最高敬意。現在是你們寫下不朽史詩的最光榮時刻，中國作家赤誠地支持你們！讓自由的鐘聲響遍世界。香港中國筆會主席黃天石。」

百家爭「攻」朱光潛

正在中共不斷宣傳說要容許不同思想並存，要讓「百家爭鳴」之際，淸華大學教授，我國著名學者朱光潛，却遭到了中共「理論家」來自四面八方的「圍攻」。

圍攻始自自鬻文章

朱光潛教授在大陸淪陷以前，曾經致力於美學的研究。並且，曾經有系統地闡述過他的美學思想。朱教授的著作，深爲廣大青年羣衆所歡迎，因此，在知識青年層中有極深的影響。也因此深遭中共所嫉。幾年來，中共「文藝界」對朱教授的美學思想作了一系列的批判。尤其是自從前年，中共在大陸上展開對資產階級唯心主義思想的批判以來，對朱教授更加以近於惘嚇地攻擊。朱教授被迫，在一九五六年十二期的「文藝報」上發表了「我的文藝思想的反動性」的自鬻文章。

在這篇文章中朱教授敘述了他自己文藝思想形成的過程。並且，「揭露」出自己的「反現實主義和反人民的本質」。文藝思想的「反人民方面」表現在：對於藝術沒有從社會着眼，對象僅是個人的創造或欣賞活動，把藝術看成是超政治的東西。沒有看到世界觀和階級意識對藝術的作用和人民藝術源泉的影響。只妄談甚麼「天才」和「靈感」。從而否定了人民羣衆對文藝的欣賞能力，認爲只有少數知識份子所愛好的才是好東西。也否認了文藝的宣傳教育作用，而把它同革命文藝對立起來。

朱教授在生搬硬套地把自己的思想否定於唯物思想之餘，結論又痛罵自己：「在革命鬥爭最尖銳的時期，這種理論麻痺了青年的革命鬥爭意志：引導青年逃避現實，對國民黨反動統治幫了忙」。

這一篇文章，給自己扣上了沉重得無法翻身的「大帽子」，從此，批判朱教授的文章接踵而至。

一九五六第四期「教學及研究」上登一篇署名賦銓以「批判朱光潛的唯心主義思想」爲題的文章。作者指出：朱光潛的唯心主義美學思想同馬克思列寧主義的美學思想是完全對立的。馬克思主義認爲：藝術是以特殊形式反映社會存在的社會意識形態：朱光潛的美學思想最根本的錯誤就是把藝術家的內心世界看作是第一性的。這樣「產生了他的其他錯誤思想」、

一九五六年七月九、十兩日的「人民日報」上發表了賀麟寫的「朱光潛文藝思想的哲學根源」一文。文中指責朱氏的文藝思想的主要哲學根源是克羅齊思想，這種思想屬於新黑格爾派的唯心主義。首先在方法方面去掉了黑格爾辯證法中的合理內核，而趨向於形式主義和形而上學；其次，在觀點方面發展了黑格爾體系中的唯心的和神祕的一面，而退回到康德，轉變成了主觀唯心論；第三，在政治立場方面替反動和資產階級服務，而反對辯證的唯物論和歷史唯物論」。因此，指責朱氏是「和環境背道而馳」、是「脫離人民走上反對人民革命的道路」，是「極端反現實主義的文藝理論」者。

抬出毛澤東的矛盾論

一九五六年第十四、十五兩期「文藝報」上發表了「論食利者的美學——朱光潛美學思想批判」一文。他指出：朱光潛的美學理論毫無科學依據。作爲建立他的學說的基本概念是不切確的；作爲他的學說的基本命題是自相矛盾的。這種美學認爲勞動人民終日忙碌不能從實際生活中「超脫」出來去欣賞美。正好說明它的階級本質乃是游手好閒者的美學，食利者的美學。

該「文藝報」一今年第十七期上刊載了曹景元寫的「美感與美——批判朱光潛的美學思想」一文。在這篇文章裏批判了朱光潛認爲美感起於非理性的直覺和美感態度與實際人生是絕緣的說法。朱教授認爲「美是心靈的創造，事物的美不過是心靈所賦與的」。

中共這些「文藝」陣綫上的「打手」，他們站在唯物的「基地」上，信口云云。已經是處於不敗的地位。雖然，他們還都是些藉藉無名不見經傳的人物，並且，他們的「理論」還不能和朱光潛教授的理論一見高低。所以，自己先心虛了，於是，抬出毛澤東的「矛盾論」來作爲攻擊朱光潛先生的「相異之間無矛盾的『無衝突論』」的殺手鐧。中共認爲朱教授的理論是本自克羅齊、尼采、柏格森，以及佛洛依德等人的理論，是反「矛盾」，及辯證法的，所以，必須予以打倒。

朱光潛教授雖然作了「初步檢討」，中共認爲他並未完全拋棄他自己的思想。說他「思想中的餘毒尚深。」

在中共號召「百家爭鳴」之初，中共中央宣傳部長陸定一曾經反復申明，是容許唯心主義思想和唯物主義思想並存的。但是對朱光潛教授的批判，主要是指責他的美學是屬於唯心的；很顯然地，已經前言不符後語。正在中共「百家」隨便「爭鳴」的時期，對朱光潛教授這樣體無完膚的進行思想淸算；是中共自己給它的「百家爭鳴」方針作了一個詳確而有力的註腳。（自聯社）

台南記者之家一波三折

。昌增勳。

台南通訊　醞釀甚久的台南市記者之家，已於去歲十一月三屆將衞生院舊址撥交記者公會，設立記者之家。市府並已列造預算新台幣拾萬元爲整修費，又經議員一致無異議通過。有等記者們，似自此以後，沾沾自喜，今後記者有家了。

晴天霹靂，南市中區區長與卅三名里長，再度聯名向市府陳情。（第一次陳情係本年三月）。林廷益區長且曾同里長代表數人，曾謁楊市長請願。楊市長嬰於記者協助地方，宣揚國策，發揮輿論力量，對本市頗多貢獻，地方政府理應協助「記者之家」之設立，且已經議會通過。惟區里長等，恐有辱使命，數日後，復另向市議會及中國國民黨台南市黨部，提出同樣陳情。呼籲：（一），中區人口稠密，衞生院新址落成後遷往北區，中區民衆，將因徒遠跋涉，往來不便，急症更易有誤時機。（實際上貧民多往衞生院求診。）（二），市府雖准另覓空地興建所址，但中區地價高昂，即出高價，亦難得空地，認爲此乃劃餅充饑，欺人之談。（三），衞生院舊址，留作衞生所，輕而易舉，順理成立。（四），衞生所之設立，乃縣政府編制之一，省有省立醫院，縣市有衞生院，鄉，鎭，區應設衞生所。（五），現全省衞生所幾已全部完成，以南市七個區而言，現僅中區尚未設立。（六），中區民衆暨區里長等，完全贊成記者有家，唯該址原爲衞生單位，在此情況之下，爲政府，民意代表，轉請記者諸君不圖與中區民衆爭地，俾衞生所能早日順利完成，以適應民衆需要。

南市記者公會，今年九一記者節開會，曾發生糾紛，現又發生此一爭執事件，可謂多事之秋。筆者閱報後，特訪楊市長。承予接見。並將南市記者公會致議會陳情書，及議會決議案卷提出，加以說明，並說：「衞生院新址落成遷出後，市府須先取得產權，然後才能撥借予記者公會設「家」」外傳市長私作人情，實屬誤解。又據筆者所知，該址係日產，由政院委託台省府交台灣土地銀行公產代管部代管。市府係向該代管部承租而來，照契約規定承租人不得轉租或轉讓，市府如欲取得產權，一爲購買，二爲呈請省府劃撥。惟市府在此財政拮据情形之下，已欠繳租金逾三萬元，尚難清付，何能付出五十餘萬元之浩大費用購買，則請台省府撥交，則須整個處理問題，隨時移作衞生所。又該址的若干部份，倘租者當無異議，撥借記者公會設「家」，自與原約不符，代管部依約不可「公」。予以收回。另悉，市府職員迄無宿舍，現尚未能分配，籌劃，市府處理難之局也，將來不知如何處理。（十一月十日）

我們需要這樣的文藝批評家

——夏濟安評落月讀後——

。馮憑。

自從本刊八月二十五日刊出了無忌先生寫的「雞蛋裏的骨頭」一文，緊接着便有馬怡紅先生在台北聯合報「藝文天地」副刊上一連寫了五篇書評。儘管他們的批評態度稍欠忠厚，但我認爲這樣批評總比專撿好話，有益於作者讀者。聖人說：「攻吾過者，吾之師也。」祇要批評者不是無的放矢就是了。不過，眞正的文藝批評家，並不僅在推崇一本他認爲好的書或詆譭一本他認爲壞的書。宣子先生在祖國周刊上寫的「批評家與文藝批評」一文，其中有一段說：「文藝批評的目的，是給予一件作品適度的評價，從而推進整個文藝運動的價值。至於作家受到教益或鼓勵，讀者的了解得到幫助或者知所取捨，文藝風氣或潮流得到指引的路標，以至整個社會的精神生活從正確的藝術創造上獲得增進，都是給與一件作品適度評價，推進文藝運動價值的積極意義。」試想，作一個文藝批評家確也非易。

在「文學雜誌」第二期上，筆者又讀到夏濟安先生「評彭歌落月兼論現代小說」，我認爲這是一篇當前中國文壇非常需要的文藝批評。這篇書評洋洋兩萬餘言，不惟逐章逐節分析，且逐字逐句推敲；尤其批評態度和藹，既不流於吹捧，亦不陷於詆譭，更可喜的是他運用的批評技巧非常高明，他像一個醫生一樣，在未動手術前，先把「病人」置放在手術台上，注射麻醉劑再進行手術。所以夏濟安先生一開始就說「落月」是一本相當好的小書；他很懂得人類的心理。

至於「落月」是不是一本「相當好的小書」？如果能耐心的把夏先生的手術刀割除的爛肉全剔出來，「落月」不惟五臟六腑全被割除，連骨骼也被一根根鋸掉了。像這種批評技巧，在他這篇書評裏曾運用了好幾次，每到他的手術刀又要深入的時候，便又注射一針。他惟恐他那位「病人」會甦醒過來大呼忍受不了。不過，醫生給病人注射麻醉劑，也得有適度的分量，不然，對病人是有損害的。譬如夏先生說：「中國小說家還很少有人嘗試寫純心理活動的小說，彭歌先生可以說是替今後的中國心理小說開了路。」這句話似很難令多數人同意。也許，可能夏先生很少讀過中國作家的小說吧？我是一個讀書不多的人，但我也曾讀了幾本中國作家的小說。當我讀了「落月」後，曾認爲它的表現方法頗類似徐訏先生的「爐火」；「爐火」這本小說是從焚燒一張張舊相片去進行回憶，拉出一節節故事的。把照片燒完，又重回到一開始的場面。這種寫作手法，也正是夏先生向「落月」叫好的。「爐火」這本小說台北買得到。進想我不願該多費筆墨來占益本刊篇幅。

至所謂「心理主義」在文學上的興起，也是反寫實主義的一個運動，由于時代的進化，人類智識的進步，所以人們逐要求向心靈深處發掘夢幻與意義以求對於現實有更深的了解。但我認爲任何宗派的藝術品，如一旦涉及自然界，則又不得不運用自然主義的寫實方法去描寫，不然，便無法達到「眞」的境界。亨利詹姆斯的「碧廬冤孽」是一本並未脫離外界環境與情節的轉變，只用了一個人內心的轉變與思索構組成的純心理活動的小說。「落月」何嘗能這樣寫法？它牽涉的外界環境與情節的轉變，是多麼的龐大，多麼的複雜，要作者不描寫那些所牽涉的客觀世界，做嗎？描寫人物心理活動的所謂「心理小說」，我認爲尚無力獨立宗派，因爲古典，浪漫，寫實，象徵等宗派的小說，對人物無不都要從事心理活動的描寫，雨果的「可憐的人」，陀斯妥夫斯基的「罪與罰」（舉例起來自不止此），對人物心理活動的描寫，刻畫得尤其入微。可是他們對於小說中所涉及的外界環境，描寫得也極其精細，準確，周密，蓋無論以什麼寫作主義寫作的小說，凡小說中情節涉及的事物，都應當精細而周密的從準確處着手。掛在西安城上的月亮，雖然不需要特別的科學調查工作，只要有詩人的訓練就可以描寫，但掛在台北綠芭蕉下的作者心靈之中未存在西安古城的印象與體驗，雖有詩人的訓練，怕也難以描寫出眞切的感情來。再說，「西安古城」與「台北」的藍天白雲日月星辰風雨雷電儘管相同，（這是共同的景象）但西安古城的「城門」總和台北的「北門」不同。那麼，「落月」的女主角余心梅，脚步遍及半個中國，儘管作者有足夠的地理常識，心靈中如無實體的印象與體驗，大膽用的台北的北門作模將兒大事描寫西安古城的城門，沒有見過古城的人讀後自無感覺，見過西安古城的人讀後便感到莫知所云了。那麼，象徵主義的小說作家可以不顧及小說中故事背景的眞實嗎？

象徵主義與寫實主義的不同點，在於它們兩者的表現方法不同。簡單的說：寫實主義是從本身着手，象徵主義的是從他身着手。譬如說：「寫實」作品中的張三是踏三輪車的一個典型，除了這個寫實生生的典型，不再「代表」別的影象；而「象徵」作品中的張三雖也是踏三輪車的一個典型，但除了這個典型，他還象徵着另一個有形或無形的影象，張三只不過是那個影象的化身。「象徵」的喻義雖然很多，有所謂「本來象徵」，「諷喻象徵」，「高級象徵」，「情調象徵」，而文藝作品所追求的象徵，多是言乙而意在甲的高級諷喻象徵。有些人往往把作品中的寓言看作象徵，看法就未免淺近了。「寓言」固然也是象徵，但小說中的寓言並不就是那小說所要表達的象徵，寫實主義的小說照樣涵泳着深邃的寓言。「落月」雖然也隱約中寓有「人有悲歡離合，月有陰晴圓缺」的人生哲理，但這並不是象徵。倘夏先生一味強彭歌先生把余心梅作爲梅花月亮高潔的象徵去寫作，則又另是一本書而非「落月」了。我們讀「落月」可以體認到彭歌先生創作「落月」的動機，他根兒就沒有想到「象徵」、「心理」這些寫作上的基本問題。他如果曾經想到這些寫作上的基本問題，憑彭歌的才華，決不會蓄無忌先生從雞蛋裏挑出骨頭來，而夏先生也沒資料寫二萬多字的書評的。我們可以說，自由中國的作家們，有幾個曾經想到這些寫作上所牽涉到的文藝理論及寫作法則等基本問題後再下筆的呢？似乎可以說大多數的作家都是仗恃天賦的才華而倚馬千言。

我是先讀了「自由人」報上無忌先生的評後才去讀「落月」的，讀後我發現無忌先生所指出的有關平劇常識上的錯誤，只不過一部份，未經指出者尚多。現在，這本書已經夏先生大刀闊斧地幾乎斬成了肉漿，其本身已無藝術價值，似無再予指出的必要了。不過，「落月」中所牽涉的平劇常識，都是極普通的，凡對平劇稍留心的人，都有這些起碼兒常識，並不一定非齊如山先生才懂得這些。倘彭歌先生過於自信，那麼，他隨便找一位伶人或老票友請教一聲就可以避免那些錯誤。

關于那些錯誤，實際上並不是「落月」的大的瑕疵，最大的瑕疵，是在他忘了是在寫小說，他竟跳出了或扔下了那本給他放映故事的照片簿子向讀者現身大說其戲來了，好像他認爲他的讀者都是沒有看過戲似的。像這樣創造藝術的態度，自難逃避失敗的命運了。

「落月」雖然是失敗的，但彭歌先生的寫作才能是值得欣佩的。他的才華正如夏先生說：「我們認爲他已經勝過時下不少小說家。」只可惜彭歌先生並沒有珍貴他的才華嚴肅起他的寫作態度來。這是我們非常替彭歌先生惋惜的。再說，自由中國文壇上要是多出現像夏濟安先生這樣夠水準的文藝批評家，自由中國又有那麼多的有才華的作家，相信決不會寫不出有成就的作品來。可以說，自由中國的文壇太需要文藝批評了；太需要像夏濟安先生這樣的文藝批評家了。儘管夏先生的這篇「評「落月」」，麻醉劑未免用得過量，但這樣好的文藝批評，已經是僅見的了。（完）

逆耳之言

馬五先生

一個月之前，美國那位女作家任特萊到香港小住時，她談到我們的宣傳問題，頗感沮喪，曾舉例概乎言之。

據說：她看到台灣方面有人翻譯了一本美國人所寫的關於批判中共的著作，內容本來是不錯的，但譯成中文後，宣傳效力就大大的打了折扣。因為有許多語意和名詞，都變成了中國特定的玩藝，如（Red China）之變成「朱毛匪幫」，或「奸匪」等等，使人不敢相信這是外國人的作品，宣傳效用自然就降低了！

這位女作家是從共產黨的行列中，跑回自由陣營來的，她是知己知彼，堅決反共的文化戰士，絕對同情我們的反共復國運動，毫無疑問。她的話很有道理，我們應該仔細檢討，有則改之。

世界上的一切都不斷地變化着，而我們的意識形態如其依然是「以不變應萬變」，抱殘守缺，自我陶醉，這怎末行呢？尤其在反共的宣傳工作方面，決不宜漠視現實情況，我行我素。共匪黨原係一種兇殘的惡魔，要用各種實際力量來跟它們鬥爭，才可以打倒它。符咒固然無用，謾罵亦復無益。所以，我們的宣傳政策和技術，今後似有徹底檢討改進之必要，不但名詞術語必須注意實際的效用，即分析敵情，亦應以客觀的心情為出發點，而不可先就製定一項主觀的結論，然後再去找資料，教客觀事實來從屬傅會之，這樣的敵情研究，是無濟於事的。

共產黨是一個名詞，我們說打倒中共，語意顯明，教人立刻發出直覺的心理反應，一定要說成「打倒朱毛匪」，反而有些晦澀之感了。至於「朱毛匪幫」的古董名詞，已與現實不相符合，何必硬要發思古之幽情呢？若夫翻譯外國著作也必以自己特製的術語套上去，更是來拙的宣傳方法。

從任特萊女士的諍言中，我聯想到今日政治上宣傳諸公的觀念與寫作作風，是否隨着時代的變化而有所改變？頗成問題。這一關不能打破，則整個反共救國事業，將有事倍功半之者，豈僅宣傳工作而已哉！

憶西南聯大

——謹以此文紀念民國四十五年校慶——

王先銘

書桌上一張校慶紀念會的通知，勾起了我許多往事的憶念。

自民國二十六年十一月一日國立西南聯合大學成立的那一天起，一直到三十五年暑假它結束的時候止，我在那兒求學、教課，始終沒有離開這一個學府。

我說這個學校成立和結束的時期，只是就西南聯大這個名稱來說的。它以前稱為國立長沙臨時大學，再推上去便是北大、清華和南開三個學校，三十五年西南聯大結束，三校同時恢復。這個學校稱為西南聯大的時間雖然不足九年，它卻具有悠久的歷史，它的精神也將由三校去繼承，永遠發揚光大。

西南聯大是三個大學合併而成的，各校雖有各自的傳統和作風，大家都能共濟時艱，合作到底，不能說不是一件難能可貴的事情。抗戰時期，聯合大學不止一所，除西南聯大外，似乎都未能好好地合作。單就這一點來說，西南聯大已經很值得驕傲了。合作這一個美德，或許是我們團體中目前較欠缺的一方面，有些機關內為人事糾紛，各方面的力量互相抵銷，事業便無從發展。每看到這種情形，我越發珍愛往年西南聯大的合作精神。

在西南聯大裏也不常聽到民主和科學等口號，師生自由研究，自由發表，互相討論，互相批評。他們在學術上提倡自由競爭，對實際政治也具有這樣的看法。學校裏充滿着民主氣氛，當然不需要喊民主的口號了。許多科學家努力科學的研究工作，從沒有人打着科學的招牌，到處招搖撞騙，藉以謀取什麼名利或官職。

我永遠忘不了那兒一羣具有真情至性、過着窮苦生活的學人。戰時期中，昆明物價昂貴，教授待遇菲薄，如果家中人口較多，薪金常不能維持溫飽。一位學術修養很高的物理學教授，教學之暇擺地攤補助家用。一位化學家和他的妻兒們，利用最簡單的方法做肥皂出賣。一位名作家買不起多季的衣服，披着苦力們用的破棉[illegible]大衣。還有一位曾任外交部長的老教授，落雨天，穿着蓑衣戴笠帽到學校上課，假如你不認識他，可能把他誤認為校中的老工友。他們過着一般人不能忍耐的窮苦生活，但是，他們卻能愉快地，熱忱地教育青年。他們不是沒有辦法改善自己的物質生活，只因他們有所不為，固守着人生善良的道路。

在科學史上有這樣一件事實：一六五四年（有記為一六五一年）德人葛利克（Otto Von Guericke）為表示大氣壓力，曾用兩個直徑約為二十寸的銅質半球，嵌合在一起，抽去球中空氣，兩半球因受大氣壓力的壓迫，互相緊密結合，雖用八匹強有力的馬也不能把這兩個半球拉開。德皇斐迪南三世看了這個現象，便問葛氏：「這件事實有什麼用途？」葛氏回答：「我只知道這是自然界的真理，從沒有考慮過你所提出的問題。」像葛氏這樣治學的精神，西南聯大的園池裏也許比較容易產生，我的師友中就有幾位這樣的學人，他們集中心力探求理論科學，絲毫沒有什麼功利思想。這份校慶紀念會的通知不禁使我睹物思人，嚮往那幾位學人治學的風格。

洋朋友看京戲

丁冬

據說：梅蘭芳，在沒得博士銜以前，率領劇團遠征出洋獻藝，抵達美國後，散發大批廣告傳單，說明上演戲院及演出戲碼，洋朋友念念探求東方神秘古國的國粹，莫不爭先購票，一睹為快。上演的戲是「汾河灣」，為使洋觀眾瞭解劇情，特地由劇院印發說明書，帶了中國翻譯，以便澈底欣賞，並把戲名改為「一隻鞋子的故事」，來增加神秘氣氛。有的還當青衣柳迎春唱得正起勁的當兒，突然在她的背後，一個人從她背後下邊遞過來一個小茶壺，柳迎春接着喝了一口水，然後再唱。這個動作，台下外國觀眾看得大感不解，一位銀行大亨問他的翻譯：「拿小茶壺的人是誰？」翻譯對他說是僕人，這位大亨更愕然，因為說明書上和劇中人並無僕人，而且柳迎春苦守寒窰，三餐不繼，[illegible]

在北平有一位外國朋友，叫約翰——，說得很流利的北平話，公餘之暇，[illegible]欣賞京戲，認為皮簧在中國戲劇史上自有其不朽的地位，尤其臉譜的藝術化，動作的象徵化，舞式的優美，詞藻的含蓄與規[illegible]，諸多優點，都該發揚光大。但對於唱的方面，有點不大滿意，因為除非深明劇情熟讀戲詞者外，實在無法領會唱的是什麼，尤其對於鑼鼓喇叭的吹吹打打，胡琴拉得尖刺震耳，不但掩蓋了唱詞的音韻，而且弄得觀眾頭昏腦漲。

對於平劇上跑龍套的雜亂湊合，認為不當，一些十幾歲小孩，和六七十歲的老爹，拉在一起湊數當小卒，衣着破爛，無精打彩的向兩邊一站，然後從後台出來一位精神抖擻威風凜凜的一員大將，吹鬍子瞪眼朝中間一站，相形之下，這些跑龍套的顯得太寒酸了。一個穿戴得很考究的將軍，怎麼率領這些面帶菜色的老弱殘兵？提起來又是象徵性的，那麼為什麼那位將軍不也來個象徵性的馬虎了事。

至於武打場面，更有意思了，在開打前，一定由跑龍套手拿一打刀（或槍）遞給那位主將，接着殺起來了，這是為什麼呢？身為大將臨陣之前，防身武器不可須臾或離，怎麼由小卒臨時遞送武器？

跑的場面，尤其使他們認為滑稽，譬如玉堂春的三堂會審吧！蘇三披枷帶鎖上了公堂，忽然王金龍背後有人伸手扔出一塊棉墊，接着蘇三跪了下去，這種情形好像那人命令或暗示他這樣做似的，這個放墊子的「神秘人物」，洋人委實不知其來頭。

緊關接要的當兒，也就是劇情到了最高潮，戲台上漸漸的站着一些不相干的人，不知究竟是舞台老板，或是提台詞的人，那些人不但非常自在的走來走去，而且忽而掏鼻孔，忽而挖耳朵，意態悠閒，旁若無人，是闖進後台的觀眾？但又同伶人一同出現在台上。這些人倒底是幹什麼的？外國人不但懷疑，而且永遠也不懂。

滿江紅

中秋作　陳慧君

落葉驚秋，遙望處，河山異色，空剩有，滿腔孤憤，幾番悲咽。塵土功名無限恨，壯懷忍對今宵月，縱人間團圓，總淒絕。

關塞冷，西風烈，離人淚，忠貞血。問東流，淘盡幾多豪傑，[illegible]字回時[illegible]冷，鷗波收拾虫沙劫，欲擕杯痛飲效黃龍，還誰說。

短篇小說　駝二叔（二）

童真

[illegible]

第二年五月的一個早晨，[illegible]醒了我。直至鐘響才慌忙背上書包，跑了出去。外面已是滿眼陽光，林蔭道上，那鳳凰木的亮綠輕盈的葉子像一隻隻翡翠的翅膀，而那股紅艷艷的花朵，又像是一串串的紅寶石。我跑過林蔭道，到達停車處，只見駝二叔正鬆鬆地撐着空車回來。他停下車，才瞧見我獨個兒呆立在那裏。

然而，我認為，沾受他恩惠最多的，還是我們讀書上學的孩子。清晨，他用台車送我們到四五里外的國民學校和中學去[illegible]

「你這時才起來，小聰？」他走近我。

我默默地點點頭。

「孩子，你不該這樣貪睡，」他又說，但他的聲音變了，臉色怪陰沉的，使我不敢正視着他。「你或許以為讀沒有關係，但你可知道，有了第一次，便會有第二次，第三次，次數多了，就會養成懶惰的習慣，這將使你的爸媽痛心。」

他停了停，用眼睛掃了一下台車，馬上又接下去：「我以為無論做什麼事都不要偷懶，總要勤勤力力。就說我，我做這門工作快三十年了，除非得了重病，我從來不曾遲到過一次，你瞧，我每天早上不是都比你們來得早嗎……」

他這樣滔滔地向我數訓着，嚴厲得有甚于我的父親，這大大地刺傷了我的自尊心，我不禁惱羞成怒，漲紅了脖子，猛可地把他推開，一邊狠狠地說：「你是誰？你配教訓我，駝背鬼！」

他踉蹌地後退兩步，為我這意外的舉動楞了好一會，但他一見我轉身自己上路，便馬上趕過來攔住我，婉和地說：「好長一段路，讓我送你吧。」[illegible]車上，然後撐動車子，我抱着敵對的態度，[illegible]他的語音[illegible]入我的耳中：

「我知道我不[illegible]自己是個難看的駝背[illegible]「但是以前，我[illegible]身子，三十年來，[illegible]工作竟使我的背在不知不[illegible]我毫無怨言，我原可因為[illegible]那些不是我願做的工作，[illegible]樣。我駝背，我難看，在[illegible]但我想不到我痛愛的孩子[illegible]我！」

[illegible]說着，悔恨像一條毒[illegible]的心。什麼使我剛才變得[illegible]難道他以前待我不夠仁慈[illegible]的責備不是為了痛愛我？[illegible]然抑制不住地嗚咽起來。

[illegible]他縱然聽見了我的啜泣，[illegible]把我的身子扳向着他。「[illegible]剛才的事難過嗎？」

[illegible]哭得更厲害了。我說：「駝二叔，你一定在生我[illegible]」

「駝二叔是不會生你的氣[illegible]還會用車送你嗎？不過，[illegible]的話，那我當然更喜歡你[illegible]擦掉眼淚吧。」他用他那[illegible]手掌，揩去了我臉上的淚[illegible]

燕塵識小（五十）

魚負生

七、花外竹邊空寂寞

讀者諸君，買一張門票進[illegible]珠宇瓊宮，識[illegible]鳳，作帝子之[illegible]遼金元明清五[illegible]之白宮，問名[illegible]吊，一木一石[illegible]物之閣，與宮[illegible]買票之際，容[illegible]一付對聯，大家欣賞：

[illegible]邊棋戰，壹永瑱閣，日進囊樓[illegible]

清疏淡雅，有[illegible]，我來得遊。[illegible]新華門：[illegible]玉殞幾經秋。[illegible]家有莫愁」[illegible]風光。門樓上[illegible]樓下改為三座[illegible]右中常開，只[illegible]式，[illegible]頭。民國十八年後，大門中門，與民同樂。進門先見一道碍牆。此是民初增建以隔內外。轉過牆去，即刻看見太液清波，蓬山飄渺。可分水陸兩路前行。如果坐船，就在牆後登舟，直達瀛台，逐漸往北。如果步行，東岸北上，亦有可觀。我今舍舟遵陸，請君隨我同來。入門而東，即是東岸，先有一座土山，此是項城遺跡，容後再談。次為藏書樓。再次為日知閣。

前有「魚樂序」，觴石為渠，因山成洞，曲折迂迴，以遞流水音。東岸大略如此。由此而西，即為南海北岸。魚樂亭中有匾額曰「個中自有玉壺冰」。又有詩云「通閘今年春立遲，負鬣三倏尚非時，不須莊惠閑爭論，泳底游魚樂自知。」均係乾隆御筆刻石。流水音以青石綴成許多彎曲，中通以水，水流則音生。蘭亭序所謂「引以為流觴曲水」，已成陳跡，不可復見，而流水音彷彿似之。

然年久石壞，民初已不聞水聲矣。項城全盛之時，二公子抱存修禊於此。一觴一詠，暢敘幽情，不失雅人深致。流水音往西有韻古堂。又西過白石橋，有兩棵柳樹，本不同根，而樹梢合成一處，成為人字形，錫名人字柳。柳前有「人字柳碑」三面刻詩，背刻柳賦。詩文不必多錄，清高宗的詩，其實不見太高。過人字柳又西為仁曜門，此處已到瀛台北面，折而南行。經石橋馳道以至瀛台。

瀛台本是南海中一小島，其中屋宇，各有專名。瀛台只是一個總名稱。此處有一段人所共知的慘史，即清孝欽后囚德宗於此七八年。夜抽吊橋，日進玻璃粉。曾廣鑾為護衛大臣，曾告人曰，「帝上每食，手顫視碗，對予而泣。」項城故後，黃陂尚未遷入之時，曾經開放幾天，我得入內瞻仰，到了涵元殿，似有同遊之人，在旁指點，說光緒被囚之所，嚴冬不燒地坑，冷也冷死了。是否白頭宮監不大記得。此與曾氏之言可以對照。

自由人
THE FREEMAN
（第五九六期）
地址：香港高士打道二十二號四樓
3RD. FL. 20 CAUSEWAY RD. HONG KONG
TEL. 771726
海外總經銷：友聯書報發行公司

怎樣革除官僚的習氣？

指出四種病象，提出三點辦法

·左舜生·

上月十五，蔣總統在台北的一項會議中提出六點，要大家提供意見，這六點中的第二點，便是要大家研究如何革除政客官僚的習氣。

（一）

最近這三四十年來的政治風氣，我也略有所知，深深感到中國政治之所以難於有顯著的進步，確實受官僚的影響不少，現在蔣總統看到這一點，且不惜加以猛烈的抨擊，這可能是政治改進的一線曙光。

可是話雖如此，但眞要把官僚的習氣加以澈底的革除，却也不太容易。

第一，官僚習氣之所以形成，大抵由於國家沒有一種明確而不可隨意踰越的制度，同時也往往由於政府缺少一種堅決而限時，限地，及指定某某機構負責所必須貫澈的政策。記得在抗戰期間，我曾有過八年繼續担任參政會駐會委員的經歷，當時在這個會議的中間，聽取各部會首長的報告，何止百次以上，可是在這類報告中，曾提出『政策』兩字的却僅僅有過一回，當時我覺得異常新奇，所以至今還留有很深刻的印象。一個生息在沒有明確制度和確定政策之下的政府，便是一個最適於官僚習氣發展的溫床。這個理由很簡單：一個政府而離開了制度與政策，所剩下的便只有一種大家鬼混而莫明其妙的人事關係。官僚是最長於應付這種人事關係的專家，不問這種關係如何複雜，他們總可以處理得頭頭是道。久而久之相習成風，所謂官僚習氣便因以形成，像這類官僚習氣充塞的政府，壓根兒便談不上所謂政治。

第二，官僚固然不會做出一件怎樣了不起的好事，但也不會做出一件怎樣顯著的壞事。孟子對鄉原的解釋說：『非之無舉也，刺之無刺也，同乎流俗，合乎汙世，居之似忠信，行之似廉潔，衆皆悅之，……』從實際講，官僚也就是『鄉原』之一種，他們對於似忠信似廉潔這個『似』字，往往做得十分到家，儘管他們不見得怎樣忠信，更不見得怎樣廉潔，但已經做到一個『似』字，您便不容易抓住他們的錯處。

（二）

第三，官僚也並不是沒有長處：一、他們對於公事往往非常熟悉，一件經過他們手辦的公文，他們大抵能做到滴水不漏，絲絲入扣，使您無懈可擊。假如您想推宕一件事不辦，或擱置一件事緩辦，他們一定可以對付得非常妥帖，使得大家只有歎息，却也無法反駁。二、他們飽經世故，熟透人情，善窺長官的意旨，尤其能了解長官的弱點。假如一位長官年事已高，精神上已不勝繁劇，一個標準的官僚，便很容易投合他的口味：只要您在他所簽呈的意見，或在他所做好的一件公文上面，批上一兩個字，並簽上您的大名，這件事便算有了交代，至於後果如何，您自然可以淡焉若忘，他也沒有責任。從這種地方看，官僚好比是鴉片烟，您儘管知道吸多了鴉片對您的身體絕對不好，可是當您的精神和身體困倦之餘，偶然抽上一兩口，却也能使您得到暫時的舒服，官僚習氣之所以不容易革除，這大概也是最主要的原因之一。

第四，官僚是以『不求有功，但求無過』爲宗旨的，他們服務的信條是『多一事不如省一事』，尤其不敢作什麼非常可喜的主張。從前漢朝有一位少年喜事的賈誼，當他被推荐到漢廷的時候，年齡還不到二十，他眼看見漢朝那種表面承平，而對內對外却潛伏着無窮隱患的象象，於是情不自禁，便寫上一篇痛哭，流涕，長太息的萬言書，送給當時那位一代賢君的漢文帝，文帝還只是謙讓未遑，可是那般不願做事的大臣，却已側目而視，覺得這個青年人實在太多事了，於是乎賈誼乃不得不十分委曲的跑到我們敝省湖南，去充當一名不痛不癢的長沙王太傅！可是文帝究竟是一位賢君，他對賈誼還是留有很深刻的印象，因此當他心血來潮的時候，還是偶然要約賈誼去談談，但在當時那般官僚包圍把持的局面之下，能談什麼呢？『可憐夜半虛前席，不問蒼生問鬼神』，於是乎這位一代才人的賈誼，爲這般官僚所壓迫排斥，除掉抑鬱以死而外，當然沒有第二條路可走了。東坡畢竟只是一個能說議論的文人，他還希望賈誼能够『上得其君，下得其大臣，』如絳灌之屬，優游浸漬而深交之，使天子不疑，大臣不忌，然後舉天下而惟吾之所欲爲，不過十年，可以得志！』我的天，像賈誼那樣一位才華橫溢的青年人，您如何能叫他另具一副伺候官僚的政客嘴臉呢？總之，官僚是以包辦把持爲全部位爲他們的職志的，這種把持之局一旦構成，即賢明如漢文帝也不容易擺脫啊！

（三）

根據上面的幾點，假定蔣總統眞有革除官僚政客習氣的決心，我便希望從下舉的幾點下手：

一、樹立國家的制度，一定要使得一般的政治能逐漸走上民主憲政的常軌。

二、依據一定的政策，委任責成，不問官僚不官僚，有成績者留，無成績者去。

三、服官太久，或年老力衰，又從來不曾表現顯著的成績，便不妨讓他們休息休息，或特別加以安頓，總要使得一般三十四十的青年人和中年人，能多有一點過問國家政治的機會。

不把一潭死水的局面打破，我對反共抗俄的前途，確實是不無憂慮的。（完）

美國在西班牙的基地

·胡養之·

由於中東的動亂，和蘇聯欲出動志願軍參戰，在西方控制中的地中海又沸騰起來。

西方國家防共的戰略防綫，在歐洲南部的設於地中海，而地中海防綫，東端却是土耳其。不過土耳其的供應綫，却全靠地中海交通綫的通暢來維持。不過土耳其以西的防務地帶在法意境內，由於法國和義大利共產黨的囂張，顯得薄弱，而法屬北非也因內動亂不已，影響美國在該地區的基地安全性。因此，美國軍事設計人員，決定在西班牙，建立海空軍基地，以彌補這種缺憾。

全由西班牙人管理

不過美國與西班牙也還經過兩年的談判，才獲得協議締結協定，准許美國在西班牙設立多處基地。基地的所在地，現在雖未見宣佈。但據說空軍的基地是在西岸的……，南岸的塞維爾，東岸的巴塞倫那，瓦倫西亞，和迦太基那；在西班牙中央的馬德里和畢帝城。海軍基地在西岸的費羅爾，南岸的卡地斯，東岸的瓦倫西亞和迦太基那，東岸外的巴里阿力克羣島，和直布羅陀南岸。

空軍基地，有些是全新的建築，有的是就舊規模加以擴充。跑道多在一萬二千尺長以上，以便美國新式轟炸機降落。機場內油庫機庫和宿舍都是現代化的。不過西班牙的美國基地和北非的有點不同，因北非的複雜基地統系，全由美國人負管理。而西班牙的，却由西班牙人管理，美國空軍純粹是借用性質。

海軍基地則有碼頭，倉庫，和裝卸大宗貨品的設備。卡地斯和迦太基那兩處有良好的海港，費羅爾則需河流進入內地五十英里，海港需要疏濬，然後才能容納美國的巨型船艦出入。

本來在西班牙建立基地，困難很多，其中之一是基地建成之後如何供應，西班牙沒有現代化的公路足供美國載重車裝載作軍事物資來往。鐵路年老失修，若是用來作軍事運輸，必須大加修葺或是重新另舖軌道。

有了基地就要有軍隊保衛。西班牙陸軍有二十五萬人，編成二十二個師，可是沒有現代化的坦克車，重砲，高射砲，電子儀器，雷達儀器等。這些武器仰賴美國援助，但是有重砲和坦克，還需要子彈；有了電子儀器，還需要美國技師前往指導運用。將來維持基地的經費，定多於建築基地的經費。

此一基地的優點

大西洋公約國家，除葡萄牙外，其餘的多數反對美國在西班牙設立基地。有的認爲美國不應該支持佛朗哥政權，有的認爲在西班牙半島設防，聯盟國軍隊於蘇聯發動攻勢的時候，將爭先撤入，而不肯在歐洲中部拚一死戰。

美國軍事人員相信在西班牙建立基地，利多害少。最重要的一點是西班牙共產黨勢力極微，一九三六年西班牙內戰，共產黨失敗，從此一蹶不振。佛朗哥政權一直推行着反共政策。西班牙在地理上旣扼住地中海西面的門戶，又容易保衛。周圍三面是海，北面是崇山峻嶺，只要少數陸軍配有電子彈就能够防守。西班牙離鐵幕一千英里。基地可不怕蘇聯噴氣機襲擊。由西班牙起飛的美國飛機，却能够與歐洲基地的美國空軍相策應。西班牙沒有英國那樣畏懼飛彈，也沒有北非那樣畏懼當地共黨騷擾。

美國在地中海駐有第六艦隊，而地中海西部久已需要安全而設備完善的海港。假如除海軍外，又有美國陸軍駐防直布羅陀，則地中海西面門戶，沒有被敵人封鎖的危險。

北大西洋公約組織的軍事設計人員，當然不準備於歐洲失陷時候把軍隊撤入西班牙半島。可是有這一着退步的棋，總勝於沒有。美國在北非摩洛哥建成空軍基地五處，先後花了五億元。西班牙基地，從低估計，大約需要三億七千五百萬元。三年之後基地完成，歐洲的防務，將或者有希望強化起來。

日社會黨將與中共舉行國家關係事務之協商！

鈴木茂三郎强調未來談判之重要性

（本報特訊）自日蘇莫斯科談判結束後，日本自民黨內部之分歧日漸明顯，朝野多有不値鳩山此行者。反之日本社會黨方面却積極乘機活動。據日本政界方面人士謂，社會黨雖有時表面也「反」蘇，但却又非常同情中共，社會黨人士迄今認爲中共是中共，蘇聯是蘇聯，因此該黨認爲可以「反蘇」而不必反中共。同時該黨爲與自民黨分庭抗禮起見，也力圖謀與中共建立關係，而中共暗中支持該黨之經費亦已成爲公開之秘密。本月四日，該黨委員長鈴木茂三郎，在山口縣防府市發表談話說，該黨爲了與中共協商恢復邦交等其它重要問題，已決定於明年一月廿日前後派遣一個正式的代表團到北平去，他特地强調這個代表團不是考察和觀光性質。鈴木更指出，該代表團還將與中共商談有關日本社會黨的五年經濟計劃同中共第二個五年計劃之間的合作具體方法，此外尙有貿易及文化交流的具體方案，亦將在該次協商中涉及。

鈴木又認爲，此次談判，將不致引起所謂中國問題的複雜化。換言之鈴木是完全漠視自由中國之存在和主張「兩個中國」說法的。同時還公然發言，竟然以一個黨的組織地位而與中共作正式之「恢復邦交」及「經濟合作計劃」等事項之談判，其居心何在，也難想見。

値此日本政潮起伏不已之際，日本社會黨之動態，實在是値得注意的。（金）

半週述評

·司馬璐·

中共二中全會

中共最近召開了一個八屆二中全會。根據中共的黨章，全會應該一年召開一次；根據中共的習慣，三五年不開全會也是常事。例如，七次大會和七屆一中全會于一九四五年召開後，七屆二中全會到一九四九年才召開的。這一次，八次大會和八屆一中全會舉行過才一個多月，就舉行二中全會了。

毫無疑問，這一個多月來國際局勢的變化，完全打亂了中共八次大會對時局所作的估計和判斷。

擁護蘇聯宣言

最近中共步驟的混亂，最突出的例子就是中共對波、匈事件的態度。

如所週知，中共對于波、匈事件，起初默不作聲，然後作隨，直到十月三十日，俄共發表了『關于發展和進一步加强蘇聯同其他社會主義國家的友誼和合作的基礎的宣言』以後，十一月一日，『人民日報』才發表了一篇『擁護蘇聯宣言。』

俄共的『宣言』是爲緩和東歐的反蘇情緒而發的，所以它不得不承認蘇俄奴役附庸國家的若干事實。

「和平」的貢獻

中共的『擁護蘇聯宣言』是在俄共『宣言』的基礎上加以發揮的，甚至可以說，它具有替蘇聯解圍作用。因此，在那篇『人民日報』社論中，中共也不得不假惺惺地對東歐國家說：『波蘭和匈牙利的人民，在最近的事件中提出了加强民主獨立和平等，以及在發展生產的基礎上提高人民物質福利的要求，這些要求是完全正當的。』

但是，第二天，蘇軍竄入布達佩斯，用大砲和坦克『保衛社會主義』，十一月三日的『人民日報』又完全改口了，中共竟誣衊俄共屠殺爭自由的匈牙利人的行爲是『對于整個世界和平的巨大貢獻。』

國際主義原則

匈牙利人民和納基政府反對華沙公約，中共誠惶誠恐地爲蘇俄的立場辯護。十一月四日『人民日報』說：『華沙公約必須繼續存在，它不但是歐洲各社會主義國家安全的保障，而且是整個世界和平最有力的保障。』

十一月十四日『人民日報』說：『匈牙利事件對於各國社會主義者也是一個重大的考驗。匈牙利事件考驗他們在鬥爭的驚濤駭浪中對於社會主義的原則和無產階級國際主義的原則是否眞正忠誠，在困難複雜的環境裏是否能保持馬克思主義的淸醒頭腦，而不陷于動搖，沮喪和迷誤。』

考驗對俄忠誠

十一月十四日『人民日報』社論發表時，八屆二中全會正在進行，這等于明白的說，當前中共所處的環境是『困難複雜的』，黨內一部份同志，『陷于動搖，沮喪和迷誤』，因而必須『考驗』他們『對於社會主義的原則』『對於國際主義的原則』是否忠誠。

劉少奇在二中全會的報告中說：『社會主義陣營各國必須堅決地加强以蘇聯爲首的團結』。

毛澤東號召一個新的『整風』，來應付當前的局勢。他並特別强調中共『蘇聯各人民民主國家及全世界的社會主義力量』共同的勝利。

今天中共對蘇聯的『忠誠』，人們還應該有所懷疑嗎？

以、英、法出兵的前後

・式一譯・

中東戰爭的爆發，是一種賭博行爲，亦是算計好了的一件事，以色列的意思要在一星期之內，擊破蘇彝士運河的埃及軍隊。英法兩國則要在十一月十一日控制並佔領運河區域。

神旨領導以軍進攻

以色列按照日程表的期限以內，完成了任務，在十月廿九日夜間，以色列獎勵部隊的神父領袖，把一個神旨放在猶甲吉普車裏，頭先開路，並說：「你們將進入神聖的土地，因爲那地方的摩西，我們的先知，接受了這神旨」，以色列三個縱隊分途向西，進入埃及的西奈沙漠，戰爭於是開始。

斥候隊不到一天就進抵蘇彝士運河區十八哩以內，主力的攻擊又改由北方，直向地中海地區，切斷了加薩地區，同時把西奈半島的埃及軍隊主力約有三萬人和幾十輛戰車包圍起來，從星期一開始後九十小時，納撤的軍隊有大半被俘或被消滅。

英法出兵，進攻，噴射機由塞浦路斯起飛到埃及，使埃及空軍在地面上被炸毀，攻第四日，倫敦宣布，納撤空軍已完全消滅了，約有三天之後，以色列軍隊向地中海埃及地區，及紅海的沙漠，埃及不動，似乎尚未決定是否進攻；可是在世界另一地區——匈牙利——特別是東歐——又發生一樁驚人的事變，不遜於英法的行動。

英法出兵的四個假定

英法用先以空軍轟炸的行動，倫敦和巴黎的行動，甚於四個假定：軍事的行動要迅速，決，成功的機會甚大，國家使不敢動，戰爭後加入行列，現在尚有疑慮的：

蘇彝士運河區很容易的佔領了，可是納撤已將作戰河底，同時納撤又宣布，蘇彝士運河已經沉船封鎖了，在他打算強制力之下，他打算強制停止英法的軍事行動。

他們的四個期待都落空了。「支持三週以上。」你就安全了。」納撤的阿拉伯國家有不少的人，長久受蘇俄的影響，石油管之三，中東生產石油的國家在中東的四大油的主流已經停止了。

散了西方國家的同盟，但是英法兩國覺得美國與他們的利益不同，所以讓他們放下蘇彝士，他們亦相信，美國的政策，不願納撤蘇彝士的航運，以西方國家的油田，以及法國的北非，有什麼威脅，要堅持和平。

停火計劃的二重性

英法冒險遠渡美國的危險，他們所計劃的行動，甚至並沒有通知美國，華盛頓有些官員確議欠行動，戰爭模擬合做，不作件」。還有人說是拆。

最近聯合國緊急會議，發表六十三個國家贊成美國停火和撤兵的建議，甚至加拿大亦拋開英國的立場，而英首相艾登及法國首相，認爲聯合國警察行動對付納撤是正當，這樣的辦法，出乎兩方國家意料之外，在西方國家拉攏何牙利的暴動，採取嚴厲的報復手段，由此又把西方國家拉攏一起了。

此一計劃嘗試把握和平，最後蘇彝士運河國際化。

加拿大外長皮爾遜提出關於聯合國警察部隊計劃，可把英法在埃及的武力變成聯合國的一部份，他的計劃正是美國的方面，這計劃是一個公平的計劃，因此在聯合國中，阿拉伯以色列邊境的性的，在中東團結西方國家，以對抗蘇俄的基礎，由於揭破了蘇俄在匈牙利的假面具，以往的計劃，進行更不容緩，西方民主國家由於很快澄清自己的事情，仍可以挽回亞洲和非洲的同情與支持。

因爲納撤注定了失敗，可達成最後勝利，戰爭的準備能夠迅速診止，但是眞正的安定，必須解決阿拉伯以色列的紛歧，這些問題，同溯一九四八至四九年的巴勒斯坦戰爭，沿以色列的不安靖的邊境，殺人已不算一回事，國家的法律，一報還一報，在邊緣上，一百萬被驅逐的阿拉伯難民靠救濟生活，最困難的工作，在灰塵打掃了以後，就要來到的，（譯自十一月十二日新聞周報）

台南監獄參觀記

・昌增勳・

（台南司法界，於本月十一日，慶祝司法保護節，邀請機關，學校，人民團體等主官暨負責人參觀監獄並設宴款待，筆者對監犯生活久欲了解，遂應友人之邀，亦往了參觀，與電台記者莊君共同前往參觀。

筆者從大陸逃至海島，鑄過台灣，筆者在大陸經過一年又八個月的鐵幕生活，中共所給予筆者的罪名：一是反對徵糧，二是反對退押減租，三是反對建設公債，四是反對「土改」，及反對「統購」等等。筆者與反對「土改」（台南監獄）的生活，與輿論方面，對自由中國的司法還有許多不滿，筆者參觀之後，覺得有許多值得稱許的，是筆者今所要報導的監獄囚犯的生活。

後，覺得中共統治下的犯人不必說，恐怕也不會像今日台灣監獄裏的罪犯那樣好，傳作投降的貳卒邵力子，他們所享受的自由，人觸景生情，味，現在看到此內牢獄不禁使人觸景生情的監獄滋味，現在看到此間監獄之中，囚犯的生活情形，及監獄的設備。筆者廿年前唸中學時，老師談及外國的監獄如何好，總以爲是說夢話。事到今日，筆者竟在台灣看到了。

文明國家，對罪犯的懲罰，已捨棄以惡報惡的刑罰。取而代之的是用教化來改變其犯罪劣性，導向重新爲善之途。以易務爲良，改悔向上爲目標，台灣光復後，民國卅五年十一月十一日，成立司法保護會，嗣並定是日爲司法保護節，旨在保護囚犯及出獄人，使其生活安定，改過遷善，不至重蹈法網，以維持社會的治安。今日台南監獄的情形，便是如此。

台南獄所協進會，近向各界募資，添建了診療室，管救室，女獄等。使台南監獄規模宏大，設備完善，甲於全省。該獄原有課室，自修室，圖書館，印刷，木工，竹工，籐工，鋸木，縫級，織襪廠，農牧，園藝，鹽運動場。經此增添設備更爲完善。且每處裝有廣音器。在工作，廳聽，與運動，及睡眠前後，優美的歌唱，誘導的呼聲，不斷送入耳鼓，使人感動與反省。囚犯在這廣大的監獄裏，聽任自己選擇其工作。在工作中去學習，在學習中去懺悔。這種以教代刑的方式，將囚犯分爲補習，高級，初級，識字四班。在工餘課畢時，進閱書館，閱讀書報，遊覽花園，打籃排球，練器械操，研習平劇，在監獄的大門內，自由行動。規律化的生活是學校化工廠化。早晚一律參加升降國旗。穿着制服，剃光頭。獄中所出產品，與市面貨物可以媲美。售得價款，除增加營養與福利外，尚可分得工資，監犯們在這現代化的監獄裏，簡直已忘記自己是囚犯，而且他（她）們可以說自己喜歡說的話，讀自己喜歡讀的書，也可以寫自己喜歡寫的文章與日記。

筆者覺得這是台省司法的一大進步，雖然還有可改良的地方。大體上說可以值得稱讚的了。（十一月十一日）

人物介紹

亞洲鐵人楊傳廣

・天生・

中華民國參加第十六屆世界運動會代表團，已於本月八日，由總幹事江良規博士率領，乘民航公司飛機返國，赴澳洲墨爾本，出席在該地舉行的世界運動會，本月十二日至廿八日止，爲國爭光不少。

此一代表團全體職員及選手運動員共計四十八人，其中以亞洲鐵人楊傳廣最爲世人矚目，因爲他曾在中國體壇上寫下了十一項錦標；在全國紀錄，亞洲十項全能等項目，這次參加世運，大家都寄以很大的希望。

台東山地的彗星

楊傳廣和其他三位參加遴選田徑選手，林德生，蔡成顯及吳春財一樣，出生於台東部山地，自幼即愛好運動，但他在運動方面的天才，到卅九年才被人發現。

當時張震海君在台灣東部主持田徑事項，無意間在一次軍民聯歡運動會上發現了這個楊傳廣，在張君指導下，以後就請其加入張氏所主持的縣隊田徑隊，楊氏在縣隊中拚命苦練，成績蒸蒸日上，以致六年之後能獲得第二屆全國運動會上的十項全能冠軍，爲自由中國爭光不少。

名教練幫助甚大

楊傳廣的成功，除其自身的條件以外，最主要的還是靠名教練的傳授，據他自己說，影響他成名最深者，有下列三位名教練：

第一是日本田徑名教練職田。這位曾經率領日本田徑選手，到馬尼剌參加世運的名教練，當時不論中，印，菲，等國選手，向他請教任何田徑動作，他都詳細指示表演。楊傳廣自認，他能在亞運會獲得十項全能冠軍，和職田的悉心示範有很大的關係，楊氏曾問職田如何更能跳更高的撐竿跳，職田毫不保留的給他指出決竿，以致楊傳廣在撐竿跳這一方面，也有很高的分數。

第二是全美標槍之王米勒：米勒被中華田徑委員會關頌聲從美邀請來台，作田徑示範表演，並單獨指導楊傳廣，改進他的跳躍方法。在短短的兩月之中，楊傳廣在米勒的細心教導下，成績大爲進步：鉛球從十二公尺升到十三公尺。標槍從五四，升到六三，跳高由一米九二升到二米零二。高欄由十五秒三減到十四秒六。撐竿由三公尺升到三公尺六十餘。百公尺由十三秒三減到十秒七。鐵餅由三八升到四一。四百公尺由五分減到四分四十秒。跳遠現達七米廿左右。所以有人說假使沒有米勒的傳授，楊傳廣自然不會有今日輝煌的紀錄。

第三齊沛霖，誰都知道齊沛霖是我國著名的三鐵大王，最近由美歸來，繼米勒離台後，爲楊傳廣的教練，齊將在美國學來的心得，全部傳授楊傳廣，當然楊氏又會更進一步。

目前成績達世界水準

據張震海先生在報端透露：米勒離台前夕，楊傳廣的九項成績，以六千三百九十五分（一千五百公尺賽跑因故未賽）超出亞運所創之成績九百四十一分。如今成績迭在進步中，且已可超出七千分以上。目前全世界十項成績有七千分以上者，美國有約漢生、金貝爾、蘇俄有庫茲索夫及庫耶柯，德國有梅爾。

數十年來，我國在歷屆的世運會中，田徑方面始終保持鴨蛋的紀錄。此次楊傳廣前往參加，如能臨場鎮靜，不生意外的話，必可獲得四、五名之榮譽。

楊傳廣還沒有女友，目前也沒有找對象的打算。他很孝順他的父親。遙望着漫漫的雲山，我們希望他能勝利歸來。

（完）

阿里山下

是老實話嗎？

據最近來台訪問的美國專欄作家白朗先生，在離台前向某報記者表示：「就我所見所聞，你們已有一個清廉政府。」友邦朋友對我們有如此好的評價，眞值得快慰，但願這並非是客氣的諷刺就好了！

王德溥早該下台！

監察院近對內政部長王德溥等，處理工人報變更登記案，認爲不顧法律尊嚴，損害政府威信，提出彈劾。其實，王部長之不滿輿情，已不自今日始，遠在四十三年，曾非法撤頒「戰時出版品禁止或限制登記事項。」當時輿論爲之譁然。王部長不於彼時自行引咎，受此彈劾，不知又將何以自解？

江杓發現眞理

經濟部長江杓，近在第十屆工業節慶祝大會表示：今後在行政方面，對於工業管制，將逐漸考慮放寬，我們覺得幾年來，在經濟方面，政府濫用權力，結果弊端層出不窮，現在主管當局有此覺悟雖覺過遲，還是可喜的。

梁寒操卜算

中廣公司董事長梁寒操，於國父誕辰日某集會上，指出「十七年」這一數字對民國命運具有玄妙的聯繫。並以卜算口吻，斷言反共大業，必於民國五十一年前完成。我們希望梁先生這一預言，能夠眞正的實現。

「自由中國」三版

「自由中國」祝壽專號，出版三天即行再版，早又售罄，現因各分銷處紛紛索購，特發行三版問世。足見刊物，只要眞能根據事實，說出老百姓內心所想說的話，自可獲得讀者，絕非獻媚吹捧所能濟事也。

監委受賄十五萬

監察院近通過行使職權，爲各界所重視，不料有監委何某，前因新竹縣某務所寓某，涉嫌受賄十五萬元，近於分贓時，當場被搜捕法辦。此等事實，固無傷於監察院，但是監委本身不健全，難免給人口實，謹以贈諸公，戒之！戒之！

貪污二千萬元

・傳正・

省農林廳管理局前任局長李顯卿，與皮作璜等，近因在職期內，有官商勾結貪污嫌疑，據有關單位調查，其中涉嫌數目高達二千萬元之巨。按李某離職已四年之久，他的貪污尚未被發現，可見我們沒有更好的制度，如不改進，貪污也是無法撲滅的。

南台拾穗

・蘇玲・

病村何時遷

台南縣皮膚病村，村民近千在貧病交迫下，各方至爲關懷，大員、專家、博士之流紛來查察，作觀察，考察，座談以至忙煞村長爲遷村之議一年前就見於報端，而據聞並非定案，所以不斷研究、討論。直到本年八月廿三日民政廳邀集東縣長率領技術人員按村考察後，正式決定遷村於南縣附近之時成立南縣復榮村（皮膚村不雅，改稱爲復榮村），並有遷村計劃執行小組。現在又過去二個多月，村民之病亦日趨嚴重，渠等猶在貧病苦熬中，掙扎於死亡邊緣上，渴待遷村之實現，但是事實却仍滯在研議中。高縣長日前又率領有關人員晉省陳情，請求速予遷村，希望高縣長帶回好消息，使村民早離苦海，阿門！

女人是禍水

南市兵役科長吳錫鑽，因攜帶酒女白燕赴關子嶺旅行，後與該女發生糾紛，省府以吳錫鑽嚴重失職，令免職。吳科長赴關子嶺旅行，有其他縣府職員同前往一人，尚有酒女八名同行，如攜酒女旅行，未被免職？吳科長何以未被免職，求見同事，至酒女白燕與吳科長之不合，吳科長報告本市之醜聞。吳科長是否有此行？吳科長說：「女人是禍水」。

發選舉財

各縣市長與省議員的競選，在南部已公開活動，參加競選者大都在數人以上，難道說小子們不知分與輕重？不！他們有這一套辦法：他們有看一個如意算盤：誰要「阿拉」放選，「阿拉」的條件，就除了退讓要，騎來還要搞一官半職。不然大家都一樣上不了台，這種辦法，並非「阿拉」新創，不過是效尤而已。

大選後的美國果有新面目
艾克一言輿論鼓掌
香港人對美在聯國態度均予支持

五九四期本刊曾經指出中東和東歐事件今後的發展，端視美國大選後所採的態度如何，而香港人也可以說是自由世界都在寄熱望於美國。

再度當選總統的艾森豪果然沒有令世人失望，艾克的一句「聯合國之行動，不限於所通過之決議案」談話，澄清了美國對中東和東歐兩事件的立場，也對極權國家顯示了自由世界的力量，不再爲危言所嚇倒了，無怪乎本港有一張晚報大呼「艾克好嘢！」

艾克的一句話

中立的中聲晚報的評論是以「艾克好嘢」爲題的，該報稱：

艾森豪終於挺身而出，說了兩句公道話，並表示美國可能支持聯合國行動，對於當前緊張交作的時局，彷如給服了一劑清涼散，有祛暑退熱之效。

艾克昨天在記者招待會中說：美國將支持聯合國之行動，反對蘇聯派志願軍開入埃及，聯合國之行動，「不限於所通過之決議案」。

「不限於所通過之決議案」一語，按照英文原文，是說聯合國除決議之外，還要採取行動。艾克並且提出，此事會有先例，即聯合國曾經在韓國採取行動。

聯合國出兵韓國遏止侵略，使遠東局勢頓形穩定，在當時乃屬石破天驚之舉，至今被譽爲杜魯門之傑作。艾克以二次大戰英雄，入主白宮，標榜「解放鐵幕」政策，一時宇內咸對艾克寄予期望，但四年來艾氏並未採取行動。這次匈牙利及中東事變，美國未有堅強行動採取，以致蘇聯十分猖獗，既在匈牙利大肆屠殺，又揚言要派志願軍前赴埃及參戰，使世界人士，對世局前途，不勝憂慮。不過各方亦知美國因在大選之中。故未正面有何表示。

公道自在人心

果然艾克勝選連任之後，對於蘇聯揚言派志願軍參加埃及之亂，出以嚴正表示，謂美國可以一如派兵援韓，支持聯合國對作亂者予以痛擊。但是艾克更有表示：「目前須設法撤開埃及問題，以便協助匈牙利人民之不幸」這一句話，尤其是當前的公道話。

匈牙利人民仍在浴血抗戰，亦即蘇軍仍然在匈牙利，繼續屠殺，不理聯合國「蘇軍撤出匈境」之決議，目前埃及並無戰火，運河問題等當可徐圖商決，而蘇聯竟野蠻異常，謂欲派志願軍搗亂。匈牙利人民，且在蘇軍炮火下被殺，匈人再三呼籲，聯合國及自由世界，誠非予以救援不可。艾克兩項表示，前者表示美國將支持聯合國，以武力對武力，大概可以制止蘇志願軍之開出，使埃及

艾克之言令人欣慰

星島日報的社論更指出了艾克此舉合乎了輿論的要求，該報稱：美總統艾森豪在白宮記者招待席上宣稱：美國將通過聯合國，反對蘇俄或中共派「志願軍」到埃及，干涉運河事件。他提到聯合國出兵制止韓戰，暗示聯合國亦可以出兵到埃及去，制止戰爭。他這番話，說得相當有斷決性。是美國大選後，艾森豪第一次說出有斷決性的話。這顯示美國大選之後，對國際事件，已改採較堅決態度。對待共黨國家集團，態度已變得強硬。這將使自由民主國家集團人民，聽了感到欣慰。

美國大選一完，艾森豪以壓倒多數票，獲連選連任後。我們便在十一月八日社論中，主張「美國大選既定對世界局勢當有表示」。我們認爲：美國政局一定，當有比較有膽量，有決斷的表現，以解決目前世界紛爭。對于蘇俄之叫囂，亦當還以顏色，……溯年來，國際事件，很多受了美國大選的影響。蘇俄明白美國在大選期間，不敢有所作爲，納薩之突然把蘇彝士運河收歸國有，毫無忌憚，亦因認爲美國忙于大選，未遑兼顧。今美國大選既定，當有所表示，使世界局勢改觀。對於埃及，亦應施較大之壓力……。

十一月九日，我們呼籲：「艾森豪應有『新貌』與世人相見」。十一月十日，我們在這裏更進一步，主張「美國應有決斷以打擊俄共野心」。在這樣動盪的世界局勢中，可以起穩定作用的，要賴美國強硬。如果美國能夠對俄共強硬，表示不惜一戰，俄共當有所顧忌而讓服；倘若美國游移不定，畏首畏尾，則俄共必乘虛而入，展開侵略，美國已面臨決斷的時候了，艾森豪既獲連選連任，應當放胆做去。

現在，匈牙利人革命，已被廿萬俄軍所抑阻。俄共便想到向埃及伸手，一方面在中東建立勢力；另一方面牽制自由民主國家，使他們不便干涉俄軍在東歐之行動。九萬蘇俄「志願軍」，據說已整裝待發；中共非官方方面亦嚷着有廿五萬「志願軍」要赴埃及。像這樣的叫囂，與毫無顧忌的態度，是令人難再容忍的。艾森豪予以警告，此正其時。我們希望美國迅速在聯合國提出反對任何共黨國家派「志願軍」赴埃。明白表示可以由聯合國派遣聯合國軍，到埃及去解決紛爭。對于制止俄共軍在何……不致重燃戰火。後者指出匈牙利之局，比埃及還要緊要，須予援助，正是說出全世界人民心中要說的話。

不過，全世界人民雖然憤於蘇聯在匈之屠殺，但有心無力，只能舉行反蘇示威。美國有力，可以制止蘇聯，可以援助匈牙利。由美總統艾克說出的話，便有力一量！艾克之言，大有一舉澄清當前局勢之效。故曰：艾克好嘢！

一闋時代的戰歌：
評謝冰瑩著「女兵自傳」

·楊海宴·

「……我認識了您，……年青而勇敢的中國朋友，是一個奮鬥的新女性……。」——羅曼羅蘭致著者函——

本書初版于民國廿五年，筆者那時還只有六歲，當然無力讀它，到入學後，年事稍長，時常聽到有「女兵自傳」的評譽，却一直沒有機會讀到它。直到台版修正本發行，我這纔獲償宿願，得見廬山眞面目。

作者以個人的故事作經，而以時代背景作緯，用一種沉着平穩的技巧，編織了這部「女兵自傳」。書裏的呼籲，反抗，熱情和希望，無不是代表着當時所有青年們的心聲。在國家遭受暴風雨若難的年代裏，一羣羣的男女青年們，揮着旗，舉起臂膀，像咆哮的江河，從不同的地域匯合在一起，他（她）們唱着歌，那歌聲是熱愛國家，追求眞理，嚮往自由，鄙棄暴力。這是「女兵自傳」的主體，也是我們這個民族所要向全世界昭告的。

書裏的每一節，都孕育着堅忍的奮鬥，天眞熱烈的夢想，對國家親切的愛情，以及明辨是非莊嚴而又強烈的正義感。再加上作者本身眞實不凡的故事，而敍述這些時，既不矯揉做作，又無故意雕琢的痕跡，既自然，又不散漫，完全平淡本色的娓娓道來，故讀它時，就[illegible]，即不忍釋手的吸引力。這吸引力，我個人[illegible]爲「藝術的魅力」，[illegible]曹雪芹著的「紅樓夢」時纔有這種感覺。

這部書不止是作者個人生命的奮鬥史，而是我們民族在這個若難的年代中求生存的血淚紀錄。從封建，革命，北伐，直到全民怒吼的抗戰，作者就是在這新舊更替的洪流中成長着，戰鬥着，並在痛苦頑強的掙扎中贏得勝利。這一切都是親自從那裏體驗過來，故全書所表現的，洋溢着一種自然的力量，不知不覺辭在裏面，使人讀它時，不像我們平常讀一般的小說，總存着一點挑剔推敲的心理。

這眞是一部勇敢的不屈服的宣言，以當時那種根深蒂固的封建環境，而一個女子，爲了服從自己的思想，竟能反抗四次，逃亡四次。且這四次逃亡之中，不只是從封鎖，壓制，以及那些[illegible]稍可笑的手段裏，還要從親子之恩情的束縛下挺起來，古今能有反抗暴力威脅的勇氣，這需要大無畏的勇氣，以及篤信眞理的精神。無怪法國文豪羅曼羅蘭在讀到「從軍日記」的譯文時，寫信給作者說：「我認識了您，……年青而勇敢的中國朋友，是一個奮鬥的新女性……」文藝創作最偉大的價值，就是在激勵堅忍向善的意志，喚起人生面對現實的勇氣，就這個意義來說，「女兵自傳」不啻是這個時代一闋雄壯的戰歌。

我們需要它，尤其在苦難中奮鬥的青年朋友需要它，它給人勇氣，給人慰藉，給人信心，因爲它證明了一點：向善的戰鬥必勝，向自由的追求必成！

這是一部以自傳體裁寫成的小說，在所謂「章法」上來講，也許有人嫌它稍微散漫凌亂一點，但我認爲這正是自由活潑處，是在所預的地位，可以如行雲流水，在沒有形式中講求形式。好像杜甫的詩一樣，句句平淡，了無驚人之處，而實際却是蘊藉着很深的苦工夫之外，還要包括作者的個性，氣質，思想，胸襟，和境界。

記得以前有人在一篇書評裏，提到過「詩的小說」和「小說的小說」的說法。所謂「小說的小說」，在一般情形中，好像都有着一個固定的形式，如何開頭，如何佈局，如何結尾，如何作爲當中的穿插，如何聯綴頭尾把它貫成一氣。最高一層的，也只是在這種結構中，獨運匠心，以求出奇入勝而已。而詩的小說，却不是這樣的，它是沒有一定形式的，如果勉強歸納，那也只可以說是該開頭的地方開頭，該結尾的地方就結尾了，完全自自然然的，這也就是藝術中所說的「不規則中求規則」。當然，要達到這種境界，無論是創作或欣賞者，都不是一蹴可致的，至少先要對藝術具有普遍的趣味，要絕對破除先入爲主的成見。在這兩個先決條件之下，再下修養工夫，始可望成。因此我認爲從「女兵自傳」的形式上來推求缺點，也許是多餘而無益的，正相反，筆者以爲這種接近「渾然天成」的詩構，正是値得讀者深深去領悟的地方。

如果眞說有缺點，我認爲是在人物的處理上，譬如「恐怖之夜」這一節裏：「……但是愛珍怎麼辦呢？……」這一節以前的各節，從沒有提到「愛珍」這個人物，現在突然提出「愛珍怎麼辦呢？」不免使讀者有點扞格惘然之感，諸如這類人物的出場和交代的枝節上，不無小疵之處。但就整部作品來說，因爲好處太多，情緒上一直與讀陶醉着，所以一點小疏漏的地方反而不使讀者在意了。我這裏只是就一個批評者的立場，非常苛刻的提出來，作爲作者一個參考罷了。

總之，這部「女兵自傳」之所以轟動國際文壇，決不是一件偶然的事，以謝先生的才力，又處在這個比以往更艱難，更有意義，更需要變，更需要熱情鼓舞的空氣下，我們祈求着另一本更光輝有力的鉅作，我想那只是拭目以待的事。

牙利大屠殺，亦應在聯合國追究蘇俄的責任，及有效制止其暴行之延續。

共幹迫害小商販

禁区　有些基層社霸占市場，排擠外地小販

（一）"不是本地貨！"
（二）"不是本地人！"
（三）"不准在這里卖！"

轉載自十一月九日北平「大公報」

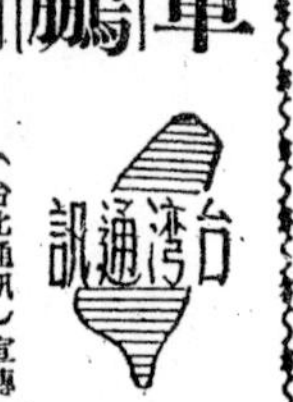

空軍大鵬國劇隊訪菲

‧張瘦碧‧

（台北通訊）宣傳已久的空軍大鵬國劇隊，準備前往菲列賓訪慰僑胞，終于在十一月十日上午九時一行八十餘人，乘着空軍專機三架，浩浩蕩蕩飛往馬尼拉去了。在自由中國，一般康樂劇團中，空軍大鵬的國劇隊，可以算是首屈一指的代表隊，在台灣不但能執國劇界的牛耳，可且在平時國劇的演出，十分稀見的時候，他仍能始終在那裏不斷努力，從舊劇裏改編新劇，從小段零碎戲，編成大段戲，甚至還去收拾久已不演許多有價值的冷戲，從新排演出來，以饗世人。這種精神，只有大鵬，新編戲如鄭成功，勾踐復國，都頗有價值的，改編的如新四郎探母，木蘭從軍，都是配合着國策，發人猛省的佳作。至於冷戲方面，如玉虎姻緣，青石山，荷珠配……，都是具有深意，十分動人。他們擁有生，旦，淨，末，丑，各行俱全，最近又訓練出一部份孩子，武生，花旦，已能粉墨登場，像教師方面，如朱琴心，蘇盛軾……，皆有相當經驗，在努力指導之下，毋怪要出人頭地，大鵬國劇的聲譽鵲起，自非偶然之事，所以此次首次赴菲，出國表演，尤屬是件慶賀的事。

赴菲的陣容中，以王敬桓任總領隊，吳冠羣領隊，馬桂甫任副領隊（即名票醉客）顧振鐸，張鳴鸞任康樂官，郭曉農任顧問，重要團員約三十餘人。以生行爲哈元章，胡卜世英，馬榮祥……等，旦行爲趙玉菁，程景祥，趙原，徐露……等，刀馬坤旦，爲季素貞，花臉張世春，孫元坡……等，武生孫元彬，李金和……等，老旦尹鴻達……小丑醉客，王鳴兆，……小生朱冠英，朱世友，……小朋友們，則有嚴利華，楊丹麗，古愛蓮，紐方雨……等，皆屬優秀人才，同時行頭也非常講究，即文武場面，亦配合緊湊，頗爲道地。據悉該團在菲將有二十天之勾留，共計演出十場，重要節目，爲盜御馬，拾玉鐲，金山寺，鬧房樂，大戰宛城，新四郎探母，小奎頭關，古城訓弟，掃蕩妖魔（即五花洞），打嚴嵩，姑嫂比劍，鬧龍宮，三叉口，花田錯，木蘭從軍，釣金龜，巾幗英雄，打瓜園，穆桂英進寶，翠屏山，小鴻鸞禧，捧打薄情郎，鄭成功，春香鬧學，華容道，烏龍院，金山寺，大登殿，節義雙明，搖錢樹，轅門射戟，鳳陽樓，兒女英雄傳等。該團行前，於九日下午四時至六時，特由空軍總司令王叔銘氏在中正路空軍新生社處舉行茶會歡送，並邀請名流參加，計有賈景德，齊如山等，儀式簡單隆重，相信此次去菲，定能載譽而歸，並將順道前赴東南亞各地訪慰僑胞。（十一月十一日）

自由談

不堪承教

馬五先生

素來怕聽官府提倡節約運動的聲浪，因爲日常生活費用之節約與否，完全是關乎個人的消費能力問題。專藉體力或智力勞動以營生的勤勞階級，他們的生活費用經常是左支右絀，節無可節了，並不需要別人來說教的。一般收入優裕，或者席豐履厚，不愁衣食的人家，你教他必過着苦行僧似的節約生活，不特爲人情所難能，亦非發展社會經濟效用的常道。中國人講節約主義最透闢而徹底的，殆莫過於墨子，他的學說思想，曾經成爲當代的主流，信徒遍天下，影響及王侯。然而墨子一去世，他那套節約主義就沒人提倡了。此無他，違背人類創進經濟生活的慾望作用之故也。所以，與其勸導社會大衆節約，毋寧提倡儲蓄之爲愈。節約與儲蓄的意義似屬相同，然其作用卻迴異，這是經濟知識的ＡＢＣ，誰也能夠理解的。

就吾國社會現實情況說，可以而且應該實行節約主義的，首推一般有辦法享受奢侈生活的官場中人。搞政治的先生們，根本就不是生產者，日常生活即不過從事於過度的消費。如其一面教老百姓節約，而自己及其妻室兒女們的一雙襪子，一件襯衫，甚至於一張小手巾，亦要向香港來購置，這不是笑話而兼荒唐的玩藝嗎？

節約與夫所謂新生活運動，都是一種移風易俗的社會問題，以身教者從，以言教者訟，這是必然律。曾國藩說：「風俗之厚薄奚自乎？繫於一二人心之所嚮而已。」我一向討厭那些穿着西裝革履，坐在洋樓大廈中，提倡農民運動和高呼「到民間去」「深入農村」口號的作風，因而對於官吏號召人民節約的德政，認爲不堪承教，住口爲佳！如要節約，請自鐘鳴鼎食之家起，吾儕凡民，只有大貧小貧之別，毋勞錦注了！

短篇小說　駝二叔（三）

‧童真‧

這件事，使我跟駝二叔之間的交情更邁進了一步。我開始感到他在我的生活上已經起了很大的影響。他和他的合車已經成了，勤勞和溫暖的表率。早上，當我看到他時，我就警惕自己，我要黽勉，我要好好地利用這一天。傍晚，當我跨上他的車子時，我覺得我一身的疲乏都在他帶來的溫暖中消融了。這兩種感覺，使我對讀書的態度爲之一變。我既用功，又愉快，我們學業也突飛猛晉。學期末，我興奮地拿着名列前茅的成績單回來時，我最先給駝二叔看，覺得這不僅是我的成績，並且還是他的成績似的。

「駝二叔，你祗一個人？駝二嬸呢？」炎夏的夜晚，我常喜歡跟他坐在嫵媚的鳳凰木下。我眺着天上閃爍的繁星，耳畔響着他那娓娓動人的古老的故事。突然間，我想起他冷靜寂寥的小屋，不覺發出這一疑問。

「我沒有結過婚，小聽」，他說。「我年青時曾愛過一個姑娘，後來她嫁給了另一個人。」

「因此你很悲傷，你就永遠不想結婚，」我接了下去。

「她很幸福，我爲她高興，我祇是覺得不需要結婚吧了。」

「難道你不喜歡孩子？」我記起爸爸曾說過孩子是人生最大的慰藉，

「啊，你們不都是我鍾愛的孩子？我有你們這許多孩子，難道還不滿足？」他說着，攙住了我。我也緊偎着他。我承認，我是他的孩子，一個聽他的話而且愛他的孩子。

微風吹動着樹影，月光經過樹葉的篩，變成了點點的碎銀，灑落在我們身上、臉上。我坐正了身子，駝二叔也敞開衣服，迎接涼風。我似乎第一次才注意到他那瘦骨嶙峋的胸部。

「駝二叔」，我說。「你工作得太辛苦了。」

「不，一點也不。」

「爲什末你不請調一個比較輕鬆的工作？」我依然照我自己的意思說下去。「有一天，我曾聽爸爸說起過，以前跟你同時進來的你的幾個同班同學，三十年的資歷，現在他們都升到管理員甚至股長了。爲什末忠于職責的你依舊如故？這是不公平的。」

「別這樣說，小聽，這是我自己的意思，我喜歡這工作。」

我懷疑地望着他。「有高的職位不是更好嗎？」

他沒有立刻回答，沉吟了一下，才緩緩地說：「或許你是對的，孩子，不過，你更得知道，一棵大樹，牠那濃密的樹葉，如果不是爲了蔭蔽人們而生，牠那粗大高聳的樹幹，如果不是爲了人們造屋而長，牠仍舊等于一根無用的小草。而微賤像馬蘭草，你能說牠沒有用嗎？」

我不再作聲。驀地，我覺得我完全瞭解了駝二叔：他的生活，他的待人，以及他對工作的態度，他的人生觀，以及他期望我們的是什末。我抬頭去望他，在暗淡的月夜下，他安詳堅定得猶如一座神像。

奉答王公璵兄臺北代簡並序

‧邵鏡人‧

公璵兄爲長江蘇民政，清風亮節，江淮共仰。抗戰軍興，兼主綏靖，夙著辛勞。終至大陸沉淪，乃攀嶺避地台北，矻矻自食其力，殆令人肅然起敬也。

八年淮海賦偕遊，瑤章分得一囊秋。黃花自挺孤高節，濁酒難澆瀉倒愁。負手江天人不語，東陵莫問故秦侯。

客窗無俚忽誦卓厚亭君見貽佳章詩以柬之

‧前人‧

七年歲月隨春去，萬里江天入夢來。且待明時收薊北，吟鞭同指霸王臺。（徐州有霸王戲台遺址。）

以詩登第

‧戈北指‧

讀「中副」十月二十八日黎明先生寫的「以詩句得名」一文，列舉趙嘏，崔珏等人，以其詩的名句，而爲其本人之名，頗饒風趣；也像現在的作家，有以其成名作中的主人公之名，代其本人之名者，都是很有意義的。古人重視詩詞，不獨一句名詩，可使作者因此而得名，甚至有因一首詩詞的流傳，而竟榮登高第者，較之以詩句得名，更爲榮耀。如「全唐詩話」載：『江東人項斯，初無籍籍名，後以詩謁楊敬之；敬公深愛其才，贈以詩：「幾度見詩詩盡好，及見標格過於詩；平生不解藏人善，到處逢人說項斯。」未幾，詩達長安，項斯因得擢上第。』這首詩的流傳，使項斯一舉而登第，而且「說項」一詞，也成了後人引爲「稱揚人善」的專用語了。

此外，還有一個很有趣的故事：宋中書郎侯蒙，年三十一，始得鄉貢，人以其貌消瘦，酷似猿猴，當取笑之。有位名畫家將其容貌繪於紙鳶上，令兒童引線放之；蒙見而大笑，作「臨江仙」一首題其上：「未遇行藏誰肯信，如今方表名蹤。無端良匠畫形容，當風輕借力，一舉入高空。才得吹噓身漸穩，只疑遠赴蟾宮。雨餘時候夕陽紅，幾人平地上，看我碧霄中。」後來這首詞流傳出去，侯蒙竟也一舉而登第。

這兩個書生，都算是文人中的幸運兒，其當時登第後的心情，恐怕比現在得中愛國獎券第一特獎，[illegible]

燕塵識小（六十）

糜負生

閑話不談，再往前走。進仁曜門，走完一條平坦大道，拾級而登，最北爲翔鸞閣，左右有瑞曜祥暉二樓。再前則爲涵元殿，即光緒晏駕之四年。殿後楹聯云「鸞奏八音諧律呂，鳳銜五色絢絲綸」，一派官腔，近於庸俗。而前面樓柱懸一聯就是前文所引壹永瑣窗開竹邊棋墅，日邁簾櫳靜花外琴聲。眞是十分瀟洒，饒有山林隱逸之趣，異乎館閣廳制之篇。殿東西有藻韻綺思二樓，附以景星慶雲二殿，而後香扆。香扆實爲涵元南向之正殿。過此而南爲蓬萊閣。閣前立長木一方高約半丈，寬有尺餘，棕黃色，彈之聲如金石，所謂木變石，古跡也。

又前爲迎薰亭。亭中有額曰順時育物，詩賦亦多。此亭南臨太液，北枕蓬山，獨立瀛爛，風烟入畫，景物之佳，冠於南海，然遊蹤至此，又當北轉矣。

自迎薰亭北轉分爲東西二路。東路有春明樓鏡光亭，西路有湛虛樓，長春書室。而皆林木參差，泉石幽邃，層樓探崖，飛閣流丹。瀛台名勝，於斯爲極矣。

轉出仁曜門再往西行，有豐澤園。園邊有亭額曰荷風蕙露。更西爲靜谷，聯云「賞勝崇雲巖，萬象總輸奇秀。日陰留竹蔭，四時不改蘢蔥。」過谷至一拱門。門前額曰蓄蔚適於幽處合。門後額曰繪研每興碧中深。門前聯云悟物思遙託，悅心非外緣。門後聯云，芳徑綠而曲，雲林秀以重。數聯皆高宗所書，即事成辭甚爲工切，此中景物，觀此可知大概矣。

入門西行而南轉，首爲芳華樓。再北即爲金匱石室。石室方僅盈丈，以石構成。中置一金色鐵箱號曰金匱。（此係項城稱帝時要的一套政治戲法，暫且不談。後來只存石室不見金匱了。）又北有亭額曰瀉潤珠泉，再北就有卍字廊了。此廊形似卍字，而四周曲折加多。廊下流泉澈清如鏡。繞廊東轉至春藕齋。當年此處爲大總統辦公室，實爲全國政令之中樞。前後皆繞以清流，自遠廛俗，陳列華麗，亦不待言。

由春藕齋北行出寶善門至居仁堂，堂爲西式。則民初曾任總統起居之處，謂之私宅亦無不可。堂之下層楹聯云「雉尾烟明，三宵揚麗旭。螭頭香動，萬字篆祥雲。」上層聯云「水木清華開福地，星雲亂縵麗中天。」堂西有樓曰高芬遠映室，堂東有廊曰水木清華。由廊而東出寶華門後穿林而北，則中海儼然在望矣。

中海形長，隨堤造景。軒亭掩映，合樹鮮明，亦稱勝地。然比之南海，不無遜色。背海而西爲寶光門，轉北爲[illegible]福門，聯云「瑞協珠躔，環宮紫氣；祥凝玉陛，璇極拱丹書。」進門即爲懷仁堂，則歷任總統接見賓客之大場面也。內分三廳。中廳聯云「松棟煥雲霞，瑞開修景，蓬境長年。」又云「旭日光臨，錦屏開百福。彩雲輝映，金鏡燭三台。」東廳額曰綺樹長靄，聯云「鳳苑[illegible]湛露。龍池迎柳色，晴護祥雲。」西廳額曰光絢春華。亦有聯云「五色雲英，瑤階滋秀草。千年露實，[illegible]」其中金碧輝煌，丹青錦繡，瑰奇華貴，氣象萬千，足以表現東方文物之盛，上國衣冠之路。（懷仁堂似係[illegible]是否待考。）再出寶光門，紫光閣，皆是中海西岸。[illegible]矣。循堤而北，一路松柏參天，荷錢帖水，縱非絕勝，亦足流連。[illegible]華門，而中海之遊亦畢矣。鄙人義務導遊，至此跟您告假。[illegible]華門外，玉蝀金鰲，小白塔邊，團城[illegible]佛。諸君如有雅興，明日再從遊吧。

更正：第五八六期本文（九）下排第二行第三字起，多印了（「」之下，添幾句「」八字，應刪除。

憶洪都

‧黃鍾彝‧

會泛中流一葉舟，乘風破浪效雲遊。攀登牯嶺晴川近，怡然鄱陽友誼悠。古剎淒涼千尺佛，微波蕩漾百花洲。誰憐高閣搖風雨，盡與亡共九州。

南昌爲江西省會，唐時曾稱洪都，爲江南重鎮之一。雖處江左，但水陸交通均稱便利。當乘舟自長江順流而下，行抵九江即入江西界，[illegible]鄱陽湖爲五湖之一，位置於廬山五老峯下，明朱元璋曾與陳友諒會戰於此，[illegible]

南昌城[illegible]寺，忘其名？供有丈二金佛一尊，廟宇荒蕪，烟火斷缺，淒涼如故矣；百花洲在城西，湖水清澄，倒影橋合，映入湖中，誠爲不可得之佳景。滕王閣在市區南隅，此數千年之名勝古跡，相傳此閣建于唐初，[illegible]之文明古國依爲命，閻遺滄桑甚矣！

自由人

THE FREEMAN

（第五九七期）
中華民國僑務委員會
內政部登記證內警台誌字第一〇二號
中華郵政台字第五〇〇〇號
執照登記爲第一類新聞紙類
（半週刊每星期三六出版）
每份港幣壹毫
台北市售價台幣壹元
督印人：[illegible]
社址：香港高士威道二十號四樓
3RD. FL. 20 CAUSEWAY RD. HONG KONG
TEL. 771726
承印兼發行者：自由出版社
地址：南蘭道六十四號
台灣總經理處
台北市重慶南路二段六巷七號二樓
海外總經銷
友聯書報發行公司
香港申結道二十六號二樓

論英國與中東

●曾旭軍●

論者多以英法對中東之小不忍，以至受納撤之牽制，而亂解放東歐之大謀。此說，筆者迄今尚有懷疑，不敢苟仝。其實中東與東歐，同受克姆林宮所操縱。蘇俄對中東之深謀遠慮，似尤過於東歐。東歐附庸之謀脫離鐵幕，在蘇聯方面係被動的，保持守勢的。但對中東，處心積慮已久。如一旦插足埃及，號召阿拉伯民族及回教世界，聽從其僞民族主義的唆擺。則完全可以攀據亞洲大陸心臟地帶，以囊括東亞。美國勢非退守美洲不可，而歐洲殆矣。

東歐匈牙利人民之英勇行爲，固屬可歌可泣。但中東蔓延之火，不能熟視無覩，至低限度要等量齊觀。

決不會因納撤而引起世界大戰，是可斷言的。英國既欲以萬鈞雷霆之力去摧毀納撤，總當要有怕者不幹，幹者不怕，「謀定而後動的決心」。不容蘇聯偷雞。英法聯軍進軍速度雖然未如理想，但若不因聞蘇聯之恫嚇而停手尚可以及時摧毀納撤政權。

納撤的權力是脆弱的

美國「記者什誌」駐中東通訊員克萊斯塔霞說：目前埃及軍人普遍相信『蘇聯不可靠，納撤早晚終必完蛋。蘇聯之不信任納撤，比英國之不信任納撤爲尤甚。不論蘇聯以英國那一方面把納撤幹掉，那一方面便得到了埃及。』自然，這不是指蘇聯目前也有幹掉納撤之意。但一俟納撤工具價值完畢了，蘇聯必定隨時推翻納撤政權的。不過我們要注意，『英國幹掉了納撤』之後，便可以與埃及重建友好關係，蘇聯卻是把埃及變成衛星國的。

納撤的權力祗建立在去年九月蘇聯和埃及所訂成的軍火協定之上而已。並不是十分鞏牢的。納撤的權力有賴於埃及的陸軍，而陸軍目前對埃及的很悲觀。當一九五五年以色列軍進攻加薩狹長地帶時，那些構成納撤權力的『自由軍官團』三百五十人構成的軍人國會，表決時，祗有八十五人贊成對以色列開戰。到了九月蘇聯和埃及訂成軍火協定後，納撤的聲望和士氣才提高起來。希望到巴力斯坦打第二回合去報仇了。納撤得意忘形，受蘇聯的要挾，悍然收回蘇彝士運河，引起埃及危機。但當他求蘇聯訂立蘇埃防衛互助協定時，卻被蘇聯拒絕了。埃及軍人政府因此很爲憂慌，但經過三個星期還不見英國對他們宣戰，又很感驚奇。從此我們可以知道蘇聯決不會爲埃及而運用核子武器作倫敦的。所以英國不應打到塞得港便即停止，應趕快打到開羅，因爲到了開羅，佩有埃及人出來組織新政府了。

據「記者什誌」九月廿日稱：埃及軍官們有人要恢復納吉布將軍的政權，也有人謀使華夫黨的那哈斯復出。一位著名的律師說：埃及陸軍想糾正納撤的錯誤。

（下轉第三版）

納塞的「革命哲學」

納撤對蘇俄爲虎作倀，必不以奉蘇聯之唆使接收運河爲滿足。必繼續進行蘇聯一連串的陰謀，進而佔奪中東油田，吞滅以色列，建立阿拉伯同盟，以臣服於蘇聯。

試看納撤所著的『革命的哲學』，便知納撤預示其前途路綫。他說：『我們試看世界地圖，不能不想到我們所處的地位，和此種地位所賦予的責任。我們不見環繞着我們的阿拉伯圈麼？我們豈可忽視與我們命運有關的非洲，和非洲爲未來生存的鬥爭麼？』他又說：他認爲印尼、中國、馬來亞、泰國、緬甸、巴基斯坦、蘇聯等國的回教徒，聯同中東之回教徒，極可能在一個信仰之下，團結起來。『這是單單憑藉我們所處的地位便可以完成這個任務的！』

現在埃及已公然請求蘇聯出兵援助了。而俄共增兵蘇波邊境，武力插足中東，不惜兩面挑戰，事實證明蘇聯決不因東歐之危機而放棄伸張中東的計劃。亦不會因中東之有無戰爭，而放棄其鎮壓東歐的決心。

英國的錯誤何在？

英國之打擊埃及暴徒政府是不得已的。在反蘇反奴役的立場上看，更是應該的。祇就埃及戰場一八八八年君士坦丁條約所言僞稱武力維持運河的安全。英之失策不在打擊納撤，而在一『蘇聯不惜使用原子火箭』干涉埃及，遂行停戰。蘇聯之用不用原子火箭，不在英國是否能推翻納撤。然這次英國竟被蘇聯空言嚇阻了。

特稿

日本僑情與駐外官員的工作

●樂游●

（本報東京通訊）近年來政府對於僑務方面的工作似很注意。從各方面來看，亦誠然有些成績，然必竟對於僑居在偏僻所在地的僑胞的聯繫與福利，還是忽略得太多了。

惟振作始能戰敗共特

有人說，這是由于國際間的勢利眼光，使部份僑胞步入歧途，更是由於共產陰謀的無孔不入，以致阻障了國外僑務的工作，甚至是時感棘肘，十分紛雜；然而國勢如此，原不僅是僑務工作困難，便是任何政治外交等工作亦何嘗不是艱難萬狀，所謂勵精圖治便必須努力不懈，認清時勢的目標，肯下功夫，終可收到事倍功半的效果，假若竟爲環境所迫而氣餒，或竟爾苟延殘喘，買安一時，僅求維持現狀，那麼不止是僑務無法推進，便是一個大局亦還改觀，甚此之我們身居僑民者，爲氣變亂國故，遂有不能已於言者，耳聞目睹，爲使政府洞悉實情，特就平日所見，綜合報導，以期有關方面來致改進。筆者僑居日本有年，對於僑情較爲熟悉，茲就幾方面來分析：

一、僑民教育：

[illegible]幾十年甚至居留百年者亦有之，職業不外藥業，理髮及衣莊等，因此他們的知識水準大都很低，對於國文尤是隔膜，便是會講國語者亦極少見，都是講日本話。第二代僑民在日本出生，日化的程度更深，父母們也以爲謀生的關係，本人差不多的。既不識國文，年復一年，如果不是保留中國姓名的話，可以說與日本人是分不開的。只在血統上與中國人維持着連繫；他們似乎對通不通國語或識不識中國字已不再加以重視了。其實造成這種事實，政府有關方面辦理僑教的失敗是相當的。我們人人知道在國內小學爲基本教育，海外僑民不能教育僑民怎麼使僑民對祖國有認識，當然先其事；但顯然是做得不夠不好，既對祖國既無認識，又何能談到貢獻一切呢？僑校不是沒有，似乎十分空虛的不多，普遍現象是經費不足，教員水準不夠，教學法更是陳舊不堪，遂使一般僑童不感興趣，難有進益，家長們對僑校亦不再信任，僑校本不多，故多數僑童都入日本小學，對於國內知識的增進就無從說起了。此外，海外的政府機關對僑校沒有絲毫控制的權力，好便宜了共匪竄易，僑校已經被共匪所控制者，概可不加聞問，每月祗照例發一點津貼，卻從不在如何加強組織僑校，提高教育水準，整頓人事方面着手。

二、華僑思想：

由於多數僑胞知識水準較低，缺乏對政府的了解，思想上便不易把握得住，他們更不明瞭政府的現況，加上日本朝野一部份人的事實，使許多華僑迷惑了自己的立場和方向，再加少數受了共匪利用的份子惑誘偏動，推波助浪，因此對中共抱觀望態度的僑胞更不少，中共特務更不惜以金錢收買投機份子，逐漸地使僑胞抱「兩不得罪」的想法，於是「漢賊不兩立」的人成了鳳毛麟角。

三、華僑經濟：

旅日的僑胞富有的固有，但貧僑卻是多數。經僑在勝利（日本投降）後發財的固多，但因不善經營，殊少發展，日本恢復主權後，我僑胞更非業上的敵手，因之經濟狀況每況愈下，已瀕於窘困，有的已到了依賴借貸經營的地步，失業的貧僑，日見增多，生活還大有誰給我錢便認誰，簡直是饑不擇食有奶便是娘了。

駐外官員應謀改正

至于我政府派駐在日本的官員們，好像只是專門辦理僑胞護照，及居留問題的，遇有其它問題發生，似乎皆無力能果斷處理，平素與僑民接近的機會太少，對於一般明目張膽爲共工作的劣僑似乎也沒有一個適當的辦法；有些更是明知故犯姑息養奸，其勢自然猖獗，否則就是朝「沒錢沒法子辦」的路上一推，敷衍過去算了！但求平安無事就好。我駐外人員當亦不乏勇於幹事的，然不是困於陳腐的限制規律，即由於人事上的不協調，難以發揮工作效力。這些現象，也就更加重了使忠於政府的僑胞也免不了變得糊塗起來了，於是駐外官員都抱了但求無過，即是有功的意識，決不肯將實情直陳上達，政府亦無法洞察究竟，於是弊端百出，而國內卻尚在五里霧中，甚至還以爲維僑務者功績卓著，予以嘉獎升調呢！於是只要說的好聽，也照樣還能受到嘉獎。總之，實話的固少，但根本癥結是在沒有人肯說實話，而這又與國內的官僚主義政風有關。鑑於國內最近政治風氣的轉變，中樞力謀撲滅官僚主義，作爲一個僑民的我，也希望海外各地的官員們能同時振作起來，今後的僑務好壞，關係國家前途極大，希望外交與僑務當局能一謀改善，迎頭趕上。（十一月十七日）

半週述評

●司馬璐●

匈牙利的挫敗

無論如何，匈牙利人民最後總是要勝利的。

但是，目前，匈牙利已經做了歷史悲劇的主角，匈牙利人民的反共革命，已暫時挫敗了。有一個可貴的教訓，人們不應該忘記的：

當卡達爾的傀儡政權搖搖欲墜的時候，卡達爾站在蘇俄的坦克上，對匈牙利人民說：他承認人民在十月廿三日的革命要求是合理的，他表示只要人民放下武器，「既往不究」；他表示只要人民放下武器，他的「政府」就要作「撤退蘇軍的談判」，他也表示願意和納基合作。這個蘇俄口袋裏的「袖珍政府」，在三天前的面目還是如此的。

塗上另一層粉

俄軍二十師增援了匈牙利，卡達爾「新的公安部隊」也宣佈組成了，部份工人在槍尖下被迫復工，卡達爾的說話又不同了，他指斥十月廿三日革命爲「白色恐怖」；他指斥納基；他對人民說「既往不究」了，他反而說「人民要求撤退蘇軍」的要求是「反革命份子」；他說他的「袖珍政府」「有足夠的力量來重新獲得勞動羣衆的信任。」這就是說，卡達爾的臉上已經另外塗上一層粉了。

全世界被騙了

匈牙利的悲劇如此，波蘭又如何呢？

讀者諸君當還記得，當戈穆卡最初登台的時候，很多人被陶醉，甚至把戈穆卡看成是「波蘭的民族英雄」，筆者當時指出，戈穆卡這張牌是爲了「挽救波共政權」，「緩和人民革命」的，但是，「全波蘭被欺騙，全世界被欺騙了。」筆者所預料的波蘭局面，今天竟不幸出現了。戈穆卡這次代表波蘭簽字的「蘇波協定」，波蘭人民要求蘇軍撤退，不僅沒有實現，卻在「協定」中進一步的「合法化」了。

戈穆卡的份量

戈穆卡在這份「蘇波協定」中，又同意承認了匈牙利卡達爾的「袖珍政府」，他甚至還在莫斯科表揚了那個滿身血腥的蘇俄將軍羅科索夫斯基，波蘭人民深惡痛絕這個戈穆卡政權，他本身具有多少份量，就更要使人懷疑了。

「納基政權」在匈牙利的出現，原是匈牙利人民選出的，戈穆卡有兩條路，進一步走向人民的「納基路綫」；縮回到蘇俄的口袋中去，走卡達爾的「袖珍路綫」。這個「蘇波協定」的後果如何，波蘭人民一定會用行動來答覆的。

狄托何去何從

匈牙利的局勢如此，波蘭的局勢如此，南斯拉夫又如何呢？不久以前，狄托指責過蘇俄干涉匈牙利革命是一個「大錯誤」，並認爲造成錯誤的責任是蘇俄的史達林派。狄托的指責，現在正受到俄共偵騎報以及捷共的抨擊，今天的狄托，又陷入「分裂共黨」的罪名，這樣一個矛盾的境地，在匈牙利問題上，狄托一方面表示不滿意蘇俄的軍事干涉；一方面又承認了蘇俄所造成的卡達爾的「袖珍政府」。

歷史在那一邊

最近南斯拉夫局勢可能出現混亂。狄托問題是俄共黨爭的一個主要部份，由于波、匈事件的發展，使史達林派找到口實，進行反攻。朱可夫所代表的紅軍力量，在控制軍隊的權力鬥爭中，爲了便於直接掌握軍事力量，他們是與反史達林主義者合作的，但是，在蘇俄的對外擴張政策上，他們又是與史達林派合作的。這就是赫魯雪夫所說的「歷史在我們一邊」的一段烏煙瘴氣的「歷史」。

自由人

THE FREEMAN

（第六〇一期）

地址：香港高士威道二十號三樓
3RD. FL., 20 CAUSEWAY RD. HONG KONG
TEL. 771726

台灣總經銷處
台灣郵政劃撥金戶九二五二
海外總經銷
友聯書報發行公司
香港：德輔道中二十六號A二樓

法蘭西往那裡走？（上）

·謝康·

一、

法蘭西共和國，是富有保守性，永恆性和爲民主自由而奮鬥的革命性的。

從歷史上回顧，有一個「保守的法國」（LA FRANCE CONSERVAFRICE），同時也有一個「革命的法國」（LA FRANCE REVOLUTROUNAIRE），右派政黨如保守黨共和黨之類代表前者，左派黨如社會黨及共產黨代表後者。而介乎兩者之間會以赫里歐爲首的「激進社會黨」（或稱爲激進黨），表面上屬於左派，而事實上接近右派，所謂「思想左傾」，而「荷包右傾」的，中間偏左的政治集團，名爲「急進」，採取合法手續以謀社會進步，實則抱持一種機會主義有時與左黨勾搭，有時又與右黨聯合，似乎搖擺不定，而同時也可能舉足重輕，近數十年來它常常在朝參加政治，扮充執政黨當中一個頗爲重要的角色，而以中庸，溫和，穩健，調和於左右兩極之間，也就是說在保守的和革命的法國中間，建立了折衷和緩衝的地帶。同時，若干年來，都沒有得到議會裏過半數議席的左右兩派，也不能不拉攏激進黨，和它忍耐合作，共商國是，繼續第三共和以來多黨政治的傳統，在政治舞台很不穩定的局面下，勉強保持法國的永恆性和傳統精神。

二次大戰以前，法國人財產的分配，無產階級與中產階級（即小資產階級 PETIT BOURGEOIS），各佔全人口百分之三十五，即大約三分之一強。（但若將所謂中產階級之平均財產額稍爲提高至戰前之一千磅，即五千元美金，則此階級之人數，可能佔法國總人口之一半左右），而眞正富有的資產階級（BOURGEOIS）即布爾喬亞，實際人數，並不太多，即連同貴族階級（ARISTOCRATIE）一併計算，也不過百分之十五左右，所以中間階級常常是安定法國社會的力量，又據戰前（一九三五）P. FREDERIX 著 ETAT DES FORCES EN FRANCE（法國力量的情況）一書的統計，法國人職業上的分配，大約工人六百萬，農民及小地主八百萬，公教人員一百五十萬，小資產及資產階級共六百萬，各階層大致能維持一種均勢，雖互相對立，尚不致於衝突得很利害，醜烈的階級鬥爭，該書作者以爲這是現代法國史上一件值得外國人驚訝的現象，就是在表面上（尤其是內閣的頻頻更迭）呈現着動盪不安，而在內幕裏社會及政治勢力，卻相當穩定，雖則法國社會也慢慢地在變革，但是，變化得呈溫和，令人不易察覺了。

二次大戰許多中產之家遭受了損失，公教人員之薪金入不敷而生活困難，佛郎貶值，無產階級人數增加，共產黨在議會的議席，也跟着增多，到佔了四分一以上的席位，由一九一六年的七十二名，增到一九五六年的一五〇名，所以戰後十年，法國社會逐漸呈現左傾的趨勢。同時代表中間階級的激進黨得票也就漸漸少，不易維持戰前的優勢，幸而右派出現，和人民共和黨聯盟，大致上仍可維持左右雙方的均衡，建造政治安定的局面，到現在爲止，急進黨還是在朝，與社會黨及民主組成聯合內閣，維持一年來的穩定。

二、

在歐洲各國裏面，法國是歷史最悠久的古老國家，兩千年的往事，對現代法國人是一個很大的歷力養成法國的守舊作和她底永恆性，覆根據一個瑞士的批評家對法國的觀察：法國今天，世界是一最穩定最保守的是社國，它底大小官員繼承着一千多年以來的古舊傳統依據以往的慣例在控制着，法國這種保守的作風，可說是已了「上帝創造世界的第七天」的階段，現需要休息了，同時希望保持她所已有的東西，決不像美國人那樣，天天追求新事物那麼匆忙，或者像英國人那麼冷淡自私和斤斤計較，或者像巴黎婦女時裝那麼翻新門路。所以有人說在太平盛世，法國是一個最理想的國家，可以使人平靜地安份守己地生活於其美麗的自然風景和藝術氣氛中，每一個人可以獲得別處所想像不到的自由，但在今日這個鐵與血的鬥爭中，法國似乎難以適應，而她底一切結構，也不易應付第二次大戰失敗的教訓，並沒有使法國政治有什麼重大的變革，第四共和大體上還同第三共和一樣，繼承一七八九年大革命時代所遺傳下來的衣缽，「自由，平等，博愛」這三個金字招牌，馬利安娜的女神（Marianue）和聖女貞德的遺容，馬賽人的歌曲，依然是今日法國人愛國精神的標誌！她在原子時代一切急遽進步的情況下，也許不能取得一席頭等光榮的地位，然而她憧憬着過去底光榮，守着詩樣的情調，優人的風格，度着悠閒的歲月，懷着獨具的情趣，和個人主義的合法自由，其安樂富有幾分好像一所世外桃源，一個美麗的畫圖，決非其他緊張備戰的國家所能尋找，只有瑞典，挪威，丹麥，荷蘭，比利時，西班牙，葡萄牙和瑞士，這些非民主的小國，差堪比擬。

說到這一點，歷史上一個「保守的法國」和一個「革命的法國」是沒有什麼大差別的。同時羅馬公教自別的傳統，也是安定社會的一個偉大力量，在這裏，我們很容易看出了法國的永恆性，和保守性，同時也可以說法蘭西文化，已是最成熟的文化，好像她底烹調術一樣成功，爲世人所公認。

筆者的老師，巴黎大學西學院教授西格佛里在他底名著：「西方民族性」裏引述一個美國的觀察家對法國的批評說：「法國人的缺點是不願試驗，省界觀念，嫉妒，不肯共同合作，這些使我們法國難過。但法國人也有好處：思想表達奇妙而自然，活潑而了解，對人類有信心，富於人與人間的仁慈觀念，使我感到這世界除古希臘人以外，從沒有像法國人達到這樣的文化和文明的程度。」根據我個人在巴黎生活十年以上的經驗，和研究法國的結果，我也頗有同感，我覺得法國實在有幾副不同面孔，而「海外法國」（LA France D'oure mer）的存在，還使她能維持四强之一的重要因素，近年來法國在國際舞台上所公開的糾紛或國際事務，泰半和她底殖民地有關，法國本來是大帝國第二號的「殖民帝國」（Empire Colonial），僅二十年前的統計，海外法國每年貿易總額約爲三百五十億佛郎（每五佛郎值美金一元）此中半數是和法國本土，即是「歐洲法國」交易的，就財經方面而言，這個龐大的數字已經顯得歐洲法國要精用宏，增加許多營養，保持其富強的地位，若以戰略地位而言，沒有北非的法屬地，戴高樂領導的阿爾及里政府不能成立，盟軍也就很難以北非爲根據地，奪取意大利半島，開闢南歐的戰場，二次大戰整個局面，或將因此改觀，亦未可知呢？

（未完）

蘇波會談與——共產國家關係總檢討（二）

·李金畔·

俄在東歐掠奪的結果

（接五九九期）

二次大戰期間，歐洲東部諸國爲蘇聯掠奪性的佔領，造成了普遍的經濟窮困和民族怨恨。

但斯大林在開始時即着意要永遠將這些國家據爲己有。經濟的目的是得了賴取；軍事的目的是將蘇聯西部的國防線移到東歐國家領土內。這時蘇聯才認爲她的國界問題獲得了從未得有的「公正解決」。（註二）

這裏且放下蘇聯在遠東方面的侵略所得不談，先看看她在東歐大肆掠奪的計劃：

一九三九年九月十七日，「紅軍總司令部下令所屬部隊越過國境」，佔領波蘭東部。

一九三九年九月至十月，強迫愛沙尼亞、拉脫維亞、立陶宛三國訂立「互助條約」，在三國境內「有權」建立基地。到同年六月底全併吞了這三國。

一九四〇年三月蘇芬戰事結束，十二日締約，蘇聯國界從芬蘭推到了一百五十公里」，掠奪了芬蘭的卡累利阿地區（跟維堡城（維普里），維堡灣及其島嶼等其它城市。

一九四〇年六月廿六日蘇聯照會羅馬尼亞必須放棄比薩拉比亞和北布哥維納，二日後上述二地「歸還」了蘇聯。

一九四四年四月二日，紅軍在莫洛托夫「還擊敵人」的聲明下，侵佔了羅馬尼亞，九月十二日在莫斯科簽訂停戰協定並得了「三億美元」的賠償，「在六年內以貨物償付」。

繼之在同月的十九日與芬蘭簽訂停戰協定，得三億美元賠款「六年內以貨物償付」。並將一九四〇三月所締蘇芬新國界永久化。

一九四四年九月五日，紅軍越過羅保邊境，佔領了保加利亞。在八日那天正當保政府要求停戰時，九日晚上保共乘勢顛覆了政府奪取政權。十月廿八日在莫斯科締訂對保停戰協定，

一九四五年一月至二月，蘇軍先後完全佔領了波蘭、捷克、匈牙利與奧地利。四月完成了德國東部的佔領。

陰謀顛覆任意劃界

歐洲東部的悲劇固由希特勒所促成，但協助締造這悲劇的確是斯大林，在他的意想中，只要一個混亂的東歐出現，他就能予取予求地得到一切。嗣後東歐的投降政府，又先後被陰謀易爲赤色政權。至此，紅軍的國防戰線已經遠離了蘇聯領土。

莫斯科爲了長久之計，除在東歐駐軍及掠取經濟資源外，並根據製造矛盾的政治目的，任意爲東歐國家劃定疆界，使附庸國家間彼此因土地問題潛伏了齟齬。波蘭從德國手裏取回了東普魯士和上西里西亞等，但失去波蘭的土地和人民，却是波蘭民族不能忍受的。而它從德國手裏取得的土地，還得等對德和約成立後才能確定，所以波蘭所失是最多的！

十一年來的蘇波關係

另一方面，蘇聯却面臨了如何消化波蘭的問題。莫斯科當然了解，根據波蘭的地理環境，如果無法消化波蘭，必將成爲東歐共產國家集團的心腹之患。

於是斯大林在一九四三年運用透過英國記者帕克爾的訪問表示：「蘇聯政府願意波蘭成爲強盛獨立的國家，蘇波關係應建立在堅固的友善關係和互相尊重的基礎上，或者假如波蘭人民願意的話，在實行聯盟互助……的基礎上。」（註三）但當時倫敦的波蘭流亡政府，鑑於希特勒勢崩潰，即在一九四四年一月五日聲明根本否認一九三九年以紅軍佔領事實爲根據的蘇波新國界，以及任何有損波蘭人民利益的事實。至於蘇聯對波蘭是否友好，一九四九年甘慕卡被整肅後，波共內部的人士也明白了，斯大林的諾言是不兌現的。同時，由於駐軍和經濟剝削的壓力，波蘭民族感受到了空前未有的奇恥大辱。

從一九四五年四月在莫斯科簽訂了蘇波「友好互助後戰後合作條約」以來，兩者間十一年的關係眞相，一直到本年十月甘慕卡再掌握政權，在他於十月二日波共第八次全會上的報告裏始能略見端倪，及至十一月八日在莫斯科結束蘇波會談發表公報後，我們才有機會從共黨方面的新聞縫隙裏，獲得了蘇聯凌厲剝削波蘭的比較清晰的輪廓。

（下轉第三版）

半週述評

·司馬璐·

尼赫魯將赴美

印度總理尼赫魯快要到美國去了。

巴基斯坦總理蘇拉瓦迪說得好：「中立主義在戰時固屬事實，在平時藉以勒索。」

所以，就在尼赫魯本人的價值而言，是不值得重視的。

但是，這個人喜歡侈談中國問題。

所以，我們又不得不小心他。

這個人，自己家裏烏烟瘴氣，放着不管，專管人家閒事，次干涉」人家「內政」。

至少三項罪行

對于中國問題，尼赫魯至少有三項不可饒恕的罪行：

第一項，他在國際宣傳上，成爲中共的傳聲筒，乃至掩飾中共的罪行。

第二項，他配合蘇聯的活動，陰謀把中共帶進聯合國（這一屆聯大提案，更是由印度出面的。）

第三項，他經常以調客的地位，爲中共的「外交」開路，替中共緩頰或者說項。

所謂和平共存

尼赫魯本人對于共產主義和共產黨人的罪惡並非沒有認識，他有過許多精闢的指斥共黨的話，他曾經把共黨和野獸相提並論，但是，這個人有一個奇怪的念頭；他以爲這些野獸在別家吃飽以後，就不會闖到他家裏去了。

尼赫魯又曾用「強盜」形容過印度共黨，他在外交上的媚共態度，等于替強盜通風報信，鼓勵強盜向鄰舍打劫，而他和強盜「和平共存」。

對匈態度轉變

這個人，在外交上做共黨的幫兇；在內政上又想清除印共，他的立場一直是矛盾的。

這個人，在這次匈牙利問題上，起初爲蘇聯的立場張目，後來在國內輿情壓力之下，又轉而指摘蘇聯，尼赫魯，就是這樣一個人。

尼赫魯對匈牙利問題態度的轉變，生動地刻劃出一個典型的中立主義者的眞面目，也告訴我們，爭取中立主義者，姑息不得，鼓勵不得，需要輿論的壓力。

周恩來的造謠

這次周恩來訪印期間，中共同時展出了全面的謠言攻勢——應該說，這一謠言攻勢是由周恩來直接主使的。

周恩來造謠是拿手的。他在新德里招待記者時，有記者問中國政府中共的笑臉攻勢有無反應時，周恩來故弄玄虛的回答：「沒有那麼具體」，或者說：「還沒有到奉告的時候」。

在周恩來這一賣弄之下，于是就有種種離奇不經的謠言出籠了。

有關中國陰謀

在這同時，美國發表了所謂二次大戰時的「秘密檔案」，對當時的中國政府頗有指摘，自由中國方面表示不滿美國對中共的「守着不動」的政策；同時，據傳俞大維最近赴美亦與此有關。

尼赫魯暗示，他不但希望產生一個中（共）美外長會議，而且希望周恩來能直接和艾森豪談談。

總而言之，尼赫魯這次赴美，有關中國問題的陰謀，愈來愈顯著了。

特稿

美援會的員工待遇問題

——附擬整頓辦法三項——

◎張非平◎

行政院美援運用委員會，在民國卅七年成立於上海，當時該會員工的待遇，按照中央規定的公務員標準支給，並無特殊優厚之處；迨後政府撤退至廣州，因金圓券急劇貶值，遂由該會自動與駐港經合分署長密商，改訂新辦法，形式上支金圓券，實際上支美金薪，且除薪俸部分外，其其他各項津貼，亦改以美金匯率計算，其詳細項目如下：

薪津內容與計算方法

（一）薪俸部份　在廣州時期，美援會經費係由中美共管帳戶支付，故薪俸的增加，必需經美方同意，當時該會支薪新辦法，計算公式如下：

金圓券底薪×83%+100（金圓券基本津貼）○月底廣州生活指數○月份平均美金匯率

該會遷抵台灣後，從四十年起設立相對基金新台幣賬戶，其所有權屬於我國政府，而非中美共管帳戶，但支付款項，仍需經美方同意，該會乃照舊例徵請美方同意，改訂支薪新辦法，此辦法迄未呈請行政院核准，其公式如下：

新台幣底薪×83%+100×9.8（美金匯率指數）

如以該會秘書長王蓬的底薪八百元爲式，可得月薪五千六百八十四元，其計算例如下：

NT.$800×83%+100×9.8 = NT.$5,684.00

（二）房租水電津貼　該項津貼每月發給數，爲特任八十元，簡任七十元，薦任六十元，委任五十元，司機廿五元，工友十五元，均照美金匯率指數九、八倍；以王蓬秘書長爲例，每月津貼數爲七百八十四元。

（三）美金或港幣津貼　該會職員有直系眷屬留居美國或香港者，按其薪津半數，發給美金或港幣，此項辦法亦未經呈請核准，違犯政府管理外匯條例，亦迄未呈請行政院核准，直至四十三年八月，始改照「軍公服務人員澳港眷屬匯款辦法」辦理。嗣後該會秘書長王蓬眷屬由美返台，現在副秘書長邵逸周眷屬仍留居美國，財務處長諸錦光眷屬仍留居香港。

（四）醫藥補助費　該會員工醫藥補助費，得按年以兩個月薪津爲標準，亦未呈請行政院核准，自定發給方法，先以現金發給一個月，再憑醫藥單據實報實支，以一個月薪津爲最高額。故秘書長王蓬，每年可支醫藥費一萬五千餘元。

（五）年終獎金　該會原有不請假獎金，凡當年請假未逾規定者，年終發給二個月薪津的獎金，四十年起，改稱年終獎金，僅發一個月薪津的獎金。例如王蓬每年終支領獎金八千餘元。

行政院長也蒙在鼓裏

（六）子女教育費　該會遵照政府規定，員工子女就學在二人以上者，從第三人起，得報支教育補助費，以一個月薪津爲限。該會秘書長王蓬，有子女三人，就讀台北美國學校，每年報支教育費八千餘元。

（七）交際費　該會規定，副秘書長及各處處長每月交際費百元，秘書長交際費不限額；嗣經審計部查帳，發現王蓬每年支交際費十二萬元，副秘書長邵逸周等，每年年終獎金，竟亦包括交際費六千元在內。

（八）加班費　該會員工在辦公時間以外之加班費，每次議員十五元，工友八元，均乘美金匯率指數九·八倍。

（九）員工借支　該會員工租購房屋、婚、喪、疾病，得借支三個月薪津，再如支二個月薪津，添置傢具繳付戶稅，亦可照借支，一律分九個月扣還。

以上爲行政院美援運用委員會員工待遇的全貌，雖該會主任委員，例由行政院長兼任者，亦不悉其底蘊。此外，其他美援機構，如農村復興委員會，經濟安定委員會，工業委員會等，名稱雖都爲委員會，實際上比中央各部會還大，因其經費由美援的相對基金新台幣帳戶開支，所以遂造成員工的薪俸、津貼，名目各不相同，大同小異。茲就管見所及，略陳整頓辦法數點如次：

一、美援機構可予合併

[illegible]此項合併改組的技術問題，似應請行政院加以研究，從速辦理。

二、英國的辦法值得參考

三、美援的相對基金

美援的相對基金總數，約共計新台幣七十億元，不可謂不鉅。我國政府對其所有權的相對基金，似不應視同化外，宜可仿照英國政府[illegible]將相對基金的收支，列入政府總預算內，[illegible]美國國會對美援的目的，在使受援國人民明瞭美國納稅人的援助款項，如何合理支配，以裨益於大多數受惠的人民，免使少數經手人員從中操縱，上下其手，而辜負美國納稅人的厚意。此點似應請立法院注意，提出討論。

中美當局的指示

[illegible]

讀者論壇

「家」乎？「枷」乎？

——國民黨黨員的困惑——

紹基

（一）

中國國民黨要以「黨員以黨爲家」作組織原則，以表現「親愛精誠」的精神。從大陸撤退出來後，黨內檢討過去的失敗，派系之爭是其一端，因而發動「改造」黨。在進行「改造」期間，更特別加強基層組織，規定每一小組[illegible]次，會議的內容[illegible]見聞；私的方面[illegible]的機會，以增[illegible]際效果如何？[illegible]組「家」（黨）[illegible]呢？還是「枷」的困惑！

困惑的由來，舉例以說：如四十二年銓敘部辦理[illegible]經驗，規定[illegible]以出保證明[illegible]經歷也有若干[illegible]中央黨部秘書長向外[illegible]全的。事實上各[illegible]可。仍存在中央的[illegible]們轉頒來合[illegible]

[illegible]到「家」的溫暖特質，於是自然就發生了規定的繁瑣，反使黨員多流於敷衍，精神上漸不安感覺。就評分而言，一個國大代表出席一次「國民大會」年會，就可在「擁護政府重要決策」下得十分（小組會一次只二分，里民大會一分），這是就可實和公平而言。更就主要目的改進效果舉例言：四十七位立法委員帶八十六件行李內有味素（平民是一罐味素也不易帶的）「查驗放行」心照不宣的輕輕通過，但在海關服務的黨[illegible]

小組組織工作，每月除了繳納黨費外，還要開兩次小組會議，[illegible]

（二）

[illegible]憑這些紀錄而作考核，如担任公職的黨員考核不及格就影響[illegible]職的考核，[illegible]是一具「枷」了！

本來，負責任，服義務，守紀律，是[illegible]成員的良好道德精神表現。但要永久維持這精神，以國組織欣欣向榮，須推行組織紀律，才能切合實際，顯示其效果。但是實則目前國民黨內組織[illegible]員將此事提出小組向上級反映後，結果全無下文（那時還是正值改造開始，尚有生氣，還有人肯講話，現在則大都是懶得理會這些事了。）；迄至今日，則如本年監察院年會討論最熱烈的「改善公教人員待遇」案，中央日報就沒有發消息，後來只在年會結束後監院報告書上未予刪除留着大家不甚注意的痕跡。反之，如十一月六日華報載一手攫倍於美國艾森豪總統財產（艾森豪公佈的財產計歐洲十字軍的稿費和農場等合廿五萬美元）的奸商，其大小公館，經常議會無虛夕；參加議會的都是當今第一流的軍政要人（也都是國民黨的黨員）！就前者看，粉飾太平，互相推護的官僚作風一仍舊貫；由後者看，在上層黨員的生活和倫理觀念的向下流，則似乎不斷向下流，在這樣的環境中豈非多餘？

（三）

國民黨組織的如何，固是黨的內部事務。但國民黨是中國的一個大黨，黨內的發展趨向是形式化，官僚化，與黨員生活上下脫節，無疑的對政治、社會影響極大；所以提出來，希望國民黨當局認真調查，詳加檢討，切實改進！

讀者來書

我世運代表隊何自甘屈辱於「福摩薩」名下

——希望政府有關當局公開答覆——

澳洲僑胞的正義呼聲

編者先生：我們是一羣旅居澳洲的華僑學生，我們謹向你報告中華民國這次在墨爾本[illegible]世界運動大會中所受的屈辱，以及我們因此而引起的憤慨與指責。

我們知道中國一般青年[illegible]標準是很低的，[illegible]

然而，事實上適得其反！我們在世運大會中，找不到一塊寫着「CHINA」的牌子來！當中華民國的選手們竟然立在一塊「福摩薩」——「中國」的牌子後面，當開幕那天，各國選手依照英文字母排列，按序出場繞行一週時，中國代表隊竟然不是排在「CHINA」的「C」字隊中，而竟被排在「FORMOSA」的「F」字隊中！此後在大會播音報告中，在無線電廣播中，電視的廣播中，在各場的記分牌上，在各報，各雜誌的記錄報告中，中國選手竟完全被稱爲「福摩薩」！（剪報附上作證，這是十一月二十四日的比賽報告）根本不會有「中國」字樣？

按：該項剪報因製版模糊無法刊出。

這事已然引起全僑胞們的公憤！我們要求知道爲什麼中國代表隊對於這一個公開侮辱的辦法不提出抗議？抗議如果無效，我們便應該斷然退出世運會，爲什麼如此忍氣吞聲？

南韓這次參加世運，他們被稱爲KOREA（高麗），連一個「南」字都不會加上去。據說這次世運大會委員會上月在日內瓦開會，曾就「兩個中國」問題加以決定，（其時中共尚未宣佈退出）竟決兩隊名稱爲「福摩薩中國」和「北京中國」，其後中共宣佈，反對這一決定，因而宣佈退出。自由中國隊便當然成爲唯一代表中國的一隊，何以仍自甘屈居於「福摩薩」一名詞之下？是否已默認我們代表台灣，而不代表全中國？我們即使爭不到僅用「中國」一名，也應力爭用「自由中國」一名！如爭不到，便應退出！我們即使沒有南韓李承晚這種骨氣，難道還能不如中共嗎？

世運大會開幕那天，貴賓台上坐着好幾位我們的外交官與政府官員，他們到底是代表什麼？代表中華民國？還是代表「福摩薩」？

請貴報對此作一公評！祝

復國勝利

陳金榜，林德福，陳有才等上

十一月廿五日自墨爾砵寄

阿里山下

公醫制度何時實行

衛生司長與靜近在立院報告，公醫制度的實施，政府已在研究中，當局正計劃設立中央醫院。這一理想，希望能早日實現，使我們小民，在貧病交迫的時候，不至走投無路。

用心良苦！

三民主義獎學金辦法，最近已修正公佈。四十五年第二次三民主義測驗競賽，又同時在全省各中學舉行。如此多方鼓勵，用心良苦，實際結果如何？且看將來事實證明。

發行人竟無發行權？

台北市報業公會，近對新聞紙發行人有無發行權問題熱烈討論，認爲台北地方法院對工人報之判決，斷定發行人而無發行權，與現在出版法似有出入，這問題，值得各方面進一步研究。就常識論，這是很有疑問的。

楊傳廣「吃得太多」

近據我國出席世運代表團總幹事江良規報告，我世運選手楊傳廣，此次參加世運之所以失敗，其中三大原因之一是「吃得太多」。這是否表示我們的運動員在平時缺乏營養，以至到比賽前才拚命的吃，急時抱佛脚於事何補？

「不二價」運動！

台北扶輪社及台北西區扶輪社，爲服務社會，轉移不良風氣起見，決定與若干商號合作，在台北市舉辦商號「不二價」運動。商場上漫天索價的風氣，是否會因此改變呢？「貨真價實」「童叟無欺」的美德能再現於今日的社會乎？

改良觀光大環境

台灣省觀光事業委員會組織規程，近經行政院核准公佈施行。台灣觀光協會，並在最近召開成立大會。發展觀光事業，固屬必要，但總要有光可觀，遊客才會「賓至如歸」，這一點不知大家也會慮想否？（十二月一日）

◎傳正◎

新德里所謂「國共和談」是中共統戰的新姿態

曾約農等竟成爲周酋的對象實屬可笑

這些年來，中共的統戰姿態不但沒有一天停止過，反而一天比一天來得厲害了。當然，中共這種統戰的姿態，是自有其複雜的因素的，但最主要的原因，是證明了中共已無法使用武力解決一切，也不敢再提武力這回事，中共固然擁有一個相當數字的兵力，但他能保證或信任這些兵力都能施用於自由世界，尤其是所謂「解決台灣」嗎？在這種情形下，中共的頭子們不得不進行其統戰的手段了，海外的嘍囉們也不例外，其他的不必說，就以一張晚報上所載，以「台灣問題和談解決可期」爲題，連續寫了幾十篇，當然這些都是滿紙胡言亂語的，但於此也可見一斑了。

周恩來要「和談」

最近周恩來訪問印度，「國共和談」的「新消息」又在新德里透過外電傳出，此間的左派報紙和若干尋求刺激的報紙立即以大字標題刊出，以求配合一個新的攻勢。

據這一則外電說，周恩來準備接觸的「國民黨代表」，是以來自台北往新德里參加聯合國文教會議的代表爲對象。究竟中國參加文教會議的代表是什麼人呢？會不會接受中共的欺騙呢，說來就是一個大笑話。這個代表團的團長就是曾約農，是台灣東海大學的校長，他有顯閱的家世，同時是一個接受中國古文學和西洋文學的一個教育工作者，團員中有楊公達，是現任的立法委員也是名教授，另一個團員黃正銘，是國際關係法科的名教授，而且也是大法官的身份，還有一個團員薛光前，也是一個名學者，熟悉他們的人都會瞭解他們的人格和對政治的見解，當他們月前赴新德里途中經香港，對此間的友人談到一般問題時，予人的印象是深刻的，不是會給中共牽線的人。

中共策略之一

當這則和談消息傳到香港後，香港的輿論界同樣也沒有放棄他們的責任，像自由人，工商，香港時報，自然，超然等報紙，立予嚴正的指斥，環球報的社論是軍育的，他說：

我們要理解這諸言的背景，這原來是周恩來這回東南亞之行策略之一，和日前周恩來在金邊談話，說出什麼的歡迎蔣總統回大陸任部長之上的官的謠言，是一脈相承的，而另一方面國府反攻大陸的準備已經完成，最近更有確實跡象顯示國軍於短期內開始反攻，即是說共匪使用和平攻勢的時日已無多，因此這時由周恩來親自出馬，作背城借一之舉，而且，周恩來這回赴新德里和尼赫魯會晤，舉世都知道和尼赫魯十月十三日赴美訪問有關。他要鼓勵尼赫魯，向艾森豪關說，舉行艾周會談，改善中共與美國的關係，最後達到美國承認中共及不反對中共入聯合國的企圖。

中共重施故技

時報的立場也是非常有見地的，他說：最近一年來，中共對內對外，拚命的施展其統戰魔術，企圖消弭其內在的各種危機，已屬盡人皆知之事。

她這項統戰工作的最大目的，就是詐騙台灣國，如宣稱願與台灣的自由中國政府進行和談，如無端地對中華民國國父孫中山表示崇敬，都是變其在延安時代欺騙國人的故技，僞裝它不復以俄帝爲主子的模樣，似乎比狄托更易與，哩？記得二次大戰末期，中共利用美國政治人物的天真思想，以爲中國只要與共黨攜手合作，組織聯合政府，內亂即不會發生了。如是乎，一般共幹每在公開言論中，表示他們是尊重美國政府及其制度的，又常常提到華盛頓、杰斐遜、林肯而散示崇敬之意。這就是後來杜魯門、艾契遜、馬歇爾這些政治人物誤認中共爲「土地改良主義者」，是「與蘇聯無關」的社會革命集團，而再三壓迫中國政府要與共黨和談，終致斷送中國大陸於共黨之手的歷史教訓，按諸事實，於意云何？現在中共基於自身的利害關係，又想利用艾森豪總統不惜任何代價以爭取和平繁榮的心情，突變其「仇視美帝，鄙帝，蔑視美帝」的反美宣傳，再三表示願與美國親近的詞色。凡是瞭解共黨本質，及其爲目的不擇手段之作風的人，能鑑於過去的慘痛經驗，豈能再受欺騙愚弄嗎？

究竟中共是否眞的可變呢？我們早已指出：俄共集團的作風是善變能變的，但其本質却絕對不能變，變則亡！波蘭的戈慕卡政權，因其仍願接受俄帝的控制，乃在表面上容許它採取變的姿態。匈牙利的納基政權，由於人民要求完全獨立自由，即被俄帝視爲叛逆，不惜以大軍進攻了。假使匈牙利政治生活徹底變化，眞正成爲「與蘇聯無關」的民主自由國家了，則俄式共產帝國主義，除崩潰死亡外，還有他途嗎？所以，中共對於匈牙利人民的革命運動，初則表示同情，繼乃指爲「法西斯份子」的叛國行爲，就是共產主義本質不能變的鐵證，也就說明西方國家希望中共變爲「亞洲狄托」的幻想，完全是惰性的發展的慢性自殺。因爲西方國家一向就是認定共產帝國主義將因鐵幕內人民的反抗而自行潰亡，看看最近東歐的事變，該可以恍然憬悟了吧！

捷和原子鐘　受各界重視

從工展開幕的那天起，捷和製造廠的出品即引起了港九各界人士的注意，以後該廠第一、二街的攤位更吸引各地來參觀的代表和觀衆，這是因爲該廠展出的出品，會受到各界人士的重視，該廠新製的原子鐘和電鐘尤爲顧客們所歡迎，凡購鐘一個皆有贈品。（坤）

共產國家關係檢討

李金暐

（上接第一版）於此也，我們確認，凡是蘇聯曾經加於波蘭的一切奴役的手段，必同樣加之於附庸國家。與波蘭會談及其現在和未來的關係發展，必將對一切附庸國家發生極大影響力。這次蘇波會談期間，人民代表大會代表「波蘭人民」到莫斯科，當然有其特定的任務，我們也必須認識到一點，即在東歐反極事件後，莫斯科必然有些「修正」和「讓步」，不過，這種「修正路綫」發展趨向新的估價，尤其是因爲「毛澤東路綫」和「狄托路綫」在西方人士腦子裏的份量，所以未來共產集團關係的演變，就更值得研究了。現在，再回到蘇波關係幾個問題上來探討：

波蘭西部疆界的爭執

波蘭的國界問題頗爲複雜，在現階段波蘭既無力歸復被蘇聯侵佔的「東波蘭」，因此，對於西部的邊界綫問題就有了強烈的利害性。與波蘭在西部接壤的是德國（即是東德）和捷克，在這三國間本來是有天然的國界綫。奧得河、尼斯河從捷克邊境流出，……

（註一）見莫斯科「眞理」出版社出版的「蘇聯對外政策與現代國際關係」中文譯本第三十一頁。

（註二）斯大林著「論蘇聯偉大衛國戰爭」

（註三）見七月十四日「人民日報」

（註四）見七月廿九日「人民日報」

（註五）見七月廿九日「人民日報」

更正：五九九期第二版本文第三欄第八行，應排在同欄第一行之前。手民之誤特此更正。

工展巡禮

駱駝門樓　多采多姿

當你遊罷工展，懷着興奮的心情歸去時，在工展會的總出口處，你會看到堂煌偉偉的駱駝門樓，這是入已享譽的該民族廠報効建築的。聞悉，該廠爲響應籌建工業學校已捐出鉅款，任重致遠，該廠熱心公益不甘後人，誠所謂是駱駝精神。（白）

淘大生油　色淸味香

一般對生油的鑑別，是從「色」「味」、「泡」三方面來辨別優劣。從色素來說，自然是以澄淸的爲好，好的油色淡黃，劣的油混濁而色暗褐。從味來說，以淸香無異味爲佳。從發泡方面來說，如將生油攪勻而無白泡發現，證明油中沒有水份，這是上貨。相反的如白泡很多，水份一定重，容易變壞。

色淸味香，正是淘大生油的特色。這是因爲淘大選最好的花生，用最新的方法去榨取生油，並且有最新式的機械設備。

又香港播電台於昨（四）日上午十時曾到淘大攤位，錄取該廠工人管樂隊廣播節目計有：（一）「紅燭淚」（蔡婉儀獨唱）（二）「故鄉」（蔡淑明，楊冰清，黃碧華，吳淑麗合唱）（三）「瀕半小調」（方國興唱）（四）客家山歌（凌景來唱）（五）故事（凌新來講）（六）「口琴獨奏」（楊榮平）。

鱷魚恤衫廠攤位　今年比去年更美

鱷魚牌恤衫廠攤位在第四街第五街，該廠攤位是上屆工展攤位比賽的冠軍，但陳俊總經理對今年攤位的裝飾更加注意，不惜巨資，務求美輪美奐，爲今年工展中最出色之建築物之一。

白花油搶鏡頭

走近工展會場，無論你是站在任何一個角度，都會看到白花油攤位，眞是搶盡大會鏡頭：這是從一塊小小的地方，建成的一座四層大廈，一如白花油大廈之姿態，巍峨壯觀。工展會開幕，那日白花油主人顏玉瑩氏即在攤位二樓宴客，到有保良局主席及全體總理，紳士名流甚衆，賓主甚歡，皆讚攤位建築佈置之獨具匠心。（坤）

琴氏藝術館特價　犧牲瓷碟一萬只

琴氏藝術館設計精巧的各式大小彩色瓷碟，早已獲得本港各界人士讚賞及各界名流所推崇的特色是高貴雅緻，富麗堂皇，不論作紀念、贈送、裝飾、廣告，均爲最理想的佳品。該館爲響應大會展出本屆工展及新出品之號召，在工展會期內爲各界精製紀念新裝藝術瓷碟一萬只，特價優待，深信這一次特價犧牲，在這一屆工展當中，一般遊客，都是普遍獲益的。（白）

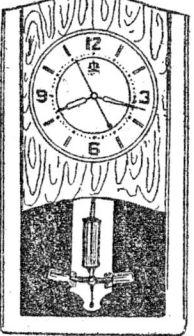

東雲章昨領隊觀展　大會首腦熱烈接待

（本報特訊）中華民國工商界參觀香港工展代表團一行廿一人，昨（四）日晨十時十五分由團長東雲章氏領隊到工展參觀。大會首腦部由張軍光，謝伯昌，利功甫，黃錫波，高行之，沈挺凌等熱烈接待，先在大門樓拍照留念，後由上述各人陪同逐街參觀。該團人士對大會之佈置與各攤位之裝飾，與物品精美價廉，均讚不絕口，旋由大會主席黃克競等在會員室招待午點，晤談甚歡。

本屆工展首五日觀衆約廿二萬

工展會開幕已五天，由於本屆裝飾較歷屆特別輝煌，內容亦極充實，轟動了全港九，遊客源源激增。本月二日星期天遊客達廿萬零七百九十二人，突破去屆六萬六千二百二十九人之最高紀錄！是日大會因人數太衆，擠擁過甚，曾將會場所有橫門開放，以為疏通，且入晚後遊客仍由燈色輝煌，攤位美觀，通路寬闊，各攤位所售貨品又價廉物美，故多流連不忍去，以是場內擠迫異常，而場外觀衆人龍排到統一碼頭，場外維持秩序之鐵馬，亦多爲遊客擠倒。

自由談

日本的尼赫魯

日本首相鳩山一郎之爲人，及其處嬌作風，可與紅頭阿三尼赫魯充稱難兄難弟。自己國內的庶政弄得一塌糊塗，却要在國際上出鋒頭，唐三話四，話不知羞，可鄙孰甚哉！

印度阿三經常擺出一副中立面貌，要以東西兩大對立集團的調人自居，實係一種「內多慾而外施仁義」的小人行徑，只有專好與俄帝搶和平帽子的艾森豪先生，才把他看成活寶貝哩！日本民族性最善於模仿勢利相，鳩山一郎瞧着尼赫魯這套處嬌作風，居然有意想不到之效力，不免見獵心跳，竟在議會大言不慚，說是要出面調解中華民國政府與中共僞政權的爭端，而忘却了自己究竟是何等樣人？在國際政治舞台上算是老幾？更不想想中國人反對共產生活，乃是爲要爭取國家民族獨立自由生存，決非某一黨派的政權得失之爭，所謂調解云云，寧非笑話？

鳩山一郎對台灣的自由中國政府，素來是抱着一種陰陽怪氣的友好心情，而對於中國大陸上的共歐政權，則隨時表示獻媚結交的姿態。如今又說出調解「國共爭端」的不知自量之言，用意還是在討好中共，藉此以配合共黨的統戰魔術，也就是日本人趨炎附勢的民族性表現而已。

告訴半身不遂的鳩山先生：先把自己政黨內部爲着攫奪領導權的激烈鬥爭情事處理好，不要鬧得鴨屎臭，然後再來干預天下事吧！自己領導下的黨務，且搞成烏烟瘴氣的狀態，竟覬覦要來周旋別國人民的政治鬥爭問題，何其無聊乃爾耶？國際政治商人在別處固有買賣可做，在自由中國却沒有人照顧的，何必枉費心機，自討沒趣呢！

馬五先生

寄望「學人」

·王先銘·

研究學問既不是進官之階，也不是致富之道，沒有高尚資格的人是不會選擇這一條道路的；即使勉強走上這一條路，也不容易有所成就。學術思想本身固能涵養人高尚的品格，也許品格高尚的行爲比較起來更能使人感發。

每逢星期二，我很高興能在台北中央日報上讀到學人週刊，它確實和一般刊物的格調不同，能以一種絕流俗的姿態出現在我們的眼前。羅家倫先生在該刊第一期上說：學人的責任是喚起學術的興趣，促進思想的交流。我希望大家珍愛這一塊園地，維護它，充實它，使它能負起這一份責任。

我們學術事業有兩條必須努力的途徑：一方面整理我們原有的學術，藉以發揚固有文化；一方面探求近代世界學術思想，希望達到國際學術水準。整理國故的工作，雖然未做到理想的地步，總算有些人在努力。關於近代世界學術思想的探求，我們目前所做到的，實在顯得太少。

近五十年來，自然科學（尤其是物理學）和算學突飛猛進，各科學術，甚至人生態度無不受這些學科的迅速進展而不斷演變。誰也不能否認近代天文學和原子物理學把人的眼界擴大了多少倍，科學家們現在已漸漸試着從日光和原子裏取用能量，從空氣和海水（此處並不單指海水中的鹽和生物）中取用物食。此類事實豈是百年前的人所能夢想得到的！科學上的新發現直接改變整個學術思想，間接影響了人生態度。這半個世紀，科學思想實在是決定世界學術思想的重要因素，如果撇開科學思想而談近代世界學術，無論如何，是得不到什麼要領的。希望學人週刊能重視這一件事實，以後多刊載一些介紹科學思想，或有助於啓發科學思想的文字。

研究學問既不是進官之階，也不是致富之道，沒有高尚資格的人是不會選擇這一條道路的；即使勉強走上這一條路，也不容易有所成就。學術思想本身固能涵養人高尚的品格，也許品格高尚的行爲比較起來更能使人感發。如果學人週刊就中、外，人們的情感性的事蹟作一些報導，一定能給人許多有力的啓示和激發。就學人週刊的名稱來說，抽一些篇幅來介紹學人的生活和風格，似乎也是一件恰當的事情。爲了避免不正確的報導，對於現在還活着的學人暫時可以不必介紹。

近幾年，我曾本着上面所說的意見，寫了一些簡短的文字。個人學識淺薄，所寫的那些短文，或學理者也許深度不夠，記學人者或未能盡與其善良的品格。我愛學人週刊，謹以此心嚮往之，力有未逮的工作，寄望於這一個刊物。

短篇小說

石太太

·鍾靈·

我和韻如也沒有見過面，可以說對她毫無認識。雖然韻珊說她們姐妹有很多相像的地方，譬如一樣的性急，情感容易衝動，但也不是說獨斷得毫無理性；姐姐在稟賦上還是慈和、可親的。她和星仁的結合，純憑着誠摯而深久的愛情，相知已深，相愛彌篤，即算有什麼問題，那能便鬧到不可原諒的地步？

自然，這一定有更重要的原因在！韻珊是有疑竇的：星仁又結婚了，他憑甚麼要瞞着我和韻珊呢？而且，他不是至今還不曾意識到石太太知道韻珊就是韻如的妹妹？我只好勸慰韻珊，要她忘記了這件事；不提別的，但憑石太太這份心疼愛小玲這一點，也算她有甚麼過錯都應該予以諒解的。

韻珊沒表示，只挨緊我些。我們順着人行道緩緩走着，轉了幾個彎，便到了旅館。

洗過了澡，上床有一會了，韻珊忽然亮了燈，翻身下床，重穿上衣服，穿上鞋。

「怎麼，這時候還要到那裏？」我十分詫異。

「睡不着，出去轉轉。」

我遲疑一下，撩開毯子。「好，我陪你。」

「不！」她攔着我。「我是想到石家去坐坐……」

我凝視着她，用一種懇求的聲調說：「明天再去，好不好？」

她沒理我，管自梳攏着頭髮。

「那麼，一道去。」不管她多麼不願意，我跟隨着她走出來。

六

石太太對於我們深夜來訪，神色略有詫異不嘗，但仍是滿臉和悅地招呼着客人，倒茶敬烟，忙了一會。她看看手錶，說：

「星仁大約也快回家了。他就是這樣忙，這幾天倒裏天天加夜班。」

我看見桌上放着織了一半的手袋，心裏明白她是怎樣用來打發這寂寞的時間。

韻珊一點不能忍耐，纔一坐定，便提起正題：「石太太，有件事一定會使你感到驚奇：韻如就是我的姐姐，我名叫韻珊。」

「啊！你……」

「你沒想到嗎？」韻珊冷冷地。

顯然，石太太停止驚奇，簡直有些驚怕了！她面色蒼白，凝視着韻珊，嘴唇不停地播動着，半晌，才囁嚅地喃喃地：「這眞是意想不到的事！星仁一直沒有提起，他，他……」

「哼！」韻珊冷笑一聲。我覺得局面很尷尬，忙捏一下韻珊的手臂，示意她再說出什麼不得體的話，一面思索應該怎樣把這僵局打開。

女主人完全被痛苦侵蝕了。她木木地注視前面，又看一眼掛在壁上的相片，脆弱地：「眞的，我記得她告訴過我她有個妹妹的，眞想不到……！」她兩眼已溺滿淚水，一方手帕都濕透了。「我怪星仁不該瞞我；他不該到現在還把兩位——韻如的關係瞞着我——這樣做有什麼好呢？既然我們問心無愧，這樣做就太不光明了！」

少停，她擦拭自抑制一下，兩眼看着韻珊，說：「那麼，你們大概什麼都知道了？是……我脫不了干係；或者我應當是有責任的。我知道韻姐死的時候一定恨我；可是我也知道她死後一定追悔的，如果人死後還有知覺的話。」

我覺得我不能不說點話了，於是一面緊握着韻珊的手，一面誠摯地對着女主人：「石太太，您別太傷感了。我猜想韻姐的死一定是出於什麼誤會——」

「她是不應該死的！」她深深嘆一口氣，無限悲痛地：「李先生，人言眞是可畏，也多無聊！我沒想到那些閒話在我，在星仁身上都發生不到什麼作用，在韻如姐身上竟有那樣奇怪的魔力！也許，夫妻是不應該分開兩地方住的，既然公家規定了夫婦不能在一個地方工作，她乾脆辭職好了，那樣又何至於帶了孩子調到路竹去，把星仁一人留在台南，造成後來種種不必要的誤會。李先生，我也眞恨自己，當時我竟那樣懵懵！她死得眞是不值得，不值得……」說着，她又哭了。

韻珊也是孩涕，挨着我緊緊地，不停地擦眼淚。

「嫂子，」我一碰韻珊，站起走到石太太跟前，輕輕說：「您別傷心了，我想這件事如果再提了，我們也要顧到星仁，顧到小玲一點，是嗎？」

她感激地向我點頭，又不自禁地朝臥室看一眼。

（四）

燕塵識小（九十）

燕角生

九、積土成山揚大纛

諸君既陟團城之頂。復參玉佛之禪。俯窺北海之滄瀾。春池之瀲。遠揭西山之秀峰，秋爽嵐晴。東南觚稜。明朱棣風嵐而今安在。南瞻雲沼。笑黃陂共東海逝者如斯。身正靈囿。神遊玄圃。日營八表。意會千秋。幽遊豈彼居功。明裴淵還合算。（一張自由人當門票）閱賞未已。高談韓潮。且坐松根。（承光殿外松柏森森）聊吾魏舌。

三日之前，曾與諸君新莊題壁，流水淵音。指點東岸土山，道是項城遺物。此時無事，且道其詳。

民國之初，洪憲之際。項城父子，搜羅護逸，點綴升平。上自勝國遺臣，下至方技術士。鷄鳴狗盜，無所不包。據說有一位風水先生紹興郭某，深得雲台儲君之信任。一日語雲台曰，南海位置，上應天顯，青龍白虎，朱雀玄武，四圍包括，理氣升然。南海瀛國朝南，天下當陽，宜爲正殿用身。關左小山，培土加高，則左青龍而右白虎，自然包括福星矣。這些話今日聽來，好似夢囈。可是這位候補太子一肚皮化家爲國之詭謀，倒是絲絲入扣聲聲入耳的。於是如日鳩工，將關左小山，加築一丈，高於右方。山頂設瞭望台，高懸當時所用的紅黃藍白黑五色國旗。所以民初，走過新華門往東不遠，就看見一座土山，高出南牆之上。山頂正中，樹立一根巨柱，在上中之間，有一風雨鑑也就是瞭望台，荷槍衛士，沿梯而登，晝夜巡視。巨柱之頂，高揭五色大纛，隨風招展，確實壯觀。民五元旦，洪憲登場上演之時，也曾做過英國米字旗形，製造洪憲五色米字旗。（大概是正中十字用紅色X用黃色十字鑲白邊。X鑲白邊，空白處塡黑色，仍是五色改位置，設計之人甚爲巧妙的。）曇花一現，化作烟塵。彼時山頂旗台，似乎並未懸掛。洪憲既一場春夢，五色旗再豎雲霄。這是民國史上國脈垂危的第一大關，總算斬關而過。接着民六之夏，張勳復辟兒戲之局。復辟變起倉卒，黃龍旗居然死灰復燃。故都商民，在無可奈何視同兒戲的心情下，從箱子底下翻出舊旗，糊裏糊塗也掛了兩三天。這地方眞得佩服黃陂黎公。他困居公府，誓死不移，東南角土山頂這根旗竿，仍舊是五色飄揚。凌空飄揚，凌空高聳，壓倒黃龍。就憑這一面五色大旗，顯示出民國大統，照耀天壤，從未片刻中斷，復辟笑話，沒有幾天。山頂大纛始終照耀。彼時行經其下之人，莫不翹首仰觀，衷心欽敬。這一幕短劇，也是我身歷其境的。說是開國史上第二大關，亦無不可。

這位紹興風水先生姓郭或姓鄒，禺生先生筆下爾岐（參看本報第五三二期本文之二）。從劉先生自註中，知道將夢麟先生認識此人。謹附此請教夢麟先生。

同光風雲錄

夢山樓

黃侃

黃侃，字季剛，湖北蘄春人。受業於章太炎，爲高足弟子。善音韻，文法晉宋，亦晚清文壇之翹楚也。

一、罵章太炎諷蔡孑民

季剛初讀書，有神悟，父雲樵爲鄂中名翰林，博通經史而家，故其得力於庭訓者甚多。早歲盛氣凌人。相傳避過日本時，與太炎同寓一樓，偶便溺，因流入樓下，太炎大罵，亦報之以罵，因得相識，談國學，始知其淵博絕倫，非己所及，自是折節稱弟子焉。

太炎於古今人，少所許可，獨稱季剛：『清通之學，安雅之詞，舉世罕與其比，雖以師禮事予，轉相啓發者多矣。』入民國後，任北京大學教授，講說文，解剖精闢，然學生殊少心得，每考試，多不及格，諸生若之，僕知季剛好冶遊，乃集資於妓院留酒以待，欣然蒞止，自是考試多及格矣。校長蔡孑民聞其事，讓之，季剛曰：『彼等尚知尊師重道，故我不欲苛求』，蔡氏亦無可如何耳。

二、藥室白門著作甚富

季剛任南京中大教授，語入較謹，生活亦少暇豫，頗有好書癖，得金輒以半數購書籍，藥廬於古台城下，藏書滿樓。五十誕辰，太炎壽以聯云：『韋編三絕今知命，黃絹初裁好著書。』不謂壽觴甫過，遽溺作古，學術界一大損失也。

平生著述，叢稿繁富，其於說文爾雅，精邃考證，凡數百萬言，尤精音韻學，散文詩詞，亦多性情之作。其貽弟子某七律一首云：『盡掃粃糠織雅聲，眼中吾子快平生。與尊松玉推靈評，頗有江山助屈平。濁酒君須來寂宅，偏師我欲撼長城。異材難得宜培護，說爾終能紹走英。』婉約中而有豪宕氣，學人之詩也。

三、致書章行嚴慨乎以言

季剛對並世文人，稱梁任公之流暢，章行嚴之典雅。推行嚴佐政合肥段氏時，有人假季剛名撰文以詆，季剛聞而致書行嚴曰：『近見報載侃謗公之文，固有不便於公者爲之，然而，必不出之侃也。即今民生澆漓，士習偷張，就此一端，可以推見。公居政地，有臨民匡俗之責，觀此橫流，憂勞其曷能已乎？侃固非有干於公，慮罪於從者。然人不可妄毀，亦不可妄得毀人之名，故致書一白中誠……』每觀前輩於友朋風義，從不稍忽，何至今日，而人心轉險詐，士氣轉澆漓？豈眞物質進步，而道德反墮落耶？不可解也。（六十八）

乃光先生千古

慧眼信無儔曾早辨孱日兒皇暴俄傀儡

傷心經幾變最難忘楚庭樓閣建業陵園

黃華表敬輓

甘乃光先生

[illegible]

梁寒操

自由人

THE FREEMAN

（第六〇二期）

中華民國僑務委員會登記證僑台報字第一二一號
中華郵政台字第五〇〇號執照登記爲第一類新聞紙類
（半週刊每星期三、六出版）
每份港幣壹毫　台北市台幣壹元
督印人：陳文[illegible]
社址：香港高士威道二十號三樓
3 RD. FL. 20 CAUSEWAY RD. HONG KONG
TEL. 771726
承印者：東南印務出版社
[illegible]：高士打道六十四號
台灣總經銷處
台北市西寧南路壹壹零號二樓
台郵劃撥金戶九二五二
海外總經銷
友聯書報發行公司
香港：德輔道中二十六號A二樓

告大陸內外共產黨人

·王厚生·

時機已經相當迫急了，我覺得：把擺在我們大家面前的問題弄個清楚和將你們今後所應努力的方向指出來，是我們的責任，也應該是你們所希望的。

首先，我們必須聲明，所謂大陸內外的共產黨人並不包括以毛澤東爲首的若干頭子人物在內，明白點說，過去七年來，在中共政權之下掌握大權的少數人物，我們不願對他們說話，因爲這班人物，作惡太多，犯罪太大，殃民之罪已到了不可寬恕的程度，我們主張將來在天安門廣場上召開民衆公審大會定讞。少數人物之外，所有[illegible]

[illegible]秩序所不能缺少的。除去上面所說的[illegible]你們面對面地討論有關國家和有關個人的前途問題。

共產黨徒的責任

馬列主義是什麼樣的東西？共產黨是怎樣的一種組織？你們身在共[illegible]中，所體驗的必定相當深徹，[illegible]如果要談，也談不完，[illegible]應該表現在反共的行動方面，不宜充分[illegible]在我們的討論之間，我們認爲，等到自由的社會環境來臨以後，你們都有責任將你們各人對共產主義，共產黨和在極權主義下的生活經驗用文字表達出來。我們可以說，你們的選擇經驗是社會的和人類的，人類將由你們的經驗而得到教訓。

共黨今後努力的方向

現在，你們和我們[illegible]們應該實際一點，把[illegible]的方向來談談。[illegible]和你們今後所應努力[illegible]我們[illegible]悟了，知道共產主義這條路在共產黨的領導之下是絕對行不通的，自由民主的道路確是名不虛傳，那比專政極權的方法高明得多。事實上，在你們中間，私下已經覺悟了的固然很多，但是，執迷不悟的想來也不會少。這樣，對[illegible]

[illegible]上面已經說過，[illegible]到底的念頭。大陸內外的人民是否衷心擁護共產黨政權？你們[illegible]

各人有自己的選擇，[illegible]你們也自應得出結論。作爲「共產主義國」的蘇聯可靠嗎？自史大林死後，[illegible]你們一定多少知道一些關於共產黨內部的矛盾和鬥爭，克里姆林宮中的危機，已有南斯拉夫的狄托在最近的一次演說中明白地說出了，東歐[illegible]

你們的領袖開始轉變

[illegible]提醒諸位一件事，就[illegible]被奴役國家如波蘭、匈牙利的公開反蘇反共，東德，捷克，羅馬尼亞、保加利亞、阿爾巴尼亞內部的反抗運動，乃至蘇聯本身的知識分子的離心動向，你們當然也知道一些。「美帝」可惡嗎？在中東事件和匈牙利革命中，「美帝」始終站在一邊，不肯捲入旋渦，反觀蘇聯屠殺匈牙利人民和偏袒阿剌伯世界反西方的行爲，誰是愛好和平的？如果你們相信「美帝」是紙老虎，這顯然是受了宣傳之蠱，事實並不是這樣的。

[illegible]黨的術語來說，這是中共向「美帝」「靠攏」。周恩來最近在印度發表的談話，你們或者已經知道了。我們無法在這篇短文中討論中共要和美國建立友好關係的用意，但是，有一個問題卻是值得我們大家來討論的。

擁護領袖，這是我國政治界中流行了幾十年的口號，有時候，擁護領袖是件好事，但有時候，卻是件壞事，好與壞的分界綫劃在那裏？很簡單，分界綫在擁護領袖是否出於盲從，換句話說，假如擁護的行動出之於理智，那是好的，反之，假如擁護的行動出之於感情，那就是壞事了。現在，我要問：過去你們擁護「一面倒」，將來你們是否也要擁護和「美帝」友好呢？在你們中間，我相信一定有許多位曾在反美的文件或宣言書上簽過名，當然是「美帝」確有值得你們一反的理由。我先分認定，你們有簽名反美的自由權利，不過，我要指出的是你們對於中共的少數決策人物的改變主張有沒有公開表示意見的權利，你們自己對「美帝」作何看法呢？應不應該與「美帝」修好呢？如果認爲應該，你們的內心有沒有痛苦呢？

所希望於共黨黨徒者

我們這時要明白地告訴你們，繼續盲目地擁護中共政權的政策，是會損害你們的人格完整的，共產主義和共產黨的統治是殘害人類人格尊嚴的統治，憑這一點，你們也應該馬上幡然悔悟，走到反共陣綫這一邊來。

朋友們！反共不是爲了那一家那一黨，而是爲了我們大家共有的土地和在這塊土地上建立了已有五千年歷史的國家、主權和文化，在這個認識之下，你們中間有不少位是可以在反共工作方面大有作爲的，即使格於形勢，自己不能馬上有所動作，至少第一，自己不再作惡，第二，對於別人的反共動作不再阻撓，並在可能範圍以內，做協助和掩護的工作。身在海外的，第一步應該爭取做個自由人，能夠公開宣言反共的，一定會受熱烈的歡迎。至於怎樣去配合大陸內外的反共力量，以促成具有規模的革命運動，大家可以商量。（完）

法蘭西往那裏走？（下）

·謝康·

（續六〇一期）所以法國如果能夠永久保持遼廣大的殖民地肥碩茁壯的乳牛，拱衛法國本土，增加她底財富，她便心滿意足，無復其他「領土侵略」的野心了！可是，這種局面和她底自私的「殖民政策」，可能引起幾種的不安或危險：第一、是德國或缺少殖民地的列強，不滿現狀而要求分潤；第二、殖民地土人的民族反抗運動；第三、國際以蘇聯爲首的煽亂或侵略。這三種危險，都有引起戰爭，因而大量消耗法國本部人力物力的可能，此外還有一種不安，就是會因此而引起美國的不同情乃至英美人的妬忌與誤會，而英美兩國的援助卻是法國在西方集團中鞏固自己不可或缺的因素，近四十年來的兩次大戰，及若干小戰，或多或少都與殖民地的爭奪有關，縱然贏得了戰爭，然而大大地削弱了國家的財富和力量。

兩次大戰和北越數年的戰爭，消耗法國底國力，但難以數目字來表示，於是在「日內瓦協定」中放棄了整個越南，讓蘇聯和英國導演他們的拿手好戲，法國代表祇好啞子吃黃蓮，說不出心中的痛苦罷了。

曾幾何時，一波未平，一波又起，摩洛哥，突尼斯又跟着宣告獨立，而近來阿爾及爾的動亂，更使得法國政府，疾首痛心，弄到手忙脚亂，結果只有跟英國走，出兵埃及，想藉此消除納塞對阿爾及爾策動的亂源，可是不料費天工夫，又遭受美國的反對和聯合國的干涉，於是，最近又以從埃及撤退，來換取美國的友誼與合作，在今天，法國可說是遭遇到殖民地問題最嚴重的考驗？在安南、摩洛哥、突尼斯相繼失去之後，法蘭西聯邦中的[illegible]——阿爾及爾又已動盪不安，牽制她將近二十萬的部隊，和相當數量的海空軍，使北非洲法國的殖民主義，漸接近了尾聲，較諸一九三一年巴黎殖民博覽會的熱鬧情形，能不勝今昔之感了！

三、

今天，處境艱難而國勢積弱的法國，到底要往那裏走？將放棄阿爾及爾嗎？抑還繼續地用軍事鎮壓下去，或給予當地人民高度的自治，使成一自治領？將退出聯合國嗎？抑還繼續駐兵作討價還價的條件？將參預中東糾紛或對埃及用兵嗎？抑還只是虛張聲勢，不敢輕舉妄動？將由聯合國討論阿爾及爾問題嗎？抑還像去年一樣因反對討論問題而表示不出席聯合國大會？……類似的問題，還有的是，例如軍費的負担，一般法國人對於戰爭的恐懼和厭惡，等等也都是頭痛的事體，穆萊和比諾這些人究竟怎麼辦？

狄托最近公開呼籲法國對阿爾及爾用兵，而將每天的軍費十萬萬佛郎（每一美元約合一千佛郎）值美金一百萬元，每月三千萬美元之巨款，用在阿爾及爾的建設和民生福利上面，那麼，爲數不及一千萬的阿爾及爾人，將拜受法國的恩賜，馬上對她把厭惡法國的心理，變爲愛戴的態度，法國執政者願不願意接納這種冠冕堂皇的論調呢？差不多同在這幾天的工夫，摩洛哥駐美大使發表演講，公開支持阿爾及爾的民族獨立運動，「要求法國即行給與該地區的全部獨立權，」他並且說局部和緩進的地方自治權是無濟於事的。」看來阿拉伯聯盟，大體上是同情阿爾及爾底阿拉伯人的，「血濃於水」，何況有民族主義，宗教意識（回教）和共產國際的背景呢！至於參加萬隆亞非會議的若干新興國家的同情與支援，在聯合國裏面，已逐漸匯生力量，甚至美國，也可能和進兵埃及一樣看法，認爲是舊殖民主義的行動，不予以同情援助，於是，法政府，只能募集公債，以補償軍費之不足，這種勉強鑽縫的局面，能維持多久？誰也不敢預料，不過，這現狀若不改變，每年將近四億美元的消耗，法國是喫不消的，她必須想出種種辦法，緩和土人仇視法國的敵對形勢，終止舊殖民政策來對付蘇聯新殖民主義的侵略。

從埃及撤兵，勢在必行，聖誕節完全撤退的諾言，諒英法雙方，都不至於藉端拖延，同時準備用在埃及的兵力，來對付敘利亞甘作蘇聯走狗的侵略行爲，鎮壓下去，必然可以博得巴格達公約國和若干阿拉伯國家的同情，尤其是美國的讚許，這將是英法建功立信爭取與國的大好機會，同時還可以挽回從埃及撤退所引起的面子問題！一舉兩得，何樂不爲？

至於法國國內對戰爭的恐懼，和共產黨議員的非戰論調，及因備戰所引起財政赤字問題，自然也都是穆萊內閣於決策時所應該鄭重考慮的事體，但只要英法始終保持一致，在美國極力支援之下，對付敘利亞問題，作有限度的戰爭，利用目前蘇聯處[illegible]而實際無法參戰的有利機會，東地中海沿岸，有美國第六艦隊作爲後援，比較對埃及用兵而冒美國干涉的危險，勝算可穩操左券，國內的困難，也就迎刃而解了。

爲發揚法國革命的傳統精神，爲幫助解決中東糾紛，免使敘利亞淪入鐵幕，尤其是爲着阻遏赤俄在中東的鐵刀斧頭，保障法國和自由世界的利益，聰穎而富於理性的法國人啊！是您們[illegible]，發奮爲雄的時候了！

（全文完）

半週述評

·司馬璐·

中共蘇俄之間

東歐事變以後，關于中共與蘇俄的關係破裂之說，又在逐漸抬頭了。

沒有人懷疑，中共與蘇俄之間一直存在着嚴重的矛盾和分歧。試想，在蘇俄內部有矛盾，有分歧，有鬥爭，在中共內部有矛盾，有分歧，有鬥爭，則蘇俄和中共之間的衝突有什麼奇怪呢？

但是，關于這個問題，筆者有幾個基本觀點：

第一、中共與蘇俄雖有矛盾，但在緊要關頭，中共必追隨蘇俄，這種事例很多：

在緊要關頭時

例如，在中國抗戰期間，「德蘇協定」「日蘇協定」的出現，當時都是與中國的輿情積不相容的，但中共爲了「國際利益」（按即俄共利益），甯置自身于狼狽的地位，而挺身爲俄共辯護。

近例是，俄共清算史達林，對于中共來說，至少使毛澤東的處境萬分尷尬，但中共無論內心的痛苦如何，最後依然「追隨」！

再近的例子是中共對這次蘇軍干涉匈牙利革命的態度。

俄共鬥爭反應

第二、所有附庸國及各國共黨內部的矛盾，乃至這些共黨與俄共之間的衝突，基本上都是俄共黨內鬥爭的反應。這樣的事例也很多：

例如，中共「立三路綫」時期，「李立三大罵「共產國際不懂中國國情」，「不夠資格領導中國革命」，要「拿下武漢，上海，南京後，再和共產國家算賬去」。後來李立三失敗，反在莫斯科受到「寬待」，這是否表示蘇俄的「寬大」呢？原來，李立三當日所指責的，正是布哈林領導下的共產國際，李立三雖在中共失敗，但在俄共黨內史達林卻打敗了布哈林，因此當時就俄共中的史達林派來說，李立三反而是「有功」的。

挾狄托以自重

近例是，一九四七年狄托問題最初發生後，中共當時並沒有認眞追究俄共與南共之間誰是誰非，祇肯定「國際利益」（按即俄共利益），中共中央有決議，有指示，劉少奇寫專書（「國際主義與民族主義」），大鬧「反狄托」，甚至遊行示威，演戲也以「反狄托」爲主題……。

但，等到史達林死後，俄共內部的鬥爭，赫魯歇夫在俄共黨內逐漸佔了上風，赫魯歇夫挾所謂「狄托主義」在俄共黨內以自重，于是，中共才敢與狄托「化敵爲友」。

很有趣的配合

第三、在中共與俄共的矛盾沒有發展到表面化的程度時，我們強調中共蘇俄之間的破裂，在基本上不但對中共有利，而且是對俄共有利的。

目前中共主要任務是，從政治上瓦解中國的反共力量，因此他們對台灣製造「和談」，對海外策動「愛國」，對美國強調中立，他們「拿一個台灣」去換取大陸的「中立」，他們甚至故意自己強調中共與蘇俄之間的矛盾，以表示自身的「獨立」和「遠大」「永恒的」「不可分離的團結」；在中共若干統戰報刊中，他們強調中共與蘇俄之間的矛盾與分歧，這是一個很有趣的配合。

應該當心上當

何以說，目前強調中共與俄共之間的破裂，又是對俄共有利的呢？

理由很簡單，因爲祇有中共這個面目，才能對自由世界發生滲透和分化的作用，因爲俄共及整個國際共產主義的破綻路。當然，並非所有「強調中共與俄共之間的破裂」說法的都是中共的統戰宣傳，有些出於片斷事實得出的倉促結論；有些則是爲這種說法有利于分化中共。但是筆者願意指出，應該當心上中共之當！

蘇波會談與——共產國家關係總檢討【三】

·李金曄·

（見六〇一期）就東西德統一問題言，日爾曼民族在現階段，固不論其政治信仰如何，皆深感自己民族被他國武裝佔領分裂之痛苦，希望迅即求得統一乃是東西德人民共同的願望。要求能夠互相直接談判統一的呼聲也愈來愈高。對於德國的統一，我們相信乃是時間的問題，共產主義的統治絕無法永久壓制日爾曼民族統一的熱望。西德總理阿登諾也因此特別提出德國人不能忘情於奧得——尼斯河東岸的土地和人民，一旦德國統一，其主權必須同時完整的恢復。

蘇波聯盟基礎何在

正因為德國人民的願望太堅定了，使蘇聯感到日爾曼民族「復仇主義」之可怕。因此，對東德迄無意於結束軍事佔領。蘇聯人也藉此向波蘭人市恩，意即：如果你們波蘭人還想保有現狀，就必須走俄國人的路。實則莫斯科當局深明一旦東西德統一，撤退駐軍之後，波蘭的民族主義情緒必將益形高漲，屆時蘇聯軍隊亦必須相繼從波境撤退。若是則蘇聯的西部國防線就退回到了東波蘭的蘇波國界線上了。所以，為要維持現局，蘇聯會須在共產主義利害的關係範疇內對甘慕卡讓步，而又同時支持波蘭，保證她對西部疆界土地飢餓的滿足，用波蘭人的「恐德病」來鉗制日爾曼人的「復仇主義」，保持波蘭，德國和捷克之間微妙的均勢。同時，蘇波的聯盟，也以此為基礎。在蘇波聯合聲明上有關於此的結論是：「同蘇聯人民和波蘭人民有同等利害關係的蘇波聯盟，是它們的安全的可靠保障。這個聯盟是鞏固波蘭人民共和國的獨立和保衛它的在奧得河和尼斯河和平邊界上的疆界的不可侵犯性的極其重要的因素。」（註六）

像這樣的聯盟，在文字的表面上看似是利害一致的，實際上奧得——尼斯河的天然國界線也因此不再是波蘭獨有，而是為蘇聯所分享（這情形一如當年蘇聯藉中蘇條約的駐兵在我國東北的旅順大連一樣，乃是我民族的奇恥大辱！）奧得——尼斯河終於又「合法」地成為蘇聯在波蘭境內的國防線了。

也因此，就產生了「駐軍問題」。

波蘭困惑於駐軍問題

六月的波茲南事件和十月的華沙事件，波蘭人的要求除了麵包、自由之外，乃是「俄國人滾回去」——這一要求即是主要最後達到使蘇軍撤出波境。

但是世人皆知蘇軍駐在波蘭是和東德駐軍的關係分不開的，如果蘇聯軍隊撤離波蘭，東德駐軍就孤立無援了。通過波蘭以使路德國和西歐是俄國傳統的路線，甘慕卡既明顯蘇聯絕不可能在這方面讓步，而人民的要求又如此的尖銳強烈，如何調和呢？這實在是頗費思量的，甘慕卡政權的偃蹇，可在十一月一日的波蘭「人民論壇報」的社論裏顯現出來。該社論說：「蘇聯軍隊駐紮在波蘭首先是根據波茨坦條約和華沙條約。其主要的任務是保證蘇聯通向德意志民主共和（按：即東德）的交通線……。所以，我們面臨的問題是：怎樣把人民和政府要求全部主權的願望，同蘇聯軍隊交通線存在於波蘭的得到了承認的必要性相調和起來。……」

事實上所謂「調和的路是無須去找尋的。在匈牙利反俄事件後，莫斯科為謀安撫東歐諸國，即於十月卅日發表了一篇「蘇俄政府關於發展和進一步加強蘇聯同其他社會主義國家的友誼和合作的基礎的宣言」。（註七）

這一宣言具有對共產附庸國家作重行調整關係談判的普遍適用性：其特點是，莫斯科表示了在免傷和氣的可能範圍內，基於共同的利害關係，不僅可談，而且還會照顧到「每一個國家的歷史情況和特點」，並解釋這樣的態度是符合「實行列寧的各國人民平等的原則」的。

駐軍協議內容的分析

根據兩國會談後蘇波會談結局觀察，大概看來，蘇聯駐軍波蘭的問題似乎還是個較易獲得協議的，其理也即在於上文所述的客觀形勢和蘇聯主觀的網羅一面的「讓步」，茲將波蘇聯合聲明中有關駐軍問題的部份錄下以供讀者參考：

「雙方認為，直到現在為止，還沒有能夠達成大家一致同意的決定，以便向歐洲國家提供防止德國軍國主義再起的充分保障。復仇主義勢力經常否認歐洲國家之間現存疆界的合理性，首先是已經確定的現存波蘭西部疆界的合理性，這也是妨礙歐洲關係正常化的重大原因。

「雙方得出的結論是，這種情況以及當前的國際局勢使得蘇聯軍隊暫時駐紮在波蘭境內還是適宜的，這也同蘇聯軍隊根據國際條約和協定駐紮在德國的必要性有關係。

「現已確定雙方將根據國際局勢的發展來磋商蘇聯軍隊駐留在波蘭境內及其人數和編制的問題。

「同時雙方承認下面一些規定駐紮在波蘭境內的蘇聯軍隊的地位的原則：

「蘇聯軍隊的暫時駐紮絲毫不得觸犯波蘭國家的主權，也不得干涉波蘭人民共和國的內政；（按：於此可以反映出在過去蘇軍駐在波蘭是維共新殖民地主義宗主權的有力支柱，今後的情況只有程度上的不同並無本質的變易。任何一個國家一方而允許他國軍隊駐在，而又自詡是完整主權國家，當非笑話。）

「蘇聯軍隊的數量和駐紮地區由雙方專門協定來加以確定；（按：此款係有鑒於匈牙利事件一發不可收拾，[illegible]）

「蘇聯軍隊在駐紮地區以外的調動要取得波蘭人民共和國政府或者波蘭其他有關機關的同意；（按：[illegible]）

「駐紮在波蘭人民共和國境內的蘇聯軍隊人員及其家屬，必須尊重和遵守波蘭的法律。[illegible]以規定。（按此規定實使波蘭法律對蘇軍及其人員家屬無拘束力。）

「蘇聯軍隊通過波蘭人民共和國領土的時間，路線和辦法，由雙方簽訂一定的協定加以規定。確定蘇聯軍隊在波蘭暫時駐紮期間的法律地位的相應協議將在最短時間內簽訂。」

就以上引述的原則看來，從蘇聯軍隊的駐留只是將蘇聯軍隊的部份來看，駐「合法化」了，這比諸過去完全用征服的姿態強行作來實佔領，當然要較比文明些，好看些，但是波蘭人民眼睛是雪亮的，他們要求「俄國人滾回去」的目的既未達到，也決不會停止鬥爭，更大的壯烈鬥爭，勢將在經過一度的沉寂之後再起！（全文未完）

（註六）十一月廿日「人民日報」

（註七）十一月三日香港「大公報」

臺灣省教廳來函

本刊頃接台灣省教育廳來函，原文如下：

查十月三日貴報刊載花蓮師範學校教官焚燬學生衣褲一訊，係焚燬各生副襪及其他廢物，因學期實無故，即於九月十七日舉行記者招待會，由學生代表說明事實眞相，藉免以訛傳訛，特函請惠予更正為荷　此致

自由人報

台灣省政府教育廳啓　十月廿三日

海外僑領介紹

馬來亞華僑的反共砥柱張敬文

·劉南·

有魁梧結實的身體，耳聰目明，說起話來仍然洪亮而有力，看上去沒有絲毫衰老的跡象，這便是老當益壯的馬來亞地區僑領張敬文老先生。

他還要再幹二十年

張老先生高齡已經八十有二了，可是在他的身上，除了鬚髮已白之外，找不到有一點「風燭殘年」的痕迹，豐潤的面孔，兩眼炯炯有神，背既不傴僂，走起路來也決不下於年輕的小伙子，以這麼一副健康的外貌，誰能說他不是老當益壯呢？也正如他自己所說的：「他還可以再幹上十年或廿年。」從這樣的氣魄也就看出他的豪邁不減當年了。

誠然，八十二歲的老人，在馬來亞的一般僑胞心目中是有地位的，他個人的事業也獲了成功，但又有誰知道他六十三歲前的酸辛呢？

礦工發家樂善助人

六十三年前，張老先生從故鄉廣東梅縣濱埠到馬來亞，在吉隆坡上岸的時候，只是一名從未見過世面的小礦工，但六十三年後的今天，他已是擁有了馬來幣三百萬儲資創辦的張敬文錫礦公司，有七個規模宏大的錫礦，[illegible]。這個公司目前的產錫量，若以最低兩市價計算，他老人家每月的收入至少有馬來幣四萬八千多元，約合美金一萬五千元左右。

但是正由[illegible]，他曾有過艱苦奮鬥的經驗，所以他最能同情一個肯努力奮鬥上進的僑胞，因此這位吉隆坡受人尊敬的老人，便享有人稱「慈善老人」的美譽。

事實上，張老先生自從在事業上獲得成就之後，[illegible]在馬來亞的任何一件慈善事業，幾乎都有他一份，許多窮苦無告的人祇要找到他，他總是慷慨的施捨而從不例外。有時，甚至在深更半夜好夢正甜的時候，老先生被叫起來以自己的小轎車，將窮苦的病人送到醫院診治。許多當地一貧如洗的人，只要他知道，就會派人買棺木送過去。張老先生雖然自己[illegible]，但他對中國的「仁」「愛」的傳統美德至為重視，因此，他[illegible]這種「仁愛」精神，正是我國固有的美德，也是一個有錢人應有的義務。「為富當仁」[illegible]

出力，數十年如一日，最顯著的例子是當民國三十八年大陸淪陷的前夕，[illegible]

五十年前追隨國父

[illegible]

家庭幸福生活儉樸

張老先生一生由奮鬥而獲得成功的事，[illegible]

老先生除了自己獲享高齡之外，更有一個完滿的家庭。他的三位公子和八位小姐，都受過[illegible]教育，[illegible]他的二公子[illegible]回到吉隆坡，即將參加他的錫礦，從事[illegible]工作，三小姐學醫英國，[illegible]算是他唯一的消遣。

[illegible]會見來過問祖國的張老先生，雖然事隔一年，可是歲月並沒有在他的身上留下[illegible]，老先生[illegible]

阿里山下

何應欽一句話的效力

台北市的道路交通有若干不合理現象，近由總統府戰略顧問委員會主任委員何應欽在立法院指出，有關機關才着手改善。[illegible]負責單位應考察事實，[illegible]何必要有地位的人說話，才有效力呢？

縣議長鋃鐺入獄

臺灣全省的紅包案主角台中縣議長鄭邦卿，因貪林案經三審定讞，判有期徒刑六月，近已鋃鐺入獄。當時與家屬抱頭痛哭的情形，大有悔不當初之情，可見民意代表也是要自愛的。今後選民投票，也要十分注意，不要再選一些政治垃圾出來。

不要糟蹋了吳博士

中國第一個屬于醫學實驗研究院，現經政府核准成立，將由吳博士兼職院長。以吳博士的學養，而担任這一任務，人選十分適當，但要如果沒有足夠的經費與設備，吳博士也是不能為力的。

「祖國周刊」進口了

在香港出版的「祖國周刊」，在台銷行一段時間後，獲各方好評，後曾因故停止在台進口，近又准許在台發行。這是一種好現象，但願主管當局，對於一切反共非共的刊物，都能准其進口，以證明自由中國的言論自由，並非徒托空言！

陶百川的讜論

監察委員陶百川，近向某記者表示：台灣新聞自由的尺度應該放寬，然後報紙上才能有更多的新聞。幾年來，台灣若干報紙，都變成了公報和廣告形式，陶委員的意見，並非無為而發，主管單位難道還不該改變一下作風嗎？

「番治」葉的忠告

外交部長葉公超，近向某報坦率指出：「任何報紙，假若祇替一個政黨宣傳，祇顧一個政黨的利益，而不顧廣大讀者的福利和興趣的話，則這種報紙定趨失敗。」這是輿論界的金石良言，尤其黨辦報刊，似應三復斯言！　傅正

（十二月四日）

高雄點滴

開會要穿中山服

（台南通訊）對公教人員在辦公時間是否穿中山裝的問題，高雄市議會引起了一場熱烈的辯論，贊成者認為於此時期公教人員在辦公時間應穿中山裝以求符合新生活運動。反對者多係沒有穿過中山裝的本省籍議員，他們說不穿中山裝，並不算不奉行節約運動。討論結果，終以中山裝是我們國粹衣服，穿它可以表現民族精神，沒有穿過中山裝的市議員，也同意將來新做一襲，在議會開會穿用。

「教員之家」案獲通過

無可諱言，今天台灣的教育人員，生活非常清苦。因此，為了增進教育人員的福利，有人通過議員，向高雄市議會提議建設『教育之家』，提議的人說：「近來社會上成立了許多『勞工』，『警察』，『記者』等家之『家』，惟沒有教育之家，要知執粉筆生涯的人，日裏教課，夜裏批改卷子作業，收入既有限，生活也清苦，為了對負教下一代職責的教師表示敬意，我們希望政府設建一座『教育之家』。」聞此案大會已通過，並送請市政府研究辦理，是否實現，那就有待下回分解了。

促進港台二地友誼與貿易
工展觀光團獲碩果
一週逗留予港人非常深刻的印象

自由中國工商業界港工展觀光團此次非常順利地完成了他們的任務，除了促進港台兩地貿易已有了具體的發展外，他們還得了本港廠商和廣大僑胞的熱愛，正如團長束雲章所說：僑胞對他們如此熱烈的歡迎，最主要的原因是由於他們是來自祖國，一個自由的祖國。

歡迎秩序難以安排

事實上，觀光團所有的團員已盡了他們最大的能力來獲得此間人士的好感，而且他們是成功了，束雲章團長也是最受到了尊崇的，因爲他本身就是一個有地位的棉紡業鉅擘，而棉紡業在本港卻是主要工業的一環，此外各個團員都有着他們本身的業務，都有條件和本港廠商作充份的合作，這是非常有利的。

事實上，這一個觀光團經過一週的逗留後，已陸續賦歸了，但他們給香港人的印象，猶如他們對港的印象同一般深刻。

工業專門學校是本港廠商會數年來努力的目的，每年總將爲工校籌款，中國觀光團參觀工展之日，束團長以二千元購買工校獎捐，以永久留念，團員亦紛紛以巨金贊助，這一個行動是使到廠商們非常感動的，因爲他們覺得觀光團的重視工校就是尊重廠商會一個具體的表現。

由於種種的影響，觀光團受到了此間最廣大的歡迎，廠商和各界人士歡宴他們的日期竟然排無可排，甚至連早餐也屬於宴會之一，這是酬酢的方式中所罕見的。當觀光團訪問調景嶺難民營的一次，有一位來港工商鉅子因事誤了啓碇時間，特地僱了專輪出發，陪同他們一起視察，說來這也是觀光團收穫之一。

團長束雲章於昨天結束了他此次觀光的任務了，行前他曾一度接見記者時，表現得非常愉快，他談到參觀工展和關於台、港兩地貿易時稱：

工業展覽印象深刻

關於渠等一行就參觀工展所發表的意見稱：「我們對於十四屆工展會兩度觀摹，所得感想，第一是人定勝天，由於工業家的努力，香港原來是依賴轉口貿易的自由港，缺乏工業基礎。七、八年來經港商的苦心經營，在香港政府及環境的鼓勵下，各種工業蓬勃，發展之速，殊足驚人。所有工業產品不僅受遠東國家的歡迎，且有若干種已遠銷歐美，使我們來自台灣的工商界同業企羨不置。至於香港政府不惜耗費鉅資填海鑿山，以充工業區的基地，與工程艱鉅，足徵政府與工業家的合作與關切，我們亦表示無限敬佩。第二是「自由

表現」，從工展所有攤位設計的鈎心鬥角，五光十色，美不勝收，進入工展大門，一若進入藝術之宮，此足以象徵自由意志之可貴，也可以證明祇有發揮自由意志纔能盡情發展各個人的智慧，不然的話，如果一切都是集中計劃，將攤位設計一元化，這工展觀瞻就會大打折扣。舉行攤位設計競賽，尤有意義。第三是「媲美舶來」，這次工展多種產品已足與歐美產品媲美，且有過之無不及，產品水準之高已無疑義，第四，是精益求精，在工展中有每年新出品，改良產品的陳列，此足證明香港工業界，繼續不斷的求進步來適合大衆消費者的需要，這是辦理工業必須有的精神，足資我們楷模。

台灣工業歷年成就

至於我們自由中國的工業經十年來上下一致努力之下也有極大的成就，現在隨便舉出幾項數字來證明這一事實：

	三十五年	四十四年
電力發電	四億七千餘萬瓩	十九億六千餘萬瓩
煉油	三千九百餘公秉	五十八萬餘公秉
鋼鐵	三千餘公噸	五萬六千餘公噸
化學肥料	四千八百餘噸	十六萬二千餘噸
紙張	二千五百餘公噸	三萬三千七百餘公噸
棉紗	四百一十公噸	二萬五千二百餘公噸
棉布	二百四十九萬公尺	一億六千一百餘萬公尺
水泥	七萬八千六百餘噸	五十八萬九千八百餘公噸
麵粉	二千五百四十公噸	十三萬一千餘公噸
食油	一千二百餘公噸	一萬餘公噸

此外我們知道在減去根本沒有生產的工業產品，如人造棉織品，毛紡織品，針織品，平板玻璃，電燈泡日光燈，馬達純鹼，電扇，自行車，摩托車，紗錠，織機，鋁片，及馬口鐵等，工業都已樹立了良好的基礎，不久的將來，人造纖維及汽車亦可以開始生產。上述各種產品，在產量方面有許多不但可以自給，且有多餘可以出口，在質的方面亦能逐漸改進，已有多種達到國際水準。這正顯得自由中國十年來努力建設的成果，以及我們工業界同仁通力合作的表現。

台港貿易應可增加

台港近在咫尺，航程隔僅二三小時，兩地貿易正可大量發展。而台灣農產亦極豐富，如糖，米，茶，香茅油，青菜，及家畜，毛豬等，亦可供應香港或轉口輸出，彼此如能再進一步努力，今後台港貿易自更有光明的前途。

自由中國，現正籌備一大規模的工業展覽會，將於明年雙十節舉行。我們極希望香港工業界領袖，能翩然蒞臨，並將工業產品參加展出。同時我也希望明年第十五屆香港工展中，我們台灣的工業產品亦能佔一席地，在我們二百數十萬僑胞的眼前，藉以表示我們的成績。

最後，香港是我們經濟戰的前哨，各位僑胞的成敗利鈍，與自由中國，與復興大業，具有共同的命運。本人謹代表觀光團同仁此次前來觀光，參觀工展，固是主要目的。同時，各位僑胞頻年在港致力工商業苦心，奮鬥成績輝煌。我們不得不竭誠致仰慕敬佩之意。各位對於今後台港貿易，如何發展，兩地工商界人士，如何加強聯繫？及其他對於自由中國在經濟上的措施，有何意見，務請盡量指教，本人回國後，必據實報告朝野人士，藉供參攷，並加以注意。

讀者論壇

一個當前的迫切問題

·愚人·

月前總統七秩華誕，海內外人士，及刊物提出了不少諍言讜論，從確立民主制度，扶植有力的反對黨，有効保障言論自由：實行軍隊國家化，保障司法獨立，力求教育正常，以至從速召開反共救國會議，各方面言之誠，謀國之切，均是基於孤臣孽子的心情，懇切地希望把國家搞好。惟筆者以爲上面這些建議，固屬重要，而當前最迫切的莫過於如何即時把我們的政府，變成一個有能力，有辦法，有作爲，有效率，眞正爲人民服務的一個有機組織的自由民主底政府。

（一）

國父首倡三民主義，主張權能劃分，要人民有權去管理政府，政府有能力替人民治理國事，政府應該有能，人民應該有權，政府像一座機器，人民像一個工程師，試問政府如果像一輛老牛破車，工程師又何能爲力呢？

年來政府在軍事上的成就，由於美國盟友的軍經援助，業已一日千里，美軍事援華顧問團團長，謂爲可與世界第一流的戰鬥部隊相比。然而我們在政治上的成就呢？見仁見智，頗值吾人商榷。筆者基于望治的心殷，而求治之意亦切，深深覺得我們的政府機構，行政效率普遍低落，地方機關，尤爲特甚。

（二）

爲什麼行政效率普遍低落呢？主要的是公教人員的待遇不平和太菲，致影響辦公情緒。公教人員並非不知國家財源困難，也不是怕苦，而是在立監委員國大代表公營事業機構美援機關的高薪資下，受着心理上不可避免的威脅，同是國家的公教人員，同是爲國家服務，國家是全國人民的國家，爲什麼同爲公教人員，而待遇卻有這樣的懸殊，於是大家得過且過，苟且因循，在高物價趨勢，貨幣貶值的壓力下，盡量設法出差，或巧立名目爭取津貼，以盡仰事俯畜之責，誰還把新速實簡和提高行政效率的觀念放在心上。

（三）

其次機關的架床疊屋，權責不分，以致互相推諉，寧願公文旅行，辦公室裏，男職員看報聊天，女職員打毛綫寫信，誰還去關心公務的重要，這些現象，不能說不是公教人員待遇不平，待遇低落的結果。我以爲政府遷台四十五年來，政府就沒有快刀斬亂麻拿出魄力來把這種懸殊的待遇予以合理制度化過。如果說公營事業機關美援機構立監委員國大代表的待遇高，是使其能善于發展，反過來說是不是提倡普通行政機關人員的貪污腐化嗎？大陸淪陷，很多人都覺得並不是共產黨有什麼了不起，實在是自己不行，我也是這樣的看法。有些人本非共產黨，也不是共同路人，而是它們對它存着一點萬分之一的幻想，因爲民國成立這些年來，國內抗日剿匪，根本沒有使人民有休養生息的機會，以爲也許共產黨能夠造出一種奇蹟，這些人太盲從，太天真，太沒有認識，太幼稚，它們是失敗了。這裏還包括有總統親自培育的學生，親自提拔的幹部。

（四）

還有一個現象，就是政府提倡充分就業，罔顧機關的是否需要，年復一年，大批的大專及高等職校的畢業學生參加就業考試後，分發到各機關去，各機關本已感人員太多，無事可作，公務員沒有待養老退休，新陳代謝的制度，於是冗員充斥，豈不是把堂堂正正的政府機關當成失業救濟所嗎？還能談什麼工作效率，行政制度呢？本來充分就業是國家立國的目標，可是我們爲何不去建工廠，創辦農場，開發礦山，或其他建設事業來安插智識青年，而偏偏要把他們向行政機構裏送呢？

（五）

所以我覺得我們國家當前最迫切的問題，莫過於使我們的政府變成一個有能力，有辦法，有作爲，有效率的一個眞正爲人民服務的政府，刻下行政院已設了一個權責研討委員會的組織，由黃季陸先生主其事，我們虔誠的希望他拿出辦法來。因此我們嚴正主張，「從速改善公教人員待遇，打破薪資不平的積習，千萬不要以政府機關作失業救濟所，注意公教人員的新陳代謝養老退休，裁減駢枝機構，切實劃分權責」，我們只要能徹底去作，台灣的自由中國，不特可作亞洲民主國家的榜樣，也是世界民主國家的典範，讓我們進一步，才能有希望使我們的政府成爲一個有能力，有辦法，有效率，有作爲的政府。

北平大專學生上課尤如填鴨
每週上課越九十點鐘

據十一月卅日中共「人民日報」稱：在北平的高等工科院校和綜合性大學的理科各系，最近又陸續發現了學生「學習」過重現象。據「北京地質學院」、「北京石油學院」、「北京鋼鐵工業學院」、「北京礦業學院」等，每週上課的時間都在六十五至七十個學時之間，而「北京工業學院」的情況更嚴重，有些年級每週上課的時間竟有九十多個學時的！全校平均在七十個學時以上！學生以課外時間不多，晚上甚至星期日也不休息，像「清華」無線電工程系的學生，即因而病倒了六個！

作爲一個共產黨統治下的工人，他要作都在十六至十八小時之間；作爲一個共產黨統治下的學生，「學習」也是超時的。加班加點的超時工作的結果，一般每天工作……

代郵：金家培先生：賜函悉，「同光風雲錄」印行單行本事，正與作者夢山樓先生洽商中。

重要更正：本報十二月一日出版之第六〇〇期報頭誤植爲「五六〇」特此更正。

工展巡禮
淘大送醬油一週

△工展第六十夜，十日（星期一）下午七時至八時送大號醬油，十一日（星期二）下午七時至八時送大號醬油，十二日（星期三）下午七時至八時送大號醬油，十三日（星期四）下午七時至八時送大油膏，小油膏。良機勿失，千萬注意！（白）

友聯出版社優待讀者 工展會廉價出售書報

友聯所有出版的書刊，在工展中廉價售，有的是九折，有的是六折，在工展中以一元的精美紙鎮，在市上價值四毫的聖誕卡，在工展減售一毫一份。友聯出版的兒童樂園，中國學生周報，大學生活，祖國週刊，亦在工展期間徵求基本訂戶，一律均贈送珍貴聖誕禮品。可以得到贈品，各種合訂本也都特價售。

力士軟塑膠品物美價廉

△工展會第八九街攤檔頗大之攤位乃力士軟性塑膠品，該廠經理求發展業務，特赴日本考察。該廠產品全部用無線電熱製和高壓製成，因此出品不特美觀新穎，且價廉。由於其出品優良，在本港佔有重要的地位，外銷數額更佔總產百份之八十強。（白）

自由談

政治家的風度

馬五先生

美國民主黨總統候選人史蒂文生最近聲明，今後不再從事於競選運動，將執行律師業務。這是一種良好的政治風氣，然非史氏所倡導的，共和黨要人杜威，早就實行了。

在人民有權的民主社會中，一個政治人物挾着政黨擁戴的聲勢，競選總統職位，兩度失敗之後，即證明民衆對自己的觀感並不佳妙，縱有再接再厲的勇氣，亦無最後成功的信心了。

所謂急流勇退，乃是政治人物葆持聲譽的明智之舉。只有貪鄙成性，未聞大道的官僚政客，才恬不知羞，死七八顛地熱中功名利祿，知進不知退，非至身敗名裂，醜聲四播，被人們起鬨喊打，他是不甘休的。政治家與政客的分別，就在這些地方啦！

一個人的謀生之道甚多，發財的途徑也不是沒有，何必作官，然後過活呢？作官原非壞事，但對於出處進退之間，總得愛惜羽毛，珍重自己的人格，可行可止，表示一點政治家的風度，使政治生活不致形成普遍的下流狀態，亦即所以培養民德也。美國麥克阿瑟元帥解除公職以來，拒絕作總統提名候選人，也謝卻選民推戴他競選參議員；杜威兩度競選失敗後，連紐約州長亦不願繼續當任。這種善良風格，在咱們的政治社會中，永遠是前無古人的。有之，只是些榮辱由人，好官自爲的鄙夫，如抗戰時期某院長，受到民意機關的猛烈反對，滿不在乎，還恬然自得以語人曰：「他們反對我，我不怕。委員長是喜歡我的——喜歡我聽話！」這就是我國的政風，至今流行不逮，請教民主政治生活從何創造呢？

因此之故，我國的政治人物就很難見到一個政治家，滔滔者皆爲傖俗的官僚政客而已。凡是講究出處大節，遇事有所不爲的，必不見容於當今之世。假使杜威，史蒂文生，麥克阿瑟是我國政治上的文武要人，他們一定不會有這種自重自愛的人生觀。否則只有落得人們兩字考語：傻瓜！

對台語片前途的影響

公營片廠加租

高棉

（台北通訊）台語片目前正如日之中天，不僅已在本省電影事業上，立定了脚跟，而且計劃中的「薛平貴與王寶釧」，「范蠡與西施」兩片還將出國，爲國家賺點外匯回來。

過去本省影片市場，幾乎全爲日片和港產廈門語片平分秋色，如今，情勢一變，台語片後來居上！從爲國家節省外匯，繁榮本國電影事業上看，台語片前途值得重視。

以前一般人對台語片的看法，毀譽參半；即在今天也仍有少數人不以爲然，不過見仁見智，各有不同，大多數人士，至少在意見上，已經有了一個統一與協調；那就是，要發展台語片，必先從提高台語片水準改良素質着手，首要的條件是有賴於公營公司的技術與人才的合作，台語片才能眞正地站得脚跟。

可是，消息傳來，幾家公營製片廠却在作「撈一票」的打算，預備從明年起，把場租提高一倍。這消息對台語片製片商，不啻晴天霹靂。使對像我們這些對國產影業寄予厚望的觀衆也未免吃驚不小。

依據目前的情形，以某廠言，租借它的場棚機器，每天租金是一千二百元左右，且硬性規定最少須租用四十天；此外，他們訂明甚麼時候自己用場子，什麼時候就讓出來，如民營大同公司正拍攝的「瘋女十八年」，就正遭遇到這種困難。至於其它開支，場租、水電費等，尚須自理，職工除付一萬五千元的酬金外，每天須另發二十元的餐點費；攝影、錄音、佈景三師每人也得五千元的酬金，若再加上編劇、導演等酬金和拍片的雜支，不算膠片，這筆數目，正是可觀！何況，現在又傳聞要再加上一個最新的修正辦法呢。

新辦法的詳內容，迄尚未見公佈，但據可靠方面透露：場租將有定的一千二百元加到二千二百元；正確的實施日期是明年正月。

如若，這一加價辦法眞的實現，不言而喻，台語片的製片成本；必將提高，因提高成本製片，獲利的機會即相對減少，抑或有虧蝕的危險。爾后，投資商人只有出之兩途，一是減少拍片興趣，一是把本省資金流入香港，在香港製片，放棄[illegible]自製的打算，或者消極處之，[illegible]

[illegible]在目前[illegible]的嚴重后果，是可以想見的，台灣的電影事業，可能因此再回復到過去的冷落凋零，[illegible]

[illegible]入可以增加，[illegible]因此再失轉機的機會[illegible]就看公營製片廠當局的態度了。（十一月廿八日）

十、范金作匱弄玄機

較畢土山，小休片刻，再把石室金匱，解說一番。

民十左右，有許多位參加革命的老先生常說一句笑話：「我們中山先生把一個中國華盛頓讓給袁世凱，可是老袁偏偏要做王莽。」以此責備項城，他是無辭自解的。在民國三四年間，他自以爲羽毛已豐，莫予毒已。就逐步進退，有時還賣弄玄虛。終身總統猶以爲未足。傳子傳賢，還要取決於他。於是有粵人張某希風承旨，大上奏請設石室金匱，秘藏總統承繼人，紹成周姬旦金縢之貴，近師清代上傳位之詔。項城一見正中下懷，令曰：「中華民國大總統承繼人，由大總統親書承繼者三人姓名，秘藏匱，大總統內故，由國務卿率領百官開匱，照大總統所親書三人，依次序承繼。特設石室金匱之制，此合造爲方形石室，全叠青白石門，用金」於是在居仁堂右，卍字廊前小島上，鎖鑰堅牢。匱藏室內正中，其色啓匱，內有鎮龍金盒，中藏承繼書一冊。袁氏旣歿，黃陂繼任，外傳黃陂已[illegible]石室金匱，但袁氏所書究爲何人，黃陂秘不肯宣，舉國無從得知。黃陂逝後，當日隨行之秘書黎劭平先生（澍）始爲人言其大略云：

民國五年農曆五月初七日黎副總統正位大總統，農曆五月初九日赴南海開金匱石室。[illegible]

燕塵識小（廿）

舟負生

[illegible]

本節完，全文上編完

丙申小雪舟負生拜手

讀邵鏡人「奉答王公璵兄台北代簡」一律卽韻賦此

并序

刁抱石

邵王兩先生之道德文章，遙相輝映，令人欽佩。王爲反攻吟社社友，因係新知，益覺聞名不如見面；邵先生則時有佳作，近以和詩，得爲神交。

唱酬聊以補從遊，論品當推第一流。

淮海風雲成夢幻，蓬萊歲月自春秋；

邵平瓜誰能辨，王粲樓高但可愁！

我欲憑花聲酒勸，不妨同署醉鄉侯。

短篇小說

石太太

鍾靈

[illegible]

七

[illegible]

（五）

啓：「同光風雲錄」續稿未到暫停。

新聞天地社徵文

一、題目：東南亞華僑國籍問題

二、截稿：自即日開始收稿至十二月廿四日止截止收稿

三、字數：每篇不得超過五千字，請用原稿紙以毛筆鋼筆繕寫清楚，勿横寫，勿兩面寫，稿末註明應徵者眞實姓名，住址，並加蓋印鑑。

四、地區：應徵者以港澳兩地人士爲限，來函封面請註明「徵文」兩字

五、稿費：按照成績，錄取十名：

第一名每千字港幣四十元
第二名每千字港幣卅五元
第三名每千字港幣卅元
第四至第五名每千字港幣廿元
第六至第十名每千字港幣十五元

六、落選：凡未經入選之稿件，每篇致送紙筆費[illegible]

七、揭曉：[illegible]在新聞天地發表，揭曉後可憑原有印鑑來新聞天地社領取稿費

八、版權：凡應徵稿件版權歸新聞天地所有，入選或未經入選而發給紙筆費者[illegible]

九、退稿：來稿請附寫明退稿地址之信封並貼足郵票；否則概不退還

社址：香港德輔道中一四九號四樓

自由人

THE FREEMAN

（第六〇三期）

中華民國僑務委員會
登記證台僑新字第一零二號
中華郵政台字第五〇〇號
執照登記爲第一類新聞紙類
（半週刊每星期三　六出版）
每份港幣壹毫
台北市每份價台幣壹元
督印人：陳文韜
地址：香港高士威道二十號四樓
3RD. FL. 20 CAUSEWAY RD. HONG KONG
TEL. 771726
承印者：東南印務出版社
地　址：高士打道六十四號
台灣總經理處
台北市西寧南路壹壹零號二樓
台郵撥儲金戶九二五二
海外總經銷
友聯書報發行公司
香港：彌敦道中二十六號A二樓

注視中共的危機與掙扎

·金達凱·

目前中共正陷入多種危機之中，如「五年計劃」無法完成，「公私合營」弊端百出，糧食供應恐慌，商品價格飛漲，以至精神基礎動搖，學生與工農羣衆反抗情緒滋長，都是此一危機的一面。因之，他們對台灣的「和平」誘惑，對美國的暗送秋波，對東南亞各國的甜言爭取，以及對海外自由人士之統戰等等，乃是它企圖渡過本身危機的手段。在此關頭，我們須記取蔣百里先生的名言：「敵人跳，我們笑，看它怎樣跨台」。

五年計劃破產了

自十一月十日至十五日中共舉行八屆二中全會後，十六日僞人民大會常務委員會作出「關於寬大處理城市反革命份子的決定」，僞國務院發出「關於國家機關停止增設機構擴大編制的通知」，十七日周恩來匆匆出國作訪問東南亞七國之行，二十一日中共中央和「國務院」聯合發出「關於糧食工作的指示」，二十三日召開「全國公私合營企業工會基層幹部大會」，本月初又有「國家計劃委員會」重要人事的更動。這一些事實，反映了中共面臨政治經濟的嚴重難關。

首先從其經濟建設來說，其第一個「五年計劃」的限期即將屆滿，但由於資金籌措的困難與技術力量的薄弱，一般重要項目均未完成，今年是五年計劃的第四年，而一般基本建設所需要的鋼鐵、水泥、木材等均無法供應，據十一月九日「人民日報」消息，由於缺乏建築材料及其它原因，今年中共十八個部有近百個限額以上的工程，難以完成計劃。如第一機械工業部的拖拉機廠的若干重要工程迄無法進行，冶金等工業部今年計劃交工的七十二項工程，實際交工的則只有三十九項。甚至衛生部門的總體計劃，本年也只完成百分之二十點三，一個醫院計劃建了兩三年，仍然還是計劃。而在勉強完成的少數工程中，有的因設計錯誤，有的質量低劣，不堪應用，如鞍山和洛陽的一般重大工程，長春的第一汽車製造廠工程，都發生基礎下沉，地下室漏水等不合質量標準的現象。

在電力方面，中共預定五年中新建和改建九十二個電站，但除了改建了撫順、豐滿、富拉爾基、太原、上海、重慶、獅子灘等九個火力電站和水力電站外，其它各處工程均未完成。據十一月二十六日北平大公報載：目前大陸有二十二個地區缺電，而缺電原因，是電力設備缺乏，如北平、天津、唐山電力系統，在今年第三季度檢修期間，還缺少電力設備一萬五千瓩。他如濟南、西安、鄭州、成都、廣州等地電力系統也都有類似的情況。

在上述情形下，「人民日報」在十一月二十七日的社論中，承認共匪經濟仍然十分落後，「並且不只是落後五年、十年，而是落後幾十年」，供認大陸的鋼鐵生產量到今天還趕不上比利時的鋼產量，紡織工業雖較有基礎，但紡織量還趕不上印度。經濟建設的失敗，是中共當前嚴重危機之一。

財政負担繼續加重

第二，自今年一月起，中共宣佈進入社會主義，將全大陸的民營工商業全部實行「公私合營」，手工業也實行合作化。但由於經營管理的錯誤，與統制政策的失當，已使這一重要經濟環節發生嚴重的混亂。其一是盲目合併工廠和商店，打亂了已有的供銷關係與協作關係；其二是行政管理人員增多，技術及營業人員減少，影響生產與營業，再加以其它原因，以致據王性初、劉靖基等八人在中共人代會上的聯合報告：各地公私合營工商業，不僅繳不出利潤，付不出定息，甚至連改善本身勞動設備的能力也沒有。他舉出上海印染業三十九個工廠，今年一至四月，在賬面上盈餘總額二十六萬元，但次品貶價和報廢等的損失達五十六萬元，兩抵之後，要虧本三十萬元。此種虧本情形，不僅印染業如此，其它行業亦莫不皆然，據中共上海市第一商業局局長胡鐵生供稱：在該局所轄的行業中，有絲綢、花邊、綉品、絨綫、酒、自行車、衣裘、茶葉、中藥、新藥等十四個行業繼續虧本，有的虧本數字繼續增加。此種虧本情形的延續，加重中共財政的負担，這是危機之二。

糧荒嚴重物價上漲

第三，糧食問題。由於連年水災旱災的影響，共區糧食一向不足，而中共自實行「統購統銷」的三定政策後，一方面虛構糧食總產量，以作征收數字的依據，另方面則限制民間消費量，以束緊人民的肚皮，因而大陸民衆長在飢餓之中，特別是今年的風災，使十餘省全面歉收。而風災後輕災區，中共又盲目推行密植，不顧自然條件及品種特性，硬將河北、遼寧稻種移植湖北湖南，以致兩湖糧食又普遍減產。據十一月二十日「人民日報」消息：今年七至十月四個月的糧食消售量，比去年同期增加了二十億斤，十一月上半月的糧食消售量，比去年同期增加了二億斤，因之在十二月至明年六月這七個月之內，糧食難以供應。嚴重饑荒將隨之發生。這是危機之三。

第四，是物資缺乏與商品價格瘋狂上漲。據中共哈爾濱市長呂其恩在十一月十五日「黑龍江日報」上的報告：共區物資的缺乏，已到了令人驚異的程度，如坐車困難，吃油困難，做衣服困難，甚至連燒柴都感到困難。因而物價一再上漲，食油及猪肉都有黑市，較規定價格高出一倍。各省市商店採購員有十七萬人集中上海搶購物資，更影響物價的波動。這是危機之四。

知識份子情緒不穩

第五，特別嚴重的，是青年學生反抗情緒的滋長，據十月二十六日「人民日報」和二十八日「光明日報」的報導：大陸高等學校學生現普遍發生怠課現象，不上政治課，

（下轉第二版）

看清東歐民族革命的本質

·曾旭軍·

在自私苟安的政客之前，雖有有利的客觀局勢存在，亦往往毫無作用，或反爲敵人所利用。

據華盛頓八日中央社電訊，謂：美政府憂慮俄共因企圖挽救內部崩潰，可能發動戰爭。且恐怕發生一俄式珍珠港事件」。

自私苟安的政客，第一個錯誤觀念，便可能認爲蘇聯在東歐民族主義運動之中，自然發生內部崩潰，這是過於天眞的樂觀，不免造成悲劇的悲觀。

兩類共黨國家的內情

波蘭和匈牙利的反蘇俄浪潮是史達林建成蘇維埃大帝國西部的「共產」民族革命。如果自由世界不在外面積極援助，充其量不過多成立幾個南斯拉夫。蘇俄依然存在，蘇俄內部仍未至崩潰，是可斷言的。我的理由是：

蘇維埃帝國始終以亞洲半部爲主，歐洲半部爲副。蘇聯能掌握着中國大陸，威臨亞洲太平洋，纔把東歐幾個附庸給予相當的自由與獨立，作爲其對西方的屏藩，還是對自由世界的威脅。甚至藉此催眠西方，使發生苟安心理，其潛伏的禍患更大。

一九四七——至四八年，東歐附庸國所有一切非共產的政治活動，皆已消滅，經過不知多少次的整肅又整肅，才餘下這些純共產黨人掌政權。但分兩類，第一類，例如波蘭的高穆卡，匈牙利的拉治克，保加利亞的柯斯托夫，與羅馬尼亞的柏托拉斯克努，分別掌政權，在南斯拉夫整個「機構人物」，都屬於這一類。第二類，是在莫斯科受蘇俄訓練的，則分佈於共產國際網，或任各共產國的內政人民委員會（NKVD）的要員。他們眞正是蘇俄的鷹犬，用來監視附庸國的，例如波蘭的比爾勒，保加利亞的卓凡柯夫，匈牙利的拉科西，他們是史達林的特務。

其後史達林認爲第一類的共黨人物靠不住，令南斯拉夫共黨驅逐鐵托，南共不從，遂演成脫離蘇俄。保加利亞的柯斯托夫，與匈牙利的拉治克，均被絞斃。羅馬尼亞的柏托拉斯克努，則於一九四八年被逮捕，直至一九五四年被絞死。波蘭的高穆卡被幽禁。至一九五四年冬東歐附庸均完全史達林化。

共產的民族革命

但我們須知這完全是共產黨內部的權力鬥爭。史達林死後第一類的共產黨徒，打着民族革命的旗號，奪取政權，所以波蘭的高穆卡政權在握，便聲言不脫離共產主義，而往莫斯科商訂條約。至於匈牙利的納基，是在史達林死後，隨馬連可夫的放寬附庸國政策而登台。馬連可夫一倒台，他便悄然退去。至今年十月匈國隨波蘭發生民族革命，納基出任傀儡總理，大權仍在共黨第一書記甚爾羅之手，由他召蘇軍來鎮壓革命。後來甚爾羅離去了，而來了一個鐵托主義者的加達爾，但加達爾竟變爲蘇聯的傀儡。如此看來，是不是共黨亦不過是「共產」的民族革命呢？

不錯，附庸國的人民是爲求眞正民主和自由而起來鬥爭的。但這必須獲得鐵幕外的援助，方克有濟。克姆林宮現在應付的是附庸國的政權約束力而已。如果他們明知西方國家如此的自私，苟安，和畏懼大戰，則他們是不怕人民的爭自由的。

即就蘇俄最大的眼中刺的鐵托而言，共產黨人還是和他有點默契的。

附庸國的雙重枷鎖

赫魯曉夫是主張向東歐「共產」民族革命略示退讓的人。迄今他仍未倒台，可見蘇聯始終不放棄藉鐵托以維繫東歐的。本年九月蘇聯共黨主席團表示反對赫魯曉夫對鐵托過份退讓，因而發信函給東歐附庸國之共產黨，指責鐵托爲民列寧主義。所以在十月初，赫魯曉夫急急到南斯拉夫，與鐵托商量，終訂下秘密協議；南蘇兩國成爲「雙軸平權」，在保加利亞，羅馬尼亞與匈牙利共維持平衡，但不能應用於波蘭及捷克。從南斯拉夫駐布達佩斯的收留前匈總理納基一事看，便可證明。

東歐附庸國的人民爭取眞正自由是必要打破雙重枷鎖。在「共產」民族革命後，還是得不到眞正的自由的。蘇聯在軍力上的鬆弛，是從權的辦法，但他們的錦囊中，尚有許多政治陰謀可以玩弄。自由世界不向鐵幕施壓力，他們是有恃無恐的。所謂「俄企圖挽救內部崩潰可能發動戰爭」，是幽騃的幻想。徒自暴自己的膽怯。不免爲克姆林宮中人所竊笑。

中共如何取悅「美帝」

然而筆者之意非謂蘇俄並無恐懼也。蘇俄所懼的是自由世界的醒覺，識穿她的紙老虎，向她施壓力，而實行解放鐵幕政策。這個日子如果到來，共產集團便要手忙腳亂了。作爲蘇維埃帝國東部的附庸國之中共，今已憂慮到這個日子來臨了。中共頭目內心明知跟着蘇聯走已沒有前途，他們實在想向着「美帝」一面倒了。——但世無眞正信守主義的政客，祇要能抓着政權，倒向那一方都可以。——但被抓在蘇聯的掌握中，祇有順着蘇聯的統戰政策，去媚惑美國，現在周恩來乞求尼赫魯搭綫和「美帝」修好了。

我們堅信全世界的人民天天在漸趨醒悟。掌政權的決不能違反廣大的民意。一半在鐵幕內一半在鐵幕外的國家，如中國，德國，韓國，越南，在鐵幕內爆發自由的火花，並非若匈牙利那樣艱苦，一旦時機到來，必然裏外合應很快便將鐵幕推倒，是可斷言的。（完）

半週述評

·司馬璐·

我們的慚愧

胡秋原先生從美國的來信說：「想到匈牙利人轟轟烈烈，我們眞可慚愧」。

匈牙利的戰事又再起了。匈牙利人民今天所處的環境是如何呢？一位西方的記者寫道：這一回，匈牙利人民會知道，要期待美援和西方國家的有力行動，是不可能的了，他們幾乎在絕望的情勢下。這種壯烈的鬥爭，就格外値得重視了。

相形之下，中國人怎能不感到慚愧呢？

兩者皆可拋

舉世聞名的匈牙利早期的愛國詩人貝杜斐，曾經寫下了一節千古不朽的詩章：「生命誠可貴，愛情價更高，若爲自由故，兩者皆可拋。」

這是詩，這是歌，這是莊嚴的誓言，這誓言代表了一千萬顆匈牙利人民活躍的心！

這聲音，也能給我們一些啓示嗎？

自由何價？

一星期以前，當匈牙利的婦女在布達佩斯遊行時說：男人們回家去吧，這是娘兒們爲着她們所愛的男人們的責任。

何等美麗聖潔的靈魂！何等感人心弦的心聲！

自由何價？懂得自由必須捨身以赴，今天我們的慚愧，是不是我們還不夠領會這個最起碼的眞理？

爲人看不起

胡秋原先生的信中又說到：他在美國所接觸到的東歐流亡人士，對於推翻共黨及俄帝，信心均極堅強。至於國人「其中大抵消沈，再不然，即相信或希望毛某可轉變」。也正因爲如此，據胡先生信中說，所以這些國人在美國是「爲人看不起」的。

中國知識份子的「消沈」，我們不僅「慚愧」，而且已經到達「爲人看不起」的地步。

信心與團結

改變這種情勢，需要我們立刻有所作爲，胡先生信中說到，在政治上，「反共救國會議應力促其開，且須開得有結果。」在軍事上，「即無大行動，亦須有小行動。」如此「合東西之勢，使世人了解俄帝之不足畏」，而中國在國際上的地位，也可以一新世人的耳目了。

至於個人，要有信心，要能團結，雖屬老生常談，却是胡先生這次在國外特別親切的體會到的。

自食惡果的悲劇！

黃河服毒脫險獲救

對現實不敢控訴只能出於自裁他畢竟是個弱者

影是黃河吞服了二十多片安眠藥自殺的消息，給平靜的電影圈激起了小小的漪漣，也給香港社會造了聖誕前的頭條花邊新聞。有關當方面在黃河的住房中檢出了他的書信，包括爲給新聞界的公開函，而他的若干友好更收到了黃河的「絕筆」，看他事前周詳的安排，誰能說這是意外的中毒呢？

目前，黃河已經脫險離院外出休養了，他的服毒經過以及前因，雖然沒有正式的公佈，但外間的人顯然都有一點認識，聽說黃河曾經寫過「萬言書」，歷述他年來的生活與思想上的痛苦，而這本「萬言書」或有可能向外間透露的。

服毒的事已成過去，前因亦經說這個惡果，凡看黃河今後的出處如何，也是外間所最要知道的。

記者於黃河服毒以後，曾接觸過一個和黃河頗爲要好的朋友，他談到黃河的近況，其中雖然不無一點私人見解，但也可略略窺出他服毒的眞相。他說：「一年來沉寂頗久的國語電影圈內，黃河的轉變立場，曾經熱鬧了一些時間，那時，圈內人士對他的批評，是人言人殊，有的認爲他意志薄弱，有的在罵他沒有中心思想，忽左忽右的飄忽不定，更有人讚賞他是一個標準「因色起變」的僞君子，當然，也有一些左派人物在稱贊他是眞正的「覺悟」了。

其實，除了那班一畢害犯左傾幼稚病的人之外，其它的批評，似乎是太苛責了一些。其實說他意志薄弱或者是沒有中心思想，未嘗不可；然而倔正的秘密，祇是爲了一個女人——一個女伶——而變節的，所以，「因色起變」這句話比較合乎邏輯。

早在幾個月前，瞎黃河於某友人家，酒後他會吐了一些眞言，他說：「好些人說我的轉變，是從台灣回來開始的，那眞是欺人之談，說實在的，我的轉變，僅僅是爲了一個人，爲了一個人！」

就在那天晚上，黃河對着另一位友人，說出了不少的良心話，更洒了不少的酸淚！

他對那友人說：那個女伶非但騙他了的情感，而且還騙去他所有的儲蓄！起初，這位素來儉省的影，以爲「失財必能得女」，可是，那個女伶對他一再的食言，失信，使他的信心起了動搖，那時他就想趕進竹幕，搞它一個「一水落石出」，可是，說也湊巧，某方面進」電影公司，突來邀他拍片，從錢方面打算，黃河以爲這該是一個機會，於是毫不考慮的接受下來，但及知他知道所担任的角色，僅是配角，而且酬報是少得可憐的時候，黃河大失所望了，他認爲這是變相受騙。

從那時起，黃河更形消極了，時常的在知己面前訴露心事，好幾次，在那位友人面前，失聲痛哭起來！

可是人終究是個情感動物，黃河對那個女伶的情，始終是念念不忘，差不多隔天就給她去封情書，希望藉情書的力量來打動她，可是女伶的回信，滿不是那回事，對以前所說的「情話」，點很兒的不提，反而還要責備他，另一關係方面，又批判他「鬧情緒」，雙重欺騙和雙重打擊，使他拿着那個女伶的來信，向友人哭訴說：「你們看看！我爲她犧牲了一切，她却這樣的對我！這不是狼心狗肺，是什麼？」

但是眞是「不到黃河心不死」，某天黃河，向好友們表示，須赴外地拍片數天，囑勿往訪。實則他是偷偷地潛入廣州探視那個女伶去了，黃河回來後的態度顯然是大變了，他變得冷酷的堅定，終日埋首在家裏著寫，寫些什麼？在當時無人知道，可是現在，在他服毒以後，在他脫險以後，倒相逐漸揭露了。」

死固是要有「勇氣」的，但看到黃河不敢對事實作正面的控訴，而自殺只足以表現他還只是一個弱者而已！

威爾遜誕生百週年紀念感言

（上接第一版）聖誕祝詞中表示一點對受着飢餓奴役的人民的關懷！杜爾斯更明白聲言美國無意在東歐「使蘇聯爲難」，這些話，既不符合聯合國大會譴責蘇聯暴行的意旨，而且有鼓勵國際強盜的作用，彷彿要試探交情，進一步訂立互不侵犯條約似的。這種作風，與昔日使國聯和威爾遜失敗的美國傳統孤立主義何異！我們於痛心之餘，不禁想起威爾遜當年，主持國際公道，維持人類正義的偉大精神！

正義比和平更可貴

和羅斯福一樣，威爾遜是勇敢的人道主義者，是富有創造力的領袖。威氏認爲美國不參加國聯，是奇恥大辱。也是他生平和臨終憾事。羅斯福繼續威氏的遺志，在大戰勝利前，即積備創立聯合國，然而未能及身觀成，料他也當引爲遺憾！至於艾森豪[illegible]一般，比較注意本國的繁榮安定，認爲得意的傑作。艾克的競選連任的演說，再三提及這一點，從爲樂觀的論調。但就鑒着這繁榮與和平，使他在坐白宮的寶座。對於鐵幕世界八億以上被奴役的人民，十餘個飽受蹂躪缺乏麵包和自由的國家怎樣水深火熱，慘痛呻吟，迄未博得「和平總統」的有力的援助。這種「鴕鳥心理」，比較迅集儘安全和平不可分的威爾遜精神，眞令人有今昔之感！

誠如威爾遜所說：「正義比和平更可貴。……美國人可以獻出生命財產，犧牲一切，以實現所有國家的和平與安全」羅斯福也說過：「美國人乃是世界公民，人類社會的成員」，這兩位總統領導美國人去爭取有正義自由的和平，造成歷史的奇蹟和美國的光榮。在今天，威爾遜誕生百歲的良辰，我們誠希望全世界愛好和平正義的人士，都能發揚威爾遜痌瘝在抱休戚相關的精神，從各方面切實維護正義，團結反共，尤其希望美國人不要只顧一個國家的安富尊榮，僅以進行一點金元（經援）外交爲滿足，而坐待鐵幕的崩潰！要督促他們的總統先生切實繼承威爾遜的偉大教言，以天下爲己任！

大陸生活什景

北平街頭的人龍

早晨四、五點鐘，北平的街頭就出現了無數的人龍，長長的，冒着刺骨的冷風，他們有的是買油；有的是買糖；最多最長的是買豬肉！從天不亮站隊到響午，還管保不一定能買得到。「豬肉供應緊張」的情況可以想見了。十四日的「人民日報」專文說，「從八月以來，除了節日，北京市豬肉供應就不斷減少」了！爲了吃肉，反映出了人們的「耐性」，但波蘭的新總選甘慕卡在不久前說，「繩子拉得緊是要斷的」！忍耐也是有限度的。

慰問信畫餅充饑

河北省自八月風雨爲災以來，情況迄未見好轉，入冬後飢寒更爲嚴重，據共報說，山西省曾大力加以支持，其中並有「一萬封慰問信」！用慰問信來畫餅充飢，眞是莫大的諷刺！

成問題的兒童教育

大陸的兒童教育已經成爲大問題了，中共把責任輕輕地推在「社會上殘餘的流氓、慣竊份子」的身上。「人民日報」的評論員下這種的斷語，眞是罪該萬死，他忘了他也曾宣傳過「社會主義」下的社會已是「路不拾遺，夜不閉戶」的了。不過「眞理報」在早些時也曾說過莫斯科阿飛如何橫行的，而且多數還是當「貴族階級」的子弟呢？那麼大陸上許多城市中小學生逛馬路、逛百貨公司，順手牽羊偷點小東西，打個羣架，又算得了什麼呢！

工展巡禮

益豐的「熱敵」

益豐搪瓷公司玻璃新出品之耐熱玻璃，「熱敵」（HEATEX），據該廠主持人竇之英介紹謂與歐美通行之「派力士」（pyREX）玻璃同屬一類，而其功能絕超過舶來品，目前出品計有汽燈罩、咖啡壺，湯鍋及化學儀器，鍋爐用耐熱水鏡等。據記者參觀，「熱敵」汽燈罩與舶來同時作試驗比賽，結果燃點二十分鐘後，舶來燈罩即先爆裂，而「熱敵」確與定名相符，絲毫不損。又將「熱敵」咖啡壺在煮滾咖啡後連壺浸入凍水中亦不爆裂，而且售價較舶來品廉宜甚多。

俊傑的軟膠吹瓶機

俊傑機器廠，製造的軟膠吹瓶機是一九五六年設計，每架所佔面積約4尺×5尺，使用簡便，通常僅將膠粒倒入該機之盛之圓筒內，自動流入機內電力溶解後，即出螺旋料筒擠出壓出之原料注於模型之中，將手柄搖動模型即出鑽實待另一次注射適可時第二只已經吹製完成，如此循環工作即能製成大量美觀的出品。據統計，例如製造玩具水槍一項每小時約可製成七百餘只。至於該項機器之結構效用等，該廠備有詳細說明，歡迎索閱及詢問。

柯士甸的樂器

柯士甸中西樂器廠所製各款中西樂器，均經專家悉心規劃。故每一出品，製作無不精巧，式樣新奇。且將中西融滙，音韻更覺悠揚！樂予採用，蓋音樂確有陶冶人之性靈，得怡然眞趣之樂。凡愛好音樂的朋友，可請去第十一街該廠攤位參觀。

領袖牌蝦片 大受新年送禮者歡迎

時屆聖誕，天氣轉暖，工展遊客大增，而標記行的生意更爲暢旺，因爲他們的出品「領袖牌蝦片」甘香鬆化，食後更能增加身體的營養，且在寒天，進食更可增加溫暖，無怪天氣不論寒熱均甚暢旺，並成爲好杯中物者所特別歡迎。（坤）

振興出品　風行各地

振興糖果餅乾麵包，出品精良，堪稱該廠鉅擘，工廠宏大，全部科學機械化設備，價廉物美，暢銷寰宇，馳譽中外人士，這是順德何智煌氏歷廿餘年心血的創造成果，其胞姪景開君，追隨乃叔負經理襄助之責。

該廠出品豐富，脾睨舶來，餅類：結婚禮餅、生日大餅、椰汁杏仁餅、蓮蓉光酥餅等，向負盛譽。該公司爲方便大衆，並備有明年「丁酉」中秋月餅會，本年農曆底前可參加，以字號老，信用好，人多樂予加入。麵類：尤以火腿雞蛋麵最有名，滾水、汽水、啤酒、一泡即食，旅行家居□便，送禮有貴，每盒六包庄，定價三元，工展特價二元優待。糖果類：包羅萬有，最近獨家新出品「吉祥果」，係特製果汁潤蘆軟糖，不特可口，且有潤肺護喉之功，工展第八九街攤位，大放吉祥，供不應求。其港九各支店門市，包括：洋酒、香酒、罐頭、生果、伙食等，現値聖誕及新年，生意特別暢旺。

（附圖：爲振興何智煌氏招待新聞界參觀工廠。）

不感興趣的保証

自由談

最近我政府外交當局說：在尼赫魯訪問華府前後，美國官方曾經兩度保證其對華政策絕對不變。這話我也相信，祇看那位專門負責向我們作政治諾言的羅柏遜先生之僕僕東來，即思過半矣。

可是，所謂絕對不變的政策究竟是何內容？還倒值得注意研究的。假如說，美國對華政策的最大目的，祇在援助我們保守着台澎地區這個戰略據點，「不使落入非友好國家之手」，藉以減少美國在西太平洋外圍防線的威脅，其他非所措意了。爲着這種目的，乃不惜跟中共從事妥協談判，要求它聲明不以武力進攻台灣海峽，而以「兩個中國」的錦囊妙計來重演一幕慕尼黑醜劇。這樣的對華政策，美國一定樂於保證絕對不變，並且是「童叟無欺」的鐵定諾言，我們能夠接受這種保證嗎？記得四年以前，邱吉爾訪問美國歸來，曾在議會發言，說是「我們不會讓住在台灣的人，遭受共黨屠殺的」。這就是所謂「兩個中國」之說的註釋，證以艾森豪先生盲目跟俄帝搶和平帽子的作風，美國對華政策的內容如何，誰亦可想而知了。

吾人好說「以不變應萬變」的論調，仔細觀察美國的對華政策，確是採取不變應萬變的方針，如其我們依然「不變」，便成了以不變對不變的局勢，其結果是人爲刀組，我爲魚肉，祇好偏促一隅，苟安偷息罷了。如此的保證，有何價值呢？我們應該不以別人的保證爲滿足，首先即須摒棄苟安心理，老實告訴美國朋友：如果祇是希望我們守住台灣，別無作爲，那就對不起，我們也無需偏安逸豫，有負雅意，任何保證，都是不感興趣的！生於憂患，多難興邦，天下事大有可爲，祇看我們有沒有作法和勇氣，別人保證與否，何必理會呢！

憂五先生

郵票的生日

·郵迷·

一九五六年的國際集郵展覽會，於今年七月七日起在芬蘭的赫爾辛基舉行，會期到七月十五日結束。

集郵小趣

英國發行第一張郵票

從歷史上的第一張郵票面世以來，經已有一個多世紀了。一八四〇年五月一日，世界上的第一張郵票，在英國誕生，那是一張以維多利亞女皇的左身側像爲圖案的郵票。及至到一九四〇五月爲止，整整一個世紀裏，據統計全世界各國發行的郵票，共達六萬一千一四百卅種。它們代表了每個時期特定的歷史，特定的人物，每一種郵票都具有著名事件的背景，反映了整個世紀內的人類的活動。

自英國第一張郵票發行後（它的面值分爲一便士和二便士，前者是黑色的，後者爲青色），一八八七年爲慶祝維多利亞女皇在位五十週年，發行了一套紀念郵票——共十二種，它也是世界上最早的一套紀念郵票。

各國郵票發行年份

按着年代先後的次序，其它各國發行第一張郵票的年份是：巴西一八四三年；瑞士一八四五年；美國一八四六年；法國一八四[illegible]年；奧地利一八五〇年；丹麥、加拿大一八五一年；德國、盧森堡、荷蘭、印度同爲一八五二年；智利、葡萄牙一八五三年；挪威、菲律賓一八五四年；古巴、紐西蘭和瑞典一八五五年；烏拉圭、芬蘭、墨西哥一八五六年；[illegible]、錫蘭、俄國一八五七年；羅馬利亞、阿根廷一八五八年；一八五九年的有哥倫比亞；一八六〇年有波蘭、利比里亞；希臘是一八六一年；意大利、和尼加拉瓜是一八六二年；土耳其是一八六三年；危瓜多爾、洪都拉斯是一八六五年；埃及、玻利維亞在一八六六年；薩爾瓦多、巴拉圭是一八六七年；伊朗和危地馬拉、日本、匈牙利一八七一年；南斯拉夫一八七四年；中國、巴拿馬一八七八年；保加利亞一八七九年；泰國是一八八三年；突尼斯一八八八年；越南一八八九年；埃塞俄比亞一八九四年，列支登士登一九一二年；阿爾巴尼亞、澳大利亞一九一三年；捷克一九一八年；一九二一年的有蘇聯；比較最晚的是印尼，她在一九四九年始發行第一張[illegible]保獨立後的郵。

亞洲最早的郵票

菲律賓在西班牙統治時期最早發行郵票的，在一八五四年的一批郵票中，因爲百分之一的郵票面，將CORREO印成了CORRS，遂迅速百分之一的郵票成爲一世紀來珍貴的收藏品。

日本的第一張郵[illegible]術上承襲了中國以龍[illegible]

[illegible]

短篇小說　拳

·舒華章·

一、

郊外入夜時分的吠聲，沿着[illegible]時候，有人連續拍着門，狗兒不但停止了吠聲，還要[illegible]，搖動着尾巴，歡迎它的少主回來。

「阿旺！」他俯身撫弄着狗兒說：「我恐怕沒有機會繼續升學啦！」

他拖着疲乏的一雙腿，跨過冷冰冰的破舊古老的小屋子裏去，越覺得寂靜的難堪。

可是，他怕聽見母親的咳聲和病魔糾纏多年的老母沒有再咳嗽。他母親的，更害怕兒子擔心，極力阻止咳嗽的發作。

火油燈光輕輕地搖曳着，吹進了冷風的吹襲，六十多歲的病人雖然[illegible]，自然更受不了寒風的威脅，又斷斷續續地咳着。

「鄂華，錢借到沒有？」

「媽媽，借到了。」

其實，鄂華跑了大半天，就沒有找到錢。

「剛才你的好幾個同學來過，說有幫我們的忙。」又是一陣咳嗽。

「三個男的，還有兩個女的嗎？」

鄂華說着，實在不高興。

「就是，大家很關心你，希望你跟他們一起回家鄉念書！」

「我寧願失學，也不回去！」

母親沒有語。

兒子倦極了，蜷倒在門角落的草堆裏，可是睡不着。想完了一個難題，另一個又縈旋在他的腦際，朦朧中，他夢見同班的女學友卜芳苗條的身影。

「我的爸爸也很喜歡你。……回不回大陸，快說啊！」這是卜芳催促他回答的聲音。

「不回！」

[illegible]卜芳[illegible]，把他氣壞了。卜芳[illegible]離座，走出了教室。

鄂華現在惟一的希望寄在小學時代和他最要好的朋友身上。他鼓起勇氣，步向小龍潭住宅區去。

「老鄂！」約翰緊握住多年不見的老友，問道：「你好嗎？聽說你這學期高中畢業，比我快一年！伯母的病好些吧？」

鄂華心裏一怔。

「你怎樣曉得她病了？」

「卜芳告訴我。」

「你也認識她？」

[illegible]

二、

第二天，鄂華起的很早，太陽還沒露臉，他已燒開滿水，一邊考慮着另一個更爲困惑的難題。

[illegible]

好事近

道鄰

底事苦矜持？隔面雲山重疊！惟見萬千言語，在盈盈雙睫。　當筵歌罷淚偷彈，幽怨上眉頰。未有御階流水，怎題詩紅葉！

陳衍（上）

陳衍，字叔伊，別號石遺，並取其號，以名書齋，晚年自號石遺老人。對於經學，史學，文學，詩學，造詣俱深。而石遺室詩話，網羅先當，引錄批評，亦極至當，時人稱之爲詩壇教主，信不誣也。

一、[illegible]遊武昌納交沈鄭

石遺主張[illegible]，[illegible]：『不仁者，可與言哉！』[illegible]，父用賓亦閩中通儒，[illegible]日：『此兒於書理，殆有神乎！』十歲畢讀五經，左氏傳，習制舉文，獨嗜詩，日夜鑽研不倦。偶有所作，識見超邁，與白樂天，東坡爲近。稍長，[illegible]詩紀事，議論淹通，不拘一家之言。舉孝廉後，文名益噪遠矣。

光緒二十四年，[illegible]湖總督張之洞辟召爲從事，居官甚久。時沈曾植子培方以京曹[illegible]湖北書院，博極群書，負一時之盛名。石遺持所作詩，子培讀且喜曰：『[illegible]元詩紀事之陳衍乎？』見而禮之。與論詩文，頗相契。石遺[illegible]之曰：『公[illegible]，而[illegible]，則黃山谷不[illegible]如梅宛陵。』時鄭孝胥，亦同遊武昌，投詩索和，石遺答句有云：『著花老樹初無幾，試遊從容長幾枝。』孝胥曰：『此本於宛陵詩。』乃復貽句云：『臨川不易到，宛陵何可追！還君嘲老醜，終覺愛花枝！』自此詩壇，始有論宛陵者，石遺倡之耳。

同光風雲錄

二、作詩必須多讀書

石遺居恆詔示學者曰：『要作詩，必須要多讀書，不可專在詩中討生活。』又曰：『詩莫盛於三元，三元者，上元開元，中元元和，下元元祐也。……令人強分唐詩宋詩，不知宋人皆推本唐人詩法，力破餘地耳。然者墨守舊法，唐以後之詩不讀，有日蹙國百里而已。』雖然，石遺論詩，固宗宋人，而於宋人之敝，亦嘗言之：『咸同以來，古體不猶讀，近體詩不尚譽，貌之雅渾耳。其敝也，蒼積貧薄，翻覆只此數意數言，或作色張之，非其人而爲是言，非其時而爲是言，視貌爲漢、魏、六朝、盛唐之言者，無以勝之也！余於詩，無所偏好，以爲惟其能與稱耳。淺嘗薄植，勉爲清傳一二語，自附於宋人之爲，江湖末派之詩耳。』此種透闢之論，非專拾宋人唾餘者所能道得出也。

三、做官不忘講學詩話傳誦天下

石遺詩學，騰譽朝野，遂以盛名赴學部大臣榮召管京，補學部主事，旋充京師大學堂文科教授。入民國，仍講學北京如故。時新會梁任公方主辦庸言雜誌，屬爲詩話，遂著石遺室詩話，連載至數十萬言，於古今詩，無所不包，亦無所不容，讀之者，探本尋源，處處可通，其洞燭於詩壇，不亦鉅歟！

彼論詩，嘗引宛陵之言：『凡爲詩，必能狀難寫之景，如在目前，含不盡之意，見於言外，乃能爲至。』此乃至論。前二語，惟杜老能之，東坡則有能有不能。後二語，惟阮、陶、能之，韋、孟、柳則有能有不能。能兼此四語者，惟有三百篇耳。（七十三）

夢山樓

記：女作家張秀亞

近年來，在自由中國的文壇上女作家張秀亞的散文，常見於台北，香港各報的副刊，很受讀者歡迎。尤其是一般青年少女更喜愛讀她的文章。

張秀亞的寫作生涯，始於北平輔仁大學讀書時代，所寫的文章充滿了少女的幻想，和青年人生命的熱力。民國三十一年，她在輔大西洋語文學系畢業後，即在母校任助教兼任編譯員，繼入輔大研究所史學組繼續研究，那時，抗戰尚未勝利，她以不堪日偽的逼迫，逃赴重慶，任益世報副刊編輯及社[illegible]員，是時經人介紹與于斌之弟結婚，勝利後返平，在輔大西語系任教職凡三年，三十七年來台，卜居台中。工作餘暇，潛心寫作。

幾年來，她在台北出版的作品有散文集：「三色堇」、「牧羊女」、「凡妮的手冊」、「懷念」。小說集：「尋夢草」、「七弦琴」、「感情的花朵」。詩集：「水上琴聲」等。譯作有「聖女之歌」（香港出版）「藝術論」等。

她所寫的散文，清新，飄逸而又充滿了愛的氣氛，國立編譯館和台灣省教育廳，曾選爲國文教材，淡江英專所編之「大學國文選」中亦選有她的作品「三色堇」，「書並經師大文學院長梁實秋先生推介，譯爲英文，遂至美國出版。

她對人生觀及寫作態度可於「三色堇」一書之代跋中略窺一斑：「世界雖有它的苦難，戰亂，但也有它的美麗，光明。銀色的曙光，總會透過了沉沉的夜幕，而臨苦難，我絕不悲觀，一如暗夜來臨，我秉燭待旦，我想，祇要熱愛生命，嚴肅，認眞的活下去，向生活的苦井，投進一粒「愛」的糖晶，則頃刻之間，人我所汲飲者，即可由苦水化爲甘泉。」

「一個有生氣的靈魂，總是向上掙扎的，如果我過去的生活是失敗了，我願與苦難再戰鬥一個回合。我的武器，是對正義，光明，愛與眞理的信仰。」從她這一短文裏，可見她的人生觀及寫作的態度。她這幾年所發表的文章充分表現出她的抑鬱之感，有人說，文章是感情的渲洩的對象，和人生寫照，如此話屬實，則也反映出了她生活的另一面。

她原籍河北省滄縣人，現任國民大會代表，兼光復大陸設計研究委員會委員。

我們欽佩她，欽佩她對於逆境的容忍，和對於眞理不懈追求的精神。

·王紹楨·

自由人

THE FREEMAN

（第六〇八期）

中華民國僑務委員會僑登記證台新字第一二零二號
中華郵政台字第五〇〇號
執照登記為第一類新聞紙
（每週刊星期三、六出版）
每份港幣壹毫
台北市售價台幣壹元
督印人：陳文華
地址：香港高士威道二十號四樓
3RD. FL. 20 CAUSEWAY RD. HONG KONG
TEL. 771726
承印者：東南印務出版社
地址：高士打道六十四號
台灣總經理處
台北市西寧南路壹壹零號二樓
台郵撥儲金戶九二五二
海外總經銷
友聯書報發行公司
香港：德輔道中二十六號A二樓

軍事準備與政治準備

自由中國應善用其所長

·左舜生·

最近自由中國的若干負責當局，曾繼續說明『國軍戰備已告完成，隨時準備反攻大陸。』陳副總統在去月十五日，對文官考試及格人員，更具體的說：『明年為決定年，不是我們反攻中共大陸，就是他們來攻擊我們。』因而強調：『明年我們一定反攻大陸。』

這種宣傳，我確實知道，對海外僑胞，並不能給予任何深刻的印象，我所以如此，一方面固由於這類的話幾年來已經聽得太多，一方面則由於中共決不會於短期內侵犯金馬，在海外也成了一種常識。

假定政府或當局有反攻決心，僅僅只是為了配合國際關係或政府的一種親妙關係（例如最近尼赫魯之訪美）而不得不然，則大家可以諒解，可是估計可能發生的正面作用也不會太大；反之，假定明年依舊無法反攻，則將更引起一般國民對政府的失望。

中共不怕武力反攻

老實說：中華民國的屹然存在，這對中共政權確實是一大威脅。可是中共所最提心吊膽的，却並不是國軍以武力去實行反攻。根據一般的報導，台灣現有的陸海空部隊，合計約為六十萬人；一說不止此數，加上地面，後勤，以及若干軍事機構的人員，其人數可能超過八十萬。但不問如何計算，假定真有一天，我們居然取得美國的支持與諒解，反攻居然成為事實，而關於運輸，補給又確實有了充分的準備，我們最大限度可能送上大陸的作戰部隊，也無法超過三十萬人。據最保守的估計，中共現有的陸海空部隊，合計不會少於三百萬人，換言之，即對國軍為五與一之比，同時，我為攻而彼為守，勞逸有所不同；運輸補給，彼有公路鐵路可資運用，我則惟有乞靈於海運與空運之一途；關於兵源，彼可取之不盡，用人不竭，而我則不能不受到嚴格的限制；凡此等等，我們似乎不能不計算在內。現在中共的陸軍，散佈大陸各軍要據點，而膠着在北韓的，也不下二十萬以上，可是他們的海空軍，降落部隊，及部分的陸軍，則大抵集中於沿海，尤其是東南沿海。假定真有一天，我們反攻的三十萬大軍，居然能安全的通過海峽，於大陸邊緣建立一二處橋頭堡，甚至進而佔領三縣五縣，但他們仍不離於四十八小時以內，集中三倍以上的兵力，給我以嚴重的打擊。自然，現代戰爭的要素，不完全決於人數的多少，如裝備，士氣，士兵的體格與訓練，指揮者的能力以及民情向背等等，都不能不計算在內，但如此種種的兩方實際情況究竟如何，在正式的實戰未展開以前，我們在預測時仍不能不採取極端謹慎的態度。

我們只能勝不能敗

上面所說的這些顧慮，我決不是有意『長他人的志氣，滅自己的威風』；尤其近年台灣軍事進步的事實，我更不願加以否認；可是單就軍事一點來說，台灣有台灣的自信，中共也未嘗沒有他們的自信，在我們只能勝不能敗，一遇頓挫即難乎為繼；在他們則後方廣大無邊，即令一敗再敗，仍於大體無損；本月二十三陳副總統在大陸設計委員會演說，不贊成把敵人的力量估計得太低，這一點我確實抱有同感。

就大體來說，反共畢竟是世界性的，無論任何一隅採取單獨行動，便希望把當前的形勢扭轉過來，似乎可能性不大。美國的反共意志，雖然具異常堅強，但他們近年所採的策略，却始終不超出『圍堵』。就當前美國所負軍事的責任，包括若干有條約關係的國家，以及若干環繞共區的基地，其數目共在六十處以上，牽一髮可動全身，以美國的地位來說，她不能不統籌全局而出以審慎，這就應該是我們可以諒解的。所謂『圍堵』者無他，即將一切鐵幕國家緊緊包圍，加強軍事與經濟的壓力，一面靜待敵人的枯竭與內潰，一面自求不息，以把握最後機會的到來。我們看當前東歐若干鐵幕國家內部的動亂，蘇聯內部的不安，乃至中共的誠惶誠恐而搖擺不定，我們不能不承認美國所執行的這一策略，已經產生了初步的效果。

針對中共的弱點

就目前自由中國的實際情況來說，最好是針對中共的弱點，而善用其所長，在一切足資號召的精神條件未切實具備以前，初不必以武力反攻為我們復國的惟一手段。即以武力而論，如果沒有若干良好的精神條件與之密切配合，則無論就質或就量來加以檢討，我們終無法信其比較未退出大陸以前更為強大。相信只要有二十萬或三十萬的陸軍登上大陸，大陸的人民便可望風影從，中共的政權便可根本摧毀，這不只是過度的天真，而且近於不負責任。何況所謂二十萬或三十萬的大軍登上大陸，即軍事本身應具備的技術條件還去事實甚遠呢？

大陸人民因歷年遭受共黨的殘酷清算，積纍劫掠，再加上他們那種軍事重點的建設計劃，確實已把人民一點最後的生活根據摧毀無餘。國軍登上大陸以後的第一個難題，不是軍事的如何進展，而是對於收復區人民如何加以緊急的賑濟，給以精神上的慰安，必須節節收復，節節整理，否則軍事的推進愈遠，收復區的問題愈大，即就軍的觀點來說，也是一個莫大的危機。

中共罪惡的根源

最近七年大陸所演出的重重罪惡，其總根源即由於共匪一黨的橫行霸道，把人民一切的自由剝奪淨盡，人民對於一般共幹的厭惡，確實到了忍無可忍的程度，我們需要一種怎樣的政治制度，怎樣的人事安排，始能激勵一般人民的歸向自由之忱，而使之對國軍保持無上的好感與合作，這也似乎是應該有的一個超越軍事準備的準備。

總括的說來，中共的弱點不在軍事而在政治，假定自由中國的政治措施無法使得大陸以外兩千萬的人民得到相當的滿意，我們即無法證明大陸五億人民對自由中國絕對的歸心。大家都懂得反攻復國應該多靠自力不能多靠朋友，可是軍事準備要靠朋友的地方比較多，政治準備則大部可以求其在我，今天自由中國當局所強調的，似乎是急其所難，而緩其所易，換言之，即單純的着重於軍事準備，而忽視了政治準備，這一點是我們所期期以為不可的。

（完）

狄托與莫斯科之間

·李金曄·

十一月十一日，狄托在普拉「南斯拉夫人民軍俱樂部」向南共的「積極分子」發表了有關斯大林主義，個人崇拜，波蘭、匈牙利事件和一般國際問題的演說。十一月十六日該項演說在南共機關報「戰鬥報」上發佈後，國際共產黨內部又開始爆發了新的爭論。狄托的演詞基本上並未脫離「共產國際利益」，但由於他在某些方面攻擊了蘇共，也觸傷了東歐和西歐一些國家共黨領袖對斯大林主義領導方式眷戀的感情，遂鼓起了共產國際內部的新的風暴。就分析觀察所獲的印象，這次的爭論，可能使最近一年來南斯拉夫與東歐其它國家的共黨關係再度轉趨惡化，或者南斯拉夫又將恢復到一九四八年來的「孤立」狀態。

我們對狄托的看法

站在民主自由反共的立場，對於狄托路線及其發展底傾向，只能把它看作是共產國際內部的病症，因為狄托路線基本並未脫離共產主義——馬列主義的範疇，狄托所領導的黨和政府也仍是反民主，反自由的，不能因為狄托及其政府以及政治路線之不見容於莫斯科，而誤認為他是民主反共的戰友。但同時也必須承認一點，自一九四八年來，狄托路線對共產國際所起的「破壞性」底影響，不能謂小，因此，從某種角度來說，狄托路線的影響，對世界民主自由的反共運動，自亦有其一定的間接作用，一定的有限價值。但，這也並不等於是我們完全贊同狄托路線底共產主義及其政治。這是我首先須要加以闡明的。

愚蠢的斯大林主義

綜觀狄托這次演說之態度，充分表現出，東歐和西歐共黨並未因南國與她們恢復了黨和國家的關係，而對她寬容，狄托實際上還是處於被圍剿狀態下，他深切地表示了「對於那些今天又在開始誹謗南斯拉夫」的共黨國家及其領袖的憤恨，他把這種傾向歸罪於「頑固的斯大林主義分子」並說「這種背信棄義的傾向」是基於這些斯大林主義分子要在他們「各國黨內設法繼續保持他們的職位，再一次希望鞏固他們的統治。把斯大林主義的傾向強加在他們人民頭上」。他特別指出，匈牙利事件就和這種斯大林主義分子的愚蠢有關。

對於「個人拜崇」問題

狄托極其直率地暴露了蘇南關係之恢復，完全是出於莫斯科的倡議要求，他暗示蘇聯必須如此，是因為「斯大林死後，蘇聯正處於一種非常困難的境地，處於一條死胡同裏，不論是在外交政策和國內政策上都是如此」。

因此，他抨擊蘇共只是把斯大林的愚蠢歸諸於個人崇拜是不夠的，他指出，個人崇拜是一種制度的產物。除了徹底地變更制度，無法消滅個人崇拜，因為它的「根源在官僚組織機構裏；在領導方法和所謂一長制，在于忽視勞動羣眾的作用和願望」。

狄托也含蓄地指出：東歐還有一些國家不敢也不能完全擺脫斯大林主義及其政治方式；以及蘇南兩國在貝爾格萊德和莫斯科先後發表的兩個宣言，並未發生鼓舞作用，即是因為這些國家共黨領袖的當權，是完全出於蘇共恩賜的關係。可是狄托憤恨地說：『在一九四八年引起南斯拉夫進行反抗的份子，當時在波蘭，在匈牙利，甚至在別的地方（按：當指捷克，羅馬利亞，保加利亞）也是存在的』。

於是他斥責蘇共以往採取斯大林主義摧殘迫害各國共黨幹部之不當。在比較波蘭和匈牙利事件時，他暗示了所幸波蘭留下了甘慕卡為首的領導人核心，在波共八次全會上有力的掌握了局面，否則，他認為波蘭的情勢將同匈牙利一樣。但是他抨擊共黨國家間，迄今尚對波蘭現政府觀望，「波蘭甚至還沒有。從已經同意了它的態度的蘇聯領導人那裏，得到過有的支持，……甚至在西方的某些共產黨中間，波蘭並沒有得到諒解，因為斯大林分子仍然在那裏掌權」！

狄托之痛惡斯大林主義，痛惡斯大林主義殘餘分子之情可謂是溢於言表了。

對於干涉匈局意見

對於匈牙利事件，在狄托的話裏至少揭穿了一樁秘密，即匈共第一書記拉科西之去職是莫斯科的命令撤換的（按拉科西是斯太林主義分子）但蘇共堅持仍保留另一斯大林主義分子格羅來繼代，他說匈牙利局勢之惡化與此有莫大的關係，雖然這時南匈關係已恢復，但也無法挽回了。

（下轉第二版）

半週述評

·司馬璐·

印尼和平的展望

印尼的局勢這幾天很混亂。

無論如何，在戰後這樣一個亞洲的新興獨立國家總是值得我們同情的。

雖然，他在外交上的迷路使我們關心——使所有真正愛護印尼的朋友關心。

因此，在今天印尼的混亂局勢中，每一個真正愛護印尼的朋友所期望的不是一個內戰的印尼，而是一個和平的印尼。

展望印尼的和平，我們首先必須診斷印尼混亂的病源。

多麼可怕的陰影

從印尼報紙的報導中，從印尼政變領袖以提出的「肅清貪污」的口號中，人們不難想像，印尼這個國家在內政上腐敗的程度。

對於一個新興的獨立國家，這是一個多麼可怕的陰影；作為一個印尼的朋友，我們怎能不為朋友担心？

內政貪污無能，必然成為共產主義的溫床；內政貪污無能，也必然影響外交不能真正獨立自主。印度如此，印尼亦復如此。

內政腐敗與外交

不是嗎？印尼的內政腐敗貪污無能，與他的外交上的親共政策關係真是太密切了。

我們當還記得，印尼反共華僑領袖章勳義被印尼政府遞解出境的事件，主其事的印尼司法部長後來以貪污罪繫獄，證明當時是中共「買」他幹的。

這次政變前不久，印尼外長阿干尼也以貪污的嫌疑一度被陸軍扣留過。

雄牛師的英雄們

以上這些事實說明，在印尼這樣一個國家，他的司法當局會被國際共主義者收買，進行顛覆自己的國家；他的外長也被收買，執行適應國際共產者的「外交政策」。

試問，像這樣一個國家，愛國的軍人何能繼續忍辱偷生？在印尼獨立運動曾經有過光榮歷史的「雄牛師」英雄們，又如何能忍見他們手創的國家沉淪？

同情站在那一邊

自然，無論如何，印尼發生這次政變總是不幸的；但是，當人們一想及那些愛國軍人，如何以悲憤填膺的心情，揮淚向他們往日的袍澤呼籲，拯救他們的國家時，同情之心就不能不站在他們這一邊了。

如所週知，在印尼獨立運動中，蘇卡諾總統是一位行動者和煽動家；而真正代表印尼獨立靈魂的是一位理想主義者前副總統哈達。達哈的辭職帶給印尼人民的悲痛是可想而知的。

蘇卡諾哈達合作

哈達先生，這一位印尼獨立運動中引路的人，他無疑的更不忍見他所手創的國家發生內戰的，但是他終于不得不承認，他同情那些愛國軍人的「修明政治」的主張。

印尼叛變反抗的主要對象是總理沙斯特魯米約佐所領導的政府，解決危局的辦法可能要蘇卡諾與哈達間的重新攜手，從而產生一個對內實行廉潔政治對外實行獨立外交的新政府。

蘇聯趕堵波羅的海缺口

解散愛沙尼亞軍隊，遣送所有軍官赴俄

據合衆社廿六日電，引據第二次大戰前之愛沙尼亞前總統奧古斯雷說，蘇聯已將愛沙尼亞軍隊解散，以防止該衛星國可能發生匈牙利式革命，並將一切軍官送至蘇境，以蘇軍代替愛沙尼亞軍隊。

世人目光正集中于波匈事件時，也許對于波羅的海幾個被蘇聯吞併了的國家，會忽略了，極權的蘇聯却永不會忽略它，正要緊緊的把握住它。

莫斯科電台廿七日又引據其眞理報來自里加的消息稱，另一個波羅的海小國拉脫維亞的選民召回其駐蘇聯國會的代表（按：拉國已被蘇聯吞併故有代表），此外，該國及另一波羅的海小國立陶宛均會有學生示威運動。這種種動態已顯示了整個波羅的海國家局勢也受了波蘭、匈牙利革命事件的影響，而呈現動盪不安了。

愛沙尼亞，拉脫維亞，立陶宛爲波羅的海三個小國，在第一次大戰後，根據布列斯特和約，與波蘭及芬蘭同時獲得獨立地位，且于一九二〇年曾與蘇俄成立和平條約。但由于三國所處地位重要，爲蘇聯出進波羅的海咽喉要道，故後來到一九四〇年先後爲蘇聯吞併。

德蘇戰後，三國一度爲德軍佔領，及德軍敗退，又復入蘇聯版圖，人民迄在極權壓迫下過慘苦生活。

愛沙尼亞在一九三九年至一九四〇年間，在一百一十萬人中，被集體遷移者達六萬餘人，被逼參軍者三萬餘人，被捕入獄者幾達萬人，被槍決者千餘人。這是第一次公開受蘇聯殘害的歷史；迨該國第二次自德國手中被蘇聯奪回時，又受到第二次殘殺，犧牲比前次更大，迄今還不知有多少被遣送的愛沙尼亞人民在西伯利亞做苦工。

拉脫維亞，及立陶宛兩國被蘇聯吞併及人民被蘇聯淸算的歷史，大致和愛沙尼亞同一命運。

年前，由于蘇聯飛機在波羅的海擊落瑞典飛機事件，波羅的海的三國的解放委員會曾一度在紐約集會，有强烈的反蘇活動。抗戰活動，並得當時杜魯門總統表示同情，而且中美國從不承認蘇俄吞併三國的主張。可見三國雖在名義上歸入蘇聯版圖，但經常潛伏着反抗暗流。近由于東歐鐵幕國家的反蘇革命行動，自然不免會引起三國的動盪不安。蘇聯的解散愛沙尼亞軍隊，乃防止缺口的措施，處境相同的別國也將不免。這一消息，一方面表示鐵幕國家人民，將要受蘇聯更大壓迫的痛苦，另一方面却表示了蘇聯鐵幕內漏洞甚多，[illegible]難保。（木）

狄托與莫斯科之間

·李金疇·

（上接第一版）狄托極其猛烈地攻擊了格羅請蘇軍入匈境來干涉匈牙利國政。他說：「當示威還在進行的時候把蘇軍請來，這是一個致命的錯誤。請別國軍隊來教訓自己國家的人民，這是個嚴重的錯誤。……當一切都在混亂中，當全國都在不滿的時候，他（格羅）竟敢用「暴徒」這個字眼來汚蔑人民，而這些人中有很大一個數目，也許大多數是共產黨人和青年。這就足以點燃火藥桶，引起爆發。」但狄托對於蘇聯第二次出兵，則認爲是「必要的」。不過他還進一步說，「假如他們該做的事情早一些做了（指完全撤換匈牙利斯大林主義分子）那末就不會有軍事干涉必要的。」並事實上軍事力量却沒有解決一切問題。」可是他用諷諭的口吻說，「蘇聯現在又處在一個困難的境地，他們的眼睛已經打開了，他們發覺進行作戰的還有工礦和企業中的工人；他們發覺整個民族都在戰鬥。蘇聯士兵們到那裏去是不會有愉快心情的。悲劇也就在那裏。」

狄托嘲笑地說，這是「一九四八年以來所播下的種子，現在得到了收穫了。他們（指莫斯科人）當初播下微風，而現在却收穫到暴風了」。

關於對蘇共的現狀，狄托也曾指出，

他說俄會間有分歧

根據他和蘇共當局人物的態度會談，在「某些迹象上」他認爲蘇共內部並不乏主張徹底放棄斯大林主義及其個人崇拜者，他說「這些分子並不弱，他們是强大的但是這種朝着進步方向，朝着放棄斯大林主義方法方向發生的內部發展過程，却受到了阻撓」。這句話裏，也暗示出蘇共內部的分歧和鬥爭正在方興未艾呢！因此，蘇共中央恐懼「完全對這些（東歐）國家方手不管，而且讓他們比如說得到像南斯拉夫那樣的地位，那就會產生不愉快的結果。」

所未曾看到的狄托

就吾人的觀點來看，蘇共的恐懼是當然的，但是引用狄托的話來說，則匈牙利事件，無異也讓蘇共開了眼界，狄托並不否認匈牙利事件對共產集團的影響力，他也已認識到了匈牙利人民現在什麼也不在乎了，「他們所在乎的，只是應該保持民族獨立」！

東歐的問題基本上既是一個「民族獨立」問題，則這也正是一個歷史必然發展的規律，實際上已經到了蘇聯非放手不可的時候了；何況這不僅是一個「民族獨立」問題，同時還有一個反抗緊迫的「個人自由」問題存在，則也許是狄托所未了解，尚未曾指出的。

周恩來訪緬會談無結果

邊界問題僵懸不決

（本報特訊）十一月七日，本刊曾報導關於緬甸與中共在北平商談邊界問題，未獲協議須待周恩來到仰光作決定之消息。

茲據中共之消息稱：周恩來於本月十日到緬甸，逗留到廿日離開仰光前往巴基斯坦的喀拉蚩。在緬期間雙方就邊界問題再作商談，但從廿日中共所公佈之「聯合聲明」觀察，僅是取得「進一步澄清了雙方的觀點」，易言之對實際問題並未獲得解決。廿一日「人民日報」社論只是說「只要雙方在互相尊重的基礎上進行充分的協商，這個問題就不難逐步得到合理解決」。於此更可證明雙方之歧見亦未能消除。

按：中緬邊境綫長達二千公里，中共爲造成既成事實曾於去年十七日揮軍進入緬境，並與緬邊防軍發生衝突，且有中共軍二名爲緬方捕獲。自此中共軍即在緬境作長期駐屯，以支持其「外交行動」。（全）

倫敦通訊

缺錢缺油的英國

·史仁·

（本報倫敦航訊）本年四月十七日，英國財政大臣麥美倫，在下議院作預算演說時，特別强調要增加國家的儲蓄。他說：「我們必須要有資本泉源；我們必須穩定通貨。我們的投資能力，就是我們在冷戰中的彈藥就是我們的[illegible]力，」他呼籲必須「以儲備來爭取自由與强大」，他還向國會外的人民呼籲：「不要因此而感到羞恥。」

麥美倫的希望落空了

麥美倫的演說，顯示出了英國財政經濟之困難，在今年第二季度初即已十分嚴重了，及至十月廿九日，英法聯軍進兵蘇彝士後，英國所受經濟的影響，正如英國的「干涉」和「阻止」戰爭吃力，實際上艾登的疲勞症和最後決定撤兵蘇彝士，不能說與此無關。實則在十月間，一個月內，英國庫存的黃金與美元儲備短少了八千四百萬美元，而這也是受了陳兵塞浦路斯的影響，迨至十一月，蘇彝士戰事陷入膠着狀態時，又消耗了二億美元的儲備。根據英國官方當局估計，蘇彝士事件以來，前後共開支了三億三千萬至四億二千萬美元。這個數字，簡直使討空麥美倫的口袋，無以爲繼了。換言之，麥美倫在四月間所要求舉國上下咬緊牙關共度維艱的希望，也是完全落空了，這不僅影響了塞港的熱戰，也同時削弱了英國在未來冷戰中的實力。英國的工業家畢金頓爵士對此坦率地說，「至少要有一年，英國的財經狀況才能復甦」。

影響了對外貿易

實在的說英國所困惱的不是在於這次塞港的撤退而是焦慮在未來冷戰中所扮演的角色的地位，必將因此而減色。麥美倫四月間的預算演說曾另有「重要意義」，是在向蘇聯和（中共）表示其在對外貿易上是有够足的力量的。他當時也曾說，英國「今天所面對的最重要的任務之一就是要保證，在保持我們從世界的角度來考慮貿易和對財政問題的態度的同時，我們不應該失掉機會來領先加强這個國家同英聯邦以及這個國家同歐洲之間的經濟聯系……。」但是，今天，蘇彝士已因戰爭而阻塞了，英國的工業生產力和輸出能力，在急遽地下降，英航業界已面臨了因繞道好望角而發生的對遠東貿易航運上的諸般困難，據說，尤其令英國商人沮喪的是對中國大陸口岸航綫的僵脚問題，因爲這將影響英國與中共間的貿易關係。

艾登走後的倫敦

「不要援助；要貿易」。這是英國前首相邱吉爾擺給美國當局看的顏色，麥美倫的演詞，實際上也還是承襲了這種精神，希望在冷戰中以其優越的傳統對外貿易關係串演重要的一角。但是，現在一切事與願違，連本月底應付給美國與加拿大的一億九千萬美元的貸款本利，也無力如期償還了。從月初開始世界各地的英鎊，緊跟着紐約掛牌的報低而一致下降，倫敦街頭的汽車，他有半數以上死了火。缺錢；缺油的後果如何，在艾登是當然早已預見的，於是他先一步在十一月廿三日就飛往牙買加休養去了。

艾登走後，倫敦的「一切就像失去了生活中心，工黨固不惜全力攻擊；而保守黨內也鼓噪不已，英國的主婦本是全世界最穩重而頭惱最清醒的，這時也不能不因物價的波動而喋了不休地抱怨了，連平日一向親艾登的每日快報，也說「艾登在多數人眼中已不再是首相了」！

一個現代化的都市，缺少了汽油，汽車就像垂死的甲蟲那樣一輛輛地躺在路邊，外表古老的倫敦，也更因爲皇室代步改用馬車而似乎倒退到了維多利亞時代，更有許多敏感的英國人，以行動來抗議保守黨政府，他們紛往駐在倫敦的加拿大和澳洲的移民辦事申請移民護照，他們是決心離開這低薪，重稅，高物價和缺乏汽油的英國了。

再度勒緊褲帶

現在，艾登也回來視事了，他是在獲得了美國的經濟支持保證和國際貨幣基金會允以十三億美元增加英鎊的儲備後回來的，就目前來說，「缺錢」的問題也暫告解決了，世界各地英鎊的幣値已隨之穩定而抬高，但油荒警報尚未解除，本月十七日英國恢復了六年來的首次汽油配給制，而售價則漲到每加侖六仙令五便士，在每月限定購油六加侖的限制下，從倫敦通往鄉郊各地的公路，又回復到一九五〇年前的冷靜了。

儘管是這樣，英國人還是一個慣於忍耐的民族，他們也是習於過拉緊褲帶的生活的民族，他們知道，除了勒緊肚帶，將無法重整國家民族的光榮！（十二月廿三日）

阿里山下

幾家歡樂幾家愁

今日耶誕節，台北市空前狂熱，一張「聖誕卡」美國貨雖高達一百五十元，國貨要七八十元，仍有人紛紛購買，而舞會入場券貴到一百五十元，却被搶購一空，但無數貧困小民，却在饑寒交迫中，指望最近展開的「紅羽毛」義賣運動。「朱門酒肉臭路有屍骨」，此豈三民主義之社會？

人間何世！

彰化雲林兩縣交界之濁水溪底，爲砲兵靶場，每日炸變砲彈，有數以噸計的破片成碎鐵。附近村民，自花甲老人而八九歲小孩以至負嬰婦人，紛赴「彈着點」檢破彈片換錢，年來因而被殺傷者近千人，然仍有人投身火海，從事「檢彈片」行業。眞是人間何世！

何不從健全制度入手？

蔣總統近令各級行政機關，注意一般行政業務檢查與加强事務處理，藉收改進之效。倘能根本從制度入手，豈不更易收效？

陳副總統的明見

陳副總統近指出：「目前大陸同胞，不僅迫切希望政府反攻，而且希望政府回到大陸以後，能夠有一套除舊佈新的辦法，與民更始的設施。這點誰也有同感，但人們今天是想起當年的「重臨客」，猶有餘恨！

無暇拜讀大文

光復大陸設計委員會近日舉行爲第三次全體委員會議。據說成立兩年來，已研擬重大方案達一百九十件之多，想見傑作甚多，可敬可佩，然而大陸同胞，久久盼望的，不是白紙黑字的皇皇大文，而是鐵血的行動啊！

行政院豈能熟視無覩！

監察院對於台灣省妨害選舉取締辦法，及各級民意代表暨縣市首長選舉罷免規程之諸多不當，近向行政院提出糾正案。依監察法第二十五條之規定，行政院應即爲適當之改善及處置，豈容再熟視無睹？

控制還是破壞預算？

省臨時議會近複議本年度第三次追加預算案時，特指出省府有已列預算而不執行者，有未列預算而興辦者，均未符預算制度之主旨，而請依預算切實執行，以確立預算制度。嚴主席近所謂要加强預算控制，原來是用以塞民之口的，高明！高明！

說得不錯

行政院經濟安定委員會主任委員嚴家淦近表示：「經濟建設不可以好高騖遠，把做不到的去做，也不可以無的放矢，把不買做的去做，更不可以紛歧雜亂，消失自己的力量和效果，必須要有條理有系統有步驟。」說起來倒頭頭是道，但不知做起來又將如何了！

（十二月二十五日）　傅正

讀報拾錄

馬倫可夫當政時，蘇聯的家庭主婦早對於蘇聯建設的「樂園」不感興趣，轉而對於美帝的電冰箱，絲襪，朱古力糖之類，心焉嚮往，臨洋興嘆！逼得馬氏把蘇聯的生產計劃打了九十度，雖然不一百八十度的大轉變——計劃增加生產人民日用品的數量！——，因而捱了赫魯曉夫，米高揚的一大悶棍，以至于倒下台來，他們說：那是經濟路綫的偏差。今天讀到了蘇聯又要修改五年計劃，改組經濟機構的消息，路綫呢？却乃是馬倫可夫的舊路，而當今得令的人物却又是淸算馬倫可夫爲「偏差」的米、赫輩。誰實爲之？迫而處此耳，轉來轉去，轉不出大砲與牛油的圈子外，馬、赫、米輩又何能爲力！

× × ×

石橋湛三郞竟是個「善賈」的「政治家」，他繼鳩山上台後，開宗明義，便找生意眼，對記者說：「他可能赴美談禁運，希望美國放寬禁運與中共貿易。」俱有他一手。他雖還未至公開主張「兩個中國」或「中共將來應加入聯合國」的荒唐言，但比之尼赫魯之流祇有「五十步」之差！

× × ×

尼赫魯的訪美，驚動了整個美國華僑社會。舊金山、芝加哥、新英倫，華盛頓、洛杉磯、費城，紐約各地中華公所，在美國最大的紐約時報上刊登極大的廣告，聲明：「在任何意義來說，朱毛匪黨不能代表中國人民，它祇能代表着一種異于中國文化與傳統的力量對中國大陸的征服。」文縐縐的顯然是寫給美國紳士老爺們看的。實不足以滌我華僑胸中塊壘也。如果說，殺人放火的朱毛匪黨，不能代表我們及中國人民呀！說客尼赫魯快的滾蛋吧！」那才夠味！那才更的切！

·毛穎·

在本屆工展閉幕前 談談大陸工業產品現狀

用品喪失固有優點特性 食用品不分地域味道一樣

香港第十四屆華資工業出品展覽會，自從上月廿九日開幕以來，即將於下月三日閉幕。

本屆工展會，就其所予人之深刻印象言，實為過去各屆之冠。香港工業界之不斷力求進步，配合國際市場之需要，本諸自由經濟之精神，足以反映出工商業之得以蓬勃發展，必須要基於一個自由發展自由競爭的客觀環境。而這一點關於對外貿易之前途尤為重要，香港工業產品能在戰後短短幾年內爭取到世界各國消費者之歡迎，實亦非僅賴香港工資之低廉，而出品之精良，固有待成本之降低，但更重要的乃在不斷增加設備，改良品質，變更款式，不斷予消費者以新鮮實用之刺激與廉宜。

鑑於香港本屆工展會之成就，和歷年香港華資工業界之悉心創製，值此工展即將閉幕之前，來談談中共統治下的大陸工業界的一些怪現象，或亦能予香港工商界人士一新的認識。

我們首先應該認識到，今天在香港投資工業建設的工業界人士，多數是一九四九年前後來港者。他們過去在大陸皆有極豐富的寶貴經驗，但在大陸變色後，「資本家」，尤其是「民族資本家」找不到應有的出路，他們才安心在香港投資設廠，從頭幹起。

但短短的七年來，香港新興的華資工業家畢竟又從艱苦中奮鬥打開了出路，但未能逃離大陸的私營工商業主，在這七年來最後終於不能不將全部資財奉獻給了中共政權，除現在尚有極小部分的手工業者之外，過去稍有成就的工商業，已全部為中共攫括變為「國營」和「公私合營」。

中共統營之下，大陸工業產品在質與量方面呈現了普遍低落，商品的流通也因交通的阻塞不能暢通。對於這些現象，中共當然不能完全隱瞞。根據中共方面的報章所透露出來，也已盡夠我們海外同胞慨嘆了。

根據中共十二月廿二日的「人民日報」說：這幾年來工業產品，經過「統一」之後，「本來是多種多樣的商品，現在都變成了一副面孔」，連中共也不能不承認「許多統一的措施今天看起來卻不一定是完全正確的了。」

使用「粗暴」的手段將工業統一起來，這實是集權化下統制經濟的具體表現，也因此，雖然不同工廠製造出來的同類商品，也變成刻板單調，像是彷彿由同一模子裏打出來的了」，這不僅是無法表現各個不同工廠產品特點，也失去了商品的特性。

在工業產品方面正因為「統得過死」，連牌名商標也被割一起來。比如現在大陸上的日用工業品，多數是「中百牌」商標。以上海一地言，過去為人們最熟愛的「菊花牌」、「五和牌」汗衫，「蜜蜂牌」、「皇后牌」毛綫，從「統一」後，已經完全失蹤了。但在「中百牌」統一發售下的產品，卻變得無人問津，人民也搖頭。為什麼？雖然產品仍是原有的工廠，工人也是原來的工人，可是由於失去了自由競爭的精神，影響了產品的質量，企業主和工人皆無須負什麼責任，無須想要精益求精保持出品的榮譽而認真地工作。

更有趣的是食品方面，本來茶食的各地方口味不同，現在也「統一」了。單以上海的廣東月餅為例，原來有三十幾種的，在第一次統一之後，剩五種，最後則「統一」到只有豆沙和百果兩種了。甚至像蘇州的茶食，也和揚州的茶食的味道「統一」起來了！」

從這些方面，我們就概可認識到在共產主義的統制經濟下，人們的實際生活，因為消費品的缺乏和單調，也變得了無生趣了。（裕）

我工業總會的觀展團已到港

（本報訊）中華民國來港參觀工展之第二團體（工業總會代表團）總工商界參觀工展代表團來港。第一批團員老景文、陳國瑋、宋廷惠三位（廿六）日上午已到，外昨（廿八）日上午十時半又到第二批陳清驊、鄭作衡兩位，聞尚有團員苗育秀一位預定于本月卅日可到港，工展會經派員到機場迎接，並將熱烈接待到會參觀。

阿爾巴尼亞 ——蘇聯政策的指風標

·風行·

我們不要小覷這在蘇俄大鐵幕外的幾個小鐵幕國家——阿爾巴尼亞。她是蘇聯新政策的風標。

上月二十三日阿爾巴尼亞將三名「鐵托主義者」間諜，槍決，同時恢復反鐵托運動的宣傳了。

阿爾巴尼亞與南斯拉夫南疆接壤，向西與義大利隔着亞得里亞海遙遙相對。她是蘇聯的重要戰略地。她的海岸監視着亞得里亞海的航行出入，她的薩斯諾島（SASENO）有蘇聯堅強的潛艇基地。內地的飛機場星羅棋布，其中有五處是蘇聯建築和管理的。

由於阿爾巴尼亞的與中東有關係，現在她更形重要。阿爾巴尼亞人口一百餘萬，但其人民既非斯拉夫族，亦非希臘人，但百分之七十以上信奉回教，餘則信仰天主教。共產黨利用與阿拉伯關係這一點，已引誘約和敘利亞和黎巴嫩作緊密的連繫。

阿爾巴尼亞共產黨和中共一般的馴為蘇聯的忠心走狗。在一九四八年南共和鐵托分裂給史達林以後，她的情報部長便供給南斯拉夫與鐵托恨之刺骨，始自二次大戰結束時，其後阿國內政齷中被殺。與南斯拉夫的仇恨更加深。阿爾巴尼亞也是最後一個勉強從克姆林宮「和平共存」與和南斯拉夫修好的國家，在本年十一月八日，阿爾巴尼亞共產黨第一書記霍查宣佈：『阿國第三次共黨大會規定依照「馬列路綫」，加強與保衛阿國對「友邦南斯拉夫人民的友誼」。』

但過了三天，鐵托便在波拉發表重要的演說。他不但宣佈克姆林宮的意見分歧而生裂痕，而且他在個人攻擊霍斯哈。他用辛辣的諷語說：霍斯哈祇知說「馬列主義」，此外一無所知。鐵托還透露霍斯哈曾經抨擊南斯拉夫和波蘭，說[illegible]路綫的國家，而反對赫魯曉夫和蘇聯其他領袖所承認的，這就是達到社會主義必須循着一定的路綫。」

到十一月二十三日阿爾巴尼亞宣佈久已待處決的三名「鐵托主義」間諜的死刑，以此對南斯拉夫示威報復。

十一月二十八日，即阿爾巴尼亞解放紀念日，阿國國防部長巴拉古稱：「鐵托的理論有一目的，是在共產國際運動中撒佈引起內鬨的種子』。他又說：「共黨建立基於馬列主義原則的社會主義。而鐵托演說所提及之新制度，原本之目的是反馬克思的，而為他國服務之反叛？」

[illegible]的指標「才」：從上節的事實看來，表明蘇聯的反叛可以說是以鐵托派引起匈牙利的真正革命，和蘇聯國內的青年反感，因而恢復史達林的殘酷高壓主義。俄帝今已在歧路彷徨若悶之心情中，最近俄共召開中央委員全體會議，籌商挽救亡大計，及其喉舌報之號召消滅南國鐵托思想，其實已在上月阿爾巴尼亞的動態中露出來了。

工展巡禮

工展編印特刊 週內即可出版

香港第十四屆華資工業出品展覽會特刊，業於廿四日及時實踐在展覽期內出版之諾言，該特刊前經由廠商會議決，組織編輯委員會，聘定張軍光、王寧波、黃鐵波、利功南、沈挺發、韋基澤、來振球為委員，由張軍光擔任總編輯，委託二天堂印務有限公司印刷。

照過去會議決定：全書共一百一十二頁，以十二月十五日為最後稿期，除封面為七彩外，另有彩色廣告八頁，六十二頁為文字，圖片，及統計圖表，十一幀，除廣告外，此次所搜集之資料，相當豐富，故以原有篇幅不敷刊載，爲增加內容，故決定增加篇幅十六頁，共爲一百二十八頁，成爲一鉅冊。

該特刊之特點有：（一）國文並重，避免單調；（二）將一年來廠商會舉辦之海外考察團圖片，作爲工作實錄；（三）搜集一年來各地來港考察團來港活動圖片；（四）利用統計圖表，使世界人士對香港工業獲得一個概念，此次特刊能在工展期中出版，固屬創舉。

工展進入特價週

本屆工展會開幕至今爲時已經一月，參觀人數將屆百萬，破歷屆紀錄，現距閉幕期不遠，爲使各界人士對華資工業產品有更透澈認識起見，特舉行特價週，由本月廿七日起至一月三日止，在會場各攤位撥出若干貨品特別破格優待，售罄即止，以期引起遊客樂用港貨爲目的，對成本價格絕不計較，請遊客注意。

柳子元與惠民膠廠

我們走過工展會的聯合展覽室中，看到一個陳設得很美麗的窗櫥，在窗櫥裏面有很多各式各樣的膠鞋，那便是惠民膠廠和南洋膠廠的出品。

在各種鞋中，有一種是厚帆布作面的膠靴，他們稱它作森林靴的，是惠民橡膠廠的特有出品，每年銷法國估該廠出品數字很大，此種森林靴的特點是堅硬，防水，穿了它可以在森林中行走而不慮受荊棘或毒蛇的刺咬，每年的春季，法國便需要多量的此種靴鞋，惠民膠廠爲了出品的森林靴，便是供應該地之需，除森林靴外。該廠所出品之運動鞋亦甚負時名，暢銷加拿大，東西非，法國一帶。

該廠總經理柳子氏，不特對工業有專材，且爲人樂善好施，有善長仁翁之稱，歷任保良局總理，建樹良多，本屆工展會，柳氏亦本其服務精神，身膺公安部副部長之重責，使會場秩序，井然有條，實柳氏之功，該廠所出品的膠鞋，如果正常穿用，起碼可以穿用八個月以上。」

琴氏新出活動照片 喜怒哀樂變幻莫測

琴氏又有一種新發明——活動照片，在一張照片上可以有六種表情，忽嗔忽喜，照片上的肌肉自然活動，因此不是死板板的，而是真情流露，不僅一張照片可多六張照片，並且喜怒哀樂隨時變化，這樣接觸的人才可覺得有親切的真實感。日前歌星姚莉、逸敏偕同訪問琴氏，並購大批瓷相，兩人愛好各有不同，姚莉選擇古色古香的敦煌瓷板名人字畫，逸敏愛的現代明星肖像世界風光都是她爭購的對象。

飛槍膠鞋產銷日增

擺滿工展會陳列室的飛槍牌膠鞋，甚爲遊客所注意，行過者多駐足而觀。港督在工展開幕之日，曾在該處賞識良久。查飛槍牌膠鞋，係本港利民樹膠廠出品，其最負時譽者：爲籃球鞋及網球鞋兩種，其特點：品質精良，款色新穎，用天然膠質，絕無臭味。該廠出品，除供應本銷外，外銷數量亦甚龐大，產銷並與日俱增。其取價最公平，本港各代理處售出定價，均屬劃一，最爲顧客所稱許。又查該廠總理黃柱，對事業心甚重，每事親力親爲，處理有方，故能博得廣大銷場。至黃氏對社會事業，又極熱心，現任香港橡膠廠商同業會理事長、保良局總理、黃氏宗親會理事、中華廠商聯合會理事、旅港番禺葵塘同鄉會理事長，一身數職，故黃氏公私均甚繁忙。

振興食品暢銷

振興糖果餅乾久已風行海內外，出品可與舶來品比美，故中西人士樂意採購，港督夫婦亦爲經常顧客之一，可見其出品之精良也。

今屆參加工展，攤位陳設裝飾，較去屆益爲華美。攤位工姐，係由何老板親自挑選廠中年輕貌美，口才敏捷者充任，故工作情緒特高，現時以溫妙顏蘇文英二人推銷成績最佳，聞到展覽期完畢後統計推銷成績最佳者特獎以金手表墨水筆，以資鼓勵云。

「百花齊放」無結果

中共歌曲表演失敗 天倫歌等重獲招頭

中共自從開始以「百家爭鳴、百花齊放」來緩和「知識份子」的不滿情緒以來，實際毫無成效，尤其在音樂藝術方面，更見貧乏。

最近中共曾舉行了「五四以來兒童歌曲」比賽，像幾十年前的「小小畫家」等居然成爲兒童大受歡迎的歌曲；旋又舉行了另一次歌曲表演，結果像「夜半歌聲」，「教我如何不想他」，「茶山情歌」，「天倫歌」等又成爲人們極爲喜愛的歌曲；反之像大陸變色前後一般「解放」歌曲，已經成了不受歡迎的陳腔濫調了。

這些歌曲之所以仍受歡迎，是因爲充分地表露了它的獨創性和特有的風格和易於反映人們生活中的感情，比諸什麼「歌唱毛澤東」等當然高明多了。

一個缺乏之詩歌和音樂的民族，只有表現民族性的消沉；老實說，我們倒是希望像「天倫歌」這樣的歌曲能流行，喚起在淪亡中的大陸上的民族道德和人倫觀念。

自由談

除毒務盡！

近在報紙上看到我政府宣佈經濟的「四年計劃」消息，精神不覺爲之一振！振的原因並非由於經濟建設的內容，而是那計劃的時限，沒有跟着俄共集團一樣地叫作「五年計劃」。共產黨發明「五年計劃」的名稱以來，許多人的意識形態亦跟着蛻變，要搞甚末計劃，開口就是「五年」，卻不問有人發六年或三四年的。從這種小地方看來，卽知有些人專門要學老共的方法來反共那類下意識，由來者漸，非偶然也。如今聽着政府居然改作「四年計劃」，以示不與俄共們同調，當然使我感覺興奮了。

希望百尺竿頭更進一步，不但是唾棄共產黨的一切語意與作風，更能糾正一些西崽買辦式之殖民地人民的言行，保持中華民族的人格和國格，譬如跟自己本國人說話不必放洋屁；對待新聞記者無分中外，一視同仁，不要見着外國記者卽恭順如綿羊，事之如太上皇，而對本國記者卻擺起一副太上老君的面孔，神氣十足了。先進國家的科學知識，工業技術，以及民主自由的法制規章，都不妨虛心學習，取長補短。但，民族自尊心卻非保持不可，否則不特反不了共產帝國主義，根本就喪失了立國精神。

不去學習別人眞正偉大的事項，如科學與民主生活等，而斤斤於說洋話，拜洋神，崇洋派，作官的且以能跟洋人來往爲主要條件，列爲優先考績的標準。這只是殖民地人民之所爲，獨立自由云乎哉！

我政府自民國十三年採取容共政策以來，一般人的思想行爲，不知不覺地沾染了共黨的若干毒素，餘毒至今尙未廓清，我認爲還有切實檢討改革之必要。

共毒固然要清除，洋化主義——亦可名之爲「美化主義」，也是殘害民族精神的海洛英，應予一律掃蕩爲是。

馬五先生

中國京報史

‧瘦影‧

傳說在紀元前六百二十年，周襄王三十二年時，就已有公報發行。到了紀元前一百四十年左右，漢朝有了京報，是寫在竹簡或木片上的，內載朝廷紀錄，分送各地官員。（京報是清朝所用的名稱，原名爲邸報。）它是政府的公報，有二千年的歷史，可媲美羅馬出版的每日紀事報。每日紀事報創刊於紀元前六十年，所以，京報比每日紀事報歷史長，辦得久。漢時的邸報，論條件並不能謂之爲「新聞紙」，它祗是爲向當時的郡國諸侯提供朝廷的消息，此報係由駐京的諸王邸發出，故稱邸報。邸者，始於漢武帝時，相沿下來，專爲朝廷向百官以及地方政府公佈的大致。唐時又名「開元雜報」。是最早的印刷報，明崇禎十一年有活字排印的邸報。宋初，中國才有木版印刷的發明，唐代以前，祗是抄寫的「新聞信」，故不能謂之爲「新聞紙」。

唐代雖然已發明了木版印刷術，但是邸報是否採用印刷複製，尙待考證。但它仍是少數官員的公報，而非廣泛讀者的「新聞紙」。

北宋末年，政事紛亂，爲適應需要，一般的「類似新聞紙」「小報」，「朝報」等，此爲中國新聞紙之起源。它對政治、經濟、社會及文化所起的作用極大。

清朝的京報非官方印行，係京都私營印刷業者爲之。清初，有榮祿堂者，與內府有關係，遂獲得印行縉紳錄和京報的特權。當時，山東登州府屬之商賈，販運京報至西北各省銷售，生意頗佳，之後又在北平正陽門外設報房，發行京報。清同治九年，京都有十二家私營報房，銷數約在萬份以上。以郵政局和民信局爲運輸工具，由北平到蘭州爲時五十七天，從北平到廣州約十二天。

京報的內容分爲三項，一爲宮廷消息和委任令，與皇帝明日舉動秩序的預報。二爲勅令和公告。三爲臣奏議與報告，爲皇帝所接納者。第三項所佔篇幅最多，同時極能表現言論之自由。

從英倫博物院和法國國立圖書館所藏之京報扉頁上所見報房之名稱，有聚興報房，合成報房，杜記縉紳房等。而中國報學史僅影印有集文報房的京報。

京報除在京都出版，尙在姑蘇翻印。據記載，離北平不足十五里之處，也有一所翻印的書舖。京報之外，尙有省報，印成單張隨京報分發。如「蘇省日報」即是。京報自一九一一年即清亡後便停止刊行。但於一九一六年曾一度以六日刊復現過，並且隨時代而成爲「典型新聞。」

京報之材料，是由內府供給的，比現在國家公報刊登國務院文告更爲權威。有些人，因它非政府發行，遂藐視京報的價值。

一九〇〇年，義和團事件未發之前，外國使館界曾要求清廷在京報上刊佈鎮壓義和團的公佈文告，而遭清廷拒絕。燕京大學新聞系前教授白瑞登贊揚京報是一種新聞紙，無論它在任何一種定義下，沒有被現代的寄生虫上——廣告作祟。它包含新聞，充分允許意見表達，而且代表政府發言。它比現代任何民主國家之報要活潑生動些。它的新聞雖然檢查，可是決不像集權國家那樣強制檢查。

短篇小說

拳

‧舒華章‧

陽光透進屋子裏來，映現出媽媽的臉色更加蒼白了，鄂華盯看着，反而加強爭扎的勇氣，輕輕地推上門，沿着山坡走下去。

「快回去！阿旺！好好看門！」

黃犬阿旺乖乖地跑回破屋子門口站着，眺望着少主躍上了公路。

朝着北行的公路跑，鄂華爬過了第一個山坡，開始聽見樹山溪激流着的宏亮音響。

遙遠的啓德機場一片淡黃，躺在他的眼底下。他凝視維多利亞灣，輕烟繚繞。

再翻過一個山坡，他看見了夾谷的石廠。

碎着石子的五十多個男女工人在忙着。

鄂華心神爲之一振，對著揮動着緊握的一雙拳頭，大聲叫道：「媽媽，我有的是力氣，一定能夠做活的，把你的病治好！約翰，你，我警告你，不許侮辱我！卜芳，你的錢，是臭錢，決不能誘惑我的……」

三

一連串暴烈的爆炸聲，把鄂華一片沈思擊破了。

他看着爆聲響處，砂石紛飛，有些還直向嶺上空飛掷着，有些滾落到谷底去了。

他直向石廠奔，爆炸聲似乎在歡迎他。

「當心！」

鄂華回頭一看，發現警告他的，原來就是他現在要找的工頭黃發。

這個工頭是鄂華的父親生前要好的朋友。他問「聽說你的媽媽這幾天害的很利害？」

黃發的關心，使他幾乎掉淚，他答：「不要緊。」

「等錢用嗎？」

「不，我想來這裏做工。」

「鄂華！你說什麼？」工頭睜大睛睛問。

「長貧難顧，我不能再花你的錢！」

「你該繼續升學！」黃發瞪了他一眼，又說：五年前，我在你父親去世前三個月，生了一場病，沒人睬理，如果不是你的父親送錢來，恐怕我今天不會站在這裏，跟你說話的了！他救了我一命！」

鄂華低下頭來，沒言語。

「先拿十五塊錢回家，替她買一瓶維它命補補身。」工頭說了，掏口袋，又說：「鄂華，告訴我，維它命這種藥，大家都說好極了，我不明白，它該怎樣解釋的。」他摸了一摸禿腦袋瓜兒，問道：「維持她的命，十五塊錢買到吧？」

鄂華聽着，幾乎笑出聲來。（二）

爲崇基學院親社作歌

‧王韶生‧

中華好兒女，億兆心相同。禮樂是悅，眞理是從。倚天拔地，花放木棉紅。晴空萬里，旭日照耀海東。水遠與山重。希望無盡，友誼無窮。淑世善羣，崇德報功。四海一家，氣象何雍容！四海一家，氣象何雍容！

槍手

從前考生老試，最普通的作弊方法，是找人槍替；槍替的人叫做「槍手」。那時照像還沒有發明，比較容易蒙混；考生入場，全憑核對「面貌冊」。所謂「面貌冊」，是記載一般考生面貌的形狀及其特徵，例如胖或瘦，有鬚或無鬚，五官有無殘缺……等等。如果你是個胖子，要想作弊，就得找個胖子槍替；假若你是個矮小的人，就需要找個矮小人來作「槍手」；這樣才能在主考官一時辨認不清或疏忽的情況下，混進考場。不過這也得憑點運氣，有時雖做得「天衣無縫」，但在明察秋毫的主考官前，還是要露出馬脚來。

現在的考試，作弊的方法自然更多；但找人槍替，似乎已不可能；因爲現在考生都繳有照片，每堂核對一次，倘若核對與照片的面貌不符，豈不當場出醜！我想一般考生大概沒有愚蠢到這種地步的，而且一個眞正優秀的考生，也絕不恥此圖的。

本年七月份出版的「自由談」中，載有一篇「談近年來美國的文壇」一文中，說到美國現在也有一種所謂「槍手」，但那不是指考場中代以槍替的考生而是說美國現在有一部份作家，爲生活所迫。放棄了本身的創作，而以「槍手」的身份去幫助一些有豐富經驗而無寫作能力的人寫書。因爲這類書的銷路很好，所以一般出版商也多方鼓勵一些薄有名氣作家，從事這一「行業」。這些書比較著名的，如「杜魯門回憶錄」、「溫莎公爵夫人自傳」……等，都是由這類「槍手」代爲寫成的。

像這一類的「槍手」，我們的出版商似乎也有鼓勵，設作家去從事的必要。例如在大陸上飽受共黨迫害而逃亡出來的忠貞義民，以及前些時投函「養女保護委員會」請求保護的養女李瑞妹（娼妓），都是很好寫作題材。他（她）們本身雖都有一段極不平凡的遭遇，但本人都苦無寫作能力，不能把自己慘痛的遭遇用筆墨敍述出來；如果有所謂「槍手」，以這些血淚的故事爲題材，寫成小說予以出版，出版商一定可以賺大錢。

‧戈北指‧

同光風雲錄

夢山樓

陳衍（下）

四、老尚舉子是壽徵

石遺繼任北京大學，廈門大學，上海暨南大學各校教授，孳孳矻矻，誨人不倦！彼以啓迪青年爲最樂之事業。故，授詩以外，輒喜講經史，訓詁，固不僅以詩見長而已。晚年，築廬蘇州葑門胭脂橋，詩人居處，地名胭脂，亦雅且趣也。

夫人蕭道安女士，系出名門，賢而博學，著有說文管見，列女傳集注，蕭閒堂札記。不幸早亡，石遺以伉儷情篤，誓不續娶，僅留妾滕，以娛晚景。然以精力健壯，連舉三子，故吳江金松岑有『繈褓丁甯調伏女』！之贈句，並註曰：『先生精闇書學，年七十餘，尙誕子』，卽指此而言。及其暮年，承修福建通志，創稱新體例，成六百餘卷，都一千萬言，此種精力，殆爲犬授，抑亦奇跡也。

五、交友甚奇著作甚富

一生不諳宦情，獨嗜詩如命，取詩，取人，能從度外得之。與並世怪人陳衍璞，最稱莫逆。衍璞，字澹然，安徽桐城人，但深惡桐城派文，而亢傲狂誕，自稱咱爲太史公，不多作詩，偶有之，亦多骯髒語。贈石遺有詩曰：『劉表網荊襄，諸葛臥田畝！雅榮助九州，炎綱已解紐。莽莽江漢間，曹吳爭霸池，異人久不作，世亂吾焉寄？言求當世士，幸復瞭石遺，石遺不作官，借著爲當時。丈夫貴樹立，饑帶復何貴！潦倒偶狂歌，聊發雄怪氣！』石遺聞此，則爲擊節不已也。

八一三滬戰爆發，乃由蘇州遷歸原籍，以老病不起，年八十有二。門人搜其遺著，得元詩紀事，石遺室詩話，詩品評議，近代詩鈔，詞詩錄，及文集十二卷，續集，三集，各一卷。此外則有尙書，周禮，禮記，說文，考工記，晉讀學，史漢，通鑑，目錄學等十餘種。其生前嘗自稱曰：『生平撰述之文，無慮二三千首；教授京師各大學講經之文數百首。論文之文數百首，論史之文數百首。佐幕武昌，代草奏疏及書札數百首。賣文上海時，壽言數百首。雜報論說數百首。而少時里居課說義於書院者，不數焉。』故石遺不僅爲一代之詩家，抑亦經生也。

六、蕭夫人戲作命名說

夫人蕭女士生前，嘗戲爲作命名說曰：『君名衍，喜談天，似鄒衍。好飲酒，似公孫衍。無宦情，惡銅臭，似王衍。對局人，弄稚子，似馮衍。惡殺，似蕭衍。無姿膝，似崔衍。喜漢書，似杜衍，能作俚詞，似蜀王衍。喜黎渦，似吾邱衍。喜通鑑，似戲衍。喜今古文，尙書，墨子，似孫星衍。特未知其與元祐黨人碑中之宦者陳衍，何所似耳。請墓其字以爲名刺何如？』及蕭卒後，石遺續其後曰：『中年喪偶，終不復娶，又絕似孫星衍。而非先室人之所及知也。』其篤於伉儷情，而詼諧之至有如此者也。（七十四）

讀報感言

談風格

‧小言‧

『一個人要是沒有主張，他就不會有風格，也不能有。一個人的風格有多大力量，就看他對自己主張感覺得有多麼強烈，他的信念有多麼堅定。』——蕭伯納——

「風格」究竟是什麼，它是一個人的思想，感情底特產，也就是從一個人的言行上反映出來的特產。

人們有各自的風格，多數人集合起來的團體，自也有其一定的風格，不論是個人或團體，都必然有其風格在。誠然只有一個絕無主張的個人或團體，才是無風格可言的。

作爲一張報紙，它也必然有其一定的風格，因爲它是要反映輿論的，它自不可能沒有主張。固不論它是大報還是小型報。

大抵上說，自有報紙以來，更由於法律對言論自由的保障，報刊就不能輕易忽視它的風格了。如果它沒有了風格，沒有了主張，它也必然隨之失去讀者，失去羣衆。

但基本上說，個人的主張和風格的養成受客觀事物的影響極大，那麼一張報紙或一本刊物之所以有主張和風格，也是客觀情勢所趨所成，無的放矢；無中生有，或言之無物的報刊，不代表什麼，也不說什麼的報刊，乃是一種無主張無風格的報刊，則自然無法站得住脚了。

因此，寄語在困難中屹立的報人和刊物，爲適應環境而變是必須的，但是不可不保持一貫的風格。

再簡陋的刊物也會有讀者的，祇要它有風格。

自由人

THE FREEMAN

（第六〇九期）

中華民國僑務委員會登記證[illegible]
中華郵政台字第一〇〇五號執照登記為第一類新聞紙類
（半週刊每星期三六出版）
零售港幣壹份　台市每份台幣壹元
督印人：[illegible]
社址：香港高士威道二十號三樓
3RD. FL. 20 CAUSEWAY RD. HONG KONG TEL. 771726
承印者：[illegible]　地址：高士打道六十四號
台灣總經理處　台北市西寧南路壹零零號二樓　台郵劃撥金戶九二五二
海外總經銷　友聯書報發行公司　香港：駱克道中二十六號A二樓

恭賀新禧

本報同人鞠躬

毛澤東路綫的危機

—評中共「再論無產階級專政的歷史經驗」

·張六師·

「無產階級初次担負國家的管理，……要求他們不遭到任何失敗是不可能的。……局部失敗，不但過去有，現在有，將來也還有。但……決不會爲此而感覺失望悲觀。失敗是成功之母。」——中共政治局擴大會議十二月二十九日論無產階級的歷史經驗中的哀詞。

投靠蘇俄作臣妾

七年來，一向事事「誇稱勝利」的中共，今日不僅公開悲哀的承認自己正在失敗，還遲回承認俄共及其他附庸國的失敗。其實，按照歷史的定律，科學的原則，它們豈僅必然失敗？也還必然隨着違反人性，眞理的原則而趨向消滅。

他們今天還在文過飾非，把內部的嚴重危機，只輕描淡寫的說成一種「矛盾」。而只承認「帝國主義陣營同社會主義陣營之間……無產階級之間矛盾。」以及「……人民和人民之間，共產黨同志和同志之間，社會主義國家的政府和人民之間，社會主義國家相互之間，共產黨和共產黨之間，等等」的矛盾。但他們却不敢揭過去三十九年來由列寧，史達林到今天赫魯曉夫與中共，波蘭，匈牙利……附庸國內部歷來在「矛盾」中所死的人，流的血，其規模之大，與殘忍的程度是怎樣的汚臟遍地！驚心動魄！

我在說中共的歷史本質之前，爲澄淸世人對國際共產黨和中共的基本認識起見，不得不摘錄下列共產國際與列寧，史達林的幾段文字：

「共產國際乃各國共產黨的一個聯盟，它是一個世界性的共產黨，作爲世界無產階級革命運動的領導者與發動者，共產主義原則與目標的支持者，它爲無產階級獨裁政權的建立而戰，爲世界社會主義蘇維埃共和國聯盟的建立而戰……」（共產國際組織法第一條）。

「凡參加共產國際的各政黨均稱爲——（各該國家名稱）「共產國際支部」。任何國家只能有一個共產黨參加共產國際，並代表那個國家的共產國際支部」。（同上第二條）。

「凡接受共產國際的綱領及規則，參加黨的基本單位，在黨內積極從事工作，遵守黨及共產國際一切決策，按章繳納黨費，得加入爲共產黨及共產國際的黨員」。（同上第三條）。

「……下級委員會有服從黨的上級委員會決策的義務，迅速執行共產國際領導委員會以及領導機關的決策」。（同上第五條C項）

「共產國際的領導委員會，（即中央委員會）它得向共產國際各支部（即各國共產黨）頒佈訓令，並控制其活動。」（同上第十二條）。

「共產國際所有的決策，共產國際各支部均須一律遵守，並迅予實施。各支部有權向世界代表大會上訴反對的意見，但在代表大會判決之前，必須繼續實行這些決議」。（同上十三條）。

「共產國際執行委員會有權接受同情共產主義的組織及黨派加入共產國際，這些組織享有一諮詢性的投票權」。（同上十八條）。

「共產國際有權設立常設的機構——局（Bureau），如東西歐，南美，東方以及其他，目的在於和共產國際各支部發生更爲密切的聯繫，並便於指導工作」。（同上二十條）。

「共產國際主席團有權向共產國際各支部派遣代表，這些代表奉行委員會或主席團的訓令，並向之負責，有權參加其所駐在的支部的黨中央機關的集會以及地方組織。……他們可以提出反對該支部中央的意見，假使該中央的路綫與共產國際的訓令有分歧，該代表尤其是必須監督其對共產國際的決策的執行。共產國際執委會及其主席團有權向共產國際各支部派遣指導 Instructor，指導的權責由執委會決定之，指導員向共產國際直接負責。」（同上第二十二條）。

「加入共產國際的各支部必須彼此維持密切的組織及情報聯繫，在召開會議及代表大會時彼此互派代表，並在共產國際執委會同意下，交換重要的同志，這尤其在帝國主義國家及其殖民地的各支部，以及彼此鄰近的國家的各支部」。（同上三十一條）。

「共產國際的兩個或兩個以上的支部，由於它們共同鬥爭，在政治上彼此相關聯，在核准下得組織聯合活動，但須在共產國際委員會的領導及控制下工作」。（同上三十二條）。

「……共產國際執行委員會，在各政黨準備轉變爲非法狀態時，須給與他們以必須的援助。」（同上三十六條）。

「共產國際各支部黨員個人，非經所屬支部中央的許可，不得從一國前往另一國。黨員變更居所時，必須加入新宅所在國家支部」（同上三十七條）。

「我們必須使用任何欺詐，狡猾，非法的方法，規避和隱匿眞理」。（列寧論左傾的幼稚病）

「……要想蘇維埃共和國與帝國主義國家長期同存，簡直是不可想像的事，最後必有一方被征服。同時蘇維埃制度國家和資產階級國家的可怕衝突不可避免的」（列寧全集第二十四卷一二二頁，蘇聯版）。

「……只要資本主義制度繼續存在，戰爭終不可避免」。（一九四六年二月九日史達林自莫斯科發表的廣播演說）。

如以上其他類似的教條太多了，不勝列舉。而世人皆知共產國際乃蘇俄控制世界共產黨的最高組織，其實權是操於俄共，而在蘇俄政府中的「國際管制司」，更是幕後設計者。無論這個組織自二次大戰以後改變多少名稱與型態，但它的國際緊緊扣住各國共黨的心臟內部，這是歷年逃出鐵幕的共產黨人異口同聲所報導的事實。（前述的「組織法」便是莫斯科官方的文件由俄文在美國譯爲英文，一九五一年十一月又譯爲中文的。）明乎此，才可以再說明中共此次發表「再論無產階級專政的歷史經驗」的[illegible]歷史命運所注定的悲劇。（下轉第三版）

新年展望

·趙滋蕃·

（一）

一九五六年是醞釀的一年。一切在[illegible]之中。新的[illegible]動，新的科學技術，新的組織方法，新的觀念等等，開創的誠然很多，[illegible]在相當廣大，時空在相對縮小，人類在地球舞台上，一方面是這世界舞台的演員，同時，在另一方面又是這世界舞台的看客。[illegible]這種局面是從古至今得未曾有的大變局，過去的人類歷史所夢想不到的。[illegible]所發生的事變與個人[illegible]息息相關[illegible]，也是個人難於置信的。然而，事實俱在，不由你不信！

我們就最近兩年來發生的事件做個證明，[illegible]蘇伊士運河區的風雲，印度尼西亞的內亂，一波緊接一波，一浪高過一浪，地球在反旋風[illegible]之後，波瀾的動亂不安，匈牙利的抗暴，[illegible]的強烈震撼下顛簸着。每一區域性事件都構成了人類歷史的重要的一環。都替這沉悶的「冷戰期」，帶來了若干希望的閃電的光彩。世界在尋求決戰！這是一個分裂的世界必然的趨向發展。科學技術與組織紀律的針鋒相對，民主與極權之積不相容，人權與奴役之歧，人類尊嚴與勞動機器之背道而馳，使國際正義與大斯拉夫主義之勢若冰炭，使決戰的時間表將大爲提前。

（二）

然而，話雖如此講，一九五七年依然是有驚無險，埋頭佈置的一年。這一年所得到的和平，將是人類歷史的「異數」。經濟的，外交的，文化宣傳的與軍事的四條戰線，還需要至少一年的消化，才能理清眉目。兩個世界——他們的鐵幕世界與我們的自由世界——之間的佈署，也需要時間來[illegible]。到了「不戰而屈人之兵」的如意算盤打不通的時候，那麼，[illegible]，軍事是政治的延續那句老話，又要被[illegible]來運用了。據我個人的觀察：一九五八年將是危險的一年，最[illegible]爆炸的地帶，將是德意志。而今年雖有溫戰，却並無熱戰。最高的策略運用在爭取時間[illegible]展，埋頭準備。假如歷史朝這個方向發展，則下面數事我們實不能不予以密切注意。

第一，美蘇兩國的負責人物，今年可能有若干更動。一旦杜勒斯退休，繼任人選假如是前歐洲聯軍統帥格倫瑟將軍，則美國歷史上軍人總統與軍人國務卿當國之局出現，至少大幹的決心已經存在了。蘇俄方面，那批赫魯歇夫，布加寧之流的「二世祖」們，將爲莫洛托夫與馬林可夫等所瓜代，蘇俄重新回復到斯大林的老路，對內加強鎭壓，對外加強衞星國的管制。假如一九五八年爲決戰「奔赴點」的話，則此一人事更迭，至堪注目。

第二，拉攏與國的外交活動，今年將有連台好戲上場。尼赫魯在國際壇坫之上，曾自詡爲「橋樑」。但這個媒婆確曾做了一個怪媒，中共這個材姑的媒雖沒有做上，反而將媒婆自己許配給了別人。今年艾克的東來，將是這一戲劇性事件的高潮。另一方面，埃及納塞爾總統的朝拜莫斯科，使外交活動的變質，更形唱得有聲有色。標榜中立的國家在今後一年依然最爲吃香，而因致世界勢必成爲外交角逐的顯著目標。「世事如棋局局新」，東馬砲既已渡河，不準備來「殺着」還準備甚麼？

第三，冷戰轉溫戰，將標幟着一九五七年。在亞洲，南北韓，南北越，與金馬對峙之僵局，至少有一處將打破平衡。「人民日報」最近的社論，狂喊加強專政，怪叫將世界革命進行到底，替蘇俄在匈牙利的屠殺撐腰，譴責南斯拉夫等等，實已隱露殺機！恐怕金馬前綫，今年多事！而印尼的外弛內張的局勢，仍將繼續，星星之火，亦將猛燃，埃及將是風暴中心。在非洲，在東歐，蘇俄戰略走廊波匈的騷動不安，勢必仍將綿延下去。南蘇交惡的局面，仍將僵持。而東柏林暴動事件，在蘇俄搜括備戰的火藥提下，可能翻版。

（三）

總之，歐亞非三洲的衝要之區，今後一年將隨處爆發亂象。此等動亂具中等規模，對世界性大戰略而言，都具有一定程度的配合作用。但規模較大的戰爭，是打不起來的。一九五七年將在最奇怪的和平方式——武裝平衡，緊拖慢打——下，安然渡過。「萬木無聲待雨來」，舉世心情之沉重，將爲歷史上任何時代所無！肝衡世變，我個人以爲：復國不難，而建國誠難。十年之病，求三年之艾而不可得，蒿目時艱，不免憂心忡忡。深願志士仁人，秉謀國之忠，羣策羣力，分門別類努力來研究建國的具體方略。爲目下的問題尋求解決的辦法，爲未來建國提供美好的藍圖，時不我待，盼大家奮起。

半周述評

·司馬璐·

中共終于攤牌了

在共產集團內部的紛爭中，中共終于攤牌了。十二月廿九日「人民日報」根據中共中央政治局的討論，發表了「再論無產階級專政的歷史經驗」的文章，正如筆者在本報「述評」中屢次指出的，在緊要關頭，中共總是緊緊站在蘇聯一邊的。[illegible]路透社北平電訊說：[illegible]察家，以爲中共已經走上「狄托主義」之路，[illegible]中共在這篇文章中甚至公然指摘，「某些東歐國家人民」「對蘇聯的態度」「不甚公正的」。

共黨集團分裂中

中共在這篇文章中，承認了一個無可推翻的事實：共產集團正在分裂中。由于東歐事件的演變，造成了「目前的短時間的局部「失敗」（括弧內引用的是中共原文，下同），甚至對于共產主義事業發生了「動搖」。「共產主義者」中有一些人「搖擺」了，[illegible]在各國黨內，[illegible]

史達林主義傾向

中共在這篇文章中，基本精神，是替蘇聯和史達林的立場辯護[illegible]，承認了許多共產主義者和善的公[illegible]。在蘇聯對待附庸國以及干涉某些兄弟國家的態度中間，[illegible]。然而中共把這篇文章中所說的「史達林主義」「分爲」[illegible]

鐵幕內部的縮影

中共在這篇文章中把[illegible]矛盾」，[illegible]是什麼性質呢？中共說：[illegible]「第一種是敵我之間的矛盾」，「第二種是人民內部的矛盾」[illegible]，社會主義國家相互之間，共產黨[illegible]，這是今天鐵幕內部的一個縮影；這種種矛盾，也是決定[illegible]

批評鬥爭與團結

中共認爲「解決內部的矛盾，首先必須從團結的願望出發，經過批評或者鬥爭[illegible]，獲得新的團結」[illegible]，中共所說的「團結」是一個[illegible]

一頂帽子送中共

筆者送一頂帽子給中共，這頂帽子是「中共今天的路綫是史達林主義」。證據如下：中共這篇文章主要闡述史達林對蘇聯對世界革命的貢獻，[illegible]中共這篇文章中強調「必須鞏固以蘇聯爲中心的國際無產階級的團結」，[illegible]民族主義必須服從國際主義的，[illegible]「必須在較小國家中克服民族主義的傾向」。（下轉第三版）

發揚中華民族學術文化 圖書雜誌展覽今舉行

一連九日不售門劵購書並有優待

香港出版人協會所舉辦之圖書雜誌展覽將於今日開始至廿四日一連九天在工展會舊址舉行。這是一種非常有意義而且又屬創舉的展出，即如出版人協會在招待記者時上少夫所指出的，這是爲了保存與發揚我中華民族學術文化，造成學術研究的熱潮。在此時此地，這個意義是更來得重大了。

學術活動開始蓬勃

在最近的幾個月來，香港的文化學術活動，可以說是比較來得蓬勃的，從大專學校學生的一連串學術比賽，新亞和珠海兩學院主辦的藝術文物展覽，德明中學的國父文物館開放，以至由教育司署主辦的自然科學教材展覽會，及將舉辦的國文教材展覽會等，都給本港文化界平添了幾分熱鬧氣氛。

圖書雜誌展覽經過幾個月的籌劃，終於實現了，她的展出是獲得各方人士的支持的，據出版人協會的消息，這次展出，無論華民政務司署，教育司署以及各有關機構，無不加以支持及鼓勵。此外，如英國文化委員會、美國新聞處，本港各報社，各文化教育團體都參加提供實際的資料，充實了這次展出的內容。

這次展覽的內容，包括有圖書，雜誌，作家手稿和圖畫四大類。

至於展覽部門的劃分，大體上是：（一）閱書部門，計分十一大類：A總類、B哲學、C宗教、D語文學、D自然科學、F社會科學、G藝術、H應用技術、I[illegible]、J史地、K雜誌書報。（二）國畫部門：由中英文化協會及中國美術協會提供。（三）作家手稿部門。（四）閱書發售部門。（在展覽期內，發售部份一律特價低折扣）。

圖書展覽三個理由

關於這次展覽的意義，出版人協會在招待記者席上，說得非常扼要，該會的發言人上少夫指出：我中華民族文化綿延數千年，流播所及，遍於世界各地，文物的燦爛，爲東南亞的冠，尤其是香港地區的文化，更與中國文化一脈相承，這都是無可置辯的事實。同時，根據歷史的啓示，每逢中國本土遭逢重大變故，由於人口流動等因素的促使，中國文明向海外推移的速度亦必然增加，並且每每在海外蔚爲奇葩吐放的燦爛。自五胡亂華以迄明末清初，其例屢見不鮮。可是，時至今日，八年來，知識階級紛紛向海外從移之後的香港，作爲主要容納地區的一個，在文化學術的領域中，雖較過去[illegible]社會有形無形的損失。我們生於斯、業有於斯，自不願目睹香港淪於文化低落的境界，所以也就希望藉此展覽，促起同胞興趣，人類求知慾的本能，培養追求現代知識的興趣，以配合現代社會的需要。這是該會此次舉辦圖書雜誌展覽的三個理由。

作家手稿在會展出

除了圖書雜誌之外，我們應該特別介紹這一次會中的兩大類展出品：其一是：英國文化委員會和香港中國藝術會協助，慨然允諾將該兩會籌備運到東南亞各地舉行巡迴展覽的名家作品一首先交由該會展出，名貴當前，相信各界人士必以先睹爲快。

其二是：該會此次展出「作家手稿」一部門，計先後收到海外及本港名作家親筆手稿一百餘份，其中並包括有各大學名教授，本港大律師，名政論家，軍事學專家，名記者的著作多份。

作家手稿的展覽在外國已經屢見不鮮，但在中國或香港而言，卻可以說是首次的嘗試。展出的目的，不但希望由此使作家與讀者在精神上獲得更親切的聯繫，同時更藉此使讀者得以作更進一步的觀摩切磋，從而刺激大家學習寫作或研究的風氣。海外文化工作的效用來說，相信是無可估量的。我們也正在這樣的期待，所以特別在此鄭重的加以推薦。

關於「旗桿裡的機關」的辯正

（上接第二版）固國觀光親善，政府向表歡迎，並保證對歸國僑團僑胞無一不予方便。另一僑團未去前提出條件：保證在北海關不能抄守，當然OK，於是有位團員擁美國國旗大約二十八根去，又在左右較手擁腕儀只，他們放在箱內攜帶了表面[illegible]「什麼都予方便」及保證台北海關不抄守之情事。反之，僑委會對每一返國僑團僑胞之於其辦理來台手續之前，必將海關各項重要規定，詳爲告知，並請各僑團負責人注意，務須照海關規定辦理，年來，偶有早日獲准行李略爲超過規定，我海關亦依照規定處理。

三、原通訊說：「每一僑團直是藏旗，許多箭直是藏旗桿裡都有機關，其中可放十磅砂糖」，[illegible]有人帶砂糖去賣，但十磅砂糖[illegible]

[illegible]調查尙欠週詳。他們此通訊後，即囑原派偶有具體事實，亦盼詳爲惠告，以便詳查。據悉港澳返國參加十月份各大慶典的僑團，雖有攜帶團旗，但無以旗桿爲旗桿之情事。惟恐如此，並懇函示國柱設法追究，以正視聽，此不特國柱個人所厚望，亦當爲港澳愛國僑胞所歡迎。如社會人士有所見聞，公開披露，以正視聽，貴報站在輿論立場，對此想更表贊同也。尚此奉達敬頌

撰祺

方國柱敬啓 一月十日

論今天英美關係的改進

（上接第一版）沙地亞拉伯等國已在財盡待援，土耳其，伊朗，伊拉克，巴基斯坦等國正在促使美國早日行動了。但是美國的援助，卻僅可以停止納撒的狂潮。

中東這地區，原有種族的仇視，有反西方殖民主義的觀念，再加上最近的阿剌伯的糾紛，蘇彝士運河的衝突，蘇聯的再有尼赫魯納撒鼓勵於其間，絕非英國的陳舊政策所能應付，死戰。這自英國言，固不必諱言失敗，艾森豪政策自由世界言，卻是一個積極政策的開始。英國的政治家對此應當釋然于中了吧！

隙縫中的靈

再從以尼赫魯爲代表的所謂中立勢力言，那是靡于英美對世界政策意見的隙縫中的。蚌鷸英美之爭，而漁人得利，英國政策上根本與英國人的苟安心理與現實政策相符，一方西尼赫魯反對美國介入亞洲及中東的企圖，是正合我心。中立派一方面反對美國干涉，怕被拖下水，另一方面又怕美國回到孤立主義上去。他們一方面需要美國幫助，一方面又不肯認輸。其情形有如當年邱吉爾之「要貿易不要援助」，以及今天尼赫魯之爲中共作說客，同時又想伸手要美元。這是美國的納稅人所啼笑皆非，而美國孤立主義者所深惡痛絕的。而英國與中立主義者間的論調一向若合符節，此風不去，實足蠹蝕了英美間合作的橋樑。今天的英國政治家應知改換調子了！

關係轉捩點

除去了雙方歧見的糾結，就是今天英美關係改進的轉捩點。但何堪回首前塵，「今日之事美爲主」，再不能以英國的見解來影響美國的政策了，邱吉爾「去說服美國而不爲美國說服」的往昔雄姿，今日已不合時宜了。因爲：自己已向着錯誤的路上走，除非回頭，根本沒有什麼可以說服別人的；用一個狹隘的觀點是絕不能克服一個宏大的世界觀點的。

像英國以往偏狹的區域安全觀念，有如讓旁人的房子着火而自己可以高枕無憂，是絕不可能的，因爲任何一個區域戰爭，隨時都有引起其他區域戰爭的可能；不要以爲美國會把別國捲入戰爭，那恐懼是多餘的，因爲美國人可能比英國人更怕戰爭。

唯一的坦途

英美間實際上除了對世界政策的基本觀念尙不能協調外，無論在國家利益上，權力上，以至于根本和平意識上，並沒有什麼衝突，唯一點要克服的困難是：「必須自己由領導地位退處從屬地位」。

正如過去羅馬帝國的光榮，已成歷史陳迹，英國領導世界的傳統光榮，已屬于克姆林宮，是不切作用的。世界是在變，歷史洪流是後浪推前浪，今天，今天美國在自由世界的領導地位，絕不是憑主觀意識所能改變的。跟着山姆叔走，前面是一條坦途；英美關係調整也祇有此路可通。（完）

稿約

一、本報各版闢地公開，歡迎投稿，來稿以一千五百字至二千字爲最相宜。特約稿不在此限。
二、本報歡迎通訊、特寫、文藝、評論、書評、人物介紹、短篇小說、詩詞等，三、五百字之短文尤所歡迎。
三、本報對來稿有刪改權，不同意者請於來稿預先聲明。
四、來稿請用稿紙繕寫，行文請勿過於潦草，不宜一紙兩面繕寫。
五、來稿請自行留底，外埠郵票香港不適用，請勿附退稿郵票，本報不負責退稿。
六、稿酬每千字由港幣伍元至十元計算。

文藝論壇

論童話文學的黑暗時代

·水東流·

當今童話文學沒落，反映了世界人類心境的蒼老；台灣沒有童話文學，實在是這反映中最陰暗的一點。（作者）我們同意作者這些話，而且就我們所見到香港的情況，又何嘗不是，無論就質與量的方面言！都不夠勁。（編者）

我住在台北市，每天逛進書店，或打開報紙，就有感覺到：當今世界文壇，固然未見第二個安徒生或格林兄弟出現；而台灣，近年來也實在是找不到一位寫童話的創作家；台灣許多文壇上的「知名之士」，對童話文學是從來「絕口不談」的，好像是表示童話是小孩子們胡扯談的玩意兒，童話文學不干他們（指作家）的事。其實，我們的大作家們呵，錯了，錯了，大錯特錯！安徒生不是也能寫詩、寫小說、詩戲曲嗎？但他同樣地可以創作童話。

迄至去冬，謝冰瑩女士的一篇童話體裁的小說「兩兄弟」，在台灣的中華日報上發表了。現任省立成功大學教授的女作家[illegible]，年前亦曾以「江心」的筆名，在台灣新生報介紹童話文學作品，話說到這裏，我們倒要檢視一下：童話究竟是文學的正宗，還是文學的私生子呢？這，只要看安徒生及格林兄弟的童話至今流傳不朽，當可獲一肯定答案了。其餘如笛福的「魯濱遜飄流記」，及王爾德的幾篇童話體的小說，都是世界公認的不朽之作。

童話文難寫

再看看中國童話文學的廬山眞面目吧！從「五四」文藝復興運動以後，首先刊載童話的當推民國十一年一月七日創刊的「兒童世界」及民國十一年四月六日創刊的「小朋友」兩種週刊，但當時童話的執筆者，他們或已逝世，或已擱筆；如今在台灣，儘管小說家與詩人，劇作家……人材濟濟，卻沒有一個童話作家。倒是海外的亞洲出版社，年前還印行了一本「不要太陽的巨人」，也算是十年以來中國的第一部童話文學的創作。爲什麼童話文學如此貧乏呢？當然：第一是童話文學創作的困難，困難到什麼程度，可看當今海外小說家徐訏，曾在他的「成人的童話」一書中說過：「第一、所用的字句是否十四歲以下的兒童能讀；第二、故事是否會太刺激兒童，——使他太興奮，太憤怒；第三、文意中是否有害及兒童的心理道德思想的成份」——結果，不敢自信。

童話被輕視

第二是童話文學的不受教育家的重視。由予一般社會人士，盲目地斷定童話的社會意義，科學常識，及教育價值的結果，認爲童話裏爲什麼盡是鳥言獸語，而沒有「歷史文化」、「人造衛星」、「原子火箭」？其實，那些屬于科學的或現實社會的故事描寫，它們並非屬于童話文學的領域；科學及現實社會的教育使命，須要另外的文字去担當。舉例而言，童話家安徒生的作品，被公認是帶有濃厚的文藝趣味，詩的情緒，及浪漫主義的氣氛；他不是把小孩看做大人，去寫一篇嚴重的文章，而他是忠實於永恒與創造，露出慈母的笑容，對孩子們講故事，把「天鵝」、「人魚」、「仙子」、「國王」等等，都賦予一一個活的生命，教兒童們在永恒之中養成認識實現社會的智慧；又教育兒童們鑽進現實之中去發掘永恒，保衛永恒！——童話文學與學校教科書的分野，是在於：教科書是直接把知識訴諸兒童的理智，而童話呢？是間接披上藝術的外衣，訴諸兒童的感情想像與思想，使兒童間接領受適應現實社會的一切知識，在這一方面，童話文學所佔的優勢是：兒童時期的心理發展，正是趨向於豐富遠大的理想。

童話的任務

童話的任務就是要深入兒童的「興趣世界」裏，尋覓和揀選最有教育價值的養料用藝術的外衣包起來，讓兒童們愉快地吃着很快的消化，而並不是有意容許兒童在今日世界中做夢，更不是讓兒童在幻想世界中求滿足；而是要教他（她）們的小眼睛，小頭腦，從有趣的故事中，觀察、思考，從而領略今日世界上的一切眞相，建設兒童們將來面對狂風暴雨，創造光明，快樂遠景的心理基礎，這些才是童話文學的眞正使命。

今之兒童刊物

再從目前來看童話吧！翻開各報兒童週刊裏的一些「童話」，眞正創作的幾等於零，所有的童話大多是些炒冷飯，翻譯作品，改頭換面的搜輯。既是如此貧乏，那麼我們如何創作童話呢？我認爲，童話作者的取材，首先要懂「四不」，第一不選怪誕的故事（切忌違反科學的迷信）；第二不選現實的故事；第三不選無稽的故事（切忌充滿命運論的思想）；第四、童話裏不可直接重述歷史。（但它們可以反映現實或歷史。）

至於童話的寫作技巧，愚見以爲：作家首先要有眞實的兒童感情：「愛麗思漫遊奇境記」，所以成爲英國兒童愛讀的好書，就是因爲作者感情眞切，又像「木偶奇遇記」，那是作者把兒童的各種性格，感情都集中於木偶一身表現出來，從木偶的由壞變好，感情的演變也非常眞切，因此也使兒童愛讀。童話文學的創造者，要保有一顆童心，不斷研究兒童的生活，因爲兒童們有他（她）們自已的性格和脾氣，有屬于他（她）們自已的嗜好與喜樂，有他（她）們特有的純眞和稚氣，有他（她）們特有的本能和意識。大人們由于年齡的關係，已失去了它們，因爲童話的作者決不能把自己的大人性格與脾氣、喜惡，做成一個模型，而把孩子們納入這個模型裏來。尤其對話，也要完全是兒童的口語。

希望在將來

綜而言之，童話文學是給予兒童教養的重要的文學，二十世紀的兒童，佔全球人口三分一，他（她）們的命運就是國家民族，世界的命運；但不幸的是：當今二十世紀六十年代，正面臨童話文學的黑暗時代，自從：自二十四歲到七十歲一直寫童話的安徒生，在八十年前與世長別；格林兄弟也在九十二及九十六年前先後辭世；近百年來就再未見過第二位安徒生或格林兄弟了。童話文學的形態，是人類童心的再現；是當今童話文學的沒落，無疑的是世界人類童心的遺失，反映了人類心境的衰老；台灣沒有童話文學，印證了中國實在是這一黑暗中最黑暗的一點，因爲我們的童話既可大量譯外文書刊，適足證明其它國家的童話創作遠較我們爲佳。我希望作家們爭先做中國童話文學的開路先鋒，點燃創作的火炬，亮亮未來童話作家的視覺，以結束這一童話文學的黑暗時代。

從桃符與艾談起

戈北

蘇東坡的文集中，有這樣一個故事：「桃符仰視艾人而罵曰：『汝何等草芥，輒居我上？』艾人俯而應曰：『汝已半截入土，猶爭上下乎？』桃符怒，往復紛爭不已，門神解之曰：『吾輩不肖，方傍人門戶，何暇爭閒氣耶？』」這是一個很好的諷世寓言，它說明了一般人的通病——都爭強好勝，不甘居人下！即使傍人門戶，也要斤斤計較，爭一日之短長！

前些時，有位錢先生（見香港工商日報）用貼廣告作爲比喻說了那麼一段：「第一個把自己的廣告貼在第一個的廣告之上，第二個把自己的廣告貼在第一個的廣告之上，第三個又把自己的廣告貼在第二個的廣告之上。這樣一直貼上去，每個貼廣告者，都把自己的廣告貼在「至上」。」

他說像這樣依附在別人頭上的勾當，是「人類最可恥的事」，對的，那完全是自己主觀心理作祟。我們覺得居於人下，也並非甚麼可恥，與其毫無理由地強居人上，倒不如居於人下，向人學習。說苑中有這樣一段記載：「子貢問孔子曰：『賜爲人下，而未知所以爲人下之道也。』孔子曰：『爲人下者，其猶土乎？種之則五穀生焉，掘之則甘泉出焉，草木植焉，禽獸育焉，生人立焉，死人入焉，多其功而不言。爲人下者，其猶土乎。』」像這樣的「爲人下者」，但算是恥辱嗎？君子「不患人之不己知，患其不能也」。只要有健全實學，即使自己不想顯用，社會也不會把你埋沒的！

（小啓：自由談續稿未到，暫停一期）

記一代經師陳漢章

慶

陳漢章，字伯弢，一字倬雲，浙江象山人，生於清同治三年，舉貢舉人，受業於德清俞曲園，與太炎同門，均爲俞氏高足，長通史考據之學。歷任國立北京大學教授十六年，中央大學教授史學系主任六年，桃李滿天下，前台灣大學校長傅斯年，北京大學校長羅家倫，前河南大學校長姚從吾等，皆其得意學生，羅家倫於其逝世時，曾撰行狀，稱述其師陳氏之學，稱道不置。

稱「兩腳書櫥」

氏爲象山世家，其父名霖，爲文學士，幼承庭訓，長嗜經史，百家，莫不涉獵，博覽羣籍，六十餘年不輟，不離帶抄本，隨著如一日，氏記憶力特強，過目不忘，師生有疑難，隨問隨答，不待翻書，稱「兩腳書櫥」。加以記憶力，在北大授課時，每以筆代口，於黑板上書寫，洋洋千萬言，均出自記憶，從不帶書本。

不好爲人師

氏之胞弟，早歲成進士，入吏部，淡泊名利，樂生涯，同年湯壽潛，屢薦於政府，氏均謝辭，前清京師大學堂總監督劉廷琛，慕其學問，聘爲教習，氏謝辭不就，願入校爲學生，劉嘉其志，特別准許。

軍，特於點名時，遇呼氏名，必起立答到。時北大教授同城姚永樸、永概兄弟，胡玉縉，均極欽佩。氏在北大任教十六年，以年老告辭，南旋故里，今教育部長張其昀，爲氏任教中央大學時之學生。

芳踪何處

王臨泰

她想怎能不回去呢？她想，范欣榮去了，她留在這裏又怎麼辦？她回家去的，一定是到漢口去了，萬一他回來找不到她，她又怎麼辦？

「我一定要回去的，他們要我回去，實在回去不得。」

「並不是我不要妳回去，實在回去不得。」

「不管，我總要去。」

丁立心很想把她送走，只好陪她回去，剛走到郊區，就被敵軍阻止了。她無可奈何的，又跟着丁立心轉進到臺灣。

丁愛梅忽然想起，那個老傳說的話，是不是真的呢？她就向市政府打聽范欣榮的下落，有的說他回家去了，有的說他到漢口去了，她一些辦公的人員打聽，都沒有確實的消息。

她想可如何的又問到哥哥那裏去，「愛梅，妳不要着急，台灣也許會有他的消息。」丁立心見了就說：「有條船去台灣，妳去不去？」

走嗎？丈夫回家了，她走了怎麼辦？何況她又沒有的錢，萬一范欣榮真的到台灣，她又怎麼能到台灣去呢？不過，她又想，萬一范欣榮真的到台灣去呢？到漢口去，歸？上海人生地不熟，幸虧哥哥同來了，不然真是一籌莫展。現在問題來了，走呢還是不走？她猶未決定，她癡呆的說不出話來。

「有消息了麼？」丁立心又問。「有的說他回家，也有的說他實在誰確知的。」

「台灣是最安全的地方，還是先到台灣去。」丁立心又加重語氣說：「祗有這一條船，機會難得，妳別再遲疑啦！」她含着淚，跟上了船。

來台灣後，住了幾個月間，後來由友人介紹，到台南一個學校裏做音樂教員，也許是因爲她生得漂亮，一個男同事向她死命追求。那男同事的名字叫謝其然，是美術教員，他寫了數封信給丁愛梅，並且威脅她，如再不回信，他將自殺，她並未回信，她約謝其然到了教堂，因爲她是個耶穌教徒。她約他談判。

謝其然開門見山的說：「你的信我完全收到了，請原諒，我不可能回你的信，你對我還不瞭解，你應該知道我是有了丈夫並且有了孩子的人。」

謝其然聽了笑着說：「你以爲我不知麼？告訴妳吧，我早已打聽清楚了，我愛妳，真心的愛妳，一切我不顧及的！」

（三）

漢學家仰慕

六年，計其一生精力，完全貢獻於文教。

氏對於經史子集，無不涉獵，尤精漢學，氏則融合漢宋，不存門戶之見，其博學強記，人所不及，學貫中西，有所論列，語必有據，其學命人稱道。氏講授於北大時，校長蔡元培爲南北所推重，所著一書，常有日本漢學家來訪問，蔡必邀氏列席，以備諮詢，凡日本學者來，皆敬佩，其學者對氏極爲欽佩，氏則隨口答覆，無所遺漏，其學問之淵博可知。柯鳳蓀所撰新元史，柯城馬其昶著大學中庸孟子等書注解，嘿縣丁謙著地理，常通西實疑，氏必一一條對，必不隱晦。桐城姚永樸，自謂於說文音韻之學，未下功夫，一時於北大教員休息室，求教於氏，氏則即席提筆，一氣寫成，文字學概要，七千餘言，非有博學強記，精神充沛者，不能出此。蘄春黃侃，時執教於北大，深佩氏之淹博，不以同事自居，稱氏爲老師。

黃侃願稱師

鄞縣張壽鏞，對於氏，極爲推崇，其刊四明叢書，請氏爲之校訂，得氏補正之處甚多，並請氏爲所著書題簽，以表欽仰，氏雖學術淵博，而慈祥謙和，不以學問驕人，求正其著述者，必詳加指正。

玉樓春

擬六一詞。　王泉蓬

流光不肯徵明鏡，昔日朱顏今雪鬢。被頭長是曉鶯啼，劉外更無新雁信。　咫尺河山誰與問，甚管只有西窗，登樓日落平蕪盡，淒得寒中多少恨。

玉樓春

擬珠玉詞。　前人

朱樓依約春雲裏，樓上鶯聲樓下水。四紋撥盡一簾風，寒去撩猶嬌無際。　撥緒箏擁泛芳池，春光暗向酒邊來，爭來醉時人已醉。

褒「浙江名儒」

執弟子禮甚恭。

氏著述甚富，計一百十餘種，三十萬卷，時，刊有級學堂初稿，七十歲時刊有綴學叢書十種，均爲木刻，經其親自校對。嘗謂學問與時俱進，所撰寫之稿，後來覆核，每須更易，凡有著作，應由後人代刊爲妙，故其未刊之稿甚多，其已刊未刊之著述目錄，詳載於鄞張壽鏞所編之四明叢書中。氏藏書甚富，均經熟讀，且於書頭批記，故其書架之書多爲熟讀之本，而非裝門面之新書，病革時，出其藏書編建藏書樓於象山東陳村，供人閱覽，嘉惠士林，民國廿七年夏逝於象山。國民政府，以其爲一代經師，頒令褒揚，稱爲「浙江名儒」。

易順鼎（上）

一、幼負神童名　佳句傳海內

易順鼎，字仲碩，一字實甫，號眉伽，晚號哭庵，湖南漢壽人，詩才綺縟，工於駢文，與樊樊山稱詩壇兩雄。而實甫秉性詼諧，急激家之難，至不顧身，又疑在樊山之上矣。

實甫天挺奇慧，有神童之目。年十四，補諸生，中光緒丁丑舉人，只十七歲耳。早年刻詩詞各一卷，題曰眉心室悔存稿。其七言絕句云：「生來蓮子心原苦，死傍桃花骨亦香。」「秋月一丸神女魄，春雲三摺美人腰。」「寸管自修香國史，萬花齊現美人身。」「僕本恨人猶僕僕，卿須憐我更卿卿。」皆傳誦一時，稱曰才子，名溢其實也。

父佩紳，累官江蘇布政使，亦有賢聲。江淮人士，至今猶能道其實也。實甫秋闈報捷，應禮部試，取道江南，嘗與單騎，冒大雪遍訪金陵六朝遺蹟，一日中成金陵雜詠二十首，有句云：「地下女郎多豔鬼，江南天子半才人。」「桃花士女桃花扇，燕子兒郎燕子箋。」「表柳綠遮三妹水，冰楓紅帶六朝花。」亦皆綺麗絕倫。

感而獎樊山，自負爲一代詩伯，從不輕許別人作品，獨誦實甫例至隔中詩，則傾倒備至！如：「翠華西幸周王駿，紫氣東來李叟年。」「關百二重秦代月，宮三十六漢時秋。」又如詠古之作，諸葛孔明一聯云：「萬牛回首因龍臥，三馬齊心爲虎來。」此外詠楚霸王項羽云：「二十有才能逐鹿，八千無命競從龍。」咸陽宮闕須臾火，天下侯王一手封。」如此則拔山蓋世之雄，活現於紙上也。

同光風雲錄

二、高節奇文朝野驚佩

甲午中日大戰起，我軍敗績，大學士李鴻章與日本訂馬關條約，賠款，及割台灣等地以議和，台民反對，乃成立台灣民主國，推巡撫唐景崧爲大總統，劉永福爲大將軍，爲謀抗戰。時實甫方爲兩江總督劉坤一幕友，冒死上疏論國事，並痛劾李鴻章誤國之罪。朝野咸驚佩其高節奇文，言人人所欲言，言人人所不敢言也。溯而，大勢已去，疏上不省。實甫憤志之不遂，乃慷慨鬍纓請從戎，泣陳於坤一曰：「吾願隻身入虎口，幸則爲弦高犒師，不幸則爲魯連蹈海。」坤一壯其志，並贈以金，遂作長風破浪之行矣。

既抵廈門，台之收兵方湧至，景崧已微服出走，大將軍劉永福，及台名士邱逢甲尙困守台南，台中，實甫不避艱危，遄馳台南，爲籌大計，旋返倘京，武昌，乞援於張之洞，譚繼洵，之洞雖壯其志，奇其才，而終無以爲援。實甫再渡台灣，而局勢更紕矣。一時誤傳已殉國，其友王夢湘編修輓以聯有云：「揮不返魯陽日，補不盡女媧天，入夜海門潮，白馬素車，穿脊靈胥同一慟；生無負左徒縴，死無慚延平國，思君廬山月，青鳳赤葉，讀書狂客好歸來。」一萬里倉皇風鶴，偏乞援師，此志竟無成，睎髮咸池，去矣排空訴閶闔，二十年追逐雲龍，頓悲隔世，吾生亦何樂，側身天地，淒涼隕涕看神州。」友情之深，此二聯兩兼備，變國之痛，兼矣。（七十九）

夢山樓

婚姻不得自主　共幹殉情自殺

據十月九日「人民日報」所載摘錄男女幹部戀愛投河殉情的血淋事實如下：

去年五月間，「四川建築工程局第二工程公司第五區黨支部」的共黨組織幹事「聯納掌和第二區的統計員代玉，一區是黨員，一是團員，而且都是「立過功的優員軍人」，他們從那時起戀愛，爲了要請批准結婚，前後一共被拖延了一年多，結果還是個不准，其間曾數度向主管「黨委」陳述，皆以各種莫須有的藉口予以推宕，於是這對青年男女在最後上書要求「貼體我們的處境」，「開一線之路」，「成全我們吧」之後，因又不復批准，就投河殉情自殺了。

中共的新婚姻法說起來是保障「婚姻自由」的，但法外有法，黨的紀律加上了頑固的黨委權力之濫用，他們白白的死了！

（裕）

男一女之間

女人有兩種：第一種是想以最少的錢買最多的東西；第二種是想以最多的錢買最少的東西。

一個含笑的女人，比一個皺眉頭的男人可愛。一個皺眉頭的男人，比一個會笑的女人可靠。

丈夫對於太太的敬畏，猶在夥計對於老板之上。我們聽見過晚上脫了皮鞋回家的先生，卻沒有聽見過早晨脫皮鞋進辦公廳的職員。

注意那個看你一眼而不發一言的人，她可能是在愛你。當心那個替你斟茶、點火、移椅、穿大衣的人，她對別人也是一樣。

女人常很矛盾，她們因爲覺得寒冷，會穿上大衣，但她們又要穿裸腿露胸的衣服。

女人裝扮得花枝招展，是要給別的女人看，和給男人多瞧她一眼。她們要請婚，是因爲其他的女人都估有了一個丈夫，他們把家庭陳設整潔雅麗，是要給她的女朋友嫉忌，假如她不是爲着其他的女人，她將沒有這樣勤謹。

女人的說話總是不肯直爽地說。你問她現在什麼時候，她會說：「這大概是吃晚飯的時候。」你請她出去兜圈子，她會說：「我還有許多事情未做完。」你如果請她出去吃晚飯，她只是食些少，但回到家就狼吞虎嚥。如果她遇到些微不如意的事，她底眼淚就奪眶而出。

男人對領帶的重視，猶若女人之脂粉口紅，所以女人的濃裝豔抹可增加她們的姿色，同樣的男人領帶色澤的配合，亦會增加他們的丰姿。

男人好戴「高帽子」，但要女人給他戴。所以小姐們——！妳們要常常製「高帽子」給愛人戴，帽子愈高愈好，因爲帽子高度是與愛情成正比例的。

邇熟的果子是最甜的，邇熟的愛情也是一樣。

鐵石所知，情金石，爲開，愛情就是如此奇妙。

·永昌·

自由人
THE FREEMAN
（第六一四期）
（半週刊每星期三六出版）
督印人：陳文

地址：香港高士威道二十號四樓
3RD. FL. 20 CAUSEWAY RD.
HONG KONG
TEL. 771726

承印者：東南印務出版社
地址：高士打道六十四號
台灣總經銷處
台北市西寧南路一號二樓
台灣郵政劃撥儲金戶九二五二
海外總經銷
友聯書報發行公司
香港：彌敦道六二十號A二樓

讀完艾森豪國情咨文之後

伍憲子

據華盛頓一月十日電，艾森豪總統今日向美國國會聯席會議宣讀國情咨文。該咨文經港報譯成中文，長達六千言，我讀完之後，感不絕於予心。西方政治家之思想，與說話技術，總有些與我們不同。我不敢妄爲批評，我只略貢我所懷。

一

艾總統全篇咨文，最重要的一句話，就是「我們在全世界之前，我們要努力建立一個標準，是一切尋求正義和渴望和平的人們可以依賴的標準」。不錯，此話是很正確是一件事，實踐又是一件事，假令講正確的話，而不能實踐，則正確的話，亦等於不正確。艾總統在咨文中，已經說過：「我們對這些原則的忠誠，我們要實踐這些原則」（所謂原則，就是正義與和平）是艾總統並非忘却實踐之人。到底艾總統如何實踐，四年前舊事，大家想未會忘，「解放鐵幕」之諾言，艾總統不是在全世界之前，說得很響亮嗎，言猶在耳，而今如何。四年前舊事，我不願再談，然往者不可諫，來者猶可追，我今試在六千字的咨文中，舉出我所欲言者，以測驗艾總統之實踐。

二

艾總統對聯合國非常重視，要做實踐工夫，聯合國是一個極好的地盤。然而艾總統咨文中，只說「我們準備在聯合國中提出更多的建議，我們願意締結任何可靠的協定，防範核子武器突襲的可能性，共同管制太空飛彈與人造彗星，實現較低的軍備水準，以減輕軍費担負」。此則無異以建議爲實踐。事實上亦只可以建議之外，無實踐之可言。爲什麼美國不自先實行裁軍，減輕軍費担負呢。我斷不敢說美國好戰，但美國不能放心他人不來突襲，即使締結協定，亦不能保他人不扯毀協定。所以艾總統在咨文中亦自說，「我們配備了新的武器，我們不斷研究其效力較大的武器，其中有些武器的殺傷力量是非常驚人的，我們將繼續這種擴軍大的工作」。試問在此擴充武器之情勢下，徒建議減輕軍備，又有何用。而況建議之目的，在防範原子武器之突襲，就算辦到，和平能實現嗎。十年來世界之紛擾，種種顛覆侵略之搗亂行爲，是原子武器突襲嗎？聯合國之功用，僅僅在防止原子武器突襲嗎？艾總統之運用聯合國，若僅建議防止原子武器之突襲，則艾總統之實踐工作，我不見得高明。

三

再說到目前一件驚人之事，就是匈牙利的革命運動。艾總統咨文說，「匈牙利最近的歷史性事件，要求所有自由國家，各盡其力以援助，予以庇護」。我要求國會立刻制定法案，使匈牙利難民在美國得有自由人身份。我不久將建議國會，改變我們的移民法案」。艾總統此種行動，我是很欽佩的，但我不能輕此，算爲艾總統如何實踐正義，我認得尋求正義，則對於匈牙利事件，艾總統之責任太多，僅給予匈牙利難民得在美國做一個自由人，只是微末之事。聯合國何以不能制止匈牙利政府與蘇俄軍隊之殘殺，乃至聯合國要派人員到匈牙利調查且不得，亦遭拒絕，聯合國之正義何在。……恐怕亦只是宣傳而已。試觀此數年間，所謂救濟，往往所宣傳者，多與事實不符。然則不只實踐困難，並宣傳亦不易辦得妥當也。

四

艾總統之咨文，亦說到宣傳方面，並且要加強反共的宣傳。……我要求國會計劃增加新聞總署經費……使得以終生獻身該項工作」。讀此，可見艾總統對於宣傳工作之苦心努力。但可惜負實際宣傳之人員，不能善體艾總統之意，找不出反共宣傳之要點。以後有無改進，不得而知，以前眞不敢恭維，撥款雖多，都是黃金擲虛牝。艾總統謂「使得以終生獻身該項工作」，此話似乎不祥，反共工作至終身無了期，則是共產集團之侵略延長亦無了期，如此，則正義永不能伸，宣傳款項雖增加亦何用，辦宣傳者應當猛醒。正義方是宣傳之骨幹，如何方是實踐正義，不是空談正義，艾總統更應當猛醒。

五

艾總統今次咨文，目的是爲中東權利，咨文說得很明白。謂「如果中東權利被敵人控制了，……必須受制於敵人，則這些民族，他們的經濟，……嚴重的危害」，……這些民族不會……中東石油受敵……且受嚴重危害……危害這些民族……話不能勸人，……亦可以如此說，……西方受控制，……覺危害。故彼……權利而用兵，……正義之號召，是有欠缺的。我們並非放棄權利，只是不主張斷斷爭權利，然而咨文中偏要斷斷說此，如說「發揚自身利益」，如說「講全國性的利益」，如說「爲國家利益起見」，諸如此類，接二連三。當然，國家利益是重要，但利益不單在經濟物資，有比經濟物資更重要的利益，謀國者不應忽略。識得尋求正義者更不應忽略。

六

因此，我的結論，與艾總統微有不同。艾總統咨文說，「當我們的祖先們起草不朽的獨立宣言，認定每一個人，上天皆賦予若干不能剝奪的權利」。此是美國人之立國精神，亦是西方民主人士腦中蘊藏的秘寶，因之數百年來，其效力非常宏偉。然應付今日之大變，則不能專靠此。我認爲上天賦予若干不可剝奪之權利，我們固當寶貴之，上天同時賦予若干不可諉卸之正義與責任，我們尤當實踐之。我們若徒以權利號召，權利未

（下轉第三版）

半週述評

反攻大陸問題

新年前後，陳辭修和俞鴻鈞兩位負責當局都說到政府要在今年內反攻大陸的問題。全國人民，父老兄弟姊妹朝夕盼望，響者以戳，夢寐以求，反攻大陸一日實現，誰不歡躍擁護，誰不歡呼萬歲。

但是，政府即使有了決心，還要有所行動，才能全國人心一致擁護的，否則一夕表演，一紙文告，總還是不夠的。

當人們對反攻大陸的觀望，愈來愈表現得迫不及待時，試問，他們對於政府首長，愈來愈多的諾言會發生怎樣的感想呢？

講話要審慎

處在今天這個時代，自由中國政府的首長，最宜少講話！即是少開支票，支票是必須兌現的！

譬如說，反攻大陸之舉，我們今天即使有了行動的決心，民心士氣是可以用的，但使我們宣傳上過於濫用，即經過太多的刺激，可能反有些麻木了。

進步的另一面

據「自由中國」的報導，和返自台灣觀光的朋友們的批評，我們相信一個事實，今天自由中國，在經濟建設上有了進步，人民的生活水準也普遍的提高了。

但，另一方面，這種進步，同時帶來一種反常的現象。譬如說，今天的自由中國就有一些人生活過得不免太舒服了，這種人在觀念上是否還能堅持「反攻大陸」，是不無疑的。

臥薪嘗膽氣象

今天的自由中國，太缺少臥薪嘗膽的氣象了。

所謂「臥薪嘗膽」，就現代的意義解釋，並非一定要降低我們的生活，足兵足食，士壯馬騰，正是我們反攻大陸的準備中所需要的；但是，電氣冰箱，三五牌香煙，洋酒等等，這一切享受，恐怕與反攻大陸不一定有直係的關係吧。

豈可罔知振作

政府首長高唱反攻，而民間的生活缺少戰時氣象，怎能使我們不爲自由中國担心呢？

「一滴汽油一滴血」，這是在抗戰期間我們所常聽到的口號，這一口號代表一種戰時氣象與精神，這一氣象與精神，又成爲我們長期抗戰獲得最後勝利的主要因素之一。今日自由中國，其艱難百倍於當日，我們縱有反攻大陸之心願，而在生活上偷安逸如故，若干官員們仍不知珍惜國家公帑外滙，罔顧共黨立時待合，我們重返大陸又將何以對大陸同胞！

從最低調做起

今日自由中國，反共第一，但切實行動，應從最低調做起，一要整頓綱紀；二要鼓勵輿論。

有一位讀者先生最近寫信給筆者說：「台北自上年總統誕辰求言以後，各方反應熱烈，但因內容見仁見智有不同，頗有欲進反退的跡象。」這位讀者先生還說到，因此，「大人先生們」已不大願意再談起反共救國會議了。筆者不禁要問，我們在政治反攻上還沒有做好前，又怎樣談軍事反攻呢？

·司馬璐·

一個有待「攪通」的想法

·瓦斯·

儘管呼牛呼馬，叫它做「強盜國家」（最近美助國務卿羅伯遜就曾用此詞）也好，稱它爲「侵略國」（聯合國的決議如此）也好，中共的名字在國際上是如此叫起來了；扛着這招牌在國際間橫衝直撞的毛澤東周恩來輩的名字也跟着響亮了起來。又儘管他們除了一些騎在人民頭上的那一些，以及站穩反共立場的人外，一些自以爲尚可大有爲的「游離份子」，一些自以爲還大陸也無害的青年技術專家，以及一些迷夢未醒的知識份子，就很容易把許多混亂的觀念合成一個——是「中共把中國在國際上的地位抬高了」。

這是一個危險的觀念，是一個尚未攪通的思想，是一個很不健全的意識形態。

事實固然不能，也不必否認：中共如今是坐大了；中共代表在國際上的發言，也爲人所注意了；其行動的影響所及範圍也擴大了。……但問題是：……其所代表的只是少數共產黨人……所謂「中華人民共和國」的中國，而不是我們意識中的中國，它抖起來了，但于中國人有什麼好處？

照共黨的術語解釋，共黨的所謂「意識」是「高于民族意識」的，在國際共黨的「過渡時期的總路線」中，自然要把民族招牌，不但曾經一扛出來，「中」，這個招牌……迷惑了西方國家，以至于美國當局，所謂「中共可以變成東方狄托」——即中國可行「民族共產主義」而與蘇俄分開，這就是基於這個迷惑而來的，但這個撲朔迷離的名詞，識者早已洞穿，不待今天讀了中共「再論無產階級專政的歷史經驗」，知無論怎樣說明了中共無論怎樣強有力，也只能附庸于蘇俄；算是光榮的，也是光榮于蘇聯共產集團的。韓戰發生，成千成萬的中國人民被送上不毛的戰場去拚命……而北京的中共把他們送去換取蘇聯的……

也應該知道那都是謊話。如果中共眞的抖起來，那就意義着中國就要倒下去；如果北京這一套共黨真正站起來，也不意義着中國人要倒下去。

又儘管共黨表面上怎樣說：「國家是他們統治者的工具」……雖然中共日「中華人民共和國」標榜人民當家，但大陸已有統治階級——中共少數特殊階級——剝削人民的鐵一般的事實。如土改完成後大規模推展所謂「農業合作化」，實行「集體農場」的結果，翻身的農民立刻發覺他分得的一點土地，和辛苦積存的牲畜，農具，耕畜也喪失淨盡，而自己也變成了農奴；所謂「公私合營」，又不啻是用友好的名詞把私營的商業工業……最後把一切收歸公有……結果，不是國家人民做主人，而是要使國家變爲共黨的工具，人民變爲這工具的對象。

如果這一架剝削人民的工具握在中共手中，天天大起來，那人民永無翻身之日，于人民是可悲而不是可喜的事。因爲俄式共產主義，從本質是永久不會變的……又何況中共的起家靠蘇聯，目下中共在經濟上一事也都不能獨立，而蘇聯集團……抖下去。中共也絕不能單獨抗拒蘇俄的……運動發生以後，蘇聯內部已呈瓦解之勢，無論從理論上……都已附庸的中共……弱點，因此……也不得不以蘇聯爲首而團結共產國家……實際上也是自救之道……大的忙。

雖然表面上北京共黨近來僕僕于莫斯科與……「今朝風流人物」的雄姿，却掩不了大陸內部的危機……對外將不……任何代價以爭取國際上地位……然而結果人民所付出的代價……無法改善。但「水能載舟，亦能覆舟」，人民……永遠存在的。所以今天中共似乎在國際上抖起來了，那只是「一時風光」而已！

西歐經濟與中東石油

美新中東政策是否有「掠奪性」？

·華·

美國對中東的態度轉趨積極後，各方反映極不一致，西歐國家，雖在軍略上共同以共黨集團爲首要敵人，但在經濟利害上，却對艾森豪主義不免冷淡，認爲英、法爲形勢所迫終將退出中東。而莫斯科的宣傳，也着重於此，攻擊美國此舉實爲乘人（英法經濟困難）之危。

但就整個西歐地區之經濟情況言，中東必須確保，尤其是中東的石油對西歐國家生產力的影響關係。誰撐握了中東石油，誰就撐握了西歐的生產動力，也就是撐握了西歐的經濟命脈。今天英法與中東國家關係，既如此之不愉快，若美國不及時塡補真空，設法解決蘇彝士問題，解決中東石油輸出問題，不僅對西歐經濟有害，且亦將因石油產銷停頓而危及中東國家經濟。若此，如不迅即圖謀補救之策，無疑將予蘇聯製造侵略中東之有利機緣。

中東石油產運量

從中東輸往西歐的石油，除經由蘇彝士運河外，尚有在使用中之三條油管。即由沙特阿拉伯的達蘭至黎巴嫩的塞義達；由伊拉克的基爾庫克到敍利亞的巴尼亞斯和黎巴嫩的的黎波里（另有一條由基爾庫克到巴勒斯坦的海法的油管已停止使用）。

在運河運輸中斷前，每天循此路經過之石油是一百五十萬桶；上述三條油管的每天總輸送量，則約爲一百三十多萬桶。以一九五五年來說，全年通過運河的石油，達六千七百萬噸。換言之，運河是中東石油通往西歐最大的油管。

對西歐工業的影響

百餘年來，由於英國一向對中東握有領導權，中東國家在經濟上之依賴英國，西歐從不慮中東會有激變，更未想到平時會有石油恐慌這回事。西歐國家油庫平時的石油儲存量是極少的。以英國言，全部儲存量僅夠六至八個星期」用，其它國家更不待言矣。但西歐的動力依靠石油的比重却甚大。十一月廿四的「英國經濟學人」雜誌，西歐國家仰石油爲動力來源的百分比，法國是百分之廿；比利時，瑞典是百分之十六；意大利百分之廿六；丹麥百分之卅三；挪威百分之廿五；瑞典百分之四十四；西德百分之九；瑞士百分之廿九；其對英國之影響，經濟學人雖未明言，但以從英政府十分之一石油供應後，玻璃工業即每週減產一萬五千噸言，足見其重要性」。

在運河阻塞和中東一條每日輸送五十二萬五千桶的伊拉克石油公司油管被切斷後，美國聲言將迅予輸油至歐洲，但十一月卅日美國防動員署的緊急計劃也只能預計每天向西歐輸送一百一十萬桶，這只是中東每天產量的三分之一，又如何濟事呢？何況油輪的問題，和美國本身需用量的問題，皆不是立即可以解決的呢！

美中東政策的本質

有了上述這些基本的經濟複雜因素，若中東問題再遲遲不予解決，西歐必須全面發生經濟危機，屆時美國雖有力也將因遠水救不得近火而心勞力絀了。

因此，艾森豪主義適時地提出，其態度是極強硬的，美國的新中東政策，必須一方面做到使蘇聯不敢即時動手；另則又須英法承認現實危機的嚴重性，必

眞接受美國新政策的觀點。觀乎英首相麥美倫有意削減海外駐軍費以彌補財源不足一點言，若無美國決心堅守中東，英國軍隊又何能抽身。

所以，對於美國新中東政策，不能從「掠奪性」的觀點去理解，而認爲這是美國取英國地位而代之，實在無形中墮入蘇聯破壞性宣傳的陷阱中去了。無論如何說，從艾森豪的國情諮文來看，實不能說美國今日的中東政策是「殖民地主義政策」；它明顯地標榜尊重各國的民族自決精神的！

波蘭即大選

要求自由聲浪極高
但所得必極微

四年一次的波蘭國會選舉，即將在廿日舉行，這次大選在波共新政權甫行上台後不久，和國內要求自由聲浪中進行，是極堪注意的。

目前波蘭的經濟情況極壞，本年亦難望好轉。正當波共政權難以決定是否接受美援時，中共的周恩來却正在進行誘騙中。

這次大選前，全國初步被提名之候選人計有六萬多名，惟照六萬人產生一候選人比例，和「民族統一陣綫」各黨派協商的結果，只共同決定提出候選人七百二十三人。在競選前反對派似極活躍，但看來形勢仍將被有組織之波共所控制。

盲目追求產量結果　大陸煤質量降低

（本報訊）開灤煤礦出產的煤，在華北享有極高的聲譽，自中共竊據後，幾年來由於盲目追求提高生產量，品質一再降低，尤其從前年一月到去年的四月，所供給用戶的煤質最差，計內中有三十四萬噸石頭。據中共「新華社」唐山十日的消息透露，由於該煤礦盲目追求產量而不顧質量的結果，直接受害的計有「鞍山鋼鐵公司」，「石景山鋼鐵廠」及「啟新水泥廠」等。

根據波蘭新總理戈慕卡在就任前的談話看，波共八年來因盲目追求產量強迫礦工的結果，使作爲波蘭主要外匯收入的煤品質，亦曾一度降低了！就此種現象來看，相信大陸煤的產量和品質低下的問題，當是全面性的，不僅是開灤特殊的現象。

阿里山下

「望穿秋水！」

台北市民營報紙「聯合報」，近以「召開反共救國會議此其時矣」爲題，發表社論稱：「願政府早日發動籌備工作，在今年上半年內，保證會議的召開，並且眞正開好。」不知將來事實究竟如何？且聽下回分解！

吳博士的意見

原子科學家吳大猷博士近指出：中國青年對原子科學之熱忱已够，如何給予研究環境，實爲當前迫切問題；否則，徒作鼓吹號召，僅使青年熱情，遭受現實挫折，落入灰心之途。語重心長，提倡科學教育者聽三復斯言！

且聽錢校長的話

台灣大學校長錢思亮，近在紀念蔡元培先生集會上表示：教育與學術爲建國樹人之基本工作，除羅致人才外，必須有適當經費與設備，以改善學者待遇，俾安定其工作。錢氏數句，已說盡目前教育問題癥結所在矣。

一個提議

台北市議員黃奇正近在議會提議，認爲專爲娛樂性團體來台，不但浪費外匯，且違反節約本旨，更無補於戰時生活，而要求當局禁止，這也是値得考慮的一個提議。（一月十四日）

附辯正函

編輯先生：

貴刊一月十二日所載彭楚珩先生大文，頃已拜讀。茲所可奉告者，前在「阿里山下」欄所評「豈可阻塞言路」一節，僅主張言論自由之下，須廢除「戴帽子」之作風，如此而已。

弟於彭先生文內，對「自由中國」祝壽專號所提意見，此有「自由中國」諸先生大作在，是非早有公論，恕不贅敘。然有不得不聲明者，乃以誠事至此，雖欲無言，終不得已也！既辱蒙賜「阿里山下」欄地位，以言責所在，敍述何敢不據於事實？評論更何敢不本乎良心？故但問是非，而罔知忌諱，此不過望能報貴刊及讀者諸君之厚愛於萬一耳！區區愚忠，乞賜一角刊告，並請先生及讀者諸君有以教之也。弟傅正拜啓　一月十四日

杜爾斯的外交

—介紹美國哈勃雜誌作者的看法

·趙介唐·

杜爾斯彼艾森豪譽爲美國最傑出的國務卿，尼克遜說他能站起來對抗蘇俄，邱吉爾視之爲不合作主義者，而美民主黨參議員傑克遜則比之爲無定向飛彈（無定向就是不能也從不會命中的意思）。他究竟是怎樣的一個人物，他所辦的外交究竟是搞的什麼一回事，下面有所解答。

出身性格

杜氏的祖父做過美國國務卿。他父親是位長老會的牧師，世代交織成他的複雜性格，在行動上似乎就處處顯得缺乏自信力，他總想把自己的杜爾斯三字寫入歷史裏去，而不管歷史的本身。

杜出身於普林斯頓法科大學，畢業成績爲該校有史以來之冠。在出任國務卿前，一直在紐約一家取費最高的律師事務所裏當律師。

律師作風

杜氏以律師作風從事外交。他這幾年來在國際政壇上做了許多令人惶惑而難以索解的事。實例不勝枚舉。即如去年三月到巴基斯丹時，他曾用實際數字論調證明凡東南亞公約會員國會與美國協定軍盟者，均會比未與美國結盟的國家，獲得較多的美援。可是僅僅隔了七天，他到了未結盟的印尼時忽又說：美援多寡與向美締結軍盟與否一事，毫不相關，言下更引用印度、錫蘭，都不曾和美國訂約，一樣獲得美援的例子來證明其說。當經過新德里時，他則又向尼赫魯解釋：雖則他曾宣佈過果亞之地爲葡國所有，但這並不表示美國不對印度友好。

包辦決策

一班名律師通常都不善管理行政。杜氏接任國務卿之初，他表示過希望爲他自己另闢「象牙之塔」，以便與龐大而複雜的國務院隔開，好冷靜地思考外交大計。據說他經常會把重要的外交文件放在自己的衣袋裏，帶着東跑西走。即如待決的裝運沙地阿拉伯軍火一案他就一齊帶了去鴨島休假旅行，直至返白宮時別人才知道他如何決定。這樣一來，所有國務院裏的官員們，反變成決策的執行人，而國外的衆多大使們也愈來愈失去重要性。杜氏多親自出馬，到了發生任何重要國際談判時，大使們僅不過替他擔任通報工作。對外的意見也是由他自己發表。不錯，杜氏算得上旅行最多的一位國務卿，但這一來把整個國務院機構棄置不用了。大使們奉召回京述職，僅備過目，從不曾左右他的思想。故此有人說，美國的外交決策，始於杜氏，亦終於杜氏，還不是由一人包辦。雖則有時他會遷就國會，並由艾森豪加以更改。

撲朔迷離

杜氏處理外交的許多複雜言行，眞是撲朔迷離，日內瓦和談席中他拒絕和周恩來握手，隔不了幾月美國大使就會與中共代表互相稱頌。即此一例人們就很難用以忖度美國對中共的眞實態度。擁護杜氏的人多稱道他那篇「戰爭邊緣」的演說。但事後杜却又說，他故意地將美國帶到戰爭邊緣始克以他的勇敢爲美國贏回戰爭。他所取得南韓休戰所作的解釋是：由于他在經過新德里時曾向尼赫魯談及，倘韓戰再打下去，美國必正式宣戰，打進滿洲。在他的意思，總以爲尼赫魯必將此話帶到中共耳裏，故爾後來方始談成停戰。但不久記者從尼赫魯本人打聽過，尼氏否認杜曾向他說過那番話，並且即使說過，他也不會把它當回事，更談不到轉告中共。

國際問題的形成是由于杜氏發動呢，還是等到問題既生他才去補苴彌縫呢，那還是一疑問。不過杜氏在職三年餘來的史實，已明白告訴我們，凡是他最初宣佈要走的路線，他後來的措施，都却却與其相反。他接任之初，口口聲聲說要踢開艾契生死沉的容忍政策，注入新血，積極地去解放蘇俄奴役的國家，並捲起鐵幕。但結果呢，全不是那回事。在前由他發起的協防台灣案則尤爲笑話。那一段時期中，國務院要求國會無限制授權總統得採取任何行動以保衛台灣。一時箭拔弩張，國人均整備以爲將有第二韓戰，國際間亦都屏息以待。不料第七艦隊西撤，浙江沿海從未向中共發過一砲，就忙着撤走大陳島的國民黨駐軍跟着就迅速駛離。這是就有人懷疑，杜氏要求的這一法案，是爲了保全遠東遺留的國民黨軍呢？還是爲了敷衍他周圍的主戰派呢。更値得懷疑未遭中共飛機的襲擊，很可能是由在事前將那一法案聲張出去好讓主而暗地裏則用從不公開的最急件通斯科，新德里去通知北京聲明第七動的任務僅是爲了撤退大陳。

肯南路線

在他初主政的那一階段中，他曾批評艾契生的對華容忍爲不當，並意要蘇俄的勢力圈縮小。不幸，幾月僅入，蘇俄的勢力反而進一步捲走半個越南。杜氏總比以前類似那容忍政策的對外政策，愈來愈接近原任者肯南的主張。（按：肯南原任駐蘇大使，他主張要旨是等待蘇聯勢力自己衰落，不要觸犯他）。

杜氏初時對付共黨的策略如「集體報復」，「閃電報復」，正巧和肯南的主張相反。他警告中共等，「解放鐵幕」和藉中央情報局的地下工作，發動心理戰，上去困擾對鐵幕國家的攻勢。通過了這一策略，他企圖在先組織解放再一鐵幕國家，他的政治是實施這項步驟的具體行動，除得成立一個自由歐洲協會以外，其他有無別的，杜氏就從來不曾加以透露過。相反地，一九五四年他掩護台灣區分會活動的那「西方企業公司」忽告停歇，而歐洲各會本來艾森豪就任之初，會向鐵幕裏那些國家散佈解放空氣以外，迄今也就默默無聲了，國民黨留緬部隊也在那時奉命停止活動。

兩面做法

當一九五四年一月十二日他發表那篇「集體膺懲」的演說後，大家都直覺地以爲他會對蘇俄採行嚴峻手段，可是很少人注意他在那次演說裏所加的抵銷語。他說：「即去膺懲，時間和原則都會對我們有利。」

艾契生末後一任的決策委員會主席尼茲氏，在一九五四年「外交」雜誌上，曾就杜氏的外交方略指出：「傳統政策」與「動的政策」兩項純然是用來取悅白宮裏的主戰派。他的美行政的眞正對外政策是置身於中以外的糾紛。時日推移，雖則至今美國沿海的糾紛已拔脫清楚，然而所有國方面的武力心理戰術，以及宣傳等已堅決地減少下來。對於蘇俄則又觸犯鐵幕本身的武力」以便「謹慎的強調」發展開來。杜氏儘管說南韓反共的政策，但實際已正走肯南路線，恐怕杜氏在任一天，就會一天這樣幹吧？

安撫邊緣？

杜氏辯才無礙，分晰任何複雜國際問題又極精闢，爲目前各國外長所不及。他遭國會投過一次不信任票，杜氏則是一手作成的外交，如締訂中美協定和東北向參加北大西洋公約，以及門格達公約等，雖猶無顯著成績可表現他在奪取蘇俄的勢力圈，走老路，至少還能在外交。至于他習慣上的舉棋不定，以安撫邊緣走不是比走向戰爭邊緣所冒的危險更大，那只有讓史家來評定吧。（摘擇自哈勃雜誌）

為高中學生升學問題 中學校長今會議

認爲中學課程不應依港大入學試標準

在本月有兩個校長會議在教育司署舉行。

（一）一個是全港官立學校校長會議，定本月廿六日上午十時半，在教育司署會議室舉行，屆時由高詩雅主持，各高級教育官亦出席，會議中心，是討論一般行政及教學上之種種問題，加强香港教育工作。

（二）一個是高中學校校長會議，時於今日上午十一時在教育司署會議室舉行，屆時由高級教育官謝振有主持。商討範圍，爲港九高中畢業生升大學，及高中課程，學生讀完高中後之出路等問題，並對會考範圍亦加以研討。

高中畢業生擬升入大學，學生需要如何程度？又怎樣選擇優秀學生入英文特別班深造兩年，而考入港大？每年，皆由當局召一次會議詳細討論及指示一切方法。目前高中畢業生除一部份能找到工作，或出國及返回自由祖國升學之外，其餘則考入學校，從事教育工作，另一部份則入英文特別班攻讀二年，希望以後考入香港大學，故本次會議，對升學上當有詳細之指示。

至於教育界人士現正密切關懷中文中學畢業生升學之問題，尤其是升入香港大學之問題，因此，今日教育司署當局能予學生以明確的校長會議結果，將爲教育界及家長所關心之事。據一位中學校長表示，港大應收容中文中學之畢業生，同時，費用方面，亦應儘可能減低。其次，港大門戶未開放前，中文中學課程不應依照港大入學試標準施教。查香港每年中學畢業生爲數不少，由文學校與英文中學者各約有三千人之多，但據當情況，英文學校學生比中文學生較易考入港大，而同時港大往屆學位之稀少，僅約二百餘個名額，照畢業生比例計算，一百人中，只有三個能有機會入學讀書，其餘十七人勢需等候機會，此爲中文學校畢業生最苦之事。所以，有關當局考慮此問題，最好能照上述提供意見予以考慮。

事實上，香港教育當局對一般性的教育問題，早已銳意改進，並逐步地加以擴展，從一九五五年教育司所擬定和加以執行的七年教育計劃，我們可以瞭解到，教育司署的計劃是大部份側重小學教育和建築方面，但在過去一年中，對大專學校的協助，如新亞書院獲得政府撥地五萬呎，宏偉的校舍亦已建成，而崇基學院亦有獲撥地三十五萬呎建校的決定，從這些措施中，證明了香港當局對於教育政策的執行和學生出路的問題都是同樣關切的，協助私立專上學校的目的就是補助香港大學的不足，這是非常易見的。

這個七年計劃的目的和內容如何呢？此係：（一）在今後七年內按年增建學校若干間，尤以小學佔最多數。（二）按年擴充補助學校之範圍。（三）採取新式設計，以解決地基之不足，避免新校之興建，而因適當地點難得，而遭受影響。（四）在工務司批准下，將鼓勵建築多層的校舍。（五）採取臨時措施，盡量利用現有之學校校舍，增辦上下午班上課，藉此增加現有之學額。（六）盡量協助一般私立學校之擴展。（七）計劃現有之官立學校，盡量計劃擴建。

這個七年計劃，無可置疑的是香港一個教育大計劃，據估計：在這個計劃下，今後本港每年可增加小學學額二萬。

關於私立專上學校，自一九四九年以後，在港府的協助下，陸續的增加和擴展，收容學生，本港中英文學校的畢業生外，還容納不少東南亞各地的僑生，在一九五一年以前，此年僑生的目的地係大陸。

聞台出入境放寬限制

海外傳佳訊．天涯若比鄰

●毛穎●

最近行政院修正「戡亂時期台灣地區入境出境管理辦法」及其有關法令，把台灣出入境的限制尺度放寬，手續簡化，定二月一日起實行，時間恰是農曆歲尾年頭，「身在海外」的僑胞尤其「心在祖國」的僑胞，其不啻是一道「天涯若比鄰」的「佳音」。

據目前所知的看來，其所放寬的尺度，要言之，即我們如欲赴台久居或暫居，可不必限申請，與我們同胞兄弟姊妹之子女，父母之同胞兄弟姊妹及其子女，其保證人身份亦可向較低一級在台官員中求之，此其一；如果我們是學生赴台入學或服務，則到台後補辦手續，祇須找一個在台有正當職業居民即可，此其二；如果我們是海外僑領、僑團、僑校負責人，或僑辦文化事業主持人因公赴台，或赴台考察「觀光」期間在二個月內者，可免辦保證手續，此其三；出入境證有效期間大爲延長了一倍，即由港湧往者由一個月延長爲二個月，出境證亦由四十天延長爲二個月；由台灣前往與我無外交關係國家發給的再入境證，亦比原定期限六個月延長了一倍以上，此其四，此外還有若干其他類似的修正。

總觀修正內容，國人在港澳或有外交關係國家與祖國之間往來，雖然憑出入口證，但尺度已算放寬了一些，手續也簡化了一些，也足見政府當局已注意海外僑胞，尤其是一班流亡人士的苦悶心情了，雖然有許多人還覺得尺寬放得不夠寬，手續還不夠簡化，但都因此覺得祖國與我們之間的距離縮短了不少，都由此感到對祖國更進一步的親切感。雖然目前台灣爲了顧全國家的安全與經濟負担能力一面尚未能更進一步放寬，但願希望有一天，我們熱愛祖國的人，都能够自由地自我們祖國進出，有如在自己家裏一樣，或者「天涯若比鄰」；而不至像今天赴台如作客，頗有「咫尺天涯」之感。將來如何，那就看當局如何去權衡利害輕重，用合理的方法，爲國人打開方便之門了。

憶．蕭．軍

他曾給共黨套上「一百二十五個主義」的帽子

●原禪●

「分人之田，挖人之糧，甚至於淨身出戶！滿清雖異族，日本雖異類，竟不如此，胡共產黨之不仁其如是之甚也哉！」——蕭軍——

本月九日在本港某左派報章中轉錄「蕭軍致「人民日報」編輯函一件，並附七言律詩一首，題目是「悼祭蕭紅墓」。去年十二月五日「人民日報」編輯陳凡曾以「蕭紅墓近況」爲題寫詩一首來追悼死者。這種貓哭老鼠的偽哀，却引起了我的回憶。

我找遍了上月的「人民日報」，沒有蕭軍一個字跡。爲什麼蕭軍的詩文不在內地發表偏遠到海外來刊載呢？而該家報紙又不能廣州公開露的，是什麼原因？這可不又是一種統戰手法！

東北三蕭

談到蕭紅又要習話遺提。抗戰時期東北的「三蕭」（蕭軍、蕭紅、蕭郎）在文化圈裡頗爲轟動一時，除去蕭郎而外其餘兩個人都被共黨捧過一陣。

蕭紅的「生死場」小說很受激進人士推崇，尤其是「流亡三部曲」的撰詞：「我的家在東北松花江上」歌聲曾振撼了江河兩岸，震盪了全國。由於與魯迅的鄉誼，接近他蕭軍同居過，其後因病而死於香港，葬在淺水灣。

蕭紅爲人如何，惜我無幸識荊，蕭軍倒有一面之緣，現在還依然清楚的印在腦中，但是「別是一番滋味在心頭」。

蕭軍原名劉田軍，東北吉林人，畢業於吉林師範學校，「九一八」前因一時氣憤，投筆從戎，曾在哈爾濱憲兵團任少尉排長。爲人直爽做，强硬而熱情，敢說敢幹，他在上海作

被判勞改

卅八年春，我在瀋陽中長鐵路局招待所裏遇到了蕭軍，當時他的處境極爲尷尬，有的鼓勵他說：「人生」、「文化報」已被查封，但是，中共唯恐消息擴大到新地區的人心有影響，然而蕭軍的行動仍有自由，只是不許可他遠離。他這次由東北來就是爲了活動「路條」，想返「京」見毛皇帝，他說：「我只要見着「毛主席」就好辦了。」

上海失守以後，他曾輾轉到延安，同時也種下了他今日的際遇。

，這幕士八路什麼都不懂！」但他的想法，也太天真了。

經過了兩三個月的醞釀「蕭軍」的命運才算定案，由於「東北文聯」的議決把他發配到撫順礦務局隨隊坎礦坑作「文化訓員」，工作任務是幫助工人讀書，組織一部份將領如周興成和鄒洞國（當時尚未釋放）等都同在一起「勞動改造」。

蕭軍被判入「東北文聯」還沒攻擊了一次掃蕩戰爭！馬彼絕，以中共東北師範大學「校長張如心爲首」組成一個「批判」，「東北」上用三個頁數的全版連續了十幾天的撻伐。中共東北黨委劉芝明在「生活報」上用「流水落花春去也！天上人間」爲題，痛駁蕭軍是共產階級的反動意識知識份子，「有資產階級的反動意識」，隱

苦鬥經過

事情的緣起是這樣，三十五年夏天蕭軍在哈爾濱辦了一份「文化報」，因爲第一他是東北人，中共利用這點關係讓他回去作文化活動，同時，他在延安的時候曾經打過兩次中共的幹部，由於幹部們欺騙百姓他要主張正義。有時候管什麼時間都去找毛澤東演理，警衛員不給他傳，他就大鬧，頂着民主幌子的中共當權派受「改造」，要向「人民」叩頭。足足鬧了半個多月才平靜，此後蕭軍也失去了音訊。

蕭軍事件發生以後，絕了版的「文化報」已是洛陽紙貴，人們都跑到哈爾濱搜集當時的報紙，要看看蕭軍究竟說了些什麼？也好跟着痛快一下。我費了很大的勁才找到一套當時的「文化報」。

中共開始對「文化報」的經濟封鎖，並停止配售油墨紙張，但是，蕭軍依然想盡辦法繼續出刊。中共中央上級幹部作了他的後事，中共又不立即逮捕他，是因爲他是魯迅的弟子，而且由於一般同情者的拖長，火氣愈來愈大。「文化報」上由筆者一十七年「新軍獻詞」便給共產黨套上「一百二十五個主義」的帽子。最後發表的一篇「蕭軍對「土改」的看法」，他說：「分人之田，挖人之糧，甚至于淨身出戶！滿清雖異族，日本雖異類，竟不如此，胡共產黨之不仁其如是之甚也哉！」因此，「文化報」遂遭到封閉。

對於這位所謂魯迅的衣缽弟子，根本早就無可奈何了。

在三十七年八月十五日，中共在哈爾濱大肆慶祝「勝利」週「紀念日」的時候，他却在「文化報」上發表一首律詩，其中最露骨兩句是：「歡騰勝利傳來日，難立山頭看火燒」，「此時長春一帶已成焦土。他認爲內戰是鬩牆之鬥，深表痛心，這時開始他才有了認識。蕭又引用「煮豆燃豆萁」的詞句來勸勉中共，這些事雖然當時並沒有人管，可是在清算他的時候也都翻在賬上。

其後有外稿短篇小說一篇，題目是「蕭秋之夜」，蕭軍用原作者筆名，改爲「來而不往非禮也」的文章，由於態度的過份明顯，而公然地挑起潛伏着的中蘇仇恨觸到了中共的癢處，

蕭軍被勞改後幾年沒有消息，在四十四年他又出版了一本「五月的礦山」洋洋三十餘萬言的長篇小說，用礦坑和勞工爲背景，故事內容是取材於他自己的「勞改」生活。不知道什麼原因逃脫了中共的檢查機關。他被共黨「拉磨就殺驢」。」他的「資本主義腦袋一顆」。（編者按：關於此事，去年本報五一三、五一四期曾有特稿刊出。）

寂寞的心

近來我以爲他這回恐難得超生了，不料又發現了他的大作，雖是片紙隻字，總算是故人猶在！

他悼念蕭紅說：「鄉心何處鵑啼血，十里山花寂寞紅。」一片哀感傷懷活活點出他的心境，蕭軍老了，幾年的牛馬生活，壯志消失已盡。

一方面是表示「寬大政策」出來號召更多的擁之士，同時，他們相信殘酷的「勞動改造」可以教育人，又不顯讓蕭軍作烈士！恐怕他活在千萬人心裏，所以，就這樣慢性的消磨他的壯志，教反抗者低頭認輸。最主要的一點是中共爲什麼不殺蕭軍？還有很多因素，爲蕭軍過去擁有多數同情者。不殺他死刑，雖然赦，活罪難免令人想起那些被擁的人士，他們沒有蕭軍的本錢，比諸蕭軍也就更可憐了！

讀完艾森豪國情咨文之後．七

●伍憲子●

（上接第一版）必得，就命得之，有時只顧一己，而犧牲了他人。故必須爲正義，盡責任，即如中東，而後權利可以不失，且不只中東，誰造成之危險局而，遠求亦何嘗不如是，短淺之眼光，只注重其一國之權益，而忘却爲人類之正義，忘却爲人類盡責任，此則權益之念累之也。

然則今後此果如何，我敢一言決之，民主必得勝利。但民主必當改進。若徒斷斷計較一國之權益，以正義爲口頭禪，則十八九兩世紀之舊時代已過，此種舊作風，不適宜於現在之新世紀。因爲一百年來，資本主義所產生之惡果，在內，則富人之壟斷，在外，則殖民地政治之墮落，斷非高唱幾句自由民主之腐腔濫調所能挽救。而况現在世界最兇悍之共產黨，是乘資本主義之漏洞而來。而西方民主之人權，確是造成資本主義之漏洞，惟從速發揚人性之文化，方能補救之。此是改進民主爭取勝利之第一義。而兇悍無倫之共產黨，其失敗之點，又在違反人性。故發揚人性，一方而可以改進民主，一面即可以戰勝極權。惜乎現在沉醉於西方民主者，尚未覺悟到此也。艾總統以領導西方民主之地位，當此最艱難又最危險之時，發布六千言之國情咨文，然自始至終，我細讀之，未見顯露此意。只甚防擴孫入敵人之手，爲敵人所留，希望訂協定，避免原子武器之突變而已。我誠愚鈍，不解高深，愛述所懷，就正於有德藝術智者。

鷹廈鐵路在修整

本報前曾報導關於鷹廈鐵路對中共之使用價值，現悉該鐵路自從通車，但是「新華社」九日的消息則仍謂「還在緊張進行維修整中」，可見該線之運輸情况極爲惡劣。

更正：

本報六一二期第四版載勞思光先生詩二首，內「贈靖宅」之第三律中「和俗君容鷄鶩擠」之「鶩」字誤植爲「鶩」；又「深秋書懷」中第四句「戲氣疏簾暮怨牽」中之「氣」字誤植作「親」。特此更正。

思想中毒！

·小言·

共報載：浙江省龍泉縣崇因寺雙塔拆除，利用塔磚鋪路。至於塔內石函中的兩箱又一百多卷唐宋寫經，和木刻經卷，彩色塑像，亦以「破除迷信」爲理由，付之一炬！餘留塔內珍藏的小銀塔，鎏金古錢等，均銷燬爲化了事。（見十一月十日「人民日報」）五代和北宋的古寺，距今已一千多年，寫經和塑像亦均屬歷史文物，何物土八路竟無知如此，以國寶折磚修路，燬文物謂「破除迷信」，其罪惡一如焚抽永樂大典而[illegible]在十三層樓發猶（

按：此比「共黨初到上海時之怪現象也」之可笑；但究竟不可相提並論。若說本出八路「無文化」，則從其藉口「破除迷信」，「廢物利用」爲由而行事，可見其並非「無文化」，實係思想中毒太深，滿腦袋裝的盡是馬恩列斯毛主義文化，故所有的只是教條主義，亦不知歷史文物之可貴。如此可見，七年來，已不知續燬了多少古蹟名勝，[illegible]破除迷信，無文化事小，思想中毒事大，中共產主義教條之毒，必有其根源，何其可怕！

小啓：自由談續停一期

寒冬夜語

——日記一則——　·楊海宴·

我的性格上的缺點是實際了一點，又很迂腐。因此許多有興味的事我都無法享受，這是天生成的，恐誰也想不得。我只是有點兒道德，却也不去強求它。性靈上應是沒有的，愈要強求，愈要裝成那樣子，那纔是最醜最俗了，這個我倒知道。

我的生活除了讀書，能得到一點樂趣外，也覺得自己是一個很平凡的人了。有時候我時常是非常渺茫的。又不會唱歌，又不會玩任何一樣消遣來安慰自己的孤獨寂寞，[illegible]

[illegible]

庸直要發瘋。先儒說：達則兼善天下，窮則獨善其身。這也是無可奈何之言。獨善其身，百年而後，只在人間添一荒塚而已，其善又有何意義呢？實驗派哲學說：個人一舉一動，對整個「大我」都是有影響的。[illegible]是不朽的。此說禁人爲惡，良有苦心，若獎人爲善，似嫌消極了一點，在一個教育不發達，風氣惡劣的社會裏，那是不夠的。曾國藩一生謹言愼行，他也曾經說過：「君子愈讓，小人愈妄。」如果只求個人退而修德，但求心安，固不失賢達忠厚之風，然而在社會靡爛到一個相當階段，固自有物極必反之日，但這自然演進歷程，有着多少重大多悲痛的犧牲呀。

這使我想起回教初時，一手執可蘭經，一手執寶劍的作風，不只用心良苦，亦殊有獨持之見也。

湖南的九嶷山

——懷舊遊——　·文鑑·

凡是到過湖南的朋友，差不多沒有人不知湖南南部有一座九嶷山。而九嶷山之出名，多半是由於該山有個「舜耕九嶷」的故事，和舜陵的遺蹟，爲民間所流傳。

九嶷山離開我的家祇有三十多華里，在民國二十九年我曾經去山頂觀光過。

我們攀登到半山時，便發現遍地怪石森然，或立，或睡，或列，或跪，不一而足。加以茂草懸木，嘉花霜卉，亂雜而爭植；山上的小鳥也常沿着人傍飛過，並有綠色苹叢，及五彩岩石，各呈其秀。

到了達舜陵附近，我們僱了一個年約四十來歲的護陵猺人作嚮導。原來所謂「舜陵」，並不怎樣堂皇，而且也不止一座，約有三十餘座同樣的[illegible]疊立的長方碑石，惟碑上所刻的字跡，經過數十年來的雨打風吹，已是模糊不能辨認了。故其中究竟那座是眞正的「舜陵」，誰也不得而知。據護陵猺人說：這是一種「魚目混珠」的辦法，可以防止歹徒盜陵。

舜陵的前面，即是舜廟，裏面陳列許多舜帝的遺蹟，如耕田的農具（犁耙），和舊時的東西，笠帽等古舊得不堪的東西，都用玻璃隔着。如果要想求護陵猺人開放參觀一次，必須三至五元的代價。

我們對這些遺蹟，疑信參半，認爲那些農具東西，是容易朽腐的，絕沒有遺傳五千年的道理，但考究鑑史上，的確有「舜耕九嶷」的典故，應該不會錯的？

陵後還有一口巨大的岩洞，士人稱之爲「龍口」，又曰「宮殿」。龍口的上唇與下唇，都有排列整齊的白石，好像牙齒一樣，粒粒可數。洞內也有涓涓清泉，四季長流；另有兩個圓石，分立於泉的兩旁，一爲仙人洗脚，一爲太公釣魚，活靈活現，鬼斧神工，莫可究詰。

舜陵左側約里許即「舜峯」，向有舜后娥皇、女英姊妹的石質梳粧台一座，淚痕斑斑。女英以舜不顧兒女私情，冒險南訪，內心無限悲寂，於是決計雙雙追蹤南下，萬里尋夫。但不幸地等她們到達九嶷的時候，舜却已因勞疾而崩殂！娥皇女英因而大慟，悲泣三天三晚，淚盡而死。且由二女的眼淚揮灑於竹上，由是舜陵附近所產之竹，都有淚痕，故名「淚竹」，極爲美麗的。

芳踪何處

王臨泰

[illegible]話，使她莫可奈何，她想，切勿再提及，也不會和他談愛的，別說還未得丈夫的噩耗，就是丈夫死了，也不會和他結合的，因爲她不喜歡他，證明沒有緣份。

「你不應該追求一個有夫之婦！」

「我覺得我有權追求任何女人。」

「我丈夫不久就要回來，你不要再白費心機吧！」

「愛梅，自從見了妳，我就愛上妳……」

感情談不上，怎麼唐突的直呼其名呢？她忍耐的說：

「坦白告訴你，謝先生，別說我還有丈夫，就是沒有，我也不會和你有什麼瓜葛的。」

她看透了謝某是不可理喻的，便[illegible]話的可憐相，以及那種「我愛妳……」的肉麻話，憤然的走開了，走了很遠，還聽謝其然在後邊叫着她的名字。

謝其然雖然並未因了愛梅的嚴詞拒絕而死心，他自命多情的仍然繼續了一封封的信給她，到了前年的暑假，便徹底的擺脫了我們學校的聘，由台南到台北來，那位謝其然先生，也就不再纏繞她了。

到我們學校後，不久便和我處得很好，她是一個性格爽朗的人，口快心直，什麼話都告訴我了，她雖然愛說愛笑，但不喜活動，她自己也說過，和她氣味相投的人也只有我這末一個，我想，我若是個男性，準可「追」上她的。

去年雙十節，丁愛梅約我同去新竹看她的孩子小莉。我本來計劃去台北看朋友的，但不願使她失望，還是陪她去了，我們是坐汽油車去的，一個鐘頭便到達了，那時正是近午天，雲淡風清，她和我都格外有了精神。

小莉是個又白又胖的小女孩，洋囡囡似的活潑可愛，見了我們，先是一怔，突然投到媽媽的懷裏，半天半天，才抬起頭來。

「小莉，」愛梅指着我對孩子說：「叫阿姨！」

「阿姨！」小莉瞇着兩隻嫵媚的小眼睛盯着我。

「小莉眞乖！」我把她拉到懷裏，撫着她的頭說：「妳想媽媽嗎？」

「想！」

「還想誰？」我有意無意的又問。

「還想爸爸！」

「妳見過爸爸嗎？他是什麼樣子？」

「……」她只微微的搖搖頭，沒有回答。

「沒見過怎麼要想他呢？」

「媽媽常和我說爸爸好，媽媽也想爸爸！」

（四）

男·女·之·間

過打開人被果如門之操貞一次，就永不能復閉。——羅曼羅蘭。

女人的需要：十四歲以前是健康與父母，十四歲至三十歲是美麗；三十歲至五十歲是人格和丈夫，五十歲以後是鈔票。——蕭伯納。

戀愛，在男人是生活的一部份，在女人却是生活的全部。——拜倫。

一個女人的最大榮耀是很少爲男人談及，不論是好的或是壞的。——伯里克里斯。

女人愛我們的時候，她們寬容我們的一切，甚至我們的過錯。當她們不愛我們的候時候，她們對我們什麼也瞧不起，甚至我們的德行。——巴爾扎克。

·永昌·

·同光風雲錄·

易順鼎（下）

三、王壬秋規勸勿稱哭庵

實甫以台事無可爲，感泣！張之洞電飭離廈門，追之甚急，不啻十二金牌也。其友陳三立亦勸速返，乃脫身歸。時論推爲氣節功名之士。年三十，以同知候補河南，未大用，而志意牢落，有句云：『三十功名塵與土，五千道德粕兼糠。』沈滯無所事事，遂棄官，漫遊名勝，登匡廬，築琴志樓居之，若將終焉。及喪母，乃作哭庵傳以見志。王壬秋覽之，貽書規曰：『僕有一語奉勸，必不可稱哭庵，上事君相，下對吏民，行住坐臥，何以爲名？臣子披昌，不當至此！若遂隱而死，朝夕哭可矣！且事非一哭可了，況又不哭而冒充哭乎！……』而實甫不之顧也。

四、諷張之洞坐在旗竿巔

張之洞時總督兩湖，極愛其才，又傷其不遇，乃招入幕，畀以兩湖書院講席，雖未稱意，而閒則輒爲喚醒民族之詩歌，以播抗日之種子，其意氣之盛可見焉。惟惡之洞喜標榜，好侫諛，嘗戲綴俚語以贈之云：『三十三天天上天，玉皇頭戴平天冠，平天冠上豎旗竿，中堂坐在旗竿巔。』之洞見之，掀髯大笑，不以爲怪也。

光緒二十五年，以大臣薦保，召見，意態發舒，有紀恩詩云：『金鑾民膏二萬萬，珠含天淚一雙雙。』時西后以中日戰敗，賠款鉅萬，輒爲淚下。此聯盛傳都門，以二萬萬句，極不易對，而實甫以一雙雙對成，可謂神通狡獪之至矣。旋出任廣西右江道，將離都有句云：『新詞欲賦賀梅柳，他日應呼易柳州。』因右江道爲柳州也。既抵官，無所展布，終爲兩廣總督岑春萱劾罷，遂以不振，而益肆力於詩矣。

五、願化女伶護襠褲

實甫詩才奔放，獨步一時，不似樊山喜用僻典，而彼所引用者，皆爲人人所熟知。惟詩境善變，初學大謝，學杜，學韓，尤以學晚唐溫，李爲著。所刻詩，自眉心室悔存稿以外，集名甚多，而以四魂集爲最所自豪，嘗語人曰：『余所刻四魂集，譽之者滿天下，毀之者亦滿天下。湘綺樊山皆毀之者也。……詩以對爲工，乃作詩之正宗，凡開國盛時之詩，無不講對偶者。如唐之初盛，宋之西崑，明之高劉皆然，自作詩者不講對偶而詩衰，詩衰而其世亦衰矣。』其一生巧於裁對，即此可見焉。

實甫中年以後，日以詩詞寫其牢騷，譏彈之作，居什之九，自以玩世不恭。與袁世凱次子克文，深相投契，譚議頗繁，幾如楊修之與曹植也。迨世凱死後，克文[illegible]南還，而實甫亦侘傺失意，浮泊京華，放蕩益甚！又以倡士詡其壽不過五十九，乃賦句解嘲曰：『焉知餓死但高歌，行樂天其奈我何！名士一文值錢少，古人五十蓋棺多。』果以民國九年卒，年五十有九。

先是，[illegible]都下時，始傾愛女伶劉喜奎，每日必過其家，入門輒狂呼曰：『我的親娘！我又來了！』甚至贈句云：『我願將身化爲紙，喜奎更衣能染指，我願將身化爲布，裁作喜奎護襠褲。』其傾倒如此。[illegible]詩客有曰：『[illegible]入門脫帽狂呼母，天女嫣然一散花。』即詠此事也。夫以實甫天挺奇才，不獲大用，而寄情詩酒女色，亦才子可悲矣！自來英雄，豪傑，名士節卓然，細行小節，出入何妨！所謂和氏之璧，不能無瑕，隋侯之珠，不能無纇，而天下寶之者，不以小故掩其大美也。實甫之謂歟？（八十）

夢山樓

文壇舊瑣

王禮錫與小陸

據說，王禮錫與陸晶清是在英國結婚的（？）。王禮錫死了以後，陸晶清寫了一篇情文並茂的文悼他。王禮錫原本還有一位太太，生了兩個孩子。陸晶清和他的那位太太相處如同姊妹，並且陸晶清視兩個孩子如同己出。（陸晶清沒有生育過）但是，她被人呼爲「小陸」。我當時以爲「小陸」是以她的年齡而得來此諢名，但她那時（民國三十四年）已是四十歲開外的人了。「小陸」是因她身體是瘦弱矮小而得來的。

郁達夫與王映霞

郁達夫是以「沉淪」而名震當時文壇，並且，他是「創造社」的一員[illegible]風流。他和王映霞由戀愛而結婚。時王年十九歲，[illegible]行的「日記九種」[illegible]民國二十七年[illegible]感情有了裂痕，[illegible]效，離婚，郁達夫去南洋，[illegible]於南洋。但，王後來做了[illegible]夫人。[illegible]可口。除此，她還以美麗爲人稱道呢。

·程外·

自由人

THE FREEMAN

（第一六一五期）

中華民國僑務委員會
登記證僑台字第一號
中華郵政登記認爲第一類新聞紙類
台灣郵政管理局新聞紙類登記執照第二五〇〇號
（半週刊每星期三　六出版）
每份港幣壹毫
台北市售價台幣壹元
督印人：陳文韜
地址：香港高士威道二十號四樓
3RD. FL. 20 CAUSEWAY RD.
HONG KONG
TEL. 771726
承印者：東南印務出版社
地　址：高士打道六十四號
台灣總經理處
台北市西寧南路登零號二樓
台郵信箱金戶九二五二
海外總經銷
友聯書報發行公司
香港：德輔道中二十六號A二樓

從日本的政府改組談起

聯帶說到我們實現民主政治的重要方法之一

左舜生

去年四月，我因爲參加日本[illegible]的方便，關於這次日本政府改組中的幾個重要人物，如鳩山首相，以及[illegible]參加自民黨總裁選舉的岸信介，石橋湛山，和石井光次郎諸君，都曾有過一度乃至三度的會見。

鳩山與吉田

當時我眼中的鳩山首相，健康自然是有問題的，可是以他那種談笑自如的風度，[illegible]以後來他還能作一度[illegible]莫斯科的長途旅行，[illegible]四五年，[illegible]不可能的事。可是當他把日蘇復交與日本加入聯合國這兩件大事辦好以後，便毅然辭去自民黨總裁，亦即聯帶解除內閣總理的職位，就這一點來說，鳩山確不失爲一個知道進退的[illegible]日本政治人物。

[illegible]

自民黨確已懂得民主

去年十二月十四，自民黨舉行臨時黨大會，[illegible]

[illegible]

中日兩國的比較

[illegible]

半週評述

一、二三

本報出版之日，正是「一、二三」紀念日，筆者願藉此向「一、二三」歸來的反共義士敬致慰問。

[illegible]

政治影響

[illegible]

真正情緒

[illegible]

紙老虎！

[illegible]

烏拉羅夫

[illegible]……因爲他完全不能懂得蘇聯人民的眞正情緒，蘇聯人民要求一個反共的民主自由，獨立的政權，這些要求全被希特勒所漠視了。

原因是，西方盟國在戰爭與蘇聯「和平共存」的觀[illegible]羅夫被遣返蘇聯，在莫斯科遭受吊刑的慘劇。

烏拉羅夫之死喚起了美國的良心，美國人從此在道德問題上才懂得堅持人道主義！

運動擴大

從柏林暴動以後，從波蘭[illegible]暴動以後，從[illegible]今天在鐵幕內部隨時發生的[illegible]，已經不足以令人驚異了。「一、二三」運動必然擴大的，今天的鐵幕共黨，就是我們的朋友，我們的同志，就是[illegible]反共義士！

司馬璐

反而利用康梁！辛亥一役，袁世凱何以一下便取得了中華民國的臨時大總統？大家以爲袁世凱眞有什麼了不起的本領嗎？還不是因爲他所訓練的北軍六鎭變成了他爭取政權的私人工具？民五梁啓超與蔡鍔策動討袁，卒置袁於死地，這總算爲文人吐了一口氣，可是當時一般的文人對於這一點把握得也不怎樣牢：梁啓超還想依附段祺瑞以成功名，章士釗也要利用段祺瑞一嘗政權滋味，甚至[illegible]年黨的曾琦也不惜奔走軍閥之門，以作爲向國民黨分取一杯羹的準備！至於後來十年的軍閥混戰，更是隨時隨地都有若干的文人政客穿插其間，其咎不全在軍人，這般教揉升木者也應該分負其責。試看輔助軍人干政的風氣，在中國延續了幾十年，等到我們退出大陸以後，似乎應該稍稍有改變了，可是事實上想憑借軍人力量以達到他們政治目的者，好像依然是大有其人，因此軍人以粗暴的行動[illegible]干涉人民的思想，言論和行動的例子，也還是俯拾即是。

憲法不可侵犯

中華民國的憲法第一百三十八條規定：「全國陸海空軍，須超出個人，地域及黨派關係以外，效忠國家，愛護人民。」又第一百三十九條規定：「任何黨派及個人不得以武力爲政爭之工具。」[illegible]人和軍人，依然要公然作出[illegible]憲法以外的行動，我們應該不顧一切起而力爭，即會使我們陷於大屠殺，也應該在所不惜！因爲我們洞若觀火：如果軍人干政之風不能絕對加以遏止，我們的民主政治便永遠不會有實現的一天，而且我們還要永遠永遠落伍在日本的後面！（完）

蘇聯反奴役革命自烏克蘭起

曾旭軍

（一）

蘇聯國內起革命大爆炸，將自烏克蘭起。

不但烏克蘭的人民久受克姆林宮殘殺與迫害，[illegible]蘇聯統治者[illegible]的血海深仇。

當今的蘇聯共產黨的[illegible]赫魯曉夫，是在烏克蘭出世的。但他今天能榮登蘇聯最高權力的席位，係藉着烏克蘭萬人流血，舉起屍山而到達的。換言之，他是出賣烏克蘭人的猶大。

烏克蘭的千萬冤鬼魂終日纏繞他，他憂懼[illegible]烏克蘭人終有一天和他算清血債。因此他在去年[illegible]時，力說史達林對烏克蘭的錯誤，說當時烏克蘭共產黨總書記史丹尼[illegible]，[illegible]下慘受犧牲。[illegible]共產黨員是被他害死的。這也[illegible]赫魯曉夫[illegible]的一個原因。

（二）

在本世紀的三十年代，烏克蘭在政治恐怖和[illegible]生活中渡過，[illegible]蘇聯統治者[illegible]荒[illegible]萬人餓死後，[illegible]克姆林宮[illegible]烏克蘭[illegible]生活已改善了，人民更快樂了。[illegible]

一九三四年[illegible]史達林的[illegible]羅夫被暗殺，[illegible]引起新的流血恐怖，史達林找着新的走狗執行他的屠殺計劃。赫魯曉夫在一九三[illegible]年夏天，到達烏克蘭，任史達林的全權代表，獲得無限大的權力，[illegible]，及肅清烏克蘭的『布爾喬亞民族主義份子』。恐怖殺戮比[illegible]甚。

那時史達林的特務已[illegible]烏克蘭反對蘇聯政府虐政的革命大[illegible]未撲滅。烏克蘭[illegible]赫魯曉夫和[illegible]是史魔便派[illegible]烏克蘭，立即召集會議，提出不信任烏克蘭共黨總書記[illegible]，政治局委員[illegible]，烏克蘭[illegible]共和國主席[illegible]洛夫[illegible]人，而由赫魯曉夫取代烏克蘭共黨總書記職。

在烏克蘭首都基輔之共產黨人[illegible]晴天霹靂，他們不相信[illegible]老布爾什維克黨人怎樣會一旦被[illegible]蹤，於是拒絕莫洛托夫等人的建議。結果，莫洛托夫建議一個似乎係妥協的辦法。叫他們[illegible]莫斯科共同出席[illegible]史達林[illegible]主席的政治局會議。但烏克蘭人民委員會主席洛伯[illegible]拒絕[illegible]，且公開指責克姆林宮，[illegible]自知將來必受迫害受辱至死，便自殺了。接着烏克蘭政治[illegible]波夫等委員，甚至人民委員會副主席波萊科等，也紛紛被拘捕。

（三）

赫魯曉夫和[illegible]夫合作，在烏克蘭實行全面整肅，把這個號稱爲蘇維埃大帝國的『穀倉』的烏克蘭弄到天愁地慘。

烏克蘭之共黨被整肅到[illegible]『消滅烏克蘭布爾喬亞民族主義者及法西斯』的宣傳煙幕遮掩。

一九三八年一月，赫魯曉夫任烏克蘭共黨總書記職。他開始組織烏克蘭的政府，主要的職位均係由莫斯科方面派來。由赫之密友[illegible]任烏克蘭人民委員會主席。[illegible]命份子，使烏克蘭[illegible]克姆林宮政權之下。又推行俄化政策，去制止一切在政治文化與經濟上的獨立運動。俄羅斯人佔了烏克蘭政府的重要職。可見赫魯曉夫出賣民族的落力。

一九四[illegible]年[illegible]出版的[illegible]蘇聯編纂的[illegible]赫魯曉夫任務[illegible]：——『[illegible]赫魯曉夫[illegible]一九三八年一月[illegible]烏克蘭後，便[illegible]一切[illegible]殘餘份子，及肅清[illegible]』……

在一九三八年赫魯曉夫在第十[illegible]大會中報告[illegible]烏克蘭[illegible]的成果，[illegible]加上數以千計的新墳。[illegible]

（四）

試問如此的血海深仇，怎樣[illegible]

[illegible]

中俄共的動向

•亦平•

周恩來這次到東歐和蘇聯，作了為時十二天的「友好訪問」，（實則正因為共黨集團內部有着極不友好的事實存在，周恩來才奉命前往按撫拉攏的），在十八日蘇聯總理布爾加寧的「歡宴送別」之前，它們簽訂發表了一項「中蘇聯合聲明」。這項聲明，無疑表露了今後國際共產黨的行動方向，也顯示了共黨集團內部的問題還繼續存在着，並未因周恩來此行獲得「統一」。

在該項「聲明」中，值得注意的是，蘇聯、中共對美國的關係態度。它們雖共同「譴責」了美國敵視中共的存在，但也還表示了「兩國也具有同它和平共處的願望」。認為美國現在態度是一種「不現實的政策」。美國對中共的政策是否是現實，吾人固不得而知，但美國直到現在，還維持着詹森、王炳南的日內瓦會談卻是事實！

周恩來在印度，期待尼赫魯的華府之行為他帶來奇蹟的「現實」的夢幻滅後，在莫斯科和蘇聯同聲一吠，本不出奇，現在既再重申了要和美國和平共處下去的願望，相信美國也無法拒絕，因為美國對外的現實政策，也正是和所謂「和平共處」不謀而合的。

對於日本的態度，「聲明」中表露了對日蘇關係恢復的欣悅，「認為進一步促進中（共）日關係的正常化應當提上議事日程。」這顯然將成為未來日蘇關係中接觸到的主要討論問題。日本政府能真正的完全拒絕嗎？還是取同類似美國與中共的方式，以莫斯科的駐蘇使節為觸鬚，進行大使級的往還，或亦不是絕無可能的。而該「聲明」也無形中由蘇聯保證了從中盡力拉綫。

這次的聲明中，對於共產集團間的關係，重申了「以馬克思列寧主義的學說和無產階級的國際主義為共產國家關係的基礎」。這對於所謂持有毛澤東可變狄托的幻想的人，也是一個有力的反擊。而且赫魯歇夫在十七日的中共「大使」的宴會上，也公開的明言回返到斯大林的主義路綫，他說：「但願上帝保佑，每個共產黨員都能像斯大林一樣地戰鬥。」

對於亞非地區，今後共黨的活動，仍將着重在推動中立政策，鼓吹中立主義思想，而這些奉行「中立的」國家，就成為共黨集團「爭取團結」的力量。

就現有形勢觀察，共產集團的關係，經過今次調整之後，可能將有相當時期的「安定」。但這種相安無事的狀態，不可能保持很久，共黨國家統治者之間的矛盾雖然經過這次的轉變而取得謀種協調，但是基本上的內部問題——人民與統治者間的矛盾，卻在日漸擴大中，反叛國際共產黨的主要力量，不在「政府」與「政府」之間，而是存在於人民與「政府」之間！

越共中央十一次大會 證明 北越｜共黨｜統治｜錯誤

據河內十二日的消息，越共「人民報」於該日刊登了越共第十一次擴大會議的公報。該公報除照例先行誇張其詞之外，卻自供在財政經濟方面，迄尚未能實行越共中央政治局一九五四年九月的路綫和方針，造成了兩年來在經濟上未能注意輕工業和日用品生產，農村的手工業和副產也無法開展。至少今年，越共除號召所謂節約外，在財經方面並未產生有效可行之方法用以挽救越共的窮困。十五日范文同又公開要求與法國恢復關係並通商。

今天的印尼華僑

•養之•

華僑領袖

目前東南亞各國，特別是印度尼西亞，的確受到共黨很大的威脅。由於印尼是一個落後的國家，是共黨最容易發展的溫床。因此，我們旅居該地的僑胞，亦隨之遭遇着一種空前的無理的歧視和虐待。

如所週知，民國四十三年十月七日，印尼政府司法部發出的命令是：拘捕華僑領袖章勳義，朱昌東，陳興硯，及邱元榮等四人。其中尤其對于堅貞的章勳義，準備要把他遞解共區。理由是他是（一）椰城亞弄公會的主席；（二）洪門的大哥；（三）中華華僑總公會的主席等等。

後來由於椰城的反共僑團的怒吼，和海外各地華僑的聲援，以及聯合國人權委員會的反對；才使印尼政府收回這種魯莽而違反人道的成命，終於決定由章勳義等人自由選擇其去處。

亞弄公會

印尼華僑共有二百萬人，而經營小販的起碼在一百萬人以上。是故椰城的亞弄公會（即小販公會），在所有僑團中的組織為最龐大。其中包括一般零售商，如販賣雪條、紅豆沙、涼茶、糖菓、地攤、報販、香烟、以及所有街頭的攤位，統統都參加了亞弄公會。亞弄公會的歷史，至少在三十年以上。是當章勳義三十八年前去到印尼的時候，就開始組織的，後來也是他做了該公會的主席。

凡是參加亞弄公會的小販，如果被當地政府的警探逮捕，或者同其他各界發生任何爭執和歧見，該會都負有出面担保和調停的責任。所以過去在印尼的華僑小販，是有相當保障的。

民族精神

同時這些小販中，也有大部仍是椰城洪義順公會的會員。而印尼的洪門組織，是以民族主義為基礎的。他們認為：洪門之所以自別於其他幫會，而有其歷史地位和價值的，也就是在它的民族精神。因為中國人有濃厚的民族精神，不願受異族統治，所以明亡之後，才有這種洪門的組織。

他們又強調近代秘密社會史料有云：「相傳明之亡也，忠臣烈士，奮力光復，與虜拚命，屢起屢蹶，然卒不救朱社之亡。二三遺民，見大勢已去，無可挽回，乃欲以民族主義的根苗，流傳後代。故以反清復明之宗旨，結為團體」。

椰城洪義順公會已有二十多年的歷史，是在民國二十三年（一九三四）十月十八日成立的。會員大約在二十萬人以上，在抗戰期間，他們盡了最大努力；大陸淪於共黨魔掌後，該會也始終不屈服。

文教現況

還有椰城的中華華僑總公會，擁有會員三千餘人，辦有小學三所，及義務學校一所。這是印尼首都華僑社團中數一數二的僑團。該會自從客屬總義祠迄今，也有二十年的歷史，其宗旨在聯絡感情和互助辦學，並發揮其團結的效能，為同僑謀本身福利起見，除了辦有上述四所學校外，同時計劃籌備中山中學，如在可能範圍內，將由中學擴充為中山大學的。詎料大陸淪陷後，該項計劃無形中受了影響，迄今猶未實現。

但是印尼的愛國華僑們，在痛定思痛之餘，鑒於當前的形勢，要想反攻復國，必須賴文化方面的宣傳，來喚醒海外的僑胞。於是華僑公會決定協助印尼自由文化僑胞謝佐禹，徐瑞清，林雲谷等積極從事反共文化事業；並出版「自由報」，作了反共的前路先鋒。

可惜印尼僑校的教育，卻始終配合不上文化。由於當地經常發生拘捕事件的事件，該公會所屬的學校校長劉純煌，也以某項嫌疑被扣押；加以主持學務部的李恩紳，又不怎樣負責，致使教育形成了停頓，一切陷於癱瘓狀態。共黨份子看中了這一弱點，便乘虛而入，大肆滲透。這樣一來，迫得許多華僑子弟不敢上學。其損失之大，實不可以道里計！

好在大多數僑胞都是堅決反共的，而中共駐印尼偽大使王任叔於走馬上任之初，曾想盡種種方法，企圖拉攏椰城僑團向中共一邊倒，可是愛國僑胞不惟不接受他的引誘，反而變本加厲地予王任叔無立足之地。雖「牛飲」出名的王任叔亦無法施其技，祇得垂頭喪氣，去不復返了。

阿里山下

不智之舉！

「自由中國」及「民主潮」兩個民營刊物，近被「中央日報」拒絕刊登出版廣告，據說這是國民黨中央第四組所指示的。希望所傳不確。這兩份刊物之言論態度如何，姑且不談，即就其為合法登記出版物而言，此一措施，似屬不智？

當思來處不易

本會計年度（一九五七）美援防衛項下計劃型援助，近經美國國際合作總署，根據我國及綜合分署所提計劃與資料，初步核准為四千五百萬美元，較去年增加一八七五萬餘美元。但願經辦單位，當思來處不易，真正一錢做一錢用，做出點成績出來。

此風何自來！

高雄市治安當局，近發現一個組織龐大的詐騙集團，人數多達三百餘名，並且有身居機關要職者在內，而行騙地區，遍及全省各地。這真是駭人聽聞，令人担心！此風果胡為乎來哉！望當局不要輕輕忽略。

工會固應加强

省政府近定於二月份起，在全省各地，同時展開強化各級工會的組織工作。但望工會能眞成為工人的組織，成為抗建力量，勿使若干非工人的工混滲入把持！（一月十七日）

•傅正•

讀者論壇

敬質於彭楚珩先生者

•謝遵堯•

頃讀一月十二日自由人報第二版彭楚珩先生「敬質於傅正先生者」一文，頗有所感！筆者是一介小卒，既不識傅正先生，更無意替「自由中國」半月刊捧場，茲所論者，只是「本諸良心」作「有據之言」（襲彭文編者先生語而已）。

彭先生對「自由中國」半月刊祝壽專號發行七版之多一事表示「憂心如焚」，所持理由為「三種不健全的社會心理」：一是幸災樂禍；二是求快一時；三是社會錯覺」。彭先生為文之初意，也許是「本諸良心」，為政府辯護，但我則認為彭先生是「危言聳聽」。理由如下：

一、今天在台灣的每一個軍民，無不是熱愛政府的。縱有批評，也都是建設性的。社會上歡迎批評政府的文章，正是說明了人民對政府興趣的提高。這是民主政治的必然現象，何以言「幸災樂禍」？

二、台灣的自由中國政府，無論如何，其本質上總是一個民主政府，與納粹、法西斯、共產式的政府絕不相類，人民並未受到多少壓榨與迫害，更何以言「求快一時」？

三、至於「社會的錯覺」者，更不知彭先生何所指而發？如果說，社會上竟然有人看批評政府的文章，就是一種心理「錯覺」，那真不知彭先生根據的是那家那派的「社會心理學」？

由此而知，彭先生之文章，非但有違「替政府辯護」之初衷，且有陷誤政府於某種罪行之處，非「危言」而何？

致於彭先生對「自由中國」半月刊祝壽專號五點結論之指責，筆者的意見，也是：「我看不見得」：

第一、關於「所謂確立民主制度」問題，正如彭先生所說：「國家已經有了憲法，只要我們能夠促其施行，這就行了」。但我們瞭解「自由中國」半月刊的論點，似乎也找不出與此相反的話來。一介文人，既無權，又無力，要盡「督促政府」之責，只有訴之於筆墨口舌；要達「督促政府」之效，有時也就難免要使用幾個富有刺激性的字眼。如果說這樣乃「操之太切」或「言之過早」，天哪！自從孫中山先生許給我們一個完美的政治制度，到現在我們已經等待了四五十年了呀！

第二、關於「所謂扶植有力的反對黨」問題，筆者也不同意「自由中國」半月刊的說法。「反對黨」何用「扶植」？也不需「扶植」！只要執政黨不利用權力予以摧殘就夠了。茲不多論。（順便請問彭先生，曾聞「毀宵」、「謝明」之說乎？」

第三、關於「所謂有效的保障言論自由」問題，彭先生舉出「自由中國」半月刊之能以發行而不受「阻礙」以對，這是很對的。我相信除去一些惡意誹謗的份子而外，誰也不會否認，在台灣具有某種程度的言論自由。但試問：假如我們連這點自由都得不到，那我們又何必拚死拚活的反共？更何必背井離鄉的跑到台灣來？

然而，話又說回來，某種程度的自由是有了，但人類文化，是在向着一個完善的境界進展的。難道我們無權要求更充分的自由嗎？

說到這裏，似乎有找點例外的必要，這並不十分難，彭先生既以「自由中國」半月刊為例，我也只好從略，不知彭先生還記得前（四四）年九月間，該刊為了報導台灣毛紡廠業務部經理孫元錦自殺一案，而遭受勒令改版之事否？

第四、關於「所謂教育正常化」問題，筆者亦不同意反共救國團與三民主義課程為學校中「兩大弊害」之說，但此兩種事實，起碼給人一種「執政黨壟斷教育」的「不正常」印象。不錯，三民主義載之於憲法，為建國的最高原則，應該學，但憲法為國家之根本，彭先生會聽說學校或軍隊中有上「憲法」之課程否？

第五、關於「所謂實行軍隊國家化」問題，彭先生認為，三民主義既為「憲法的基本精神」，則軍隊中講講三民主義，並不就是「不國家化」。這個見解很對，但我相信，呼籲「軍隊國家化」者，其所持理由，絕非只是「講講三民主義」而已也。君曾聞「以黨領政，以黨領軍」之語乎？聞之而復言之，是妄語也；言之而未聞之，是不明也。

質之彭先生，亦以為如何？（四十六年一月十五日）

讀者來書

編者先生賜鑒：（上略）曾國藩嘗言「縱觀古今天下之亂，莫不由於是非混淆。」當今國事病癥，事在於有是非不明之傾向也。是故如屈子云「黃鐘毀棄，瓦釜雷鳴。」而各事措施一至於「明足以察秋毫之末，而不見輿薪。」小處精明，而大處往往糊塗，實深令人浩嘆，而居下位如鄙人者，心有餘，而力不足，扼腕號天而已矣。鄙人又竊思貴刊既為新聞紙，又有合法地位，何不在台灣各大都市多聘請記者，以擴大通訊網。或曰：困於財力不行耳。鄙人以為此項記者可為義務職，縱多只能論稿計酬，如此不致額外增加支出矣，貴刊只要報頭上刊一啓事，想應徵者必夥也。當然對於徵用資格流品，必嚴加注意，以免影響報譽也。愚人之慮計，未審可行否，謹此貢獻，伏祈裁納為荷。

楊海寰上 一月九日

編者謹覆：楊先生關懷本刊，無微不至，甚感。尊見容再考慮。

匈牙｜利通｜貨膨｜脹

據一月十三日匈牙利「人民自由報」自認，目前匈牙利已面臨經濟崩潰邊緣，通貨已在市場上泛濫，工業品缺乏，商品儲備大大減少，人民手中的貨幣總量增加逾百分之二十。匈牙利目前的經濟困難，主要是因缺乏勞動力造成，該報指出今年將是「極艱苦的一年」！

伴隨經濟困難而來的是政治上的動亂，「反革命顛覆活動」特別活躍。十三日匈共主席團頒佈了新法令，凡百人以上的工廠，都是受到該法令的限制，不得作任何「非法活動」。在十一日則已頒發了不准集會遊行的禁令！匈共統治者顯然要繼續的血腥鎮壓！

首次圖書雜誌展覽七日觀衆三萬人

成績十分美滿參觀者盼明年再度舉行

在香港事局創學的圖書展覽經過九日的展出之後，明天將告結束之期。在這九日的展覽中，參觀者已超過三萬人，而且獲得中外人士的一致好評，以如此衆多的參觀者，以如此良好的評語，對香港的「文化沙漠」的稱謂，這次圖書展覽已是起了它一定的作用，獲得了最丰碩的收穫。

有人曾經作過這樣一個有趣的估計，假定一個參觀者進入展覽會場之後，如果他有心在場內把所有的書籍都作一個概要的翻覽，即使是最快的速度，一從翻閱一遍放下，再取第二本。那末，規他得準備在場內，站上五天五夜，——（一百二十小時。如果他眞的把所有的書都讀完，那末，當他踏出會場門口的時候，就已經成爲中國第一個第一流的道備。因爲這次展出的書籍，包括了所有的學科在內，一共是二萬多冊。

還裏讓我來看一看它的內容。

從分類來說，全部圖籍，一共分爲十二大類。計：總類、哲學、宗教、語文學、兒童讀物、自然科學、社會科學、藝術、應用技術、文、史、地、雜誌、書報、其他社會科學、算術。

當作一個參觀者來看，大概得一個人都會有這樣的感覺，史地這一部門，似乎是站在最「搶眼」的地位，也就是說，它是丰富的內容之中一個最丰富的部門。

對於海外同胞的教育作用來說，無疑也自有其重大的意義在，於此也不必細說。又如果是關懷中國歷史文物的，我想應該會爲了中華叢書委會精印的那一套「中華美術圖集」和「故宮書畫錄」的佇立一個半個鐘頭的時間。慢慢欣賞唄啊，神遊在千百年前的社會中，溫習祖國的遺產，感到無上的驕傲。偶然你會抬翹頭來，嘿！這裏又是一幅「中國歷史疆域圖」從方橫兩三尺的紙張上，它會使你理解祖國的領域和朝代的變遷，如果還感覺不滿足呢？請把目光移向左面的書架上，那裏，當作有宴教授編繪的「中國歷史參考圖譜」等你作更進一步的歷史知識追求呢！也許有人覺得國表處於微快之歷史什麼東西需要更進一步從文學去認識祖國，展出的負責人並沒有忽略這一點。因此我們會看到那推滿祭裝的史記，二十五史，精裝的廿五史，花不到三百塊錢，假定是個愛好文史的人，大可以意買一套回去慢慢研究的。

除了史地之外，可能你對於祖國學術有特別的愛好，從「四部叢刊」、諸子集成、「叢書集成」文存本，許多不同的版本，「新編學術論」以從商業的立場來說，即「新知識叢書」，它會幫助）。如果說「國民基本你向學術的領域跨進一大步的。

走過了史地的領域，踏入文藝之門，海外多少名作家的結晶在有該得出的自由作家他們的作品，隨便翻閱大概都可以在這裏找到好了，如果你能夠從上午二時一直站到九點鐘的話。

還有，別担心你的孩子們進入會場之後會感到太枯燥，帶他們到兒童讀物之部，他們從這裏可以得到有兒童讀物文選、兒童文庫、小朋友世界史，還有數不清的「公仔書」，担心的恐怕是你的孩子不願走開呢！

學生也如果要補充一點教科書和課外補充讀物，那就太齊備了，從各大書店的出版的課本到活頁文選，這裏是一個「集中營」。最少可以免了到處搜購的麻煩，何況也可以把折扣優待省下的錢多買幾本好的書。

最後，對於有志於科學研究的青年們，一套「廿世紀科學」（分自然科學與應用科學兩本），該是兩本優良的參考書。至於說若一個收集奇書的癖好，那末看一本「袖珍詩韻」怎麼樣？它只有一寸半的長度，是中國「最小的書」呢。

從這樣多采多姿的內容，以及對各級知識份子的多方兼顧，我們可以看到負責展出的各負責人的計劃周詳和煞費苦心，這次的成功，正是他們心血的報酬。更多的參觀者是希望來年有一次更丰富和更充實的內容的展覽會接着產出。

大陸肉荒極嚴重 軍幹春節食無肉

（本報特訊）據一月十四日，中共「解放軍報」（按係共軍總政部出版）發出社論，要求幹部在春節不買肉類，少買年貨。該社論指出它原要因爲當前大陸市場上「副食品不夠寬裕，肉類供應又是副食品供應中一個比較突出的困難，這種困難情況以及另外一些物品的供應情況，在春節期間必將顯得更加緊張」。

據該報暗示，有些地區的地方行政共幹，已經率先接受此項命令規定了。

肉類的恐慌，只是表現今天大陸生產低落的一面，實則去年大陸農作物和副產生產量全面低落，因此市場的供應情況，迄未稍見鬆緩。

專論

台灣農業建設方向

鄭士珪

——光復後農產超日據時代紀錄，有許多種特產仍應力求改良。——

台灣是一個孤懸海外的島嶼，雖時有颱風地震爲害，但因得天獨厚之環境與氣候，適于農業生產，故農產富饒，向有「農業倉庫」之稱。自光復以還，因政府銳意建設，多方獎勵，尤期對于農作物增產，不遺餘力，所以近年成績非常優良，凡有多種農產物的產量均超過日據時代的最高紀錄。『惟農民所得增加，但農民儲蓄並未有隨着顯著增進。』（據四四年十二月中央日報星期專論劉支藩的一年來經濟建設之檢討）而每年工業品與藥物輸入爲數甚鉅，這些工業品大部原料係取自農產物。中國大陸農村副業產物藥物除西藥外，幾全爲由香港轉運來台，每年損失外匯着實不少，爲針對上面弊端，故今後台灣農業建設的方向，除繼續開發原有資源外，還把握住人口多耕地少之特殊環境，找出其重點宜多從事經濟物類之栽植與試種。筆者這種淺薄看法前曾寫過「談台灣農業新政策」一文，發表于四十三年八月十八日香港自由人報，後來農業界權威錢天鶴先生于四十四年三月廿六日在新生報刊登一篇「民國四十三年之台農業」甚論據即與筆者觀點不謀而合。這一文可以說是「談台灣農業新政策」的補充。

農業建設千頭萬緒，不但要注意農作物增產及貯藏保管與運銷的連繫，同時更要顧到國際市場價格之變動與本國社會供需情形，要想在錯綜複雜的環境中而兼籌並顧，談何容易。台灣農業爲利益着想，必須迎合新的時代及新的環境，故其農產種類亦非增加及改變經營方式不可。

台灣農業最大資源是森林與漁產，然林政自光復迄今弊端百出，漁業亦無充分利用，此後若再不能悉心整頓林業與加強發展漁業，則其他農業措施均屬徒勞而純經濟利益不大，目前農業試驗所暨各區農林改良場多偏重糧食作物如水稻甘藷等之育種及試驗，但我們決不會想到去年豐收那推積如山的米谷覺缺之倉庫貯藏而已放倉庫的稻谷亦因管理不周在中南部及關陽地區一帶有不少任其發霉腐爛，此種損失，等于我們努力生產白費了。對于在國際上享有聲譽而經濟價值很高之胡蝶蘭反不大擴繁殖爭取外匯，至于果樹如桃、李、枇杷、荔枝等產量品質均較外國內差遠，更應力謀改良。

台灣隔絕大陸，山中沒有較大的野獸，因此麋鹿便成爲主要物，中藥珍貴藥物——鹿茸，功能益陽生精，治虛勞無力等病即爲鹿之初生角。恒春縣志物產篇說：『鹿出番山，番人恒捕之。取鹿茸，鹿皮，鹿筋等入市換貨，肉即留以自食』。因它有這樣大的用處所以山胞都認爲打鹿是輕本厚利。在以前本省出口貨之一。連橫台灣通史虞衡志說：「荷蘭人入台以來，鹿脯鹿皮爲出口之貨，至今漸少」。我們有時還可以看見二三山地同胞帶了鹿的乾製物在藥店或機關推銷。惟以鹿生長遲緩遠不及牛羊的快大，與隨人口多需用增加及山胞竭山而獵，若不速謀大量繁殖，恐有絕跡之虞。

過去洋葱在本省生長，鱗莖不能成球，所有食用均向他處購進，近年引用美國種試植，結果成績極佳，產量不但足供省內需用且有餘額輸出。他如藥用珍貴植物之人參、肉桂、當歸等需要既切，價格亦昂，尤其當歸爲燉補台灣食品攤上，誰人不曉，那個不知。今後如能朝此途徑先行引種試植這幾種藥物，則日後如能成功在搞，將爲本省農業前途放一異彩。

產煤量供不應求 中共勒令要節約

北平電燈「不明」已受影響

（本報特訊）從去年的九月下旬開始，大陸各地發生了嚴重的煤炭荒，據一月十二日「人民日報」稱：煤炭供不應求的情況，是全面性的，不僅城市缺乏炭，鄉村和工廠也同樣缺乏煤炭。基本原因照共報所說是一種聯環因素所造成。換言之，這是整個經濟問題的一部分，因此也不是增產煤炭即可以解決的了。比如「投資有限，礦井不能一下子建得很多」，一個礦井至少也要三年或五年之後才能大量生產，這顯示出一方面消耗和浪費擴大中共增資有限，加以農村柴草經過統一購銷之後，也改用煤炭了，於是需要提突增。

據中共「國務院」一月六日的指示，勒令全面性的減少使用煤炭量由百分之十五至百分之廿五。

因此，大陸上主要大城市的發電量也相應減少了。

據一月十四日「人民日報」載，北平現在每晚減少電力一萬瓩以上。全市普遍的減少門燈，廣告燈，櫥窗燈，但是，一向浪費電力最多的，還是中共的衙門，例如像「國務院建築委員會辦公樓」，已由五百六十盞燈減到只有七十盞。像這樣的做作，也必然影響到居民住戶的電燈也要不明了。

發酬

元月份上半月稿酬通知單，已分別付郵，惠稿諸君請憑單領取稿費爲荷！

本刊編輯部啓

元月二十三日

有不已于言者

讀「我們眞沒有人才嗎？」後

·陸寶章·

頃閱元月五日，娟娟先生大作「我們眞沒有人才嗎？」頗覺先得吾心。全文中心思想均極正確，但以搞永久運動的黃君爲例，實屬不智：：老實說以盛沛霖與黃××並提，實是對不起前者。茲隨明于下（再申明一句，本人對「我們有人才但不知好好培護」，這一點絕對同意，所論者爲作者舉例子的「技術」問題）：

盛沛霖的成就在于他對彈性體次要應力數學分析上的貢獻。本人首讀過他寫的一本小冊子，用的數學極高深，未研讀「張量分析」的人絕對看不懂。所以他之爲人忽視是成就太高，正如娟娟先生所說我們通有出某人有成就與否的人都沒有。（不過事實與娟娟先生文中有點出入，盛君之一頭是台大丁觀海教授在美國數學期刊上讀到他寫的一篇論扭轉的文章，然後中國工程學會人士才來幫他的忙。等到報上發表專介說到他與愛因斯坦通信等等的時候，台大已聘他做副教授了）。至于黃君之事本人不太清楚。但是一看「永久運動」四字就可以斷言，這人只是個科學狂，誠明熟。因爲對科學認識正確的人沒有一個會去在這上面浪費時間的。把他和盛沛霖部昌黎一起提，太不倫不類了。我舉兩個例子在下面：

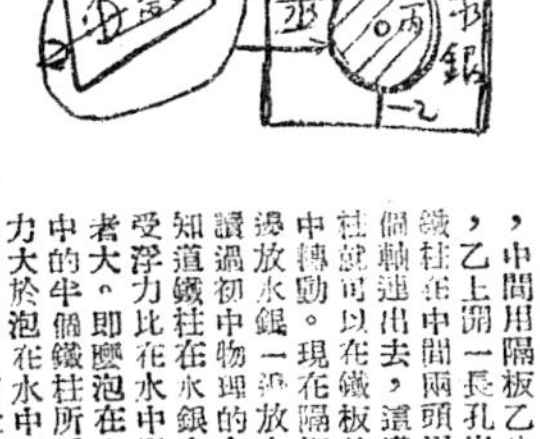

圖中甲是一個槽，中間用隔板乙分開，乙上開一長孔嵌一鐵柱在中間兩頭用兩個軸連出去，這樣鐵柱就可以在鐵板的孔中轉動。現在隔板一邊放水銀一邊放水。讀過初中物理的人都知道鐵柱在水銀中所受浮力比在水中所受者大。即壓泡在水銀中的半個鐵柱所受浮力大於泡在水中的半個：鐵柱就會在箭頭所指的方向轉，這豈不是一個永久大運動機嗎？但是本人並不贊稱我是天才，我可以做一個多少年來多少科學家認爲不可能的永久運動機。因爲假正做一個這樣的東西，他不但不永久運動，根本一動也不動，原因呢？就在液體側壓力上。假使這位黃君只懂浮力不懂側壓力，那他又可發明一種永動機了。

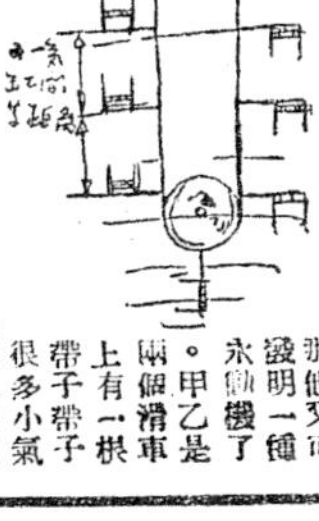

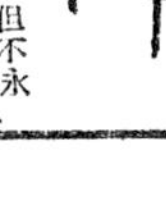

甲乙是兩個滑車上有一根帶子帶子很多小氣缸，裏面有空氣用活塞塞住。全部泡在水中後，我們知道在水裏越深水壓越大氣缸中空氣體積就越小。現在隨便拿兩個氣缸丙和丙，來看。丙比丙，要深一點所以丙體積比丙大那麼丙所受浮力大于丙。其他氣缸，莫不如是所以皮帶左邊所受浮力大于皮帶右邊者，滑車應轉動如箭頭所示，這也是一個永久運動機。可是事實上也是一個永久「不」動機。這一個例子的毛病所在比上一個還要難找。本人要是用它申請專利說不定可以獲准，因爲毛病在那裏，不大容易看出。這個毛病一定要仔細分析用積分法並且是很麻煩的積分法才能找出。黃君要是看見這個例，可能要嚷嚷一明永動機了。本人寫了這麼多。動機純在愛護貴刊，不願中外科學界看了自由人上娟娟先生的議正辭嚴的大作上有這麼一個瘡疤。

又：娟娟先生大概還不知道台灣另一個「發明家」陳君，他發明半導體，去煩器，這些我都不懷疑，因爲並無違背科學之處。但他又聲稱由眞空管中可以看見以太，我就不能不認爲那個了。

胡適與胡適思想

中共醜胡適——醜胡適思想，如洪水猛獸。爲清算胡適思想搞的運動，其熱鬧和毒辣，不亞於三反、五反。

但胡適思想畢竟不能——也無法清算乾淨，在中共奉之若神明底魯迅的著作中，就保留下了許多爲魯迅引用的字句。魯迅不僅引用了胡適的著作，實則還隱約有推舉之意。時至今天，魯迅、胡適一作故，一健在，中共爲捧死人魯迅，也無意中爲胡適思想留下了一綫生機。

胡適不可怕，可怕的是胡適思想；胡適思想也不可怕，可怕的是胡適思想產生的根源——自由主義思想這一動力。中共要清算的實際上就是自由主義，就是具有這一思想傾向的知識分子，和這些知識分子所代表的政治主張和要求！

據中共報紙反映，東歐事件與匈、波的知識分子關係極大，他們實際上是領着反極權，反奴役的抗俄運動。

知識分子——自由主義思想的知識分子，其所以總不見容於統治者，也總爲衛吏們所討厭者，就在於他們代表了生氣勃勃的一面，不論是在任何形式的政權下，他們的政治主張和要求，永遠是更新的。也因此，胡適思想，在中國，變成爲衡量民主、自由的標尺了。

胡適是個「秀才」，胡適思想代表了當今「秀才們」共同的認識和要求。統治者明知「秀才造反三年不成」，但却總是怕會「造反」的「秀才」，中共之所以清算胡適思想，就在此；還有些不喜歡民主自由的人之怕胡適思想者，亦在此！

○小言○

小啓：自由談續稿未到暫停。

中國報紙發祥地在麻六甲

瘦影

那裏是中國現代報紙的發祥地呢？溯中國報紙的淵源，離不開教士的關係。他們辦報的目的原是爲了傳教，可是却替中國現代報紙建立了基礎。在一八四二年之前，因爲清政府嚴禁傳教士到中國來，教會早期的定期刊物，乃在南洋的麻六甲籌備社會中出現。一八一五年的八月五日，英人在麻六甲創設倫敦佈道會，由傳教士米憐主辦一種華文月刊叫做「察世俗每月統記傳」，便開闢了中國現代化報紙的先河。

所謂現代報紙，就是指在技術上，營業上，經濟上都現代化的出版物，且有自由評論政治的觀念。中國是世界上最早有報紙的國家，如政府公報「邸報」在紀元前二世紀就出世了。但是合乎現代化的報紙發行，至今不過一百三十餘年的歷史。

在這一段史實中有一個中國報人是值得一提的，那就是梁發又名梁亞發。他可以說是中國新聞史中正式服務報界的第一人，他的筆名是「學善」。同時，梁發是我國接受基督洗禮的第一人。他於一七八九年生於廣東高明縣，家貧，十一歲就讀於私塾，十四歲即輟學，前後一共唸了四年書。十五歲赴廣州爲學徒，習製毛筆，後改學雕刻印刷技術。梁發與[illegible]開始接觸時，是一八一〇年，隨米憐信仰基督耶穌。一八一五年，同米憐到麻六甲工作，次年，在米憐手中領洗。

察世俗是用木板雕印的，月出一冊，七頁即十四面，每面八行，每行二十字。首面正中刻着月刊名稱，左下角署「博愛者纂」，右上角以經書「子曰，多聞擇其善者而從之。」博愛是米憐之筆名。所引經書亦有點錯誤，將孔子兩段話併爲一談。

「子曰，多聞，闕……言其餘，則寡尤。多見，闕殆，慎行其餘，則寡悔。」（論語爲政篇第十八節）。

「子曰，三人行，必有吾師焉，擇其善者而從之，其不善者而改之」。（論語述而篇第二十一節）

察世俗內容重宣揚教義，其新聞及新智識亦有介紹。初期印五百份，後增至一千份。計出刊六年半，共印五百二十四頁。然無論如何，察世俗確啓發了中國現代新聞事業重要觀念。

咬文嚼字

戈北指

「舍弟江南死，家兄塞北亡！」

今人譏諷迂腐的讀書人爲咬文嚼字，這句話見於元曲，而其出處則本於周紫芝的「竹坡詩話」：「有明上人者，作詩甚艱，求捷法於東坡，作兩頌以示之。其一云：『字字覓奇險，節節累枝葉，咬嚼三十年，轉更無交涉』。咬嚼一詞的原意，是指精心玩味，初無譏誚意，但後人引用此語，已漸失去原意，反成爲譏誚「士人」的專用語了。

古人作詩，因用字限於平仄，猶須講究對仗，所以每字每句都要經過細心推敲，使其恰到好處；但刻意求工，往往未免流於迂腐。據說前清某官督兩湖時，有位總辦獻詩求教，中有兩句：「舍弟江南死，家兄塞北亡」。某督閱後惻然說：「君之家門，不幸至此？」總辦回說：「實無其事，聊對仗工整耳」。人或譏之：何不改爲「愛妾眠僧舍，嬌妻宿道旁」呢？如此，豈不保全了令昆仲的兩條性命？這個總辦的迂闊程度，可以想見！

前讀「笑林」，其中有段記載，亦堪令人噴飯。說是某鄉久旱不雨，禾苗盡毀，鄉人上書請求救濟，呈文中有「若旱數月，赤地千里」句；官府派員到災區視察，偶見遠處尚有草色，遂責問鄉人：「呈文中明白寫着『赤地千里』，何以尚有草色？」鄉人回說：「先生沒讀過古人詩詞，不是有句『草色遙見近却無』嗎？」官員竟爲之啼笑不得。

從前專制時代，有「萬般皆下品，惟有讀書高」的說法，所以一般人都想學而優則仕。我鄉有位熊某者，原係一個落魄流氓，生得黑而胖，人皆以「狗熊」稱之。後來靠「走私」起家，弄得一份黑財，居然也躋身於中上流社會，出入於權貴之門。得好滿口「之乎者也」，冒充斯文；但他運用成語，往往不得其當，鬧出笑話。有次，熊某的太太生病，久治不愈，後來死[illegible]病院；鄉人不知者，探問病情，他却唏噓咸嘆地說：「唉！賤內已魂斷勾欄！」聞者不禁愕然！原來他誤把「勾欄」作醫院也。現在熊某的後人尚有在台服務者，每有人與其談到「病院」時，即回顧左右而言他。

同光風雲錄

夢山樓

劉師培

劉師培，原名光漢，字申叔，江蘇儀徵人。少承先業，服膺漢學，譯史諸子百家語，無所不通，文章雄麗，步武齊梁，與餘杭章太炎並以古學名世。雖廁籌安會六君子之列，而不可掩其學術也。

一、學術精深出處糊塗

儀徵劉氏，三代傳經，俱以左傳春秋，蜚聲道咸同光之間。申叔幼承庭訓，用力尤勤。顧書生好大言，負所學以自矜異，不安儒素，而張皇國學，鼓吹革命，徵詞諷議，一一託之於文字。清末與章太炎，黃季剛，陳去病等，組織國學保存會於上海，發行國粹學報，借名研究學術，實則鼓吹革命，而申叔所著『攘書』，及『中國民族誌』，尤爲當時所傳誦。及太炎下獄，恐受株連，始亡命於日本。

是時，兩江總督端方，雅重文士，而於革命黨人，亦喜以溫和手段對付，因慕申叔高名，乃使使致敬意。申叔夫人何震，擅交際，悍銳能制其夫，以亡命久，浩然有歸志，遂與端方通款曲，黨人聞而大憤，指爲滿臣之偵探，申叔力辯，卒歸國，竟入兩江之幕。太炎聞而恨，致書諷規，不報。既而端方罷，申叔亦惘惘失意，則去而之川，爲國學院講師，及革命軍興，川人囚申叔將殺之，太炎以書爲解，有若殺劉申叔，則中國讀書種子亦絕矣之語。獲釋後，又爲介紹充北京大學文科講席，書中有曰：『劉生博林之秀，使之講學而不論政，亦足以啟明國故，牖迪多士，未可以一眚廢也。』

二、誤沈政海隱憂早折

民國建立，袁世凱爲大總統，既而帝制自謀，參政楊度以申叔負盛名，邀爲籌安會發起人。嘗著『君政復古論』，時人比爲揚雄之『劇秦美新』。迨世凱敗露，而申叔之望亦隨並隳。然以文章爾雅，又素有書獃之名，人亦以此多之，而不加追究焉。

申叔譽滿都門，意態蕭瑟，嘗爲揚雄傳後五古一首亦聊以解嘲耳。詩云：『荀孟不復作，六經秦火餘。篤生揚子雲，卜居近成都。文學窮典墳，頭白窮著書，門停問字車。法言象論語，反騷弔屈原，作賦比相如，[illegible]言[illegible]蟲魚。雖非明道，[illegible]作綱目，筆伐更口誅。[illegible]大夫。晉羅華陽誌，雄卒[illegible]莽，玆文得無譏。雄本志[illegible]？班固傳信史，微詞雄則[illegible]韓子語豈疏？宋儒作苛論[illegible]讀揚子書，思訪揚子居。[illegible]空躊躇。』

申叔年未四十，而著述甚富。其遺惠於中國學術者，或不在太炎之下矣。以民國八年十一月二十日卒，年只三十有六。其生平文章之學，未入政海，以致憂傷而折，才士，誤於政治者，又豈僅申叔一人而已哉？（八十一）

更正：本欄第七十九篇「易順鼎（上）」第一段內題「遲」部試，誤作「遲」；又末段[illegible]「牛」，誤作「年」，特此更正。

芳蹤何處

王臨泰

「小鬼！」璦梅忍不住的[illegible]嘴說：「妳怎麼知道我想？」

「咦！」小莉神氣活現的說：「您見了我就提爸爸。」

「提到爸爸不一定就是想他呀？」我故意的逗她。

「還不想？」小莉歪着頭說：「媽媽說起爸爸，眼淚都落到我的手上來啦！還說不想？」

「鬼丫頭！作孽！」璦梅怪難爲情的笑着。

說老實話，丁璦梅朝思暮想的人就是她的丈夫范欣榮，她常和我談起范的爲人熱情，對她體貼，並且講過一個夫妻恩愛的小故事，她說：有一次她病了，病得很厲害，她在醫院半個月，范欣榮衣不解帶，[illegible]夜不能眠，病重的時候一度昏迷不醒，等清醒時她以爲不會好了，便流着淚對丈夫說：

「我，對你只有一個要求，我死後你要再結婚的，你一定要好好看顧我的女兒！」

[illegible]

「請坐！」……「妳究竟爲了什麼不快樂？」我坐下來說：「[illegible]死人啦，好朋友，妳還要我也不告訴！」

她又沉默了一會，突然立起來，走到她的床頭底下抽出一張報紙，遞給我，她說：

「妳看看第一版的廣告吧！」

我茫然的接到手裏，一展開看，赫然有「范欣榮趙玉如的結婚啓事」的長條廣告一則！

「怪不得這兩三天來，妳就是爲了這件事」，我裝出笑臉安慰她說：「同名同性的很多，也不一定就是他」。

「自從看見這廣告，我一直覺得人生無趣」，沉吟半晌，她又忿然的說：「我決定去看看，如果是他，我一定不會放過他的」！

「日期就是明天下午，妳如果去，我陪同妳」。

「不用妳陪，我會找到那地方的。」

（五）

浮山懷古

・本際・

桐城方進士以智，明末四公子之一；明亡，就浮山披染薙髮，號藥地和尚，有詩文集行世。見桐城耆舊傳。

公子僞夷夏，飄然竟入山！心超於世外，髮落在人間；流水傳消息，行蹤自往還。緬懷三百載，高躅待誰攀！

宜蘭訪成一星雲上人

・彭楚珩・

一月六日，訪成一、星雲上人於頭城宜蘭，車經萬山後，濱海而行，即景感賦。並用本際上人『浮山懷古』韻。

煙雨迷離際，幽人過萬山。操心空海下，着眼數峯間；浪去隨風捲！愁深遣夢還。遍尋龍不見，縱見豈堪攀？

男・女・之・間

・永昌・

如果你想有女人愛你，只要特別體貼[illegible]了。[illegible]我認識[illegible]個人，他不分冬夏都穿着厚[illegible]多女人竟因此愛上了他。——契訶夫

男人給女人統治，魔鬼統治了女人。——[illegible]

男人是女人的玩物，女人則是魔鬼的玩物。——囂俄

女人永遠是處于極端的，不是比男人好便是比男人壞。——布律耶爾

女人較男人聰明，因爲她們知得較少而領悟較多。——司蒂芬

[illegible]做出來的惡事都是由于受了男人惡[illegible]的壞影響。——米[illegible]

楊棒先生：奉上稿酬通知單均退回請賜通訊地址爲荷　編（輯部啓）

自由人

THE FREEMAN

（第六一六期）

中華郵政登記認為第一類新聞紙類

（半週刊　星期三、星期六出版）

每份港幣壹毫　台北市售台幣壹元

地址：香港高士打道二十號四樓

3RD. FL. 20 CAUSEWAY RD. HONG KONG

TEL. 771726

承印者：東南印務出版社

臺灣總經銷處：台北市[illegible]

海外總經銷：友聯書報發行公司

纖測中共的動向

王厚生

最近在共產集團內部的動態，很引起人們的注意。共產國家所做的工作和所發的言論，要以加強以蘇聯為首的社會主義國家的團結和反對美國艾森豪威爾中東計劃為中心課題。

去年十二月間，周恩來在印度央求尼赫魯為中共向美國游說，以期改進中共和美國之間的關係。到了十二月下旬，尼赫魯還沒有歸國，中共忽然派周恩來訪俄，這事突如其來，本已惹人注目，隨後，周恩來以驟人姿態周旋於莫斯科、華沙和布達佩斯之間，迎送、宴飲、碰杯、演說和簽字，一連串的活動，熱鬧非常，自然令人有連台好戲的感覺了。究竟，在中共處心積慮媚美向美國靠攏之際，何故忽有這幾齣好戲上演呢？從各方面的消息和跡象看來，我們可以推測其中的原因有如下數項：

第一、中共派周恩來訪俄，或許由蘇聯主動，是蘇共拉緊中共的一個做法，因為蘇聯深怕中共的親美弄假成真，果真向資本主義的美國那一邊過去。倘中共此例一開，則其他各共產國家均將紛紛效尤，蘇聯為失去成為一個陣營的中心地位和聲勢，向心力全失，而共產集團將完全瓦解。雖然，聯絡西方的例子早由南斯拉夫的狄托首創，離心的局面自波、匈反蘇反共革命之後已成，但中共為蘇聯的最大附庸國，目前反共聲浪又如此囂張，如中共選這時候走出共產集團，對蘇聯無異落井下石，影響之大，難可言喻。同時，中共大陸正門接納美國，無異於中共為美國將蘇聯的後門打開，這對蘇聯來說，實在太危險了，所以，蘇聯在沒有自殺或閹割而死亡之前，是決不讓中共脫走的。

第二、中共的情報先一步得出結論，認美國的立場在現階段是不易變改的，所以，在尼赫魯還沒有向周恩來口頭傳遞（去年十二月卅日在火車上）美國對中共政權的政策和態度之前，北平中共政權的政策已有改變。美國的政策不為尼赫魯的游說所動，可從美國國務院主管遠東事務的助理國務卿羅伯遜的言論見之。羅氏在一月十一日出版的「美國新聞與世界報導」雜誌上談話意見，認從國內和國際的行為標準來看，中共政權都是一個強盜的政權。羅氏並說中共政權是以武力強迫中國人民加以接受，而不是經過中國人民委託的，因此那個政權不能代表中國人民。羅伯遜的談話完全代表美國的官方意見。在這種情形之下，中共的政策急轉，先於去年十二月二十九日在人民日報上發表「再論無產階級專政的歷史經驗」一文，繼而派周恩來訪俄。「再論無產階級專政的歷史經驗」發表在周恩來向尼赫魯諂媚美國回訊之前一天，是對蘇聯表示中共的基本立場始終未變，或表示周恩來在東南亞所發表的媚美言論都是假的，這主要在消釋蘇聯的忌恨，因為中共不該當蘇聯在東歐多事之際竟圖乘機脫逃。中共對於訪俄的人事問題似也費過一番考慮，本來，這種調解各國共產黨之間的隔膜工作以派劉少奇出任為最適宜，共產黨之間的糾紛，劉無論如何要比周恩來更加焦急；二則劉管黨，周管政，調解之事能否成功決之於黨的政策，故從黨下手不可；三則劉團結社會主義國家尤非和各國共黨的人事較熟，處理便利，雖說，劉和東歐共黨中的狄托分子不一定要好，但近年來，劉已一變「國際主義與民族主義」時的態度，對狄托和南國駐北平外交代表曾多次表示友善姿態。何況周恩來正在炎熱的南方進行訪問，現在忽然要他中斷未完的旅程，在短促的時間內僕僕北上，趕往酷冷的俄國，並照預定計劃，周於訪俄完畢之後仍將回到下邊繼續未完的訪問，這又是什麼道理呢？我們似不妨作如下的推斷：一、由企圖親美的周恩來訪俄，對蘇聯表示周的親美是為獲，如改由劉少奇訪俄，將使他人（特別是蘇聯）懷疑中共在弄二面手法，在二面投機，蘇聯在事實上儘管已經有此懷疑，但中共在表面上的掩飾功夫仍不能不做。

二、由周恩來出場可予東歐國家如波、匈以印象，即中共並未脫離蘇聯。周恩來在一月七日抵莫斯科附近機場，即開始攻訐艾森豪主義，無論在莫斯科，或布達佩斯，都強調以蘇聯為首的社會主義國家應加強團結，並痛責「美帝」—帝國主義殖民主義。此類言論，自由世界已聽得多，但由中共發出，在共產集團內部也許還有新鮮意義，也許還可使蘇聯和東歐國家不要懷疑中共的二心。實際上，周是有二心的，在短短的一個月之中，他先後扮演二個不同的角色，性格和態度相反，而且由南到北，由熱到冷，在中共實在是虧他的，也唯有他能夠上演這樣的好戲。周恩來朝俄可以挽回因媚美不成而失去的一點面子，周繼續其預定訪問，鴻飛河宮，也略可沖淡上次訪印時在蘇擁美吸的意味，為自己遮羞，表示滿不在乎的樣子。其實，中共想和「美帝」修好已是多年以來的事，但因美國認定中共統治全靠武力強迫，不得民心擁護，且其行為一如強盜，故不予理睬，去年年底托尼赫魯游說仍不得要領，因而轉變方針，改取強硬的敵對態度，在表面上強調和蘇聯難分難解（實際上中共對蘇聯關係的行情早已由尼赫魯帶去報好了），並公開責罵「美帝」和艾森豪主義，在現時，中共這樣做有以下好處：

一、在沒有擁抱美國的情形下，中共須時還需要以蘇聯為首的共產集團不要瓦解，因為這種瓦解對中共也大為不利，蘇由倒，中共也無法不倒，故對既倒的狂瀾，中共是要救一救的，這一點，蘇共還可以相信中共的，所以，克里姆林宮還願意收斂起不愉快的心情以盛大的歡迎去接待周恩來。

二、中共痛罵「美帝」，對蘇聯未嘗不可以解釋是一種姿態，表示效忠，藉此希望在美援未弄到手之前，蘇援不斷。

三、中共對「美帝」所表示的惡意也可視為一種姿態，因為這些年來，靠攏美國和在政策上與美國採相反路線的正大行其道，尼赫魯就是這樣的一種人物，周恩來上次在印度時，尼赫魯了解美國比他多，似乎尼赫魯爭取美援的一套手法已為周恩來所學得。當然，單憑這一點人是不夠令美國買賬的，於是尚有周恩來的外交把戲和毛澤東邀伏羅希洛夫（蘇聯最高蘇維埃主席）到北平訪問，這些都可以當做變美國重視中共地位的花樣來看，總望美國有一天真能與中共移近幾步。中共靠攏美國的念頭從不因周恩來朝俄而取消，只是時間問題，中共明知前途暗淡，仍不得不掙扎圖存，在一月十九日發表的「中蘇聯合聲明」中，有着這樣的文句：

（下轉第三版）

半週述評

黃河事件

在自由世界——臺灣——應該說，在所有人性社會中，人與人相愛，是兩個人之間的事，別人是不必過問的。

在自由世界——臺灣——應該說，在所有文明社會中，人與人相爭，也可以和平解決，也可以對簿公庭。

黃河事件，僅就黃河與紅綾女的關係來說，如果他們一直留在自由世界，這事的本身就單純得多了。至少，不會有兩個共黨出面替他們「處理家務」的。

「政治」小偷

不久以前，有一個蘇聯的女選手，在倫敦的百貨公司偷了人家的帽子。由于人證物證俱全，英國法院判她「小偷」；但是，蘇聯政府卻說，這是一個「破壞英蘇友誼」的「政治陰謀」。

于是，這個小偷在「政治」的理由下，先躲在倫敦的蘇聯大使館，又被偷偷送回蘇聯去了。

這本來也是件小事，但共黨卻把它從政治上擴大而變成政治小偷了。

瘋漢故事

最近，在紐約發現一個瘋漢，這個人在十多年內，一共投擲了三十多次炸彈，他以這種恐怖作為報復別人傷害他的一種樂事。

這當然是一種犯罪的行為，但是，紐約的警察局並沒有從政治上去研究他的犯罪動機，卻從心理上去研究他的精神。如果這個瘋漢在共產國家，如果這件事今天發生在鐵幕內部，將株連多少無辜？

海灘艷屍

在義大利，有一件很轟動的「海灘艷屍」的案件，牽涉到警察局長和前外長的兒子，因此共黨便得藉這件事攻擊「資本主義制度」。

眞相如何，必須要等義大利當局的最後判決。但筆者有一感想，假如這事發生在共產國家，假如這事的主角是赫魯歇夫或者是毛澤東、周恩來，「經過組織上的處理」，又是怎樣一種情況呢？

社會新聞

大陸的中共報紙，全沒有「社會新聞」刊載。事實上共產政權下並非沒有社會新聞，眞相是：小人物的社會新聞被擴大成「政治案件」；大頭目的社會新聞被「共產主義制度」掩蓋了。

這就是說，「共產主義制度」便利于少數人作惡，因為報紙的工具在他們手中，司法的工具也在他們手中。此外還有殺人不見血的特務等等。

制度問題

我們反共的動機，有人為了思想，有人為了錢財，有人為了失業，這都是不相關的。

我們不必一定要在每個反共人士的臉上「貼金」，把他們想成聖哲，為了最平凡的理由反共，生存、愛情、思想等等，這就是普遍的個例。

黃河事件，一方面是當黃河個人的遭遇；一方面在這個問題上反映了制度問題。

—司馬璐—

縱談內外局勢

——旅美通訊——

・胡秋原・

旅行中一天忽忽過去，總不能安靜下來寫信或文章。今日元旦，且以此信開筆，盡可能對目前問題及將來寫出一點感想，緊縮于三四張信紙之中。

（一）

去年中東及匈牙利事變，確為世局一重大變化之標誌。此決不如當初若干美國人所言，為世界兩極化之改變，反之，乃兩極化之加深。更可注意者，即美國聲勢之上昇，與俄帝瓦解之加速。又英法反俄趨向更強，而所謂亞非中立集團已在分化。東歐自由運動只有日益擴大。此自由運動已由匈牙利擴大至于俄帝內部。我素來相信俄帝確是紙老虎，赫某反史演說，為此事之告白，而波匈之變，則俄帝大崩潰之開始。而今而後，俄帝不僅永不能恢復此次所受之創傷，且永不能在世界上再採取主動。今年俄帝過年為德蘇戰爭後最不快之年，而今而後，俄帝將永無快樂之日，甚至無多少年可過，此我堅信不疑者。

（二）

我素信俄帝無倒勢，中共難倒。俄帝一倒，中共隨之而倒。今俄帝無可救藥，中共命運即已注定。吾人應大有信心。

（三）

美國反俄反共，毫無問題。美國一般人對俄帝共黨憎惡之心，實在吾人所想像者以上。此尤以匈牙利事變後爲然。昨夜紐約市夜半，時報廣場萬千人集在街頭歡呼慶祝新年，同時則歡迎匈牙利難民。艾森豪代表的雖然簡單，且未談反反共抗俄字樣，然美國人之心情，已十分顯然。誠然，美國人十分反共，然亦十分不願打仗。但有史以來，究竟有幾多人十分願意打仗？可是有史以來，充滿戰爭。我看戰爭祇是一個時間地點問題。或遲或早，或大或小之戰爭，是不能避免的。俄帝一天不停止侵略，也即一天不解除武裝，戰爭即不可避免。俄帝冒險，固然是戰爭；俄帝崩潰到一定程度，也是戰爭；因可一擊而潰，何妨一打？我看是終難避免的。

（四）

就此而言，世局確于吾人有利。我未到此以前，頗覺美國無承認中共及許其入聯合國之理，到此以後，尤堅此信。尼赫魯到此，為自己者多，其為中共游說，只是順帶公文一腳。他反自由中國是絕對的，但親中共是相對的。美國今日對英法游說置若罔聞，何至聽印度人游說？現在中共大罵狄托，而俄共又再捧史達林（我曾預言此事），都是很好的事。

（五）

然則吾人即將從此一帆風順乎？此又不然。美國人反共，因此對自由中國同情。然此同情不是十分普遍和熱烈的，因此亦有若干人主張對共黨有「現實」之政策，而對自由中國有不利之批評乃至誤解。今日吾人最當努力者，不在證明共黨之可惡，而在證明自由中國之有望。而此斷非口舌宣傳之事——何況明明中國人素來即不善于宣傳。（意即許多宣傳恐僅有反效果。）今日必須在事實上表現我們的團結，生氣，效率和合理，表現熱誠，責任心；法治或民主（二者是一事，即是實行憲法）。同時，凡足以引起誤會，飯柄，損失信譽之人之事，之言，必須避免。金錢上之合理，司法上之公平，言論自由標準之提高，是重要的；而反自由主義之言論，修改憲法之言論，我以為是有害無益的。

（六）

要之，敵人是在失敗之中，我們要特別謹慎，一面絕不為敵人所乘。執政者固當特別自強，而知識份子，亦當自奮。現在波蘭匈牙利之反俄反共運動，都是知識份子發動的，甚至蘇俄知識份子也動起來了。共產主義必敗于知識份子之手，吾人實當特別自豪自任也。

（下轉第三版）

敵人是在失敗之中，我們要特別謹慎，一面增強力量提高信望，一面絕不為敵人所乘。執政者固當特別自強，而知識分子亦當自奮。共產主義必敗於知識分子之手，吾人實當自豪自任也。

義共坐大原因剖視

·胡養之·

目前全世界除了蘇俄集團以外，而共產黨勢力最大的國家，應是義大利了。這次反對蘇俄在匈暴行的，也算義共表現最激烈。

十一個階層

義共的政治機構，是由一個頭袖掌握着，據統計其勢力所及，一共包含着十一個階層，由下而上，最下的一層是六百一十二萬擁護共產黨員的選民；第二層是二百一十二萬二百零八名的共黨員，外加青年團員四萬三千七百二十四名；第三層是十三萬九千七百八十一個「十人組」；第四層是五萬二千四百八十一個「細胞」組織，其中有一萬一千二百七十二個是屬於工廠裏的，一共統轄着工人四十一萬六千零一十七名；第五層是九千九百九十三個區分部；第六層是四百七十八個委員會；第七層是九十七個聯合委員會；第八層是全國代表大會，包括代表七百五十名；第九層是中央委員會，包括委員七十二名；第十層是指導委員會，包括委員十八名；第十一層便是書記陶格里亞蒂了。

俄「馬歇爾計劃」

它們的經費，單是一二百五十萬美元。其全中央委員會每年便花去一部的用費，每年總數達四千五百萬美元上下。黨的所抽的黨費極重。黨的本身也經營許多合作社及其他的企業，其收入可觀。還有黨員所主持的政府機關從承辦公家業務的商人所獲得的回佣。如果再不夠，它們便可求助於莫斯科，原來那裏也訂有「俄國的馬歇爾計劃」，不過那個援助卻不及美國的容易領取了。

義共黨的坐大，據該黨領袖陶格里亞蒂，指出下面三種成因：

政界的真空

（一）義國自經法西斯政權統治以後，政界變成真空，個中人大都陷於孤陋寡聞，國會裏的五百九十席議員中，除少數的大黨領袖以外，能夠起草一個動議案，和能發表一篇精彩演說詞的人也都很少。善辯的共黨得其所哉。而一般民主政黨的人士，原以艾克塔反法西斯派的，大都不好公開反對，以致義大利的國營廣播電台，直到去年九月為止，始終掌握在一個著名的共產黨人手裏。而帶領着警察去搜查共黨機關的法官，也居然會有共產黨員在內。

民生的困窮

（二）義大利本來就人口過多，國內可耕地祇有法國三分之二大，而人口卻比法國多。過去出國謀生的人，每年平均約在九十萬左右，大戰後，西方各國尤其是美國，都採取閉關政策，窮困情況更加顯著。曾經有個議會調查團發表過它的統計，說目下義國人民終年不知肉味的，共達四百五十萬人以上。這當然也是共產黨乘時崛起的最好機會。

目前與今後

（三）目前意大利人有一種流行的錯誤，就是以為智識淺薄的地主富豪組成的上層階級，也只知道以最怯懦的手段，企圖以結好共產黨，有些工業家他甯願跟共產黨打交道，而不與自由工會談判。因為他們怕共黨搗亂而不怕自由工會。

還有一種錯誤，就是義國反共政黨的領袖人物，以為單憑經濟改革的方案，就可遏止共產黨的勃興。但自從義大利在厲行土改計劃以後，共產黨所獲的選票依然有增無減。在今後的短期內，義大利是不會發生共產暴動為俄共操縱以至奪去政權的。因為義大利人讓共黨坐大，原是為了一時的便宜。由於農民以為土改的實施，是政府受着共黨的威脅；工人們以為有了共產黨，他們才能爭得較高的工資，不過是為了爭取當前的一點利益罷了。

日蘇外交戰開始

日拒蘇俄增加通商代表要求

（本報東京快訊）蘇聯駐日公使琪夫斯基十八日往晤日外務省次官梅崎，就設置蘇俄駐日大使館及通商代表部問題徵求日方意見，日方原則上同意，但對於蘇俄所要求通商代表部人員多至十五人一點，目前只允以五名為限，琪夫斯基對日方的表示頗為不滿，謂要向克里姆林宮請示後再決定，因之未得要領，看來雙方尚待經過再度「要價還價」。照蘇方所提要求，通商代表部要十五名工作人員，那麼大使館人員一百名似亦不為過，這正是俄共以公開身份來日從事赤化日本工作的大好良機，亦為外交上的「人海戰」。據悉日本當局對此已着手加強日警工作，監視蘇駐日人員，實則捨此亦無它法，就看將來雙方如何鬥法了。不過從蘇聯駐美、加、英外交官員之兼做特務，偸竊原子秘密手段之「高強」來看，日本的煩惱還在後頭呢！

又訊：日本派往西德的四十九名礦工已於十八日首途赴德，據說這是日德兩國去年六月會談的結果，這批工人是日本十九所有名的煤礦裏挑選出來的，至於第二批派遣人員日方表示要視第一批人員在西德所享受的待遇再為決定的，日本對外移民的手段向極為人所稱道，而政府也確能妥善按排，只要看過去和現在南美洲一帶日僑移植的成績即可證明。向西德發展之路既已打通，日僑今後必將源源前往西歐工作。增加對西歐的移民。（光裕一月廿一日寄。）

讀者論壇

不必「憂心如焚」

——讀彭楚珩先生質疑後——

·莫非·

拜讀一月十二日自由人報，讀者論壇彭楚珩先生的大作「就教於傅正先生者」一文後，內心浮起一片感慨，想對彭先生談談。

筆者也先得申明我也是一個老百姓。今日過着民主政治生活，遇事大家談談，這是好現象。無論如何總是有理的。眞理是具有客觀性與普遍性，眞理是愈辯愈明的，無論何時須知不同，不礙相通，相通之後亦未嘗不可和而不同。彭先生對於「自由中國」祝壽號印行至七版之多，竟是感到「憂心如焚」，其理由謂「不外由於三：一是社會心理歡迎新奇，二是求快一時，三是社會情形是不健全的」。我大不以為然。彭先生似乎忽略問題的側面，而顧輿論的重要性。

民主政治是要從一點一滴的不斷爭取建立起來，當日的「自由中國」連續累積的批評政府施政得失，即屬現社會的反映和輿論的力量，他們出於愛國的動機，唯其愛護愈深，期望愈切，批評也愈求深刻。至於讀者的擁護又何嘗不是擁護。如果說社會人士對現實的政治漠不關心，好壞皆不去理它，無非是對現狀感到了無望，其後果才眞是可堪虞呢！報紙雜誌以及得個國民都負有批評建議和糾彈政府的責任，如果只是對政府一味歌功頌德，不敢直言評議，與歷代的佞人何異？稍有智者所不取，亦非眞正「忠貞」者所願爾！

人類之異於其他動物便是人類有說話的本能，用說話去解決爭端，只是需要講話的人，因此我們相信說話本能的努力是要尊崇的，推崇如是人類的尊嚴。

今日所需要的是尊求事實，尊求眞理，有自由獨立人格，敢說老實話的人，因為這樣的人才可以希望有益於國家社會。「自由中國」祝壽專號印行達七版之多，正是可以證實我國民主自由的精神向前邁了一大步。怎麼不令人歡呼呢，又何至于「憂心如焚」呢？（一月十四日，台北）

「一窩風主義」的台．灣．報．紙

·華震·

固可謂為報人缺乏創造力亦由于報業受限制所促成。

台灣通訊

（嘉義通訊）論版面，台灣的報紙較大陸時期是美化得進步了，但在內容方面，顯然在開拓不出一條新路之前，還是很難跟得上去。固然台灣環境幅度太小，一切的變化很多也微不足道，——但就報紙來說，「一窩風主義」，也是故步自封的主要原因。

看過台灣報紙的人，必有普遍的大同小異的感覺，讀者訂了一份報，實在說不上有訂第二份報紙的理由。因此，新聞業不惜拉破了臉作業務競爭，但競爭了數年，全台總發行數三十餘萬份，還是這個數目。各報當局也明白，不從內容上求改良，這個總發行數是無以突破的。

且看台灣報紙的內容，全台十家日報，要聞版都是刊載類同新聞，國際版也都千篇一律；雖然中央、聯合、新生間有刊載美國、日本等的國外通訊，但沒有一家報有菲、泰、越、韓、星、港，較近台灣地區的通訊，即使有，那便是各報都能刊出的中央社通訊。省市版是報社記者賣力的地盤，但也大同小異，中央、新生、中華、公論採混合編法，聯合、徵信另闢社會版。經濟版，首推徵信新聞，近來聯合報也在迎頭趕上，重點放在台灣特產及市場剖視，很能迎合來台僑胞口味，其他各報除台北行情外，都不很重視。通訊版，因欲刺激外埠業務，佔各報一塊很大篇幅，競爭殊為厲害，但當某報展開新的攻勢時，他報也必迎頭仿效，原來獨有的特色，乃也平分秋色。副刊方面，過去都是方塊文章和小說，掌故，最近有往娛樂方面發展的趨勢，此也皆受聯合報的「藝文天地」和徵信新聞的「生活沙龍」幅射的影響。雖然這是現局面，中間或有變化，但沒有一報的特色，不染及他報的，這就是筆者所要指出的「一窩風主義」。

聯合報是開社會版的先例的，因為社會版的賣座，影響到三家官報的業務，三家官報後來也「變節」了。畢竟這是易走的路，兩年前，徵信也跟上去了。

一窩風主義的形成，固可說是報人缺乏創造能力的證明。但是，政府對報紙的限制也為促使報人走上這條路的另一原因。台灣報紙執照，現正受着限制，沒有新的血輪，不會使報紙內容蓄起競爭。因為執照受着限制，老的執照都在私相轉讓，新的報紙即使能以新的面目與讀者見面，其不夠出版法規定的資金，一樣會使新的力量倒了下去，于是這「一窩風」也就益加風行了。（一月廿二日寄）

讀者來書

編者先生：素仰貴刊言論公正，茲將質疑數點如下：

一、考選部去年高等檢定考試漏榜案，考生周榮會依法（檢定考試法第十七條規定，成績及格人員應予放榜。）申請重予放榜，考選當局迄未置理。不知何故？

二、又中醫師考試勾結作弊案，業由司法機關依法追訴。該次考試總考人數上千，而考選當局對應考試卷，僞僞成績，未作善後處理，又不知何故。

所述兩點，幸賜篇幅披露，以候釋疑為感。此頌

撰安

讀者馬元成敬上（一月十四日）

阿里山下

該想點辦法

近據台北「聯合報」專訪報導，春節前市場蕭條，商人因受銀根奇緊影響，為求周轉，不惜削本求售，業內以遠期支票交易，更比比皆是。此一現象，豈止反映商業危機而已？我「財經內閣」執政多年，我想還該想點辦法吧！

不該熟視無覩

台中縣清水鎮大甲溪底，近又發生廢彈爆炸案，當日死亡即達二十七名之多，重傷三十餘人，輕傷數十人；起因是居民往靶場檢拾彈片，而闖觸廢彈所致。對此類拾彈事似乎是小事，其實與人民生活、生命攸關，也不該熟視無覩！

是好國民

基隆市十六歲初中學生蔡森旺，家僅有六十二歲半身不遂老祖母，祖孫二人，相依為命，蔡生於勤苦好學之餘，且能克盡孝道，數年來如一日，近經該市市長謝貫一獎狀，這種好國民，社會不該積極鼓勵嗎？

請替小民說話

近據台北市政府統計，新聞雜誌出版業，截止四十五年年底為止，經登記獲准者，有報紙十三家，雜誌社三三八家。僅以數字而言，固不可謂太少，如都眞為民喉舌，輿論大可以伸張了。

閔博士臨別贈言

瑞士反共民間組織自由和平協會主席閔士德博士，近於訪華返國前表示，認為我國應在歐洲多多從事宣傳工作，以增加歐洲自由人民對我國之了解。閔博士此言，豈是無的放矢，值得我們深思。（一月廿一日）

編者　讀者

（一）台灣林其清先生：來函談及「台灣手冊」及黨員從政問題，對若干不肖人員借此為非作惡，深惡痛絕；其對當局期望之殷，亦溢言表。拜讀之餘，深有同感。

（二）台灣張非平先生：大作「美援會員工待遇更正之更正」，對於一月九日本刊所載「行政院新聞局的更正來函」再有所辯正，雖亦「言之有據」但此事社會大致已明瞭，請恕不再刊出。

（三）台灣華忠國先生：寄來「論一人競選問題」一文，談及最近台灣有一位署名斤父的作者在台灣黨務發表一篇『一人競選』問題的分析文章，其中有幾點似乎是影射本刊對台灣地方自治的報導，有所辯正。並承大文根據事實辯正，甚感愛護本刊，惟本問題擬不再論列請諒之。（編者）

葛雨、觀者、斂之、任不平、丹士諸先生，請示通訊地址。（本報啓）

因停止教授津貼學生補助 十五教授對兩基金會不滿

教育界人士望事件能獲得滿意之解決

【本報訊】最近，本港十五名教授和亞洲基金會及孟氏教育基金會這兩個教育機構之間的糾紛，曾引起本港教育界人士廣泛的注意。關於此一事件的誰是誰非，外間人是很難判斷的，但每個人都願意看到此一事件獲得很滿意的解決。

事件的起因，是由於亞洲基金會及孟氏教育基金，對於本港七間私立專上院校，向有教授津貼及學生獎學金補助。但自去年中，該會於聯合書院組成後，即宣佈採取新政策，由本年二月起，除聯合、崇基及新亞三校之教授與學生仍得申請津貼及獎學金外，其餘未有加入聯合書院的珠海、香江，及廣大三書院均不得申請。

當這個「新計劃」尚未向外界正式公佈的時候，已經在學生之間洩露了。原獲得助學金補助的珠海等三校流亡學生，馬上展開了呼籲的工作，幾經奔走，始獲亞洲基金會的主席布宗鐵牧師答應考慮，所有由兩基金會補助的一筆款，移作該三校學生助學金之用，以維持原有的助學辦法，然最後三院校的十五位教授，對此提出了異議，並且向該兩基金會去函請求解決並收回是項決定。

[illegible]基金會成立與存在的原則之一，即係對於有價格的流亡教授，予以有穩定收入的保證；並對需要資助的流亡中國學生，予以支持與鼓勵，使得受大學教育，此一[illegible]。但去年夏，孟氏基金會突然採取一項新計劃，即要求在「聯合書院」之名義下，將原有的七間專上院校合併為一間新校。

此十五位教授之函內，有：「吾人認為各種合併辦法，匆促複雜，在高等教育中，當無成功可能。因此，珠海、廣大及香江三書院，經過將整個局勢審慎考慮分析之後，乃決定不參加合併。當時吾人並不懷疑：如果一書院不參加所要求之合併，即喪失其最有歷史性的名稱，及受指控，則其處罰將為停止教員援助及學生援助。[illegible]如是所節省之經費，實際教育有限，殊不足以建設一間新院。且如所週知，所有受助之教授，並不能全部為合併之四間小書院所收容，而全部受助學生，亦不能進行被迫轉往該四校就讀。然而孟氏基金會卻堅持，不參加合併的院校即不能受助，是顯然漠視各校如無援助，則無法聘請，各教授可能被迫捨棄其終身職業，並影響學生向別處求學的事實。孟氏基金會對此舉，無異違背其原來援助流亡之學校與學生，並使其繼續站在自由旗幟下之原則矣。」

上述的原函送由十五位教授聯名簽發，送亞洲基金會總會及孟氏教育基金會，希望能夠維持原案。但據亞洲基金會香港負責人的公開解釋：亞洲基金會支持發展之原則，並認為許多小型院校，欠缺發展之合作，是高等教育質素參差不齊，發展之最大阻礙，故基金會方面認為八間院校合併之後，認為符合金會方面原則，須全力支持，目前該基金會方面已表示，該會支持之對象將是合併後之聯合書院。此乃該三院校當局及教授所已明知者，因此對於撤消津貼一事，並不[illegible]而已，因此基金會方面並不能因此改變他們的原則。

孟氏基金會代主席布宗鐵牧師亦同時表示，聯合書院乃為改進高等教育現狀的實際辦法，可惜三院校[illegible]。今後所協助者祇為聯合書院[illegible]。因此三校教授請求恢復津貼的成功可能性已甚微。

大陸抗暴事件實例

·余達凱·

一般情況

（參閱第一版「匪區大陸自由運動」一文）

在必然的發展之下，大陸人民的抗暴事件日益加多。一九五一年僅廣西一省，即殺死共幹七千二百一十九人，[illegible]萬五千六百餘間（據廣東省府報告）。一九五四年一月到一九五五年五月，大陸各級「人民法院」審判的「反革命」和破壞案件共有三十六萬四千六百零四件（偽司法部長史良報告）；一九五六年底止，[illegible]之：十年間，大陸上平均每年大約有四十萬件是關於人民抗暴的案件。

[illegible]比往年多十倍「廣州市內的特務，準備對我省市黨政機關，軍事要地、市區重要橋樑涵洞、車站、自來水廠、電廠等六十多個目標加以破壞。反革命份子，尤其是在九龍事件和匈牙利事件發生後，又企圖死灰復燃」。又據同年十二月二十七日「瀋陽日報」刊載瀋陽市中級法院院長宣浩中的報告：從五五年下半年起至五六年九月底止，該院處理了「反革命案件」二千零四十件。甚至中共內部亦常有反共份子存在，據偽公安部長羅瑞卿在偽人代會三次會議上供認：「一年來，還從我們國家機關內，從共產黨和各民主黨派內，從各人民團體和人民解放軍內，以及從知識份子的隊伍中，清查出一批暗藏的反革命份子和破壞份子」。

工人方面

其次，就共區工人與農民的破壞情形來說：據中共第一機械工業部附屬各廠不完全統計：僅一九五四年上半年因工人破壞發生的設備事故達六千餘次，損失機床五千一百餘台，停工十三萬二千台時，粗略計算：損失「人民幣」達二百一十六億六千餘萬元。（「機械工人」月刊五四年九月號）。上年入冬以來，共區各企業，工人更藉失火而焚毀企業，如武江、甘肅永登、黃河三門峽、成都、[illegible]等地的基本建設工地，曾相繼發生大火，使共黨遭受嚴重損失（一九五六年十二月二日「工人日報」）。

至於怠工和曠工現象尤為普遍，據本年一月二十一日「人民日報」所載：共區較大企業[illegible]最多的一天達到一千個工作日。如柳州市農業機械廠的工人經常藉故不上班；撫順老虎台煤礦發現在井下睡覺的有一百一十八人；大同煤礦工人因為請不准病假，便找其它藉口毆打共幹，據說這樣的事在幾個月內發生了十九起。他如上海安封醫療機械廠的工人則實行怠工，或故意消耗原料。

農民方面

農民方面，由於不滿中共的合作化運動，各地亦發生有不少的抗暴事件。據上年四月八日漢口「長江日報」載：湖北的鄂城、監利、洪湖、沔陽、安陸、石首、江陵等縣內都有「反革命」的組織出現，在各地屢次造成破壞事件。浠水縣[illegible]更出現有「反共反蘇大藥團」組織，[illegible]好了「興軍冊」，準備了武器，計劃進攻[illegible]

[illegible]

青年方面

青年方面，自一九五六年下半年以來，普遍滋發着反共情緒，據「中國青年」半月刊透露，他們[illegible]「看得一文錢不值」，身上下一無是處；[illegible]嫉惡如仇，恨不得「將他們打死」。[illegible]一般大專學校學生，以民主之名，到處[illegible]這學期來，一再出現[illegible]了共黨的計劃後，[illegible]以「大快人心」的情緒，互相傳言，[illegible]。因此，[illegible]專文和討論，強調[illegible]

其他方面

此外，表現大陸人民的反抗的[illegible]

[illegible]

癌——一種文明病

·陳永昌·

近年來因患癌而致死亡的人，世界普遍有增加的傾向。然關於癌的原因，至今尚不明瞭。如果不是及早發現它，則無法能予治療。癌的預防，實際也沒有確實的方法，祇知道，[illegible]關於癌的常識，對癌的預防及早期發現，[illegible]

癌因兩說

癌症不屬傳染病，而由病原菌造成，其原因可分為如下兩說：（一）內因說：據遺傳學說，癌有遺傳性，即父母因胃癌而死的，其兒女若好飲酒，亦易因胃癌而致死亡。但因為好飲酒就會患胃癌，祇是俗說，[illegible]即使主張刺激說的學者，也沒有說過那樣的話。（二）刺激說：這又分為兩種：一是根據實驗的結果，日本的山極[illegible]博士，曾[illegible]兔的耳朵，以人工製成癌[illegible]。[illegible]牛酪色素混入大黑鼠的食物裏，在兩三個月內，可使那種大黑鼠生肝臟癌起來。這樣的物質，叫做癌原性物質，據刺激說的意見，隨着科學文明的進步，各種新的癌原性物質，會在不知不覺間侵入人體。

外界誘因

說到外界環境和癌的關係，像爪哇及日本那樣，以米為主要食物的地方，以患肝臟癌的人居多，而入浴次數多的中國人，則以患皮膚癌的人佔多，但日本人卻少患皮膚癌。至於日本奈良縣，多人患胃癌及食道癌的，據說是由於該縣農民常食熱粥的習慣使然，而常飲伏特加酒的俄國人，亦同樣多人患食道癌。因為以上這些事情來看，不斷地被特殊環境，往復予以同樣的刺激，雖然不能說是癌的原因，但卻可說是癌的誘因。最近美國也說，隨了烟草消費量的增加，肺癌是比之十年增加十倍。

癌的種類

大致而言，癌可以分為體表癌（皮膚癌、口腔癌等）和內臟癌兩種。據日本的統計，日本人的患癌者，約有半數屬於胃癌，肝臟、直腸癌、小腸癌等在內，消化器系統的癌症佔全體的八成。許於日本婦女所患的癌，子宮癌佔百分之二十，乳癌佔百分之十[illegible]，其餘便是胃癌，直腸癌等。據說，患乳癌的人是以結婚後而未有生育，或生了兒女而不授乳的婦人居多，不過未婚的婦女也有患乳癌的。這以年齡來統計，多是四十歲前後的人。至於患子宮癌的人，也是以已婚的四十歲前後的人佔最多。

癌的治療

癌的治療，絕對需要及早發現。那若是生在身體外部的癌，較為容易發現，而且用放射線可把它治癒，但身體內部的癌，卻是很難早發現的。這，當然是由於癌症沒有肯定症狀的緣故。但卅歲以上的人，倘發生有原因不明的食慾不振，或因消化不良，胃痛，胃內膨脹而致慢性痢瀉情形，不要倚靠自己的療法，祇服胃散便算，而姑且懷疑此屬發生癌的象徵。喉頭癌的象徵是不明原因的聲音沙啞；子宮癌是會出血；乳癌是在乳房中有些硬塊，遇着這樣的情形那最好是找有權威的癌症專門醫師，接受診斷。癌症的治療法，目前有手術和放射線療法，而由於癌的症狀及部位，其治療法各有不同。至於藥療法及注射療法，直至目前，沒有一種是能以學術證明具有治癌的效能的。

最新手術

美國紐約癌症防療紀念醫院醫生最近發明治療癌手術的改良方法，希望乳癌治療的可能性將因此提高。一般外科醫生施用手術割患者乳房時，同時將癌症細胞蔓延至身體其他部份的通道割除。這通道可通至腋窩下的組織。這醫生認為癌症細胞的蔓延尚有其他通道，直通胸骨以下的助骨。事實上，這條通道都應該割除。經他施用新法割治的癌症病人約九十名，其死亡率並不較兩道單割一邊通道者為高。其中三十七宗患者體中的癌症細胞祇蔓延至胸骨附近現已割除而一向所未割的部份。這證明于氏理論的正確。但是這種手術的真正療治價值現仍無法確定，必需假以五年時間，以觀患者施用手術後的情形如何而定。

預防方法

確實的預防法雖然沒有，但祇要根據刺激說，不予身體以偏向的刺激，那也有預防的效果。尤其是近親曾患過癌的人，更應多往意這一點。熱茶，熱的食物，水果類，及其他偏向於一樣的食物，都是會給胃以同樣的刺激，並使其過勞。又，胃血管神經衰弱的人，即使隨時加以留意，也容易患胃潰瘍，日久的潰瘍及慢性的胃炎，有時也會變為癌症。總之，癌這種東西，雖然不能簡單的可以把它解決，但經常過着有規律的健康生活，那大可以說是避免生癌的良法吧！（本文取材自美國「科學文摘」及「新聞週刊」。）

周恩來偽裝友善 限制旅緬華僑政治活動

緬共統戰則在擴展中

【本報仰光航訊】一月十二日本報六二期報導周恩來對宇努「保證」不作顛覆活動，使[illegible]任總理。現對於上述消息已獲進一步之證實。

本月十五日，緬政府宣傳部發表了周恩來在仰光對華僑講話的英譯本，[illegible]他表示「華僑[illegible]不應參加緬甸政治活動，不應參加緬甸政治團體」。周恩來的話顯然[illegible]作用，因為他又說了：華僑可以回到大陸去參加了共黨組織的華僑，他自己雖或不想在居住國搞政治活動，但設想中共會不命他搞嗎？那末周恩來[illegible]

又訊：緬甸的共黨地下活動事實是[illegible]，所用的「緬甸國內和平組織」主席德欽哥都[illegible]共黨地下力量進行和平談判，消除彼此間的不信任[illegible]。這個組織的主張和態度，顯然是一種統戰姿態，所[illegible]的影響力在逐漸增加，宇努本人對共黨[illegible]緬甸[illegible]欽哥都[illegible]出面搞該組織。

按「緬甸國內和平組織」係於今年一月[illegible]成立，主要人員除主席一職外，尚有吳瑞彪任書記。

自由談

何苦乃爾！

馬五先生

最近接到在台灣發行的一本刊物，內容是以反自由主義爲中心論據的。從學說思想的立場看，不特自由主義可以批判反對，任何一種學理皆可以研討評騭，或贊或否，祇要言之成理，持之有故，則愈辯而愈明，總是有功於世道人心的工作，所謂百家爭鳴，正是文化思想高度昇華的現象，詎不懿歟？

可是，我張開這本刊物，首先拜讀它的頭篇社論，讀到：「共匪深知我們的領袖是反共的先知先覺……他們攻擊不了，便轉用另一個手法，造出所謂『三無』與『三不』的謬論，即是不反共，不革命，不負責；無領袖，無國家，無政府」這段駭人聽聞的高論後，就實在讀不下去了！

談「三無」與「三不」之說的，或許是「謬論」，但無論它「謬」到甚末程度，總不能加以「共匪」的惡名吧！三十餘年前，北洋軍閥對於異己的言論主張，動則指爲「赤化份子」，連「馬氏文通」亦在查禁之列，想不到今天尚有人薪盡火傳，在言論上隨便以「共匪」帽子亂拋到別人的頭上，寧非咄咄怪事！胡適之所談的「三無」理論，何嘗是「無領袖，無國家，無政府」的意思？唐筠卿的「三不」主張，又何嘗有「不反共，不革命，不負責」的迹象呢？原文俱在一目了然，豈可隨便歪曲臆扯，加以厚誣的。要駁斥「三無與三不的謬論」，原有很多正大的道理可述，不此之圖，而以胡鬧臆扯爲論據，自彰其知識淺薄貧乏，倘慰炙要，因此而喪失了社會大衆的同情，甚至激起反感，徒然弄成幫倒忙的結果，損失之大，無可補償，眞是何苦乃爾呢！譬如我就是不完全同意「三無與三不的謬論」者，但一看到這類不講理性，不重邏輯，專以造謠誣陷爲能事的反駁文字，基於正義感，反而要替那些談「三無與三不」思想的人，代鳴不平了。

唯智慧可以制敵，唯道理可以服人，魯莽滅裂的言行，是無濟於事的，這是我的一點愚見，希望大家考慮則個！

憶文壇宿將王統照

•彭子•

三十八年大陸撤退的時候，有人勸王統照離開青島。但他的意態極爲消極，只說「這樣大的年紀了，死了也好」！於是，由青島撤退的船舶中，便少了王統照的影子。

上三十的人大概都知道他，近傳他已不容于秧歌王朝。

提起王統照，三十歲以上的人總該不陌生。他是五四運動後的文壇健將。在中國新文學的歷史上，他佔有一席重要的地位，他是「文學研究會」的老會員，也是「幹部作家」。曾主編過北平晨報副刊的「文學旬刊」，後來在民國廿五年又與傅東華主編上海生活書店印行的「文學」月刊。七七戰前的王統照，是曾馳譽國內的一流作家；其地位絕不下於以後的巴金、茅盾、老舍等左傾作家的。

實而不誇的山東作風

也許由於地理上的緣故，王統照的「民族性」，始終保持着穩健紮實而不誇張的山東作風。他從生活到作品，沒有半點流派氣味，雖然他曾久居過滬濱，從事文藝工作。正由於他的穩健紮實，所以他仍能保持學者的風度，一面做文學工作，一面教書，從未直接參加過政治活動。

他在抗日勝利復員後，忽然思鄉心切。國立山東大學校長趙太侔，知道他思鄉的消息，立刻聘他回青島任山東大學的文學院長。王氏抵青後，依舊蟄居執教。當時青島第一大報民言報，曾經請他主編一個文學週刊。但編了沒有幾期，便因稿件不遂心的緣故而辭掉了。山大的學生深知王氏苦心，便集資請他辦一個文學刊物，因大局變化，亦告中輟。直到青島撤退，有人勸他走；他嘆息答道：「人不幸而活在這個時代，又幸而遭過了這多的折磨，酸辣苦鹹都嚐透了，死生早置度外，年衰又沒有大用，我還是等死算了」。因此，他找了個郊外的小茅屋，準備種菜以霽殘年。大家撤退上船時，他還給友人們置酒餞行呢！

多方面的文學創作

論造詣與歷史，假如他今天在台灣，是有他的地位的。但也有人說，假如他今日在台，亦未見得不受人排擠。論他的作品，如長篇小說「黃昏」、「秋實」，「一葉」等，短篇小說集「春雨秋夜」、「霜痕」等，詩集如「童心」、「這時代」，散文集「片雲」，非今日自炫爲作家的成品所能比擬。

他在文學上的創作，是多方面的，可說無所不能。左傾而後投共的詩人臧克家，就是王統照一手培養成的。臧克家的左傾作風，深爲王所不滿；蓋王爲臧的老師和親戚，不願臧的才幹因此而自毀其前途也。

鼻架着玳瑁近視眼鏡

近聞傳言，王統照已被迫回鄉。是否會受清算鬥爭，不得而知。但照他的性格作風而言，不見容亦不肯容於共黨秧歌王朝，乃意中事；故其沒落的命運早注定了。

王氏數十年來，始終是身穿長衫，鼻架玳瑁近視眼鏡，走起路來一派斯文。講話雖仍不脫魯南的濁音，卻很易使人聽懂，尤以語無濫調，略含幽默。王氏山東諸城人，字劍三。今旅台諸縉者，猶多能道其中年以前的軼事趣話。

多瑙河的顏色

•超民•

發源於德國巴敦南，長及一九二五里的多瑙河，由於史特萊斯「藍色多瑙河」一曲，其名字已不只於地理的，而且及於藝術的，掛於人們的口中。

是的，多瑙河流到了維也納及布達佩斯的一段，確乎是美麗的，所以把音樂的天才史特萊斯的心魂打動。聽了「藍色多瑙河」一曲，即沒有遊過的，也知道多瑙河是藍色的：迷人的景色，醉人的情調，顛倒了衆生。

但是，布達佩斯，於十一年前由於匈牙利被匈共統治了之後，做了蘇俄的俘虜。布達佩斯一段的多瑙河，遂在赤色恐怖之下，不再藍色而赤色了！十一年來的多瑙河，其景色已不迷人，其情調更不醉人，史特萊斯的名曲，已被史大林的劣曲代之。多瑙河的顏色是變了，變得了令人不能看，甚而不敢想。

但是，到了去年十月廿三日，由於匈牙利的作家及學生發動反赤鬥爭，作爲共黨的當政者納基，也不能完全忘記了藍色的多瑙河，可是過了自由的十二天之後，蘇俄赤色帝國主義的眞面目一露，革命志士的血，又把多瑙河染紅了。

據說：俄軍把匈人殺死之後，將其尸體掛在多瑙河的河橋上，血流入多瑙河中，水亦爲之流紅。多瑙河的顏色，如此的，由柔媚而恐怖，再而悲慘。俄國的曲子，依舊是史大林的，正在演奏着，紅色的多瑙河，此曲豈徒匈國有，東歐到處可得聞！

藍色的多瑙河，還早有一天要由紅赤而歸回藍色的罷。音樂天才史特萊斯的靈感乎歸來！

故事新編

楚霸王

衛民

可是我們大王是百戰百勝啊！爲什麼現在老打敗仗？」那一個兵又補咀問一句，更勾起你的談鋒：「什麼百戰百勝，大王用的叫做人海戰術，趕老百姓去衝鋒，等到對方殺够了，我們再一鼓作氣的攻上去，自然就打勝了，你想一想，仗也打了幾年，爲什麼我們這八千人總沒有多大傷亡呢？那死的全是起義官兵和鼓擄人士啊！但是到了現在還有什麼辦法，也沒有人再上當，明天再同漢兵交鋒自然死的是我們這一堆了。」說到這裏，他看原先發問的那個兵說：「老哥，你哭什麼」。「我怎麼不哭呢，家中父母妻兒都日夜望我回去，明天死在這裏，也沒有人知道啊！」「你才傻呢？」「必要時不會把鎗一摔跑回家嗎？」「底下他們小聲議論已經聽不眞切了」，可是霸王卻像攤瘓般地倒在枯樹幹上。

四面帳蓬裏傳來一種淒涼的聲音，霸王細聽知道是楚歌，兵士們又犯了思鄉病了。漸漸的歌聲好像傳染病一般，每個帳裏都在悲哀的唱着懷鄉的調子，霸王不由得也勾起了鄉思，癡癡的站在那裏聽，明日的問題也無暇去打算了。突然歌聲一住，有人在喊着，弟兄們回家吧！我們不要再幹他媽的了，緊接着是一片吶喊，各帳篷的士兵們都背起包袱四散了。帳篷刀槍，也沒有人管，丟在月光裏，隨寒風發抖，這個殘酷的場面，把霸王竟看得發呆了。

氣急敗壞的回到帳來，虞姬還在孤寂的坐着，「大王怎麼出去這大時間，酒都涼了，要不要再溫一下。」霸王搖了一下頭：「大局完了，兵士都散了！」「怎麼散了？」虞姬站起來問：「是的，一片歌聲過後大家都散了。」「天哪！」虞姬頹然地坐下，霸王端起涼酒一揚脖子喝下去，手撫着寶劍說道：「看情形漢兵攻擊恐怕等不到明天，我已經對你弟弟說集合殘餘隊伍，馬上就出發，只是你一個弱女子實在不能追隨突圍，我預備把你留在這裏，好在劉邦也是一個好色之徒，他們決不會傷害你的……。」「什麼！」虞姬倏的站起來厲聲的問：「大王你說的什麼話，你把我看成你部下那般毫無廉恥，陣前起義自動擄的人，那……大王你太不知心了」虞姬在哭泣着，突然虞子期進帳說：「天已四鼓了，四面還隱然聽得畫角聲，不能再耽擱了，請大王馬上就出發吧」。霸王唔了一聲，看着虞姬，這時她卻不哭了，說：「既然這樣，請大王寶劍借給我，舞一回以作分別紀念好嗎？」霸王這時方寸已亂，無可無不可的把劍遞給她，虞姬冷笑一聲道：「大王永別了」寶劍望粉頸一抹，早已鮮血四射倒在地上。

第二天，有人看見烏騅馬沿江悲鳴長嘶，紛亂的世界卻平靖了。

（三）——完——

同光風雲錄

吳梅

吳梅，字瞿安，一字靈鵠，號霜崖，江蘇吳縣人。繼王國維後而治詞曲。發其條例，析其聲律，集詞曲之大成，邁前賢而啓後生，稱詞曲大師，信不誣也。

一、參加南社顯露頭角

清末江左文士，喜談革命，而文學依然篤古，詩唱唐音，不尚西江，文貴擬漢，亦非桐城，而無一定宗派，惟以推翻滿清爲宗旨耳。因於光緒己酉創設南社，推吳江柳棄疾爲盟主。而革命鉅子，如黃克强，汪精衛，宋遯初，于右任等，亦皆參加。瞿安以少年英俊之資，爲社員之一，嶄然露頭角矣。

春秋佳日，輒爲文酒之會，其集地則多在上海之愚園。慷慨悲歌之音，叫囂亢厲之文，積久而成鉅帙，乃印行南社叢刊，分詩、文、詞選三種，幾自許與杜少陵史相近也。

二、痛悼六臣詞哀秋瑾

瞿安專治曲學，嘗言：『詩文詞並稱，余謂詩文固難，而古今名集至多，且論文論詩話作，指示極精。惟詞曲最難，而曲尤難。何者？詞自南唐，兩宋，名家著述，易於購取，學者有志，尚可探索。曲則自元以還，關、馬、鄭、白之作，不可全見；吳興百種而外，存者不多。……所據者，不過西廂，琵琶，數種而已。』因作「風洞山傳奇」，顧仍爲詞，未能度曲，心輒怏怏！乃取古今雜戲傳奇，博覽深究，無間寒暑，積五年之久，遂入門矣。

戊戌之變，譚嗣同等六君子鼎首都門，瞿安聞而哀焉，爲譜傳奇，名曰「血花飛」，其大父見之，懼以文字賈禍，取其稿付諸一炬。又嘗用越調「小桃紅」一套，爲賦吳江陳去病題徐寄塵女史「西冷悲秋圖」，圖爲哀悼紹興女俠秋瑾之以革命被戮乎墓而作者，其詞曰：『半林夕照，照上峯腰。小墓多青少，有柳絲數條。記麥飯香醪，清明拜掃。怎三尺佩墳，也守不牢？這冤怎標了？土中人，血淚拋，滿地紅心草！斷魂可招！你敢也是俠氣陰風在這遭！』此詞詞采葩發，傳誦一時，瞿安之才名，噪於海內矣。

三、罄竭所知詔示後學

瞿安藏曲之多，一時無變，南北遨遊，手自搜羅者逾二十年。益以朋好所貽，弟子所錄，架積日多，蓋六百餘種，可謂富矣。其論詞曲之遞變有曰：『我國文學改良之迹，皆由自然，非一二大文豪所得左右其間也，自樂府不能按歌，而唐人始有詞。太白，香山開其先，至飛卿而其藝遂著，南唐，兩宋更發揮光大之，於是詞學乃獨樹一幟矣……』

從古文人，慣喜自秘，以爲名山之業，不可輕傳於人。瞿安則曰：『曲學之所以不昌者，無他，在識曲者之務自秘而已矣！……夫文章天下之公器，非我之所能獨私，何必靳而不與至於是哉！』於是罄竭所知，著心分明，啓曲學之途徑，詔來者以不誣焉。因著「顧曲麈談」四卷。其他詞曲之作，更僕難數矣。

瞿安歷任北京大學，東南大學教授。以民國二十八年，病死雲南，時値抗戰軍興，飾終之禮，草草了事。而詞壇隕此鉅星，識與不識，皆深驚悼也！（八十八）

夢山樓

中國廣播公司元旦團拜賦此相勗

•梁寒操•

神州漸聽起沉淪，光復終誠及此身；薯樹花紅知賀歲，盈階草綠待嬉春。擔寒心未輸松柏，捧日誠堪質鬼神。瑤島雞聲聲正厲，天涯休悵未歸人！

攜彭彭步登指南宮

用均默先生韻　•彭楚珩•

憑高聽海惜沉淪，雲影山光蓋一身；三界果然無色相？寰瀛卻自有芳春。泉行絕壑聲如吼，詩在孤峯句入神；趁與呼兒歸去罷？長林夕照正催人！

（丁酉正月初于台北）

自由人

THE FREEMAN

（第六二三期）

中華民國僑務委員會登記證僑發台字第一零二號
中華郵政登記認爲第一類新聞紙類執照第五〇〇號
（半週刊每星期三六出版）
零售每份港幣壹毫　台北市售價每份新台幣壹元
督印人：陳文蕃
地址：香港高士威道二十號四樓
3 RD. FL. 20 CAUSEWAY RD. HONG KONG
TEL. 771726
承印者：東南印務出版社　地址：高打道十六號四樓
台北經銷處：[illegible]
海外總經銷：友聯書報發行公司　香港德輔道中十六號A二樓

論「自由中國」事件的影響

王厚生

一

因爲「自由中國」半月刊出版「祝壽專號」，致引起在台灣的許多報刊向它圍攻，由於砲火太過激烈，吸引了世界人士的注意，無疑的，這是在遲遲不反攻的沈悶空氣中够刺激性的一幕。有的人在爲此痛心，有的人在嘆息，有的人在憤慨，更有一種人在拍掌叫好和趁火打刼。

本來，「自由中國」出版祝壽專號是件很普通的事情，其重要性不足以構成一個事件，正因爲這件普通的事情成了衆矢之的，倒把事情鬧大了，大到可以當做一個事件看。說到祝壽專號的暢銷，由再版三版至於七版，這完全是應廣大讀者的需要，假使因爲祝壽專號暢銷，覺得「自由中國」發生了很大的影響力，而必須給它一個打擊，那末，這在實際上就無異是和廣大的讀者們作對，圍攻的人們應責備讀者不該購閱「自由中國」。這一事件的今後發展，我們身在海外，很難逆料，不過，就現在的情形來說，這事件的影響的確值得注意。

二

很明顯的，在這次事件中首受其益的還是「自由中國」雜誌，台灣的不少官方報紙拒登「自由中國」的出版廣告，但是這次事件的發生適足替「自由中國」雜誌作了最有效的義務宣傳，不但在台灣的讀者，即海外華僑也對這個雜誌倍增了興趣，甚至國際輿論界原來不很瞭解這個雜誌的內情和立場者，現在也密切注意起來了。這是一種心理狀態，任何猛烈的砲火都是攻不破的，而實際的情形往往是砲火愈烈，這種心理狀態也愈熾。讀者們爲什麼會有這樣的心理狀態呢？因爲「自由中國」雜誌不是官方的機關刊物，它是民營的，換句話說，它是在野的，民營和在野表示它與人民的地位是一致的，人民很容易接受它的觀點，同時，因爲受到圍攻，所謂路見不平，人民對它發生同情心，何況圍攻它的都是些代表官方的機關報刊，使人民很快地產生一種直覺，認定「自由中國」的言論擊中了官方的要害，這種直覺當然不一定正確，但是有此直覺，可以幫助讀者支持「自由中國」的立場。所以在先天上，官方報刊不便和民營報刊打筆墨官司。如果要打，保險會使民營報刊的銷路大增，因而「自由中國」雜誌的基礎已在讀者們的心理上確立起來，銷售數的激增，可以拭目以待。

三

「自由中國」事件的發生引起國際間的注意，成爲一個國際新聞，在世界各地讀者們的眼前出現，無論如何，對於讀者們的印象是不會好的。何以言之？因爲這事件由「祝壽專號」所引發，人們都有一種感覺，認爲中國的命運弄到這個田地，居然還有閒情逸緻去祝壽，既祝壽，又因觀念不同而爭吵，這與反共救國有何裨益？中華民國弄到今天，受盡了國際間的冷嘲熱諷，處境的險惡是四十餘年來所沒有的。今日，認定我們沒有可能反共復國的國家多的是，主張取消中華民國在聯合國中的代表權的也不少，同時，中共正在進行國際統戰，中華民國在這種情勢之中，爭取與國未恐不多，掃除國際間說我們沒有可能反共復國的讕言未恐不淨，何以還在這個生死存亡的緊要關頭，庸人自擾，予各國人民以不良印象，授破壞我們的國家以種種口實。最近，葉公超氏在歐美各國作友好訪問，宣揚政府的反共決心和政策，這時候，國內卻製造一些不利於政府的消息到處播揚，這豈不是抵消葉氏的訪問和奔走的做法嗎？

四

上面已經說過，「自由中國」半月刊出版「祝壽專號」，本來是普通的事情，事過境遷，便不會有太多的人再來注意這件事，至於祝壽專號的暢銷，最多是文化出版界的一段佳話或感事，不可能引起軒然大波，今因圍攻之舉，把這件事的政治意味加濃了，這已經不再是普通的事，而變質成了我國民主憲政運動中的一個案例（Case）。今後不寫中國憲政史則已，如寫，這一幕是不能不提的。假定這次事件的當事人都是民營的報刊，則只構成一場筆戰，現因有一方是代表政府的，或說是代表執政黨的，則其意義就和言論自由、和憲法有關的問題連起來，這次事件並不因有人煽動而釀成打人暴動，倘未關涉到人權和財產權，可以說是不幸中的大幸。

這次事件的惡劣影響是共產黨已借題發揮，大做文章，直接破壞自由中國的政府，間接損害中華民國的地位。「自由中國」出版祝壽專號後，一再翻版添印，共產黨始無隙可乘，對於祝壽一事雖早已有所諷刺，但「自由中國」的言論從未加以利用，這在共產黨方面言之，自有其不能加以利用的困難，而易見的，共產黨如何利用「自由中國」的言論來破壞政府，其效果將適得其反，適足爲自由中國有言論自由作證。故，共產黨一直對「祝壽專號」保持緘默，等到圍攻的砲火猛烈了，大好的機會，這才一擁而上。[illegible]過共方報紙的文章之後，就知道圍攻者的文字，[illegible]「蛇口裏」不會輕易放過的。[illegible]目的，古今中外，凡是專制[illegible]身的不健全，必定要以[illegible]殘暴的手段來對付[illegible]，也把[illegible]批評政府認爲不健全和專制殘暴，[illegible]或它自身的特點攻擊[illegible]。這次「自由中國」事件，共[illegible]用心[illegible]由中國」一事件[illegible]正在如此。

五

我們住在香港九龍的人們不知道台灣所了解的程度，但是我們也可以[illegible]共產黨的影響[illegible]台灣和海外的動態，像[illegible]引起廣泛注意的事件，中共一定會在大陸上大肆宣傳，以淆亂聽聞。當然，我們不相信大陸上的人民都會聽信中共的宣傳，但是不可置疑的，一定會有不少的人認爲自由中國壓迫言論自由是不必懷疑的，因爲這些人都是有親身經歷的過來人，說不定，他們中間有很多就是被迫而跟共產黨合作的。那些和自由中國當局爲敵的人，自然更會把這次事件當做最好談笑的資料。最難過和最失望的是切望自由中國的民衆。這幾年來自由中國政府不是經常派飛機到大陸投擲傳單嗎？試問這樣一來，幾年來艱苦從事的心戰工作，恐怕已被毀於一旦了。

作爲自由世界一分子的自由中國，應該順着世界的潮流前進，在民主國家中，除了皇帝以外（因他不負政治責任），政黨領袖、內閣閣員、總理乃至總統的言論，還可以通過漫畫文字指責的，筆下用下等動物表出，被畫的人不但不認爲是侮辱，反而覺得民情趣盎然，試問：中華民國算不算和是不是民主國家？

半週述評

謠言的來源

有這樣一種商人（當然不是所有的商人如此），愈是在商場不景氣的時候，他們愈是想投機取巧，發一筆橫財。

譬如說，他們正想向市場拋售一種貨物，他們並不先說這種貨物要賣，而是先向市場散播一個謠言說：他正打算大量「吸進」這種貨物。這種商人的如意算盤是，如果這個謠言一傳十，十傳百，于是這種貨物暴漲，他就可以「大撈」了。

騙人亦騙己

但是，是不是所有的投機商人都可以通過這樣的方式「大撈」呢？不是。

譬如說，這種投機商人開始造謠的目的本來是騙人的，但是，當這些謠言再傳到他自己的耳邊時，他倒眞的以爲「吸進」是有利可圖的，結果他騙了自己。

這種造謠的人結果是：一敗塗地，身敗名裂。

我們眼前所見到的中共「和謠」，其結果恐怕是尤甚于此的。

和謠的作用

凡是造謠者，僅靠一套是不够的，他必須時時對許多對象有許多套，許多個說法，才得發生謠言的作用。

例如，今天中共對台灣，對中國自由份子，對我們國際上的朋友，至少有三種不同的宣傳，三種不同的造謠內容，同時每一種造謠內容又有一個共同之點，那就是，如果「我們之間」不能「成交」，別人就要「搶足先登」了。

許多種說法

中共的宣傳對台灣的實力派說：「愛國一家」，「美國人霸佔台灣」；「美國人扶植自由份子已經形成對你們的威脅」等等。

中共的宣傳對中國的自由份子說：「你們要民主，要自由，我們也是一樣的」；「國民黨的政權不民主和依賴美國」等等。

中共的宣傳對美國說：「祇要美國肯放棄支持台灣和中國自由份子，承認中共政權，支持中共進入聯合國」，一切都可商量等等。

消極的一面

中共的「和謠」攻勢，有兩方面的作用：

一、在消極方面，它是屬于防禦性的。根據大陸報紙透露，今日大陸普遍的不安，中共[illegible]「和謠」攻勢可以轉移大陸人民對[illegible]；二、對台灣的戰爭冒險問題，倘能「不戰而屈人之兵」，不用軍事手段而達到政治上的目的，中共認爲這是可能統一它的黨內矛盾的。

進攻的一面

中共「和謠」在積極方面，它又是屬於進攻性的，中共自屬癡人說夢，中共之另一夢是「不戰而屈人之兵」，此如由于政治上迅速解決戰鬥，因戰局延長可能發生三種情況：一、國軍敵前登陸；二、大陸內部變亂擴大；三、國際干涉與美國作戰的危險，這三種情況都是對中共最不利的。

我們的對策

針對中共的陰謀，我們起碼的對策是：

在自由中國方面，應從速召開反共救國會議，並應立即採取若干具體民主措施，加強自由份子與政府之間的合作。這一步驟也就是我們的軍事行動前在政治上的準備工作。

在美國方面，應立即宣佈停止美國與中共在日內瓦的談判，徹底揭穿中共「和謠」和挑撥的任何口實。

司馬璐

論新百慕達會議

曾旭軍

一、

百慕達島幾乎成爲美英會談聯合象徵。在上次世界大戰時，一九四五年，邱吉爾與羅斯福舉行會議，於此。一九五三年十二月五日爲商討對付蘇聯的冷戰策略，英、美、法三國又舉行會議於此。

邱吉爾曾說：百慕達爲英美團結之象徵，應該每三年英美舉行一次會議在那裏。

現在艾森豪威爾總統又建議在百慕達舉行英美兩巨頭會議于此。英首相麥美倫，將於三月十九日赴百慕達島，與艾森豪會晤，距今尚有一個月的光景。徵諸過去，我們應以上次百慕達爲鑑，對本次之百慕達會議，加以密切注視，促其達成以對付蘇聯冷戰爲主要目的。

二、

三次百慕達會議，除抑共同草擬對蘇聯關於西外長會議之覆文以外，對於東西雙方重要問題，都無具體決策可言，草草閉會，卒於次年西方在日內瓦會議打了敗仗，斷送了半個越南。問題的癥結，在於英美沒有一個有理想，而又合乎實際的共同政治戰略。

此次百慕達之起因，是由於英美因蘇彝士運河危機造成的緊張關係。麥美倫欲一方面彌縫裂痕，另一方面謀應付蘇俄的新和平攻勢。

蘇聯對此已有反應，布爾加寧曾致函麥美倫，要求英蘇巨頭會晤。這是蓄意分化，挑引猜嫉。好像在一九五三年於百慕達會議之前，居然同意召開四強外長會議，後來漸漸演變卒成日內瓦高峯會，掩飾其向埃及政治進攻，遂造成今日中東危機。

三、

此次麥美倫又有什麼「主義」呢？

麥美倫有的是「新歐洲主義」，由於中東事件英國外交地位受損害，麥美倫已計劃謀獲得歐洲其他國家的合作與支持。但均須要獲得美國的諒解與支持。

麥美倫的歐洲主義，第一就是進行建立歐洲共同市場自由貿易，第二是謀歐洲原子能聯營，第三是歐洲的軍備合作。

艾森豪中東主義的基點，一言以蔽之；就是軍事與經濟援助中東，抑阻蘇聯勢力侵入，但對付阿拉伯與石油問題非與英國商量不可。

艾森豪威爾主義的缺點，須在艾麥會議檢討的是，第一、阿猶衝突之根源如何解決；第二、美國之過度偏袒阿拉伯民族，而抑以色列，爲英國人所不滿的，應如何求折衷平衡；第三、是美國單獨負保衛中東的大任，沒有事先獲得北大西洋組織國家的支持，然則今應如何謀共同負責；第四、是美國的「核子報復」的可能性，是否足以阻止蘇聯不派「志願兵」和彼利亞，以便壓迫或攻擊伊拉克；第五、美國之石油援歐，應如何改善，達到供足以應求的地步。

麥美倫主義有仰賴於美國的，是如何獲得美國對於英國鬧謀建立歐洲共同市場的諒解，歐洲及英鎊區必須採取保護他們自己抵抗美元之侵襲辦法，又英國謀使世界貿易更獲較大之自由，是則英國欲解救經濟之危機，是否可以獲得美國同意放寬其對共產國家的貿易管制。

其次，是英國與美國如何交換核子能智識，及美國是否能協助歐洲原子能聯營。有關英美聯防，雖然英國國防部大臣桑第斯與美國國防部長威爾遜已獲致許多協議，但麥艾會議在兩國聯防抵禦蘇聯之突擊，仍是一個主要議題。

四、

以上所說的都是我們想像中艾麥二人要討論的切實問題。但我們希望他倆不忘記討論的一個最重要的問題就是政治戰略問題。

問題甚爲廣泛，但我們以美國的憧憬于維持繁榮安於防堵政策，以英國之在中東遭受挫敗之餘，更無急激改絃更張之念。我們不敢奢望其在鐵幕上戳孔。但過去的無政治理想的商業打算，已招致許多苦果。英美今後起碼必須不受蘇聯的和平攻勢所誘惑，而積極給予反共奴役的人們以精神上及物資上的援助。

更正：本版上期「有可闢的謠，無可談的和」一文內，第一則第一段第一行「會談」應爲「無須」；第四段第三「致件」應爲「致條」；第二則第一段第三行「對於」應爲「對方」。

寫在葉外長訪西後

——我想說的幾句話——

．牧人．

（本報馬德里航訊）葉公超外長於二月五日匆匆訪西四日後，於九日乘機飛到土耳其去。這是繼其一九五四年報聘西政府後二年內再一次的訪西，在今日這個局勢中，代表一個國家在外交上奔走，的確也不是容易幹的差事啊！然而，代表着這麼一個重要身份的事務，還時刻的給被代表的人以種種苛刻要求，似乎是過分些，但細想起來，也是我們的責任啊！

海外通訊

與葉氏談後有感

葉部長這次來西主要任務是代表政府和西班牙簽一項「中西文化專約」。的確，這項條約也於二月七日在西京官都聖十字宮——即西外交部地址——簽訂了，當然這是一件很值得[illegible]，正如此地報章評論云：這是西班牙政府首次與一東方國家簽定文化專約。據葉部長於該約簽字前一日的華僑學生招待會上透露，看來總是專約將來也不外是留學生，教授，技術人員，各種報章什誌的交換。所以可以說是一項普通的文化條約。

此行葉氏除簽了上述之文化專約後，他還於百忙中與生活在此之華僑及學生聚會，這是很難得的。同時，他也很家庭化似的，與大家交談，爲大家解答諸端問題，同學們對於葉氏之誠意，當然也不放棄機會，一連串的問了許多問題。從這裏，記者也就同時感想到以下的意見，提出請教大家。與其說是檢討，不如說是老話重提，望國人在這方面，更多的督促政府。

西歐國家與我

中華民國政府今日與歐洲國家尚有邦交的有法、意、西、比、希與梵蒂岡等六個國家，而且前三者都是大使級的，後三者是公使級。對於我政府代表在這些有邦交國家中平日所幹什麼，本文無法涉及，但可看得見的，這些使領館中，負責對外宣傳的，沒有一個有專司其職的機構，怪不得在不很久以前，瑞士的自由和平協會主席閔士德博士，於訪華返國前表示，我國應在歐洲多多從事宣傳工作，以增加歐洲自由人民對我國的瞭解。像這樣類似的演講的場示，本國人及當局嗎？去年比利時訪問不也[illegible]。西班牙元首佛朗哥將軍某次接見一位博士時，也特別的談到：爲什麼在歐洲看不見中國政府的宣傳？佛氏更具濃的提出那一萬四千名從祖國歸來的戰俘是再好沒有的反共宣傳資料。從這些各方面的反應，我們在這裏實在[illegible]下去，實在不應該再拖。在歐洲的情形如此，在其他國家地方的例子，我想一定也不會有多大的距離。

「文化專約」不夠味

年前筆者奉有機會將西歐國家走了一遍，這樣說來真是觸目傷心。先我是在巴黎，走遍這個城市各書店報攤，不但看不見自由人民揭發共黨的各種暴行之反共刊物！——就是有也少得可憐。中文的更不用說了。相反的，那些共黨宣傳東西，觸目皆是，這是一個多麼可怕的現象啊！那些對中國情形缺乏認識的外國人，將會受到如何深刻的影響啊！因此，最近我政府與西班牙簽訂了爲文化而交流的「文化專約」，不會不使人有許多的感想。首先，當我們希望這次簽訂之「文化專約」，不是單單爲一種外交形式的活動，而繼續的互相承認了一下彼此間之學位，交換幾個留學生，教授等就算了事。進一步的，我們自己必須設法使友邦人士對我們有了解，我們對人亦然。幾年前我們的中國週及其他幾次的文化活動，在瑪德里是多麼的受到歡迎，同時也反應出人家對我們的興趣是多麼的濃厚。政府對於與各國文化交流的介紹，應當有系統的，有組織的進行，不論從政治、經濟、文化、科學各方面，都要有一定的計劃去進行，零碎的活動不但收不到效果，反而更吃力。爲此關於歐洲方面我希望政府：

幾點建議與希望

一、就是歐洲各國有邦交國家，我政府實在負不起各項繁雜文化活動，政府最好在歐洲設立一個由六個使領館共同所有的活動文化宣傳機構，負責對歐洲方面的文化宣傳事業。

二、政府應出版一份有權威性的中國雜誌，用英、法、西、德等文字，向全世界各地發行，有系統的介紹中國文物，其方式及內容，最少要做到與香港出版的「幸福」、「四海」之水準，否則不爲功。

三、教育部與外交部合作出版一份介紹中國近代思潮的學術性刊物（甚至是季刊或半年刊），用英、法、西三種文字出版，經常與世界各國教育文化界交換。其連絡責任，我各駐外使館有當仁不讓的義務。

四、政府要鼓勵請作事，一定要和在海外之智識青年打成一片，因此，對於政府的不注意（就是有某些形式的表現，那是無濟於事的）組織和連絡海外智識青年的工作，要更加的努力。政府一向對海外青年的拖延態度，應急加革除。

是，區區之見，不足爲外，希望海內外有見之士注意及之。（一九五七、二、十五日）

由遠話近

（阿根廷短簡）

一、日本移民

報載日政府組織海外移民開發公司，在南美洲購地七萬公畝（內阿根廷一萬二千畝），價值四億日元，並於本年內向南美移民九千人，內阿根廷二千人（四百戶）。台灣人口問題之嚴重，陳式銳先生已屢次討論，我政府何不籌謀移民事務，否則徒然擁僑民，派駐許多大使何用！

二、異種爲佳

阿根廷華僑少至絕跡，三年前香港南洋紗廠來阿辦了一家小紗廠，派來工程師一人，領班二人，技工十六人，但今日大半返港，原因是老板不相信自己人的本領，反而高價聘請異種飯桶充廠長，中國人受不了氣，一批批的走了。這也就是中國資本，外國管理。

三、酒寄雷震

[illegible]震先生，今日成自由人士的精神象徵，[illegible]負責人特別通融，將包裹寄出香港轉台他就辯。但在第二大郵局翻遍了郵政法規，找不到自由中國（台灣）的名字，一星期後，郵局通知我，包裹已由布京總局退出，註明「中國不通包裹」，我黯然將酒包取回，焚香一注，洒酒西望，恍若隔世！

．蕭文坤．

中共為何要「和談」

．原禪．

自從匈牙利事件以後，中共就開始大喊「和談」；不過這次唱的是有板有眼，像是頗煞有其事的。

爲什麼？這是國際上一連串的反共事件和壓力的結果。國際共黨開始在退潮的活動。列寧在「共產黨十一次黨代表大會上」說：「成熟的無產階級革命，如果，不把需于國勢的退卻與進攻和實行無產革命秩序而退卻互相配合[illegible]」共黨的屬害和狠毒就是在被動退遞的[illegible]對「和談」基本上應作如是之觀察。

七月與蘇米在莫斯科和布爾加甯會議上的「中蘇兩國聯合聲明」中曾說：「團結及鞏固一切可能團結的力量，積極爭取國際關係之緩和[illegible]長期反覆的鬥爭」。所謂「長期反覆的鬥爭」是靈力和決心的運用，打既無望，遂易以「和談」攻勢。

匈牙利事件使全蘇聯的聲譽一落萬丈，不僅國外受到普遍譴責，各國共黨黨員紛紛退出，最主要的是衛星國的不穩。但是，正當這個千鈞一髮之際，[illegible]的危險；在蘇聯危急[illegible]勢，以減輕其負擔[illegible]台灣海峽之戰機。[illegible]利用人心的弱點和外國通訊社有追求轟機的[illegible]共黨在形勢上的退卻並不是全然的隱避，

人民常想嗎？不是的！這裏面一定有主要的關鍵存在，我們不妨找找看！

毛澤東在矛盾論的第四段中說過：「任何過程如果有多數矛盾存在的話，其中必定有一種是主要的，起着領導的、決定的作用，其他則處於次要和服從的地位。……提住了這個主要矛盾，一切問題就迎刃而解了。」國民政府存在就是中共本身的最大矛盾，它不僅在國際間使中共無法抬頭，更主要地是：國民政府永遠活在大陸人民的心裏，這是大陸人民牢不可破的思想意識，在反共暴動正在擴展的情勢下，使令共黨經已措手不及而感到有蟲蝕之危，但又不可能被動攻合，腹背受敵之下，面內矛盾日益增大，於是只好再用虛妄的手段來緩解人心的神經，和擾亂國際間的聽聞，最好能達到中美間的分離。

在共黨國家，一旦蘇聯戰爭有直接爆發危險的時候，各國共產黨底中心口號應當是：「爲和平而鬥爭」。和談的濫調，也正是了解救蘇聯的危機。我們別以爲「和談」就是和平，蘇聯的軍事學權威夏波希尼可夫（Shaposhnikov）說：「假使戰爭就是政治延長，只不過是用另外的手段而已，那麼和平也就是鬥爭的延長，也只不過是用另外的手段而已。」中共爲什麼要喊「和談」呢？是爲了國家

這一宣傳攻勢已讓國外人士迷惑了，正如本月十九日香港大公報透露「和談傳說喚動巴黎」，所謂：「外國人認爲中國人終歸是中國人。」中共的新劇不僅是在用統戰手段來撥亂反共陣營，並且還想以此來提高它的地位及國際評價哩！

在我空軍活躍威脅下　中共防空軍會議結束

（本報特訊）從去年十月五日起，中共防空軍在北平開了一個爲期四個月的「經驗會議」，到本月十三日始行結束。又中共防空軍「積極分子代表大會」，也在同一日開幕。中共防空軍司令員楊成武「上將」主持。據「新華社」十三日消息，楊成武要中共防空軍「天天以備戰姿態完成任務」，尤其是東南沿海的防空軍部隊，更要提高警惕」。但是就我空軍深入平、津、西安、太原的轟炸及空投等事實來看，無疑證明中共的防空軍部隊，都是睡熊而已，演說，積極分子大會，也不過是搖旗吶喊，恐嚇人的把戲。

阿里山下

院府改組之說

關於外傳行政院及省政府將改組之說，俞院長近在記者招待會表示，均「無可奉告」。其實，在沒有強大反對黨的情形下，縱然換來換去，終不過是人的更換，在國人看來，並不是什麼了不起的大事！

救國會議的時期

行政院俞院長最近公開說：「政府對召開反共救國會議問題，現仍在研討籌劃中，將在適當時期召開。」想想去年九月間，曾有「明年上半年」召開之說，現在改爲「適當時期」，我們不知何時才是適當！

仍將研擬辦法

立法委員溫士源近在質詢時指出：軍公教人員待遇之調整，不在問題之不能解決，而在政府之有無決心，倘能撙節浪費，即可不增加國庫支出：如政府沒有辦法，並願提出辦法來。然俞院長的答覆，仍是所謂即將研擬辦法！

總稅務司被彈劾

監察委員曹德宣，爲海關總稅務司方度等十人，涉嫌違法瀆職侵佔國家外匯，特提出彈劾案，近經監察院審查成立，並移送有關機構法辦。待遇特殊優厚之海關人員尚且如此，我們作何感想！

改革風氣的效果

高雄汽警所近又破獲一件白銀大走私案，包括銀元及銀條達九千兩之巨，價值在新台幣四十萬元以上。足見高喊多年的改革社會風氣與政治風氣，並無什麼效果咧！

人才爲何不下鄉？

內政部次長鄧文儀近指出全省地方自治人員素質，百分之七十僅受國校教育，而呼籲人才下鄉。然其所以如此，除待遇低微外，更由今日政治圈內「向上看」與「往裏鑽」的類風依然存在！

何堪額外負担？

高雄縣政府繼損資興學運動後，近又擬發動一次募捐，以解決中等學校增班之教室及經費問題。今所推行之國校畢業免試升學方案，類都用此種所謂「樂捐」方式解決，但小民何堪倘額外負担？（二月十八日）

．傅正．

學術新訊

中華民國通志編纂計劃

——衛挺生教授來書報告——

【本報訊】衛挺生教授去年遷寓，卜居哈佛大學附近，擬以十年之力，編纂「中華民國文獻志」一書，本刊曾有報導，頃及衛教授最近來書，對編纂計劃，已有改變，據稱：此事現時教育部長張其昀先生，已完成「中華民國史志」之「古册」，即「教育志」、「科學志」、「大學志」「三種已出版，「內政」「外交」兩志在編纂中，衛教授認爲張先生已有先鞭，只求事業有人，不必成功自我，且海外個人學手之力，究屬有限，特與張先生商得同意，將張先生計劃，略加修改，使各爲一志，並加編廿餘志，或爲一有系統之著作，又將各志分爲若干細目，向台港及海外人士，平日有研究有經驗之專家，請担任撰寫，然後彙纂，成爲總書，名之爲「中華民國通志」，衛教授則就其興趣及材料之所及，分寫通志之某一部份，如此眾擊易舉，希望於二三年內，全部完成。

衛教授來書並提及，「中華民國通志」全書，今後按年續編，亦已有一計劃，即由現時在合之「中國一周」社負其責任，該社社長史紫忱先生，早有「中華年報」之編纂，將來通志完成之後，即由該社分按志目，逐年續編，與通志銜接，使萬年有道之中華民國史志，不斷的與年俱進。

凡此二事，均與我國學術界及中華民國史有關，當爲讀者所深感興趣者也。

又衛教授前此經港赴歐，有「過港望太平山」詩一首刊本刊，來書稍加改修，並補誌如左：

過香港望太平山

擬攬瀛寰中望太平
循環世事難明
桃源昔是使長地
罪突功勛疑定評

海外僑胞對和謠的反應

認爲應以反攻行動代答覆

中共御用報章利用和謠大事渲染

（本港訊）和謠之餘，一般輿論認爲欲澈底粉碎中共和謠，必須求諸于反攻的行動。行政院長俞鴻鈞前在中外記者招待會上也曾指出「我們將以反攻復國的行動，來答復共匪的和謠。」可見我國朝野都具同感，事實上，沒有一個有見地的人會相信由中共一手包辦的和謠。可是當自由中國一再聲明，澄清了這種無稽的謠言之後，中共還是不斷地在做着「和平」之夢，也難怪若干無辜的人陪着它去做夢。

近日來，此間的中共尾巴報章正利用那一貫的伎倆在尋求它的好夢，最初，它利用坊間一本不知名的小冊，作爲上好的宣傳材料，「證明」有人在反共之後會有反對自由中國，這個僞假的不負任何責任的小冊子竟成了中共之「寶貨」，那是它做夢也想不到的。繼而，一些尾巴報紙已派出記者去訪問工商界的領袖和各階級人士，用一些「和平」，「不要打仗」，的大帽子去使人上鈎，當然，有若干「御用」的「名流」是甘心爲它們吶喊的，有些糊塗的工商界知名人士在「不要打仗」的大帽子下，被套出幾句話，則尾巴報紙已儘量利用，和大事渲染了。但是，這些報章就不得不而施用他們一套伎倆，就是自己製造「人物」，例如：「某某公司經理」、「一位僑領」、「一位資深的教育人士」、「一個社團的理事長」之類，發表一大篇談話，這類完全屬於烏有的人物，在明眼人看來是非常可笑的，甚至騙不了任何的一個人。

中共爲什麼這樣厚着面皮來渲染一套呢？一點都不希奇，它們管慣的搭架空中樓閣，它們更善於指鹿爲馬，今番的和謠，正如一張中立性的晚報在指出：「中共不過在做做曾子學生會殺人的故事，它希望中國的僑胞都像曾母一樣，慢慢地會相信他的兒子曾參的確會殺了人。」

那是絕對不可能的，前納粹的宣傳部長戈培爾亦曾有：「在一千次假的時候，就會有人把它作真的」類似的說法，但我們更相信：「可以欺騙所有的人一時，但不能欺騙一個人於永遠」這句話。我們試看中共所謂和談，是自今日始嗎，當勝利後不久，中華民國還整個大陸的時候，爲了要團結中國，接納中共所提出的和談建議，結果由於中共的並無誠意，如果中共對和談有誠意，又何致至今日呢。因此，每一個中國人都有如此感覺，即如俞院長所指出的，我們將以反攻大陸去粉碎中共的和平攻勢。但什麼時候才採取這個行動呢，這倒是大家關懷的事。

當然，反攻大陸是要配合有力的條件以及需要成熟的時機的，香港的輿論界也同時看到了這一點，因此，自由中國內部團結了整，又成了目前最重要的問題。軍事經濟，政治，尤其是政治的配合！流露以致行動的迫切的要求。

中東嘉賓訪美記

沙德先冷後熱　狄托却去不成　其間可見美國風

法制給艾克難題

美國總統艾森豪威爾，由於憲法的規定，而對一項難題。憲法賦予總統以建立外交政策的權，同時，權利法案又賦予各個公民「在公私生活方面，有不論他們如何不負責任地攻擊那項政策的特權」。

最近艾森豪政府，發現這種矛盾所引起的一件難事。在美國政府制度上，就一件難事。

艾森豪總統接見沙德的方式，曾成爲自己外交政策的一個重要部分。他對于中東國家，沙地阿拉伯國王沙德，和南斯拉夫總統狄托，一之網來訪問，認爲是一項要務。對于沙德而言，[illegible]

紐約不歡迎沙德

按美國政府顯然大爲[illegible]，紐約市長華格納認爲沙德是「一個奴隸制的擁護者」，[illegible]拒絕歡迎他。[illegible]

日，沙地阿拉伯國王沙德和他的幾個兒子及其隨員七十人，抵達紐約，但是，當時除了海軍舉行歡迎儀式外，市長華格納拒絕出迎，港口寂靜，市長拒絕參加官式歡迎，華盛頓國務院依禮節，當時不顯示紐約市歡迎會的缺場掩飾過去了。

次日，華盛頓方面一切改善，用專機把沙德接到華盛頓，艾森豪總統在機場迎接，美國總統親自歡迎一位外國貴賓這是第一次。艾森豪到機場前一小時，在記者招待會嚴厲批評紐約市長華格納的無禮。

同時專機從樂隊奏起樂來，阿拉伯國王與艾森豪熱烈握手，此際王子瑪絲靜在他的父親背後大哭大鬧，「哈囉！你好！」艾森豪總統笑着說。他們三個人坐在總統汽車的露天後座上。王子坐在他父親的膝上，風馳電掣而去，這時，與紐約對照，有大壤之別。

更不歡迎狄托

[illegible]的訪問，多數議員，包括領袖的代表，如民主黨下院領袖麥考克，他們發出一項反狄托的言論，此種鼓吹的諷刺性演說。後來不久，貝爾格萊德宣，狄托因此閣閉，打銷他的旅行，反風才靜寂下來。

艾克拉緊沙德

在幾天迷霧[illegible]那一

艾森豪曾見他的貴賓住在總統的賓館起居舒適，中午接他到白宮舉行一次一小時卅分的正式會議。雙方高級幕僚均參加，隨着艾森豪總統又與蘇德作私人談話。僅有一個翻譯員在場。

華盛頓有點失望

這次沙地阿拉伯國王沙德訪問華盛頓消息——透露出來他是要求艾森豪總統政府二億五千萬元，卻被知果沙德同意不反以色列，[illegible]家認得他有一個很好機會拿到錢。但是最近恢復談判，[illegible]打倒以色列」立場，令到華盛頓失望。（譯自二月十一日新聞周報）

一些新消息

台灣通訊

最近台灣傑出了幾家民營電影廠的消息：比較具體而可靠的是民間影業社，走中日合作的途徑，準備以十萬美金的投資，建立一座小規模的彩色片廠，其餘正在醞釀中的幾家前途如何，尚難逆料。

台灣電影業，並非絕對不可爲，以國產影片而論，也非好不到那裏，而台灣仍有其優良的先天，儘管台灣沒有第一流出色的大明星，大編劇，大導演……

可是台灣缺些甚麼呢？缺一位像已故的張善琨那樣的大製片家，缺一位爲台灣影業策劃的首腦人物，還缺少一家眞正具有規模的民營製片公司，始終操縱在官方手裏，成了僵硬的半身不遂症。綜觀台灣影業七八年來的奮鬥史，爲它算一筆總帳就可以獲得結論。

談談台灣與建民營片廠

江南

困難在那裏

在當前的困難是要有大量投資，而且要考慮以大資本去辦廠，必然首先要觀政府當局的意向，是扶助抑或漠視。其次怎樣爭取外滙，打開市場，如何羅致人才。如何與公營廠合作，等等。

所以，一度也有人建議，把公營廠開放爲民營。固然，這倒不失也是個解急救醫的辦法，然而，我們知道，由公變私，其中潛伏的困難，又不知幾許？縱使政府有此意思，那些主持人，也會得牢牢不放，作爲他自己升官發財的最妙處所。

七八年來，台灣電影事業，一直躊躇不前的，這是最大的癥結所在。

現在由於台語片大量蓬勃的刺激，有等設民營製片廠之說，眞是一個喜訊！

以目前時機論

以目前的時機論。筆者因接觸影劇界許多有資格的人士，他們一致指出：時下是籌好創設民營製片廠的時機了。

（一）政府業已放寬出入境限制鼓勵觀光事業，今後各方觀光來台的旅客不斷的加多，中西文化因是溝通僑胞對祖國的了解，以便與祖國的感情，距離日見縮短。影院業會得興旺，而製片業無疑地會得大有發展。

（二）香港與東南亞仍距離，固比台灣爲近，一旦戰爭爆發那麼以香港爲中心的國語影業，勢必搖動。如果台灣有了大規模的民營公司，可能把香港的人才吸收到台灣來。

（三）電影業與政府關係仍是分不開的：如果以台灣爲中心的電影業，便得來台，包括國語、粵語、廈語影片，透過政府的外交，僑務等關係，一定當比香港更有伸展，而與香港合作，供給東南亞大量的國片，則中共的影片，會自然而受絞的到唾棄。

（四）目前台語片的熱風，業已把台灣的製片風氣形成。此時民營廠的設立，一方面可以配合台語片生產的需要，一方面也可以發展國語影片的增產。可是，要讓它冷却下去呢？很可能又回到以往的低潮階級。

需全盤計劃

種種情況說明，此時此地的台灣，適合一個大規模，民營製片廠存在，而且必需。但是，以怎麼樣的做法，才能打得開局面？設若沒有較大的眼光，全盤週詳的計劃，這個民營廠便一個個都能很快地建立，到台灣電影事業整體的發展上，還是沒有甚麼裨益啊！

有人說：目前政府外滙太困難，即使政府願意協助，也是極有限度的小範圍。建廠購買機器設備，不是少數經費辦得到的，誠然，這個顧慮是有道理的。不過，在我以爲凡事祗需要變，變則通，政府不是在鼓勵外僑來台投資嗎？利用僑資進口，或者申請美援貸款。在台灣進行起來，都不算太難。

和港泰日合作

如果能有人拿大巨額資金來投資，和香港邵氏，陸氏以及樂蒂，日本的合作，也是極其重要的，因爲，我們一方面要借道日本的科學技術，一方面要有賴邵氏等在東南亞區的的發行。還有香港的優秀人才。而且，不怕它們不與我們合作，祗要我們自己有條件，技術進步，藝術質高，產量多，香港影界一樣向我們側目。

然而，電影業畢竟與一般做買賣有所不同，可以以貨易貨，以貨兌錢，它是一種長期的事業，需要有久遠的計劃，長時間的努力才行。

在和謠聲中——

福建地區共軍大舉集結

駐軍與地方關係不協調　軍糧住房日用品供應情況緊張

（本報訊）正值中共和謠攻勢之際，據從「新華社」最近的新聞報導中，證實了閩省地區近月來，駐軍的大量集結，由於駐軍的突增，各縣皆發生了糧食供應和住房問題。

據「新華社」十三日福州消息稱：春節後，福建駐軍和中共地方黨政機構，曾作數次會議，協商過去一直未曾解決的「軍爭性」問題。就該消息所透露，在最近一次的「軍糧工作會議」上，中共福建省糧食廳和中共駐軍的後勤部門，商討軍糧供應辦法，出席該會議的有駐軍各部隊「供給主任」和各專署、縣的糧食局長。於此足見軍糧供應問題的嚴重，顯然供應問題尚未得到適當的解決。會議決定：規定今後每一個月或一個季度，各縣糧食局必須和駐軍的後勤部門召開一次聯席會議，互通情況，共同協商解決問題！

在住房問題方面，因情況特殊，駐該地區共軍部隊有關機構和貿易和財政部門進行了會議協商。

漳洲地區的部隊的住房問題最爲嚴重，與地中共行政機構，開會研究調整房屋分配問題，因該地區民房不敷分配。據稱在該次會議後，「已使住房有餘」了。在蒲田，由於駐軍濫「搶」，引起物價激烈波動，據報導當地的「人民銀行」行長建議各部隊「加強備善工作」，商隊幹部則批針[illegible]

[illegible]協調福建地區駐軍和中共黨政機構之關係，中共最近規定[illegible]地方工作，提出了批評。

中共今年譯製俄影片百多部

（本報訊）中共近年來電影製片業甚退化，一方面固由於缺乏人才，一方面[illegible]。據此中共今年又譯製蘇聯影片，由「中共電影發行公司」負責，共二十八部，今年更譯製之俄片計有一百多部云。

二月份稿酬

已分別付郵，二月份上半月稿酬，惠稿諸君請憑單領取稿費爲荷！

本報編輯部啓　二月十六日

自由談

憶艾登爵士

馬五先生

英國前任首相艾登爵士，最近在旅途中，宿疾又告復發了，他的年齡不過六十一歲，然其身體羸弱如此。聯想到日本那位行年七十的石橋湛山首相，因抱病而引起在野黨要求他辭職的情形，覺得政治生活這玩藝實在不是生意經，少幹為佳！

艾登原是世人一致推崇讚美的一位外交家，他在大學讀書時，就特別致力於研究中東問題，他對於中東情事的瞭解，漫說在英國人之中，即在歐美一般政治人物之內，也可稱為首屈一指的專家了。詎料他的政治信譽和前程，竟摧毀在中東問題上面，這眞是歷史的奇蹟，也是人生的悲慘劇！

有人說：如果英法當時對蘇彝士運河不實行進兵，暗中支持以色列負弩前驅，單獨進攻埃及，担保以軍早已佔領開羅，納撒政權宣告完蛋了。可是，艾登爲要保持英帝國的榮譽，以及英國在中東固有的特殊權益，而其國力實有所不逮，硬要打腫臉充胖子，勉強從事，一遇挫折，便支持不住，不得不黯然收兵，投劾去職以謝國人，且誓言不再搞政治了！

艾登之失敗，可說是敗在旣不知彼，亦不知己。我們很難想像以艾登之才之學，與其三十年來的外交生活經驗，乃竟有此失著，殊出意料之外。但他毅然決然地放棄政權，表示其政治家的責任感，究不失其爲有爲有守的漂亮角色，將來在歷史紀錄上不致於是難看的。

能夠承認失敗的政治家，就容易博得人們的諒解和同情，而其東山再起的可能性亦甚大——祇要自己願意幹，精力又不衰敗的話。艾登的政治並未完結，問題祇看他的健康如何。最近我問過一位從倫敦來香港的文化人：英國輿論艾登究竟作何評價？他說是一半對一半，即除了工黨人士外，大家對他還是有好感的。一個引咎去職的首相，尚有這樣的人望，最大原因就是他有承認失敗的勇氣。這點精神，實在值得我們稱讚私淑啊！

「雞年」談雄雞

·萬香堂·

九龍災場雄雞（如圖）蜷縮三日夜被掘出

最近讀香港報刊見，曾一致以「雄雞一鳴天下白」爲題（今年又值「鷄年」）談雄雞，不無有趣。

在詩人畫家的心目中，雄鷄的確是不平凡的東西；雄鷄之晨鳴，不僅有詩情畫意，而且有報時，叫人起牀的作用，王維詩云：「絳幘雞人報曉籌」所謂雞人者，乃祭祀之夜，天將曉時，負責警告百官起床之官員，即乃以人代替雄鷄之意，古人命名常極端的象徵，由此可見，而古人之「聞鷄起舞」則含意更深一層。

不少新種名品

鷄乃家禽，雄者有偉大之紅冠，脚强翼短，不能高飛而擅高鳴，其羽五彩紛呈，使雌雞爲之傾倒。其種族甚繁，除我國常見者外，外來之新種如來亨、蘆花、洛島紅等均屬名品，惟其刻著長壽，則遠不及國產者，不僅此，雄者之鳴聲，及其戰鬥力均以我國土產雞爲最優。

詩人詠雄雞

我國論雄鷄之優劣，即以「鬥」「鳴」二者爲標的。「東城老父傳」紀云：明皇在藩邸時，樂民間清明節鬥雞戲，及即位，治雞坊於兩宮間，索長安雄鷄千數養於雞坊，選小兒五百人，使馴擾教飼之」，可見一斑。而王勃有鬥鷄賦之作，更見有聲有色。至於鷄鳴之被推重，更不可勝數，古樂府中有「鷄鳴曲」古辭云「鷄鳴高樹顚，犬吠深宮中」，梁簡文帝劉孝威並傚之，即以古辭首句名篇。唐詩人李廓亦有「鷄鳴曲」之傑作，曲云：「星稀月沒入五更，膠膠角角鷄初鳴，征人牽馬出門立，辭妾欲向安西行，再鳴引頸簷頭下，月中角聲催上馬，綠分地色第二鳴，旆旌紅塵已出城，婦人上城亂招手，夫婿不聞遙哭聲，長恨鷄鳴別時苦，不遣鷄棲近窗戶。」最近老詩人于右任亦有「鷄鳴曲」之作，曲云：『歸州鷄鳴，其聲可聽，伊人隔岸，爲何不應！』曲短意深。

畫家好雄鷄

至於中國畫家之愛好雄鷄自古已然，從宣和畫譜宋人畫蹟之題材與雄鷄有關者實在太多，如黃居寀即有八件之多，其餘如徐崇嗣之作「錦鷄鬪圖」，趙昌之作「扭鬪錦鷄圖」，黃筌之作「猶花錦鷄圖」，吳元瑜之作「榴花碧鷄圖」均名重於一時，餘如歷代之花鳥畫家幾無一不喜以鷄爲製作之題材者，現代人亦復如此，已故畫家高劍父徐悲鴻等專長繪雄鷄，廿餘年前余初識劍父時，曾見其所作巨製「一鳴天下白」，引頸高歌，如聞其聲，又謂神妙之至；目前旅港偶步荷李活道西街，見一中藥店懸掛齊白石所作「雄鷄高鳴圖」立軸，筆簡有趣，允爲佳作。詩人畫家與雄鷄結不解緣，由此可見一斑了。

各地方人士之愛好雄鷄，有厚薄之分，我相信廣東是一個最崇拜雄鷄的地方。

「信鬼以鷄卜」

粵人自古對雄鷄有許多迷信的看法，「漢書」稱：『粵人信鬼而以鷄卜』其註解爲「以鷄卜也，用小雄鷄擇殺之，取其腿骨，用麻縷束之，以竹挺插所束之處，使兩骨相背，觀兩骨之側所有細竅，以定吉凶也」，這是把雄鷄當作靈物了，其他故事也正多，如粵省各地之大屋宇常於屋頂上置一陶之雄鷄，藉以鎮壓堪輿（即謂風水）上之兇殺，又如凡舉行結婚時，如新郎因病不能起床參加結婚禮時，或新郎旅居異域未能歸家參加結婚禮時（華僑常如此）即常選雄鷄一頭由新郎之妹（或類似之人）攜同上禮堂，與新娘行交拜禮，入洞房時，亦由雄鷄培伴新娘，此種風俗雖然可笑，但粵人之以雄鷄爲偉丈夫之象徵，也是英雄識英雄呢！

同光風雲錄

夢山樓

楊圻（上）

楊圻，原名鑑瑩，字雲史，別署野王，江蘇常熟人。光緒壬寅南元。蓋清代科制，鄉試分南北兩闈，北闈舉人第一名解元，例歸直隸省人，他省人，文章即冠軍，亦列入第二名，稱之爲南元也。雲史天才橫溢，風流倜儻，有江東才子之目，固不僅以詩詞蜚聲海內耳。

一、百無一用是書生

雲史幼負才名，美姿容，慷慨有任俠風。年十七，娶相國李鴻章之女孫。二十一以秀才爲詹事府主簿，中南元後，擢郵傳部郎中。然雲史立志不在爲官而已，必欲有所建樹，以促國家之進步。時値鴉片戰爭以後，弱國外交，着着失敗，星加坡爲南洋之重鎭，乃自請爲總領事，思聯合僑業家有所發展，而結果失敗，故不免有『百無一用是書生』之嘆矣！

先是，爲秀才時，嘗遊廣陵，宴客於瘦西湖之平山堂，邂逅內廷伶人蔣檀青，述英法聯軍犯津京時宮廷內事，頗有杜少陵江南逢李龜年之慨。爲賦「檀青引」，並以序，千餘言，悲哀豔麗，讀之者嘆爲江東獨步，至有擬爲少陵後一人者也。

二、簡辭督府浩然歸去

辛亥鼎革後，雲史以弱冠從政，受恩遜清，遂退然無用世之意。而故里山水明秀，甲於江南。繼娶名媛徐霞客，美而擅詩文，因大起樓閣，唱隨其中。會江西大督都陳光遠，雅慕其名，辟爲記室。光遠固俗夫，未足以知雲史，因事不諧，雲史乃簡辭光遠曰：『圻，東吳下士，將從潯陽探廬嶽，致之幕時，侍陪閣公之座，遂下陳蕃之榻。頗思盡其愚悃，有裨萬一，得山妻書謂：「園梅盛開，君胡不歸？」不禁他鄉之感，復動思婦之懷——清輝玉臂，未免有情，疏窗萬影，亦復可念。清狂是其素性，故態因之復萌。敢效季鷹烟波之請，乞徇林逋妻子之情，予以休暇，遂其山野，庶白雲在山，靚妝相對，此中歲月，亦足爲歡，則將軍之賜也。』光遠得書，知不可留，遂使致贐千金，及門而已渡江矣。

三、爲吳佩孚上賓賦詩紀戰

北洋軍人吳佩孚，方爲兩湖巡閱史，駐節宜昌，聞雲史去江西，乃以禮迎致之，授爲秘書長。佩孚固秀才，亦略解文翰，奉雲史爲上賓，優禮有加，而雲史亦誠恪侍左右，故賓主之間殊相得也。

佩孚嘗贈聯云：『天下幾人學杜甫，一生知己是梅花。』又貽以詩云：『與君抵掌論英雄，煮酒青梅憶洛中。雪裏出關花入塞，至今詩句滿遼東。江東陸暢好風神，入洛吳儂拂戰塵。十四年來還本色，少年公子老詩人。』其推崇之至與友愛之篤，亦可見矣。

民國十三年，直奉大戰爆發，雲史隨佩孚督師山海關，瀕行其夫人徐，忽病歿，倉卒殮葬，內有『可憐九月十三夜，死別生離第一宵』之句，悲哀之音，傳誦一時。旣抵山海關，時方大雪，嘗賦詩紀其事云：『鞍馬彎弓苜蓿肥，金湯大好啓戎機。雪花如掌陰山白，不照金樽照鐵衣。逐鹿中原寧國恥，邊軍力盡更張弓。黃金白骨知多少，都在營州落照中。九合諸侯事惘然，三分猶得靖烽煙。江流不限南風競，門外津橋啼杜鵑。層台美酒飲千鍾，日落濤歌欲盪胸。醉裏未忘關塞氣，玉人扶定看盧龍。』及馮玉祥倒戈，佩孚敗退。雲史亦有句紀事云：『昨夜盧龍城上月，五更猶照敗營來。』刻畫敗軍景氣，至今讀之，如歷其境，蓋悲壯淋漓，饒有唐人風味也。

（八十九）

孟玉先生：頃讀對於朱彊村詞家事略質疑一文，具徵卓識博學，彌深感佩！不佞引錄朱詞，苦無善本，而排印亦間有錯漏。將來如印專冊時，自當遵照指示，重行整理，以免貽誤也。專此奉復，並致謝悃。敬頌撰祺！

夢山樓謹啓。二月十七日

短篇小說

靜止的洪流

·幻痕·

一道平靜的洪水，是那末悠閑舒適，任誰都感到它的平凡和渺小。可是，蘊藏在它下面的，可能是一種深邃，雄渾和强大的潛伏力量。在某種情形之下可能發出震撼山岳的怒吼，捲起澎湃沖天的波濤，發揮出令人意想不到的威力。

× × ×

一片熱鬧的氣氛，又籠罩着H城郊外的一所學府。那座淡黃色的新型建築物，帶着驕矜的神態，獨自沉默於大自然底擁抱裏。經過漫長的炎夏寂寞，現在又再在年青們的歡笑聲中活躍起來了。

這是初秋時分，一種懶洋洋的氣氛已經消失，帶來一種清新的感覺，也是青年人收拾好像野馬般奔放的心情，回到書桌前的時候。而這一天，是有名的A書院開課的日子。

時間不過是上午十時左右，校園內草坪上已滿佈了人，有在追逐嬉戲的，有三五成羣在閒談的，有無聊地漫步的，有坐在樹蔭下椅子上休憩的……。離校園不遠的籃球場也已有人在作分隊比賽，喝采鼓掌的聲音振盪着遠近。

這時候，校園門外，一個十七八歲左右的青年，從一部淺灰襯粉紅色的新型汽車上跳下來。他個子高，身裁挺削，儀表端正，舉動顯露出瀟灑和敏捷。他當時看了看腕錶，便匆匆的走進校門，穿過草坪上閙哄哄的人羣，當他正踏入校門的時候，迎面便碰見了校長李先生。

「校長，你早。」他有禮地招呼道。

「早，」李校長也微笑地端詳着他說：「杜風，你的精神似乎比較好了很多了！」

「謝謝你的關心。」

「不過，這學期，你們是畢業班了，功課當然會多一點，休息雖需要，卻不能不多努力一點。好在你一向很用功，像你這樣的好學生，算是難得的。」

「謝謝校長的好意，實際上，我的成績不算好，校長誇獎我才是眞的。」他謙遜地說。

李校長好像還要說下去，恰好校役告訴他有電話，他便走開了。杜風求之不得地，急忙穿過走廊，向着第五班的課室走過去。

他推開課室的門，就覺裏面靜寂得出乎意外，只看見一個站在窗前的瘦小青年人的背影。

「超成！」他很高興向他招呼。

可是那人回過頭來的時候，他不禁詫異起來，因爲他並不是他的老同學張超成，而是一個陌生的青年。他蒼白的臉頰沒有一絲血色，兩眼深陷，卻發出一種逼人的光彩，眉宇時有一種憂鬱的神色。（一）

算一個賬

——春正試筆——

楊海宴

四五年農曆元旦，我算了算四四年的賬，算出結果是一個「懶」字。俗語說：「百病皆從懶上起。」懶是病根，不可不除，我雖有這個寶貴的覺悟，可是一年下來，這懶病並未除掉，且從頭到腳變得又霉又蠢，又腐隨，一點兒逸適之氣都沒有。我原就是一個很呆板的人，這樣一來，免不了更是酸氣十足，一副三家村的教書先生樣子了，總是窮寒。主要原因是生活太窮，所謂「人窮志短」，於是沒有希望，沒有遠見，人焉得不霉，焉得不蠢。固然，君子有「固窮」之說，小人總窮斯濫矣，然則人窮志氣短一點，乃是常情，曾國藩說：「古人有困而修德，窮而著書。丈夫當死中求生，禍中求福。」蓋非常人之吐屬，鄙人——乃腐儒之徒，不敢望此。人窮志不短，這句大話，只好留待勞的好漢來說。有人說：爲了追求理想我們應該忍受一時窮困。這是天經地義，極有思想內容的好言語。最怕的是自己花天酒地，養尊處優，却高喊要人家吃苦，要人家耐窮，只把自己當做是娘生的，人家都是樹根裏鑽出來的，這麼法變的就很不高明了。我們今天反共，就是反的他們這一套——把自己當人，把自己腳底下的就不當人。

（因此，要追求理想，大家一起來。要吃苦，大家一起來，夫復何言，夫復何怨。

躲在酒家裏，席上杯盤狼藉，山珍海味，身旁美女如雲（借用酒家廣告詞令），左擁右抱，表演「太白斗酒八百篇」，來一個「反攻詩詠」，俺這個窮人的志氣，是不得人短的。

因此，四五年我不但繼承了四四年的懶字，並且另添了一個「悶」字，又懶又悶，人的靈性就不會有多少了，祇是一種麻木的活動！

我希望今年有一點生氣。

未定之數如何，來年再算賬吧。（農曆正月五日夜高雄）

自由人

THE FREEMAN

（第六二四期）

地址：香港高士威道二十號四樓

3 RD. FL. 20 CAUSEWAY RD. HONG KONG

TEL. 771726

海外總經銷 友聯書報發行公司

爭自由要民主是本於理智判斷的結論　道德價值的所在的

李璜

一、

這個標題，是得一說。但就標題便可以瞭然所要闡發的內容，這內容本已是許多中西先哲曾經詳細宣示過的，而且筆者本人在三十年前即已屢次為文闡明，現在不得不又來貫說一次，因為在自由中國裏，乃忽然有人認為爭自由，要民主，是一種與匪徒同謀，來顛覆中華民國的手段，好像一說到自由與民主，就可以構成叛變罪的樣子，於是筆者必得再來從頭說起，表示我們一向爭自由，要民主，原是本於理智的判斷，認自由民主為是，而反自由民主為非，並且是本於道德價值的所在，認自由民主為善，而反自由民主為惡，這是是非善惡的標準論定，而不是一時的感情衝動，或別有用意。

二、

本來，中華民國在三十六年既已有了國家大法——憲法的頒定，而憲法上對於自由權利，民主設施諸項目，都已有條文規定，使全國之人，自大總統以至小百姓，都必須遵守，則這個是非的標準業已不是一家的私言，而是舉國之公論了。因是不合於憲法之是——標準，則在所必爭，更是主張自由民主者義莫能辭，而為國民所託，被選為立法院的立法委員，監察院的監察委員，也似乎應該當仁不讓。

大凡法律上所規定條文的正反兩面，合乎條文的行為是，不合為非，則這個是非之本，必須道德價值在根源上為之支持着的。如殺人律必有罪，因為殺人是惡的原故；自由言論，自由……何以莫有罪，因為民主國家的憲法既認為自由言論，自由……等為國民應有的權利；則當然不是惡了。今天爭自由，要民主，比民國三十六年以前，問題簡單明瞭得多，因為有了一部國民所公訂，大家所公認的憲法頒布在那裏，我們便本着這憲法條文，來爭取自由，推進民主，這或者不會再引起徒喊口號，別有用意的誤會了罷！如果本着憲法條文來爭取自由，推進民主，老是不免於政府當局的誤會，筆者還有一個辦法，就是請大法官來解釋一下，或請立法院來討論一下，請他們評一評，判一判，自由言論，自由……等，要據憲法條文去享受這權利，應該照甚麼標準之標準，然後纔不致成為陰謀之言或者叫「共匪思想走私」。

三、

筆者還聽說，自由中國半月刊與民主潮半月刊之所以被拒登廣告，因為它們運用自由言論得不當，有損國家元首及政府當局的尊嚴，所以應有此罰。——這個是非問題，筆者也願意討論一下，因為背後也有一個善惡的標準存在着的。不錯，在君主專制時代，天王聖明，臣罪當誅，天下莫有不是的君父，這是有尊嚴問題的存在，這不能隨便去冒犯的。尊嚴問題的認定，與其道德的標準，在中國的經史書上，確是大書特書，連篇累牘，舉不勝舉。但既然推翻君主專制，改為民主共和，則這個尊嚴二字，便不得不一筆勾銷，不但不復成為問題，而且昔日以之為是，而今日反以之為非，昔日以之為道德，今日反以之為不道德。這並不是筆者個人之私見，而近之可以證諸孫中山先生的見解，遠之可以證於民主先進國家的確立民主例子。

四、

孫中山先生畢生冒萬難，忘生死，推翻中國幾千年來的君主專制，而創立中華民國，在其開國之襟懷中，又何嘗有元首尊嚴的感想存在，故推之為臨時總統，而不久便讓與袁世凱，自己甯願任一全國鐵路督辦。中山先生之謙懷若此，平民風度，已是為民國奠定領袖人物之新道德觀，而將「九五之尊」那一套帝王思想早就打倒了。何況孫中山先生在民十三所寫定的民權主義書中，將老百姓比譬為坐汽車的，而政府當局為汽車司機，試問汽車司機向坐汽車的還表示甚麼尊嚴而孔例！

遠之，追溯民主主義，自由主義之所以發生，乃根源於人人平等一義而來。這平等之義為君權時代所不存在的。在君權時代，無論中西，王權總是假神權以行事：中國的君權神聖說，「受命於天，子孫永保」，與歐洲的王權神授說，「上帝所命，朕即國家」，乃是一樣的有超乎一般人的尊嚴權威，而不能與庶民平等的，因之天子便口含天憲，他以命令代法律，而庶民既與之無法平等，也就無法與之同享自由權利了。但是這神權在歐西到了文藝復興及啟蒙時代，所謂理智時代，便澈底的倒塌了，但是這中間曾經許多哲人志士的努力，犧牲了幾許智慧，而捐了幾許頭顱，纔將神授王權說打倒，而進步為天賦人權的現代倫理。人人既生而平等，說尊嚴，則大家都有人格的尊嚴，並無某一個人的特別突出的尊嚴；於是有了這樣人權的平等觀，然後纔有國民的合法自由權利的產生，然後民主制度纔以確立。

五、

而今如果忽然在已行憲的中華民國裏，又承認有某個人或少數人的突出而不可犯的尊嚴，則平等主義便立刻要為之動搖，因之國民應有的自由權利便無法行使得開來，而整個憲政必將為之垮台，中華民國必將開倒車開回帝制時代去了！至於說，人格平等，總統與院長也與老百姓有一樣的人格尊嚴，不可隨意毀傷，則法律條文裏原訂有誹謗罪，任何人都不可以隨便被誣枉毀傷，都可以去依法起訴，打官司，要求賠償名譽的。但民國法律裏，並沒有規定「大不敬」的條文，要在帝國時代纔有「大不敬」的處罰，這是大家所應該注意的！至於在中華禮義之邦來講，對於職務崇高的國民公僕，應該予以相當禮貌的優遇，不可以隨便對之開玩笑，這則有相當的中國人的理由的，（美國人則無此理由，喜歡對任何人隨便開玩笑，）不過這是對於國家名器的重視，即其人所執掌的權位的敬重，而並不是其人人格有甚麼突出特殊，亦非特別的去指定恭維不可。如果其人妄用其權，不稱其位，則一樣的應該加以批評，甚至批評得偶爾有失禮貌，也不成罪，因為失禮與誹謗是大有分別的。譬如年已六十的人，碰見一位年青朋友，他不叫先生，而叫兄台，不喊閣下，而喊然你我起來，在講究敬老的禮貌習慣上，總覺不大受聽，其實聽慣了，也無所謂，因為失禮並非犯法，一笑置之可也。

「自由人」的篇幅有限，我的話不可以太扯遠了。總之，中華民國的現行憲法既規定有國民的種種自由權利，還指明了若干民主建設，則現行的國家大法就是國民的指路碑，就是要大家去爭取自由，推進民主的。憲法也就是本於全國國民理智判斷的結論，道德價值的所在而議定，頒布出來的。（四六・二・二五）

半週述評

立法委員該說話了

中共一手製造出來的「和談」，到了最近共黨報紙發表所謂「伍憲子先生談話」這一幕醜劇出現之後，中共心勞日拙，黔驢技窮，更已大白於天下。中共動機如何；將發生甚麼影響？論者已多，這裏不必再談。

于此，我們要奉勸許多海外的自由民主人士，對於中共所派遣出來，從事統戰工作的蝦兵蟹將，千萬不要稍假辭色，否則不免要引起不必要的麻煩，甚至還要上當的。這些人現時正在海外四處活動必須把他們看作瘟神魔鬼，遠之則吉！

還有，國民政府當局雖已有了闢謠聲明，然而民意機關的立法院和監察院也必須及時有所行動，才能澄清局面，一正海內外視聽！立法院現在經已復會，立法委員必不能再緘默不說話了！譬如，中共所宣傳的給蔣經國先生的三封信，到底是怎樣一回事，最少立監兩院的委員是應該問個清楚，給中共一記耳光的！

追查「自由中國」事件

立監委員，還有一件事。是必須追查明白的，便是近兩個月內，「圍剿」「自由中國」半月刊的事件。這事件發生後，海外自由民主人士和輿論界的焦燥憤懣，為國府遷台以來之所未有。到底「自由中國」有沒有為共黨張目的嫌疑？言論是否對反共抗俄發生不良影響？當局對「自由中國」事件的處置是否得當？這都和言論自由和法治精神有關的。這一件事，必須民意代表——立監委員，負責追查清楚，才能釋天下的疑竇。自由中國是否有真正的言論自由？是否確向民主制度而發展，亦將由此而得到證明，決不是「自由中國」一個刊物的事。立監委員，責無旁貸，我們且看諸公的行動——

制裁以色列？

以色列必須從加薩地區撤兵，否則必須加以制裁。這一問題，已形成了西方國家再陷分裂的形勢，英、法、加反對制裁，美總統聲言捨制裁外，別無他途。但美國內部意見亦不一致，共和黨參議員諾蘭且聲言以辭職抗議。以色列和埃及的態度則又各走極端，絕無妥協餘地。美國如避免分裂，雖提出道義制裁之議，總之，壓迫小國似已成為定局。制裁以色列，因以色列不守聯合國決議，不自此始。近之，聯合國對匈牙利的決議，蘇俄視若無睹，遠之，對喀什米爾的決議，印度破壞之。「竊鈎者誅，竊國者侯」，制裁以色列，寧得謂事理之平？國際聯盟的失敗，以縱容大國欺侮小國，聯合國如重蹈覆轍，命運則亦可想而知矣！

印尼的隱憂——

印尼總統蘇加諾，以十年來印尼貪污腐敗紛亂，歸罪於西方的民主制度。另行宣佈所謂救時之策，把憲法和民選議會擱而不顧，各大政黨抗議，視為無足重輕。另行組織所謂顧問委員會，改組內閣，引進共產黨徒。這大概即蘇氏心目中的東方民主。民主自無分東西，祇是蘇氏藉口東方民主云云，實行獨裁而已矣。猶緣木而求魚也，後必有災！「以若所為求若所欲」吾恐新興的印尼共和國危！吾方為會儘自恣，引狼入室之蘇加諾危！

陳克文

一些感想、幾句忠言

——從伍憲子先生談話被共記歪曲說起——

一、

本月廿三日，香港中共御用的三間報紙同時發表了一篇歪曲伍憲子先生關于和談的談話，離譜得令人難以置信；果然翌日香港報章上跟着就有一段伍先生本人簽字駁斥的談話，其詞語兩相對照，相差千里，足證中共記者的撒謊技術並不高明。然而自中共看來，等如已把自己「希望」為個理「謊言」強調的再談一遍了，其效果如何，只此已足，其下又如何，可能將復一遍一遍的說下去，是不足為奇的！

二、

由于這件事，却引起我們一些感想。

伍先生被歪曲的談話，經過一番駁斥糾正之後，固無損于伍先生，且進而證明中共說了一遍大謊言。但這一遍謊言，共黨自己是不會引以為恥的，也許還是他們原來所希望的。我認為，假如我們對于這些紅色騙子一律拒諸門外，豈不省了許多麻煩，雖然「閉門家裏坐」尚可「禍從天上來」，但那就沒有話可說了！

由于伍先生談話之被歪曲，也可算是給予一般在中共統戰前綫作戰的朋友們，一個很深刻的體驗。

三、

不知久住台灣的人的看法與感想怎樣，我們在海外的人覺得由于這類事件的發生，就會直覺地想到台灣近月來發生的所謂對「自由中國」的圍剿事件，彷彿覺得那些爭自由民主的人是常處在「圍剿」與威脅的夾攻中。他們反共，在自由中國反共基地的台灣，竟會被人「圍剿」，在中共統戰前綫的海外，又在被人虎視眈眈。這是政治圈外人，甚至政治圈內人，以至于被「圍剿」被統戰的人本身所大惑不解的一件事。

中共之利用台灣圍剿「自由中國」事件，興波作浪，製造高潮，乘機向海外民主人士加緊統戰，是其主要戰術，本不足為怪；可怪的是，海內外一般在與中共統戰搏鬥中的民主人士，只要多說幾句，就會為當局所忌。這豈不是一件不可思議之事。

自由中國原是不限于台灣一隅的千萬人，還有海外一千四百餘萬僑胞，更還有大陸億萬反共的人民，我們不解自由中國內部為什麼會關起門來祇注意于「圍剿」一些無拿槍桿的秀才，為什麼對於海外有計劃有步驟的一般中共統戰份子的統戰把戲，未見有何積極的配合客觀形勢的做法。豈國內民主之爭取，反比海外中共統戰之進攻，更為可怕嗎？假如把台灣內一部份的民主份子「剿」清，把海外的人民讓統戰瓦解，剩下台灣少數所謂忠貞之士，就可關起門來，單獨負起反攻復國的責任嗎？

四、

除開少數立場不穩的人不談外，在海外表示始終反對共產主義自甘為無國籍的流浪人究居少數，而大多數都是「身在海外，心在祖國」，為自由中國奮鬥的人，自由中國豈可不敞開大門放遠眼光，看一看整個反共陣容是怎樣的情勢。

自由中國當局應有一種足以令海內外為民主自由奮鬥的人士心服的作風了，至少在精神上支持他們在中共統戰前綫的作戰才是。否則，先用拉攏個人回國觀光，歡迎幾個「棄暗投明」的人，事宣傳那一套是不夠的，更如果有人坐在房中幻想，便將「匪諜」、「匪共同路人」的帽子向他們亂飛，適足以寒人心而傷戰志，為害是不可想像的。這豈是我自由中國忍辱負重決心反攻復國之大道歟？可不令人深省！

瓦斯。

華僑最多的泰國

胡養之

僑情

據國民政府僑務委員會，一九五六年年底的新調查透露：海外華僑總數為一千四百八十九萬四千六百六十八人。而居於亞洲的為一千四百五十二萬八千六百零五人，其中居泰國的華僑佔三百六十九萬人，比任何一國為多。泰國的人口約一千九百五十萬人，華僑約佔百分之十八點五。

東南亞的門戶

泰國為甚麼有這麼多華僑呢？因為：（一）地理關係：泰國位於印度支那半島的中部，東面是寮國和高棉，西鄰緬甸，南接馬來亞，北與我國西南邊境相距不遠。現在環繞着她的這些國家如寮國高棉和緬甸，由於畏懼共黨都已趨向中立，祗有泰國仍屹然不動，保持一個「獨立」王國。因此，她便成為東南亞的門戶，也是反共最堅強的一環；同時在戰略上也佔極重要的地位。是故大陸淪陷後，便有很多難民逃到那裏求其庇護的，僑胞逐漸增多的原因之一。

有豐富的出產

（二）經濟關係：泰國是一個出產豐富的國家，尤其是米為泰國最主要的農產品。華僑在那裏經營米業的，約佔半數以上。據統計：泰國歷年來的稻米：一九四八至一九五〇年，每年平均種植面積有五百零六萬六千英畝，產米六百七十六萬七千噸。一九五二至一九五三年種植面積五百九十三萬英畝，產米八百二十三萬九千噸。一九五四至一九五五年，種稻面積五百十七萬英畝，產米五百七十七萬噸。（三）戰後泰國的雜糧產量增多。一九四八至一九五〇年，每年平均種植花生面積五萬八千英畝，產量四萬九千噸。一九五二至一九五三年，種植面積七萬二千英畝，產量七萬八千噸。此外，泰國農產品尚有烟草、棉花、膠、糖、大豆、椰子等。一九五三年棉花種植四萬英畝，產量一萬八千噸；大豆二萬英畝，產量一萬噸。一九五五年產糖三萬六千噸。

中共侵略的對象

由於泰國的出產豐富，自然成為共產黨垂涎三尺的對象。但泰國在東南亞的防禦組織，和美國的撐腰之下，共黨卻不敢直接侵略。祇好一方面扶植共傀儡從事內部的顛覆工作，再方面加緊宣傳，並在泰國邊境集中兵力，以便伺機擾亂。目前中共已經明目張膽地扶植泰共頭子披里，在雲南車里成立所謂「自由泰國政府」，並在雲南湄公河流域設立一個訓練基地，加緊訓練泰、緬叛軍一萬五千人，準備將來入侵泰國的先鋒隊。在我們沒有能力進攻泰國之前，必須先行展開宣傳攻勢，企圖造成一種不安局面，或藉口作將來進攻之用。兩年多前，中共曾經一度猛烈抨擊泰國虐待華僑的風波。當時據泰國政府聯絡廳長讚鑾的談話，原來泰國政府逮捕一些華僑，多半是共產黨份子，在泰境替共產黨宣傳，活動工作，妨害泰國的社會安寧，違反了泰國的憲法、法律等，因此泰國不得不加以取締。

怎樣待華僑

不過泰國政府對待華僑，說起來也很奇怪。據悉此次被逮捕的宣佈驅逐出境的四百餘名華僑，實際上多未曾犯泰國法律的，其中一部份是富有的商人，大部份是窮苦無告的難民，多半為了「隨身證」問題，有的是沒有申請到「隨身證」的，有的是繳交不起「隨身證」年費的。

沒有到過泰國的人，也許不了解為什麼須領「隨身證」？為泰國政府規定，華僑須領「隨身證」，只是五年前的事。在這以前，凡是沒有經過正式移民手續入泰境的人，那是無論如何請不准「隨身證」的，除非你付出一筆正當規定以外的費用，但過某一時期，這種黑市「隨身證」還是可以宣佈無效的。

不過話得說回來，其中也有不少共特冒充華僑混入泰國活動的。尤其泰北方面，中共更有駐泰的「僑務特派員」許思明，及所謂「中泰友好協會」的黃某等。像這種地下組織，不勝枚舉。確實給泰國社會莫大的威脅！

應運用反共潛力

但是，我們敢說一句，居留泰國的三百六十餘萬華僑，他們對於泰國歷史上經濟的發展，和繁榮社會的貢獻乃至今天反共鬥爭上所起的偉大作用，都是毋庸贅述的，而在這三百六十多萬華僑中，除了極少數人一時受了共黨的誘惑，走入歧途外，相信極大多數都傾向自由，忠於祖國，遵守居留地政府法令的善良僑胞。由於他們很明瞭共黨的毒辣，雖然在事業上和精神上，往往受到了當地政府的歧視，可是僑胞具有中國傳統的淳厚、堅忍的習性，逆來順受，勤勉自勵；他們絕不會為了當地政治上苛刻待遇，而肯盲目地接受共黨宣傳。他們不僅不會做出不利於當地政府的行動，而且他們還樂意與當地政府合作，為維護泰國的安全幸福而鬥爭。

我們認為：泰國最高當局，應該有遠大的政治眼光，至少在目前抵禦赤禍，風雨同舟當中，在主觀上為強化反共陣綫，也應該結合國內一切力量，作適當的運用，何況三百六十餘萬華僑，便是一股可觀的力量怎能加以忽視？如果泰國政府領導來一個反共團結，以小區域單位，先由各組織單位各種職業團體為構成的自行清除傾共份子，其中毒最深無可挽救的斷然驅逐出境；其一時受迷惑，可能克服改造的予以自新機會，監視促其表現工作。這一來，可能收到事半功倍之效！

緬政府拒與共黨和談
對破壞分子絕不罷休

【本報仰光特訊】當緬共接受中共指示，推動統戰工作，也在製造所謂「和談」之際，現在緬甸總理吳巴瑞，秉承宇努及緬甸「反法西斯人民自由同盟」之決策，於十二日再度公開表示，拒絕與緬甸共產黨進行談判。

吳巴瑞特別強調稱，「反法西斯人民自由同盟的政府將繼續同破壞分子作戰，不把破壞分子完全消滅決不罷休」！他並指稱，共黨地下叛亂分子所採取者，乃是法西斯的道路，如果與叛亂分子談判，就是該盟及其政府背信與人民」。吳巴瑞在發表上項聲明時的態度是極堅定的。

目下，跟隨緬共進行「和談統戰」的，除了由中共領導的「緬甸國內和平組織」、「緬甸民族團結陣綫」、「緬甸青年陣綫」，及由緬甸議會反對黨領導人之一吳佩登所領導的「人民團結黨」。至於右翼的小政團，則也為了欲混水摸魚，而在推波助瀾。

據悉，緬共及緬甸紅旗共產黨和共人民志願軍，將再度向緬政府提出「實現國內和平的各種建議」。（仰二月十六日寄）

（編者按：現際國際共黨的活動卻已陷入低潮時期，不得不推出和談來作顛覆政府之手段，觀此緬甸，則可洞悉，中共、緬共還有越共，在同一時期內推出所謂「和談」，是絕不偶然的了。這實在是國際共黨對外整套策略的一環。）

讀者論壇

讀「有不已於言者」後

有不已於言者

．娟娟．

一月二十三日，「自由人」有署名陸寶章寫的「有不已於言者」大作。對一月五日拙作，「我們沒有人材嗎？」一文所舉黃雪邨君與盛沛霖君為例認為「空例技術錯誤」，因而對黃君加詆評。我讀後，也不已于言，有幾點意見要請問陸先生：

第一、照陸先生的大作及附圖所指出的，在二年前我就會詢問過黃雪邨君，請教過。據黃君說：「水銀較水浮力大，但較水的壓力更大」。那條鐵柱（按照第一圖所稱）活動，則必須與隔板留最低限的距離，不錯，水銀便會表演它的效驗了；但這不是水銀與水的浮力接差，卻是水銀與水的壓力有大小。倘將隔板緊束了鐵軸（原名鐵柱，其實應稱鐵軸較妥）。任水銀的浮力如何大也等於零；反是水銀的壓力就會擾亂我們的理想。這個問題，我得請教陸先生，究竟隔板與鐵軸宜寬或緊？而黃君當年就已有解釋。

第二、陸先生的乙圖；黃君似也有紀錄，屏東方面，有一位機械師曾這樣的設過；但黃君解釋，並不須如陸先生這樣的費辭迴篇，要用什麼積分去，只消拿出黃君「引力」的認識便會一看而知，簡不了懷是永動的發明了。

第三、陸先生文中有這樣的幾句：「至於黃君之事，本人不太清楚，但是一看「永久運動」四字就可以斷言……」。這不是正等如「有騎士的都是爸爸」嗎？既不清楚黃君，何以竟妄加斷語。誣人家為「科學狂」，「發明熱」呢？

第四、黃君的「永動」理論：係完全根據牛頓的「運動第一定律」與及力學「引力定律」。這裏請教陸先生：「動者恆動」是什麼意義？機械運動主要的條件是什麼？「引力」又是什麼？「地心吸力」是否有存在？「引力」是否曾已與我們為工？陸先生既這樣自負，則下邊抄錄只是幾句普通物理的課文，當可理解得若干出來？

力學「能量不滅」篇：「一切之機械，必須由外界供給相當之能，始克作工，能之供給不絕，機械之運動亦不停止」。請注意：「能之供給不絕，機械之運動亦不停止」。「不停止」，是否就是「永久運動」？「動者恆動」是否也就是「永久運動」？

機械運動之主要條件是什麼？即「一切之機械必須由外界供給相當之能」。而「外界之能」是什麼？也就是外界之力，也就是所謂機械之外力。「外力」定義又是什麼？曰：「由本物體以外而來者曰外力」。黃君更比喻：「甲之加力於乙，乙之所得，即為外力」。則機械外力，非祗僅僅限於一種，顯而易見。黃君是要利用「引力」為機械之「外力」；而「引力」又是什麼？牛頓發見有引力定律：「自由落下之物，其速度由地球之引力而來；行星繞日作周圍運動，其向心力由太陽之引力而來；宇宙間一切物體相互之間，均有此種作用之力存在」。曰「萬有引力」。又「慣性定律」：「如抽去支持物體之礙，物體自由落下，其原因由於受地球之作用」。又「由高處落下之物體，愈行愈速，由於受地球重力作用」。又重量篇：「自由落下之物體，不問其質量如何，地點如何，恆以一定不變之加速度，沿鉛直方向下降。由是可知凡在地球表面之物體，均受有沿鉛直方之一定不變之力作用」。黃君「永久運動」的原理便是如此，要利用我們地球的「引力」來做機械的「原動力」；也就是「外力」。若有人要推翻這原理，就必須先推翻牛頓的諸定律。

不過我相信陸先生仍不會相信不會掛學掛頭銜的黃雪邨君！但如盛沛霖於未謀面給人打破頭顱時，恐陸先生亦不過看如黃雪邨而已。難道中央報也會報假話？陸先生今日是會將盛黃二君分別的；但盛君若請後致黃君的若干信我還得讀了；盛君就斷不會如陸先生的想法，以為黃君為不對；反之，他臨會機尚是讚股黃君能當與道鄉。陸先生未免太小器了！難道學術研究都有階級？

第五、黃君的研究，經濟部曾耗時二年，派專家三次審查，但結果是不能動搖黃君的原理。只認說這是學術問題，黃君轉向工程師學會提出研究。這大概陸先生也不至忘掉？黃君於民國廿九年便獲獎有其他的專利權，大概總不是「狂」吧？至少也總可以算是一個肯努力創造的人才了吧？

第六、陸先生都知道今日社會一般之奇怪研究與創作；這還是前兩年的事，住台北某君自動風扇的成功，給某某撥冷水；現在發明人已設廠多時，更向到外國去發展了。又稍稍確定的成功，說無紀錄，結果是給發明人赴日本去深造了。又如黃君罐頭原理運用於蛋類保藏，有人認謂這不是真正的防腐，不是罐頭原理之功，後來有人要冒仿，不成而上吊！黃君又有袖珍自動無線報用機之請求三年，又似會報載鉛棺材彈子機等等的專利，陸先生想該知道了。（下略）

陸先生這樣對黃君，恐怕確有「不已于言者」吧？

阿里山下

有關編史問題

立法委員李文齋近向俞院長提出書面質詢，題為「關於毀滅黨史資料研究」，指責中國國民黨黨史史料編纂委員會主任委員羅家倫毀滅史料。

當代的是非善惡，此刻固難論定，但肯毀滅的是什麼資料，該料應否刪改，編史者雖見仁見智，事關黨國歷史，倒是值得公開研究。

珍惜歷史

「中華日報」近舉行十一週年紀念，梁寒操為之撰文時指出：「中華日報原是由中國國民黨在台灣所辦報紙中資格最老的一張報紙，但一直到了今天，還是在艱難掙扎之中。」近由于該報評論「自由中國」事件的大有失策，為愛護該報者所深惜，都希望它珍惜歷史。

羅敦偉的妙論

羅敦偉所以「老報人」姿態，在省營官方報紙大談自由，其所謂自由不能超出法律範圍云云，固屬何獨到之處，然認為「輿論只是若干青年人在小房間之內匆忙中寫出來的」一點，倒很新鮮驚人，不知這是否就是「老報人」的老經驗！

兩種刊物

最高法院檢察署，近令台灣高檢處轉令全省各地檢處，並函內政部及省新聞處，協同取締黃色刊物，以正社會風氣。在反攻基地的台灣取締黃色刊物，其重要性盡人皆知，實在令出必行。還有若干冒以戴「紅帽子」為能事的刊物，當局同時也應該加以糾正。

「最後一次了！」

省臨時議會議長黃朝琴，近向日本記者介紹議員情形時，將這是本屆議員最後一次會議，說成「這是做議員最後一次了！」事實上，若干掛着民意代表的招牌，而從不替我們小百姓說句話的人，也該是「最後一次」了！

國民所得在增加嗎？

據政府主管當局最近推算，當前本省國民每人每年之平均所得額，約為二千五百元，此與實耕改革後之三十九年比較，約增加三倍。然因物價之上漲，所謂增加云云，恐非「實際」價值吧！

三千萬與一百二十萬

台北縣三重鎮一處，三年來共繳省縣稅收，即達三千餘萬元之巨，然縣政府補助該鎮建設費，僅一百二十餘萬元，約只佔總稅收的三十分之一。取於民者如此多，用於民者如此少，這不知該怎麼說！（二月廿一日）

．傅正．

民主黨伍憲子嚴重指斥 左報惡意「捏造」談話

當「大公」、「文匯」、「新晚」這三報刊出民社黨伍憲子先生發表所謂變成「和談」談話的同一個晚上，本刊記者曾訪問伍先生於九龍深水埔寓所，希望能進一步了解他談話的內容。事實上，在同一天的「中聲晚報」上，已經透露了伍氏對「文匯」等報曲解了他的談話表示極大的不滿，究竟是怎樣的一回事呢？記者相信不僅是一個新聞工作者才會發生興趣的，而是每一個人都關心的事情。

這一位年已七十六高齡的老政治家，由於年老體弱，復因病腿，不良於行，因此近年來已經很少在公衆場合露面了，記者還記得除了每年文化界慶祝雙十國慶的大會上，他老人家還偶然出席外，甚不多的集會都不參加，但他對國事主張的文字不時會散見本港報刊雜誌，顯然的，他並沒有忘懷他自己本身對國家的責任，和他本身的政治立場。正如香港時報所指出，伍先生近年來在報章雜誌上所寫的文字，在大庭廣衆中所發表的演說，總是主張闡揚中國固有的文化思想，強調孔孟學說，反共暴政的。他無疑是一個思想體系非常已凝固的知識份子，這次爲什麼突然發出極端相反的理論呢，這實是使人感到有異的。

伍先生住在深水埗的一條橫街，當本刊記者拜訪時，伍先生的同志，民社黨前駐上海黨部的負責人于震海，治廣西柳州警備司令黎鐵他們兩位也在座，而且正談及這次「文匯」等所載伍先生的「談話」，給伍先生帶來的反感。這時，記者才知道，在本刊記者之前，已有香港時報，中聲晚報的記者和僑報的專欄作者都曾和他談論過同一問題，因此，他對本刊記者的造訪，表示十分歡迎，正如黃震遐先生所說的：「如果不是你們這幾位記者先生的及時訪問，則伍先生將被人完全誤解了。」

伍先生除了對記者復述曾日接見「文匯」和「新晚」報記者的談話經過外，鄭重地指出若干報章把他的談話在發表時，不是曲解，就是增加或且漏去，完全惡意地歪曲了他談話的原意，比虛構事實還要可怕，他們這樣的存心是陰險的，是惡毒的。

關於伍先生所發表的內容，已發表於二十四日香港時報等報，這裏可以指出其中一點，即如伍先生答覆該三報記者所問中共與國民黨兩者的前途比較時，伍先生說，「中共在大陸淪陷以後，國民黨退守台灣之時，中共是可以有前途的，可是經過幾年的三反，五反，以及出兵韓國，中共已把自己的前途毀滅了。」可是這句話發表在那些報上卻變成了「中共是有前途的。」這樣兩相比較，使人有啼笑皆非之感。而伍先生的整個談話中大都如此，有時甚至節外生枝，無中生有，面目全非，難怪連伍先生見了也不認得。

伍先生對「香港時報」記者發表更正「大公」、「文匯」和「新晚」的談話，簽名後即見諸於二十四日的時報上，同日的「新生晚報」和「僑報」也加以全文轉載，而且多篇加以批評。當晚的「中央通訊社」亦將「時報」的原文發爲通訊稿拍發各地，至於那些左報呢，不是隻字不提，就是避重就輕，胡說一通，醜態百出，爲識者所笑。至此，中共所謂「和談」攻勢，又大大的打了一次敗仗。

中共作永佔北韓之準備

（本報特訊）中共駐北韓的「志願軍」，刻下正在從事學習北韓的一切法令，以備作長期駐留下去的打算。據共報所示，這些法令包括土地，山林，水產等的經營管理規定，使用電力的規定，名勝古蹟的保護管理以及交通規則等。據此看來，中共在北韓的統治權在逐漸增高中，此實係圖永久佔領的先聲。

春節時期上海出現搶購狂熱

中共以剝削手法抽緊工資來平壓

（本報特稿）約在春節前的一個半月，上海陷入了搶購的狂熱中——物價的波動起伏，除了「解放」初期曾與一比外，也是七年來少見的，市面之旺，購買力之強，簡直是使上海各級共黨行政機關嚇得目瞪口呆了。

在中共的統治經濟之下，上海爲什麼會突然出現這樣興旺的市面？是共黨經濟政策轉變了嗎？還是受其它因素的刺激？還是市民的購買力真的增強了？面對這樣巨浪似的搶購潮，中共將用什麼方法把它平抑下來？這些問題，當爲讀者們希望知道。

記得在中共的「八全大會上」，負責擬定中共財經政策的薄一波，曾說過今後中共的經濟制度，尚未能完全確定，有待於根據事實作修正。這話在當時看來，似無多大意義，實則中共當局早已看出東歐國家財經的支離破碎所造成的危機。中共爲了避免發生類似波蘭匈牙利這樣的事態，於是即在去年秋冬之交縮減和修正了工資及工資等級，並同時在「監督和領導」下，局部開放了「自由市場」。這些措施在二三級的中小城市和非工業區地帶，它的影響自是極小的，但在工業集中的上海，這兩項措施實行後，市場上，即開始有了小的起伏。由於各地「自由市場」的開放，各方面的零銷皆趨活躍，各地的商業機構也都集中到上海來競購，於是原始狀態的手工業作坊和作場，也都重行組織起來，他們專門經營生產日用必須品，如皮鞋，皮帶，塑膠製品，小五金零件，不銹鋼表帶等等。

在去年十月份據「新華社」記者的報導在上海十五個區內一共有「二千八百多戶自發開設，沒有在工商行政部門登記的手工業作場」，由於失業的人多，各地來到上海集中預購和競購的扯力大，這種作場當然還在不斷發展中，無形中給統治經濟當頭一棒！既然事實有此需要，共黨又不能立予禁止。

因此，上海的經濟狀況即起了顯著變動。中共對於上海市場的變化，已經不容不承認市場供過狀況的緊張。及至去年底，中共上海「人民銀行分行」計算，當時在市面上流通的貨幣，較比前（一九五五）年同一時期，增加了百分之三十七。而上海中共當局「預計在春節前的十天內，市民可能拿出近五千萬元的貨幣來購買年貨」，但在經過了「巨大努力」之後，「節期開市的廿六種主要副食品的總值還不到四千萬元」。預計數值本已是極低了，庫備貨的總值更低於此，以致春節期間的搶購浪潮將一發而不可收拾。當時上海市面上最缺的是各季貨品如絨綫、呢絨、布疋、皮貨像具。即使向服裝店定一套棉「列寧裝」，也要一個月之後才能交貨。

中共鑑於市民手上的浮動資金競相用來搶購，間接也必將影響今年強迫購債的完成，於是即發動了節約和儲蓄的宣傳運動。這一運動，首先在企業界的工程技術人員和工商界的職工中發動，「人民銀行」特強調爲這些收入較多的人開立了「節約儲蓄」的專戶，於是搶購潮逐漸低弱下來，同時又凍結了各地來上海的採購單位的資金，市面銀根在極度抽緊之後，市場開始平靜下來了。

照上海中共「人民銀行」的預計，認爲「在春節前十天內銀行儲款可能差出四百多萬元的，但經過強迫推行「節約儲蓄」後，「反而」增進了三百八十八萬元」。春節後銀行開業第一週內，又比預計數額多收進了「一千二百九十七萬元」。至此，根據「新華社」本月十六日的報導：在那一時期，上海市民被中共凍結了的薪工收入「總額達到四億七千三百一十萬元新紀錄」！平均每人被凍結了七十六元僞幣。（上海現有人口約爲六百六十二萬）。

從這個數字看，可見當時中共預計有五千萬元投入市場購買年貨是不錯估的，而從儲備了四千萬元的年貨來應付市民需要一點看，則更可見物資的缺乏，實已到了山窮水盡的地步。如果當時上海市民以四億七千三百餘萬儲存的三分之一來搶購的話，相信上海的市面必將更形混亂了。

從上述的事實來說，這不足以表示中共在控制通貨上的「高明」，確反而顯示了共區生產萎縮，供應缺乏，和欺騙受薪階級，主要是從大多數工人手上把工資凍結起來，使其無從作必須的消費，剝削奴役之甚，誠是嘆爲觀止了！（言）

異軍突起的「復興文藝」

一點想感

反流俗的建議

·孫旗·

擁擠擁有八百萬人口的寶島，雜誌却在三百種以上，可以想反文藝刊物也不在少數了；而最令人怪者，乃是文藝刊物直追綜合性雜誌，封面用彩色，甚至運用「封面女郎」以爲號召，其花樣之多，恐爲世界刊物之最也，亦爲吾前所未曾見者，我曾私自將注重表面的刊物命名爲「垃圾堆」，門面粉刷得美觀，而內面填滿了良莠不齊的作品，甚至於還有些準黃色的、灰色的、黑色的；此並不足以爲怪，此乃是步世界文化精神沉淪於世紀末頹廢狂亂風氣之後塵，隨着科學三百年培養歐洲人的精神陷於苦悶泥沼而不克自拔，實感覺文化物觀氣味所以致之也；而與以「使手挽狂瀾」者，存在主義的文藝由之而出；吾得斷言，此狂瀾之不挽，存在主義亦將步入腐爛之境矣。於此之時我們能不需要一種反此逆流的文藝刊物嗎？

一個陰霾的星期日中午，一個聞名不識面的文藝界朋友，來找我寫稿，說是「復興文藝」需要稿；當即我提出問題：官辦民辦？要否送與何人審核？友人答：民辦，不送審。再問：限定題目或指定何種文章？字數限制？答曰：均不限。我解釋：時代風氣如此，請原諒我這個怪人的怪問；我是一個文藝上的自由主義者。首先，我向友人指實時下文藝刊物之邪氣，譬如文藝如此討老婆和玩交際花草（娶妾），國人所謂「娶妻取德，娶妾取色」是也；所以文藝刊物不重封面×彩和「封面女郎」，重在作品的貨與量，不讀文藝者即使千彩和油倫作封面，也不買，有如玩交際花者，僅玩弄而已，不管她有無德性，而討老婆要講求賢慧、淑美……其次，反偶像主義，那些偶像式的名家不值錢，要第一流作品而不要第一流作家；再次機動性——增點編輯們，反對「垃圾堆」的塡鴨主義，沒有够水準的作品，寧缺毋濫；刊物定價也屬機動性，有最低與最高的限制，文藝刊物是賣文章而不是賣紙張印刷的錢。友人答曰：所見略同。

談刊物

現在，該刊物已出版了三期，除第一期外，均能按期（每月一日）出版；封面用名作家像，從「發刊詞」中可以得知該刊有文藝復興的意義，是以人文主義爲其思想重心，與今日實踐人文之思想的反共抗俄之國策是配合的，在藝術上主張以爲藝術而藝術。吾人當然贊同的。三期以來，該刊恰乎是反偶像主義的，陳紀瀅、王藍、張秀亞、孫陵、覃子豪、王聿均、艾雯、琦君、李微、方思、金溟若、尹雪曼、葉泥、黃仲琮等，較爲知名，但均非所謂「偶像」的「文豪」，總計不過三分之一；其餘三分之二的作家，可謂不甚知名，但他們的作品，與「文豪」的作品並無所讓；在貨與量上說，大致都還够水準；該刊的表現，符合我心目的意見百分之八十；所以，我敢說這是異軍突起的，眞正的一本文藝刊物。但是，我以爲這份刊物還缺少點東西：第一是翻譯作品的太少，介紹外國作品也是一項不可減少的工作；其次，該刊物以文藝復興爲職志，對於當代文藝應提出一些所謂復興文藝之道。而該刊每期缺少渾樸性質的文章——理論。我相信都在改進中。爲消滅「文化三害」的文藝衛道者們，吾人乃敢以此刊物爲之推薦矣！

變相開征「人頭稅」

中共全面提高食鹽售價 每年可搜括一億二千萬

中共括搜民脂民膏，已到了山窮水盡的地步，今已利用提高食鹽售價，作變相的增加「人頭稅」！

據二月十八日北平「大公報」消息，共區食鹽加價，係於本年一月一日起實行，而且是全面性的。尤其沿海產鹽區，也是人口最稠密的地區，即「沿海接近鹽場地區「鹽價」，據該報所稱，竟提到「比歷史水平高了些」的地步也即是說，沿海鹽區的鹽價的已提高到，空前的最高價了。

據該報導文分析說，這次提高鹽售價是爲了「一有利於整個物價穩定的」。相反的也即是說，大陸全面的物價早已陷於不穩定狀態中了。按照該文所述，各地區平均鹽價每斤提高了一分到二分錢「人民幣」，所謂「每人每年以吃鹽十三斤計算，一年不過增加開支二角左右」，但是我們若將這數字乘以所謂「六億人口」，則全年計算被中共括去者當在「人民幣」一億二千萬元左右。因此，共報也不能不承認對中共政權來說，「增加了國家收入」。

（裕）

達賴黯然返藏

在乃推拉山口 不忍遽去

（本報特訊）一度曾傳說不願返回西藏的達賴喇嘛，他終於在結束了訪問錫金之後，於本月十五日從錫金的春谷地方沿着喜馬拉雅山北上，走向回藏的歸路了。

十五日的中午，達賴喇嘛及其隨員一行，就到達了喜馬拉雅山南麓的乃推拉山口。這是一條中國與印度間穿越喜馬拉雅山的古老的商道，這裏積雪皚皚，雲霧低迷，雖寫寒荒蕪，但却是西藏人自由與奴役的分水嶺。據自西東到新德里的西藏人稱，達賴頗有徘徊不忍遽去心情。

據稱，從印度起程時，中共駐印使館參贊葉成章，即寸步不離的以倨傲的姿態監視護送他。到達乃推拉山口時，在山口「歡迎」他的有：中共西藏工委和西藏軍區代表金紹山少將；中共西藏工委農村工作部部長惠毅然；西藏自治區籌備委員代表巴·郎吉旺堆，以及張東、帕里之駐軍代表等；此外尚有拉薩三大寺的代表。

又：隨達賴回藏之隨員，計有正經師林倉活佛，副經師赤江活佛以及噶倫索康·旺清格勒、馬基凱爾·索安旺堆等。

從中共所謂新聞自由看香港左翼報章

中央社於三月十六日列舉了鐵一般的事實駁斥最近在北平發表大陸有新聞自由的「新民報」負責人陳銘德。中央社指出中共竊據大陸後，即粵省一隅已搶殺了香港「星島」、「華僑」、「工商」及前此粵穗各報記者四十六人，而被判勞改或徒刑的也超過百人。此外，當大陸變色後，各地的民營報紙已蕩然無存，如果中共說新聞有自由的話，眞不知應該如何解釋。

匈牙利的偉大革命，推翻暴力統治，終因蘇俄的干預而失敗，匈牙利英勇人民所寫成的血淚史詩將與宇宙同不朽，可是，在中共的新聞裏却把蘇俄的干涉寫成是匈牙利對蘇俄的邀請，而把匈人民的自覺和揭竿起義推翻暴力統治的事實，說是「西方國家在匈牙利一手製造的反革命暴動。」如果這些指鹿爲馬的說法祗行於大陸，那對大陸人民還可以欺騙一個短時期，但祗要凡是在自由地區的人，都會知道是誰在歪曲事實和顛倒黑白的。「人民的革命」可以稱爲「暴動」，這當然是根據共黨利益的「階級觀點」，和「新聞自由」，實有夏虫不可與語冰之妙。

陳銘德在他對中共如何有絕對的新聞自由的無恥阿諛之後，指出中共的新聞自由的標準說，是「有利於國家」；「階級利益」；他特別強調報紙「應爲階級利益的服務」。根據陳銘德所指陳的新聞自由的定義，便可證明中共根本無新聞自由，因爲它祇服務於一個主義和一個階級。而所謂「工人階級」，所謂「國家」就是中共，違反了中共的利益，就是違反了「工人階級」和「國家」的利益，就是「反動」，就不能享受新聞自由了。這就是中共的「新聞自由」了，那不是很可笑嗎？

相反的，我們試回過頭來看看香港的所謂親共報章，那些崇揚中共有「新聞自由」的左翼報章，他們一面執行中共的政策在香港搖旗吶喊，可是一面知道這些臭文章是沒有人看的，因此盡量利用了自由國家的新聞自由，走法律罅，在那裏誨淫誨盜，希望吸引一羣讀者，順便夾送一些毒素。

我們試翻開那些左翼報章的副刊，除了一兩篇革命必須刊載的「鬥爭小品」外，絕大多數都是一些從外國讀物上翻譯的黃色文字，或者一些洋場小說，或者談男女間事，或者談狐說鬼，或者誇張的劍俠技擊，以期用這一套來麻醉讀者。最近，這些報章更變本加厲，每天在首版的左上角放一幅特大的半裸外國模特兒照片，這一套手法，原本是模做本港一些較型報的，而這些較型報因受到了抨擊早已偃旗息鼓，不圖今天的中共也來搞這一套。

由此更說明了中共的所謂新聞自由是完全以它的「階級利益」爲依歸的，在它統治下的地區，以教條式的報道硬性的非要人民接受不可的報道，在它統治以外的地區則不惜利用色情的包衣散佈傳播它的毒素。同一個系統的報章，因爲地區不同，而有兩種面目。我們當更清楚看到中共在他人有自由的地方，不惜妄顧道德濫用自由，而在自己統治之下，則絕不能有一點自由。

談博士學位（美國短柬）

●衛挺生●

月前見「自由人」有某君作論，謂台灣近有二百三十人，從事科學研究，評其爲「重量而不重質」。其意謂「人數太多」。近查美國究有二十三萬餘人，專門從事研究科學，以爲其專生職業，而各大學研究院之科學研究生人數尚不在內。故吾人對於台灣之僅有二百餘人從事科學研究，只可說其程度之低，而不可謂其「人數太多」。因此，照美國全國人口一億六千餘萬人中而有二十三萬餘人從事科學研究，台灣今約有人口一千萬人，應有一萬人以上專門從事科學研究，始在人數比例上够標準。

須知現代國力比較，不在其兵幾名，槍幾枝就若何，而在其科學程度之高下，與其科學研究之成就若何。

中國自一九〇二變法，設立現代學校。至今國內尚未產生過博士學位（之惟上海聖約翰之會贈博士學位予政治上某權要）。中共近始創「副博士」學位，而台灣並「副博士」亦不曾有，可見中國教育界之「自卑感」。

菲律賓亦自一九〇二年始立現代學校，與我國同年，今其國內每縣最少有大學級之學校一所，全國有大學級學生在校者二十五萬餘人之大學，首都公私立各一，可以授予博士學位（其人口不過倍於台灣）。他處未詳。

原來學位之授予，在獎勵學術之研究；在外國之授予博士學位，不過表示其對某一科學之研究方法已能自動應用而已。中國則對於博士學位，常含神秘意味，至爲可笑。往年立法院定「學位授予法」時，馬寅初阻撓「博士學位」之授予最力，因其可以使其本人之美國博士變爲「難得之貨」。今馬氏既投共，而台灣仍遵守馬氏主張，大可不必。甚盼台灣之各大學，獎勵研究，並授予博士學位。（三月四日於麻州康橋）

向當局進一言——請考慮領導運用海外婦女的力量

·夢霞·

多難興邦，凡飽經憂患的民族大抵是堅強的。即如我們中華民族的國民，頻受戰亂但全民的意志並未消沉，尤其是婦女們所表現的，更有着可觀的進步。她們不但慣於吃苦耐勞，承受困難與貧負，更可貴的是並能把握時機以些微的餘暇去從事各種技藝的學習，幾年來，自由中國的婦女界固產生了多位已負盛名的女作家、女畫家等，但更多的是運用雙手的家政婦女，手腦並用，直接和間接的爲家庭和國家作了莫大的貢獻。

一般職業婦女們，不論在前綫，還是在後方，更是競競業業，堅守崗位，努力完成各人所負担的任務，也已成爲國家一般重要的力量，更是值得贊揚而難能可貴的了。因此，我們可以說今日中國的婦女是確站在時代的前端，值得驕傲的了。

然而看了國內婦女界的蓬勃的氣象，不僅使我們想起散居海外各國的婦女僑胞，她們似乎是我們一向所忽略的，雖然當局一再強調保僑和與僑胞取得聯繫的工作，但其效果如何則並非單看僑胞回國就可證明的，我們當知大多數的僑胞都不通國語，更與祖國遠隔，尤其是那些後生的僑胞，對祖國國情隔閡，甚至還不了解自己的國籍是什麼，因而便於中共用以煽惑，如何設法爭取與指導他們，實已成爲當前的急務。

當局雖曾派了不少駐外工作人員去辦理僑務，但他們的成績與收穫，總還是不夠的。因此我們也聯想到那些駐外官員的太太們，她們可曾做到了些什麼呢？她們多數是知識水準相當高的婦女，如果她們能够在僑胞婦女中發起一些運動提出號召或對她們灌輸一些國家的觀念與知識，我們相信其是可以增加成就的。然而直到現在，我們尚未發現一個駐外官員的太太，曾在這方面有過任何作爲，她們除了對外的交際應酬之外，却把多數的時間浪費在遊樂消遣上面，不僅未替國家增加些微的利益，便是個人也幾乎變成了消耗的機器了，這又是多麼可惜的事呢！

當然，過去我們也許未想到這點，一方面當局亦未曾提出授意，現在我們既經發現，也並不算晚，所謂「事在人爲」，能立刻開始做起來，祇要我們能下決心，相信有許多駐外高級官員的太太們是有這種能力的，我們各級駐外官員的太太們，也有着相當的數字，而且她們的生活上多數是要比國內的婦女優裕些，如果將她們的力量集中起來，儘量去向婦女僑胞方面發展、去聯絡、去開導使她們對祖國的認識更清楚起來，使她們對祖國的觀念更加正確起來，那麼不僅可爭取到更多數的僑胞來信仰我們的政府，便是對她們的第二代乃至第三代也言有深切的影響，而對祖國產生了深切的印象，我們婦女對於國家民族的影響力是無窮的，我們應盡量利用我們天賦的智能爲國家民族盡我們一份責任。

在過了這一年一度的婦女節，我以一個曾在國內國外居留過的婦女所體驗到的一些經歷和感想，提供出來，誠懇的希望我們駐在海外的一部份婦女能够在僑胞方面有着特出的發展與貢獻，同時更向我們的當局呼籲，請不要忽略這一股重要的力量，如何開展領導運用，是值得考慮的。（三八於台北）

蘇德會重締互不侵犯條約嗎

（上接第一版）

這種指責不僅是一種警告，而且主要在迫使艾德諾提出一種否認答覆等到艾德諾作了這種否認以後，蘇聯便可回過頭來，乘機質問艾德諾既然德國並無侵略蘇聯的意圖，爲何不以實際行動來表明心跡？我們現在還不明白艾德諾是否眞要這樣答覆，如果眞是如此，那顯已上當了，那麼在那種情況下，蘇聯的外交追逐實在很難逃避。

不過，這一問題的癥結，還在德國統一這一點上，蘇聯是否允許在這一點上讓步，促使德國統一。假若蘇聯在這一點上有所讓步，德國大目標實現，那便不難簽訂一條互不侵犯條約，甚至和蘇聯簽訂友好條約也不是不可能的。西德和蘇聯已經簽訂了正式的商務協定和領事協定，艾德諾總理已經作了這一表示，諒蘇聯也瞭解這一點，所以蘇聯在向西德發出這一更進一步親善建議的同時，在對德統一問題上也表現出了一種讓步的姿態。二月十三日，東德總理格羅提渥發表演說，便提出建議，要求以東西德在平等基礎上，建立邦聯的辦法，來實現統一。所謂東西德邦聯者，實就是允許東西德各自保持其獨立的政治經濟制度及其生活方式，而與上層建立一種疏鬆的共同聯繫，以維持統一的國防與外交。

這種辦法的用意，就是要使東德繼續保持其所謂「社會主義建設」的成就，及共產政權的同時，亦可實現全國統一；一面可使東德保持現狀，一面可使全德產生一種足以和蘇聯簽訂互不侵犯條約的條件和氣氛。從某種角度說，這種辦法使東西德在統一的道路上又推進了一小步，尤其在本年九月西德大選舉行，社會民主黨可能當選執政的威脅下，這種辦法似可收統一之利，對某些人是具有很大的誘惑，但即令這辦法未能成功，蘇聯也將嘗試其它的途徑，以期最後能實現其與德國重締一項互不侵犯條約的想法，以直接破壞北大西洋公約。從目前各種跡象看，這似已是一個勿庸置疑的變化。因此若有人問我蘇聯是否會向德國提出重締一種互不侵犯條約的要求時，我的回答：「是的」。

林語堂與『武則天』

——幽默大師在倫敦廣播公司一段談話——

【本報訊】林語堂博士前年（一九五五）辭去南洋大學校長，即到法國南部海濱風景區尼斯，過着悠閒的旅居生活，一年多來，外間很少得到他的消息。最近林博士忽從法國前往倫敦，本月十五夜在倫敦的BBC廣播電台和該台的廣播員作了十五分鐘的廣播談話，在這段談話中，廣播員用十分幽默的口脗提出若干問題，林博士也始終用輕鬆愉快的笑聲作答。

林博士說，外間雖有許多高帽子加在他的頭上，不過他自己却希望自己成爲一個小說家和發明家。他這一次到倫敦只因爲女兒和女婿都在倫敦，他要到那裏看看他們。他在倫敦不會勾留很久，再要從倫敦到美國，到美國後的計劃如何，他却沒有說。

問他有什麼新的著作？林博士說，他的新著「武則天」快要出版了。問他爲甚麼要寫「武則天」這本小說？他說武則天是古今中外一個非常了不起的人物。她幫助唐高宗治國卅年，後來她自己做了周皇帝，又經過廿年的奮鬥，確不是一個平常的女人，她最大的本事，是有知人之明。駱賓王討武曌檄，說武則天弒高宗又弒母親，林博士說這都是沒有的事。駱賓王雖這樣的毒罵她，她對駱賓王還是很佩服的。她做了皇帝引用許多人材，其中最有名的是狄仁傑，這便是武則天有知人之明的一證。

後來談到英美的出版界，林博士說兩國的情形很不同，美國出版界的編輯人對作家最熱心，一部稿子到了他們手裏總是很詳細的加以研究，請求作家斟酌修改在英國則一本有價值的作品，是不愁不能依照作家的意見出版的。

問如何可以寫成一本暢銷的書？有甚麼秘訣？林博士再三笑說，這是沒有甚麼秘訣的。不過無論如何，總要說自己確實想說的話，文字要清新，要豪放，自然得到讀者歡迎。

最後，談到翻譯，林博士說，必須中文和外國文都有根底才能說得上有好的翻譯。他還舉了些實際的例子。這裏不再覆述了。

林博士說，他要做個發明家，我們知道他現在已經有了一部中文打字機的發明，不知此外還有甚麼在研究中的東西？他到美國的計劃又如何？自然這都是關心幽默大師的人所想知道到。（三月十六日）

有關「濕毀文獻」的論爭

吳相湘教授來函申明立場

既非捧場亦未「諷罵」被「挑戰」

編者先生：頃閱三月六日貴刊有「黨史會濕毀重要文獻」一文，牽涉本人，（編者謹按：前文文中有幾處將吳先生的尊姓吳字誤植王字，係原撰稿人筆誤。）多有不符事實之處，茲爲先生一言之：

自二月二十日立法院此一質詢案發生後，台灣中英文報紙曾有刊載。當時美國一學者來台訪問，主要任務即爲訪查國民革命史料，彼見報載，非常關切，相湘乃本一見聞據實寫出，藉以告明中外關懷這一問題者，撰文動機在此。抑本人與黨史會及羅氏並無任何關係，前往該會搜集資料乃任何一歷史研究人員可享受之權利，並無「人情」。且本人前根據家藏資料編著「宋教仁先生年譜」，黨史會及羅氏即多不同意。但本人處世對人對事對公私分際殊嚴。於此中外關懷問題，本其見聞報導，實義所當然。因之，貴報所謂「羅家倫邀托」「捧場作證」不知有何根據？

其次，本人發表上文，乃以選民資格對我民意代表者其希望絕無如貴刊所謂「諷罵」之意。蓋二月二十日中央日報所載立院質詢案原文有一「傳」字。當即風聞言事，且自古有言責者風聞言事，而防患未然，使國家免於重大損害之美說，史不絕書。國民革命史料關係極巨，然迄無正式提出此一問題者，李委員不避嫌怨，負責提及此事，這當然是值得我們選民佩服的。至於貴刊所謂「挑戰」之說，本人尤難同意，請想想：一位民意代表是應該尊重選民意見的，那有向選民挑戰之理？至於本人對李委員的公開信，所以沒有答復，因爲我尊重並相信李委員是應該將這些問題早已在拙文中建議他親自去看看再進一步向政府主管質詢的。何況我告訴我們選民呢？

本人與李文齋委員並不相識，在拙文發表後友人相告，始和李氏乃山東籍，貴刊所載任故宮委員會主委者乃河南籍李「敬」齋氏張冠李戴，事實更完全錯了。（編者按：這當然是作者疏忽，也屬編者的疏忽，應向有關諸先生致歉意。）

本人深知中國在邁向民主政治過程中，選民是如何熱切希望民意代表知無不言言無不盡的，同時選民更有藉新聞紙表達意志的自由，新聞記者也有新聞自由，但這三者之間的自由應該相互尊重，而每個人也應該善用其自由。這就是本人當時發表拙文的遲藉，也是現在寄信閣下並請披露的原因。專頌文祺

吳相湘敬啓（三月七日於台北）

第三屆自由中國美展巡禮

田君

（台北通訊）第三屆自由中國美展已於三月七日在台北衡陽路新聞大樓揭幕。內容豐富，作品精粹，出乎我意料之外，尤其場地佈置新穎別緻，進入會場令人有恍若年青十年之感。此為一劃時代性的富有藝術價值之展覽會，水準超出過去其他任何美展。

一、書法部

于右任之「草書」，許世英之「行書」，梁寒操之「手卷」，宗孝忱之「篆書」，以及其他作品，如譚元徽、曾克耑、劉太希、李㵾瑛之手筆，均有上佳之表現。

二、國畫部

丁衍鏞之「荷花」，富情趣，使懸於其附近之贋品，大為失色。張大千之「南美洲野」，工力遒勁，十足石濤氣派。何鐵華之「沉醉」，構圖新穎，幻象，功力深。郭大維之「松鼠」少少幾筆，卻栩栩如生。又其「熱帶魚」形態千變萬花，工力純熟。其餘李奇茂、楊有劍、沈耀初、何谷川等亦有好之新作。

三、西畫部

郭柏川之「裸婦」，富東方情調。李石樵之「靜物（A）」，亦為一幅新之創作。何鐵華之「蜜月」，寓意奧秘；又其「追擊」，為表現一種無可抵禦之力；及其「戀映」深含哲理。何氏此三幅新作，為全場增光不少。龐曾瀛之「童像」，莊世和之「浴罷」，何谷川之「撫」，紀弦之「自畫像」，吳兆賢之「虔誠者」，均有足觀者。其餘李涵瑛、吳鼎藩、李本吾、莊漢龍等年青一輩之畫，亦生動而有前途。

又水彩畫方面之曾景文之「鋼絲工廠」，張杰之「新生大樓」，香洪之「雲海」，亦能充份表現出水彩之特長。

四、攝影部

高嶺梅之「髮」，陳漢清之「淡江夕照」，陳李鳴鵰之「黑髮」，單建周之「加油」，防雨之「親情深似海」，均上乘作品，其餘何鐵華之「曲直」，陳懋勳之「曉霧」，林英英之「露營野火」等亦並皆佳妙。

五、其它部門

關頌聲之「新加坡中國式住宅」，不愧為一老建築家之作品，秦松之「星圖」是屬於新派之木刻，劉維卿之「鋼模影刻」亦甚佳。

一件藝術品的欣賞，與各人之修養、學識、環境均有很大之關係，本文不過作一個巡禮後的簡略報導而已。（三月十日）

談知人

陸象山云：「事之至難，莫如知人；事之至大，亦莫如知人；誠能知人，則天下無餘事矣。」小之於個人交友處世，大之於治國撫才任用，皆離不了知人之道。

至於觀人之道，最完備的要推李克之五視和諸葛武侯之七觀。李克曰：「居視其所親，富視其所與，達視其所舉，窮視其所不為，貧視其所不取。」諸葛武侯曰：「問之以是非而觀其志，窮之以詞而觀其變，咨之以計謀而觀其識，告之以禍亂而觀其勇，醉之以酒而觀其性，臨之以利而觀其廉，期之以事而觀其信。」此五視與七觀也，對觀人方法動靜兼顧，才德並取，誠為觀人之準繩。

其道有「五視」與「七觀」

知人尤必須能摒除己見，否則易生「能知人之失，而不能見己之失」的流弊。閻循觀云：「知人有三：知人之短，知人之長；知人短中之長，知人長中之短。」如此方能「因其材以取之，審其能以任之；用其所長，揜其所短。」

因此可見善用人者先能知人，能知人者才能善用人，其中有不可分之因果關係存焉。故左宗棠云：「非知人不能善其任，非善任不能謂之知人。」所以，善任是由於知人而來，同時善任亦即是知人的事實表現。

故為政者能知人善用，然後才能達到「賢者在位，能者在職。」而不令發生「賢愚共貫，能士匿謀；真偽相錯，正士侍舌。」的反常現象。

楊樺

小啓：蔣五先生臨時因事無暇，自由談暫停一次，敬希讀者諒察為幸。

同光風雲錄

丘逢甲（上）

一、書院講學台灣抗日

丘逢甲，字仙根，號倉海，又號仲閼，原籍廣東嘉應州鎮平縣人。祖若父遷薙台灣，遂著籍焉。光緒中成進士，以工部主事用。生平以霸才自許，尤工詩，有民族詩人之稱。嘗倡台灣自立，事雖終敗，而大義已昭著於天下矣。

倉海幼敏慧，讀書過目不忘，六歲能綴韻語，有才子之名。身軀魁偉，見者疑為武人。稍長，應福州鄉試，中三十一名舉人，明年成進士，殿試列二甲，以工部主事用，以無意仕進，乃假歸。先後主講台中衡文書院，台南羅山書院，嘉義崇文書院，潮州韓山書院，課藝以外，並勸諸生，閱報章，讀新書，其思想已隨時代俱進矣。

甲午中日戰起，我軍敗績，倉海聞而痛哭，遂捐家資，編練台民為義軍，計成募者三十餘營。乙未馬關和約成，割台灣畀日本，乃與士紳奮起謀挽救，上書入府，誓死拒割台。略謂割地議和，全台震駭！自聞警以來，台民慨輸餉械，無負列聖深仁厚澤，二百年養人心，正士氣，正為今日之用，何忍一朝棄之？全台非澎湖之比，臣等桑梓之地，義共存亡，願與撫臣誓死守，若戰而不勝，待臣等死，再言割地，亦可上對列祖，下對兆民。情詞激昂，而皇上卒不報，仍飭撤回守官，於是台民獨立自主之運動，遂以暴發。

二、憲法起草人榮膺副總統

清廷不恤台民之呼籲，命李經芳為割台專使。同時，日本亦派遣兵艦，是夜逼台。倉海揮涕語衆曰：「台灣者，吾台人之所自有，何可任人私相受授？清廷棄我，我豈可復自棄耶？」遂以台灣獨立自主，號召於全台，登高一呼，台人響應，忠義好勇之士，尤為憤慨！而力贊其說，衆推倉海，起草憲法，定台灣為民主國，選總統，開議會，立官制，定國徽，民主國家遂草創就緒矣。

其次，為總統之人選，衆議屬巡撫唐景崧，因其位高望重，為台民所歸。惟倉海素知景崧處士好大言，以之為高官，則尚可應付，以之創大業，則不足有為，因此遲疑不決，而卒從衆議，率紳民數億人詣撫署，上台灣民主國大總統印綬於景崧。景崧朝服出，北面受任，即以撫署為總統府，電告自主於清廷，並言遙奉正朔，永作屏藩。副總統一席，羣以屬倉海，倉海固辭不獲，乃受任，而大權仍操於景崧也。時黑旗將軍劉永福，方鎮守台南，尚不明了民主國產生之經過，但僅電陳景崧、倉海，願與台灣共存亡耳。

三、泣勸唐總統引用劉將軍

景崧就任大總統以後，對於台北防守，辦法毫無。鎮守台南之劉永福，深以為慮，因自請佐台北，以策萬全。而景崧以與永福夙有嫌隙，且其爲人勇悍難馭，遂婉詞以謝，兩人意見，自此更相左矣。

倉海憂之，以爲全台大政，集中台北，一旦有失，勢必牽動台南。且景崧爲人，雖自詡知兵而實無謀略，無永福爲助，恐終不易防守。乃力勸景崧，捐除成見，引永福爲助，否則台局將焦，繼之以泣，而景崧依然不納也。倉海喟然嘆曰：「其殆天乎！」厥後，景崧坐誤事機，台北失陷狼狽而逃。永福孤處台南，兵寡餉絀，然猶與日軍相持數月，卒以後援內渡，而全台遂亡矣。（九十五）

夢山樓

恭祝雷嘯岑兄六十初度暨自由人創刊六週年紀念

潘培敏

文章報國佐中興，仗劍登壇足並稱。論事要言能破的，匡時直道不模稜；歧途黑夜明燈出，羈客迷津寶筏乘；每誦一篇皆拍案，故應紙貴洛陽城。

三屆美展觀感集

一、

萬香

筆者花了一小時去詳細看完第三屆自由中國美術展覽會覺得這樣規模的美術展覽會，以私人來舉辦，實在很不容易了！何況，聽說這個展覽會並無任何政府要人支持，只是幾個喜歡為社會出力的愛好自由民主的畫家所幹出來的，談不上爲任何人所領導的，所以實在難能可貴了，該會特列會議出呼聲，要求政府公佈中國繪畫運動新政策，其內容指出三點：一、政府應即決定提倡那一種畫？二、政府對藝術人事政策應該怎樣？三、政府應該怎樣獎勵新國畫運動？理由是：若以作國際藝術競爭言，中國當以繪畫列爲決勝的選手；若以美育實用，及宣傳言，應以繪畫列為第一把交椅；但政府對繪畫素來雖略似重視，而從未見諸有力行動，我對于這個呼聲，觀後也有同感！（三月十二日寄自台北）

二、

默蘭

一位自日留學返台的畫家，曾對我說及他回國前有些不大明白中國情形的日本畫家，對他勸告道：「你返台灣？台灣是沒有新藝術的，你回去有何發展呢？」聽後我感到十分痛心。

目前足以自慰的便是自由中國美展，已一屆一屆地走向新的道路，沒有得到任何機構的贊助，相反的還受到若干阻力。而此次展出，卻有不少新的藝術作品。在這些作品中，我特別注意何鐵華先生的畫，在他的作品的畫境裏，可以引起了內心的共鳴，一個心靈上的觸覺。他把野獸派，立體派，超現實派抽象派等的各種流派的合而爲揚；「蜜月」「追擊」與「戀映」可說是他們代表作。

海上學校

×中一篇小說×

一

驚風撲擂雷雨，籠直結成了一片汪洋，[illegible]，抽搐着，像虎烈拉患者起伏的胸膛。

夜已深了。永華片廠攝製的「一代完人」，正宣告散場。那是場包括舞會和雜耍表演的大場面，動用的特約演員和臨時演員非常之多，[illegible]，沒有辦法來形容。

此時，許多考究的轎車，亮起了車頭燈。馬達聲響了，車門開了，[illegible]，輪翻起雨水，相牽向欄柵門外廣場而去。

但飲食部，攝影棚，化裝室內，以及試映室，沖洗剪接室，錄音室外面的走廊上，還橫七豎八地擁塞着一堆一堆的人。[illegible]總之，大千世界的衆生相都在這裏展露無遺了。

[illegible]高大空闊的攝影棚內，金碧輝煌的舞廳佈景，仍然煥發着光彩！[illegible]在強烈的水銀燈下，透明閃耀。靠近舞廳右角的沙發上，有十多個青年男女，圍着一張小圓桌在縱情談笑。[illegible]

大家的稱錢，都不期然而然地凝聚於戴眼鏡的青年的臉上。[illegible]

「哈哈哈，一個好漢子！」

「陽夜翩妙三遍狗都嫌！」「那是個女人的尖嗓子。」

[illegible]

（一）

趙[illegible]

自由人

THE FREEMAN
（第六三一期）
（半週刊每星期三六出版）
每份港幣壹毫　台北市價台幣壹元
地址：香港高士威道二十號四樓
8RD. FL. 20 CAUSEWAY RD. HONG KONG
TEL. 771726
承印者：南華印務出版社　地址：高士打道六十四號
台灣總經理處　台北市西寧南路壹零號二樓
台郵撥儲金戶九二五二
海外總經銷　友聯書報發行公司　香港：德輔道中二十六號A二樓

論中共的和謠本質及其對策

雷嘯岑

從共匪毛澤東倡言「正確地處理人民內部的矛盾問題」這項語意看來，中共目前是側重於對內對外的統戰工作，企圖減少內在的各種危機，目的還是以備戰爲主。最近它們大力發動和謠攻勢，即是統戰的中心作用，和謠攻勢的目標有三：即美國人士（包括政府當局），台灣自由中國的朝野各階層人士，旅居海外反共非共的中國僑胞。和謠攻勢的使倆，是採取辯證的運用法術，而以造謠誣賴，挑撥離間手段，來爭取「分化敵人，瓦解敵人」的成果。

它們首先就猛烈宣傳美國要控制台灣，把台灣變成夏威夷州，說美國決不是眞心支持自由中國反共復國，必要時便會出賣中華民國政府的。如是乎大呼「愛國一家」口號，希望中國人發生反美的觀念。同時即表露着笑臉，致台灣的軍政人員自由出入大陸，包管「不究既往」。它知道，光是這樣的謠言攻勢，自不會有甚末效用，乃進一步製造美國要推翻自由中國政府當局的謠諑，還甚末作口實呢？一是利用最近台灣輿論界對「自由中國」雜志關於民主自由問題的論戰。說「自由中國」雜誌的創立人是胡適，胡氏又是親美的人物，而且曾經競選過副總統。因爲美國要使胡氏取得中華民國的政權，所以教唆並支持「自由中國」雜志號召一般提倡民主自由思想的中國人，從事「擁胡倒X」運動。另外再由「統戰部」指示在海外造謠惑衆的文工隊驟：說台灣某個政治人物是美國賀許的，某個政治人物是美國不喜歡的，今後共黨的宣傳方針，對於某人即須不斷捕攻擊，對某人卻要表示好感。二是利用在日本隨時自稱爲「台灣共和國總統」的狂且之徒廖文毅，說此人亦是受到美國支持，準備數他來奪取政權的。信不信由你，它就是這末閉目瞎說，胡扯一氣，希望藉此引起中美間的猜忌狐疑，或許美國，在日內瓦的「葉、王談判」中，可能對中共有所讓步，而自由中國內部的團結精神，也可能因此潛滋一些渙散分化作用？其次是對海外華僑羣中的反共非共人士，藉和謠來搖動大家的意志，認爲共匪黨已經表示跟台灣和談，主張「國共第二度合作」，並且對蔣總統亦表示尊敬態度了，你們何必再反共呢？美國既不可靠，世界大戰亦打不起來，你們再要反共，那有成功希望？不如回到「祖國懷抱」罷！同時對於反共而又對自由中國現實狀況示表不滿的人士，更極盡挑撥離間之能事。過去它們是唯恐別人不反對台灣當局，在海外用金錢收買一般意志薄弱的知識份子時，亦以「不妨照樣反共，但必須反蔣」爲唯一條件。現在卻拚命挑撥對台灣現實政治不滿意的言論，誰要批評一下現實政治，就加以「反蔣」的綽號，擴大渲染，好像它們倒是自由中國政府的忠貞之士，作用將是要擴大這些人跟台灣的距離，分化反共力量，以便施展統戰魔術，請君入甕。和謠的另一作用，即在安撫大陸上的人心，一面宣傳要與國民黨再度合作，一面大捧特捧孫中山先生，致大陸同胞不必期待自由中國政府的反攻，相信共黨政權是鞏固了。假使共黨的統戰魔術得逞，海內外的人心即爲之丕變，因而它在國際上就可以脅持美國改變對華政策。共黨現時表面上宣稱反對「兩個中國」之說，實則只要美國能夠改變對華政策，保證不支持自由中國反攻大陸，那它是求之不得的。因共黨爲要防備國軍反攻，經常在沿海岸綫上佈置着一百廿萬到一百八十萬的防禦兵力，（彭德懷有此報告）其餘尚有三百萬以上的部隊，亦非維持不可。大陸上目前那種嚴重的經濟死症，就是從這方面產生出來的。

所謂「兩個中國」之說，我們確屬十分憎惡，不願聞聽的，然而中共卻是「其情若有恨焉，其心實深喜之」哩！它們可以把整個中國淪爲俄帝的附庸，又何惜區區台灣一隅乎？

中共的和謠本質如此，它正在活用渾身解數來施展這項統戰的中心工作，今後必然延續不已，花樣百出的。我們在消極方面，大家就應該隨時警惕，遇事不要給它以造謠惑衆的機會，像所謂「國劇」自由中國雜志的言論那類行爲，總以避免爲是。對於海外反共非共的所謂「第三勢力」人士，亦應以團結爲第一義。在積極方面，必須有政治反攻的新措施，有振奮和收拾人心的新作法，不但是使共黨賣國賊的和謠歸於幻滅，即其所恃以扶危實傾的整個統戰魔術，亦無所施其技。這樣，自由中國的聲勢，無論對內對外，即將爲之大振，等到軍事反攻的口角一變，勝利乃指顧間事。如其祇是關諦而別無對策，那就永遠處於被動的態勢，前途是未可樂觀的。

半週述評

民主爭論

最近兩個月來，由於「自由中國」事件，引起了中國自由人士對民主前途普遍的關心；本來，對於我們來說，「爭論」不是一件壞事，在「爭論」中，也可能推動我們的進步，民主自由可貴的基礎就在此，我們每一個人都有權維護我們所尊重的信念。

但是，我們的敵人卻幸災樂禍地說：哈哈，看呀，他們正在「爭吵」。

借刀殺人

我們的敵人今天正在注意我們的「爭論」，但是，他們所關心的不是我們所爭論的信念與原則，而是，怎樣從我們的「爭論」中鑽空子，斷章取義；借刀殺人。

借刀殺人的手法是，利用別人的文字「斷章取義」，當然，一經「斷章取義」，就易于任加曲解，面目全非，這是一種既可鄙又可惡的下流行爲。

亂扣帽子

敵人既然志在借刀殺人，分化反共陣營，所以在敵人的報刊中，今天對於反共的自由人士，凡稍有獨立見解的，一律生硬的扣上「親美」的帽子，我們的敵人作如是想，以爲如此一來，我們的政府和反共的自由人士間，就被劃開一道鴻溝了。

批評台灣，敵人丟給你一頂「親美」的帽子；批評美國，敵人又丟給你一頂「反美」的帽子。

敵人暗算

在共黨這一策略之下，任何人的文章都隨時有被共黨扣帽子的危險。

最近海外反共報刊對自由中國的批評，筆者認爲不失爲民主中國建設過程中的一種健康現象，然而我們的敵人卻把帽子丟得滿天飛。

但是，我們的敵人除了暗算以外，卻不敢和我們在理論上正面作戰。

奴才心理

做慣了奴才，用自已的行爲標準。衡量的人，這是一點也不奇怪的。

做慣了奴才，是不懂得有個人存在的。我們的敵人無法理解，在我們這一邊，絕大多數的文字，祇能表達獨立的個人意志，這是我們引爲驕傲的。

我們的敵人無法理解，在我們這一邊，有分歧，有爭論，而徹底反共則一。

惡毒用心

敵人的技倆是卑鄙的，敵人的用心又是惡毒的。

敵人惡毒的用心是：企圖孤立我們各個反共力量，以便于各別的打擊一個個的據點。

敵人惡毒的用心是：對於某些在自由中國與獨立反共的自由份子的間發生橋樑作用的據點，首先集中火力打擊。

敵人惡毒的用心是，打擊自由中國召開反共救國會議的計劃。

司馬璐

中共財經困難　教育無法發展

「社會主義建設要求生產者掌握一定知識，學齡兒童入學問題只能根據國家財力逐漸解決，不能升學的應該參加生產或自學，希望社會人士和家長協助。」

這段話爲中共「教育部」的負責人說的。用這樣一句矛盾的不負責任的話，來搪塞目前大陸上的中小學教育的特殊情況，把以後的責任輕輕地推給了「社會人士和家長」，實際上卻正充分地顯示了中共目前的財經狀況已經困難到無法再維持中小學的應有發展了。

不僅此，根據十六日北平「大公報」所載：中共「教育部」負責人還說「至於學齡兒童的全部入學問題，這要在今後一個較長的時期內才有可能得到解決」。易言之要全部解決，不是短短的幾年內可以獲致的，也即是永無可能解決的問題。

根據諸種迹象來觀察，中共不再發展中小學，是爲要迫使大量的中小學畢生凍結在農村，用來解決生產上的勞力問題和備戰的兵員問題。當然，如果中共不蓄意增加軍備，不圖繼續再作向外侵略的活動，中小學的發展問題絕不至會有如此嚴重。由此一點，即已可窺見，在積極擴軍備戰下，不僅使中共的財經狀況更趨惡化，而因此財經困難相繼發生的其它問題當亦不止於教育一端呢！

新加坡獨立前瞻

司徒鈞

一、

星馬合併計劃一度告吹後，儘管有人認爲惋惜，也有人拍手叫好。前者係基於星洲馬來亞經濟發展的利益觀點；後者則爲星洲馬來亞政治局勢的錯綜原因。現在新加坡首席部長林有福已率五人代表團赴英，恢復星洲獨立談判，使新加坡成爲一自治邦。

就林有福所提建議內容看來，星總督柏立基行前（三月六日）表示：英廷可望接受。那是：一、准許英國繼續保留其在本坡之海陸空軍根據地；二、對外防務及外交，將暫時由英國代爲負責；三、公安防務七人理事會，由英、星政府各佔三人，及馬來亞聯邦一部長級官階代表組成；四、上次英星談判達成的協議，包括對公民權所達成的協議：凡在過去十年中，在本坡居住滿足七年的外國僑民，均有權申請爲本坡公民；五、民選議員由廿五名增至五十一名，廢除所有的委任部長，及由首席部長代替總督任部長會議主席。

這次談判代表，除巫統分部主席裕末，其餘均係中國人：首席部長（勞陣）——實際已置身該黨事外，拒任黨職——林有福、教育部長周瑞麒、社會黨領袖林春茂、人民行動黨李光耀等。從表面上看，星洲內部已呈團結，其實不然。

二、

星洲政治局勢，只能說對外一致；對內分裂很難彌縫，問題並不單純。第一、巫人不肯放棄狹隘的種族觀念；第二、林有福未能肅清內部顛覆殘餘勢力；形成了星洲建邦的重大障礙。因此造成華巫兩族間重大隔閡，這是可以從雙方不同觀點中看得出來。

新加坡的華僑所持立場，新加坡獨立以後，任何種族不應享有「特權」。這是針對巫人要求享有「特權」而發的。他們認爲星洲在百餘年前，祇是一個擁有三五漁村的荒島，那時島上的漁人到底是屬於何族，現在且不去管它，而百年來的開拓發展之功，誰人都有它的分；再就理論上說，除了在鐵幕裏面的極權統治外，自由世界任何國家的，一經立國，對全國居民，無不視以同等地位。何況，星洲的獨立，是出於全市居民努力爭取的結果，義務與權利，自應保持均衡。過去所謂「獲有優先權」的，是以殖民地視新加坡的英國。人們所以要求取消「優先權」力謀獨立，是爲了市民全體利益，而非爲了某一種族；獨立後如果有人堅持享受一族「特權」，那豈不是殖民地復活，還有什麼獨立可言呢？

處巫族代表地位的巫統分部主席裕末氏，他雖然沒有指出，他提出六項建議，要求於星洲獨立後，巫族擁有「特權」，是爲了澄清星洲的政治局勢，與担心星洲成爲第二個中國赤色大陸，事實上它的建議，絕非歧視華人，如果星華僑領提供拒斥共產主義保證，華巫雙方歧見，不難迅即消除，當可共同努力建設獨立星洲。六項建議爲非人能修改，一、新加坡應承認馬來人特殊地位，應保障、支持、培育及鼓勵彼等之政治、經濟、社會及文化利益以及馬來語言；二、（已獲華族接受，並列入對英獨立談判第三項）；三、新加坡（自治邦）大總督應由新加坡各民族之中輪流選舉充任，但第一任須爲馬來人；四、新加坡政府應提高馬來語言水準，以使最後在馬來語言實行之日起十年內，成爲代表國家及官方語言；五、除新加坡及馬來亞聯邦公民外，英聯邦國家公民在新加坡應無政治權利（這即參政權）；六、新加坡的法定宗教應爲回教。

三、

綜合上述建議，除了第二項之外，無一可以獲得各族同意，特別是四、六兩項，因爲新加坡政府事實上已經承認：在未來立法會議中，已將華語列爲通用語言之一，這種強人改話與歧視宗教的政策，在今天星洲華、英、巫、印四種通行語言之中，顯難爲華歐印各籍人士支持。然而，事非無因，只要華巫雙方推誠合作，成見不難捐棄，星洲獨立前途大有可爲。不然，爲德不卒，不僅貽笑英人，反爲陰謀顛覆者所乘。當此獨立前夕，如無遠慮，必有近憂，巫族亟應愼重抉擇。

（三月十五日于新加坡）

修改聯合國憲章問題

・衛挺生・

本報專稿

據外電消息，英首相麥美倫將在百慕達巨頭會議，提出修改聯合國憲章的提案，該案內容如何，本文有足供參考之珍貴資料。（編者）

（本報訊）去夏，衛挺生教授過羅馬時，世界立法人士協會，正籌備在倫敦開年會，討論組織世界政府問題，羅馬籌備人阿利亞諾爵士請自由中國參加。席間于焌吉大使及于斌總主教以衛教授曾任中國立法工作二十年，當席推衛教授參加會議。衛教授遂以前立法委員身份往參與會議，七月二十五至三十日會議結束，通過宣言，主張建立世界聯邦政府並主張各國一致澈底裁兵。時至今日，國際糾紛疊起。裁兵問題又在聯合國內大會討論，而聯合國無權無能。以解決國際爭端顯然裁兵亦無法澈底實現，徒爲野心者利用，衛教授於本月十日曾函該協會書記長英國國會議員麥加利士，特請促英首相自英方準備提出該項對于聯合國憲章之修正案。同時衛教授又函艾森豪總統請由美方提出該案。

據最近外電消息，英首相麥美倫將在百慕達兩巨頭會議時，提出修改聯合國憲章之動議，內容如何，外間當未獲悉，今觀衛教授致艾總統函，所述各節，即係世界立法人士協會之結論要點，麥相提案內容或與此有關，亦未可知，茲轉錄原函譯文如下，藉供參考。

衛挺生教授致艾森豪總統函譯文：

總統先生閣下：聯合國之成立，原爲防止戰爭而維持和平。數月以來，證明聯合國對於此任務十分重要，但不足以達成之。因其僅有道義影響力，而武力與經濟之實力則全使用國之支持也。在人類中，尤其在國際間，僅道義規律，從來不足以維持和平。

中華在昔稱爲「天下萬國」或「九州列國」之期間，曾有二千餘年之經驗。其中央政府（或「聯邦政府」）即當時之「帝室」「王室」。在其中央政府強有力時，天下和平，人民殷富，而社會逐日進步。若中央政府稍弱，則戰爭循環發生。而亂離繼之。當時之中華實今日世界之借鏡。分區聯盟固有益于暫時停戰而非可以維持永久和平。第一次與第二次世界大戰之聯盟與協商，吾人當能復憶。裁兵會議，從來不能防止戰爭。開洛格之九國裁兵協約成立後，未幾而第二次世界大戰即起，其明證也。

爲控制今日之危險局面而維持永久之和平唯一途徑乃在增加聯合國之權能使之成爲世界各國上之「聯邦政府」。故華盛頓哈米耳頓之偉大，因其締造美國之聯邦政府也。林肯之偉大，因其保衛美國之聯邦政府也。否則美國自一七七五年以來不知幾經內戰矣。

凡此等問題，去夏倫敦世界立法人士協會詳加討論。該會議之報告，謹早登記室。當日一致之決議，認爲聯合國憲章，應予修正而增加如下之機構與權能：

一、建立聯合國立法院以爲國際間問題與世界問題而立法；

二、建立聯合國之行政院以行法；

三、建立聯合國司法院爲強制裁判一切國際爭端之權；

四、建立聯合國武裝警察保安隊以厲行國際法律，而保持國際間之秩序。

經四種權能機構建立後，然後可以完全解除一切國家之兵備而長治久安。

在蘇彝士運河問題緊急時，閣下擁護聯合國及其憲章而守持正義。世界人士備致欽仰。但對匈牙利問題竟一籌莫展。獨使聯合國有此能力，其局面定不如是。

又一日使製造大量毀滅武器（原子彈輕汽彈等）之國家保有其武器，任何視察制度不能防止偷襲之發生。因其任何日之若干小時可以優爲之也。但若將其完全交予聯合國保有之，則安全可必。若更進一步將一切武器之製造權與其出售或分配權定爲聯合國之專有權而由其議定標準與法制，規定各國爲保持其國內安定所必需之武器及數量，則國際戰爭將久不再發生。

往年普魯士領導日耳曼三十七邦，組成德意志聯邦，然後德國邦際安定，進步無已。美國今日正好領導世界八十餘國，以組成世界聯邦。舉凡一切國際之交通，經濟，敎化，與各種福利問題之立法，在聯合國有權立法時，均可由美國領導而完成之。

過去美國之塔虎脫總統，威爾遜總統，羅斯福總統，均有大功于今日之國際安定機構之締造。然今日顯然此聯合國仍有待于權力增加至成爲世界各國上之「聯邦政府」而後確能防止戰爭，維持和平而增進人類福利。世界正仰望閣下提出對于聯合國憲章之修正案，使其名實相副而能行其權能。此在今日，已非復一種烏託邦之理想，乃目前無法解決之困難問題多端之切實有效解決方案也。

麥米蘭首相對於世界聯合政府運動具有深切之了解與同情，如閣下于下旬會議中提出此案，麥相必然贊同。見英共同提出之聯合國憲章修正案，必然通過聯合國大會。信如是則世界人類從次得安定矣。

前中華民國，國民政府立法委員，大學教授，衛挺生敬啓

一九五七年三月十一日。

印巴互爭下的喀什米爾

。養之。

懸宕九年未決的喀什米爾領土問題，雖然已於一月廿六日，由喀總理宣佈爲印度版圖之一，可是巴基斯坦舉國上下的示威抗議，仍方興未艾！將否引起流血的衝突事件？還是未知之數。

尚潛伏危機

由於去年十一月在斯連拉嘉首府通過喀什米爾歸併印度的親印的喀什米爾立憲會議，未爲巴基斯坦所承認，故該項決議案，受到巴國的反對。巴基斯坦外長會於今年一月十六日籲請聯合國安理會迅予制止，並主張印度與巴基斯坦兩國軍隊，均自喀什米爾撤退，早日議行全民投票，以決定喀什米爾的前途。

巴外長接着聲言：如果安理會否決討論喀什米爾問題，則巴國將要求聯合國大會作公證的判決；倘印度把和平解決之門關閉，就會發生不和平的後果！因爲巴、喀邊界的五百萬部落，正準備採取集體行動，進入喀什米爾，爭取喀邦人民的自決權利。因此很可能招致印、巴兩國的武裝衝突，至演成繼中東之後的亞洲危機！

聯合國的處理

假如喀什米爾問題演變成爲世界危機的話，則聯合國應該負大部分的責任。由於一九四七年十月英國允許印、巴分治獨立的條約中，規定喀什米爾的歸屬於巴基斯坦或印度，應由其自行決定。按喀什米爾的四百萬人口中，回教徒佔百分之七十五以上，如果照民族自決，則喀什米爾自應歸屬巴基斯坦，但其藩王卻是印度教教徒，從中作梗。回人因恐喀什米爾被併入印度，乃聯絡回教徒進攻藩王軍，藩王請印度出兵援助，印度立即派兵入喀什米爾，而巴基斯坦政府也不示弱，於是雙方發生戰爭。之後，印度竟將此事投訴聯合國安理會。一九四八年春，聯合國成立一個「喀什米爾委員會」，派調查團前往調查，並擬定折衷方案，又爲印度所拒絕。一九五一年聯合國又推舉葛拉漢前往調停，並昔同印、巴代表在日內瓦及紐約聯合國總部會商，由於印度作梗，卒告失敗。

印度的心事

至一九五二年十二月廿三日的最後一次討論，又復舊案重提，將由公民投票決定。當時印度覺得喀什米爾的回教徒佔大多數，如果投票，形勢顯對巴基斯坦有利，故新德里方面又透露一項分制喀什米爾的計劃：（一）將喀什米爾河谷之地建爲獨立國，以作印巴兩國的緩衝區；（二）印度願獲得停戰綫以東及以南地區，包括查謨和拉達克等；（三）巴基斯坦據有依一九四九年停戰綫的佔有地區，此區稱爲阿薩德（即自由之意）喀什米爾。

當時印度的企圖，認爲如不能獨佔喀什米爾，祇好長期分割。同時基於國際政治上，印度是趨向中立主義的，面巴基斯坦的加入巴格達公約，以及和美國成立軍援公約，都是對印度不利的。因爲：（一）巴基斯坦借着這兩種外援的聲勢要求佔有喀什米爾；（二）喀邦如落入巴基斯坦，則可能發生紛亂分裂，而必使印度捲入爭端的漩渦。所以印度還不擇手段欲得之而甘心。

與中士關係

喀什米爾位於印度的最北端，與我國的西藏、新疆和巴基斯坦相毗連，人民的語言生活，也和西藏差不多，故有「小西藏」之稱。據說在七世紀中唐玄奘取經時，便是由中亞經喀什米爾而至天竺，所以古代佛教傳入中國，喀什米爾可說是一個重要的轉運站。至淸乾隆時，北端的坎匣提，還屬中國，後[illegible]被英吞併。一八四六年英國和喀什米爾締約，成爲英國領印度中的一個邦。那裏的人民，不論男女身體都很强壯結實，而且勤於工作，多才多藝，除耕種漁業之外，精於手工業，如紡織打繩，製氈，以及製造各式木器用具等，用手多於用腦。同時他們性喜和平，一切的風俗習慣，都和中國大同小異。

羅家倫先生來函照刊

有關黨史會史料保管眞相的說明

記者先生：貴刊於二月十七日「阿里山下」刊載有關黨史史料的文字，而且涉及本人。我願意負責的向關心史料和研究歷史的朋友聲明道，中國國民黨對於黨史史料是非常珍重的，決不肯讓其遭受損失，何況毀滅。黨史委員會保管史料現狀經主管的中央委員會派員實地查明，認爲並無損失，提出報告，由常會核定在案。行政院俞院長在立法院亦有負責說明，乃貴刊記者竟未提及隻字。又貴刊所登「香」君一文，除本人之外又牽涉到吳相湘教授，竟說到我「遂託王相湘教授寫了一篇文章『我所看到的黨史會史料保管情形』於本月二十三日在台北中央日報一版特寫欄登出，……便爲羅家倫捧場作證。」「香」君所指的王相湘教授若是另有其人，那我和吳相湘先生自然都可不必作答。若是指的是二月二十二日（非二十三日）第二版（非第一版）那篇「我所看到的黨史會史料保管情形」的作者，那便是國立台灣大學吳相湘教授了，希望作者不必代他改姓爲王。他的姓名和著作是自由中國學術界很熟識的。我可以鄭重的聲明道，我自己不但不會託吳先生寫這篇文字，而且吳先生也決不是受人請託便寫文章爲人捧場的人。我與吳先生雖間有學術上的接觸，但絕少私人間的往還。這次他寫這篇文章，事前我毫不知道。事後陶希聖先生告我，吳先生於二十一晚大雨中雇了一輛三輪車到中央日報社親自將這文送達。他對陶先生說：「學術界要有公道，所以我把我親自在史料庫看見的情形，做一個忠實的報導。」事後李文齋委員要求吳先生答覆其所提出的兩個問題。陶先生也曾問過吳先生回答與否。吳先生說「我不在答覆的地位，我祇就我研究的經過，說明史料實在的情形」。我不是因吳先生寫了這篇文章來爲吳先生答辯，我也決不會如此寒傖，吳先生也不受這一套。我祇是願意說道：自由中國的學人，自有其對學術工作求眞務實的立場，自動的動機，自動的說他自己願說的話。正不必隨意把其他的動機，栽在人家身上。還有這位「香」君造出李文齋委員和我有一段河南古物上爭執的關係，更是妙極了。李文齋委員雖然對我惡聲相加，但是彼此之間絕無河南古物這一段虛構的關係，我不僅不顧守北宮黝「惡聲至必反之」的原則，並且願意站在客觀事實的立場上，爲他說句公道話。他是山東人，不是河南人。作者何不弄清楚了再釀「一杯苦酒」呢？我對於貴刊向來重視，但是誠懇的希望貴刊對於登載稿件，多採慎重的態度，尤其是對於他人名譽信用有關稿件。台灣不少學術機關和研究歷史的人，如中央研究院，台灣大學歷史學系各方面，都常有學人前往黨史會史料庫參考史料。一切情形，去過的人們都會知道。將來在香港方面如左舜生先生，羅香林先生諸位史學家有便來台時，黨史會均歡迎其前往參觀指導。黨史會現在工作的方向，也是要力求存眞崇實，以科學的史學方法，使其成爲現代式的歷史機構。專此敬頌

撰祺

羅家倫敬啓（四十六年三月十二日．台北．）

附上二月二十日中央日報關於立法院質詢及俞院長答覆紀載，及二月二十二日中央日報載吳相湘教授「我所看到的黨史會史料保管情形」一文，以備參考。

阿里山下

拖不是辦法

俞院長近在立法院的答詢，又是：「反共救國會議仍將召開，召開的日期尙未確定。」又在另一質詢中，對「如久不反攻，將師老兵疲，對民心士氣，均有影響。」的答覆，仍是不着邊際。這是拖。拖總不是辦法！

仍在研究階段

調整公教人員待遇問題，雖迭經輿論界及民意代表不斷呼籲，但行政院近舉行院會時，各政務委員及部會首長，在原則上雖均表同意，但是辦法呢？仍在研究階段！

瑣事何勞費心

立法院內政委員會近針對本屆選舉指出：辦理選務人員，應力求公正，投票場所應力求嚴密，尤其應禁門警進入場所。其實，選舉原該如此？大事儘多，區區手續問題，何勞立法院諸公費心呢！

堵住「後門」

關於高中畢業學生留學考試一事，教育部近已宣布，本年度暫不舉行。此實爲明智決定，但要是少數達官貴人的子女，可以由走「後門」的方式出去，則並非輿論界的眞正希望啊！（三月十八日）・傅正・

編後

二月七日本刊「阿里山下」所刊關於黨史史料的一段小文，及三月六日「香」先生自台北寄來的「黨史會毀重要文獻料紛」一篇報導，先後驚動黨史會及羅家倫兩位先生來函，有所更正。編者除對其中報導有些未實眞相之處，深致其歉意外，還有替我們寫報導的作者先生，對於引據事實，特別替我們留心，因爲港外通訊，編者對於事實眞相及背景，不易深入明白，有賴於作者。

編者審稿，疏忽在所不免，但「依據事實，公開論列」，爲本刊編輯的一貫方針，順此希望作者與讀者對這方面，多多幫助。百拜，百拜！（編者）

學生家長及教員聯誼組織討論兒女管教問題

本港各學校由學生家長和教員所組成的家長教師聯誼會越來越普遍，這種現象對學生教育來說，是十分良好的。由於家長與教員之間經常聯繫和交換意見，則對學生本身所發生的問題，當能有進一步的了解。最近，本港一所著名的女校，佩光中學聯誼會就曾經提出了一個關於兒女管教的問題，作爲教師和家長間的討論課題。

這是一種很難得的座談會。在一般來說，座談會多數是研究學術，至於研究兒女有關問題的，尚屬少見。關於兒女教育問題，我國古時就有胎教的提倡，可知孩子生下之後，提攜保護，更是不畏劬勞的。但近代人習於疏忽，幼齡兒女託付工人，到了學齡又惟賴學校，做父母的似乎這樣已完其責任，而不知實是大錯特錯。

須知工人大多數知識不足，學校則不能有長時間來將兒童逐個訓練，做父母的若不加以注意，則縱有良師益友，亦必流於頑劣，設或師友不如理想，那更不免有虛延歲月，毫無寸進的情形了。我們知道，兒童的天性，各個不同，學校祇能就一般的來教導，若關於某一種特性，就非做父母的不易發現，所以爲促使兒童容易上進，必須由學校的教導，與家庭的督促，共同注意，才容易收效，是以一般學生家長及教員對聯誼會的重要性都有同感。

這次佩光中學的學生家長和教員所提的問題，實有其爲其他學生家長和教員參考的意義，他們對兒女管教問題，分開三項來研究：（一）對給與兒女零用錢，應在什麼時候開始？（二）兒女到了什麼年齡才准許單獨出外？（三）兒女課外讀物及娛樂的指導。

兒女到了甚麼年齡才開始給與零用錢？一般認爲無限制的給與或是有定期與有規定的給與，都應該注意避免任性或浪費習慣的養成。因此在需要與用錢有預算的習慣養成情形下，小學五或六年級始給與；甚至小學一年級，如指導得法，亦可養成兒童知愛惜物件及儲蓄經驗的習慣。

兒女在什麼年齡准許單獨外出？從小讓他習慣能獨自出外是十二、三歲的時候，才開始許可單獨出外。一般人的意見，認爲到了十二、三歲時，已開始懂得事，有判斷力，大概可以准許獨自外出了。於日間，可讓適齡的兒女先到附近的公園，或者探訪路程不遠的朋友，漸漸到稍遠的地方去，然後赴晚間朋友的宴會，但所探訪的朋友，或宴會的主人，應是父母所認識的，其意義係在以策安全。而作爲父母者，對兒女的外出與交友必須要有的態度是：（一）安全的維護；（二）正當交遊的行動。做父母的還該自己試作係兒女的朋友去指導。

關於兒女課外讀物及娛樂指導問題，在香港而言，所謂娛樂，比較係着重於電影，一般家長都認爲不宜對兒女採取放任態度，除了家長應慎選擇與指導對有傷風化，有損身心電影不應令兒女們觀看外，學校當局應經常爲學生介紹益智電影。

那課外讀物對兒女的影響至爲實大，作爲家長及教員者，應自己就兒女與學生的需要，處於青年人的地位，先行涉獵一下，才介紹與下一代閱讀，則事半功倍。

爲便蘇聯控制邊疆 中共修築新藏公路

（本報特訊）爲使中國大陸的邊疆便於蘇聯控制，自新疆省特殊化後，蘇聯勢力正謀向西藏發展。尤其在西藏人民採取積極反共行動後，西藏的形勢益形重要了。

爲打通由新疆到西藏的通路，中共於去年四月開始征集奴工，建築新藏公路。據「新華社」迪化十四日消息，又增調了一千八百多名工人前往趕修。該路全長一千一百五十多公里，平均海拔在四千公尺以上，須越過崑崙山，縱貫西藏高原的西部。在此之前，中共曾多次試圖開闢新藏通道，但自一九五〇年到一九五五年間，反復數次施工均失敗，目前這條由崑崙山北面的葉城到阿里的噶大克線，是最後選定的。

大陸春荒來臨 糧食問題嚴重

平均每月每人再減少糧食一斤多

【本報訊】春荒又實行來臨了，面對嚴重的糧食供應問題，中共不斷地發出了「努力節約糧食，整頓糧食供應」的叫囂。但全面缺糧的恐荒並未因此稍有改變，這裏簡要的把目前大陸一些地區的情況作一報導：

河北省是去年遭災最嚴重的省區之一，據中共「河北日報」三月一日的社論所示，該省區必須在三月到六月間再「節約五億斤糧食支持災區」。事實上，河北省曾從其它各地調進過「三十五億斤」糧食救災。要一個需要大量糧食救濟的省份「節約糧食」「支持災區」，實是不可思議！

江蘇省的情況，據三月十七日「人民日報」稱：據七十個市縣統計，現在每月糧食供應減少了六千萬斤。

湖北省漢陽，武昌，團風，沔陽等十幾個小市鎮和縣城城關，在十六萬二千多個居民中，減少了十七萬多斤糧食，平均每人又減了一斤多。

內蒙地區和滿洲里的十九個市鎮從去年十二月到今年三月，被減扣了八十八萬二千多斤糧食。

四川省的「糧食廳統計」表示：二月份糧食銷售量比一月份平均每天減少八十三萬多斤，各階層人民的用糧一般每人每月減少半斤至一斤，各飲食業及其它行業用糧也減少了百分之十五。

敬悼陳含光先生

邵鏡人

一、

閱報，驚悉以詩書畫三絕馳譽江淮間的陳含光先生，享壽七十九歲，在台北溘然長逝了！凡我屢讀過他的詩文書畫者，諒無不悲從中來。兒我屢承教益，更是悽愴不能自已了！

世人但知他是詩家，……畫家，精研觀賞文章的古文家，而對他平凡中具有不平凡的精神，也許不能盡知的。吾生也晚，本不足以知先生，但就平日見所及，和他的風格高尚，態度謙和，學術淵博，才思敏捷，以及愛國如命，臨危不苟的操守，因此拉雜寫出來，以見先生的偉大。

二、

先生原名延韡，字含光，以字行。祖籍江蘇儀徵，因久居揚州，遂爲揚州人。但他爲人作書畫，依然署儀徵。我在學生時，讀過他的詩文印象很深，早有老成名世，「一見爲榮」的感想。惟以浪跡四方，任教，從政，沒有機會得見這位通人，心中老是懷念他的。

中日大戰起後，到了末期，我被日軍逮捕下獄，經人保釋後，限制住在泰州的朋友楊關生先生處，方碰著揚州，我在苦悶淒涼中，許爲之作求黑圖，他爲我作畫聯一付，詞曰：『行窩何所有安樂，鳥獸今年見太平』並加跋語云：『鐵人先生，高節卓然，隱居求志，爲書此句，因舉君家康節故實以題，庶爲他日攜手共樂太平之券也。』讀到這闋詞語，在那個環境中自然有甚忌諱的，所以秘而藏之，可是，先生對時事的關感與希望，即此也可見了。——這是我和先生開始通姓名的第一次。

三、

抗戰勝利後，我奉命籌設江蘇省淮南行署，署址設在揚州，首先拜訪先生，請求指教。他對我說：『八載亂離，風氣大敗，人心已非。惟今之計，首在樹立政風，收拾人心。』所以，行署在僅月短期間，雖無善政表現，而鼓勵善業，不敢稍自寬假，未始不是受到先生的感召呢！

在揚州淪陷時，他還有一個奇跡可述，便是自日軍入城後他就閉門不出，至戚好友以外，絕不接見任何賓客，迨在日本投降，他用紅箋寫八個大字，張貼在前門：『八年堅臥，一旦昇平。』揚州人士，爭先恐後的去欣賞此老。

四、

記得有一天，先生扶杖到行署會我，氣喘喘的說：『今天軍隊來駐我的房屋，我的廳房兩廂，餘房數間，已請求保護。』我很恭敬的送他去後，馬上去通知駐揚的黃將軍，保護這位老先生，駐節揚州，我和他在門前布告，貼在先生的大門外，禁止軍隊駐紮，自然無人進駐了。署中職員，都竊竊私議，以我對於這位老先生何以如此恭敬？我公開對他們說：『一個政府不能保護人民居住安全自由，尤其不能保護有道德，有學問人研究學問的安全自由，這個政府，終必垮台的。從前徐樹錚先生嘗說：「國家養兵百萬，不如尊一大儒」。』他們這才恍然了解我的意思。

先生六十九歲誕辰，我集古人詩句：『人指所居爲隱北，天留此老照文星。』以壽之。他的復簡云：『賤辰承荷友好贈詞，不下二百件，而足下集句，雖不敢當，屢讀有味也，……』

五、

中共進犯南京，我挈眷避滬桂林，再轉昆明，各方消息隔斷，而仍時時以先生爲念。洪關友先生由公游昆時，我詢及先生近況，他說：『含老已展轉到台北了。』嘗在座談席上，我與王孟鄰先生，託爲轉候。未久，昆明變起，我與鄰先生，變姓微服，間關數萬里，逃抵香港，即作書寄台北，轉致先生，並求賜墨寶，附詩一律云：『廣陵別後每公游，每念交遊涕泗酸！巫峽秋高愁杜甫，齊州烟靄望田單。陽江鼓角通宵急，觸目山河淚涕看。赤嵌樓頭風月好，盈盈一水憶瀛壇。』先生答句云：『一丸東海獨棲久，兩載南荒涕淚酸！生世所餘惟一死，凱旋何日盛三單？滄溟波動龍鱗暖，太白光高劍氣寒。艱難細溶嘗譚論，忘言漸已到詩壇。』並賜臨虞字一幅。附簡云：『十年之別，如一瞬耳。而時局紛紛，如入噩夢，遂至於此。衰殘之歲，幸兒子在校教授，得到此苟全軀命，雖孤寂無似，然比之故鄉囚繫，已若天堂矣。此間天昏啞，小子已不能畫，餘日無多，祗有勉力學佛，友人頗有拔錯入道者，自恨不能似之，惟因此故吟詠亦頗懶矣。』字均挺秀，蓋先生平日作書，從不潦草，即與人短札便條，亦無一筆苟且。

六、

先生先人遺蔭甚厚，加以自身學術淵博，與在社會上的聲望，如欲用世，何所求而不可得。然而，他始終恬淡自處，獨往獨來，一介不取，視功名富貴，如浮雲。因爲他看到一般功利之徒，終日栖栖皇皇，以做官爲目的，以搶奪爲手段，所以他不恤矯枉過正，以樹立超俗的風範。先生長身臨準，貌甚清癯，而氣宇神凝，不善詞令，但亦有時片語能解人頤。於人無分老幼貴賤，無不謙和接語。凡有請求改正詩文，必然謙遜一番，而後誠懇指導。寫作畫築山水，畫則多寫篆，能在變化錯綜，能在嚴肅之中，放誕翻新。行書多臨虞，臨褚，間有臨東坡者，總能表現他自己的個性和特殊的風格，這決不是一般學究們拘於成法所能夢想得到的。

先生嘉言懿行，以及他的遺著，論者謂汪容甫，阮芸臺以後一人而已。所楷模者甚多，我想不久的將來，必有知別世，無待我多述了。今我所記片段的事蹟，亦足見他平凡中的偉大。但是，中原到處哀鴻，反共復國，年復一年，渺茫無期，我想先生在臨終時，如想到『但悲不見九州同』的詩句，如想到今世烽火通天，人戀楨洗的悲慘現象，死而有知，一定不能瞑目的！

稿酬。

三月份上半月稿酬通知單，已分別付郵，惠稿諸君請憑單領取稿費爲荷！

本報編輯部啓　三月廿三日

更正：

上期半週述評「自由世界的損失」段內第十四行「成功」誤植「戰功」，十五行「擁戴」誤植「推戴」；「歡迎英國訪問團赴台」段內第三行「會到」誤植「亦到」，第四行「倦遊」誤植「遊遊」；「中東的新僵局」段內第二行「赴之」誤植「圖之」。

說憂樂

憂不足悲，樂亦有道

在人生旅程中，「憂患」與「安樂」都是必有的內容；尤其是我們這一代，身經鉅變容淚頻揮，對憂患的滋味，眞是嘗之再四。

西方有一句格言：「當一個人在快樂時會忘了自己，在憂患時才能夠認識自己。」先賢孟子則說：人之德慧術知，恆存乎疢疾，指出人的德行智慧學術，都是從憂患中得來的，另外生於憂患死於安樂之說，在我國更由來已久。

流離集中有一段：很有意思，它說世人但知安樂之爲樂，憂患之爲悲，殊不知悲中有樂，樂中有悲，樂之爲味，濃烈而短促，悲之爲味清香而幽遠，樂能使人鈍，悲能使人秀。人的感情一方面需要樂的滋潤，另一方面也待於憂患的磨勵」，對憂患與安樂間的關係，確有相當見地，遙料當初聖人興禮樂時，也是煞費苦心，爲了不使人們樂爾忘形，樂不忘形，特在樂字前面，加上一個禮字，使人樂在禮中，

樂在禮中才能：「論大體明大義」，所以這種樂，是獨樂不如衆樂的樂，是與民同之樂的樂，也就是後天下之樂而樂的樂，也是發乎情止乎禮的樂；反之，在歷史上，蜀漢後主劉禪之「此間樂不思蜀」的樂，隋煬帝開運河賞瓊花的樂，晚清西太后逛頤和園之樂，一個是笑後世，一個暴死他鄉，再一個是國破家亡，這種樂極生悲，是樂而不得其道也。

競　羣

人無遠慮必有近憂。富逸思勞，是人之常情，生於憂患也是人們應得的道理所必需。憂患與安樂，本質又截然不同，所以人們的際遇，始終在「否極泰來」與「樂極生悲」之間打轉。這裏有兩句話，不知諸君以爲然否？「當你在得意時，應準備一條退路，而後才不致死於安樂；當你在失意時，應準備一條出路，而後才能夠生於憂患。」

（馮五先生因事自由談暫停一期。編者）

論文章之道

——爲雷嘯岑先生壽

●蕭立坤●

蕭立坤先生遠在南美洲，寄書本刊，論文章之道，爲雷嘯岑先生壽。雷先生已於本刊六二九期寫成讀後感發表，茲將蕭先生原文刊載如左，以其非純粹應酬之作也。編者

雷先生已屆六十壽辰。我對他早年吏治不詳，不必去說，我們只是近幾年在「自由人」上的文字之交，我對他的文章見識，却非常景仰。

他提筆爲文，仍不免一個缺點，即是忘不了那一套四庫全書，時常引一兩句格言詩詞，以幫襯行文，或把古人遭遇，與今事並論，以證明或反對一個論點。

例如，孔子如生于今世，也不能周遊列國了，因爲沒有護照簽證，即寸步難移了。宋清民初，中國人民革滿清的命，有租界庇護。現在用中國之大，無處藏身了，這都證明以古喻今，似是而非。

這缺點不是他獨有，而且比較起來，他犯得比別的老文人爲少，中國這個歷史包袱，一定要科學工業及新人權觀念進一步發達後，才會自然放下的。

他的文章好處很多：第一，他必定說老實話，也即是自己相信的話，只要他自己相信是眞實合理的，上至聯合國，下至區公所，他一樣批評或讚美，他短短幾百字，時常弄得一些長首長尾的秘書參事們，內心如吃雪糕，臉上如同火燒，靈魂深處又加上幾個黑點！這裏可不提大人物們，因爲嘯岑先生的文章，根本不會鑽進他們眼中去，偶爾傳聞某公對他勃然震怒，也只是根據秘書的口頭報告而已。

第二是他的自尊心及人權觀念，充分在他筆下表現出來。我一向不相信沒有自尊心的人，能提筆爲文，但這種人却多的是，近三十年來，時常看到「國父說」，「學生們讀書」，[illegible]例子，眞是笑話！[illegible]都不敢負責地把國父抬出來，可謂糟蹋紙張。

人權觀念更重要。西廂記上有一句「但願黃犬休驚，夫人休驚」，作者把黃犬與一品夫人相提並論，絕妙好詞，正代表近代的人權觀念，但仍有人時常說「某公氣色好，反攻有希望」，他的文字非[illegible]

當個美，中國文字近三十年遭空前浩劫，大陸上的新文字新文法，已[illegible]那本論它，姑不論它荒唐的內容，它那毀惡的中文文法修辭的罪惡，已在死寂的香港，[illegible]文人犯了「寫米」的毛病，流行一拖二帶三吞吐的風氣。明明六個字可說完的一句話，可能拉長爲三十六字，一個名女人沈澡，可能寫一篇洗上一個月的連載篇幅。

這風氣，（恕我漂理！）在「自由人」上，都不能完全避免，去年我即讀到幾篇「萬言書」，如它的作者自己再讀一次，至少可刪去一半字數。在這風氣中，像嘯岑先生，保持簡潔，又將得一個字運用自如，信達雅之外，加上勁與熱，眞是不可多得！

雷先生的文章，隨時代而進步，以現代醫學之發達，我希望他好好保重，少飲點酒（防血壓高），少吸點烟（防癌），麻將以八圈爲度（防窮），留得健康，多寫下一代寫點好文章，一方面延續中文，保持中文素質，證明「寫文章」不是「寫米」，一方面教育下一代先立志，再提筆。萬里書簡，聊代杯觴，嘯岑先生不以我爲僭乎？

同光風雲錄

丘逢甲（下）

四、揮淚辭台灣挾策走京師

倉海於台灣淪陷後，率民兵實伏深箐窮谷間，堅持數月，欲據山死守，與台共存亡。部將某勸諫曰：「台勝亡也，能[illegible]，則可復土雪恥，不如內渡也。」倉海從其言，痛哭辭台，奉親內渡歸原籍。又走京師，陳恢復之策，終不得報。乃返廣州，盡力教育，以新思潮及有用之學，啓迪後生。時廣府中學，故能倡南新學，實以此爲先導。後之身革命黨者，亦受其影響。

庚子赴南洋各地，考察僑務，後任廣東省教育會會長，粵省諮議局成立，當選爲副議長。民國肇建，其年，騎鯨西去，壽止四十九，一地之不幸哉！

五、長才厄命數高韻滿江山

倉海工詩，惟早年所作，均因戰亂散失，迨內渡後，始有存稿，約計二千首，弟瑞甲爲選刊，題曰「嶺雲海日樓詩鈔」。子琮，復輯其關於發揚民族精神者，都三百首，[illegible]原註云：「將行矣！草此數章，聊寫積憤，妹倩張君：請珍藏之，十年之後，有心人重讀我詩，[illegible]」海東遺民草。」詩云：「宰相有權能割地，孤臣無力可回天。扁舟去作鴟夷子，回首河山意黯然。」[illegible]

初由台返粵，入梅州有七律一首：『[illegible]天涯雁叫，秋江一棹入[illegible]……一角連山合，雪乳千年古洞深。入穴人疑[illegible]出世，題橋詩總雜仙心。中年學道時偏早，[illegible]樿香恩不禁。』復有天涯七律一首云：『[illegible]跡雁少書還，夢入虛無縹渺間。兵火餘生[illegible]碎，愁人未老鬢先斑。滄桑親故淪滄海，[illegible]郎官避故山。已分生離同死別，不堪揮淚[illegible]。』其歲暮雜詩有云：『極目寒山落照[illegible]邊風獵獵捲牙旗。黃犀入貢非今日，白馬[illegible]異昔時。山海龍呼愁變夏，春秋麟泣戒書[illegible]千年妖火彌張燄，太息流傳景教碑。』

倉海生平，惟志在國家民族之復興，雖夙[illegible]詠，初非欲爲詩人，迨遭國家大變，義師[illegible]亡，抑鬱返中土，滿懷憤慨，一腔熱忱，[illegible]而爲詩，聊以見志，不作詞藻之刻畫，而[illegible]可見焉。

辛亥革命告成，以疾而終，年四十有九。以霸才自許，自台變入渡後，詩尤沉鬱，著「嶺雲海日樓詩集」傳世。當其內渡，論者以田橫之義，然其處境不同，蓋宗國尚在，宜留此身以圖恢復，而竟終其身無藉手之[illegible]，此其倉海之所及料哉！近見時人梅縣鍾[illegible]有詠倉海一絕云：『霸才不用用詩鳴，羞[illegible]顚入上京。天負英雄無藉手，漫論心跡異[illegible]。』蓋道其實也。（九十六）

夢山樓

馮玉祥的槍手

●程外●

「大兵詩人」馮玉祥，曾寫過詩，和「我的生活」。其實「我的生活」是老舍代他寫的；老舍曾經跟他一個時期，專替他寫文章。然而，馮玉祥大老粗，他什麼也不懂，偶愛風雅。老舍寫好了的作品，他要刪改幾個字，其實他原是「通順」的，被他這一刪改，反而成了一篇狗屁不通的東西，老舍受不了他的氣，溜開他。

後來，田漢又接替老舍的工作，跟馮玉祥寫詩文，他仍然愛犯老毛病，結果，把田漢氣壞了，又落個不歡而散。

馮玉祥死了，今天老舍，田漢在大陸上也備受折磨，亦云命苦！

讀報偶感

希望自由民主的眞理愈辯愈明，但不希望「共匪思想走私」的紅帽子滿天飛。

希望大家對國家的事，意見分開，不希望陰謀敵視。

希望負轉移社會風氣重任的大人們，要以身作則，不希望「只見別人滿身黑，不知自己是烏鴉」。

希望自由中國能多有岳武穆史可法式的人物，但不希望……。（讀者謝競［illegible］）

海上學校

中篇小說

趙師耆

鄒雲亭這一下子可眞下不了台！兩粒小黑眼珠子像剛出洞的老鼠一樣的溜轉着，終於氣咻咻地說：「咦，長虹，怎麼您也手指頭往外彎，和杜宇一鼻孔出起氣來？幫這個瘋子……」

「奉勸你最好還是少說幾句，雲亭，」說話的那個女人，坐在暗角落裏抽烟，我們一時還看不清她的面貌。但她的聲音，清脆，柔和、莊重，且富有音樂的節奏，倒可以聽出來的。「話說多了，味就淡了；尤其，在情緒過於緊張的時候，會守不住分寸的。」（她將烟蒂向烟碟裏一按，）「沉默是思想成熟，使精神飽滿，便感情高貴，一朵鮮沾的蓓蕾，下勝過十朵爛落的殘花嗎？你想想看，雲亭！」

「我有說話的自由，」鄒雲亭用手指篤住自己的尖鼻子。氣得連兩隻大耳朵都在打顫。

「但必須以不侵犯別人的權利爲限度！」女人高聲說。

「唦，活見鬼！我偏要說！敢拿我怎麼樣？」鄒雲亭火了，一雙手臂在頭頂上綁綁着，口沫四濺。「嗯，居然有人拿瘋子來當活寶貝，算我倒了八輩子楣，呸！」那語尾夾着又酸又澀的味道，浮盪出一縷極其複雜的感情。

「但是，台上『灑狗血』，台下老『抽籤』，」女人又潑了盆冷水。「也確實倒胃口！」

「杜宇，住嘴！」她被激怒得暴跳如雷，「我情願拿篩子去厍水，就不願同你對吵！」

「不見得吧，」她說。「也許你還不是對手。」

「哦，哦，好大的口氣，」他的尖下巴，氣得捲了邊。「今晚恐怕忘記帶我的鞭子了！」

「鞭子對于奴性很重的人，我想是十分之重要的！它可以瓦解個體，粉碎眞實，它可以使奴隸們明白，甚麼是主人的意志？甚麼叫做命令與服從？像你這種人竟會忘記鞭子，可見得你並不稱職！」她冷笑着說。「至於一個自由人，他們盼望的是另外一些東西，你知道嗎？是嗎？」

「得了，得了，」杜宇。男不與女鬥，古有明訓。「而且」他雙手搖搖，似乎輸了驃。「而且，屛槍舌劍，勝之不武，那又何必呢？」大家都尷尬地笑起來。隨即，

一陣短暫的沉默。

貝比帶着一種沉重的精神默默之感，霍然站起，頭也不回地走出了。只見她悻悻然竄出了攝影棚，轉瞬之間，消失在漫天風雨叢中。

人羣開始有些騷動，皮鞋聲和喊叫聲亂成一片。喧囂從棚內騷送到了棚外。

「貝比！貝比！貝——比！」

杜宇的尖嗓子，急遽地在在暴風雨的背脊上打漩。音色裏飽含着悲憤的韻律，沾滿了顫慄和不安。

可是，風暴正在撒野，這喊叫並沒有得到應有的回應。

她將杏黃色雨衣的斗蓬拂上，斜靠住鐵柵門，喘猛着氣。然後，用手搭在額角上，躁急地張望着柏油路。

柏油路面是光蕩蕩的。雨腳在它身上瘋狂跳舞。鄒雨夯街燈一映照，宛如平底鍋中用奶油煎得吱吱喳喳發響的鷄蛋餅！街燈白得發青，參差地疏隔着黑夜，成一圓椎形直楔向遠方。它們在交點上密集着，像若晨星。而那條搜削的黑影終於搜索到了，他佝僂着，在百碼外晃動，被夜暗和風雨壓縮成了一個疑問號！

杜宇的尖嗓子又開始奏鳴起來。飄風高高將它捲起，迅即將它騷散。接着，高跟鞋急「點」在光滑的路面上，雨樓不停地披分着。

閃電使被黑夜埋葬的九龍，生猛地跳躍出來。炸雷好像摜落在鐵柵門上。空氣中瀰漫着臭氧的氣息。

鐵柵門外新添了三條人影，他們被閃電和霹雷攝合在一塊，看樣子也很狼狽。

「喂，張大哥，您瞧，一個穿黑漆皮雨衣的矮胖子，急地說：「在又一村的岔道上，那個影子，不像貝比嗎？」

「是，是，」那個魁梧奇偉的漢子，仰起了鼻子，連放了兩排雙筒槍，「神氣獅子有八分相樣。」

「還有，長虹，」鄒雲亭補充道：「杜宇在他後面，約摸一箭之遙。」

「淋成了一隻落湯鷄！」

「我們還也沒有跟上去吧，」張長虹說話箇，已經變石子，邁開了第一步。

「好的，我姓周的從來不是孬種！」矮胖子，聳了聳又寬又厚的肩膀，上身往前一探，跟着前進。

自由人

THE FREEMAN

（第六三二期）

中華民國僑務委員會
頒發登記證台教新字第一零二號
中華郵政台字第五〇〇號
執照登記為第一類新聞紙類
（半週刊每星期三六出版）
每份港幣壹毫
台北市售價台幣壹元
督印人：陳文華
地址：香港高士威道二十號四樓
3RD. FL. 20 CAUSEWAY RD.
HONG KONG
TEL. 771726
承印者：東南印務出版社
地址：高士打道六十四號
台灣總經理處
台北市西寧南路壹壹零號二樓
台郵撥儲金戶九二五二
海外總經銷
友聯書報發行公司
香港：德輔道中二十六號A二樓

錢穆：中國歷史教學　刊第三版

中共的三大敵人

他們有一不可動搖的共同之點

·左舜生·

中共製造的『和謠』已近尾聲，但在他們沒有想出第二條妙計以前，依然還要拿來應用，因此，我們仍有隨時提高警覺的必要。

所謂『和謠』的『和』字含有兩義：一即他們所叫出『和平解放臺灣』的『和』；一即他們表示願意與臺灣直接談和之『和』。

中共遭遇內外的困難

中共在今天，除掉他們內部已遭遇許多難於克服的困難以外，他們在外面還有三大敵人：

他們的第一個敵人是美國。美國除掉她自身為保持民主自由的生活方式與政治形態必須反共以外，她還支持整個的自由世界反共，同時支持自由中國反共。

他們的第二個敵人是自由中國當權的黨政當局。他們除掉反共便無立場，除掉反攻復國便無法生存下去，因此他們斷然堅持反共。

他們的第三個敵人是台灣和海外大多數反共而又必須向台灣當局爭取民主自由的民主反共人士。他們反共最主要的理由便是為的民主自由，他們認定反共最有效的方法便是實現民主自由。反共與實現民主自由不可分，因此他們決不肯放棄民主自由，也決不會放棄反共。

中共這三大敵人的共同立場是反共，其不同之點只在如何反共的方法。

假如這三大敵人完全團結一致，我們的反共勝利便可穩操左劵；假定能把這三大敵人加以分化，中共便可高枕無憂。

依據這樣一種客觀的事實，於是中共乃定下這條『和謠』的詭計。這條詭計並不是中共發明的，乃是兩千多年以前齊國一個姓晏的矮子發明的，其名稱叫做『二桃殺三士！』

陳腐而又淺薄的陰謀

假定因為台灣缺少民主自由而引起美國多少的疑慮，或進一步批評中華民國的內政，或永遠制止中華民國使其無法反攻，則中共便可繼續放出謠言，說美國如何如何不利於台灣，與其長此受制於外人，便不如『愛國一家』和他們言歸於好『一致對外』。假定台灣黨政當局因為美國這種不冷不熱的態度而引起不滿，中共便又可快心，向美國大施其挑撥離間之技，說台灣根本就不同意美國，與其繼續幫助台灣而得不到一個良好的結果，還不如直截了當的承認他們，讓他們加入聯合國可以一了百了？美國不是渴望和平嗎？必如此，始有實現遠東永久和平的希望啊！假定民主反共人士繼續爭取民主自由，政府當局又依然疑慮多端，則彼此間的言論爭執自所難免，於是中共便欣然色喜，說：民主人士一勾結美國，美國亦將利用民主人士，以使合謀推翻台灣現狀，另創新局，一面又向民主人士說：您們到今天還不知自由的可貴啊！您們看我們這裏不是明明有民主嗎？不僅『政協會』，『人代會』開了又開，我們還與各黨各派相約『同年同月同日死』哩！您們眞糊塗，不看見一個所謂『反共救國會議』談了三年至今還是杳無下落嗎？

繼續提高警覺的必要

本來，中共這一套伎倆實在是淺薄可笑，只要稍稍對他們有所認識的，便可一眼看穿。所不幸的，乃在美國、台灣黨政當局和海內外民主反共人士之是否能團結一致，共同去粉碎中共這一陰謀；而能否團結一致，又決於民主自由的有無與多少。今天台灣確實還有一部份的經文緯武之流，希聖希賢之輩，對這樣一個淺近的道理，竟還不會明白，依然在那裏『憂疑滿腹，衆難塞胸』，內而其宴中乃墮入中共這一詭計，而不自覺！

幸而還好，中共這三大敵人，畢竟還有一個反共共同之點，這一點便是任何謠言所不能動搖，因此他們這一詭計所能收得的效果，到底還是有限。假定我們能於百尺竿頭，更進一步，使得中華民國憲法所規定的民主自由能夠充分實現，則不僅美國援我的態度可能加強，即海內外民主反共人士對台灣反共黨政當局的團結也可能訢合無間，也必須如此，然後反攻復國的提前實行，才能有一個切實的根據，我所謂大家『仍有隨時提高警覺的必要』，便正在這種地方。

半週述評

英美盟誼的恢復

美總統艾森豪和英首相麥美倫最近在百慕達舉行的三天高層會議，已經結束。從公報上十一點協議看，去秋由運河事件所引起的英美傳統盟誼的重大裂痕，已經有了極良好的修補。美國參加巴格達公約，和歐洲防務的合作，有關以埃問題的協議，成就意義的深遠，尤屬難得。有關臨時協議及運河問題，雖還缺乏具體的決議，固已無礙於兩國的共同合作。

「各行其是」是失策的！

公報雖提及『遠東』字樣，但並無協議。據路透電消息，尤其是『中國問題』，英美依舊『各行其是』。其實，英美傳統盟誼的恢復，要能發揮其力量成為世界和平的安定力量。英美的遠東政策，如果還是『各行其是』，顯然不能達到此一目的。英國與友邦華國，已經很坦率的聲明英國承認中共是絕大的錯誤。這決不是英國少數人民的意見。英國政府必須拋棄『各行其是』的態度，協調美國，英美的傳統盟誼，才能繼續長久。

中英邦交的新努力

這一點，我們也不能單獨責備英國。中英邦交的中斷與英國遠東政策的猶豫不決，很有關係。中英兩國的有識人士，都已有了新的認識，也有了新的努力。如能從友誼的增進，以至邦交的恢復，一定有利於英美遠東政策的協調與合作。這是整個自由世界都有利益的大事。中華民國也應繼英國友好訪華團之後，有所繼續，此外還應有其他有利增進邦交友誼的多方活動。

越南的經濟新政策

越南總統吳廷琰，為促進經濟發展，發表投資政策宣言，號召本國人士及外國人士，對越南投資。詳細優待投資的辦法十二項。越南在獨立三年的短時間內，從內外困逼的惡劣環境中，完成了獨立統一的偉大工作。這不僅是越南的光榮，也是亞洲民族的光榮。以年青充沛活力的新興國家，進一步從事經濟建設的百年大計，應該是沒有多大困難的。

華僑的傳統精神

越南的經濟建設，無論從歷史看或從事實看，越南的華僑應該是最感興趣，也是最有力量和最有認識的一個因素。我們相信吳總統和越南的有識人士必早認識這一點。散居在世界上千多萬的華僑，不問甚麼地區，華僑都始終是從開發當地的經濟，盡其最大的貢獻而絕不問過當地的政治。目前的越南華僑雖還有若干要待解決的問題，但是這一點優良傳統精神是決不會改變的，我們希望吳總統和越南的政治領袖，能夠善於利用這一點有利的因素，這將是中越雙方都有極大利益的事情。

·陳克文·

寫在全美僑代會後

·瓦斯·

最近全美華僑代表大會在華盛頓開會，這是一件大事。從該會的過程及宣言決議案中，都可以看出結果是美滿的。

有一點卻值得我們特別提出談談。宣言的第五點，表示『贊同美國援助自由中國的政策』及『贊同自由中國的奮鬥精神』。這在實質上雖然已表達了華僑的愛國精神，也間接表示了反共救國的態度；但在措詞上，我們總覺得這種處於第三者立場的說話，有點生疏，不足表示華僑親切之意。

因此自然而然發生了一點感想。

這應該不是如一般所分析，是由於華僑的處境困難，內心的話不便直接傾訴；因為當年在抗日期間，每一次華僑會議對於抗日問題，無不用直接而熱烈的態度表示；今天即使華僑中有不少人已入籍為美國公民，但美國政策是反共的，而且有許多美國公民以至政要何嘗不直接痛快的發表其反共的政治主張呢？美籍僑民效忠美國，應不妨礙其直接對政治主張的表示。

（下轉第三版）

德國問題新論

·曾旭軍·

一、

近來因中東問題之嚴重，已掩蓋了德國問題，其實德國問題係未來世界和平或戰爭的一個決定因素。

蘇俄總理布爾加甯致西德總理之信函，要旨在引誘愛丹諾承認東德傀儡政權，因知德國人民渴望統一，故不顧挑起重整軍備的重担。愛丹諾雖然不爲所動，但今後德國問題有三個危機因素存在：（一）中立主義抬頭。（二）愛丹諾之政治主張能否貫澈。（三）西歐建軍遲緩。

二、

大戰後對德國問題之主張分成兩派：（一）主張和平辦法，使東西德合而爲一成緩衝國，英美法蘇均撤退其在德國之軍隊，東西德以自由選舉而合成民主統一政府，由聯合國保證其獨立。對比主張支持最力的是法國及英國勞工黨人。（二）主張武裝德國，使西德併合於自由歐洲，使蘇曼計劃能實行，使西德經濟與西歐各國合作。一旦蘇聯內部發生動搖，東西德便可合併爲隸屬於自由西方陣營的眞正統一國家。

顯然的前者的主張是合乎蘇俄胃口的辦法。而後者爲美國與愛丹諾政府的主張。但可惜美國政策不脫商人算盤主義之窠臼，左右搖擺不定，以致西德內部亦隨着生出變態人格的國策，這一點在本年一月十日的「記者雜誌」登刊威廉·凱爾許述說得很清楚。

三、

匈牙利與波蘭革命爆發後，認爲美國應積極增強西德軍力以防大戰爆發者，至今仍成幻想。美國主持裁軍之史塔遜，反認爲蘇聯因附庸叛變而失去附庸國七十師之兵力，西方可有好機會與蘇聯協議裁軍及撤軍退出德國。

參院民主黨議員堪佛利建議美國與蘇聯訂立一非軍事區域於中歐，——意指德國。一向爲蘇聯張目之外交評論家李普曼，立即附和此主張爲與蘇聯共謀弛緩緊張局勢之機會。李普曼一向以武裝德國列入西歐防衛體系爲危險之政策。蘇聯爲了擊懈西歐的建軍計劃，也迎合此種主張。這不足怪。可怪的是國務卿杜勒斯在上次自巴黎歸國，表示：『蘇聯如在彼等之附庸國放鬆掌握之手，則我等亦對歐洲放鬆，尤其是德國。』杜勒斯表示不用前幾解放政策，而是讓鐵幕內國家在共產主義之下『進化』，與克姆林宮脫離。早在一九五五年他與鐵托會議於布里安尼，已有明顯的表示。美國政府的對德政策是鼓勵德國中立主義抬頭，而非係解放東德。

四、

由於美國之不能貫澈「武裝德國」之政策，愛丹諾在今年九月大選中有失敗之虞。去年夏阿丹諾訪問華府，曾獲艾森豪總統保證完全以軍力支持德國。孰知回波恩後不久，美國參謀會議主席雷特福計劃大量裁減駐西德美軍，引起此老政治家之憤懣。史達林在昔曾以歸還東德割于波蘭的失地爲餌，取得與德國合作，而割斷與西方之合作。在十三月十四日德國外交部長布蘭天諾，自巴黎參加北大西洋公約組織會議歸來，對記者說：他的政府不久與共產波蘭討論邊界問題，謀取妥協辦法。布蘭天諾爲假定承繼愛丹諾的人，有此主張，其搖擺不定可想而知。

五、

北大西洋公約組織之聯軍統帥諾斯達之參謀團，決定原子與核子報復戰略及新阻嚇力量，不是減少人力，而是需要增加人力。但一九五一年的西歐聯防計劃原訂西歐軍七十五師，其後可減到五十師，再而縮到三十五師。西歐聯防計劃所以遲遲不進，關鍵也在德國，在一九五一年原定西德軍十二師併入歐洲防衛集團，但現在只能希望到一九五七年年尾能有六師。

西歐盟國建軍冷淡，亦爲原因之一，麥美倫以建軍負担太重，欲撤退駐德英軍及縮軍，因遭西歐其他六盟國反對，同意暫緩縮軍，但仍另提折衷性計劃。法國幾乎完全把在歐洲的有效軍力調到非洲，因爲調了六十五萬人。

這樣，爲了各國自私心作祟，所謂「歐洲第一」的策略也不能貫澈，更談不到解放政策，這是冷酷的現實，不能不注意的。

朱可夫强調戰爭不可避免

蘇軍配備新武器

（本報專訊）閬不論三次大戰何時爆發，對未來的戰爭究以何種姿態出現，早已成兩大集團軍事首腦部所悉心研究。在去年十月間匈牙利和蘇彝士運河事件相繼發生時，蘇聯曾以恐嚇方式，警告英國，將以飛彈及核子武器爲報復，而渭次百慕達會議中，對於如何加强軍事防禦性的原子問題，也在最後一天的會談中被提出秘密討論。

尤其是在英國經濟狀況漸趨困境之現階段，英國實無法再在歐洲派駐軍兵，爲顧及事實困難，「增强火力以減少人力」的作戰思想，益見抬頭。

目前的情況是：兩大集團都皆以積極發展最新核子武器爲「防禦」戰爭的主要手段。

至於蘇聯軍事當局對於未來戰爭使用核子武器爲攻擊手段的決心，可於朱可夫在本月十六日對「全蘇軍隊模範人員會議」上的講話獲得具體深刻的印象。

朱可夫首先否定了：因雙方皆有毀滅性的武器，以致互相不敢使用，一如在過去戰爭中交戰雙方沒有使用化學武器的論斷。朱可夫認爲亞洲的印度、緬甸等國家的領袖持有此種觀點是「不正確的」。朱可夫肯定的說「一旦發生大規模軍事衝突時，原子武器不可避免的被當做攻擊的基本工具來使用。」

基於此，朱可夫强調警告蘇軍「模範」幹部，未來的戰爭「將會使陸、海、空都處於緊張的局面，戰場戰爭不僅將局限於戰場，並且將席捲交戰各方的所有大後方。戰爭的成敗，主要取決於：技術水平、空軍質量、士氣以及軍隊的作戰訓練和技能。」據此，可以正確的估計，蘇聯軍隊現正在從事作以「原子武器代替常備武器」的蛻變！朱可夫也充分地表露了他的好戰面貌。

戰後日本最大預算案的特色

許俊

（本報東京特稿）日本戰後最大規模的一九五七年度預算案，已於三月九日在衆議院獲得通過，並即送請參議院審議。能順利的渡過這一關，岸內閣就可以輕鬆的心情着手「大展鴻圖」了。

預算的二大特色

這個預算草案，本出石橋內閣制定，它的特色有二點：

一、它不僅是最大的預算案，而且是以「減稅」和「積極財政」爲標榜，以極其動人的內容面向日本人民。

二、軍事費用的增加，做到了力求避免刺激納稅人，較諸上年度只增加了四億日元，也顯示了岸內閣在這方面對美談判的「優越性」。

有了上述二大主要特色，衆院的反對派就顯得辯論無力，能得以較順利通過者，亦在此。

預算的歲入和歲出各爲一萬一千三百七十四億日元。較上年度增加了一千零二十五億日元以上。

減稅和積極財政

它旣被號稱爲是戰後最大的預算，正表明了這兩年來日本經濟在穩定中獲得了極大的發展，而今年稅收的估計，雖在減稅政策之下，仍將有一千九百億日元的稅收的自然增加。而稅收的自然增加也意味着日本今年經濟狀況仍將繼續好景，政府敢於標榜「積極財政」者也在此。有了這樣的基礎，自民黨內閣有了對選民這樣動人的號召本錢，因此他們並不怕一旦國會解散後將失去執政的機會。

但是即使肯定了這些成果，對於一些敏感的財政經濟專家和輿論界來說，他們也照樣提出警惕性的警告，例如像朝日新聞，就議評這是個「外强中乾，虛有其表」的預算；「經濟學者」雜誌則指說「這是個政治性預算」，亦即謂是自民黨的政治手腕下的產物。

新預算的反應和效果

目前日本人所關心的是，該項預算實行的結果是否正會不幸而帶來通貨膨脹的危險；該項預算對於小市民說來，究有多大的實惠。如果通貨膨脹了，物價波動了，即或是對於不夠納稅標準的小市民，也還是「不利的」。這只要看目前日本勞動者們不時發動罷工要求加薪，即是一種最好的說明。

不過話要說回來，作爲一個政府，他所着眼的不僅是在減輕人民的負擔，同時還要設法如何培養國家的生產機能，恢復日本全盛時代的國力。日本要想成爲亞洲的一個重要的國家，在未來國際政治上扮演要角，必須首先要具經濟有辦法。日本既是個輸出國家，也唯有靠不斷的擴大輸出以增加財富，則對於小市民的利益，自不免要有所影響的。而且國內的建設，諸如交通的改善，道路增闢，港灣修濬等費用的增加，也都與增加生產擴大輸出入是息息相關的，事實上也未曾看見過有一個國家，誕作消極的增加人民消費財富，而忽視國家生產財富的，能夠有長期穩定和發展的。何況這次預算中的「積極財政」，就表示了政府爲照顧小市民而加强了社會保險，提高社會福利等項目。

建設投資和軍費運用

這次的預算中財政投資貸款總額達三千二百八十億日元，比上年度增加了七百億日元，其主要投資對象爲電力，鋼鐵，鐵路和公路等工共事業和產業，其總數佔了該項總額的三分之一，數字雖不能表示政府的魄力，但至少可以看出，現內閣是確有計劃要大顯身手的。

上文曾說到軍費的增加極有限，這使得預算可以充分地用於積極的建設方面。同時，對於陸軍的擴充，也暫採取緩進的策略，原本計劃增加一萬名陸軍兵員的計劃，也取美國的諒解，推遲到一九五八年再談，目前則將擴軍重點置於空軍和海軍上。最使人難以相信而在日本確實現的，也正是軍費的運用不僅恰如其分，而且每年都有二百億日元以上的結餘，此項累積數字，當然也無形中有助於預稱的編製，今年能夠不大量增加軍費，而同時尚能擴充海空軍者，即得力於此，日本目前正在力求提高軍備的現代化，對此在軍事預算方面，就更必須要切實的做到「精打細算」了。

共黨失去爲患的根據

因日本戰後經濟的好轉，使國力日增，左翼方面當然不惜污蔑爲這是政府協助資本家的結果，因是政府着意在擴大資本的利潤。但我們相信，日本能夠有這樣的穩定局面，還得歸功於經濟穩定，若日本經濟狀況一直了無生機，致說，日本必將早因社會秩序的紊亂而成爲共黨腐蝕的溫床了，現在日本雖有共黨而尚不能爲患者，即在於經濟的好轉。從戰後最大的預算，表示了日本政治已逐漸走上軌道，有了民主政治和充分享受自由的權利，資本家固不足懼，即使是洪水猛獸的共黨，也一樣失去爲患的條件了。

從這樣的角度去觀察日本新預算，是值得國人借鏡反省的。（三十五日）

徐復觀先生一封公開的信

編者的話

編輯先生：這封信，我希望能把它刊出，但並不能算是「寫文章」。

我看到「中國人民是幾千年來最享有自由之人民，其受病在缺乏之緊張，形成渙散」，因而「不可再盲目學習西方民主」的這一類的文章，便使我心中萬分難過。寫這類文章的先生們，有的是出自一番好意，並且又是對綫裝書下過若干工夫的，但是爲什麼要把幾千年來吾人民在專制政治下的血淚淚痕，代他們裝出白鼻子式的笑臉，爲新的專制主義者製造出反對民主自由的理由呢？

「自由」在政治上說是人民對於自己合法的生存權利，政府官吏不能，也不敢運用政治權力加以侵犯之謂。最低限度，老百姓可以避免有犯「朝廷」的「王法」，官吏便不能隨意加以誣陷羅織之謂。此一自由的確立，只是近三百年來的歷史成就。中國在專制政治之下，有那一種客觀的保障，能使人民可以得到這種自由呢？一部廿四史，有那幾部歷史沒有酷吏列傳？那一個酷吏不是手上幾千幾萬的冤鬼。並且姓名被列入史傳中的酷吏，不過於千百人中最爲突出之一二人，由史乘奏詔中所暴露出各時代官吏魚肉細民的一般情形，眞是不可勝數，到宋代在胥吏政治成熟，在胥吏政治下的暗無天日，宋明及淸初許多人的文集中，有不少悲痛的紀錄。「乾嘉大師」們的文集中便很少這類材料，並因爲他們的心力只肯集注到文字訓詁那一方面去了，不屑注意這些現實問題，以保持他們的高潔。但一直到民國十五年爲止，下層政治的黑暗情形沒有兩樣。縣衙門派出的催糧差役，老百姓一看到沒有不嚇得發抖的。我小的時候便曾親眼看到過幾次，在我的鄉下，稱這些催糧的差役爲「叫變券的」；而「叫變券的」便成爲兇神惡煞的代名詞。我一直到十九歲，還想不通「叫變券的」爲什麼有這樣的厲害。所以諺語說「滅門的知縣」，這是說知縣可以隨意滅人一家的。又說「貧不與富鬥，民不與官鬥」。這裏的所謂「鬥」，不是鬥爭的鬥，只是爭論是非的意思。這句諺語是說窮人祗有順從富人，百姓只有順從官吏。若和他們爭論是非，包管叫你吃上大虧的。此一情勢的稍稍好轉，不能不歸功于民國十五年的北伐。從歷史資料看，從我們具體的社會經驗看，中國人民是在何朝何代而可稱爲享有近代的所謂自由呢？我們講話，一定根據實際的資料；並且應把不同的資料作一種客觀的衡量；不然，不論講得如何好，結果不僅毫無效果，反而只有糊模現實的問題，以延遲其解決而已。人類的理想，不論最先啓發于何地；但一經啓發出來以後，即是屬于「人類底」，而不問其爲「東」或「西」。近代民主自由，雖啓發自西方，但只要在全人類中，開花結果；這和科學的成就有什麼兩樣。至于在不同的歷史條件，社會條件下，其具體實現的方式或不盡相同，但這是極小的不同，與大原則並無關係；在這種地方，是應當特別加以分疏的。至于『中國實行民主數十年，但……』這類說法，我們直覺這只是從月宮降落下來的仙人的口胞，住在這塊土地上，幾十年的人，是看見在什麼地方實行過一天的民主呢？專此敬請

大安

徐復觀上（三月十日）

阿里山下

是所望于羣公

中央研究院定於四月二日起，在台北縣南港鎮該院，召開遷台後第一次院士會議。這是目前自由中國的最高學術機構，我們希望對于整個國家學術方針搞出一個道理來，使我國學術走向一個新的合理的途徑。

道理何在？

省政府爲鼓勵公民於本屆選舉時能踴躍投票特近，頒發注意事項九點，令飭各縣市選務所遵辦。投票原是選民的權利；權利的執行，反需政府鼓勵，其中當有値得深思的道理在。

信如所說

行政院俞院長近說：改良政治風氣，應由樹立制度，及官吏以身作則着手。余曰信如所說，信如所說。問題在于高高在上的先生們，能否虛心自我檢討耳。

國軍待遇太低

立法委員趙惠謨近指出國軍待遇，校尉級官員還不及普通工人，士官級更遠不如粗工，而主張在美發行公債，以求改善。在美發行公債，事關國計，有待詳研，但若，僅就各級軍事單位而言，倘在每年各種不同的校閱檢查招待等各方面，能做到絕無浪費，或也不無小補。

物輕意重

美國卡羅雷多州法官羅贈送中華民國法官法槌一把，近由台北地方法院院長趙執中代表接受。近年來，台灣的司法獨立與尊嚴問題，俱爲各方所關懷，但願此一法槌，能將美國的司法精神帶來。

應特別注意的事

立法委員姜伯彰近指出：一般民衆道德，有日趨墮落之勢，如少年犯罪，走私，販毒，殺人案件之層出不窮，政府實應特別注意。其實，政府非不注意，可惜未做到「特別」耳。（三月廿一日）

傅正。

台南花絮

昌增勳

台南警局，邀集賭徒十人座談，曉告賭博之害，勸從業歸正，並願協助介紹工作。但其中有人爲了「爲賭詐欺」事，與警察大演「鐵公雞」。有人在旁說，局不如介紹他們去「國術館」，或「柔道會」兼充教師咧。

× × × ×

市監獄與看守所職員，爲爭宿舍，幾演「大武行」，現案已呈高等法院。如都判罪，典獄長與看守所長，豈不又要多湊一人嗎！

× × × ×

中日合作捕鯨，「第一京丸」日輪，駛往捕鯨基地「香港灘」，爲時將兩周，出身已數次，鯨雖有發現，砲手不敢輕於發「第一砲」，看情形未可樂觀。

（附更正：三月十六日本刊「台南花絮」內「台南正副市長」應爲「台南市長，副議長。」）

中國歷史教學

錢穆

三月二十三日錢博士在香港教師會中文部講演「中國歷史教學」問題，茲將講詞全文發表如左。——編者——

一、

談到歷史教學，應能雙方兼顧，一是歷史本質，一是初學歷史者對歷史之瞭解力，如是始能收歷史教學之功效。

歷史本是各時代的人事紀錄，因此講授歷史，可分三階層遞次升進。一以事件為中心，二以人物為中心，三以時代為中心。此三階層，乃一切歷史之底層基礎。學者必先瞭解此三基層，纔能瞭解歷史之更深意義。

第一階層的教法，講歷史如說故事。學者對此易發生興趣。如讀三國演義，讀者心中必會先知道有諸葛亮舌戰羣儒，借東風，火燒赤壁，以及失街亭，斬馬謖，空城計，等種種故事。如讀水滸傳，讀者心中必會先知道有林冲火燒草料場，醉打蔣門神，武松景陽岡打虎，宋江潯陽江酒樓題詩等種種故事。歷史一如小說，若歷史故事全不知道，他如何能知道得歷史。

第二階層的教法，便進了一層。事件以人物為主腦。讀了三國演義，讀者心中漸漸知道有董卓袁紹曹操劉備諸葛亮周瑜馬謖等諸色人物。此等人物，逐漸在讀者心中，鮮明活躍。必待瞭解了此等人物，纔始更能瞭解此等人物所幹的事。但更應注意者，我們是先由他們所幹的事來瞭解他們的人。若於他們所幹的事全不知，也將無法瞭解他們那些人。

第三階層的教法，便又進了一層。我們由這些人，這些事，獲得綜合影像，而瞭解到那一個時代。如讀三國演義，到赤壁之戰，讀者心中必會舒一口氣，覺得緊張局面過去了，時運有轉變了。讀到關羽走麥城，失荊州，便覺前面一片黑影，希望消失了。讀到五丈原諸葛亮病終，便覺時代沒落，一切都完了。此是時代瞭解。

綜合了對於歷史事件之知識，抽象出人物瞭解。綜合了一切事與人之知識，抽象出時代瞭解。這是對於獲得歷史知識所必需遵循之步驟。繼此以往，纔始可能有更多更深之瞭解。但必需有上述三階層為之作基礎。

二、

如此教歷史，自能使學者感到興趣。雖若卑之無甚高論，但就歷史教學之功能上言，卻已可有甚大效驗。首先可使學歷史者養成他懂事，其次使他知人，又次使他知有時代，有世運，開拓心胸，使學歷史者在不知不覺中接觸了人生之大局面。

解事不易，知人更不易，論世尤更不易。若教歷史，能使學者成一曉事人，進而能知人，能論世，歷史教學之功能，到此境界，已可無憾。

曉事，先使知成敗得失。知人，先使知賢奸忠佞。論世，先使知盛衰治亂。此等皆是大綱大節，既具體又客觀，有時代公評，有歷史定案。使我們在大體上不得不接受，不得不承認。

近代中國人講歷史，卻易犯有許多毛病。試，拉雜數說。有一種毛病，是忽略了歷史本身而泛濫地放縱到其他方面去。如講漢代史，把漢代的大事件，大人物，時代之大轉變等，尚未交代清楚，卻廣泛地講述漢代經學，漢代文學，漢代藝術等。當知學術史，藝術史，思想史，文學史，皆涉專史範圍。學者不僅當知歷史，並當通文學，纔能講文學史，通藝術，纔能講藝術史。如讀三國演義，讀者自能知道曹操之為人，卻不易懂得曹操之文學造詣。讀者自能知道諸葛亮之為人，卻不易懂得諸葛亮之學術立場。

三、

又一種毛病，好籠統抽象，弄許多歷史上的名詞來闡說，卻使學者先墮入五里霧中。如講魏晉南北朝史，學者於王導謝安之為何等人物，會幹過何等事業，在當時曾發生了何等影響，全不知道，卻硬要他們來講述王謝門第。試問初學歷史的，如何能接受，如何能瞭解？

更大的毛病，卻是把現代流行新名詞來講歷史，如封建社會，專制政治等。猶憶二十餘年前，我曾到北平師範大學去講秦漢史。據說師大開此課，已有兩教授，一開講，學生便質問秦代開始究竟是封建社會結束了，抑正在開始，此一問題把兩位教授困住了，相繼憤而辭職，遂中途強邀我去承乏。我一開講，先要求學生，且聽我講過秦代歷史之大概，再來討論此問題。待我講述了幾堂，結果學生也不再提出此問題了，大家願意照我所講的次序繼續聽下去。譬如你講水滸傳，聽眾自情願你把梁山泊的人物故事，不斷講下去，卻不情願遽先來討論水滸傳當時的社會形態乃及政治背景等。待你把水滸傳的人物故事講完了，他明瞭了此等實情，自易使他自己去推想和關悟當時的社會形態和政治背景。

另一種毛病，即是講歷史總喜歡講背景，如所謂歷史背景，時代背景，社會背景，政治背景，思想背景等。當知講背景，先須提出一主體。必依附於此主體，纔始有背景可言。一切背景，仍須從此主體顯。若我們不明瞭孔子其人，如何先來講孔子之一切背景。空有了一切背景，仍綴不出這一個主體來。必先有了這一個主體，纔能依此主體來描繪其一應的背景。

四、

更有一種毛病，近人講歷史，一開口總喜歡講文化。其實文化那一題目，是很難講的。從前人學歷史，必先讀正史中之本紀與列傳，纔進而讀志表書。必先讀資治通鑑，纔轉到文獻通考。類如政治制度，社會經濟等項，比較屬於專門史範圍，並不如普通史之易於瞭解。若文化史，更是專門中的一種研究。更要綜合，更抽象，更複雜，初學歷史的，如何能接受與消化。

讓我簡括說一句：一個不曉事，不知人，不識時的初學，纔和他來高談學術系統，思想派別，文學流變，藝術境界，社會形態，政治組織，時代背景，文化精神等，種種複雜錯綜的觀念，種種專門抽象的理論。若我們先後輕重倒置，如此來講歷史，最多只增多了學者們的意見，卻並未給與學者以知識。

（五）

歷史的教學，和歷史的研究不同。我不反對研究歷史的人在此諸方面作專門高深的研究，但在教初學歷史的人，知道一點普通歷史，卻不該廣泛牽涉到這些複雜而高深的題目上去。其實此兩事，不僅並行而不悖，抑且相得益彰。教歷史的，愈高，愈深入淺出，學歷史的自能心領神會，循序漸進，不知其已闖進了歷史複雜高深的境地。

讓我們千萬莫認為曉事，識人，知時，是些平常容易的事。在我們自己沒有確實自信的研究所得，在我們沒有深知灼見，獨特造詣以前，讓我們且把歷史上已往大事件，大人物，時代治亂盛衰之大轉變，依照着已往時代公評，歷史定案，忠實地傳授些知識給學生。學生得此基礎知識，自能循序漸進。至少在曉事知人論世的教育功能上，已有莫大貢獻了。縱使我們自己對歷史有一番特別的創見，也不該傾囊倒篋而出之，以為初學歷史的人設身處地，俯就於他來循循善誘纔是呀！

（六）

或疑如此教歷史，是否會把歷史教學與時代潮流相隔絕。我認為歷史教學的功能，若能達到使學者有曉事知人論世之修養，此則決不會與時代潮流隔絕。或疑如此教歷史，是否會使歷史祇有些故事人物無系統，我想，凡講述歷史故事與人物之選擇，能指明時代之轉變，在教者心中本該有一個系統作底，也決不會散漫無系統。一切主要的任務，還是在教者自身對歷史之觀點與修養上。要之歷史教學，則總以就於上述之三基層作中心，則是無可懷疑的。

新書評介

謝冰瑩及其新著「碧瑤之戀」

兼談創作態度

楊海宴

謝冰瑩先生寫「碧瑤之戀」前，專為此書去馬尼拉華僑社會搜集資料。她是去年趁接菲律賓暑假回國服務的僑生之便，從高雄港口乘海軍兵艦去的。行前住在高雄中央旅社，打電話告訴我，她從台北來了，明天就要去菲律賓，還要我帶幾本小說給她在船上看。這次因為她行期匆迫，我們見面也沒有詳談。到她返國後，那情形可熱鬧了，她忙着拿出一大袋子的照片（那就是她在馬尼拉，受到華僑熱烈待招的情形），她一張張的攤開照片，一邊忙不迭發着一肚子的華僑熱愛祖國的故事，這樁沒有說完，又忙着說那樁，實在太多，她希望每一樁都告訴我，結果是每一樁都沒有說完全。我沒有聽清就要問，她就用濃重的湖南土音說：「啊，你不曉得，感動極了。」兩個人忙得像瘋子一樣，最後她到底說疲倦了，便把照片堆在我面前說：「你自己慢慢看吧，我暈船，幾天都沒有好好睡過，——眞是，太感動了。」

因為謝先生第二天要應高雄女中之邀，作專題講演，再不提早休息是精力不支的。直到第二天，她演講完了，下午我們纔有好好從容談話機會。她未在馬尼拉之前，把「碧瑤之戀」已經寫完的一部份草稿給我讀過，沒有寫完預備將如何續寫的大意，也講給我聽了。她原打算把書中男主角陳克強，和女主角楊淑美安排圓滿結局，可是又想把他們安排成悲劇，在這「圓」「缺」之間，有着一點躊躇的意思，這時候她就問我有何意見。我建議說：不必明顯的說明是悲劇，因為這樣可能是虐待讀者感情的。但也不必明顯的說明是喜劇，因為這樣可能破壞書中氣氛。用一個兩者都可能的結束，讓讀者自己去希望，讀者希望是喜劇，就是喜劇。讀者認為是悲劇，就是悲劇。像世界名作「老虎與女人」一樣，最後那男主角在國王的法律之前，必須打開兩個籠子其中之一，這兩個籠子一個裏面關着一隻老虎，一個關着美妙絕倫的女人。如果他打開的那隻籠子是老虎，那末他就只有被吃掉。如果打開的是女人，他就可以和她結婚，享受幸福。在這個緊要關頭，作者不必再寫下去了，讓讀者自己去希望好了。因為謝先生一向親切的待我如手足，所以纔敢妄陳謬見。想不到她竟虛懷若谷的採納了我這點小意思，這眞使我感到莫大榮幸的。

謝先生從馬尼拉搜集資料滿載而歸後，即在台北汐止靜修院埋頭寫作，沒有一個暑期，這本近廿萬言的長篇小說脫稿了。我把出版的新書，又從頭至尾仔細讀了一遍，眞是寶刀未老，令人佩服之至。本來，以她以往的成就，和她豐富的創作經驗，再加上這種認眞不苟的寫作態度，在這種情形下寫出來的作品，我們就再也無法苛求了。

本書可以說是一部華僑血淚史。讀了它，可以知道生存在海外的炎黃子孫，如何的懷念着祖國的強大。以這種題材為小說的，恐怕這還是第一部，我們生存在祖國懷抱的子孫，對僑胞怎樣的生活情形實在太陌生了。

政府雖然有一個僑務委員會的設立，但所執行的，似乎僅限於僑胞與政府之間的，對於僑胞和祖國的民間連繫，我們至今還未發現有任何一座橋樑。因為讀到謝先生的小說，想到這點題外話，似乎也值得附帶提上一筆的。

僑胞在海外多半是赤手成家的，往往匹馬單槍創出一個天地來，高度的發揚了我們這個古老民族的傳統德性。以往他們雖然有痛苦，但在自求多福的精神下，多能平安康樂。可是今天，他們一個非常悲慘的命運，這就是中共潛伏在海外所造成的，他們用一貫的欺騙、脅迫、恐怖手段，製造了許多血淋淋的故事，本書女主角楊淑美，就是在這種悲慘命運之上，像其他許多熱情而不知世故的華僑孩子們一樣的犧牲了。這本書非常冷靜，非常樸實，揭發了中共這一可恥的毒計，為了華僑得到警惕，並且得到祖國是在關心着他們的這點心意，我願冒做廣告的嫌疑，建議僑務委員會購買若干部，贈送海外同胞閱讀，我相信這花錢不多，而意義卻是可貴的。

如果以一個批評者的眼光來看，本書在技巧上未始不無細微缺點：譬如女主角寫的日記：「三月一夜與克強在倫禮沓海濱歸來，挨了母親一頓罵。」「失眠；望月；想克強。心情起伏，感情與理智衝突。」這種流利簡潔的文筆，決不是一個華僑女中學生所能寫得出來的，倒像女作家的筆鋒了。其他男女主角的通訊，都是寫得超過本書中人物教育水準的。像這類小毛病，不無美中不足之感。

寫在全美僑代會後

（上接第一版）

然則原因何在呢？據傳，我們僑胞中有人事前對這問題有過不同的意見。有人認為此必涉及美國政治問題，再因為代表中有許多是美籍，其在法律上與道義上，除效忠美國外不應有其他立場。其實這種顧慮，無論在美國方面，在僑胞方面，應當都不會成為問題的。一年來[illegible]的自由人士，政治主張儘管不同，大立場總應當是一致的，對於反共救國的基本態度上，今後應該進一步有個共同一致性的相互了解。對此不知會否盡過力量呢？政府對華僑曾經做過不少工作，對此又不知作何感想？

小訊

據訊：自由中國美術展覽會，于本月七日在台北展出，有書法、國畫、攝影各部門，成績甚佳。[illegible]頗得好評，茲聞該會擬于下月內來港展出云。

自由談

必也正名乎！

馬五先生

報載：中華民國執政黨最近舉行的八中全會決議，要把政府早已倡出的反共救國會議改名爲「國是會議」。如果屬實，我認爲改得很好，很對！

本來，所謂「反共抗俄」這項口號，發響老百姓喊喊固無所謂，出諸政府當局之口，却有些欠妥當。因爲政府素來指那叛亂國家的共黨爲「共匪」，過去在大陸上從事「剿匪」有年，如今忽曰「反共」，豈不是把它看成對等的敵人了？「反」字的意義原非「反對」一詞所能盡的，若要講究語意的話，在政府立場上，應該說是「討共反俄」才對哪！

因此，我乃聯想到「革命」這兩個字，似乎亦不宜隨便使用的。革命的用意是要推翻現狀，俗言造反，而其方法即爲無視法律制約的暴力行動。這名詞創始於幾千年前的武王伐紂，史家稱之爲「湯武革命順乎天而應乎人。」我們現時既認定共產黨爲內亂犯的匪盜集團，當然不能把它看作革命的對象。至於內政上的一切改革措施，決不能說是革命行爲。否則就政府的立場來說，不啻是自己否定自己；就人民的立場說，即是要推翻現狀，是要造反了，爲乎可？共產黨人把「革命」這名詞常掛在嘴上，那是說得過去的。何解呢？它們原是以「世界革命」爲其最終目的，在全世界未被共產主義征服以前，它們就認爲「革命尚未成功，同志仍須努力」，所以要把革命二字作咒語，唸唸不歇也。目前大陸上的人民，應該主張革命，藉以推翻暴虐的共產政權，我們也應該贊許這種主張，然而在自由中國統治下，非但不可隨便談革命，尤其是統治者的人士，更不可把「革命」二字當作口頭禪。這問題看似無關宏旨，實則大有影響的。

共產主義者有許多名詞，我們必須避免沿用，例如所謂「民主集中制」，實際就是階級獨裁，只不過披上「民主」的外衣罷了。我們既要實行眞正的民主政治，這名詞就要用不得。孔子說：必也正名乎！我覺得並非時代落伍之談。

漣湘之憶

倒划仔

·李仲侯·

「船如天上坐，人在鏡中行。」

倒划仔，乃漣湘之間，一種梭形式的船名，長約五六丈，腹寬二丈餘，船底載貨，上面坐客，編竹爲篷，可避風雨，船板都加油漆，緊得黃澄澄的，日間經過無數次洗把抹拭，必使淨無纖塵，如果天晴把篷蓬敞開捲放一傍，乘客更可隨意起居其間。

長沙至湘潭

吾家距長沙二百七十華里，距湘潭一百八十里，步行至湘潭須兩日程，還很吃力，平常坐船約三日可到，如遇春江水漲，即一日可抵湘潭，順流鼓楫，飛馳而下。「船如天上坐，人在鏡中行」。的確够味，幼時在長沙讀書，寒假上學，大約在二月杏花開時，我最歡喜坐船。維時春水綠波，春草碧色，扁舟一葉，放乎中流，船夫發出嘹亮棹歌，霎璨應以款乃律韻，兩岸楊柳藏鴉，烟火萬家。農夫正勤南畝，蛾女忙着取桑，交織成一付男耕女織圖畫，到處陽春美景，寫出大塊文章，入晚睡着即緊挺在船板上，亦覺春意盎然，夢也香甜。

二百里河流

（這雖是短短不足二百里的河流，要算是漣水最下游，抵湘潭即匯入湘江，在潭寶公路和鐵路未興築前，倒划子是漢數百里地唯一能運輸大量物資的交通工具，其間並有好幾處險灘，能礙及行旅，如颱正湖廣灘，雲湖據然灘，都號有名的兇灘，十數里內怪石嶙峋，暗礁四布，惟恃人工緊就一條礁錢，僅容舟楫通過，每逢過灘，也許乘客未存太深的警覺，但諸櫓夫則都認爲是陰陽界，生死關，船主大多是五六十歲的老頭，臨到過灘，必須洗手淨心，焚香燒燭，膜拜河神，祈求平安，再由自把舵，[illegible]以收指揮如意之效，如值上水，船夫約三分之二須上岸拉縴，背上縴一根竹，[illegible]夫使出平生氣力，兩手兩足抵地，綫蟻牛步前進，[illegible]

篙帽俯仰間

[illegible]

要死命的把船搖動，如果耽延幾十分鐘，則飛過似的流沙，環繞船四圍，[illegible]人力所可移動，須待洪水暴漲，始可設法拖出。遇到過灘，無論船岸兩方撓夫，均須聽從舵工指揮，舵工右手把舵，左手拿着，[illegible]，忽東忽西，時刻在變，[illegible]甚至叱咤如雷，有時叫出粗話，下流不堪入耳的咒詛，[illegible]頓胸頓足，憤怒若狂，[illegible]喚起各操夫要其格外提高警惕，那時個個屏息靜氣，[illegible]不敢張聲，[illegible]船上的人纔鬆一口氣。

秋冬水落時

秋多水落，渡灘更費力，不過那時船行很慢，有些灘岸，丹楓若醉，橘柚初黃，秀巒村落屋角，都峯巒似的稻草堆，顯示出年豐稔的景象，畫裏江山，又別換一副風光，值可任客欣賞。

最好八九月

最好還是八九月坐船，那時涼風乍起，水波不興，獨自坐在船頭，不衫不履，恰好素描一付秋江歸掉圖，看到船夫過灘時那種搖撐苦鬥場面，緊張得無異戰士上疆場和敵人廝殺一般，更可使得人生須力爭上游的啓示，和提高奮鬥前進的勇氣，乘船時有些旅客都自備菜餚向船上買飯，惟我獨最喜歡吃船戶能作的那種船拐子肉（這種肉過去在湖湘一帶很有名，）用半肥半瘦的猪肉，切成手掌大一塊，用辣椒爆炒，既爽脆又香甜，確可口，白米飯用炭火焙然亦很香，船夫客人席地圍坐，大盌盅酒，大塊食肉，甚覺有趣，船夫雖是些粗獷之徒，但由于老跑江湖，久閱風霜，都把他陶冶出待人彬彬有禮了。

題海棠珍禽圖二首

王世昭

林鐘兄寫工筆花鳥，譜鍊入宋人，屬題，因請正，時丁酉春初也。

麗日和風花正開，道仙妙筆寫仙胎；
孤山往事知多少，爲箱春從海上來。

夢裏光陰是小仙，春風何事苦纏綿；
兒家心曲無人識，笑爾偸窺亦可憐。

海上學校

※中一篇 小一說※

此刻周曼石的褲子本來粗短，把黑膠皮雨衣領子一翻轉，連像撒性的脖子也看不見了，那頂蓑成淡黃色的童子軍雨帽，在矮胖又圓又大的頭頂上躍躍欲飛，活像一隻吹脹的猪尿泡蓋在條桌之上。無怪乎要逗得鄒雲亭呵大笑不停。

「有甚麼好笑呢，雲亭，」他一面按住雨帽，一面嘟囔着。「黃狗吃肉，黑狗當災，受的洋罪還不够嗎？」

他的短腿甩開八字步，緊挨着跟上。

「誰要你們當電燈泡的嘛……」鄒雲亭陰陽怪氣地補了一句。他本能地移動着腳步，嘴裏還不斷在嘀嘀。但風狂雨驟，底下的那些話確實聽不眞切了。

「要跟來就別嚕囌，不然，」周曼石嚷道，「乾脆轉回去！不要礙事！」

橫風斜雨，高大的腿迅速地剪動着。慢慢排成了個一字形。張長虹居中，矮胖子周曼石吃力地走在左邊，而大耳朵鄒雲亭縮瑟地走在右側。

「雲亭，這回可不能再開玩笑了！」周曼石叮嚀道。

「嗯嗯，對付那個淺薄而又驕傲的四眼狗，我纔剛剛開始哩！」

「雲亭，我從你身上，慢慢找出了這個時代的病根，這個時代的悲劇！」張長虹大不以爲然，大鼻孔掀動着，牙關咬得格格發響。「你接觸過文明，但你從沒有接觸過教化！你是個新野蠻人，你過的只是動物的生活！由你今晚的所作所爲，我敢於斷定你實在是一個卑鄙的小人！」他將藏青西服領子翻轉來，繼續說：「我看不出你與那些歪戴着八角帽的傢伙，到底有甚麼不同！……」

「啊哈，長虹，」鄒雲亭倒抽了一口冷氣，「扯左勸也不該扯成這種樣子！」

「請別打岔，我的話還沒有講完，」張長虹嚴肅地說。「你要曉得：文明和教化一旦分開，世界的面貌，就要可悲的被歪曲了。於是人與人的關係，只是相互利用，相互合作的關係；而不是相互尊敬的關係。於是，我們這一代人，將社會理想建築在嚴重的神經錯亂之上。於是，從權力到眞理，就如從火到餘！將社會與個人，羣體與個體，瘋狂地還原爲生產工具與生產工具間的排列與組合！因此之故，我們用有限來代替無限；用肉體的幸福來替代生命的價值；用容忍的態度來對待一切的罪惡；用迷信的道德法則來駁斥創造的少數！我們渴望自由而又眞正畏懼自由。我們的思想怯懦，感情惡劣，甚而致於會墮落到：一些自命爲身心健全的人，竟嫉妒一個剛從神經病院假釋出來，爲期不到一個月的病人！難道這對的嗎？難道這是應該的嗎？難道這個時代的病根還不够深重嗎？難道這個時代的悲劇還有個了結嗎？雲亭，今晚我面對着你，我眞愧爲人類！」

他的話帶着一種辛辣的味道，突然停止了。冷雨在他的頭頂上冒煙。一綹長髮搭在他的前額上，像響筒一樣將雨水接下來。

他用大巴掌在眉毛鼻子間亂抹了一通，正想繼續發揮偉論。突然，一隻拳頭伸到了他的胸前。他一怔，小腹一縮，左手本能地一擋，拳頭隔開了。同時，他的身子靈活的側向了右邊。

「鬧着玩的，張大哥，您別誤會，」鄒雲亭的嘴角掛着一抹又像笑又像哭的怪笑，說。「咱們哥兒倆後會有期，今晚恕我不能奉陪了。」

談話之間，拳頭變成了巴掌，與張長虹握了一把。掉轉身來，揚長而去。

「他媽的，眞是個沾流氓！」周曼石猛拉了一下帽簷，冷水裏頭出熱氣似的說。「一窩他在大學裏邊混過幾年呢！」（三）

趙師蕃

同光風雲錄

張謇（上）

張謇，字季直，原名育才，晚號嗇庵，人尊稱之曰嗇公。江蘇南通人，生於咸豐三年。光緒甲午狀元，詩文，書法，卓然大家。淵懿儒業，有曠世之度。畢生盡瘁地方教育，實業，尤蜚聲於中外。而績谿胡適之則謂爲近代中國史上一個失敗的偉大英雄，其然乎？豈其然乎？

一、入吳長軍幕爲袁世凱師

嗇公出身農村，家風儉素，幼無過人之資，而好學不厭。十歲時，塾師偶見騎者過門前，命聯曰：『人騎白馬門前過，』嗇公對曰：『我跨靑鰲海上來。』師甚異之。年十六應州縣試，名次輒列一百以外，師嗤之曰：『假使有一千人應考，只取九百九十九人，只有一人不取，就是你。』嗇公聞而隱慚不語。乃於塾中窗格上，帳頂裏，遍貼「九百九十九」五字之紙條，觸目心驚，發憤攻讀，寒暑無間，由秀才成優貢，中北闈鄉試南元。（舉人第一名）從此文名噪甚，傾動公卿，遂以成名入提督吳長慶之幕矣。

同時，袁世凱亦以通家子弟居吳幕，吳請嗇公教導世凱。據南通張季直先生年譜記載，世凱文理並不通順，嗇公輒大加删改，耳提面命，從稍寬假，世凱甚敬憚之。故後日世凱叛國稱帝，嗇公與趙爾巽，李經羲，徐世昌，聯銜通電不願稱臣，慨然以「商山四皓」自况。或曰，四皓之稱，世凱貽之？

二、甲午成名天下聞

嗇公未通籍前，嘗與同邑范當世，泰興朱銘盤過江謁古文家張裕釗於江甯，裕釗輒舉以語人曰：『吾遊金陵，得見江東三士，此行爲不虛矣。』惟嗇公文章雖有法度，而三試春官不第，心灰意懶。迨甲午會試，父論之曰：『兒試誠苦，但兒年未老，可更試一次，吾心亦安。』嗇公素以孝稱，乃仰體親心，勉爲一行，果然如願以償，時年已四十有二矣。

常熟翁同龢，居樞臣之位，夙欲拔中嗇公而未果也。此次復任閱卷八大臣之一。據日記所載：『二十四日晴，寅正入人集運門外，朝房起下，回到南書房。卯正上御乾清宮西暖閣，臣等捧卷入，上諦視第一名，問誰所取？張公以臣對，（余按指張之萬）麟公以次拆封，一一奏名訖。又奉臨語。臣以張謇江南名士，且孝子也，上甚喜。：：』是知同龢爲國求才，嗇公青雲干霄，堪稱士林佳話也。

三、奏劾李鴻章重修果然亭

嗇公大魁後，以新科修撰，正宜及鋒而試。時值中日大戰將起，嗇公以久處長慶幕，素知相國李鴻章處置朝鮮非失當，乃詳舉故實，剖析大勢，奏劾鴻章誤國之罪，同龢亦深以爲然。詎料疏上不報，而鴻章膠執已見，依然不稍悛改。嗇公自負經世奇才，且所論各節，俱爲救時之良策，志既不中，遂憤慨然輒發不平之鳴矣。

不嘗惟是，又嘗親見西太后由頤和園回宮時，適逢暴雨，平地水深尺許，文武百官，有白髮老臣年在七八十歲以上者，亦俱長跪水中接駕，而西后端坐鑾輿，漫不一顧。嗇公目覩內憤，以爲稍有志氣者，不願爲官也。而屏棄仕進之念，遂基於此。或謂嗇公親見朝政腐敗，補救無術，而甯禍將起，勢將受其株連，遂毅然歸野，藉實業商務以自隱耳。且是年九月，適丁父喪噩耗，乃奮賣辭都，歸後有句云：『不堪重憶功名事，宮錦還家變雪衣。』從此壹心壹意，作教育實業之計矣。

南通州牧，及地方父老，以嗇公大魁天下，歡極欲狂，便將城內「魁星樓」改築爲「果然亭」，迨嗇公重修亭時，深覺得中狀元，不過適逢其會，亭名果然，未免貪天之功，因改名爲「適然亭」，並書一聯云：『世間科第與風漢，檻外雲山是故人。』復附跋云：『余以清甲午成進士，州牧邦人擬唐聖皇詩語爲果然亭，世間萬事，得其適然耳。丁巳，余修亭，不敢承前意也，適然之事，以適然視之，適得浩翁書，遂以易勝。』然則，嗇公薄功名而寄情山林之志趣，從聯句中隱約可見焉。（七十九）

夢山樓

自由人

THE FREEMAN

（第六三三期）

中華民國僑務委員會
登記證台教新字第一零二號
中華郵政台字第五○○號、
執照登記認爲第一類新聞紙類
（半週刊發行星期三、六出版）
每份港幣壹毫
台北市售價台幣壹元
督印人：陳文霖
地址：香港高士威道二十號四樓
3 RD. FL. 20 CAUSEWAY RD.
HONG KONG
TEL. 771726
承印者：東南印務出版社
地址：高士打道六十四號
台灣總經理處
台北市西寧南路壹壹零號二樓
台郵信箱金戶九二五二
海外總經銷
友聯書報發行公司
香港：德輔道中二十六號A二樓

中國大陸的「金蘋菓」

——現實主義者的課題——

林伯雅

今天之中國大陸貿易，有如希臘神話中女神放在一對新婚男女門前的金蘋菓，拾了不能充飢，反而惹起感情破裂。放寬禁運問題在最近的百慕達小型巨頭會議中，麥美倫因爲受工黨及國內工商界的壓力而提出，這是意中事；若美國要用折衷讓步來彌縫英美間的政治歧見，那是剜肉補瘡的辦法。目前所謂中立國家不用說，一羣自由國家除美國外，如英、日、甚至如法、加、義、土、葡、荷、比、西德等國，有如飢餓的狐狸，一直在朝着這蘋菓迷惘神往。其實，這蘋菓是拾不得的，否則將見道義與實利兩失。現實主義者應熟習此課題。

一、

聯合國對中共的禁運政策，原是韓戰的結果，可說是軍事的延長，韓戰打不了，退而思其次而已。因此它先天就有着不健全的內素——一如當年出象徵部隊于韓戰場一樣，只是被敷衍遂行。英國一直就主張放寬，（放寬至對蘇聯貿易一樣，實際也等于解除）而且事實上，英國商人一直就與中共有交易，所謂禁運，早已名存實亡。

本來，就本質上言，世界市場的爭奪戰，乃是殖民國家的老把戲，更因爲中間殺出一個新殖民帝國的蘇聯來，把大部分市場圈進鐵幕內，使自由世界可以發展的市場日狹，頗感不足以伸展鴻圖。

比較高遠的共同政治理想，畢竟敵不過現實的個別經濟權益。如英德之在歐洲，英日之在亞洲，都在赤色烽火中，一五一十打起商人的算盤，自然對于中國大陸上的金蘋菓依依戀念，何況大陸的女神又曾迭送秋波，如年前繼莫斯科「經濟會議」之後，而有北京「經濟會議」。

二、

共同的政治理想，却產生了一個矛盾的經濟意圖。這是自由世界的悲劇。更由于一些矛盾的經濟行爲，必然的又演化而爲政治上的歧見，所以放寬禁運問題，在政治觀點言，比之承認中共問題，實爲五十步與百步之差耳。因爲這問題的政治影響，將遠超于經濟的實益。然而客觀形勢，說明了大多數自由國家却把商業利益放在政治理想之上。

打韓戰的，實際是美國，所以目前極力支持禁運政策的也只有美國。

即使在美國，也有嚷着放寬禁運的，如去年十一月美國商會主席柯里曼的言論，可爲代表。祇是在世界政治冷戰中，美國還是要堅持下去的，否則等于完全放棄爲韓戰而犧牲的代價。所以在此次百慕達會議中要讓步折衷，不積極反對英國利用「例外條款」的漏洞，只是爲了彌縫英美政治上的歧見。其實，那是一種剜肉補瘡的辦法。

英國在邱翁時代，就會發出「通商而非援助」的呼聲，這裏面已含着向美國要求貿易市場放寬的意念了。今天工黨又在咄咄主張，工商界更加緊壓力。在此次百慕達會後，麥美倫表示英國將進一步自行其「是」，說出「英國不輸出就不能生存」。生存問題原值得同情，但不知也曾想到自己在政治上將要遭遇的生存威脅否！也想到別人的生存否！

日本早曾向美英要求例外而未得，故自和約締結以來，眼見着歐洲商人進出中國大陸而發呆。去年日本工商界的貿易團赴大陸視察回去，指出西歐不少國家曾以大量禁運物資輸入中共以及比利時等歐洲國家或與北京訂約或則進行「對盤」，後此日商幾度與北京簽訂過貿易協定，明眼人都知是日政府默許的。石橋前首相一上台，就興趣勃勃要加強對中共貿易，到今天的「經濟內閣」計一計全年僅一億美元上下的總交易中，中共究竟還不能算是一個好主顧，才有點冷淡下來。南亞有亞洲國家中，與中共[illegible]巴基斯坦、印尼、緬甸、錫蘭、[illegible]等國，也曾撤銷了樹膠禁運。

三、

儘管現實主義者如何說出貿易的理由，但[illegible]

了政治原因，甚至不惜飢餓輸出（例如一九五五年以來大陸不斷向香港各地傾銷土產及輕工業製品）。

第二、共黨集團的交易，主要的是在集團內。據專家指出，一九五二年蘇俄集團貿易，在集團進行的佔總數四分之三。中共自不例外。英國承認中共後的貿易只佔中共總貿易額百分之七強，而蘇聯佔百分之二十三強，到一九五三年且及半數。加上與其他衛星國的貿易，中共在共產集團內的貿易當佔百分之七十以上，迄今其比例數當必更高。其與自由國家可交易者僅一個小比例而已。而且在這小比例中，中共所需要的是少數高度戰略性物資，而所能供應者，[illegible]

第三、中共是統制經濟，自去年實行所謂五年計劃後，其工商業雖尚未完成所謂「社會主義」階段的完全公營，已到了所謂「國家資本主義」階段的公私合營，悉爲國家所控制。據去年三月中共官方宣佈，在大陸上一百一十八個大都市與中等城市的私人企業已改爲公私合營。換言之，自由國家與中共貿易的對手是中共的政府，與之交易的，其不吃虧者幾希！

四、

姑無論禁運政策的實施，是否獲致經濟制裁的效果，但至少在政治上[illegible]

[illegible]而且交易還可以向自由中國的市場範圍擴展，尤其是英日，何必擋駕呢？中國大陸上的貿易，有如希臘神話中女神的金蘋菓，它放在自由世界的門口，使自由國家迷惘神往，徒然[illegible]成[illegible]間的歧見而已。最後，道義與實利兩失，何苦來哉！這裏，我們應該提醒現實主義者一句話：如果大陸上[illegible]貿易的民主[illegible]，則情形又當別論了。

半週述評

整飭政風問題

每逢立法院會期間，行政院長照例出席答復立委的質詢——尤其關於國計民生諸問題——說其是反攻復國這樣大事業，說來頭頭是道，有聲有色。我因爲這類官樣文章的言論，在報紙上看多了，並不感覺興趣。但對於俞院長最近在立法院說到整飭政風問題，却認爲值得注視。這是一種對內的事項，只要當政者眞有決心，有智慧與毅力，並不需要外援，準能做到的。昔人所謂「風俗之厚薄，繫乎一二人心之所嚮而已」。行政院長就在這「一二人」之列，希望俞院長不要說過了就算數，對這個內事而又關係國家治亂的問題，做出些實績來給大家看看。因此，我不揣冒昧，就俞院長所說的意旨，敷陳一點愚見，藉供參考焉。

何嘗沒有制度？

俞院長指出整飭政風的方策有二：即樹立制度與以身作則是也。實則我國政治制度，尤其是關係人事任免升遷調補，以及考績獎懲等法制，洋洋大觀，以視世界上任何一個法治國家，毫無遜色。毛病是雖有完備的制度，大家視同具文，有權有勢者隨便破壞，有官守有言責者[illegible]

樹立一些白紙黑字的制度法規，有甚末用場呢？[illegible]中樞特設「黨政考核委員會」，考核百官有司，制度何等堂皇，結果呢？[illegible]就沒有看到有切實依照人事制度而任免獎懲一般重要官吏的奇蹟，樹立制度云乎哉！

應該「以人作則」

俞院長認爲官吏以身作則，爲整飭政風的第二要素，[illegible]我國政風的良窳[illegible]創進良好的政風[illegible]「以人作則」，這話怎末講呢？[illegible]二十餘年來，我國政治上的用人標準，皆以所謂「人事關係」爲主，[illegible]尤其不管人品格節操，那怕個人平日的私生活才是[illegible]

[illegible]

院長以爲何如？

雷嘯岑

法國的「長命」總理——摩納與他的內閣

戰後十一年來，法國政潮迭起，在十六個短命內閣中，比較「長命」的是居伊內閣，從一九四八年九月十二日組成，到翌年十月廿八日辭職，先後共十三個半月。但現在，這紀錄已爲摩勒內閣所打破，計時從去年一月到本年三月底，他的壽命已有十四個月了。就目前情勢看，摩勒還能有希望繼續保有他的總理職位若干個月。

[illegible]

艾登命運不如他

[illegible]

嚴重的財政危機

[illegible]

三十二次信任投票

[illegible]

困窘由艾克主義承擔

[illegible]

競言

東海大學 曾約農辭職三因與問題

人事、院制、校址及性格均有關

·香堂·

台灣通訊

台灣私立東海大學校長曾約農因故向該校校董會辭職，經校董照准後，改聘曾氏爲名譽退休校長，遺缺亦經校董會聘請該校現任文學院長吳德耀繼任；這一消息公佈後，即發生挽留校長風潮，竟有學生以絕食作爲挽留之表示，確爲台灣年來文教値得重視的消息。

過去的一段

東海大學乃新成立的一個教會大學，四十一年籌備，聯合會在美開會時，即決定撥款在台灣設校，四十二年美國聯邦法院克勞弗來台灣勘察，該校工程由持破土典禮，四十四年校舍完成，東海大學便公開招生，校長一職即聘曾約農擔任，在這段前後期間，杭立武亦曾參與其事，惟杭與曾亦曾一度不歡洽，惟曾對辦教育確有出人頭地的地方，他在校兩年多推行三大設學任務：一爲培植基本精神；二爲加強信仰基督；三爲抵抗流行的唯物史觀思想的力量。兩年來他推行通才教育與勞作教育，與學生共同甘苦，故深得學生的信仰。此次學生爲他辭職而鬧，的確乃師生感情的表示，而曾本人也深愛其學生，原捨不得離開其崗位的。可是三番兩次的逆境，使這位抱着獨身主義而素來脾氣古怪的老先生不得不走上辭職的路子。關於曾之辭職的理由「年邁多病」僅爲表面之辭，其眞因約有三點：

辭職的真因

一、與校董會不洽：爲曾辭職之中心原因。東大校董會共有董事九人，本國人士五名、美籍人士四名，曾約農和他們相處得不對，以致事事對他不放手，曾約農的脾氣孤僻，認爲環境不妙，只有一走。

二、曾約農長東大之始，即曾宣言兩年內決把工學院辦出來，以符合大學應有三個學院的制度，但兩年來籌備，始終不得如願以償，不久以前曾以當工學院工科有關的「系」亦好，但卻遭董事會所否決，他以爲東大前途無望而灰心。

三、東海大學校址乃在台中市西郊大肚山麓，佔地二千餘畝，其地初乃由市政府征收於農民者，惟征收條例僅限於國立省立之學校，私立大學不能享此權利，後東大湧過市府關係以廉價收買，惟農民不同意其價格，其地價款項乃不得不提存於法院，興訟二年未得解決，兩地主常常到會索款，曾不勝其煩，早萌退意，而最近東大校址忽劃入空軍飛機場區域內，東大將勢必遷校，曾氏雖提出爭議無效，均屬無良好轉機。

問題的所在

以上三點爲曾約農的辭職的原因，如果雖辦這教育當局及其他之挽留，曾氏有取消辭職之意，然最近已見將不易完全謂確，且從曾約農辭職之三種原因，牽及個人及社會至巨，實不易善其後，如曾約農因個性倔強，即令挽留其果，至於東大將應有三院之制度，原非萬難之事，董事會之仍拒絕其請，使其難堪，即使曾打消辭意似非東大之福，至於地價問題之困擾，此屬當初中市府種下之惡果，台灣當局應多，應即予以協助解決，至校址劃入空軍飛機場，不得，問題亦沒有什麼了，台灣各名勝區有的是地，現在的居住，將來軍新遷建新址比……

本報啓事

台灣南部惠稿諸君，可持稿費通知單，前往本報台灣辦事處領取稿酬，謹此奉聞。

——編輯部啓

中共在平建中央機場

佔地千餘萬方公尺 軍事上價値極堪注意

（本報特訊）中共在北平東郊興建的「北京中央機場」，將在今年年底前完成啓用。

據悉：該機場全部面積共達「一〇〇〇餘萬平方公尺，每天可容三百架次飛機起降」，它的主要跑道是可以承受目前世界上最大型的飛機滿載起降而綽綽有餘。該機場「裝置着新式導航、助航設備」，可使航機在不分晝夜和任何氣候下昇降。該機場的用電和蓄電設備計有：三套可自動轉換的發電設備；建有目前大陸上最新式的加油設備和最大油庫；一個規模巨大的航空修理基地。

據中共宣稱：該機場旅客航站計劃的有一萬多個平方公尺的航站大廈，每天能容納旅客三千人以上。該航站大廈內除候機室、餐廳等外，並設有銀行、醫務所、電影放映廳等。

目前該機場的主要跑道已建築完成。尚在興建中的有公路及專用鐵道和車站，該專線鐵路將和「京」津線銜接。

就上述該機場之規模看來，該機場的軍用價値更大過民航，實爲中共空軍的中央樞紐，故該機場的完成是極値得注意的。（文）

僑教目標的商榷

·白志忠·

華僑問題研究

當前目標的檢討

自政府遷台後，有關僑教法規，已於民國四十三年六月，將原頒「僑民中小學規程」、「僑民中小學董事會組織規程」、「僑民中小學立案規程」，合併修訂爲「僑民學校規程」，由教育部僑委會會銜公佈施行。這項新頒法規，於僑教目標，僅在第一條增加了「僑民學校應遵照中華民國憲法第一百五十八條之規定」，其餘所謂「參酌僑民特殊環境，注重公民道德之培養，心身健康之訓練，授予生活必需之知能，及爲升學就業之準備。」仍與原「僑民中小學規程」大同小異。所異的原規程有：「培養民族知識，自治組織能力」，現規程已把此二語刪去，加上爲「升學就業之準備」。

如此空泛的僑教目標，即在平時尚難望普遍推行，獲致當地政府的同情合作，如在美洲、歐洲、澳洲許多國家，根據各該國國籍法，規定在當地出生的華僑子女，必須受當地的義務教育，進當地的學校就讀。如泰國、菲律賓、馬來亞、越南……等地，非但受嚴格管制，甚至多方摧殘。像泰國規定僑校校長應由泰人担任，教授華文每週只能六小時半，菲律賓僅准講授大鹿加文和英文，「不批准中文教課書入口銷禁」。馬來亞正醞釀實行「廢除外僑方言教育」政策。越南也規定僑校必須授越南文或高棉文。港澳雖較自由，但政府學校師資設備遠勝於一般僑校，學生皆以能入官立學校爲榮。此次新訂僑教目標，殊嫌軟弱無力，不足以應實際需要。

如果確認：華僑是反共復國的主要力量，那末，便該從教育上厚植反共復國的潛力，教養僑民在僑居地生根，茁壯發展。所揹今日的僑教目標，已未能配合當前軍事、政治，連原有「培養民族意識，自治組織能力」，也都被取銷了。若干年後的僑生，可能數典忘祖。

以言僑教的重要工作，又祇限於：「一爲保護海外僑校，以免被中共控制作爲顛覆活動的據點；一爲搶救回國升學的僑生，使免誤入中共所設之陷阱」。（鄭彥棻先生「奮鬥中的僑教」）。果爾則僑教工作實嫌未能從積極方面與我們反攻大陸的國策緊密配合。僅僅做到保護與搶救，實在是退卻的消極措施，而不是積極的鬥爭。

確定目標的原則

確定僑教的目標，應照顧到僑校的發展史。先僑當初離鄉背井，負笈異域，已受社會之鄙視，又遭當局之禁止。明清時代原則上禁止出海（清中葉後，以海外移民漸多，始在廣州、廈門、天津等地設置「出洋問訊局」）並視移居海外者爲賤民。今日「中共」除不准大陸同胞離境外，且認海外同僑爲「反革命份子」。僑民抵達僑居地後，類皆胼手胝足，在艱難情況下，成家立業。由於他們生長在文物之邦，具有傳統道德，和優良的習慣風度，用能與土人和諧相處，合作無間，深受當地社會的歡迎，在荒蕪的地區中，開闢新天地，建立新事業。其後他們在工商業方面有了成就，相繼而來的同鄉也多了，於是辦教育，興學校。

現在確定僑教的目標，自應照顧到先僑在僑居地生根發展的歷史，並應切合現實的環境與需要。下列各端，似可供吾人參考：

（一）承繼當地先僑的美德，教予和當地人士和諧相處的應對技巧。

（二）授予適應當地社會環境及生活所需的高度的現代知識技能，以便僑民能守業保業，進而發揚光大。

（三）啓迪僑民從日常生活中，表現大國民的風度，「四海之內皆兄弟」的博愛思想，以扭轉消除當地偏狹的自私的排外思想。

（四）系統地介紹中華民族的傳統文化和自由中國的進步建設，相對地把中共統治下的醜惡暴政，透過各科教學和其他教育機會，激勵僑生的愛國情操，燃起反共復國的壯志。

試擬今後僑教目標

綜上原則，試擬僑教目標之內容如次：「依據中華民國和平立國精神，配合當前反共復國之軍事政治需要。參酌當地特殊環境，教育僑民協助當地政府並與所在地人民友愛合作，保證安寧促進繁榮；授予僑民適應當地生活的現代技知，以爲升學就業之準備；激勵僑民愛國情操，以掃蕩中共恢復國土天職；引拔僑民從生活行動中，表現仁愛精神，以消弭當地對我之歧視排斥。」此項目標可以透過外交方式，獲取和我有國交的政府較多之便利；或運用國民外交及其他可能方式，爭取與我沒有外交的政府的同情。

印尼陸軍司令官會議結束

對當前內政問題提出建設性要求

·唐璜·

（本報耶加達航訊）印尼國民黨主席蘇威爾十五日奉命組閣失敗後，蘇加諾實已無任何藉口推宕不與哈達攜手了。

哈達不僅獲得各黨派的擁戴，印尼陸軍更以具體的行動對此提出要求。

二十日晚，全印尼軍區司令會議結束，翌日陸軍發言人皮慇加迪中校發表了該項會議的公報，表示了陸軍司令官們的共同認識：必須在目前保持中央的威信和陸軍的完整。但保持中央的威信，只在表明陸軍對國家統一的效忠，同時則必須實現各社會集團各黨派所主張的關於蘇加諾和哈達共同參與解決內政問題的願望。

陸軍司令官的會議並作出了如下各項決定：

一、中央和地方軍事當局將加緊努力肅清貪污、走私和顛覆活動。（前二項是對付國民黨官吏和不法商人共同行爲的，後者則在防範共黨分子的破壞。）

二、配合戒嚴令，設立軍事總督，在全國統一的範圍內實施廣泛的自治和公平合理的地方建設。

三、由各地區軍事當局按排過渡性的地方議會。（使地方行政仍能圓滑有效的推進。）

四、陸軍參謀長將要召開各省兵團團長和省長及地方行政首長的會議。（使地方軍政關係獲得爲度協調。）

綜觀上述各項決議，以及對各軍區各別情況建設性決策的推行，充分表現了印尼陸軍對國是的態度，正由於陸軍能自重自愛，循着法律的途徑，摒棄武裝干政的惡例，因而獲得了廣大的同情和支持，蘇加諾對於陸軍的強硬要求，實已感到有非接受不可的困難。

人們皆認爲蘇加諾並沒有理由拒絕與哈達合作，除非他繼續以私心維護國民黨和堅持與共黨合作的錯誤政策。但人們也相信蘇加諾的錯誤政策將無法再繼續下去，因爲印尼的經濟情況已到了險惡的最後關頭，各島的「獨立狀態」，已使中央感到異常的窘迫，蘇加諾還有什麼本錢足以支持它的錯誤。

當然，蘇加諾也明白，一旦哈達軍行走入獨立宮，國民黨的優越地位和親共的政策，皆將相繼動搖，共黨若不甘心失敗，則印尼國內的流血鬥爭或將不免。惟有識人士則皆不以爲然，認爲印尼共黨並不足懼，只要有一個眞正民主的政府，一個有效率的政府出現，經濟問題可以獲得解決。共產黨並不受人民歡迎的。

（三月廿二日寄）

阿里山下

浪人的箴言

殺人犯應文龍近被依法執行死刑，臨刑前悔悟說：「我做錯了！很對不起國家及父母，下世再生，我一定要孝順父母，好好的做人。」所謂「人之將死，其言也善」，浪子「遺言」倒可爲天下蕩子的箴言！

公平的交代

美國顧問雷諾軍士，近在台北陽明山住宅前，槍殺國人劉自然一案，爲各方重視，現中美雙方已著手調查眞相。論國交，論人權，我想法律之前，當有個公平的交代。

曾虛白向左舜生請教

左舜生先生在香港所發表的「戰軍的局勢必得打開」大作，已引起若干人士注意，曾虛白先生且特自撰文向左先生「請教」。

且看事實

行政院副院長黃少谷又在立法院表示：縱然有若干批評政府的言論不公道，政府仍本寬容的精神，讓雄的事實本身來說明眞相。這確是明智之見！且看吧。

幫幫忙吧

財政廳長陳漢平近在省府月會報告財政時，同仁紛紛遞條子給陳廳長，內容千篇一律：「公教人員的生活太苦了，廳長能不能幫幫我們大家的忙，研究一下改善公教人員的待遇？」下署：「公教人員同志一同拜託。」！但不知陳廳長能否幫這個「忙」？

（三月廿五日）

·傅正·

曙光一現的中東局勢

自從去秋蘇彝士打了一次小仗後，中東今天才第一次似乎真正有了喘息的希望。世界輿論壓力，已由英法和以色列轉到埃及納撒頭上，而納撒又轉而需要合作了。

船可通行了

以軍撤出阿卡巴的西克以後，埃及馬上就開放蘇彝士運河，小海船一窩蜂的駛入，並下令蛙人拆掉那兩隻封鎖一百零五哩炸藥信管。這樣，在兩星期內，一萬噸的拖船，就能駛進運河，就是最大的輪船，在五月一日以後，亦可以通行了。

美記者寧談別事

埃及外長佛茲在與西方國家協商有關疏濬運河事宜，並向美國保證運河再開放。

但是華盛頓方面並不滿意，杜爾斯國務卿說埃及的腳被人拖住了，艾森豪總統在記者招待會上，公開說美國希望納撒在他的權力內把疏濬運河的事全做了，但是記者不願聽有關中東的危機，寧可談談別的事。

納撒的辦法

納撒現在要更進一步使西方國家相信他。據說他的計劃是（一）再開放運河，許可世界船舶航行，包括英法的在內；（二）提議與英國恢復外交關係，但對法國則否，納撒認爲法總理莫萊與以色列總理班葛里安聯合起來攻擊蘇彝士，有血海深仇。以色列的船隻仍然禁止通過運河，理由是兩國間的戰爭狀態仍存在，納撒還打算向國際法庭提出申訴。

運河收稅問題

至於運河稅收問題，納撒希望維持交付開羅百分之一百的原議，拒絕西方國家所提五十與五十的對分。

另有一個妥協步驟。納撒最親密的盟國，親俄的敘利亞，允許有西方國家資本的伊拉克石油公司修復它那條通到地中海的輸油管，該項輸油管係於去年十一月意工時所破壞的。

這反映埃及和它的盟國已爲他們的油和商業絕交所窘，而急於需要西方國家的貿易和援助。納撒自已眼看着把他所有的雞蛋放在蘇俄的籃子裏，也解決不了僵局，只有通開了運河，向歐洲才有出路。

有人盼納撒垮台

同時西方國家有許多人仍懷疑納撒，並盼望他垮台，但是美英已給了他每個機會，要他履行，如果他照做，美國可能恢復埃及經濟援助，英國亦願意重建外交及貿易關係。

和平要慢慢來

任何解決整個中東的辦法，需要更多的時間，與外交的折衝，英法表示不同意蘇彝士運河的稅款由埃及徵收。這是英國總理麥美倫目前飛巴黎與法總理莫萊討論後的一致立場。

美國決定要維持並建立其已獲得的成果，直接間接的經由聯合國。它力主抑制和緩和，韓馬紹祕書長本月去開羅和加薩，對最後解決辦法，仍試着一步一步的走，黎巴嫩外長馬立克說：「和平雖不能強求，但可以慢慢的來」。（八式一節譯新聞周報）

官式答詞記趣

台北八德鄉一門大血案，因爲歷數月，毫無破案跡象，刑警總隊擴大範圍，邀請各鎮治安機關參加緝兇，並增加獎金數字到新台幣七萬五千元了。（只要通風報訊，因而破獲兇手即行）得獎人且可包括該血案之「從犯」在內。于是記者先生忽然問道：

「假若主犯自首，難道也可以領得獎金嗎！」

發言人想了一會兒說：「恐怕不行。但，減刑決有希望。」

以上見「大華新聞」三月六日的消息。

我們不難看出刑警總隊發言人在答詞中的「恐怕不行」那個「恐怕」二字多麼滑稽。自首減刑，乃法律明文規定，至於主犯自首而能領獎，絕對不能，「恐怕」什麼呢！然而竟使用官式（如外交詞令）語氣而曰「恐怕！」亦云趣矣！

○東郭牙。

黃花節書感二則

一、

辛亥三月二十九日廣州之役，是同年八月十九日武昌起義的前奏。廣州舉義的失敗，乃帶來武昌革命的成功也帶來了中華民國。

今天提起方聲洞，林覺民等烈士的名字，恐怕許多人會忘記了，可是凡有血性，想起廣州北郊黃花岡上的烈士，衰草荒烟總不免要唏噓太息的。那裏的墓碑巍峨，本有自由神高立其上，手執火炬，照耀千秋！但後來事隔若干年不知怎的，自由神也竟告失了蹤！而烈士埋骨之所，今天更淪陷在鐵幕之內也快八年了。能不感慨萬千。

回想當年，也有幸與不幸，不幸則戰死督署，幸則得以身免。但在今日看來，死得其所，反屬幸事。

我知道，有當年率隊進攻小北門，佔領槍炮局後來又參加北代的姚雨平年前以兒女之累木然返穗，當觀其離港時車站痛哭，含淚登車，黯然而去，可知北固未嘗不想當年，而心在民國也，然青年老去壯志消磨，亦可悲歟！（丘峻）

二、

在今天，我想誰都不應該忘記七十二位殺身成仁的烈士吧！當年他們是青年，有的是熱血，有的是革命精神。他們的死，不是失敗，而是成功的開始。

可是他們用頭顱熱血換來自由民主的中華民國，在抗戰勝利後，本可以發揚光大的；然而到今天，他們爭得的自由民主，都給共黨破壞無遺了，被困在鐵幕內的人，不但享不到自由民主連中華民國的國號也被改變了。他們還拿國父遺像來做擋箭牌，想欺騙青年，可是，青年都不是傻瓜呀！我想終有一天，想起當年先烈揭竿而起的。

還有，今天我們的中華民國對外稱做「自由中國」，豈不表示我中華民國有一邊是不自由的，事實如此，寧不可慨。再談，在「自由中國」內，也還有所謂民主自由的爭論，自由自由，今天國內還得要爭！緬懷先烈，豈不慚愧。我是一個青年，我受不了大陸的不自由，我希望台灣多給我們自由。我們祇是流亡，我們愧先烈！（王曠東）

大陸上的特權階級

（原載三月二十三日「人民日報」）

廉價屋宇與陳能方

香港社會問題與香港人物

·祝修衡·

「一家八口一張床」。這膾炙人口的社會諷刺劇，無非形容香港現實社會，和反映「香港住大不易」的情況。港府推行徙置三十萬平民計劃，畢竟不易在短短的三五年之間實現。

大多數受薪階級，現在仍處於二房東剝削階段。他們唯一希望於廉價屋宇能夠普通建築，得以市值的半價去購買；比現租賃平民屋，上算得多。這種廉價屋宇，現由國際建設有限公司投資，初期在大角咀興建六百層。

新興事業

這一新興事業的創辦人是陳能方，這位髮皤皤、事業心很重的老人，遠在大陸淪陷以前，早已聞名。他在香港創辦國際公司的動機，一方面固欲解決一般受薪階級的住屋困難，同時也是響應港府建築十萬層廉價屋號召，使香港房荒問題，能夠在漸進方式下獲得澈底解決。於是，目前收費租的新樓宇，終將出於出售一途。

業主震驚

因此，陳氏於三年前宣布這一計劃時候，甚多業主大爲震驚，他們認爲國際建設有限公司繼續發展下去，對於營房地產的置業公司，無疑是一個致命的打擊。於是，三年來，房地產，建築商也就改變原來主意，一方面搜購空地建屋，同時不惜高價買拆舊樓，極力向高空發展了從原來兩層升至四層、五層、九層、十三層巨廈。

這種跟陳能方計劃競爭的新興事業，從表面上看，他們是成功了，然而，拿他們原計劃對照一下，顯然已失敗了！因爲他們原先並沒有考慮到爭取怎樣的對象。因此，從分幢出售改爲分層出售，從一次過付款改爲分期付款，租售兩便。結果呢，依然有許多空樓無法脫手，資金積壓，愈積壓得久，蝕上利息，愈覺得成本重，愈不肯減租、廉售。陳能方冷眼旁觀，仍堅持他的計劃不變，知道別人不易跟他競爭的。

書生善賈

在一個陌生人看來，陳能方無疑是一位頭腦清新，十足道地的建築商。實際上，陳氏從未學過建築，乃是大學教授。這位廈門人老華僑，曠昔在鼓浪嶼英華書院畢業之後，繼續就讀於南京金陵神學院，隨即留學美國，在芝加哥「正聲音樂院」（PERFECT VOICE INSTITUED）攻讀音樂，歸國之前，曾經遊歷美歐各地，取道南洋返國，初時執教廈門書院、集美學校，先後曆聘廈門大學，國立音樂專科學院、大廈、交通、光華各大學教授，或專教西洋文學，或爲專授音樂；桃李幾遍全國，交遊遍及世界，昔以國步方艱，懷才不易展布，而於半途從商。十餘年來，歷任滬化大同公司董事，創設集友銀行，國際建設有限公司，華僑置業有限公司等。

樹大招風

陳氏務實，不尚高調，國際建設有限公司之設，不專從私利打算，而着眼于公益事業，爲成功的要素。

陳氏身材魁梧，壯健一如少年，係港督葛量洪爵士的「高而夫球」對手。樹大招風。何況如陳能方這樣的人，怎不是某方爭取對象。

可是，這位守正不阿老人，始終不爲威脅利誘所動。這種高尚品格與獨特作風，極爲港督推重；對陳氏承辦各項福利事業，亦多贊助。因此，某方於無法爭取陳氏之餘，伺機向陳氏圍攻。

何文新村

那是一九五零年，九龍城大火之後，陳氏以災民情嚴重，會同各街坊首長辦理善後，勸集賑款，舉辦急賑。當時急賑會各位委員，主張把全部捐款分給災民，以後的責任可以加重到社會局，他們不必再分心。陳氏也是委員之一，他反對這種治標辦法，他認爲既要救災，必須徹底，堅持把這筆捐款，用來建築屋宇，將來建成之後，不論租售，對災民救助，到底不無裨益，然而在座各委員覺得款額有限，不能支持陳氏龐大的造屋計劃。於是，一致推讓，由陳氏獨力負責，包括向港府請領公地，規劃建築等項。不久，何文田新村終於出現公衆眼前。

這時候，許多企圖混水摸魚的牟利之徒，以爲有隙可乘，不惜誣蔑陳氏貪污；共黨報紙也就藉此機會，惡意抨擊，想將陳氏聲譽摧毀。然事實的反證，這陳氏將經管賬目財產交出之後，那些謠言攻勢祇能消聲斂跡了。

記取歷史的教訓

馬五先生

記得抗戰八年之中，日本軍閥對我國採用了三種策略，企圖實現它的「大東亞共榮圈」陰謀：第一步是戰爭初期，要我國無條件投降，然我全國軍民抗戰如故，決不屈服；第二步就是有名的近衛內閣宣言，一定要以武力打到重慶，消滅中華民國的抗戰力量，且聲明不以我最高統帥蔣某人爲交涉對象；第三步呢？武力佔領重慶既不可能，內部危機四伏，敗徵日益顯露，南京那般漢奸又無用。乃改變口脗，願與重慶的國府和談，而且千方百計地要求與蔣委員長直接交涉了。三項策略皆無效，日本軍閥只有無條件投降，帶着禍國殃民的罪惡，靜候盟軍懲處之一途。

歷史舊劇不一定重演，然歷史事實很可能重現的。當民國卅九年到四十年共黨竄據大陸之際，它不特是要我們無條件投降，並且臚列所謂「戰犯」名單，凡屬國民黨人皆得斬盡殺絕，說是逃到天涯海角也要捉回來的。這是第一步。繼而宣稱一定要以武力「解放」台灣，消滅中華民國政府，對蔣總統更極盡攻訐辱罵之能事。這是第二步。現在呢？口脗爲之大變，說是願意與台灣的自由中國政府和談，千方百計地利用舊日國民政府的文武官吏和國民黨人，向台灣方面呼籲「愛國一家」，要求和平共存，共黨的報紙上亦稱呼蔣總統爲「蔣先生」了。這是第三步。日本軍閥當年是爲要打倒英美在亞洲的勢力，自陷絕境，求死七八類地要跟我們共存共榮，從事講和。中共現在亦是爲要反對「美帝」，弄得勢窮力蹙，無以自拔，乃詭稱要與我們「第二次合作」，進行和談。這不是維妙維肖的歷史事實之重現嗎？

我們記取歷史的教訓，只要以當年對付日本軍閥所奏演之三部曲的方法，來對付今日中共所表演的三段狐步舞，大家一心一德，貫澈始終，則敵人之潰滅，翹足可待，無論它的統戰魔術玩得怎樣熱鬧，皆不値得一哂了。

歷史是一面大鏡子，我們不要忽略了，仔細照照吧！

我看：大學教授

·區惠本·

大學教授給人的第一個印象是「怪！」

有人以爲讀書多的人神經都有點不正常，讀書一多，就有點不近人情，性情怪僻，行爲荒誕。

但是，無可否認的，作教授的人都似乎有點怪僻，但這些怪僻亦多是常人的怪僻，不過他們是教授，就特別使那些對大學生活不慣而有點疑神疑鬼的一年級新生永遠記得吧了！

（一）

譬如以全國首屈一指的北京大學爲例吧，早年的學生都記得胡適之院長早晚上下課有一輛五百元買來的高頭大汽車，後來就換了一九三四年式的「道奇」了。如果在北大門口看到了新舊不一的黃包車，上面坐着的很可能就是隱士作風，吃着茶，提倡晚明小品的豈明老人；「給青年的十二封信」的作者朱光潛先生又是另外一型，沉默而帶哲學味；而外貌似滑稽而多才的約翰遜博士，是新月主人梁實秋先生；口含旱烟袋，臉喝得赤紅的是舊京的數學大師馮祖荀先生；外貌很像德國人的是中國地質專家李四光。……好了，這樣說來他們已經各有特徵了。而老一輩的北大同學更樂於向「新毛頭」說道當年北大的趣事：那時蔡元培先生主持北大校政，開大學評議會時，左面坐一個激烈份子提倡文學革命社會革命的陳仲甫，右面坐一個留長辮子，忠於滿室的遺老辜鴻銘（湯生），他倆互相爭辯，各不相讓，而蔡先生微笑置之，說這才是眞正大學教育精神。

（二）

據西星集作者公權先生所說，大學教授的教書也得講究教學方法，有的人以爲教書的時候一定要說國語，並且國語的程度頂好跟羅常培、老舍、老向、何容……等先生一樣。事實上當然也好，除了老向先生之外，羅常培，老舍，容三位我都曾「親聆教益」的，他們的北邊話連我這個廣東人聽了都帶勁。可是，這裏我還有一句私話；就是，你要是無錫蘇州寗波人，瞧了我寫的也千萬別發愁。無錫人的錢賓四（穆）先生在蘇州教了十年書，到了北平，在北大上課的時候照樣獲得熱烈的掌聲。當他說『我的意思不以爲然』的時候，大約就是蒙古，甘肅的同學聽了也沒有不懂或錯誤的。這是一個實例。（錢賓四先生是筆者的業師，錢先生的國語確是說得不夠漂亮，一口無錫腔，苦了廣東籍的學生，但他講書時仍然一樣的動聽。筆者個人的經驗是如此。）

公權先生再說到教授的黑板字。他以爲大約教授中國文學或歷史的人，在黑板上寫的字沒有十二分難看的。頂好看的是顧羨季（隨）先生，在燕京大學講戲曲史的時候，黑板上一行字可以寫七分鐘。很少有人是從左向右來寫中文的，有之就是呂誠之（思勉）先生。這是第二，第三個實例。黑板字最多的是鄭石君（奠）先生，約一小時五千餘字。黑板字最少的是輔仁大學的沈兼士先生，可以一小時之內不著一筆。

上面的例子似乎可以說明一些教授之「怪」。

（三）

教授又可以有京派與海派之分。

口中常說：When I Was in the United States.—好作大言，好隨口批評，不負責任，編一本講義，就作爲一生的學術著作，吃喝一生的，這屬於海派教授。至於穿陰丹士林布長衫一件，客氣虛懷，問他在什麼地方發財，答覆說是：「鄙人在清華（或燕京）稍爲任些鐘點課程。」說這些話的多是屬於京派教授。

但有一點讀者得注意，京派的教授不一定在北平的就是，上海的教授也不一定屬於海派。北平也可能儘多海派作風的學者教授。

（四）

教授似乎也不易爲，但在香港看到很多人也自稱或被稱爲名教授，講學授徒，則又覺得教授也是很易爲了。因此，我想到了作過多年教授是教育家的葉鄂先生的話，如此好文章，且轉錄一些以呈讀者，並獻給教授先生：

「我如果當大學教師，還是不將我的行業叫做『教書』。依理說，大學生該比中學生更能夠自己看書了；我或是自己編了講義給他們，或是採用商務印書館的大學叢書或別的書給他們作課本，他們都可以逐章逐節的看下去，不待我教。如果我跑進教室去，按照講義上課本上所說的複述一遍，直到下課鈴響又跑出來，那在我是徒費口舌，在他們是徒費時間，太無聊了；我不願幹那樣無聊的勾當。我開一門課程對於那門課程的整個系統或研究方法，至少要有一點見解是我自己的東西，依通常說法就是所謂『心得』，我才敢於跑進教室去，向學生口講手畫。我不但把我的一點兒見解給與他們，還要誘導他們，幫助他們各自得到他們的一點兒……若有人問這叫什麼，我的回答將是：『……幫助學生爲學』……」

海上學校

中篇小說

張長虹眨了眨被雨水淋得發紅的眼睛，兩腿剪得更快了。「一個國家的大學教育，正是這個國家的鏡子，」他說。「國家的形形色色，都可以照出來的。而且，還恰如其分。」

「哦哦，恰如其分？一場大悲劇。」

「但悲劇並不等於悲觀。這點你必須預先分辨清楚。」他痛苦地盯住矮胖子。「曼石，盼望你仍然保有你的直率，保有你那顆年青樂觀的心，鎮定地接受挑戰吧！」

「謝謝您，張大哥。」

「認識現代文明的全部虛假，認識現代社會的集體瘋狂，認識時代精神的完全喪失理性，那麼——」粗嗓子越講越激昂了。「我們只有一條路可擇：不要使自己陷落！近代人談自由，我看越談越遠，其實，自由有一種鮮明的標幟，它使每一個人都能昂然抬起頭來。曼石，假如我們能堅持這一點就好了。」

「張大哥，支撐精神的陷落，我想並不是一件很容易的事吧，」他又狠狠地拉了帽簷一把。「怎麼始終找不出那根支撐的柱子呢？」說着說着，矮胖子的嘴巴扁了下來，看樣子似乎要哭臉。因爲我們這位肥朋友，心地單純得就像一張白紙，無論甚麼人，都可以在他純潔的心版上，塗抹各種不同顏色的情緒的。

「在這漆黑冰冷混亂的時代，支撐精神使不致於陷落的柱子，對個人而言，是——」他爲了找尋適當的言語，頓了一頓，「是理想的堅持。理想是新的，是生長的。譬如走路，一隻腳的落下，正是另一隻腳的邁開。理想給我們一種開擴態度；而這種態度，大約是這個時代所最欠缺的。是嗎？」

「是的，我們在生活中間打滾，就有上氣不接下氣的感覺。」

「你也覺得天地太小嗎？」

「怎麼不覺得呢，張大哥，」周曼石張開嘴巴猛吸了一口氣。「我們都被生活綑死了，不要說開擴，連鬆動一下子都難得很呢。」

淒風苦雨在他們的身上盤旋。兩人都在懸懸地喘氣。談話暫時又中斷下來；而雜亂的腳步聲，益發變得勤密了。

「還有呢？」豬尿泡氣鼓鼓地偏過頭來，問。

「還有，」張長虹漫應着，兩眼堅定地透視着無邊的夜暗，炯炯放光。「對社會而言，我想只有教育，纔是最堅強的支柱。雖然，教育在世界上作的孽，確實不少；但我總認爲，要支撐起未來的民主社會，若抽開教育這根柱子，恐怕一切都是徒托空言了。」

「對，張大哥，還是你的對！」矮胖子的短手臂在空中劃了個半弧。「人類造了兩百年的機器，造得這個世界稀爛；現在又要開始造人了，眞是滑稽之至，嘻嘻。」

張長虹的大鼻孔裏，連轟了一陣排炮。他沒有再談話，半個頭都埋到了濕淋淋的西服領子下面。

「哦哦，怎麼連杜宇的影子也看不見了？」矮胖子自說自話着。

張長虹驀地抬起頭來，「恐怕躲到騎樓底下去了，我們來個百米，行不行？」

「好的，」矮胖子領先開跑。

陣雨又像打擺子似的，驟然發作起來。幽黯裏，有兩條黑影，橫衝而過。

（四）

趙滋蕃

同光風雲錄

張謇（中）

四、日理萬幾才氣兼人

南通自實施新政後，先後創設墾牧公司，鹽業公司，漁業公司，大生紗廠，大達輪船公司，淮海實業銀行。各級中小學校，高等商業，農業，醫學，師範，女子師範，土木，測繪，蠶桑，刺繡，聾啞，紡織各校。養老院，殘廢院，育嬰堂，博物院，圖書館。並於吳淞設商船學校，南京設河海工程專校，舉凡歐美各國應有之事業，無不具備，其規模之大，氣象之雄，已無前例，南通遂一躍而爲全國之模範縣矣。

此外則組織赴美考察團，赴日考察團，並親赴日本考察，著有東遊日記。同時，兼任江蘇省教育會會長，漢冶萍公司總理，導淮督辦，旋膺江蘇諮議局局長，百務集於一身，日理萬幾而不稍倦，兼人之資，亘古少見焉。

五、倡導東南自保　電勸清帝遜位

庚子拳匪禍起，八國聯軍進迫北京，啬公乃向兩江總督劉坤一，建議東南各省自保之策，並與湯壽潛，沈曾植，陳三立等，親赴南京，面商大計，坤一始猶不決，以爲兩宮西幸，東南或可保全，啬公進曰：『無西北不足以存東南，爲其名不足以存也，無東南不足以存西北，爲其實不足以存也。』坤一蹶然曰：『吾意決矣。』遂與張之洞等宣佈東南各省保境辦法。故聯軍雖陷北京，而東南各省安然無恙，雖坤一之洞主之，而奔走其間，籌劃周詳者，啬公之力耳。

武昌首義，清廷徬徨莫知所措，乃特擢啬公爲農工商大臣，兼江蘇宣撫使。啬公則力主清帝遜位，懇辭電云：『今共和主義之號召，沛然莫遏，激烈急進之人民，至流血以爲要求，今爲滿計，爲漢計，爲蒙回藏計，無不以歸納共和爲福利。惟北方少數官吏，戀一身之私利，忘國家之大危，尙保持君主立憲主義，然此等謬論，舉國非之，不能解紛，而徒以延禍。竊謂宜以此時順天人之歸，謝帝王之位，俯從羣願，許認共和。昔堯禪舜，舜禪禹，個人相與揖讓，千古以爲美談。今推遜大位，公之國民，爲中國開億萬年進化之新基，爲祖宗留二百數不刊之遺愛，關係之鉅，榮譽之美，比諸堯舜，抑又過之。……所有宣撫使之職，無效可希，不敢承命。至於政體未改，大信已漓，人民託庇無方，實業何從興起？農工商大臣之命，並不敢拜。』

六、起草遜位詔擔保大借款

啬公辭電發後，復爲清廷起草遜位之詔，其警句云：『……今全國人民心理，多傾向共和，南中各省，既倡議於前，北方諸將，亦主張於後，人心所嚮，天命可知。予何忍因一姓之尊榮，拂萬民之好惡，用是外觀大勢，內審輿情，特率皇帝將統治權公諸全國，（斯時西后垂簾政。）定爲共和立憲政體，近慰海內厭亂望治之心，遠協古聖天下爲公之義。……』此爲推翻專制建造共和劃時代中之重要文獻，抑亦世人所樂道者也。

啬公復以遜位之詔縱能即下，而江甯將軍鐵良，或不受命，乃致書鐵良云：『謇，蘇人也，以將軍之忠耿，又嘗辱有一日之雅，不得不爲蘇計，爲將軍計，且爲滿計。……爲將軍計，當計其大與長，一身之計小，滿人全體之計大，一身之計暫，滿族休養生息之計長。北面再拜，仰藥以殉，一身之計也，奮鬥效死，使兩族生靈塗炭於兵鋒，一朝之忿也，將軍才器，實爲滿望，皆無取此。爲將軍計，擲一身爲滿漢小忠之事，毋甯納全族於共和主義之中，爲滿族多留一憑感，而遺以同盡之大危，不如爲滿人多種一愛根，而使之易世而滋大。……』於是，清帝遜位，民國統一。

時孫中山先生爲臨時大總統，特任啬公爲實業總長，尋辭去。斯時臨時政府，財政困難，黃克強向日本三井洋行借款三十萬，而日人謂必由啬公擔保，方可照借。中山致書啬公，解釋以漢冶萍作借款抵押，事遂諧。啬公促成清帝遜位，函勸鐵良奉命，其翊贊共和之功，不可湮沒也。

（九十八）

夢山樓

自由人
THE FREEMAN
（第六三四期）
中華民國僑務委員會登記證僑台新字第一二零號
中華郵政台字第五〇〇號執照登記爲第一類新聞紙類
（半週刊每逢三六出版）
每份港幣壹毫　台北市價台幣壹元
督印人：陳文
地址：香港高士威道二十號四樓
3RD. FL. 20 CAUSEWAY RD. HONG KONG
TEL. 771726
承印者：南印務出版社　地址：高打士道十六號
台灣總經銷處 [illegible]
海外總經銷 友聯書報發行公司 [illegible]

財經改進的面貌

·陳式銳·

我於「自由人」六二五期發表「經濟改變以適應進步」，以寄望於執政黨的八中全會；此一會議已於三月四日至七日在台北陽明山莊舉行，但有關財經者，僅發表「台灣經濟建設計劃基本方針及進行程序」及「改進當前財政經濟措施」兩案由，其內容迄未公開。由報章斷續刊載的新聞，並自私人議論中間，我略微瞭解了一個面貌。

我不明瞭這次決議案何以不公佈，它以政黨政治的意義言，對自由中國財經行政有決定性底支配力，而對全體人民也負有責任；從政黨員原應執行執政黨的決議，他們如果不贊成，則應辭職。就拿七中全會的財經決議言，它大體是適當的，但當政者多未予採行，因此未收實效亦深受輿論指責；現在這決議案內容也不公開，使一般人莫測高深，當政者益可以爲所欲爲了。

一、

我先就我前文所提到之幾個問題，看看這次大會議有何決定。關於經濟行政的體責還原一節，對重要機構的裁撤，沒有提及，而對設計、監察執行機構則指出應確定權責並劃清界限，尤其各級執行機構應把行政業務置於建設計劃所賦予的任務之下；換言之，一切行政應以計劃爲主，不能事例行事務與之衝突或抵銷之。

關於公營開放民營，也已確定爲建設方針，除法律規定公營外，以民營爲原則並進而鼓勵之；政府所有及新創事業均得移轉民營，只在獨占性之民營事業，規定其義務而已。

關於貿易外匯者，爲統一事權，貿易行政設一單一機構主持，且與業務機構嚴格劃分；而公營事業不宜過於擴大，一般進出口應儘量由民營，尤以便利及鼓勵輸出爲原則。至出口外匯，[illegible]

在促進投資方面主張改善投資環境，並放寬管制，務使其有利可圖；由是重可引導僑資內流，以推進對東南亞的貿易；他如設立貿易中心，且加強對國際經濟作戰；同時，開辦定期航線，藉便貨物的交流，均爲當務之急。

此外，關於經濟建設方面，主張估計資金的來源，如政府投資、民間投資、僑資外資、及美援等，力求配合建設計劃，編製預算，以達到農、工、交通建設的遞增；一方面，商以相對基金爲擔保，發行建設公債，或利用之成立美方聯合創立建設投資公司，以促進經濟的開發；而美援的運用，應配合經濟的生產與需要配合，編訂中美聯合進口物資計劃，尤重在資本品的比例增加；他如輔導民營生產設備的更新，尤爲應時之舉，其辦法：（一）除核撥外匯，貸放部份資金外，並以免稅獎助之，（二）由公營信託機構作保，以分期付款方式向國外購置機器設備，（三）准按實際提高折舊率，以需要折舊準備金儲存銀行，按照更新設備計劃支用。

關於金融方面，由台灣銀行以重貼現扶助商業銀行推行票據承兌業務，以融通短期資金；政府的生產貸款及相對基金，則透過銀行用以支持工商業的發展。

關於財政預算方面，以發展直接稅爲中心，性質重複的稅課及不合理的稅率，漸次加以調整；中央與地方預算，則分別編製行政預算與建設預算，並將普通會計與事業經費特別會計分立，而現有人事費多於事業費的病態，如此改正。主要大體如此，其他不及備述。

二、

八中全會舉行後，一般人對財經當局對該會有關決議案所採取的態度頗爲關切，因爲過去執政黨的決議不一定即受採納，並未納入政治的軌範。三月十六日財政部長兼外匯貿易委員會主任委員徐柏園邀出席記者招待會，他答記者說：「改進當前財政經濟措施方案，對於今後應興應革事項，已有相當具體之原則確定，財政部正就本身主管及應行配合辦理各項，分別依照確定之原則，由本部或會同有關主管部門研擬實施辦法及步驟，其涉及重要政策者，當於本部或其他主管部會，擬具辦法後，陳報行政院核定施行，其涉及法律修正者，並當由行政院核轉立法院審議通過後施行」。對於改進方案內容如租稅者，他透露說「若干重複課征的捐稅，在不妨害稅收的原則下，應設法「改善」；促進外銷者，「正督由台灣銀行會同有關機關擬訂出口貸款辦法，以融通工業產品外銷所需之週轉資金，並減輕其利息負擔，以減低外銷成本」，外匯匯率「政府並未考慮調整」，而「保留外匯是一種直接運鎖貿易，根據各國經驗，常常弊多於利，目前我國除依照加工品外銷輔導辦法保留規定比例之外匯，以輸入原料外，其他一般產品之外銷，不擬考慮保留外匯的辦法」（台北三月十七日聯合報）。

三、

關於八中全會的有關財經決議，係在一個比較長期計劃之下，確立基本方針及進行程序，配合了當前應行改進的措施，[illegible]

衡以徐部長的口吻，他似乎有本而言，在未重加論列之前，我要求徐氏先把「根據各國經驗，常常弊多於利」的具體事實公開出來，讓大家看看；如果真底足爲我們作龜鑑，那末大家也就無話可說了。

「總之，八中全會既有方案出來，徐部長且已經表示正在研擬實施辦法及步驟，雖然尚不知其他部門的態度，但以今日財經大權握於徐氏之手，看來未嘗不可稍示安慰；所應保留者，倒是他能不能切實地照原則去做，以及嚴守着一個進度。他（及其他有關首長）如果照方案執行，將來發生好或壞底結果，責任概由執政黨去負；我重視這一個開端，以見政黨政治的納入常規。

四、

抑有進者，我想再介紹幾個意見，藉見當前一個急待解決的中心環節。立委喬一凡在這一次會期對行政院長質詢中，「認爲政府應鼓勵出口貿易，以增加外匯收入，此爲解決財政問題之基本辦法，政府對此努力尚嫌不足」（三月六日聯合報）。

中央信託局長俞國華談外銷，「關於東南亞各地寄售的十八種台灣產品，成績不十分圓滿，原因是這些寄售品，多以新台幣報價，而新台幣不能作爲國際市場價格的準備，對於商品的成交，是一個很大的障礙。同時，若照現行的匯率拆算，商人又不免無利可圖，甚或虧損，這又是一個問題」（台北三月十六日徵信新聞）。

（下轉第三版）

半週述評

英內閣危機！

百慕達會議拉緊了英美關係，但英國保守黨的裂痕，卻因此而顯露了。[illegible]

麥美倫的對策

「滾雪球」式的罷工潮，自上月杪漫延到倫敦後，各主要產業中心，[illegible]卻深刻反映出了英國經濟危機的嚴重性。麥美倫迄未有政策應付，遂使內閣益形不穩！正因爲外在壓力大過保守黨內的意見分歧，相信該黨爲固守政權，將可能轉而支持麥美倫的，且也似乎沒有理由相信保守黨的重要人士會見不及此；同時也相信麥美倫必將堅持他與美國無間合作的基本態度不變。看來麥美倫是正在從事說服黨內的極右派，並等待黨人的通力合作，俾全力應付工黨的挑戰和解決工潮。

冷戰移向北歐

在美國允以最新核子武器交英作防衛之用後，[illegible]

杜爾斯應修正什麼

七年前杜爾斯寫成了「戰爭或和平」一書，內第十六章有「如果中共政權事實上證明他有能力統治中國，而不遭受內部嚴重的反抗，那麼亦應准其進入聯合國，但一個透過內戰而自稱已成爲一個國家的政府的政權，在它已經一個相當時期考驗之前，則不應加以承認。」這一節，曾被共黨持爲宣傳美國終將承認中共並准其進入聯合國的美國政策的基本觀點。不久前香港的左翼報紙尚據以爲作宣傳資料。

現在，杜爾斯在該書的新版本上作了新序，修正原有觀點，並列舉中共的罪證，以證明的其無資格進入聯合國，其中有一點是引用中共對西藏的鎮壓來證明大陸有嚴重的反抗事實存在。杜氏此一引證固不錯，但美國現行政策，卻仍然束縛住自由中國反攻的手。因此，吾人以爲杜爾斯應修正者不僅在他的著作，更重要者是在修正白宮的對華政策。

用行動來宣傳

「現在已到吾人絕不退讓的時候」，這是中國最高當局對外籍記者所表示的，也是對人民的誓言。不過無論是在自由區或陷區的同胞，其期待政府盡速縮短反攻時間的心情該是一致的，「絕不退讓」固足以表示反攻的信心，但真實的行動將更能擴大宣傳的成果。

·李金驊·

十年來的中東

·京鄰·

英美兩巨頭結束了百慕達會議後的中東形勢，由於美國首肯參加巴格達公約組織的軍事委員會，使中東局勢的前途益見明朗。

從一九四七年以來，地中海的兩岸，成爲歐洲安定的隱憂，但是西方，尤其是美國，當時的政策是歐洲第一；遠東其次；對中近東問題則置於第三位，正由於忽略了這一地區的實際情況，共產黨巧妙地運用民族情緒，披着民族主義運動的外衣，着着進逼。

杜魯門主義（應該說是杜魯門的中東政策）即應上述事實情況之需要而產生。

美國在一九四七年宣佈杜魯門政策後的第一步，是積極支援看守海琴海門戶的希臘和土耳其。使希土二國得以雄踞扼守地中海的東北部。

擊破了共黨以圖赤化希臘，覬覦地中海之陰謀，而希土兩國最後也終於參加了北大西洋公約。

自從美國宣佈杜魯門主義後，蘇聯即盡力地的宣傳該項政策是代表美國勢力進入中近東的旗幟，並極力向英法人民宣傳美國勢力企圖取代中近東的英法傳統殖民地利益。這種惡意的宣傳使得中近東各民族國家相率以懷疑的態度注視美國的行動；另一方面，由於英法不忍率爾放棄殖民地利益，曾有相當一個時期，三國間因中近東問題僵持不決，使這一廣大地區成爲真空狀態。一直到一九五〇年，三國發表關於中東局勢共同宣言，始獲得協調。實際上，這時遠東的形勢，由於中共的坐大和韓國情勢的危急，西方被迫必須在此時此地有堅決的策略，以阻遏共產勢力的漫延，否則整個西歐將成爲共黨勢力下的「甕中之鱉」！

蘇聯在赤化希臘失敗後，即積極經營伊朗，以石油國有化爲導火線，使英伊關係瀕臨決戰邊緣，美國逐根據杜魯門主義精神和第四點計劃，以調人立場從中斡旋，從一九五一年五月伊朗宣佈石油國有化到一九五三年伊朗摩薩台政府垮台，伊朗隨時可變爲蘇聯的附庸國，美國的「緊急經濟援助」，對窮困的伊朗，適時地起了作用，同時也緩和了英伊的對立，伊朗在實質上和精神上也真正獲得擺脫英國傳統勢力的控制。

埃及政府則也在一九五一向英國提出了廢止一九三六年的英埃條約，以及一八九九年的英埃共管蘇丹的協定。英埃的緊張關係，一直維持了五年以上，終於在去年十月杪發生了蘇彝士運河的衝突。

另一方，在北非，法國的勢力在摩洛哥，突尼斯和阿爾及利亞的軍事壓制，不僅未能消滅民族主義的情緒，反而使法國陷入了泥淖，法國自在越南退出後，她的威信在北非也無法繼續維持。

英法的殖民地政策不僅不再適合中近東的客觀環境，抑且兩國的國內經濟力量，也不足以再繼續經營，若果必須把錯誤的舊殖民主義堅持下去，則共產黨在中近東的發展將利用民族主義運動的展開而擴張，西方如果不能保有中近東，和這一區域內的民族國家取得友好的關係，西歐不僅在形勢上將成爲被孤立的半島，即在經濟上也將因此發生危機。

蘇彝士的衝突，從壞的角度看，這是自由集團的重大不幸事件，換一角度來看，這是舊殖民主義政策在中近東，最後結束前的「迴光返照」。這一戰，雖然英法是失敗了，但我們不僅應爲這地區所有的弱小民族歡呼，也應該爲英法慶幸。艾登的辭職，可以說是代表了英國，光榮的放棄了殖民地政策，也象徵了舊殖民主義死亡。

蘇彝士的衝突，實在是舊殖民主義的最後清算，經過了這一戰，不僅使三強獲得了統一的政策，由於艾森豪主義的實行，西方與中近東民族國家間的距離，也得以縮短，這一化敵爲友的結果，也可以說間接得自蘇彝士的衝突，「塞翁失馬焉知非福」。百慕達會議後的中近東的情勢，是愈來愈穩定，也愈來愈光明了。因此我們不應爲中東若干小的不愉快事件迷惑，應該把握住這一重要的趨勢，看中東的全面發展。

大陸人民逃亡再度踴躍
中外報章呼籲國際援助
指出香港難民已處絕境

由於大陸主要的生活必需品如糧食、棉布以及燃料的嚴重缺乏，逃之來港澳的大陸人民又再度增多，除了人民之外，連中共的低級幹部也出諸逃亡的一途，像日前一個中山縣的保安團隊共幹就是很顯著的例子。

多數冒險逃抵澳門的大陸人民都能一致指出，在鄰近澳門一帶的粵省人民均無時不在設法逃出地獄。年前，大陸人民能够大量逃抵澳門的原因是基於邊境各關卡所駐守的軍隊多為兩粵人士，他們均願和人民一起逃生，但他們惟一的交換條件就是代為解決他們在自由區的生活。

直至一年前，共軍發現這一漏洞後，即把原有邊境的粵籍軍隊調防，由東北籍軍人入駐，這一個措施才得暫時息了人民逃亡的心。但最近物資嚴重缺乏的情況，使到大陸的人民不能不再冒死逃生，於是做成了大陸人民逃亡港澳再度增加的現象。

大陸人民逃抵港澳後的生活如何呢，固然，他們是可以呼吸一口自由空氣了，但是他們的生活無法解決，那是對爭取自由的人民無疑是一個致命的打擊。

香港最近成立了一個漁民救濟委員會，以十萬美元的基金，作為救濟五千來自大陸漁民之用，協助他們營生，這一種積極性的救濟是獲得稱許的。有人以為假如這個會能在一年前成立和馬上展開工作的話，至少有五倍於目前這個數字的大陸漁民聞風而來，而不至於有少數漁民又重新再度進入大陸。當然今日作亡羊補牢之舉，未之為晚，但人們必須注意到這個救濟的只是難民中的少數而已，目前更多的難民正盼望着積極的協助，使他們在現存的環境中獲得自立。

聯合國救濟香港難民始終是一個待決的問題，紐約時報國際版日前曾著論批評本港難民，這一篇文章很快地被本港報章轉載，由此足見香港難民國際化的問題，已獲得中外輿論的重視。

該文的標題是：「從中共逃出的人僅能生存——需要國際援助」。該報稱，「目前在香港生活極端窮苦的難民有七十萬人，此僅能維持生命而已。絕大多數的人由共產中國逃出，現在他們沒有別的地方去，除非利用國際援助來幫助香港政府應付難民。目前，香港政府將儘量利用有限的空地，拚命來照顧難民，雖然他們有若干人已獲得了工作，但他們大多數人仍過着原始生活。」

該文又稱：「根據政府的估計，業已有五百萬美元公款直接的花在徙置計劃上。目前計劃為在將來六年中再安置二三萬木屋居民，但這些計劃如無外援，似無成功的希望。」

這篇文章中又指：「這些難民都有一個共同的事實，那就是無論他們在香港的生活如何絕望，他們都不願再回到大陸去。許多觀察家也用這一事實來證明中共無法去獲得中國人民全力的支持。

「越來越是顯明，這個重担將不是香港自己可以應付的，如無外來大量的援助，成千成萬的難民將因窮困及病苦而無可避免地失去。」

這一份世界著名的權威性報紙最後說：「世界上民主國家可能被人再三追問，解釋對這羣反對共產主義人們毫不關心的原因。」（何）

蘇俄改革經濟制度
——蘇俄問題專家的評論——

赫魯曉夫為了使蘇俄的工業分權，最近發表一項計劃，其提出的建議不下於另一次蘇俄革命。該項計劃如果實行的話，將再次有如蘇俄工業生命一樣，調整社會全部組織。自從第一次五年計劃創始於一九二〇年以來，對於蘇俄的制度，後有像這次所做的那麼重要的了。

在現有制度之下，工業各部分，由莫斯科總部的部長們處理。那些部長後面的高級決策人，就是內閣人員。為了實際目的，他們進行國內每個生產計劃，並有成千成萬的官僚，高高在上的安坐在莫斯科，推動這機巨大的計劃。

赫酋的動機？

赫魯曉夫提議的是把這種全部官僚組織拆毀了。他要求分散於現在蘇俄所謂民主的十五個地區國家，另創立一種地方管理制度。在那些地區的一切工業由地方當局處理。克里姆林宮要把工業分開，使各自完全負責，可是要專家們經過一個中央機構名為國家計劃委員會，制定包含一切的生產計劃，和調劑那些工業。

什麼引起了赫魯曉夫在這樣特殊時期，要創始一個如此重要的計劃呢？可能是由於國內和國外經濟發展而起的因素。

政治方面的目的，要分解支配決策的階級，他們的權力在最近幾年已一天一天的太大了。它對赫魯曉夫型的政治官僚，構成一種危險，於是想盡方法使權力不集中莫斯科。

其次是增加生產的真正需要，使滿足蘇俄人民所要求的更舒適生活。

他相信地方組織要比現在的機構產生更好的效果，包括人力與原料的種種浪費，其傾向審可鼓勵競爭，而不合作。

赫魯曉夫和他的某些同僚，堅信：作為一個世界強國的蘇俄，其前途要依賴它的能力，和得到國外友情，輸出生產的剩餘品。

影響如何呢？

無論赫魯曉夫的計劃能够全部實行與否，似乎很令人懷疑的。

他可能準備把有够[illegible]讓敵人趕出莫斯科，[illegible]為眼見他們已建立起堅強半自主的而且危險性的獨立地方組織了！

無論如何，從一種制度到另一種制度，在此過渡時期，生產和人民生活必有一個分裂的結果，在冷戰中，這樣可以給西方國家一個喘息的機會，同時克里姆林宮由於國內問題鬧得心神不寧，可能是無其他辦法的，但是因此可能一時鬆弛了國際緊張情勢。（式一譯自四月十五日新聞周報。原著者 LEON VOLKOV）

讀李辰冬評含光詩後（下）

●聞蕙●

（續上期）我用李氏的羅織，來解釋這段話的意義，可作如是論斷，因為要陳氏保證食薇，便可以吐出這條獎命了！李氏並且還說，「假如這位遺老，對民國既無好感，也無惡感，到還罷了，而恰是對民國，極端仇視的。」

在李氏列舉含光詩裏，實在看不出仇視民國的詞句，更不要說極端了，李氏文中，有幾處提明注意的，大概都是仇視民國罷，除陳氏不奉民國正朔，及改名含光，前文已經辨正外，他如：別峯庵敬瞻德宗所遺袞衣一襲，後有注意云，這裏說的心常永命祈，就是祈禱清朝萬歲無疆，再注意，這裏說的家世餘清白，先朝叠紫緋，就是說世代都作着清朝的官，清亡以後，沒有人再作民國的官了，再注意，說的夢繞瞻離黍，生涯付食薇，離黍用詩經黍離一詩的典，黍離一詩，據小序說，是閔宗周也，看見宗周的宗廟宮室，都變為禾黍，閔周室的顛覆，所以他這裏說，看見清朝宗廟的顛覆，而夢裏過也是瞻歎，所以自己決計像伯夷叔齊一樣，餓不食周粟。想念故國之深，由此可見。（照原文）

當我寫這篇讀後時，估計李氏，未免過高，待細看他大文有點後悔，所討論的，只有是非，非文學，竟得太不值了，但又如骨鯁在喉，不得不吐，事實上這也是假是非問題，怎能輕易放過。

陳氏詩，好用典，但不晦澀，其意義不難了解。德宗袞衣詩，首八句，說瞻袞衣，「美矣齊三服」八句，稱頌德宗賢明，「心常永命祈」，是召用周書召誥，「王其德之用，祈天永命」，是召公稱頌成王，能用德來求天，以長周祚之意，陳氏亦以稱頌光緒，是說光緒祈永命，有德也。李氏對離黍，註了一大段詩序，怎麼周書召誥，不多唸唸呢，不唸亦不要緊，怎麼不知道一的事，要乖曲的說呢？作學問的人，持這樣的態度應該嗎？

夢繞瞻離黍，是說皇衣黼花，清已亡了，白天看到黼衣，夜裏夢到離黍，這能算是仇視民國嗎？生涯付食薇，是說他家，現在也式微了，只有薇可食，而無粱肉之饜，古人詩，食薇用法，絕少恥食周粟之意，拿來形容隱遁，貧士而已，如杜甫不厭北山薇，愁納首山薇，都是如此。照李氏解釋，杜甫豈不有恥食周粟之嫌嗎？陳氏詩意，極為明白。清白二字，普通作良家，用者亦多，從無不事二姓之意，現在只有清白，沒有從前紫緋重叠之盛，詩意不過如此，李氏對此四句，周納成文，通寫注意，是要時刻叫人精神緊張，以愚弄讀者，只可惜把對祈天永命的典，不知道，却硬說陳氏祈禱滿清萬歲無疆。這不是一個絕大的笑話嗎？

這裏還有幾處遺漏的，須要補說；

一、李氏說陳氏學陶潛桃花源記將民國比秦列舉

答周愷庵兼呈李審言丈云

轔生無行業況又值秦餘

挽王國維華鴻銘云

帝遣下招還有意免致殘骨付秦阬

這兩個秦，不是一個意思。秦餘之秦，是用孟浩然「鷄鳴問何處，人物是秦餘」，孟氏經過武陵，作了這首詩，可以說完全出於桃花源記，我們知道，桃花源的秦人，並非指劉宋，而是陶潛自喻，陶潛也非因避劉宋，而作此記，要緊的兩句，是不知有漢，無論魏晉，其自託高遠，與五柳先生傳，無懷氏之民歟，葛天氏之民歟，同一意義，故雖以南陽高士，劉子驥，亦不能到其地，因此陳氏之「況又值秦餘」，只能說出於桃花源記，不能說將民國比秦，與陶氏，孟氏，沒有將宋唐比秦，完全一樣，也可以作秦封之餘解，而自託高遠，是頗有一點矜誇的。

秦阬之秦，又不同了，因當時鬧打倒孔家店，毀滅綫裝書，在陳氏看來，等於秦之焚書阬儒，詩意是幸王兩個守舊東西，上帝早收汝門，眞是幸運，否則，有人要阬汝了，這個秦，可能是指當時打倒孔家的人。

一、李氏說陳詩挂冠存漢臘，沒有民族思想。

陳氏作詩時，怕沒有想到這層，只是用典而已，但漢臘之漢，是代表一朝代，漢族之漢，是代表一個民族，雖然漢族之漢，是由漢朝之漢嬗化出來，畢竟兩個性質，不能混為一談，我們革命，是要推翻清朝專制，而來五族共和，併非推翻滿臘，恢復漢臘，[illegible]，頗為滑稽。

又說王陶民豐詩，是[illegible]大山人比王，王似是遺民，

潛西閣詩，公是王孫戎公子乃秦興之語，和人見贈詩，其人必以冒辟疆見比，故前有影梅庵，水繪園，而結以暮年公子冒巢民，此迴酬詩，

尚有挽呂海寰等詩，不值一辨，皆從略。

陳氏詩，五言古，出於阮陶，間以顏謝，於宋詩最熟，故其佚宕處，往往似蘇和陶，七言古，近蘇者頗多，亦有庾子山之清激，五言律，由徐庾而入溫李，七言律，由溫李而入阮亭，鄙見大略如此，在自由中國，作詩的不下千人，實在沒有比得上的，他的詩，多是作出來的，故其律頗細，對此功力不够，是沒有法來評的，所以我初看到李氏大文的題目，不勝驚喜，後來知道其內容，不過如是，又非常失望，所說未免太激直了，請原諒。

名著簡介

曾譯「世界史」

○文華○

哥林比亞大學教授 Carlton J. H. Hayes 和 Parker Thomas Moon 兩人合著，John W. Wayland 教授加以修訂的「世界史」，最近由曾特先生根據一九五〇年的最新版本，譯成中文本，共上下兩册，由香港五洲出版社發行。

這是為美國高中學生而寫的一本教科書，各國的教會學校很多採用，銷行甚廣。卅年前，我國教會學校即已採用，現在香港的英文中學用作教科書的也不少。

這本書，現在大陸上，有劉啟戈的譯本名為「世界通史」，（一九五六年出版），在台灣又有胡適的譯本。據曾先生說，胡譯竟是劉譯「照原版複印，一字不改的本子」。

曾特先生在譯序裏，說明劉譯是根據一九四七年的舊版，而且譯文「錯誤百出」，他指出劉譯在全書五十一章中的兩章，便有大小錯誤四十餘處（見附錄）。又說，劉啟戈的「翻譯態度也很成問題，許多地方把原書沒有的東西加了入去。」

曾譯根據的新版，史實直至第二次世界大戰，聯合國成立之後的一九四九年為止。曾譯雖也不免有若干缺點，惟譯筆仔細忠實，文字亦甚流暢，實為目前高級中學講授外國史一科最好的教科書，或參考書。

全書上下兩册，共六八〇面，插圖精美，印刷亦佳，售價港幣廿五元。

越盟內部出現對抗性的矛盾

【本報專訊】北越的共黨，內部問題正在不斷滋長中，大體上說來，凡中共今日存在的病症，也完全傳染給了越盟。

越共中央政治局委員長征，十二日在「祖國戰綫全國委員會的擴大會議」上，發表了講話，對於北越的局勢，他提出批判了越共內部的「修正主義」和狹隘保守主義傾向」。但很顯然，這兩種傾向是波匈事件後在越共內部獲得抬頭機會的。長征不滿於這些黨內的新傾向勢力，並說這種傾向有逐漸發展成為對抗性矛盾的可能，這一派人並有否定「工人階級領導地位」的傾向。因此，長征疾呼必須「反對這種修正主義」。

我們知道，所謂共黨內的修正主義，實際上是內部派系鬥爭的產物，藉着匈波事件而併發的，這種情況不僅在越盟內部發生，主要的動力來源，還是受了中共的影響。長征的話是值得注意的，吾人應密切注視越盟內部鬥爭情況的繼續發展狀態。

稿約

一、本報各版園地公開，歡迎投稿，來稿以一千五百字至二千字為最相宜。特約稿不在此限。

二、本報歡迎通訊、特寫、文藝、評論、書評、人物介紹、短篇小說、詩詞等，三五百字之短文尤所歡迎。

三、本報對來稿有刪改權，不同意者請於來稿預先聲明。

四、來稿請用稿紙繕寫，行文請勿過於潦草，不宜一紙兩面繕寫。

五、來稿請自行留底，外埠郵票香港不適用，請勿附退稿郵票，本報不負責退稿。

六、稿酬每千字由港幣伍元至十元計算。

自由談

現代化的政治觀點

馬五先生

二十年前才去世的我國地質學者丁文江先生，他在生時，曾經對南北的軍政大員都表示過，願意爲中國辦一所完全現代化的高等軍官學校。他認爲：「中國的軍事首領之中，不少有指揮的天才，愛國的熱誠，堅強的毅力但因爲缺之現代的知識和訓練，往往不能夠担任國家危難時期的艱鉅責任，這眞是國家的大損失，最可惋惜的」。在他的觀察中，我國一般的軍官們，連看地圖的知識亦很缺乏呢！然而，他這種見解與熱忱，始終不合時宜，誠如胡適之所說的：「誰也不會請他辦！」（見胡著『丁在君的傳記』）

中國最近這幾十年來的政治觀念與作風，完全是軍人萬能主義，豈特軍官學校決不相信是文人學者所能辦的事，就是那純粹屬於行政職務範圍的警官學校和警察局等，那一所不是軍人主持的？現時的青年軍人，他們所受的教育，自然迥異昔時了。但在十年以前的舊式軍人，能否辦理現代化的軍官學校，乃至於懂不懂得看現代的地圖，實是大問題，尤其是對於甚末叫作警政？當警察局長的職責是那些？我敢担保沒有一個答得明白的。他們心目中的警政，就是多編制些武裝警士，衙門口警衛森嚴，好像軍營一樣，然後換換民家的門牌，管管烟賭事宜，如是而已。

教文人學者來主辦軍警學校教育，或者担任警政首長，一定說是謬頭笑的事，若教軍人來作教育、內政部長，以及民政廳長等，大家却認爲份所應爾，勝任愉快了。最可哂還有主辦衛生行政的，亦必用醫生，以爲這樣就是專業化的政治制度，實則牛頭不對馬嘴也。

這是過去數十年來的政治現象，距離現代化不知有若干里，國事焉能不糟，天下那得不亂呢？要想改革庶政，建設現代化的新國家，消極的改變舊觀念與作風，積極的只有從教育方面下工夫了。

齊白石其人其藝

·萬香堂·

最近各報刊常常刊載關於齊白石的文字，似乎有在崇拜他，也似乎有在諷諷他，其實以他的高齡及藝術的成就，應該不能把什麼政治呵，思想呵，加在他的頭上的了。以九十餘高齡而遭着空前國難的他留在內地不能走叫他怎麼辦呢？

曾做雕匠

齊白石是湖南人，原名齊璜，他的老家在湘潭白石鋪側的杏子塢，他幼年時讀過幾年書，因爲家貧而學習木工，又因他愛好繪畫，學雕木花細工，這行生意頗廣，如新婚的雕花床，多寶櫥櫃的雕花等等，工錢比一般大木爲高，生意不虞斷絕，而白石當時的手藝比別些好，一般高尚人家都知道杏子塢有這一名手，爭向他定做，當時他的名字叫做「芝生」，後來改行繪畫時才易名爲白石的，是爲紀念他家鄉——白石鋪——而定名的吧！

受知王湘綺

他在做雕花木匠時，當喜歡描花樣，因而對繪畫更發生了興趣，又漸漸正式習起畫來，後來他在附近做長工（許多巨紳爲了婚嫁喜事，常雇長工在家做雕套傢俱）得讀胡家藏書的，文思大進，竟又擅長吟咏來起來，因之受知大文豪王湘綺，帶他到北平去，可是他的天才雖有，而功力尚未到家，因之，鍛羽而返者凡二次。

民國七年他再到北平（第三次到北平），下了破斧沉舟的決心，向北平過賣畫生活，初寄住在法源寺，但生意冷淡萬分，每天僅食幾個饅頭而已，當時北平的大畫家有陳半丁、陳師曾、林琴南、方洺等，誰人會向齊璜看一眼呢！

日文化界捧場

後來他的畫受知日本駐北平總領事某，才漸漸爲畫壇所重，而日本文化界一再捧齊的場，古董舖定價收賣齊的畫，於是國人的眼睛也變了，漸漸就有「南吳北齊相提並論」了。

張道藩拜師

對日抗戰勝利後，白石破例到過南京一次，首都文化藝術界曾開會爲之歡迎，張道藩當時任中國文協會長，對齊推崇備至，特拜之爲師，並爲尊師重道，曾假文化會堂舉行拜師禮，此實爲白石一生的黃金時代了。

一生視錢如命

齊白石一生節儉，視錢如命，（他七十歲時，仍親自上街買菜購物，並每日常跑出大門口，和菜販討價還價）。數十年他售畫會收集了多少錢，至今是一個謎，而數十年來，他收藏了許多名貴的文物，如古字畫、碑帖、金石、及貴重的像紫紙擺飾色等，都藏得盈箱滿篋，他自己所繪的精品當然也積存很多，但由於精鍵均加重鎖，而鑰匙又都是老人整天帶在身上，故無人知其究有多少。

中共令他氣昏

大陸淪陷後第一二年中共沒注意他，後來也就想到他身上了，共黨某次發動幹部給白石開了一次寶藏及作品展覽會，將展品一律定價出售，迨展會結束時，「人民日報」刊出齊白石貢獻獻金救國的消息，並派人送去一張獻金收條，把白石當堂氣昏了，病倒了幾個月，故當時一度盛傳齊白石逝世了。

印度記者筆中

另外，白石的大兒子齊子貞在南方老家被鬥爭得家散人亡，逃到北平後，不久便病死了，孫炎生、佛來等也先後逃命北上，這些影響白石的心情更太大了。前年印度記者席辛遊北平描寫齊白石的現狀說：「這老畫家穿了一件褪了色的袍子，坐一張舊帆布椅上，他坐在那裏寂然不動，長長的臉像孔夫子似的褐色的眼睛向遠處凝看，只有他那飄逸瀟的白鬚像是活的，他那瘦骨嶙峋又長近乎晶瑩的手放在椅子的扶手上，要和他談話，必須高聲的喚醒他。今天在他家中，看起來他好像是『爲人類靈魂的戰爭』已經失敗，除了安息以外別無所求似的」白石的現狀由此可以窺見一二了。

蝦蟹瓜木草虫

關於齊白石的畫，一般人以爲他僅能畫蝦蟹瓜木草虫幾樣東西，其實他無所不畫，他所作山水胆子最大，幾乎合了超現實派的繪畫，可惜修養仍欠韻味，故他的山水畫不爲欣賞家所賞。他所作的蝦蟹蛙蟀有其特到的地方，爲別人所不及，至於其他如花鳥草虫等雖然也是很好，但不是登峯造極的，查其原因約有數點：

登峯造極之因

一、他雖然自承乃以八大山人爲宗，但他的用筆多非南宗，其線條鋒氣太盛，絕無八大的遺韻。二、八大山人有他的特殊的格局與風味，在白石畫中找尋不到一點。三、中國自唐宋迄今經過千千萬萬畫家的積集畫法，其優秀處常於其佈局之筆法之，偶然表現出來，凡久經臨模古畫者可得之，但在白石畫中很少發覺這些。四、白石的工筆草虫乃學惲南田者，以之配合在自以爲學八大之粗筆畫中，在繪畫理論上是不合的，但也有人說配得正好，未知是盲從，抑或這個感覺確是對的。但不管怎樣，白石畫當有創造力其氣魄很大，題材很新，爲當代的成功畫家之一是毫無疑義了。

陳含老輓章

刁抱石

昇平壓夙困滄桑，驥徐東遊萬里長。
四面雲山供杖履，二分明月憶維揚；
濟操品節當今世，儒雅風流有古香；
未枉昌詩遺集在，偉辭自鑄更堂堂。

海上學校

中篇小說

趙滋蕃

「行，」他點了點頭。「這位呢？」他用含笑的親切的眼睛注視着周曼石。

「這位是周曼石，武大學經濟的，是我們在流浪中結識的好朋友，」杜宇介紹道。「這位是李太玄醫生，中山大學的老同學。」

於是，兩人一邊一句地寒暄了一陣，並且很鄭重其事地握了次手。周曼石覺得這紅鼻子怪物的手勁眞不小，四個手指頭，被捏得黏在一道，幾秒鐘之後纔恢復原狀。

「這地方你不是常客吧？」她疑惑地瞥了他一眼。

「不是常客，不是常客，」他答。「因爲我岸上還租得有房子。」

「怎麼今晚却會突然光臨呢？」

「今晚十二點鐘的時候，避風塘裏有一家船戶，一個患百日咳的孩子轉了急症，只得冒着大風大雨來應診。回來時，我恐怕艇仔出事，所以權且在這兒借宿一宵，倒想不到會在此時此地碰到你們。」

「我們也眞想不到呢？」她感喟地說。「老同學闊別八年，居然會在海上旅館碰頭，而且居然還要麻煩你出急診，這大槪就是天意吧！」

「天意？天意是無私的啊！」紅鼻子爽朗地笑了起來。

這時，張長虹換了一件破夾襖，一條犢鼻褲走了出來。他一面結紮着褲頭，一面走着。那是條完全不稱身的褲子，穿在他的身上，好像是一條童子軍穿的馬褲。多毛的光脚桿有一大截裸露着。

陳古十八年的爛賬，此刻都翻出來了。談興得活潑，親切，且籠罩着故人濃厚的情意。

直到目比開始在打翻身，開始嚷着「黑漆漆的鬼洞」，纔忽然中止。

太玄從船板上提起馬燈，搖搖擺擺地走進布幔好一陣子，然後一手提着黑皮箱，一手拖着他的太太——一個嬌小，微黑，梳着鴨屁股短髮的並不難看的女人——匆忙地走了過來。女人替他準備好了打針的用具，用藥棉蘸着酒精在目比的手臂上擦了幾擦，蹲到一邊，緊緊按住目比的手肘，等待注射。

李太玄狠命地搖了搖小玻璃管，用小刀截掉玻璃管的小頭，將針尖伸進去，吸盡了，仰起針筒，檢查了一番，然後平靜地蹲下去，在靜脈管上扎了一針。

「洞，洞……好痛的洞啊，……」目比呻吟着，「咋，咋……」

「請你們把被角按緊些，」他吩咐道。「過一會就天下太平了。」

目比還在亂叫。海上傳過來第三次的雞啼。

（十一）——第二章完——

文藝批評小故事

·楊樺·

近嘗讀關于當前文藝批評之論文，或聞文藝界人士談及批評問題時，皆認爲文藝批評之所以不能建立，端在於現代作家們很少有恢宏氣度來接納逆耳之嚴正批評；因之，批評爲免傷和氣，否則，找麻煩起見，只得多學說好話的喜鵲，箝口三緘其口。個人深感此說尙非持平之論，爰引述兩則小故事如下：

羅貫中在三國演義中，寫述曹操率水師駐長江上征伐孫吳時，曾於月夜大宴羣臣於舟上，一時興起作了一首「短歌行」，正當大家和唱擊節之際，不料竄出一個直言無諱的揚州刺史劉馥來，當着曹操直批評其中「月明星稀，烏鵲南飛，繞樹三匝，無枝可依。」等語爲不吉利之言。而激起了曹操之怒，手起一槊，活生生地送掉了一條性命。此謂拚了性命的批評。

「湘山野錄」中載云：「張尙書鎮蜀，彭公乘抬冠以文呈，公獸覽殆遍，無一語褒貶，都擲於地。後將赴闕，召彭謂之曰：『慼偶心極愛嘆，不欲形言，故擲地以奉激，他日子官不減老夫。』」此則又爲一別開生面的批評。

按以上兩事例而論：前者爲壞的批評，評者絕未計較批評後之結果會斷送生命，仍坦率進言；後者本可直接作好的批評，然却採「無一語褒貶，都擲於地。」的方式予以激勵，確爲別有用心的批評。以上兩種態度可爲現代批評家的借鏡歟。

「牀前明月光」質疑

請教詩家一個字

大詩人用字的深奧，有些是不可使人思議的，像李白的「牀前明月光」的「牀」字，就是很難使人領會的，這也許是因爲學識淺的緣故。但我總覺有點疑問。

牀前有月光，是可能的，當然是要在廂房，還要門或窗是開着，在過夜半已可能落霜時，而開着門或窗睡覺，就有點疑問。但疑是地上霜，顯然就不相符了，室內怎樣會有霜呢？也許是因「捲我屋上三重茅」，李白的房子是露天的吧，但看李白的身世好像還未曾這樣的貧窮潦倒過，就是有點屋漏，也不至於有霜落到室內。那麼他是不是睡在室外呢？既然是能夠落霜的日子，總不至於在外乘涼吧。有人也許說：「疑是地上霜」的兩字，是最值得玩味的，因爲這「疑」字，可能是他睡得迷迷糊糊，昏昏沉沉的想着。但從「舉頭望明月，低頭思故鄉」，的舉頭低頭來看，好像不但不是睡着，而是坐着或立着，詩的題目是「夜思」，從舉頭低頭的動作看，好像不是躺着睡覺，那麼看到牀前的月光而能疑心是落的霜，是於理不合的，難道我們的大詩人能這樣的胡人嗎？

我以爲應該是窗前明月光才對，只有牀前的月光可能被人疑爲是霜，絕不能因爲夜思的夜字，而斷定夜思一定是在牀上，在牀上只能看到牀前的月光，而不能看到牀前的月光。夜思不能眠，或思而不得，起而坐以待旦，或繞室而行，這是人之通病，當然看到窗前的月光而能疑爲是地上的霜了，絕不會看着窗前有月光而疑爲霜。這樣看來，是窗前才對，牀前就有疑問了。不知所說對否，特以請教詩家。

·吳雅明·

自由人

THE FREEMAN

（第六一四期）

中華民國僑務委員會
類登記證台數新字第一零二號
中華郵政台字第五〇〇號、
執照登記為第一類新聞紙類
（半週刊每星期三　六出版）
每份港幣壹毫
台北市售價台幣壹元
督印人：陳文著
地址：香港高士威道二十號四樓
3RD. FL. 20 CAUSEWAY RD. HONG KONG
TEL. 771726
承印者：東南印務出版社
地　址：高士打道六十四號
台灣總經理處
台北市西寧南路登臺票號二樓
臺郵撥儲金戶九二五二
海外總經銷
友聯書報發行公司
香港：德輔道中二十六號A二樓

申論杜爾斯演詞的基調

·林伯雅·

美國外交政策的基調，是明確而忠虔地放在聯合國憲章上，但由于美國未能以實力澈底支持，憲章已被撕破無遺了。美國如果想這調子不只成為外交詞令，那就該有個做法把聯合國的軀殼也正常地復活起來，否則寧如故塔虎脫所說，自己「為什麼一定要受聯合國的拘束？」而任人家可以「超脫」呢？

一、

本月廿二日美國務卿杜爾斯在美聯社週年宴會中的外交演詞，可作普通外交詞令看，也可作為國際現勢演變的經緯看。

從美國外交的演變言，為什麼艾森豪總統自一九五三年一月執政，喊出自由世界喝彩的「解放政策」後，不久峯迴路轉，一路回到所謂圍堵政策……以至于跡近妥協的行動，如年來與中共在日內瓦的幕後談判……，由主動而被動，由積極而消極；又遠如對韓戰，越戰：……近如對匈牙利革命事件，甚至如最近同意別國放寬禁運……都曾經令自由世界感到失望，為什麼？

看杜卿的演詞，至少有助于吾人了解這一點，就是：美國外交直到今天，有着一個明確而忠虔的基本觀念——「聯合國憲章的基本精神」。這一點是今天自由世界希望所寄的。不過在這基本觀念與實際運用之間，有着距離，這距離也是美國外交政策看似搖擺不定的原因。為什麼有這距離呢？杜爾斯也情見乎詞。

二、

為什麼呢？

不錯，杜爾斯也說過，他說他「早在二十年就指出世界和平不在于保全現狀，而在于發現和平改變之途徑，這種需要在今日更為迫切」。不用武力，原是聯合國的基本精神；但若侵略者氫彈在握，僅憑決議，勸告，警告，談判……是不易生效的。

他强調美國使用于反侵略的法寶，是集體努力，但是他也指出集體努力的結晶，「由國家組成的國際社會，却未能應用這種文明生活的基本原則」去達成上述三個原則。

不錯，聯合國是人類痛苦經驗的成果，但事實上，它却成為最現實的組織，這個幾乎已為現代人類理想所寄的國際機構，只變成兩個集團勾心鬥角的工具，而美國却因為要做到「溫和的改變」，也只能對聯合國憲章，唸唸有詞了。

雖然杜卿指出，「我們曾經力求藉聯合國而成立一支武力以使安全理事會維持國際治安之用，但蘇聯竟加否決」。否決權就是一例，是聯國自殺的武器，而這武器蘇聯已運用過不下數十次了，有它有什麼辦法呢？而躲在裏面去尋求理想，豈非緣木求魚！

三、美國外交政策，是在理想與現實間徘徊！

杜爾斯的演詞，似乎對于實力外交，仍局限于一很狹窄的範疇內，對于行動配合理想，還依然在需要「改變」而不改變中。其所強調依以實現理想的法寶！—集體安全與集體自衛之權利，比起赫魯最近的演詞所謂「我們有原子彈，有氫氣彈，有：……」「以炸彈對炸彈，以飛彈對飛彈」其氣勢有不可同時語者，在自由世界，誰又豈好戰哉，非以實力維持和平不可，乃時勢所然也。

事實上，美國雖然在世界各地有不少基地的建立，曾和四十幾國家有集體防衛的訂立，有原子彈競爭，有飛彈的試驗，不過在行動上，似乎只在讓敵人看看，「使可能的侵略者願該認清他不致展開武裝侵略」為止，到了重要關頭，也不敢更進一步，例如，對于匈牙利人民壯烈的反侵略革命運動，美國就祇能唸唸聯合國的決議，而未能有所行動。

這樣只有實力的競爭，而無有效的行動，是無法「使侵略者認得清楚的」，所以「溫和方法發現和平改變的途徑」，如有可能，恐怕要在五十年冷戰之後，但到了那時，恐怕美國所依靠的聯合國，早已變為第二個國際聯盟，而美國的外交政策又要接受不知多少次「改變」了。

四、

杜爾斯口中的唯一集體安全制度的武器——集體安全制度，也「並非盡善盡美的」，他並且指出其原因，是由于許多國家未能「不斷努力合作而擺脫自私與有傷共同關係的國家主義的極端」。

事實上，美國年來的外交政策，的確是在這些國家不斷的壓力下，而改變了方向的，如韓戰，主要的不是受英國的壓力嗎？又如越戰，不也是受法國的阻力而不能不袖手旁觀嗎？……但是美國為什麼忍受這些壓力呢？

美國集體安全這件法寶的運用要靠自由國家的合作，其援外計劃，目的仍在鞏固集體安全制度的成員。

但是結果，馬歇爾的援助計劃，在歐洲獲若干效果，而在中東及東南亞國家等地區，則顯然不如預期，不但民族主義的武器落在蘇聯手中，而西歐若干國家對于美援與集體安全，都似乎看成兩事！—美援吾要，中立主義我自為之——結果尼赫魯之流的言論，往往成為美國外交之一大諷刺。蘇聯的咆哮，原為中立主義者所助長，而中立主義者又豈非美國過去行動上的過份遷就所促成。

雖然杜爾斯說出了「每個國家須盡力以改善它自己的命運」，「不僅在打破已不受歡迎的政治關係」，「對于一些新興國家」，並無中立路線可言」。但事實幾與這希望成相反的對比！美國政策失却原有方向，無他，其所依據的聯合國憲章已給蘇聯集團所撕毀，已為一些妥協的現實主義國家所忽視，已為一些新興的國家所懷疑了。

五、

聯合國憲章，為現代人類浩劫後的痛苦結晶，我們固不希望如美共和黨領袖故塔虎脫昔日所主張，美國「抵抗共產主義之政策，不是在聯合國範圍內活動的政策」，讓聯國自生自滅。不過就目前言，如果讓一班忘記憲章的中立主義者無形地把它脫胎換骨，祇剩下一個和平、正義、自由的招牌，而美國又躲在裏面高談理想，要想從中「找出和平改變的途徑」，良感憂乎其難了。

我們讀了杜爾斯國務卿演詞中所看到美國外交基調以後，有一個直接的感想是：如果美國不想把聯合國憲章祇作為美國外交門面話，口頭禪則已，否則應該對聯合國本身有一個起死回生的做法，用實力去支持它，否則誠如杜魯門所說「不要躲在它的裙下」，或如故塔虎脫所說，「為什麼一定要受着它的拘束？」而任別人可以「超脫」呢？

半週述評

危哉中東！

艾森豪主義在中東正面臨着嚴重的考驗！

約旦的罷工暴動羣衆，直率地提出了「打倒艾森豪主義」和「打倒（現）政府」。而更大的危機則為約旦陸軍內部的分裂和衝突。莫斯科却於此際「適時」的提出了援助約旦的聲明。「援助」，成為美蘇爭奪中東的主要武器。莫斯科的「援助」是口惠而實不至，旨在誘發長期的紊亂。因此，白宮當局對中東局勢的樂觀是不可靠的，西方爭取的是「政府」；共產黨却以滲透來組織羣衆！

基本上中東的局勢就像一隻為蛆虫盤踞腐蝕的臭火腿，西方雖然還緊扣着那條火腿，實則是空無所握；現在，外電傳說駐約旦的美大使館人員將奉命撤退了，看來好像美國連那條火腿也要拋棄了！危哉！中東！

見利忘義的結果

就現勢觀察，西方（主要是美國）不僅不想在中東和蘇聯攤牌；即使遠東，美國政策也是令人迷惘！請看我國外交部長廿四日在立法院答覆質詢時說，「在目前正當中共經濟即將崩潰時，若放寬禁運，無異幫助匪共，我政府堅決反對。」

站在吾人的立場，中共的經濟危機是反共的有利因素；但西方的商人和代表商人利益的政府，却認為這正是脅迫中共就範交易的好機會，放寬禁運的「協議」，就是在這樣微妙的情勢下達成！如此說來，開禁似乎並非單純是為了解救日本或歐洲若干國家的經濟問題，乃是利之所趨的當然結果！

杜爾斯還不認識中共

不僅此，杜爾斯在廿三日的記者招待會上，答覆詢問時還說「本人相信在東歐那些我們稱為附庸國家，除受國際共產主義支配外，還受蘇聯的支配，此點或即為共黨中國與一般東歐附庸國家之差別。」

據說，杜爾斯是對斯大林著的「列寧主義問題」一書甚有研究的人，但却竟然講出像上文引述的話，他已極明顯的表露出，在他的概念中，中共不能算是蘇聯的附庸國，因為它除了「受國際共產主義支配外」，不像東歐國家那樣「還受蘇聯的支配」。我們要請教杜爾斯，這有什麼事實根據？

對中共在基本上既有偌大的錯誤觀念，也就難怪乎會有一連串的錯誤政策出現了。

因此，儘管白宮當局一再表示和中華民國的友好關係不變，但其對中共之態度，却究欠明朗，大多數的負有決策責任的西方政要，對毛澤東狄托化的幻想，迄仍未有改變呢！能不注意愼之！

日本的雙軌外交

主張「經濟中國」和「政治中國」的岸首相，廿四日表示「如果北平方面提出，日本政府可能許可中共領袖到日本訪問。」實則岸信介的話並不驚人，日本在加入聯合國後的態度，一直在作「溫和的轉變」，但是目前正值日本社會黨人士在北平「親善訪問」，且與中共發表「中（共）日復交時機已經到來」的共同聲明之時，岸首相的話，就不能不令人詫異了！就不能再以一般的「外交姿態」視之了。

岸信介對於日本社會黨的行動，既未作積極的反對，是否，這就是日本的所謂「兩黨外交」或「雙軌外交」呢！是不是有意在演變着呢！

日本現內閣的「對華政策」充滿了曖昧，當局似乎不能再充耳不聞了，我們應不應該有所表示呢？有官守，有言責的先生們，該是提高警惕的時候了！

·李金曄·

世界反共自由之聲

—聽印尼匈牙利反共領袖演講後—

·張健生·

一、

印尼反共陣綫秘書長菲多史（H. Firdaus）氏及匈牙利自由運動主席法克斯將軍，應亞盟中國總會之邀，于本月十三日在台北中山堂發表了令人警惕的反共演說。

菲多史氏曾經到過中國大陸，訪問過共產政權，並著有「竹幕訪問記」，對殘無人性的共產政治制度下的人民生活，敍述甚詳。他是現任印尼瑪斯友美黨中央委員，印尼全國回教徒議會秘書，印尼內閣宗教部宣傳局秘書，回教青年聯合會主席；又曾任椰加達「嫩芽」雜誌及「改善」雜誌總編輯，近兼任瑪斯友美黨機關報「瑪斯友美」特約撰述人，係典型之報人。

自從蘇俄共產帝國在印尼建立使館後，奄奄一息的印共，又強大起來，且從事各種企圖顛覆印尼政府的活動。可是，不僅印尼人民反對俄共在印尼設立使館，其時菲氏即曾對報界談話，指責印尼政府的不當。印尼總統蘇卡諾由共黨控制下的大陸訪問返國後，由是產生了容共方案，曾經公開贊美中共政權，由是印共更加活躍了，遂致演成今天混亂的局勢。但蘇卡諾最初的容共方案，畢竟引起人民的反對，而終于胎死腹中。菲氏說：印尼的軍民實不願意在共黨的政權下活着，都願意為民主自由而死。

二、

反共鬥爭，畢竟是正義與非正義的鬥爭。菲氏說，他訪問中共後，深覺人民在共黨壓迫下，過着沒有自由平等的生活，是非常殘酷的。他列舉共區人民的生活與共黨首領及共幹的生活作成窮苦與奢華之對比，對于共黨的宣傳，作有力的打擊。菲氏肯定而堅決的表示，正義的一邊一定勝利，邪惡一定失敗。他切望自由中國加強工作，用不妥協的意志，去推翻中共政權。

三、

法克斯將軍是匈牙利的民族英雄。他說：共黨是無孔不入的，任何角落裏都有，時時刻刻在和我們作戰。據美國議會調查委員會的統計，從蘇俄共產政權建立至今，與世界各國所訂各種條約，不下千種，概未遵守。聯合國憲章，亦視同無物。在歷史上尚未見到像蘇共這樣不遵守諾言的國家呢！當蘇俄共產政權，在十月革命成功後，就有赤化匈牙利的陰謀。去年十月二十二日匈牙利大學生的示威運動，是要向政府提出十六條方案的要求，要求蘇俄人退離匈國，舉行自由選舉，脫離共產集團的。這五百個大學生，事前並無有計劃的組織，但是，當示威運動開始，竟有二萬匈國人民自由參加示威運動，是夕竟有三十萬人民集合在政府門口；更因為匈共第一書記由南斯拉夫抵匈京，威嚇示威運動者，激起示威運動的高潮，一發而澎湃，驚動了全世界。當時，在蘇紅軍兩個裝甲師出動制止之下，竟又有匈牙利的兒童亦參加了革命的行伍，有一百五十個幼孩睡在街上，阻止裝甲車，連紅軍也受了感動，以至于下車扶起他們。因此造成匈牙利人民徒手反共的大勝利，且將紅軍裝甲車一千二百輛俘獲。後來蘇俄復調蒙古兵五個裝甲師至匈鎮壓，不料蒙兵也翻然醒悟不願屠殺無辜。最後俄共才利用秘密警察約五萬二千人，抑制了「暴動」。

法氏于慷慨陳詞之後，極表憤恨。他認為匈牙利此次革命運動，如果能夠得到西方民主國家的援助，許多附庸共產國家如保加利亞亦將繼之而起，那麼，就可以不經過原子戰爭，而取得勝利了？

他說蘇俄現有二億人口，其中真正的俄人只有八千萬，其餘一億二千萬為白俄和其他民族，他們都是反共的。

最值得注意的，是俄京莫斯科大學生亦同情匈國人民的自由運動，保加利亞為反對蘇共而不出兵支持蘇俄紅軍，且有一萬五千紅軍掉轉槍口打蘇共，投奔匈國呢，這次蘇共為阻止匈牙利革命運動而損失八十個師的紅軍，可知是不盡可靠的，平時所謂強大的武裝部隊，這足證蘇俄是不可怕的。他希望全世界自由民主國家，要團結起來，方有力量對抗共產集團。

四、

我們在台北傾聽了這兩位在共黨勢力威脅及控制下印尼、匈牙利兩國反共自由領袖之言，不啻聽到了世界反共自由之聲，對于世界反共陣綫與自由運動，有不少感想，同時也有無限信心！（四月十四日台北）

在台北．看競選

。李一粟。

△編者按：本文到時，選舉結果雖已揭曉，黃啓瑞當選，但本文對台北市長競選經過，描寫甚詳，固不能當明日黃花看也。

市選成了街談巷語

今天星期，麗日照空，薰風微拂，住在台北市的市民，都將遊覽陽明山和木柵碧潭的興趣，移向這一個政治的最高潮。由於第三屆台灣縣市長議員的競選，就台北市而言，自十一日各候選人開始公開活動以來，街談巷語，莫不是市長競選的事情，假如說自由中國對於民主政治尚在學步期中，那麼這個現象確是可喜的進步的。因爲筆者旅居台灣十年的經驗，選民們絕無此次對台北市長的競選，感到如此熱烈關切的。

筆者草此文時，是今天午後，距離午夜競選結果的時間還有一大段，特乘此未卜鹿死誰手之前，寫下本人旬日以來的觀感。

像「夜戰馬超」

何以台北市長的競選，本屆竟如此的轟動呢？一般的說法，不外乎（一）國際觀瞻，海內外觀聽所集，（二）執政者國民黨再臨考驗，（三）以覘台灣施行地方自治所收獲民心的效果如何。這是從表面而言，實際上市民們都當作一場激烈的球賽看，因爲最初的時候，似乎勢均力敵，雖國民黨提名的候選人黃啓瑞挾萬鈞之力，以臨孤軍奮鬥之高玉樹，高亦堅持『勇敢地競賽到底』，因此愈覺像「夜戰馬超」一般，顯得這齣戲殺得結棍了。

一些不平的反響

國民黨曩於三年前支持王民寧，王因傳統的觀念，以爲有恃無恐，坐而待選，被高玉樹爆出冷門，事後黨內，曾經多番檢討失敗教訓，此次特別提高警覺，除加強黨內控制之外，凡屬競選所能採用的任何技巧，罔不考慮周詳，如臨大敵。

競選玩意兒，本來首重宣傳，在此地的報章雜誌以及公私營廣播事業，多爲黨方官方所支持，或黨內人士所有，競選期中，高氏在輿論宣傳上，幾等於無，凡所揭載皆是力捧黃氏，有百是而無一非，而於高則有百非而無一是，姑無論黃氏平日爲人作事，容或忠直誠懇，高氏容或偏于機謀，但由於此種輿論下之一面倒，難免發生部份相反之效果，甚至引起一些不平之感，蓋同情弱者，人情之常，加之公路交通警察隊扣留市長座車事件之巧合，更渲染了此事之濃厚政治意味。

大砲轟錯了方向

競選公開活動後之兩三日，雙方力量尚不分高低，黃氏之活動似在中上層社會高氏則極力爭取中下階層群衆同情，尤以本省籍人士爲甚。其後數日漸入高潮之際，素以『大砲』聞名之前任代表高雄的省參議員郭國基（即曾以一砲氣死傅斯年當場中風傳稱的人物）此次將『大砲』北移，『轟』向北市，競選本屆省參議員，在其發表政見演講時竟撫拾國際時事新聞，如菲島事件，星加坡獨立運動等等題外文章且有「乞丐趕廟主」之言（事後郭曾在公論報刊登啓事，力辯其所言之含義，並未有煽動之意。）大傷外省籍同胞之感情，並引起有關當局對其言論之注意。這一般盲目的『大砲』，無形中轟在高氏身上，依數年來之經驗，外籍同胞對於競選投票，其比率向不甚高，且多屬於游離之選票，至是反而不支持高氏。據筆者所知，今日國家相率往投『神聖之一票』者，比比皆是。如果本屆投票率呈現空前之紀錄，『大砲』之功，亦屬因素之一，因台北市外省同胞寄居最多。

「科學的宣傳技巧」

迄選舉之前三日，新生報發動了二百餘位採訪員，完成一三〇五人的訪問工作，據稱係依照美國蓋洛甫民意調查之科學方法，所得測驗之結果，選投黃啓瑞之選民，佔百分之四四．六，選投高玉樹之選民，佔百分之三二．七，並即就其測驗報告，分發全市，這個『科學的抽樣調查，無形中輔佐了選民的判斷。』也確是最『科學的宣傳技巧』了！

台北的海德公園

台北市西隅之龍山寺萬華區，向爲政治最敏感之區域，其埔九流三教，市廛櫛比。也是風化區，人口密度最高，雙方均以是區爲逐鹿必爭之場，昨夜爲競選活動最後一夕，龍山寺前黃高兩氏各率助選人在此演講雙方所據場地，都是人山人海，尤以高氏一方之聽衆，更呈鼎沸之勢，一時萬華成了海德公園，彼此針鋒相對，激昂抨擊，短兵相接，熱烈壯觀，無論外方對於台灣民主評價如何，平心而言，確非身陷鐵幕中同胞想像所及，予人印象極深。

黃、高雙方引爲競選之話題，一方指責高氏任職三年無成，競選不擇手段，一方訴若係『光桿市長』，（因市府主秘以下幹部皆列黨籍）力不從心三年備受『壓迫』，希望再假以三年，俾竟全功……。

高玉樹雖敗猶榮

本來政治角逐，祇求目的，但願事過境遷，雙方勿以競選期中之芥蒂，事後另生事端，以保持公平競賽之風度。雖然筆者此文，草於選舉結果之前，但相信國民黨此次提名黃啓瑞，確屬聰明之一着因黃之平素人緣尚好，而高氏以『無黨無派』爲號召自有其相當之羣衆。國民黨經三年之檢討佈置，發動各級組織，以獅子搏兔之力，對付高玉樹，公平的看法，若高氏選票如能保持十萬票以上，則雖敗猶榮。苟黃啓瑞不出所料，贏得此次選舉，亦屬勝來不易。其所以激動輿情，呈空前熱烈之觀者亦在此。（四月廿一日寄于台北。）

海外通訊

泰國發生新聞自由紛爭

祝君健

美報因「侮辱」泰皇及人民不准進口；泰報因涉嫌「藐視」美國大使被控。這兩件事是一物的兩面，已激起曼谷新聞界的風暴。「新聞自由」與「人權保障」，形成了泰國輿論界爭論焦點。

起因于一個「鬼」字

遠在三月十二日那天，泰文「沙炎叻報」曾經刊登一篇有關批評美國駐泰大使文章。文內涉及貝索普大使的姓氏上面冠以一個「鬼」字，這個「鬼」字在泰人口中，原係喻作外國人的通稱，本來並不出奇；可是，在美國人看來，它的含義係一種「鄙視人」的意思。於是，美國認爲這是一種「藐視」，向泰國政府提出抗議。當時，泰國政府恰在過渡時期，未曾遂行處理，一直擱置到鑾披汶新閣獲得國民議會信任。

親王總編輯被扣

四月二日上午，京都善納頌堪警署署長乃素拉遙（警）少校，奉命至五馬路「沙叻報」社，請該報發行人兼總編輯克立親王同赴警署；隨即說明理由予以扣留落案，並以五萬泰幣交保候訊。警方認爲這是一件很棘手的訟案，不敢隨便處理，翌日移送法院，法庭於五日宣佈接受審理，並將根據刑事訴訟法第一百三十四條條文審判（按：該條條文規定：任何人對外國國家代表，有所侮辱及表現仇恨之行爲者，可被判處二年徒刑，或四千泰幣以下的罰款，或兩者兼施）。目前法庭和警方正搜集有關被告人犯罪證據，即三月十二日的沙叻報，除該報之外，是與該報之讀者亦將被傳作證，以確定他們於閱讀該文之後，是否認爲有「藐視」或侮辱美國駐泰大使感想；此外，新聞檢查官、律師和公務員等亦將被傳訊。

美「每日郵報」抨擊

曼谷報紙於此事發生後，不敢對本國政府譴責，而指摘警方對新聞記者漠視，以致紐約「每日鏡報」發表侮辱泰皇及人民新聞。這篇新聞內容，除去厚侮泰皇之處，均由泰文「每日郵報」節略譯載，雖然事不離實，對泰人卻極盡苛評，大致是說泰皇係一個利用大部分鄉餘時間，專撰歌曲，供百老滙一帶戲院演奏的傀儡人物；說鑾披汶曾是乃砲上將的囚犯，但是今年乃砲上將倒反而成爲披汶院長的囚犯。該報說：「這就是暹羅的歷史，從政治上看，這是一個警察國家，這個國家，不像其他的警察不干涉人民自由，及報紙有絕對自由的國家，但是，這個國家有幾個人能看懂報紙。」其次說到泰人沒有品德，公開販賣鴉片；田野間的女人到了晚上就是「神女」，於是，盛行多妻；但妓女中照樣還有男妓，造成人慾橫流。再次說到警察包庇走私與共黨第五縱隊活躍。前任美國駐泰大使斐里福之死，「每日鏡報」斥爲共特的陰謀。而譴責曼谷的「的士」，因爲車上沒有「計程表」裝置，任由司機勒索；暗示那些司機均係共黨第五縱隊的化身。

曼谷輿論反響

「每日鏡報」，在曼谷輿論抨擊下，終由警方下令不准進口，同時宣佈：將循外交途徑向該美國報紙進行控訴。這是否出於告慰國人與警惕泰國報界，有待事實證明。但泰國新聞界對克立親王被捕事件，顯然怒不可遏。於是，泰國記者公會、報業公會先後召集全體理監會議，發表有關警方逮捕新聞記者事件宣言，要求各報繼續追索有關此一威脅新聞自由的消息，並成立特別委員會，研究有關要求政府廢除不民主的法律問題。會中決定將這一威脅新聞自由的事件，定名：內務部的一件「黑色傑作」。報業公會的特別會議中，討論維護新聞自由問題，並以該會名義，就克立親王被捕事件，向政府提出抗議，一致認爲此舉乃係對言論自由威脅，同時並要求政府廢除防共條例及出版條例。並於八日發表宣言，強調：「我們將爲我們的報人的輿論自由而鬥爭！」送交各報。附帶說明：「請貴報考慮刊登。」因此，各報格於出版條例，沒有一張登出。記者公會擬訂的電版標語，大致各報皆登；中文報不用電版，於九日附刊於新聞欄中，例如：正視和報導有關威脅或剝奪報人輿論自由權利的消息，莫使民衆淡忘；組織委員會進行考慮修改剝奪輿論自由的法律等。

披汶氏傷腦筋

「泰國」的含義爲「自由之土」。這是一個君主立憲國家。幾年來，若干「非泰活動」的條例，儘管十分嚴禁，事實表現，難免不被譏爲「虎頭蛇尾」。前年九月頒佈政黨組織條例後，披汶政府對各項箝緊人民枷鎖，早已在無形中開脫。這一次[illegible]事件，如果不是美國政府的抗議，相信曼谷政府不致跟新聞界過不去。現在，美國的抗議，輿論界的怨怒，交集於披汶氏一身，是要向貝索普大使表示歉意？依照出版條例使克立親王受應得的懲罰呢？還是另有他途可循呢？是披汶氏大傷腦筋的事。

（四月十五日寄自曼谷）

新嘉坡的前途

新嘉坡當局正在注意一種新局勢的發展。此項新局勢是由於本月十四日人們對自倫敦談判自治歸來的代表團的冷淡和馬紹爾發起運動，及英國之決定不讓曾參加顛覆活動之人參加第一屆立法議會的補選事實，所構成。今天主要的問題在各政黨是否能共同努力。至屬可疑！

人們對自治的冷淡，無疑潛伏了危機！參加十四日市議會大廈外廣場上舉行歡迎會的羣衆，不足三千人，令到首席部長林有福和他的同僚感到失望。情況也比不上在那裏看足球比賽的熱烈。演講過後，當領導聯盟歡呼慶祝自治口號時，祇有坐在草地中心的少數人民行動黨的核心人物響應，相反的在「伊利沙伯女皇」廣場上則有許多人閒着，毫不關心。

人民行動黨代表李光耀是五個演講者最後的一個，他感到當時消沉的氣氛，他指着在方的人羣，叫他們舉起拳頭向「瑪迪卡」致敬，但只有當中甚支持他的人熱烈的響應「獨立」。

該島的左翼份子欲杯葛歸來的代表團，因爲英國所提出的禁止曾參加顛覆活動之人被選爲立法議員的意見，被接納爲條件，但事實上人民行動黨李光耀這一派，至低限度已出席了，而他的黨人，[illegible]。教育部長周瑞麒演講時被羣衆中的一部份人報以噓聲。

此種之事實表示在該島有組織的羣衆，[illegible]左翼份子。他們對於現政府之措施或加以嘲笑，或不理睬。此次他們對周瑞麒的無禮，係極大侮辱，因爲他是該部長中最有政治經驗和最堅決的人物。

[illegible]首席部長[illegible]預定在下次立法會議提出幾個議案，都是有關星洲華僑所顧慮的問題。

（風行譯自四月十八日倫敦泰晤士報）

共區經濟險象暴露

全面削減棉花配量

去年是大陸上自虐朝以來受災最嚴重的一年，對中共財政經濟的打擊，極爲沉重，而今年，中共勢將無法逃避因去歲災害所產生的破壞惡果。

今年的春荒尚未渡過，而各地又在張羅防汛了。問題的關鍵不僅在此，本年秋冬之交將成爲中共財政經濟上最難應付的時際。有了去年廣泛深入的災情，再繼以今年可能較去年尤爲嚴重的飢荒情況，[illegible]

現在已有的迹象是：中共正因去年棉花歉收，影響紗布產量，已由中共「國務院」批准「商業部」的建議，將夏秋季的用布配給量全面削減一半！中共對此項措施，美其名曰「削減夏季用布，保證冬季供應」。但就中共定量配額言，（「城市每人全年平均定量約三十二尺；鄉村每人全年平均定量約二十二尺」）每人全年的配額是不足以應付四季衣着及被褥之添置更換的。在通常情況下，多已自動將夏季的配給量移作冬季添置寒衣之用，爾今中共根本將夏季用布配量，即將「五月至八月通用的第二期布票，城鄉一律對折使用，即兩尺布票購買一尺棉布」。[illegible]

[illegible]

怎樣學算學？

──這裏祇舉出幾個科學定律及幾項學習應注意的特質──

‧蘇熊瑞‧

教學經驗談

在我們的日常生活裏，許多地方都不能離開算學。研究各種科學，各種工程，以至商、法、政、經。……甚而至于美術和文學亦無一不需要算學。有許多東西，耳不能聽到，眼不能看到，口不能嘗到，鼻不能嗅到，手不能觸到，但有了算學，我們便好辦了。比方電子（Electron），任何顯微鏡也看不到牠在原子裏作有軌道的運行的。電子的質量有多少，直徑有多少長，荷電多少，我們通通都可以用數字和算式表示出來。即是用算學可以計算得到的。我們肉眼見不到的電子，因為有了算學的幫助，我們便有了這種能力。故有人說，算學是科學之科學，又說是科學之母。

四條學習定律

關於如何學習的問題，據心理學家研究的結果，有四條定律：

一、練習律──練習得多，練習的時間不疏遠，和練習時得到深刻的印象，便能夠把刺激和反應牢固地聯結起來。這樣，將來要解決相類的問題，便可以得到敏捷的解決辦法，算學的題目是一種刺激，解答的辦法便是一種反應。故此學算學做練習題要多，更要常常練習。並且練習時要特別留心思考，造成一種深刻的印象。

二、效果律──刺激和反應得到聯結之後，反應每每得到一種快感。這種快感是足以把聯結──刺激與反應的聯結──加強的。我們對於一條算題，經過苦加思索之後，所得的解決辦法必能使心境愉快，便自然把聯結加強了。故此，我們對於一條困難的算題，應該鍥而不捨，用盡心力，務求解答。將來對於這類題目，便會很容易得到解答，否則對這類題目，將永遠得不到解答。你如果是由于別人的明白指示才得到解答的，則刺激與反應的聯結決不會像由你自己用心想出辦法那樣有快感，那樣牢固的。

三、預備律──心理活動是否感到滿意或感到煩惱，往往視有沒有事先的準備而決定。故此在未學習之前，必須有相當的和適宜的準備。準備是多方面的，紙筆、圖書、用具的準備，固屬必要；而做成接受學習的心境也是預習的準備之一種。關於學習算學的準備，當然，算術，幾何……各有不同。但紙筆和必需的用具（如三角板，圓規等之對於幾何的學習），是一定必須預為準備的。

四、相屬律──我們學習要把所學的東西，凡有相屬（類似）性質的，都聯結起來，以便記憶，使所學的更加明瞭。因此學習算學要時常留意公式和定理之有相屬性的。這對於了解和記憶，實有很大的效用。

幾項重要特質

上文所述，是一般學科的學習律。怎樣把一般性的學習定律利用到算學的學習工作裏去，看了上文也可大略明白了。但是算學有牠的特殊性質，在這裏我們須要再詳細地說一說：

（一）要專心致志，學而能思。「學而不思則殆」，這對於學習算學實在是一句至理名言。有些學科學會了，或認識了，便可以算事，並不需要多大的思索和考慮的。學算學則一定是要「方法識」，「道理明」的。算學太抽象了，要明白它的道理，非深思熟慮不可。惟有思然後能明，但須專心致志纔能思。故此，學算學的人，必須專心致志，必須細慮。從心理上講，能專心致志，深思熟慮，纔能得深刻的印象，刺激和反應的聯結纔能牢固。這是第一個定律。

造成需要心理

（二）要造成需要的心理，需要是學習的原動力。沒有需要──現在或將來的需要──，不會引起學習的興味。一種不感覺興味的學習，效率一定是很低微的。你必須找出一個你認為是理由的理由，來推動你學習的情緒和心志。我在中學的時候，不知道為什麼要學算學。但我卻有一種觀念。當時我的算學教師是劉芙初先生，他對我特別器重。因此我自己覺得若果我的算學成績低，面子便很難看。因為要爭面子，於是我加倍的努力。這就是當時推動我學算學的原動力。後來覺因此而引起我對於算學的濃厚興趣。我最憎厭的是地理，但我的地理成績還是很好的。每到溫習地理的時候，總覺得這是很可討厭的一件事。但當時，我另有一種想法：我覺得如果考試成績好，考試後的假期可以毫無顧慮的痛痛快快的玩，這是最快樂的事。否則整個快樂的假期，必因心中有所記罣，便難得暢快了。這樣便驅策我自己，努力溫習地理。爭面子，和想得到一個暢快的假期，便是我當時一種心理需要。當然，若果有更好的理由，那自然更好了。

找個適宜環境

（三）要找一個適宜學習的環境，和準備必需的工具。書房裏，圖書館中，樹陰靜寂的地方，凡是可以不妨礙你沉思熟慮的地方，都是學算學的適宜環境。反之嘈雜的場所，都是不適宜的。泰山崩於前，而目不驚，麋鹿興于左而不顧者，到底非常人所能。算學的思索，不同小說家的幻想空談，是要有嚴格的理論──定理或假設做根據的──讀算學書籍，也不比讀古文，不比讀史地。算學書中的道理，須得要自己推算一番，纔能明白。由第一個方程式，推到第二個方程式，這中間有若干步驟在書中未寫出來的，讀書的人必須逐步的寫下去，或想下去，纔能明白的。寫的有不甚瞭瞭，或有懷疑的地方，如能自己寫寫看看，對於了解有極大的幫助。所以紙和筆是必不可少的工具。學習幾何學，則規三角板更是不可少的。計算三角，則三角函數表，和對數表，也是不可缺少的。工欲善其事，必先利其器，這就是學習第三律中的預備律。

寧靜足以致遠

（四）要造成一種愉快學習的心理。或心情暴燥，心境的憂悶，或精神疲乏，都不是適宜學習算學的心理狀態。舒適，才是學習算學的好時候。故此一個人在未開卷前，往往先把書面的顏色作片時的欣賞，或把書本的大小厚薄打量一番，書本的紙質，裝訂，撫摩至再，造成一種閒情逸致，接受學習的良好心情，然後讀書內容，古人謂寧靜以致遠，就是這個道理。這也是學習第三律中的預備律，以上曾經大略說過的。

用較具體方法

（五）要用較具體的方法去理解抽象的道理。我們說過，算學的研究對象，除了幾何學的有關形部份外，多是抽象的，尤其是純粹算學，抽象更甚。抽象的道理，是難于了解的。我們必須用一個實例，使牠變為一件具體的東西，才易領悟。才易研究牠的普遍屬性。比方「完全數」：1及本身和各因子之和是該數之二倍，叫做完全數。初讀時或許我們不太明白「6是一個完全數」。因為6的各因子，1和本身的6都在內，是1、2、3、6。這四個因數之和是十二，是6的二倍，依照定義，6是完全數。這樣的把這定義具體化起來，我們便明白清楚得多了。不過應用這個辦法的時候要小心和留意，切勿犯了論理學上的以「偏概全」的毛病。

熟記公式定理

（六）方法要熟練，公式和定理要熟記。方法熟練之後，運算自然敏捷和正確。公式和定理確定，運算的程序纔能確定。如果你記不得幾何的定理，又怎樣證明幾何的命題？又怎能記得積分的公式，計算積分的題目？當然要有種種熟記的辦法，但多做練習卻是一個最好的方法。定理需要條條都記得，但複雜的公式，和不能記得很久的公式，請你不必勉強去記。能記憶和能忘記，二者在教育上具有同等價值的。我們必定要忘記不需記憶的東西，才能使我們的腦袋有空餘的地方藏下必要記憶的東西。

多多做練習題

（七）多做習題──這是學習中等算學所必需的。多做習題，這自然是使你熟練方法和記得公式定理的好辦法。因多做習題的原故常常可以發生兩樣的效果：甲、對於公式和定理能夠得到深刻和更進一步的瞭解；乙、自己可以發現計算各種算題的特殊或較好的方法，或較捷的方法。所謂「熟極生巧」，就是這個道理。

利用競爭心理

（八）要利用競爭心理以促進學習的努力。例如和同學預定公開比賽，或三兩個人的互相比賽，或自己暗中和同學爭雄長，都是增進自己學習努力的好辦法。這樣不祇是『見賢思齊』，還可以刺激向上心理，使人想到要怎樣努力，纔能駕乎他人之上。

不能躐級而進

（九）不能躐級前進。算學有牠的嚴密組織系統，故凡學算學的人，不能躐級求進。躐級求進一定浪費精神和時間，甚至一事無成。故未會學算術的，怎能夠學代數？未曾學代數幾何的，又怎能夠學解析幾何呢？未曾習加法的，怎可以學乘法？所以我們學算學，一定要按步就班，逐級前進的。

上文所言，僅就一般普遍算學言之。然算學中之每一科目如算術，代數，幾何，三角，解析幾何，微積分，……：。各有的內容不同，性質亦互有分別，故學習的方法，自然是互有差異的了。算學內，每一種科目的學習要點，容另文談之。

應英文化委會邀請　丁衍庸舉行畫展

（本報訊）丁衍庸是我國新藝術運動的先驅，亦為蜚聲國際的西畫家、國畫家、書法家、藝術教育家，與古藝術品收藏家，曾任上海中華藝術大學教務主任，國立藝專教授，廣東省立藝專校長。現任新亞書院藝術專修科教授，近應本港英國文化委員會之邀，於本月二十三日起至二十七日止，舉行個人近作油畫展，展出作品，從未參加任何展覽，均為其個人近年來精心之作。

青年文選

論香港婦女之「廢妾運動」

‧王榮芬‧

香港有不少可以送進博物館裏去的東西，官方的四六體文告是其一，新界土著載紅頂帽穿前清官服見英國洋大人是其二，一個男人可以有一個以上的「煮飯婆」是其三。當然還有許多別的，一時也說不完，其滑稽、古怪、荒唐，真是令人啼笑皆非。但香港社會便是由這些東西構成，見怪不怪，大家竟也習以為常了。

我家的女工是個嫁了人，生了孩子，卻只有三分之一丈夫的女人，我說三分之一還太多了一點，她的丈夫一共討了三個女人，她是第三個進門的，她叫那個她嫁給的男人做「丈夫」，可是那個男人卻叫她做「妾」。她只是一個附屬品，一個不用付工資的工人，一個會說話卻不敢說話的工具。她生下來與誰都沒有什麼不同，她吃，她笑，她牙牙學語，她有希望，她也流淚，她與一切人一樣有取得一個人應享有的自由，平等與人格尊嚴的權利。但她那裏知道，在她人生的途程中，早已有人替她佈下了一個網，一個用人類的貪婪、無恥、頑固、殘忍與愚昧織成的制度之網，把她和許多本來可以也應該快樂的人網入了無限黑暗的深淵裏，從此流淚成了她的專利，如果說她也有希望的話，那只是希望不斷的失望罷了。

英國紳士的保守性在香港也許表演得特別出色，他們可以用大砲要求五口通商，打破中國的閉關自守，卻對一種根本違反基督教一夫一妻基本精神的殘餘制度，反多年來絲毫不改地保留下來。大英帝國還有什麼值得驕傲的話，我想他們保留妾侍制度的唯恐不週，大概也可以得個「世界第一」了。

不過時間是最無情的東西，在時代的激流中，舊的與不合理的遲早要被淘汰掉，香港婦女今天大聲疾呼廢除妾侍制度，應該取得全體婦女的支持，和一切以騎士自居的男人的支持。如果英國不忘記它是個民主國家的話，這個不合理的制度、這個大清帝國的遺孽，當可在千夫所指的情形下，從香港法律中被取消。讓千百可愛的少女有屬於她們自己的希望，屬於她們自己的溫暖的家，和百分之百而不是三分之一屬於她們的丈夫。

編者‧讀者

敬愛的主編先生：

拜讀到四月三日貴刊第六三四期上鷹魚先生所撰的「台灣文藝界二三事」，文內提到「筆滙」的創刊問世，對於原作者鷹魚先生與貴刊給予我們這份小刊物的鼓勵、鞭策，與厚愛，極為感激！

不過，我得請求您容我說明一件事：鷹魚先生文內所云「現在紅藍出版社的主持人王藍創辦了「筆滙」……」，對此，我極為惶恐不安──因為「筆滙」是由三十位愛好從事新聞工作的朋友集資創辦的，每人出股金一千元，只有一次付清股金與分期付清股金之分，沒有大股東與小股東之分，因此大家都是真正的創辦人，它的出版是這麼多友人的心血、智慧、時間、勞力，與金錢所換來，所以，無論如何，它絕非是我個人所創辦更非個人所能繼續支持下去的。又鷹魚先生云「筆滙週刊」，實際上我們是半月刊，不過希望將來能變成週刊甚至三日刊。我們深知維持這份刊物的困難重重，但是我們抱定出到幾期就出到幾期的決心，股金賠光了，再重新集股。並且在絕不接受國內自己政府的津貼與國外友邦機構的資助的信條下，使它永遠成為一個獨立的，評論性的，真正民間的讀物。希望海外的朋友們給我們支持與指教！敬祝

撰安

王藍拜（四月四日于台北）

更正：上期「看最近赫魯的和平攻勢」文內第三段第十四行內「應是赫魯所謂」之後漏植廿三字，應補正為：「有原子彈及氫氣彈」究有多少？英美曾公佈自一九四九年來蘇聯有原子爆炸……」

稿約

一、本報各版園地公開，歡迎投稿，來稿以一千五百字至二千字為最相宜。特約稿不在此限。

二、本報歡迎通訊、特寫、文藝、評論、書評、人物介紹、短篇小說、詩詞等，三、五百字之短文尤所歡迎。

三、本報對來稿有刪改權，不同意者請於來稿預先聲明。

四、來稿請用稿紙繕寫，行文請勿過於潦草，不宜一紙兩面繕寫。

五、來稿請自行留底，外埠郵票香港不適用，請勿附退稿郵票，本報不負責退稿。

六、稿酬每千字由港幣伍元至十元計算。

中東亂象感言

馬五先生

一九二二年才由英國殖民大臣邱吉爾創立起來的約但小王國，原係中東沙漠地區的游牧民族，人口不滿三百萬，跟香港的居民數目差不離。近來內部變亂迭起，約但的名字常常出現在報紙上，騷然聲聞於全球了。

最可驚奇的，就是它那內亂的原因，乃係二三軍人攻訐間甚末以美親俄的政治思想問題，而以英國替它們建設組訓起來的少數武裝部隊作工具。據說，比約但的土地人口還狹小，完全過着游牧生活的也門，亦表示反美親俄的姿態哩！西方列強過去對落後地區專搞那套「分而治之」的殖民政策，現在乃如潛伏着的梅毒，遍身突告發作了。可說是自作自受，報應昭彰。

中東的亂源，除卻殖民政策所種下的惡因以外，尚有英法各國在二次大戰後栽培出來的以色列問題，並且構成了中東的癌疾，無論如何調處疏理，也不會有和平安定的奇蹟出現。所謂「艾森豪主義」，八成見在中東會要碰壁，又跟當年美國扶植各國的極力反共的玩藝一樣，徒留笑柄而已。要不然，除非是採用武力從事的手段，但在安全祭策的今日美國，談戰色變，決不可能。中東問題祇有在吵吵鬧鬧，漆黑一團的態勢之下，過一天算一天，以待戰神來作快刀斬亂麻的總解決了！

世界上的文明大邦，擁有屬國最早最多的，殆莫過於中國。然中國基於王道的文化精神，講究興滅繼絕，徠遠人，懷諸侯的非殖民主義措施，與霸道功利之間，善為抉擇，終無自貽後患之虞。西方國家對屬國的所作所為，恰與我國的政策背道而馳，尚霸術，營私利，如今自食惡果，不亦宜乎！所以，我堅定地相信：除非人類如宗教家預言的末日來臨，否則恐怕祇有我們中國的王道文化，才能拯救全球人類的生存危機。雖然像美國現時當權的一些人士，並非殖民主義者，但前途未可樂觀。英法各國，至於菩薩過河，自已身難保了！

談港版論語

區惠本

論語在香港復刊的早幾個月前，我就聽到了消息。現在香港版的論語已經面世，創刊號已周見於各大報攤書局，筆者就所讀到的創刊號略抒所見。

「論語」「人間世」「宇宙風」都是姊妹刊物。自從早期的「論語半月刊」「語絲」停刊後，林語堂就先後創刊「人間世」與「宇宙風」，都是提倡言志適性的文學，「幽默」是這幾種刊物的特色。

林語堂在「論幽默」一文中，引麥烈蒂斯（Meredith）的話說：「我想一國文化的極好的衡量，是看他喜劇及俳調之發達；而真正的喜劇的標準，是看他能否引起含蓄思想的笑。」

照林氏自已的話來說是：「幽默本是人生的一部份，所以一國的文化，到了相當的程度，必有幽默的文學出現。人之智慧已啓，對付各種問題之外，尚有餘力，從容出之，遂有幽默；或者一旦聰明起來，對人之智慧本身發生疑惑，處處發見人類的愚笨、矛盾、偏執自大，『幽默』也就跟着出來了。」

林語堂眼中之中國文學，只有道學派與幽默派。中國文學，除了御用的廊廟文學，都是得力於幽默派的道家思想。道學派是假文學，經世之學，不能算文學的；眞有性靈的文學，人人最深之吟詠詩文都歸自然，屬超脫的幽默派，所以林語堂等人就搬出了晚明小品，提倡公安派言志的文學，劉大杰標點的晚明小品問世了，沈啓无編選的「近代散文鈔」（香港近有翻印本。）也刊行了。「論語」半月刊也適時地創刊了，在當日苦悶的社會環境下，「論語」以幽默標榜，是頗受到大衆的歡迎。

此後，與「論語」性質相近後出的刊物也頗不少，如簡又文與陸丹林所辦的「逸經」和「大風」，雖不一定標榜言志性的文學，以提倡幽默為目的，但執筆者都是同樣的一羣文人，作風是頗相近的。

其實，在港版「論語」創刊之先，一九五二年五月十五日，徐訏在香港創辦了「幽默」半月刊，性質跟今日復刊的「論語」可說是完全一樣的。但是由於銷路不好的緣故，「幽默」的定價也頗不便宜（零售港幣一元），所以「幽默」出版到第二卷一期（即共出十一期），就「無疾而終」了。

現在港版的「論語」，創辦人仍是作家徐訏，刊物名稱還是一個很響亮的名字，我們自然很容易想起以前的「論語」和夭折了的「幽默」。不錯，刊物的作風與從前的仍是一樣，如「本刊十不」一項，即為從前該刊所特有，但宗旨卻一無異致。新版的論語，主編人是徐訏，徐是過去論語作者之一，編者撰寫的項目與內容稍有不同的印象。編輯者人名有好多位，名字較熟的有彭成慧等人，彭在港多寫散文，發表在星島日報星座版上。

就創刊號之「論語」，作者除徐訏外，我看不出有甚麼是當年「論語」的作者。作者多是港台作家，新進的尤多，這是特色之一。

讀創刊號的一個不滿足之感是：「今不如古」！過去的論語，比今日的論語出色，許是因為過去的作家今日多留居大陸，但我們不是港台二地現有的和新生的力量，論語將會一日見改善，滿足讀者的要求。

論風氣贈丁衍庸

劉伯閔

風氣之為物也，不可得而見焉，不可得而聞焉；觸之無感也，嗅之無臭也。然而其為物也，能鼓盪人，能推動人；挾持人而奔走之，牽動人以顰以笑，舉一世人而莫之知也。一呼吸一飲食之頃，而莫逃乎其外，是之謂風氣。奚以知其為風氣之所向？則自沙之飛，石之走，水之有波，海之有濤，然後知其動之所向；亦因以知其推之所背，則曰此風氣也。

世之以盛名者，輒稱創作，而不知其為風氣之所鼓盪，所推動，所挾持，所牽引而奔走而顰笑也。苟有人焉，特立獨行，立乎其所不得不立，行乎其所不得不行，世之所向而不為之附和，世之所背而不為之望望然去，猶恐不及，俯仰低昂，一由乎己，舉一世人譏之笑之而不為之一動其心，如山之屹，如默之時，擅東人西人繪畫之術而擷其菁英。今日之時，風氣之所逝而消也，而山嶽益高，而丁衍庸者，生當中國沉陸之際，而露其面貌之為表裏而出塵也，則一世人又從而和之，而其為之新之風氣。故有風氣焉，而有主持風氣者在；有轉風氣焉，而又有推動風氣者在。然而有主持風氣者在，而有推動風氣者在，故古今之為是者，一世之人莫之知也，以繪畫名於五嶺之南，有丁衍庸其人者，則八大山人其人也，碧卡索則碧卡索其人也；當中國沉陸之際，天翻地覆，神號鬼哭，豺虎遍地，人死如麻，流血成河，遭千古未曾有之變局，乃棄筆而逃之天之涯海之角，殘喘餘生，方將以其心血之所聚，鬱積吐出之于無聲之聲，而訴之于帝天；八大山人乎？碧卡索乎？何足以牢籠吾衍庸乎！則此千古未曾有之變局，又所以締造吾衍庸也，吾不忍言之矣！雖然，吾知衍庸必有以自立而自見于世也。

當中華民國四十六年之春，西元一九五七年耶穌復活之節，香港英國文化委員會專為衍庸展出其一人作品于告羅士打大廈之堂，衍庸求吾一言以為壯，因為衍庸論風氣之開，常出于一人之所創，而有以觀其成也。

陳含光先生挽詩

姚琮

圓海湯湯珠，方折知難玉，環寶雖久秘，藏終無見。吾愛陳夫子，促使五經腹，棲遲葉綺間，慷慨論食肉；春咀精微花，秋采東籬菊，醋熟甘酒四，推篷要詩獄；綺靡薄可鄙，芳風被海陸，夷夏號大防，堅臥松閒麗；丹心照江湖，忠言昌賦讀，乘桴入畏壘，忘年交已熟，風雨憾過從，行歲重山嶽，一病厄龍蛇，中原尙屯剝，大道豈淪亡，吾為天下哭。

梁寒操壽于右老

本月十九日為于右任先生七十九歲壽辰，梁寒操先生在台北曾以後學自撰祝壽言，對于老之書法，詩歌及功業，推崇備至，中有：「公之書法如龍蛇之飛走，臻乎神化，幾可稱前無古人焉。其將流傳萬禩，為吾國書藝之光輝者必矣。」「公自清季迄今，五十年間，於救國救民之大業，殆無役不預。目擊國事之不振，民生之多艱，身世遭逢，固多可歌可泣。公乃時發之于詩，俄頃而傳遍四野。余每誦公詩，固傾慕於公之偉抱，而尤激賞其能表時代之心聲，非彼徒以獺祭雕蟲自喜之詩家所能企也。六十年所為詩，益剗落華藻而能以齊民口語抒其悲憫。會為第二次大國戰作長歌，為公平生抱負之自白，尤吾國詩史中所罕見也。余以是又知公詩之必將永傳矣。」「公之勛于國事，今殆歷世紀之半矣。個人榮枯得失，非公之所念及。所為切切不能去懷者，革命之成敗與國運之安危耳。公之偉大乎此也。」（生）

說是與非

謝競存

有些人知其然不知其所以然，有些事似是而非，有些事似非而是；對同一件事同一個人的看法，會因立場角度的不同而不同，有時君子可欺其方；有時情感能左右客觀的態度。家庭間則常有公說公有理，婆說婆有理，清官難斷家務事的現象；推到社會政治上的大事，古今中外，各家各門的主張與學說琳瑯滿目，你若沒有博古通今學貫中外的一套工夫，就休要妄談是非。何況某甲認為應該如此的，某乙未必以為然；這個民族認為是的，那個民族又以為非；前人認為對的，今人又說不是。這且不必多說。僅就以現實而言，世事紛亂如麻，人情物態萬端，要能徹底清辨這些是非，誠為難矣哉。就算你活到老學到老，未必就能明辨一切，何況不學而辯呢？

為人做事不易，為亂世之人，作亂世之事尤不易，一失足固可貽恨千古，因循自誤也足以自取敗亡。小至於個人之立身行事，大至於國家復興的機運，其成敗往往只在是非一念之間。

海上學校

中篇小說

趙滋蕃

（三）

海上有薄霧，是一個好晴天，太陽朗照着，海天一碧。和風柔抹過翠綠的水波，在避風塘外的長堤上，競奏着春之和弦。槳聲、船影、桅林、白帆，耀眼的波光，乳白色的水氣，帶魚腥味的微風，使避風塘的春天，在緊張着的生命力之中躍動。

海上旅館還是靜沉沉的。貝比在天亮之際熟睡了。周曼石和張長虹抵足而眠，光腳板都伸到毯毯外面，睡得像死狗一般難看。統艙的另一端，李太太夫婦的布幔，依然紋風未動，想來大概還沒有翻過。鄺老頭是慣於早起的人，此刻大約正蹲在茶樓上，大「嘆」其一樽兩件。諾大的一艘歌樂船，顯得十分之空虛，落寞，使人髣髴有置身童話世界的感覺。

杜宇在六個旅伴中，算是第一個了不起的「先覺」。當陽光慢慢把桅影扶正的時節，她已梳洗完畢，斜倚在船舷畔，出神地眺望遠處的大海了。

三月的嬌陽，像緞帶樣纏繞着她那稍為顯得清瘦的苗條的身體，暖氣直透進她的心房，甜笑微露，透出一絲絲春暖花開的訊息。陽光凝聚在迷人的大眼睛裏，投射在微微向上翹起的長睫毛上，閃爍，潔白整齊的小牙齒的表面，輕洒在柔修長的髮絲中間，益發增加了她的光艷。若不是她的臉蛋有些蒼白，若不是她的顴骨稍嫌突出，她眞算得上一位風華絕代的美人胚子了。

海風任性的吹。小小的波浪互相追逐着。它們像鏡子一樣，將光亮的細點拋散在她的臉頰上，她的身上，活潑得就像一羣小孩子在捉迷藏，使她全身的每一根綫條，都飽含着發光的平靜的青春底力量。她的心靈是安詳的。雖然在她的表情上，我們隱約可以感觸到一種哀婉的風韻，那都是非常淡遠的，不容易把捉的短暫的印象。如同巴哈的梵阿鈴獨奏，那微風振盪在G絃上所抒發出來的顫音，在人們的心靈裏所激起的共鳴那樣的淡遠，那樣的不容易捉摸。

賣生菜，汽水和艇仔粥的伙食船，搖來了。杜宇叫住了它。點了一碗魚生粥。魚生粥還沒有吃到一半，從上海下街的拐角處，駛來了鄺老頭搖的擺渡艇，槳艇捷地在海面劃起一道道水紋，舒徐的節拍劃碎起伏的小浪之上，既飄飄逸逸，又四平八穩，倘若不是七十年風浪的鍛鍊，這種看家本領恐怕也是難於到手的。

杜宇的魚生粥已經完全下肚，但肚子卻似乎還在吵架，再加要了一碗豬紅粥。此時，鄺老頭的船也划攏來了。他用竹篙點着歌樂船，一面扁起嘴巴問她朋探，一面緊船。然後，攀住船舷，縱身而上。他帶着滿面春風，從口袋裏扯出一個白紙袋，跨着矯捷的健步，到後艙替鄺財買燒餅去了。

杜宇頗為羨慕他的仙健，大眼睛滴溜溜地隨着他的背影在轉動。一刻鐘平靜地滑過去了。交碗付錢之後，伙食船也開走了。後艙間開始有了嘀嘀的聲音，中間還偶爾夾雜着鄺老頭的咳嗽和歎息。那聲音愈變愈激昂，愈變愈急促，由輕聲嘀咕轉變到了尖聲叫駡，接着因驚慌而更形結結巴巴的辯白，以及傳來了鄺財的哭聲與抗辯，同時，又驚聽起鄺老頭的排解與粗蠻的語言，女人駡街的那種辣的尖叫聲，巴掌打在臉上的那種清脆的響聲，和鄺財頓着腳的哭喊……喧囂代替了恬靜，僵直亂成了正在一片麻醉中。除了貝比之外，四個好夢方酣的旅客，已被次第吵醒，他們揉揉惺忪的睡眼，困惑地在猜想究竟發生了甚麼事？

杜宇當吵鬧開始趨向高潮時，已遠進了後艙間，她做好做歹，暫時把鄺老頭平息下來。三方面的委曲，她都聽清楚了，事情的原委，她也弄得水落石出了，可是，要找出個徹底的解決辦法，她總覺得很困難。腦海裏因而揚播起無數個疑問號。

事情是這樣的：鄺財實在岸上街坊學校讀下午班，因為生理上的缺陷，「口吃」成了老師和同學嘲笑的對象。他一進入學校，就感到渾身不舒服，至少遠不如在海上捕魚捉蝦那麼有興趣，所以他就想出各種各樣的方式來逃學。曠課的日子太多，自然影響了他的學業成績，在二年班上一直留下來，沒有機會讀到三年級。儘管他媽罵他不爭氣，罵他沒有出息，罵他蠢得像豬……但是，他卻充耳不聞，仍舊使盡各種新花樣逃學，其頑強有如牛皮蘚。他媽三天兩頭地吵着、駡着、打着，總拿了他沒有辦法。只要他一拿起書包，就像手提着藥罐子一般，若苦臉，若嘴可憐分分的。（十二）

自由人
THE FREEMAN
（第六四二期）
中華民國僑務委員會登記
中華郵政台字第五〇〇〇號
中華郵政掛號認爲第一類新聞紙類
（半週刊每星期三六出版）
每份港幣壹毫　台灣每份售價台幣壹元
督印人：[illegible]文熙
地址：香港高士威道二十號三樓
3RD. FL. 20 CAUSEWAY RD. HONG KONG.
TEL. 771726
承印者：南華印刷廠　地址：高士打道六十四號
台灣總經理處：台北市西寧南路壹零貳號二樓
台灣郵政劃撥儲金戶九二五二
海外總經銷：友聯書報發行公司
香港：德輔道中二十六號A二樓

吾觀杜爾斯演詞

伍憲子

美國務卿杜爾斯，四月廿二日在美聯社周年大會中，發表一篇闡明美國現行政策之演說，遍傳世界，極關重要。然論旨所在，則見仁見智，各有不同。站在美國人民立場，杜爾斯總不失爲美國之一個穩健政治家。但站在整個世界言，杜爾斯似未夠得上領導世界的地位。我們以中國文化眼光觀察，更覺得杜爾斯是外強中乾。爰爲茲篇，試舉吾說。

杜爾斯開宗明義，即警告蘇俄，謂「蘇俄之侵略行爲，吾人所反對，吾人將致力於解放被蘇俄奴役之國家。」此話非常動聽。與數年前艾森豪初就總統職時，所說解放鐵幕國家之言，同一堅決。宜其鄭重聲明，此番詞經艾總統審定，此誠爲美國人以其傳統之民主精神，決定反共之基本國策。但在數年前艾森豪說此話，吾人聞之，尚覺興奮，自經過數年之考驗，又値許多可以兌現之機會，艾總統終不能把握此話實現於我們之前。尤其最當匈牙利人民奮起反抗蘇俄暴力之時，希望美國能踐諾言，助其打碎鐵幕，乃結果亦失望。故今日杜爾斯重申艾森豪之意，雖亦足以引起許多人注視，深信美國民主傳統之觀念，斷不輕易爲蘇俄所屈。然經過時間考驗之後，習聞斯言已久，則其言之價值，總不如前，聽言者之興趣，亦必大減。

而況杜爾斯之外交詞令，惟恐開罪蘇俄，繼續即鄭重聲明，謂吾人並非以對敵之武力向彼包圍，吾人只希望世界人類之和平，不受威脅，自由之名詞，不至成爲諷刺。如此，則不只伸出和平之手，顯然可親，實已將致力於解放奴役之言，撤回取消矣。怒目金剛，忽變低眉菩薩，外交詞令之飄滑乃至是，不知正義何在，正氣何存。無怪杜爾斯繼續又云，國際共產黨之侵略計劃，迫使美國不能不繼續充實其軍備，以期擁有隨時施行反擊之兵力，制止戰爭之爆發。如此，則所謂致力於解放奴役之言，已自歸而中餒。蓋其所充實之軍備，只是被迫使，出於不得已，只是備反擊，亦出於不得已，可以謂之完全被動而失去主動。

夫以美國近二十年來在世界之地位，與美國國力之充實，苟善運用之，當然可以事事取得主動而有餘。然不料其所收效果，乃僅如此。我們試再尋味杜爾斯之言，而可以得之。

杜爾斯之濫用聯合國，有其極堂皇冠冕之辭，謂不能違背聯合國除自衞外不用武力之基本憲章。又謂吾人效忠於聯合國，繼續致力於改善中東局勢，惟在此地區上，凡與之有直接利害關係者，每易陷於感情用事，吾人需繼續努力。此是指最近中東局勢言之，美國與英法之鬪爭，聯合國秘書長韓馬紹之奔馳，運河事件糾紛之隱憤，藐視聯合國，杜爾斯當然有所不滿。然値欲致力於改善中東局勢，斷非僅憑鄉族父老的和平勸解所能。聯合國爲匈牙利事件，既不能收效果於東歐，則中東局勢之糾紛，實由於自尋煩惱。須知世界霸主之態度，與鄉族父老之態度，迥然不同。以鄉族父老之態度，做世界霸主，雖然大講道理，亦可振振有詞，但總嫌其缺乏雷威之決斷。猶之大政治家，而忘却國家百年大計，惟斷斷計較國際貿易之微利，資大敵而博錙銖，此種買辦宰相，其相業成績可想。

今杜爾斯之運用聯合國，所念念不忘者，惟此自衞外不用武力之基本憲章，所以坐視匈牙利之烈火焚燒，而不施灌救，以爲火尚在東歐，未吹到紐約大廈，此種鄉族父老式之調解態度，尚適用也。

以美國本身實力之大，以主持聯合國地位之尊，當世界危急存亡轉瞬萬變之秋，所以應付之者，乃如此緩慢，然則新興國家之游移不定，在兩大陣營中間，露中立姿勢，又何怪焉。然而杜爾斯猶不自反省，所以責備中立國家者，又不遺餘力，何其明於責人，而昧於自審耶。

[illegible]

半週述評

艾森豪主義第一回

美國第六艦隊闖入東地中海，蘇俄指摘爲「美國用一種並不存在的所謂共黨威脅做藉口」，正是「此地無銀三百兩。」

聯合國蘇聯代表薩布萊夫詢問「那一個國家邀請第六艦隊進入東地中海」，美代表洛奇答得妙：「該艦隊是在國際公海上並有權利在該處。」事實上，正如伊拉克代表所說「約旦紛擾只有一個來源，就是國際共黨和它在約旦的工具」，否則美第六艦隊也不會那麼閒情逸致遊公海的。

第六艦隊的闖入，可視作「艾森豪主義」第一回，這一回不比英法那一回，美艦隊不比英法軍隊，她是不會給蘇聯口中的志願軍嚇退的。這是反恐嚇，反恐嚇將使艾森豪主義爭得第一回合的勝利。

但是約旦胡辛國王的險勝現局勢，還得美國始終支持；支持約旦，又不啻表示美國在支持一切反侵略的政權。

對原子武器的噴喜劇

核子武器試驗，近已成了冷戰中的一大熱門。蘇聯試驗核子武器的輻射性原子塵降落大陸，中共祇警告人民慎防；日本更聽而不聞。英國在聖誕島試氫彈，日本却奔去號呼，遊說抗議；蘇聯原子爆炸不下二十次，日本爲什麼不抗議？日本當年因侵略人家而受原子彈之害，[illegible]正可爲侵略者警惕，[illegible]有權反對，尤其是愛好和平的國家。

蘇聯怕西德會接受有美國的核子武器而發出「原子戰將使德國變成墳場」的警告，同時又在大吹「我們有原子彈，氫彈……」[illegible]

岸信介欲語還休

日首相岸信介在日社會黨逼詢之下，說「無意前往北京，亦未計劃遣派特使前往」，但又發表「如果中共政權提出中共頭目訪日的建議，可能准許『他們入境』」，但「我不信中共將提此項建議」，「如有此種建議，我看當無理由」。這種欲語還休，「猶抱琵琶半遮面」，心情可知！如非日美關係不可斷，新攻勢恐是擋不住的。

麥美倫要彈邱翁舊調

據合衆社倫敦訊，英國國會人士相信，麥美倫可能不久赴莫斯科，以「探明」蘇聯是否「敵[illegible]欲促進英蘇友誼。因爲布加寧曾有長函給他，要求什麼「兩國更友好」。這又是一顆和平彈，英共同時叫囂着要開什麼四強會議，于是夜訪邱吉爾。麥美倫訪蘇，原是當年邱翁「傑作」之一，這樣便可能性很大，然而這是有百害無一利，則可斷言。

總得設法救華僑！

自中華民國言，急救華僑是一件最大事。[illegible]

五一勞動節中的懷念

林伯雅

今天紀念五一勞動節，最懷念的是中國大陸上幾千萬奴工（據中共勞工協會報告有四千七百萬人），他們[illegible]要求自由勞動的權利呀！

本報台灣總經理處新裝電話四七三四六台北訂報請撥此號台省郵撥儲金戶頭（9252）號外埠繳費請交當地郵局。

中共改廣西爲一「僮族自治區」的陰謀

國純

中共的「政治協商會議全國委員會」於上月十七日起到廿六日止，接連開了十天會：討論將廣西省改建「僮族自治區」。會中除周恩來等共黨骨幹堅持原案外，並有廣西省代表團，中共桂籍「政協委員」及該省散在各地的知名之士出席點綴。

這一突然措施究竟是爲了什麼？毛澤東在上月「最高國務會議擴大會議」席上曾發表一篇關于：「人民內部矛盾」的講話，全文到目前仍未公諸於世，因茲頗引起外人的猜測。在這個時期醞釀成立「僮族自治區」，表面上審察，好像在改善民族間的「內部矛盾」，但若認眞地分析它，則不難暴露它潛伏着的陰謀與野心。

一、

廣西全省人口約一千六百餘萬，僮族實際人數僅爲三百多萬，然據本月二十日香港「大公報」的統計強調僮族人口爲五百三十餘萬；本月二十日「人民日報」刊載「政協」廣西省委員會副主席雷沛鴻報告說僮族人口爲六百五十萬。這是還算大帳，就算二分之一以上是僮族；試問「漢」「僮」合居的地區如何能改爲「僮族自治區」？何況漢族人數又遠超過僮族。

所謂「新疆維吾爾自治區」、「西藏自治區」是爲了環境複雜和政治問題的特殊化；至于「湖南江華瑤族自治區」、「河北孟村回民自治區」的設立，乃爲懷柔籠絡，說穿了只是中共政策上的花樣，在中共統治的地方除「黨治」以外，焉有什麼「自治」？

但此次「僮族自治區」的設立，却實另有玄妙的居心。周恩來在會議結束時作總結說：「關于僮族自治區的擴大成立」，「是向少數民族還債」，因爲「漢族曾欺壓少數民族」今天是「陪不是」。[illegible]

二、

[illegible]

三、

[illegible]

明乎此，則中共成立「僮族自治區」之用心何在？已不難思過半矣。

又自民國三十八年末，中共佔領廣西後，[illegible]作爲南侵赤化之主要策略之一。

（編者按：目前南越亦有一支僮族部隊，以能征慣戰著稱，協同保衞自由越南。）

台灣省地方選舉分析

● 豐　公 ●

（台北特約通訊）台灣省第三屆地方自治選舉，規定應選出臨時省議會議員六十六名，縣市長二十一名，業於四月二十一日在全省各市區鄉鎮同時分別選舉完竣。據當日開票結果：計（一）省議員部份：國民黨提名候選人當選者四十五人（中央日報次日報導三十九人，經國民黨中央黨部正式去函更正）；青年黨提名候選人當選者二人；民社黨提名候選人無人當選；非政黨提名而以個人資格參加競選者十九人（內包含國民黨籍的婦女議員五人，山地議員三人；青民兩黨籍者有幾個，少數當選，故不能全歸之為無黨無派）。（二）縣市長部份：國民黨提名候選人當選者二十人；青民兩黨提名的無人當選；個人資格參加競選而當選的一人。故本屆選舉，國民黨實獲絕大多數勝利。茲將投票前後有關選舉情形，擇要加以分析，作如下之報導：

政黨提名與個人競選

本屆選舉最大特色，為各政黨俱實行公開提名制，這是過去所沒有的（上屆選舉，國民黨曾單獨實行提名，但對外不公開）。雖然，地方自治選舉法規中，並無此項規定，現在卻已開始正式實施。首先國民黨提名候選人，計省議員五十五名，縣市長二十一名；隨後，青年黨提名候選人，計省議員三名，縣市長二名；民社黨提名候選人，計省議員五名，縣市長三名；另外，非政黨提名而以個人資格參加競選申請登記的，計省議員七十四名，縣市長二十二名。但截至投票前夕，其間有的政黨雖提名而因故未及登記，有的雖登記而資格審查不合，有的自動讓賢而中途撤銷登記，不免發生若干變化。故實際參加本屆競選的總人數，計省議員候選人一百二十九人，內國民黨五十五人，青年黨及民社黨各二人，個人資格競選的六十人；縣市長候選人四十人，內國民黨二十一人，青年黨及民社黨各一人，個人資格競選的十七人。與規定產生名額相較，省議員及縣市長不過平均在不到兩名候選人中圈選一名，嚴格說來，競選並不算十分熱烈。而且青民兩黨所提候選人數，與國民黨比較，相去過遠，分縣殊見未能匹敵，反而形成國民黨與號稱無黨無派的個人競選者互爭勝負的局面，這是很可注意的現象。

仍有「一人競選」地區

台省地方選舉最爲人所嘗議的，是「一人競選」。本屆選舉，有些地區，仍復有此情形。此次二十一縣市長選舉中，保持「一人競選」的，有台北縣、屏東縣、澎湖縣三處，故不「競」而自然當「選」。據中央日報載：澎湖縣長李玉林，已經連任一次，本屆候選人僅有他一人，投票時不好意思自己投自己，祗好放棄他的「神聖一票」。在省議員選舉方面，候選人數與規定產生名額相等的，有宜蘭縣（二人）、基隆市（一人），以致在投票之前，當選已成定局。這一次全省各縣市投票率，因為政府鼓勵鄉鎮里鄰選舉工作競賽，及強制公教人員投票，故大部均能高達百分之八十以上，祇有上述台北、宜蘭、屏東等縣，僅及七成左右，而基隆且低達百分之五十八。這大概因為國民黨所提市長候選人業已連任一次，本屆競選對手又不甚知名，其當選自屬不成問題，再加以省議員是「一人競選」，故基隆市投票不太踴躍，可見選民畢竟是「心裏有數」的。

高玉樹與葉廷珪

此次選舉，國民黨提名的省議員候選人五十五名中，當選了四十五名，有十名落選；縣市長候選人二十一名中，當選了二十名，有一名落選。其間最值得誇耀的，是動員了台北市全體國民黨員的力量，及由中央直接指導的種種選舉技術，和各方面的新聞宣傳攻勢，才以超過五萬餘票，擊敗了號稱無黨無派的勁敵高玉樹，而由國民黨所提名的中央黨部副秘書長黃啟瑞當選。國民黨提名的台南市候選人楊請，祇以一萬七千餘票之差，卻以個人資格競選的葉廷珪所擊敗。按葉廷珪係首任民選台南市長，原為國民黨黨員。三年前未能得到黨的提名，擅自參加競選連任，致被開除黨籍，亦未獲得當選。上屆選舉，與葉廷珪同樣情形有嘉義縣長李茂松，亦復是未經國民黨提名擅自參加競選而被開除黨籍，結果，雖獲當選，但在任期未滿前一年餘，即因案為省政府先行命令停職，迄今訴訟未了。本屆選舉，李茂松以青年黨提名，再度競選嘉義縣長，獲得十萬餘票，而以數千票之差，為國民黨提名的黃宗焜所擊敗。此番葉廷珪以無黨無派身份，捲土重來，俾遂當選，將來會不會重蹈李茂松的覆轍，是很令人為他耽心的。

民主社會黨的聲明

此次青年黨提名參加競選省議員，有李萬居，郭雨新二人當選；縣長候選人李茂松，則未能當選，已如前述。民社黨情形，更不如青年黨，所提名之省議員及縣長，均無一人當選，此或由於民社黨分裂已久，迄未團結，予社會以不良印象，為一重大原因。在本屆選舉未開始前幾個月，青民兩黨會聯合要求共同參加監察選舉工作，為國民黨所拒絕。因此，民社黨在投票前一日，似已預感即將失敗，特由徐傅霖、戢翼翹二人（即分裂雙方之代表人）聯合發表聲明：謂「此次本黨提名參加台灣省第三屆省議員及縣市長競選，目的在求公平選舉，以改一人競選之現象。提名前後，曾迭向執政黨要求參加投票所之公正監察工作，期從選舉前之公開監察，達成選舉後向國人保證公平之任務。此乃民主國家選舉之常軌，不應作信任選政與否之解釋。乃此點要求，始終未得執政黨之同意，是以本黨對於此次選舉，雖仍全盼其公平合法，然既無互相監察之心理保證，因此不便以在野黨身份，向國人說明選舉結果之義務。」此項聲明，官方報紙，均未刊載，僅見諸一二民營報紙，故甚少人注意，這也是本屆選舉中一幕插曲，至堪玩味。

選舉監察有待改進

台省地方選舉監察工作，在省設有選舉監察委員會，委員十一人至十七人；在各縣市設選舉監察小組，委員七人至十一人，均由省政府就地方公正人士聘任。至各投票所，開票所主任監察員及監察員，則由縣市監察小組就各該選舉區內民意機關代表及地方公正人士選聘擔任。實際上所謂「公正人士」，都具有國民黨籍，因此，各級選舉監察機構，都以國民黨佔絕大多數。以是頗令人懷疑其選舉監察工作，是否真正無偏？此次青年民社兩黨要求增加選舉監察人員工作，以示選政公平，其原因即在此。本屆選舉，以台北市為例，各投票所，開票所的監察人員，限於國民黨籍的始能充任，益發使人多所籍口。在投票之日，曾有一老者手持白布上書「監選不公平」五字，遊行市區，已聚集羣衆數百人，幸而為大雨傾盆所驅散，未釀事端，這很值得虛心檢討的。同時，台北市各投票所圈選處，都無甚掩蔽，不夠秘密，圈選何人，一目了然，等於公開投票，有人認為這就是黃啟瑞以勝的原因所在。這雖不能完全置信，但也不能令人無疑。高玉樹落選以後，曾說：「寧可光榮失敗，不可不光榮的勝利」，好像也有點不服氣似的。再說，省政府曾於事前通令嚴禁全省各縣市投票所，參觀，故此次選舉糾紛較少，用意不為不善，但也很容易使人有所籍口的。這些選舉過程中的小疵，希望將來能有所改正。（四六年四月二二日）

談台南市選

● 昌增勳 ●

台南通訊

台灣廿一縣市第三屆臨時省議員，縣市長選舉，已於昨晚（四月廿一日）全部揭曉，國民黨所提名的五名市長，十六縣長，除台南市市長落選外，均當選。所提六十六名省議員除民青兩黨與無黨派人士獲得十四席外，國民黨贏得五十二席。

筆者身居台南已逾五載，對此次台南競選，亦曾眼見耳聞，願作一客觀報導。

國民黨在廿一個縣市競選中，贏得廿個縣市的勝利，唯獨台南市失敗，照我所知，這失敗應歸咎於人的成份較多，競選的技術在其次，當然此外還有種種錯綜複雜的原因。

其原因是：一，國民黨的候選人楊請市長曾在酒家毆辱經理，報紙又多掩飾庇護，反而加深對楊的不滿。二，楊控告「革新雜誌」社長林景南，法院判處誹謗罪徒刑八個月，市民認是用政治壓力為不公平的判決。三，楊為人有點官僚氣，不易近人。四，拉攏多數議員，造成「府會一家」，及地方派系。五，國民黨提名楊請，未能尊重黨員意見，黨員內心不支持，甚或替對方暗中拉票。六，市民認為楊的任內稅捐太重，如七區民衆服務站（即區黨部）及市黨部等的大興建築，加重了市民負擔。七，報刊的文過飾非，過份宣揚其任內的政績，以打擊其政敵，反而引起不平。八，過于重視少數人或黨的利益，忽略市民的需要。（如撥衛生院舊址作記者之家，及撥款四十萬元建市黨部等）九，投票前夕，「革新雜誌」轉而散發攻擊葉廷珪與歌頌楊請的言論，引起市民懷疑。十，學校校長，教員，機關主管，職員，區長，里長，婦女會等的全體動員，為他及省議員候選人貢業拉票，也惹起選民反感。

當選的葉廷珪，無黨派，日本明治大學畢業，現年五十三歲，曾任議會議員，第一屆台南市民選市長。在第二屆選舉時，因不遵守國民黨的提名而參加競選，被開除黨籍，為提名的楊請所擊敗。這三年來，因為其財產為競選典盡賣光，由富變窮，借居於岳家，常與市民接近。

就這次選舉看，選民絕對自由，開票也公正，投票率的增高，秩序的良好，是值得一提的。（四月廿二日）

談談此次台灣省市選舉

——從中看出一些事實

● 李樸生 ●

關於此次台灣省市選舉，本報已刊出李一粟及豐公兩先生的兩篇報導。本文係李樸生先生以國民黨黨員立場寫的，茲一併刊出。——（編者）——

一、

這次台北市長的選舉，黃啟瑞先生和高玉樹先生競爭得很劇烈，是我在國內從未見過的熱鬧。我是投黃啟瑞先生的票，而且盡我的可能，請朋友們同我投一樣的票。這原因是：

（一）我是中國國民黨黨員，當然尊重自己的黨提名。

（二）我不滿以前的市政。我知道高先生不是不想做好，但他以一個人的努力，或者是一個小黨的努力，（高先生原是民社黨黨員。）難以做好，不如由本黨的同志來負責，有做好更大的希望。如果做不好，本黨須向國民，向國際直接坦承這個『行政效能低下』的責任，不能推諉。

（三）我相當佩服黃先生的判斷力。我和黃先生雖不很熟，但有一次他在某個會議席上談日本的華僑情形，和他人意見不相同，我覺得他不是YES MAN，能堅持自己的見解。

二、

我和高先生也不相熟，但我到他家裏食過兩次飯。一次是請華僑，一次是請馬尼剌的市長。他很有交際的本領，講話有風趣，又能飲幾杯酒，做他的客人，沒有生外之感。還有他的太太是一位受過現代教育的醫生，態度很好，又有酒量，她和一般的官太太不同，就是每天仍然到她的醫院診病，受一般公立醫院醫生的待遇，不靠丈夫而提高自己的地位，減少服務的勞碌。

三、

高先生的競選雖然失敗了，他自己說是『光榮的失敗』，我也同意他這句話。他競選，自己沒有報紙，自己沒有廣播台，憑着他個人的組織力與宣傳技術，居然能得到十一萬九千五百一十票。黃先生勝過他的只是五萬六千八百多票。老實說，以一個中國最大的黨，黨員全體動員起來，在三十七萬的選民中，競爭得如此吃力，這是夠我們警惕的。據大家的研究，公路警察扣留高先生的汽車，是給予不少市民替高先生不平而同情他的宣傳材料。而高先生以一個民社黨黨員，而以無黨無派的姿態出現，其風度也不免貽人以可議之處。競選運動有時是不能完全呆板，沒有新奇的花樣，不能像牧師，神父的傳道，一本正經。但攪花樣是有限度的，過了限度就會得到負的結果。

高先生究竟是有本領的人。我們願意從此次競選的光榮失敗，更認識高先生的本領。黃先生剛游美歸來，我想他會知道美國若干偉大人物的成就，是能夠把反對派的人才，用為國家效力。林肯先生就是這樣做最著名的一個。

四、

郭國基競選省議員，當選票數為七萬〇九百〇四票，僅次于李源棧先生的七萬五千九百五十四票，遠出于陳大戊先生的三萬二千一百九十一票。我是投李先生的票，反對郭先生講新加坡獨立的人。新加坡是英帝國的殖民地，殖民地應該獨立，我們是贊成的。台灣是中華民國的領土，我們同是黃帝的子孫，有幾千年的歷史，如果郭先生原是日本人，台灣光復後歸化為中國人，則郭先生羨慕新加坡的獨立，猶有可說。若郭先生是中國人，受了日本的殖民地教育，竟以台灣光復為不幸，我認為未免競不擇言了。

五、

我們對於高郭兩先生的票數，應該有高度警覺，予以重視，不過，我極不贊成用壓迫的方法，戴帽子的方法來應付。我是主張用公平的，教育的，反省的態度來消弭錯誤的，狂妄的思想。強大的反對力量，對我們的進步是有好處的；孟子就有內則無法家拂士國恆亡的警告。中國的復興，不只靠我們本身的努力，有人在打氣，喊加油，固然可以鼓勵我們，有人在喝倒采，放汽水，也可以刺激我們。一個球隊，只能在打氣，加油的氣氛裏揚威，不能在喝倒采，開汽水的觀衆前取勝，這個球隊是絕不能有資格在國際上有地位的！他們只能躲在自己有特殊勢力的範圍裏玩玩而已！

從這次選舉，以選民投票率之高達百分之八十，大家投票的興趣很濃厚，秩序夠好，我們國民的政治意識，不覺地已走到相當高級的民主程度。他們的希望，只有更進一步，不能後退一步。我們的領導，也只能更進一步，不能後退一步。我們要正視民衆正常的反應，採取民主正常的措施，我們歡迎堅強有力的反對批評，策勵自我勇猛精進的精神。（四十六年四月廿二日台北市選之翌日）

開放禁運聲中

看誰先破壞禁運

·文鑑·

自美國務院正式建議修改對中共放寬禁運制度以來，各方非常重視；以為美國這一聲明，將可能對中共有利，其實，並不是這麼簡單。因為，美國雖已通知十四個盟國，準備討論對中共和歐洲蘇聯集團的禁運制度的若干修改，但其國務院發言人，仍強調美國本身對與中共的貿易政策，並無任何改變；更不願使戰略物資運入中共的任何管制放寬。而美國之所以提出此項修改禁運的聲明，乃由於遷就英、日的壓力，始同意放寬盟國對中共的貿易限制而已。

截查百艘偷運輪隻

同時，該聲明並提到聯合國在韓戰時，實施對中共的戰略物資禁運問題。

韓戰發生之後，聯合國為了制裁中韓共的侵略，同盟國對共黨執行經濟制裁，禁運戰略物資至共區。這本來是對共黨唯一的致命打擊。然而，那些目光短視唯利是圖的國家，卻偷偷摸摸地，不斷將物資運往中共盤據下的大陸。除由港澳近地區，經由奸商，私梟偷運至大陸的物資，無法估計外；其餘自由世界各地（包括港、澳在內）載運物資至大陸，而在中國領海經我海軍禁查的外國商輪，先後將近百餘艘，其中以英輪在六十艘以上，次為巴拿馬輪十五艘，波蘭輪兩艘，希臘輪兩艘，蘇俄輪一艘，西德輪一艘，荷蘭輪一艘，挪威輪一艘，丹麥輪一艘，意大利輪一艘，日輪數艘……此外，還有未經我海軍截查的，更不知其數了！

三艘共輪物資沒收

在上述這些載運物資資共的外輪中，經我海軍扣留並將物資沒收的，計有：（一）一九五三年八月，一艘載重八千二百零七噸的波蘭油輪布拉沙號，自羅馬尼亞載油八千噸赴大陸，於十月四日抵達台灣東部紅頭嶼海面，被我海軍截獲押往高雄港。該輪共四十二名船員中的三十名船員，便有十二名包括船長華沙夫斯在內，投奔自由世界，獲得政治庇護，並赴美國居住。

（二）一九五四年五月十三日，一艘載重五千噸的波蘭貨輪戈特華德那，運送物資至中共區，途經台東海面，亦為我海軍扣留。也有波籍船員十一人請求政治庇護，獲准赴美留居。

（三）一九五四年六月廿三日，一艘載重八千五百噸的蘇俄油輪陶甫斯號，滿載噴射機汽油至大陸，在台灣海峽被我海軍扣留。該輪的蘇俄船員除投奔自由請求政治庇護的廿人外，其餘廿九人，經香港大陸轉返蘇俄。同時另有三艘俄輪，亦企圖自新加坡駛往大陸，但恐再蹈覆轍，故知難而退，便繞道駛往海參威了。

三艘芬輪中途折回

同時在這些載運物資赴共區的外輪中，因受國際壓力而中途折返，或將物資移交第三國，曾經震動世界的是三艘芬蘭油輪：

第一艘是芬油輪威馬號，於一九五三年二月十日，由羅馬尼亞載運噴射機汽油七千噸準備駛往大陸，但抵達新加坡時，即受到聯合國的指摘，停泊數月至五月十二日，始由美國以四十萬元收購該輪所有汽油，據說該輪在此期間已損失七十餘萬美元。

第二艘芬油輪納斯提號，也是由羅馬尼亞載運汽油赴大陸的，且起航時間係在威馬號後幾天；因鑒於威馬號已不能駛至目的地，故該輪於抵達地中海後便拆回。

第三艘芬油輪亞魯巴號，則係在一九五四年三月初，被發現載運噴射機汽油一萬三千噸，由羅馬尼亞的康斯坦沙港赴中共區。由於美國向芬蘭提出強硬抗議，芬蘭當局始下令該輪自蘇彝士運河拆回。

至於一九五五年六月，懸有巴拿馬旗的加達運拿號貨輪，自保加利亞載運軍火駛往越共及中共區，後經美國和錫蘭的合作，才使那批軍火，沒有落入共黨的魔掌。

禁運早被破壞無餘

由是看來，如果不是中華民國海軍的堅決執行任務，和美國的強硬反對的話，則不僅上述三艘芬蘭油輪和巴拿馬貨輪所載的兩萬多噸飛機用汽油及大批軍火，可能很順利地運抵大陸，增強共黨的侵略力量；而且，所謂「禁運」也者，早已被他們破壞無餘了！

尤其奇怪的是，對於破壞聯合國禁運政策的國家，如果說是純共黨或親共國家倘情有可原，但其中大多數竟是執行制裁侵略的國家，也曾派軍參加韓戰的國家，也演出這種勾當，實在不可思議！（四月廿五日）

再談「博士學位」

——博士學位授予法正由立法考試兩院審議中

·楊力行·

筆者曾在四月二十日自由人報第六三九期，談過「博士學位」，茲以近日獲悉幾位現任立法委員的朋友，得悉「博士學位授予法草案」，已由教育部擬定，提經行政院會議通過後，正由立法院教育和法制兩委員會審議中。

四月十二日開過一次聯席座談會，出席委員三十餘人，同時，教育部部長張其昀，暨大學校長專家學者十餘人被邀列席就「博士學位授予法」全部條文，交換意見；首由張部長略加說明後，陳大齊、錢思亮、劉眞、田培林、劉季洪、王鳳喈、孫宕越及委員林棟、喬一凡、李文齋等先後發言，曾就下列各點，廣泛交換意見：（一）依憲法規定，考試院職權以公務員為對象，至於學校考試及博士學位考試，考試院應否參加，尚待研究。（二）博士學位之進修年限為二年，實太短促，似應改為三年以上，或不作硬性之規定。（三）博士學位之授予，應注意學術上特殊成就，抑作學年制，學分制之規定。（四）博士學位之授予，究應由國家授予？學校授予？抑或由國家與學校同時授予？應予確定。（五）博士學位分為文學、法學、理學、工學、農學與醫學等六種，能否包括所有學科？尚得詳細研商。所有意見，將作為聯席小組會之參考。

此一消息傳到考試院後，該院亦曾於四月十八日舉行院會，由王雲五副院長主持熱烈討論博士學位授予問題，咸以博士學位應由國家授予以昭慎重，依憲法規定之含義，應由考試院掌理。經決議，由秘書長錄案先行函請立法院教育及法制兩委員會查照。由此可知立法與考試兩院對此不免有些爭持。但筆者曾與某大學校長和幾位曾在國外獲過博士學位的學者談此一問題時，主張應由國家授予，並由考試院主持為當。至於學士與碩士則可由教育部會同各大學授予之。至謂如果教育部長和各該大學校長本身還沒有得過博士，而有授予博士之權，是一件頗為尷尬之事，那理由又似乎還有研究餘地。然而，為慎重計，確實值得鄭重考慮。

港督葛量洪聯任

香港居民挽留

·祝修衡·

港督葛量洪爵士自一九四七年三月廿八日蒞任迄今，已歷十年之久，這是居民一再挽留聯任的結果。作為一位殖民地的行政首長，他能夠如此深得人心，自有其順洽與情的原因在。特別是在民族主義繁興的這一年代，英國在海外的殖民地陸續宣布獨立的現階段，香港居民竟然對他們的統治者去留，表示由衷的關切，也許外界會認為是一大奇蹟吧？

歷數過去兩個世紀中，英國所有殖民地行政首長，受人擁戴與表示去留的，僅有兩人：一為駐東南亞高級專員（設署吉隆坡）麥唐納；另一則為戡馬來亞聯邦欽差大臣葛尼爵士（一九五一年遭共黨暗殺）。他們兩人能獲得星馬人士推崇，係促成亞巫各族團結抗共，與供馬來亞現時趨向獨立的保證（詳情經由筆者於四年前在本報報道）；麥唐納的調職，實係他堅持：「馬來亞聯邦獨立」與「英國保持星，馬（六甲），檳三個海峽殖民地」的結果。而且任期還較麥唐納為長。葛量洪爵士之特別受到香港居民熱烈擁護，其原因又何在呢？

事實上，今天香港市民們要求並不過高，除了不足一百萬的人口，需要長遠居留之外，有二百萬之衆，僅希望暫時棲遲於這自由土。因之大多數市民對於政治無大興趣，差不多只有一個願望，那是努力於促請港府在政制方面，邁向民主福利的途徑。幾年來，葛量洪爵士總算並不使人失望。

無論人口、地理、以及客觀情勢，對於改變香港的殖民地地位，至少在目前還談不到，不要說普通的居民，即擁有政治地位的香港準公民，沒有人對這個問題稍加考慮過。

於是，馬來亞的獨立，星洲的自治，儘管在刺激香港，實際上對香港市民並無多大反應。港人所需要的，只求能夠保持現狀，使經濟充裕，使社會繁榮。因此，星馬獨立恰當密鑼緊鼓之時，港九二百多萬居民正掀起了懇留葛督的熱潮。稍諳目前香港環境與居民的心理的人，誰也不會認為奇蹟的。

一九四七年四月十九日前任總督楊慕琦卸任那一天，僅有一千四百名童軍樺作歡送的點綴；與今天數以百計的社團上書女皇挽留葛督情況，真不能相提並論，大衆熱望葛督聯任，原因並不簡單。已往十年，葛量洪爵士不僅繁榮了本港工商各業，對於興辦教育，醫療衛生設施的改善，社會福利方面的推展，特別是社會秩序的確立與工人待遇之改進，災民的安置，徙置區的拓闢，均有極大的成就。尤其是對于庇護難民，有一套其他殖民地，甚至其他國家不擬採取的開明作風，更為千萬顆心所佩服。甚多更遠大的計劃，有的剛開始，有的尚在規劃之中，有待於葛督繼續執行和限期實現的。與其移交來者，莫如前人駕輕就熟，庶不致使市政建設中輟，或陷停頓。

在現階段英國政治家中，固不乏一流人才，但如果要選擇一位有如葛量洪爵士那樣習知中國人心理的幹練政治家，似乎不太容易。一度傳說現任新加坡總督列諾，可能調任香港總督，似已成為過去。依照往例：總督任滿三個月之前，英廷必先發表繼任者任命。葛量洪爵士將於七月廿五日任滿；英倫迄無若何發表新人消息。因此，華人代表周埈年，以及其他太平紳士，社會名流，認為英廷早已遴選香港九二百多萬市民挽留港督，不能無動於中。他們這次推派拔萃書院院長施玉麒攜帶萬餘簽署書上呈女皇，要求使葛量洪爵士繼續聯任至一九五九年七月廿五日。

這是一次比一九五五年各界懇留葛督擁護壯大的運動，相信英廷不能漠然無視。

香港號稱民主櫥窗，它的處境曾被人描繪一個歐陸的西柏林，軍事上，政治上的地位均甚為重要，作為這一殖民地的行政首長，他的調任，當是世界人士格外關切的，豈僅香港市民已也。

最難消受美人恩

自由談

台灣的「股合公司」一向未搞此甚末業務，我一向莫名其妙。最近在報上見到美國紐約一個叫作「中國國際革命會主席」葛利格生其人者，發表聲明文告，說我國的立法委員們不從速通過「股合公司」的建制與業務計劃，是使中國喪失經濟上的莫大利益，而且有「附和共黨份子」的嫌疑，使我大吃一驚。連日來仔細拜讀各方面關於本案的說明文件，才知道一些概要。

據葛利格生所說，股合公司既是美國朋友專為幫助自由中國的經濟發展而設立的，完全出於美國朋友損己利人的義舉。那末，中國立法院遲遲不通過，明爲自暴自棄，儘可聽其自然，又何必這末氣急敗壞地大發閒話呢？至於指立法院沒有迅速通過這椿案件爲「附和共黨份子」，尤屬信口開河，豈有此理！過去我們對於中國的一些反共人士，動則以「爲匪張目」或「匪諜」這類名詞加之於不同意見的自由主義者，誠爲太不成話，詎料美國人也喜歡這一個調調兒，不亦怪哉！

葛利格生這樣急不擇言的結果，對自由中國的立法院倒沒有甚末，却供給了中共挑撥離間中美友誼關係的宣傳材料，更使它藉有攻訐「美帝」的大好口實，實際受損失的祇是美國而已。我們近來聽着海外的共黨報紙把這項問題大事宣傳的情形，眞不勝其親者痛、仇者快的感想！

美國政府每年耗費幾十億的金元，援助自由世界各國，然結果每每是吃力不討好，搞成「以金錢購買友誼」的現象。從前我對此深覺惶惑，如今有這位葛利格生先生現身說法，使我恍然大悟了！不過，美國現在是自由世界的盟主，並非純粹的大少爺。居於一個領導地位的人，總得具備着領導者的風度，優越感，幼稚病，衝動性都表現不得，否則誤已誤人，決無是處。基於整個自由人類的共同禍福，希望美國人還是放沉着穩重一些的好！

馬五先生

生活雜感　無義篇

楊海宴

無論如何我不是生下來就準備寫這個的。我曾經也有過笑的希望，但現在我却哭得這樣傷心，以致認爲即使哭也是無意義的了。

許多日子以來，我是完全的失去了自己，總是像避免看到齷齪令人噁心的東西，我盡量避免想到自己。瘋狂麻木的，不息的做着任何瑣事，爲的是怕自己有一刻清醒，我現在最恐懼的是思想、回憶和感情，我希望自己變成木頭，變成沒有生命的東西。

沒有人能瞭解我現在的痛苦，主要的是因爲我自己也不瞭解。我甚至不敢確定是痛苦，抑或是快樂？總之我是非常之疲倦。

無趣得很。我差不多一樣一樣的都想過了，我很希望發現一樣是我歡喜的，沒有！沉着而殘酷的枯燥，對於這個有着很多聲音，有着很多活動東西的世界，使我記憶童年時，看到一個玩把戲的人，拿着一張大桌子，用那四隻腳的一隻，抵在自己鼻尖上，在室內團團轉着，覺得又滑稽，又可憐，然而一點意義也沒有。

請你不要拿堂皇動聽的理由來開導我吧，當然，我並不是說我已經懂得很多，最重要的是我自己曾經開導過自己。廿八年的生命過程中，我是在野心和夢想中長大的，並且我一點都不曾懈怠過，這是我敢于這樣說的，我的血液裏也曾經燃燒過笑、熱情、以及征服一切堅忍而頑強的力！現在纔知道自己只不過扮演了一個玩把戲的角色——把大桌子頂在鼻尖上在室內團團轉，多麼可笑呀！

我非常墮落，這是無法並且也不願否認的。尤其我不知道向上究竟是甚麼意義。甚麼纔是代表向上的現象呢？擁有金錢和權利嗎，被人家尊敬嗎，贏得許多人向你低頭的榮譽嗎，所謂對人生的建築嗎？我不知道這些是不是。我只能確定一點，生和死是獨立而平等的，任何人既不能被奴役，當然也不能奴役人，無論用物質的或者精神的權力。榮譽是從那裏產生的呢？榮譽只是用精神去奴役一羣人罷了。凡是一件東西，享有的人快樂，而另一部份沒有享有的人羨慕，從而企圖獲得它時，這部份人必是痛苦的，不管他們是否覺到，這痛苦是存在的，那麼這種東西即是不合理的。

我萬萬不敢非議榮譽。這種已經根深蒂固的神聖觀念，我決無意破壞它。此間沒有一樣東西是我想破壞的，我已經說過，我非常之疲倦，而且對甚麼都沒有興趣。

我在爲自己的軟弱無能找藉詞，盡量把每一句話說得又委婉，又完密，目的無非在掩飾自己的可鄙而已。我眞是這樣嗎？的確我不知道。我很疲倦，這就是我主要的意思。我疲倦得不願分辨任何人加在我頭上的形容詞，並且我還認爲這樣做是非常之沒有意思的。尤其不能爲人所原諒的，我說的話，我不敢承認也不知道有甚麼意義，我只是極其自然的說出來罷了，好像一個睡熟的人，在翻動身體時偶然發出一些囫圇的聲音，可是繼着又睡着了，我就是這樣。我祇好請求原諒。我這些時間以來，決沒有預先想到我須要做些甚麼，我沒有腦筋。

我在前面已經說過，現在我最恐懼的是思想，回憶和感情。我覺得石頭也許是非常幸福的。

結束生命很容易，縱身一跳，服毒，用指頭輕輕一下電門，方法很多啦，我知道的。但履行一個簡單的動作，總須要事先想一下，我就疲倦於一「想」，算了吧，就這樣，總之是，有生命也好，無也好，我是決不想的了。

別用宗教或者哲學派別的顏色塗在我臉上，當然，如果硬要塗上一塗，那就塗吧，我是不加以理會的，一則因爲無意義，主要的是因爲我太疲倦。

我就是我。除此之外，我甚麼都不知道。只你看不起甚麼，因爲你得不到甚麼。這話是非常對的。但却不能對我來說，因爲我並沒有看不起甚麼，我沒有存着一種看不起甚麼的心，豈不是承認有些事也是有意義的嗎？無聊，並且我只知道我是沒有腦筋的。

何不能說，沒有腦筋就是禽獸？罪惡、戰爭、殘殺，都是從腦筋裏想出來的，有害的東西也必然有害，有用的東西也必然有用。最好的還是「無」，既無害，也無用，「無」是最莊重的，它不把我們當猴子似的耍來耍去。

「有」，大家儘管佔有這個「有」，唉，有甚麼呢？（四五年五月某夜屬思。四六年四月五日竣稿在高雄）

稿酬

四月份上半月稿酬通知單，已分別付郵，惠稿諸君請憑單領取稿費爲荷！

本報編輯部啓　四月卅日

邵鏡人兄輯同光風雲錄成敬題二絕句

丁酉春月　鍾應梅

雲構風隳卷職開，百年興廢亦烟埃。
憐君懷古傷今意，也似騷人有怨哀！

其二、

外王內聖孰兼該，寥落人間久可哀。
我異既生臨廣武，英雄今日已非才！

檢討平劇字音

張瘦碧

中國的字，有音和聲之別，音是固定的，聲却有不同的變化，等韻卷首，列有辨四聲的口訣，指平聲爲「平道莫低昂」，直綫過去，指上聲爲「高呼猛力強」，具有激昂的氣概。指去聲爲「分明哀遠道」，緩緩道來，顯得幽揚逸蕩，由近而遠，婀娜多姿。入聲字則「短促急收。」在平劇中用處很少，不能化作波浪的形狀。「，聲須向上翻起，要具有激昂的氣概」（?）不善用者，尤易弄巧成拙。

我們日常生活中的說話和寫文章，都需要適當的字來配合，構成句子，優劣隨時可見，說話的流利悅耳，文章的抑揚頓挫，完全由于每一個字的音和聲來輔助，高低揚抑，如果用之不當，那就格格不入，善于詞令，和文筆流暢也就靠你在用字的時候，下過一番縝密選擇的功夫。「僧敲月下門」，和「僧推月下門」，本沒有兩樣，而「敲」字不但聲音響亮，而具有回味。可見檢字辨音，若要求得其當，實在是不甚容易。

平劇的唱詞，白口，大半屬于前輩的口傳心授，輾轉錄出，我相信牠一定是失了眞的東西，目前祇能看上去覺得通順，那末也就不必再予苛求。不過一般人不論內行或是票友，都在腔調上去捉摸，忽略了音的辨別，音不正，則字不清，字不清，唯有倚賴腔調的幫助，捨本求末，這是在欺騙外行，爲識者所不取。所以聲必隨音，音必隨字，有本有源，中途決不容你改道的。在曲韻方面，名之曰「出字收聲」，不能隨便變更。在平劇中最犯忌的，生角但聽到滿嘴「的都，的都」，且角則一味「以于以于」，縱使能與胡琴切實吻合，祇可以算是善于要腔，不懂劇中情節的人，簡直不知道他們嘴裏唱些什麼，一個字也聽不清楚，仍是美中不足。

所以平劇裏的無論那一個字，必須確，根據戈順卿的詞林正韻所述，有直喉、展輔、斂脣、閉口、抵腭、穿鼻、然後再音，或下半音，接着更要把四聲唸滑，然準確，不吃力而又能討好，不但能消滅了許多的怪腔怪調，一字一音傳遞出來，深得抑揚頓挫之妙，曲折蜿蜒，正如流水行雲，迴旋在青山綠水之間，其味無窮。

最後試舉數例，如龍鳳呈祥的「勸千歲，殺字……」的殺字，爲直喉上部音，一定要唸陰平聲，有時聽人唱作上聲，實乃大謬。「老臣」的老字，應斂脣下部音，屬上聲，而一般的唱來，有時覺唸作陰平，聽來十分刺耳。……諸如此類，若要蒐集起來，簡直可以車載斗量，相當之多，由于在張嘴時候，沒有作充份的考慮，日子一久，成了習慣，始終無人指點，便將錯就錯下去。這樣的唸字，等于水上飄萍，無依無靠，浮而不實，那兒還能談什麼韻味呢？

海上學校

中篇小說

趙師著

這次的打鬪，當然也是由逃學引起來的。他堅持要到船艙上去捕魚，其堅持的程度，已到了終生不進學店，他也決計不會後悔，而且主意既經打定，就是用九牛也拖不轉來的地步。

在讀書這樁事上，祖父、媳婦和孫子一共分成了三派。鄭財寶屬於反對派。他覺得讀那「大狗叫，小狗跳」的書，實在沒有甚麼用處……在甚麼地方安樂呢？那駝背可以吃滿風，當做風箏扯起來嗎？假使他的小腦袋裝滿了糊塗。對于「蒙古包」的故事，對于下雪堆雪人的故事，對於獅子老虎的故事，等等，他都有許許多多的想法，然而兜來兜去，總是兜不出一個甚麼名堂。渴望學的沒得學，不想學的一概有，讀這種書有屁用，不如逃學去玩耍反而快樂得多。這是鄭財寶的一面之詞。

財寶的媽媽屬於擁護派。她一口咬定讀書有用沒用，她一概不管，不過，讀書可以開開眼，不致於像他們的祖先一樣，睜開眼做了幾百千把年的開眼瞎子，就算頂不錯的啦。爲甚麼好人不學，一定要學瞎子呢？她想到這裏就氣，一氣就拿鄭財寶做出氣筒，沒頭沒腦地打了幾巴掌再問價錢。這是第二派，無以名之，名之曰掃除文盲派。

鄭老頭屬折衷派。他認爲書非讀不可，這是天經地義的，絲毫沒有懷疑的地方。七十年的生活，他在不識字上吃的大虧，眞夠瞧的了。爲甚麼有書不讀，却千方百計地逃學呢？在這一點上他頗同情他的孫媳。繼而一想：今年讀大狗叫呀，小狗跳，明年讀鳥呀，花呀，草呀，對于水上人家而言，可眞沒有甚麼太大的意思。說海上人家要狗古，那是句刻薄罵人的話。他們從古至今都不養狗，那麼，大狗叫，小狗跳，與他們到底有甚麼關係呢？鳥雖然他也看見過很多種，但最常見的是海鷗，花呀，草呀，海面上就永遠看不到。爲甚麼不讓鄭財寶多學點魚呀，蝦呀，龍呀，螺呀，石首呀，烏賊呀，海參呀……有五萬以上的海上居民，有七八千學齡兒童而沒有一所學校呢？……「人打燈籠走在黑夜裏，並不甚要與太陽來比光明的。」這是個淺近的比喻。然而，它却把古今中外的教育，一個譬如打完了！

四個遲起的人現在都已相率梳洗停當。閩在歌樂船的梯口，守住另一艘伙食船吃早餐。他們老是嘰哩呱啦地談笑着，好像永遠有說不完的話。笑聲清脆地飄散在油綠緞子一般的海面上。

四個人的食量頗爲驚人。汽水瓶和粥碗慢慢增加着，狼藉着，終於成了堆。直到鄭老頭請他們到統艙裏去談談，方纔罷手。

人在飯後是特別顯得愉快、仁慈、寬厚的，這就是所謂「飯氣」。笑謔雖然繼續着，但談鋒已經沒有了先前那種尖銳，激越的情調。六個人坐定之後，鄭老頭盼望在海上辦個學堂的開場白，把談話又刺激得活潑起來。（十三）

自由人
THE FREEMAN
（第六四三期）
中華民國僑務委員會登記證僑台社字第一一二號
中華郵政台字第一〇〇五號執照登記認爲第一類新聞紙類
（半週刊每星期三六出版）
每份港幣壹毫
台北市每份台幣壹元
督印人：陳文華
地址：香港高士威道二十號四樓
3RD. FL. 20 CAUSEWAY RD. HONG KONG
TEL. 771726
承印者：東南印務出版社
地址：高士打道六十四號
台灣總經理處
台北市西寧南路壹壹零號二樓
台郵撥儲金戶九二五二
海外總經銷
友聯書報發行公司
香港：德輔道中二十六號A二樓

「五四」功罪和它留給我們的課題。

——五四運動三十八週年紀念感言

謝康。

這是一個啓蒙運動的狂飆時代，也是一個新舊衝突中學退而西學興的時代，是進步的時代，也是混亂的時代。那裏有生機活潑自由舒卷的青春，也有[illegible]蕭蕭落木的秋意，一方面是青黃雜糅文章憑弔的往時，他方面是[illegible]莫衷於是的過渡時代，那是青年團結的象徵，充滿革命鼎新的機會，「五四」將和「雙十」，或「三二九」，「七七」一般，永遠活在中國自由人的心坎裏！

提起五四，令人興奮而感慨。許多人彷彿有重新做大學生的幻覺。今天三十八年了，五四依然是一個偉大的紀念日，是中國青年努力使中國趨向現代化的里程碑。

回憶三十八年前的今日，世界大戰結束不久，威爾遜的民族自決和國際組織的方案，給人們帶來[illegible]和美麗的遠景，這雄壯的時代呼聲，壯闊的民族解放的怒潮，喚醒那些[illegible]的大學青年底國家意識和民族自覺的熱潮，同時迅速瀰漫於全國各都市，風起雲湧，[illegible]雄壯的[illegible]，由政治運動轉變到文化運動而[illegible]漫了全國以後到現在快四十年了，當時的青年已經二十七八外的中年人，教授們呢，多是古來稀的老人兒了，如果還活着的話，胡適年紀輕，今秋今年也六十又八，蔡先生陳獨秀都化爲糞壤，香港還分得兩分榮幸，一件是蔡先生老是在香港仔長眠；另一件是胡先生曾接受過港大的榮譽博士。

三十八年流水光陰，似乎可以證明，五四精神還未完全死去！當雖則有人說五四精神延長了八年，到國民政府定都南京時，即爲三民主義文化思潮所替代；又有人說五四精神，直至中共在大陸整齊劃一的思想壓迫下才滅絕；也另有人說國民政府五四爲文藝節，至少和[illegible]學青年追求自由民主及其紀念的意義，一般大實愛國新文藝的熱忱，絕不隨一九〇年傅斯年之死而趨於滄溟。何況斯年雖死，有家倫吳康、谷正綱、袁世評，存焉，此外，參加五四而隨政府遷台灣的，相信五四精神，至少有一部份存留在自由中國。

老一輩人談五四，實見仁見智，雖有不同，但總知道五四是近四十年中國所發生的最大的一次文化運動，至於現在四十歲尤其是三十以下的青年，聽人說起五四來，眞好像有隔世之感，即使聽人分析，也有點像丈八金身摸不着頭腦的苦悶。

個人今天不揣冒昧，將五四運動對青年們略加檢討，並擬會談談文化問題，以就正於大雅方家。

第一、五四替愛國運動立了一個好榜樣

記得民國四五年時，因反對日本提廿一條款，全國學生曾經總罷課，示威遊行，杯葛劣貨，那時學生經任當內檢查「劣貨」之故，與奸商發生衝突，我自己曾經參加其事，但當民八五四那年領導學生運動愛國運動時，情形卻遠比抵制日貨時爲佳，這次運動終於演成了普遍全國的大罷課，北京政府終於俯順輿情，罷免了曹、陸、章三賊，維護山東權益，對國內的影響，使大家知道人心不可侮，輿論不可爲，團結就是力量，這收偉大的愛國熱流，振奮了國內各政黨的救國行動，領導革命的國民黨領袖孫中山先生遂於第二年重回廣州——造成後來復興的基礎；另方面仿效「少年意大利」愛國行徑的「少年中國學會」組織成立，成爲後日中國青年黨的基幹，後同時中共的前身——社會主義研究會，却受蘇聯的影響暗中策動，掛起了紅色的招牌。所以從愛國全民族運動看來，五四總示出全國人心蓬勃團結，爲外交聲援，尤其民心士氣的發揚蹈厲，愛國精神的純潔，俱可爲以後很好的救國運動樹立了一個很好的榜樣和堅強的基礎，於是對外國的影響，讓日本和列強知道中國人團結的力量不可輕侮，促成日後山東問題的解決和華盛頓會議九國公約的簽訂，使日本大規模侵華行動，延遲了十多年。

第二、五四建立了語體文和新文藝的堅強基礎

「文學革命」提出於五四前兩年，經五四運動大力推行，普遍應用，並加上新標點符號，大量翻譯外國文學，由文學研究會，創造社，共學社，學藝社，少年中國學會，新潮社，青年勵志會和大城市的文藝團體與作家及上海各大書局合作，儘量採用白話文代替文言，民十一的新學制推行後，語體文更通行各中小學校。新文藝中小說戲劇，散文小品底譯作已相當成功，證明白話文所能達到的優美完善的境界，迫使文言文退處冷宮，成爲少數人所玩弄的骨董！

至於白話詩的問題，反對的人很多，章太炎和學衡派諸人就是其中很有力的分子，太炎引史思明的櫻桃詩以詆毀白話詩之無韻，不成東西，博得許多人的同情，其實詩底寫得好不好，乘涉的方面很多，篇幅不容許我們在這裏討論，在未經詳細研討和長時間的創作試驗以前，不能貿貿然斷定「語體不能作詩」，要不然的話，古今中外許多的白話詩都要被驅逐出詩國之外去了！

總之，五四在「文字解放」或「文學革命」上的成功，和它在思想解放方面的貢獻，是互爲表裏的，思想是無聲的語言、而語言卻是有聲的思想，自經五四新文化運動以後，新思想與新工具相得益彰，中國新文藝也就劃時代地建立了堅強的基礎。

第三、五四轉變了教育思想和制度，爲教育界開一個新紀元和新氣象

跟着五四，有杜威、羅素、孟祿諸家之來華，留學生中紛紛介紹西方教育思想，於是促成中國教育的改進，許多教育團體，好像雨後春筍般長出來，全國教育聯合會也組織成立，教育制度和教學方法，都在實驗革新與改進，諸如實驗主義的，平民主義的和[illegible]主義的教育，六三[illegible]制，男女同學，和[illegible]等的教育，美感教育或藝術教育，國語教育和義務教育，道爾頓、蒙台梭利各種教學方法、燦然成爲大觀，尤其是大學的發達，造成推動教育文化的中心，可惜的是一般中上學校的員生，於接受自由教育追求新文化的理想時，只注重知識的傳授或注入而忽略道德的培養和啓發，大學生多注意專業訓練而忽視通才教育，甚至崇拜三士（博士、碩士、學士）和四方帽，而缺乏篤實踐履和精微疏通知遠的學風，不能不說是一遺憾！至於後來對教育的推行發生毛病，多半是因爲有治法而無治人，社會風氣也要負責，不完全是五四的過錯。（下轉第二版）

半週述評

蘇聯腳下討和平！

這兩天，西方的政要正雲集在波恩，北大西洋公約的理事會，在二日集會商討如何對付蘇聯，將於本月四日休會，該會秘書長伊斯梅爵士，在一日說：「五年來的西方聯盟的功績，首在保持了和平，阻遏了蘇聯在歐洲向西方的擴張，在歐洲沒有一寸土落在蘇聯腳下。」這位伯爵的話，很動聽。但是他忘了公約組織的積極性的話：統一德國。他的態度充分代表了西方「政治家」是保守的，滿足於「在蘇聯腳下」討「和平」！因此，在吾人看來，北大西洋公約組織不僅是阻遏了蘇聯，也阻遏了西方實行解放的政策，所謂「和平」，西方放棄了直接援助東歐，波蘭和匈牙利的反共革命運動，並且還被繼續維持在：韓國、越南和台灣海峽。在這種「和平」狀態下，至少有七億人民痛苦地忍受國家民族之被割裂！

沙漠「巨人」胡辛王

約旦的胡辛王，終於在險境中站直了，大家或許會認爲這是美國駐地中海的第六艦隊之功。但是他與沙地阿拉伯王沙特會談後的聯合聲明，也有力的表示了自己的力量。該聲明謂：「他們願同意爲全體阿拉伯國家從外國的統治中，爭取完全的獨立和自由。」並表示「決不接納任何有條件的援助。」

站在民族利益的立場上，上項聲明的共同精神是可以理解的。如果胡辛王不堅持此種立場，不婉拒艾森豪主義的特使李察斯入境，很可能將難以獲得人民的同情，肅清內部的左翼分子。

約旦，在阿拉伯集團中，不僅國土小，人口少，而且是個沒有海岸線的國家。經過這次風浪，不祇胡辛王個人的聲譽提高了，這個國家基本上得到了抬頭的機會，復由於地理環境，她在阿拉伯集團中儼然有成爲沙漠「巨人」之趨勢。這證明了一個眞理，唯「自強不休」者能爲之。

周恩來答覆岸信介

岸信介剛表示了「如果北平方面提出，日本政府可能許可中共領袖到日本訪問」的話，周恩來即在上月卅日夜對在北平的「日本東海地方自治團體訪華代表團」的團員表示：「四十年前曾到過日本，希望將來有機會再一次去日本訪問」這是岸信介自己伸長頸子套上了中共的繩圈，做成了的尷尬情勢。下一步則必然又是日本的社會黨人員從中奔走，極力湊合，兼施壓力，岸首相到時又將何以善處呢？

國籍問題與難民問題

按照南越政府的規定，越南土生華僑，必須在五月九日前繳回身份證，情勢已迫使越南華僑到了最後抉擇的關頭，激於義憤，卅日竟有數百人在西貢公使館前示威，而衝入了公使館。

突發的事件，促使台北當局「召開緊急會議」，而袁子健公使也已要求越南當局釋放被捕的華僑青年，希望這些措施能得到緩和情勢的作用，但問題的基本解決，迄未見我當局提出具體辦法，能不可慮。

華僑國籍問題和「難民問題」的嚴重，已到了不能再忽視的程度了！

香港當局，對於後一問題的處理，一直受到中外的重視和讚揚。而倫敦殖民部次官蒲富武於一日在下院答覆質詢時，明快地表示無意與中共討論「安置香港難民」的問題，無形中顯示出了英國當局對於「難民問題」，是自有其一貫政策的。

•李金曄。

正視殷台公司案

湯惠方

這幾年來，如果說我們在政治方面有進步的話，那應該是指議會（立法院）已行使質詢的政權了。當然我們尙不能深究質詢對政治底影響及效果如何，因爲那是屬於另一問題。但當我們聽到立法委員們聲嘶力竭的爲一個個應該深究的問題而呼籲時，畢竟使我們覺得我們的政治還有民主可言的。

一、近週來立法院的財政、經濟、預算、交通等四個委員會，審議「殷台公司」案，對有關各部長，展開空前熱烈的質詢，所謂「殷台公司」照契約的全文譯名應該是叫「殷格斯台灣造船船塢公司」，根據立委們的質詢內容及中國國際基金會主席葛[illegible]格生那篇「失態」之聲明，所謂殷台公司的背景，實爲中國國際基金會，而中國國際基金會及其所經營的工程油輪公司，乃是前上海「人人企業公司」所投資的企業化身。

問題之由來，就是因爲人人企業公司，在民國卅七年曾以買空賣空的手法，承諾給我石油公司油，騙去政府數百萬美元，迄今尙有一百四十萬美元無法追回，懸案未結，故立法院於審議是項資料時，很容易發現所謂殷台公司乃是前人人企業公司騙取國家資財的故技復萌，而且現在殷台公司的實際負責人，董事兼副董事長，恰巧又是前人人企業公司的主持人魏重慶。事實如此佈局，如果說現在的殷台公司，確與從前人人企業公司無關，眞使人不解；如果又說今日殷台公司是眞的協助我們開展工業，非前人人公司可比擬，也難能令人置信。但是根據我們的部長的解釋，殷台公司却是歷來外人投資最大的一案，我們雖然拿出九百萬美元的週轉金，及三千五百萬台幣的建築費，但是我們可獲得一艘三萬六千噸的油輪，而且還有造船技術的獲得及工人就業種種的好處，如此云云。

二、立法院對該案究作如何處理；還是不了了之，尙難預斷。惟截止目前立法院的會議，對政府首長的質詢，已進行到第十次了。看來，立委們總想在可能範圍內，挽回這一個跡近荒唐的措施，可是就在立院對該案質詢的同時，由台銀墊付的四百五十萬美元，已在日本購買鋼鐵了。果眞如我們的部長所說的「該公司將使我們獲得許多好處」，當局已深信不疑，勢在必行，那麼，立法院的砲火無論怎樣猛烈，恐怕都要落空。于此我們對議會的實際權力，又不無懷疑了。

三、我們仍有不能已於言者，台灣銀行墊付殷台公司的週轉金達九百萬美元之鉅，而且尙爲該公司支付台幣三千五百萬元建築船塢費，而眞正以中國國際公司爲背景的殷台公司的主持者，祇拿出九十二萬美元的現金，憑持一紙十年後兌現的信用狀，即可輕而易舉的攫取我們更多的利益，這是外僑投資的第一大案呢？還是我們投資外人的最大冒險？我們號召海外僑胞回國投資，是否也可以援殷台公司之例，由政府拿錢出來在台灣設計建築大規模的工廠，而爲僑胞所有，復在外國登記從事國際貿易，而祇以信用狀一紙與政府作抵押，定期兌現，這樣對繁榮台灣也不是有很多好處嗎？

四、在立院，江部長答立委張其彭的質詢時曾說：「關于殷台公司是否爲一個騙局問題，在未獲得充分證明前，我們不能說它是個騙局」，這話聽來很容易被誤會像是爲當事者辯護，誠然在未獲得充分證明前，誰也不能判定它是騙局，但是十年之後，時過境遷，縱然獲得充分證明於事後，又將有誰來負責呢？又有誰能夠負起這責任呢？大陸斑斑，給我們的教訓已經够慘痛了，如今退守台灣——也祇有台灣了，我們尙有再接受另一個重大教訓的機會嗎！立委們沉痛的質詢，是值得警惕的，鑑往知來，迷途知返，可不共勉乎哉！

（四月廿八日于台北）

轟動一時的股台公司案

台灣通訊　張健生

關于股格斯台灣造船場公司案，立法院經濟、財政、預算、交通等四委員會，已先後連續舉行過九次聯席會議。

對于合作發展造船工業的政策，立法院和行政院的觀點沒有什麼不同，其癥結在于處理的事實問題，諸如人事問題，佣金問題，及美國的中國國際基金會主席葛利格生的聲明，和政府未尊重立法院職權等等。

股台公司的來龍去脈

立法委員們在股台公司董事中，居然發現「人人公司」的幾個人物（魏重慶、夏勤鐸），話，被公開後，在被邀聯席會中，來一個「否認」，說明當天所談並非「佣用」而是「股息」他萬沒有想到謝立委以「有錄音可證」一語擋住。

認爲不可輕信。

監委陶百川指出股台公司是「人人」「陰魂不散」，他評擊人人公司至今尚欠石油公司一百三十餘萬元美金，石油公司和經濟部認爲無法追討，而要求行政院勾消。股台公司案，又與人人公司關聯起來，所以立監兩院不得不大吹口哨，以免「潘翁」爲「鬼」所迷。他說：丹米爾潘翁（按：今古奇觀的故事）不以丹術而以美人。「人人」之欺政府，不以油輪而以運價。政府在九天內，通過股台公司聲請投資的原則，是全世界沒有的。他復指出股台公司以一百九十二萬美金，而利用我們的外滙卻爲美金九百萬元，這就是「一本萬利」！

佣金問題

被外界所忽略的佣金問題，成爲立委們最後兩天質詢的焦點。據報載，四月二十四日，外交部長葉公超在立法院外交委員會秘密會議中表示：中國國際基金會主席葛利格生對股台公司造船事取得佣金，並且交由中國官員去處理了。葉外長在秘密會中的話，係立委謝澄宇在「4委會聯席會中公開的。於是，引起立委對政府官員的操守問題，表示懷疑，且將研究誰拿到了佣金。葉外長的

葛利格生的聲明

立院正當股台公司案在中間得越來越兇的時候，中國國際基金會主席葛利格生的聲明，由中央社發表，見諸四月廿三日台報。葛氏在聲明中聲說把「紅帽子」拋到立監兩院上，又復節外生枝。

立委的聲明

立委郭登敖等十六人聯名發表聲明：（一）葛利格生博士數年來參加美國際援華會工作，至爲努力，吾人對其熱忱，深表敬佩；（二）中國人民對於外人來華投資，素極歡迎，立法院曾制定外人投資條例，其目的即係以法律對外人投資，予以鼓勵；（三）本案牽涉

基礎，其一，該股台公司建造油輪及擴充設備所需之資金，幾全部取給于中國政府；其二，中國政府之台灣銀行，石油公司及台灣造船公司將來可能遭受重大損失；其三，該契約與中國法律抵觸之處，吾人正以公正慎重之態度，從事調查與審議，

葛利格生博士對本案各方涉涉情形，不甚瞭解，[illegible]（四）民主國家國會之審議法案，[illegible]延性之阻撓，利害關係人[illegible]以利和共黨份子之嫌，葛利格生博士爲民主友邦國之公民，當知之甚詳，[illegible]甚爲不幸。[illegible]明，有關各方，[illegible]能同意，且深感遺憾。

監院的聲明

監察院對葛利格生博士的談話，亦向報界發表聲明。監院財、經兩委員會之召集委員，及股台公司案調查委員的意見如下：監院此次經院會決議，由財、經兩委員會調查主管人員與股台公司協訂租賃情形，及有無違法失職情事，純係依據憲法第九十六條規定之責任權，且亦符合國

當事人因利害關係，而跡近干擾之印象。[illegible]表示，立監兩院員們的[illegible]案的當頭棒，且有不滿政府官員的暗示。如果不是經濟部長江杓表示態度，這個問題可能更糟。

在日購鋼　波瀾再起

一波未平，一波又起。接着政府決定撥四百五十萬元在日本購鋼的消息傳出後，於是再度使立委們對政府的諾言發生懷疑，且認爲對立法院的職權有不尊敬。所以，行政院院長俞鴻鈞再度被立法院請去備詢，經過三天的「擱議」質詢，下文尚未分曉。

下文尚待分曉

至發稿時此訊時止，已結束詢問了。（廿九）日起，能否討論通過，還在原則上可能行審查。[illegible]有多大問題，而契約的內容[illegible]部份[illegible]。但[illegible]正後，[illegible]受，[illegible]官員[illegible]，在維護國際信譽和不違反國家利益及發展造船工業的大提前下，立法院監察院該不會讓這個轟動一時的股台公司造船案草草了事的吧！（四月廿八日于台北）

特譯

這是西班牙瑪德里的「至上日報」對毛澤東將去訪問華沙的一篇評論。該報國際時評主筆高歇士先生，對於莫斯科及毛記政權等附庸國家的動向，以精確之見解，反覆出友邦人士之反共立場，譯者深感有爲介紹國人之必要。此文可見「至上日報」四月廿日國際時評欄。（譯者）

從北京到華沙

作者：J. L. Gomez Tello
譯者：牧人

伏羅希洛夫於「清明節」或謂之爲「亡人節」抵達了北京。他之碰巧遇上這個時節事實上爲這位殺人如麻而做了蘇聯之主席的他是再好沒有的節期。美國的F.B.I.主席胡佛氏曾久以前曾說過，伏羅希洛夫爲了自己之名位，殺死了當日沙皇軍隊一萬一千幹部，把這些幹部的嬰兒全部送到紅軍中去。然而毛澤東、周恩來和劉少奇，這些黃色的布爾雪維克者們，他們卻清除了多少百萬的生靈，來迎接，他們願意以一九五一年的大屠殺來「讚揚」這位一九一七年的大屠殺兇手，不過也有另外的理由就是蘇聯的主席首次的訪問紅色中國，更甚的還是，他的訪問不是一種偶然，是克里姆林宮企圖瓦解西方的公開意圖。

豈不是同時地，那位莫明其妙的日內瓦會議——那個依照許多天眞的民主人士們，以爲共產主義已做「好人」了，和可以開始另一新紀元的日內瓦會議的主使者朱可夫。他也面對「艾森豪主義」而擺出他的「朱何夫主義」：任何兩方在莫斯科所屬範圍內之干擾，都可能是第三次世界大戰的發端，但是這位紅色元帥卻以此作爲立足之論據，與蘇聯所簽訂蘇軍繼續駐紮波蘭之協定，他所說的範圍，包括紅色中國在內。伏羅希洛夫以其七十七年屠殺生涯的身份抵達了北京，是要人不要再懷疑[illegible]莫斯科已清楚的表明毛記政權與克里姆林[illegible]之幻想是不存在的，而且，再由波蘭共產政府主席西侖克維茨之邀請毛澤東訪問華沙，看得更清楚。並且顯然，毛澤東將在他於一九四九年簽訂「中（共）蘇條約」的莫斯科逗留[illegible]想像反共「英雄」的人物——一齊的在那次既不是民主也不是人民的人民大會上强調了其傾向蘇聯的「一方」「團結」。這種「團結」的意義是要每一個彼奴役的國家，都應在蘇聯的槍桿下强顏歡笑。這種歡笑正好[illegible]及毛澤東與伏羅希洛夫會見[illegible]使人不解的爲什麼還有人幻想[illegible]在北京擁抱，已完全得到證實[illegible]是爲什麼毛澤東和西良克維茨又與莫斯科和唱反對北大西洋公約國建立防禦基地。還有令人不解的也竟還有人仍在等待北京政權在蘇聯控制下有自主權——萬一有，也是相對的。毛澤東[illegible]伏羅希洛夫已說過：「所有的社會主義國家，將在一起兒工作」。祗有鑒者雙子才不會知道這些事實。

西良克維茨的訪問北京，毛澤東的到華沙去，伏羅希洛夫的來中國大陸及毛澤東的訪問莫斯科，這些都和朱可夫最近訪問其附庸國各首都，沒有多大分別。他們都祗是[illegible]的一種表現，沒有什麼驚懼的情形，[illegible]主義嗎？[illegible]脅的世界一種關懷的[illegible]。共產主義者就是祗有做共產主義者，他就沒有服從克里姆林宮。這不是我們自說的。周恩來——那位由資產階級出身而做紅朝之Mandarin的人——自己就這樣說過。他在今年元月訪華沙時說：蘇聯才是「領導國家」。所以他和甘慕卡——那個曾受

從北京到華沙而又經過莫斯科，這幾天來的共產主義的總動員，眞是對整個西方世界的一個威脅。而古老的歐洲——即我們的西方，[illegible]在社會主義者及公務民主黨人統治下的歐洲——對於北京的血腥氣味爛入代表着對其自身前運的干擾，還理會他們沒有。史賓格勒說得好，當他警告我們的文化快要抵達危險邊緣的時侯。還是請您們去再讀讀[illegible]這同一問題所說過的話吧！[illegible]行閱祝他們的軍隊在血跡中[illegible]

（一九五七年四月廿五日于馬德里）

中共替蘇聯築三門壩水閘

工程監督盡俄人

（本報特訊）蘇聯感一糧食缺乏，雖然目前搜刮中國大陸之農業產品來彌補，但此非長久之計，根據毛俄經濟密約，蘇聯先在華北經營，在此長凡二八九七哩之黃河，共建四十六個水壩。據探悉由列寧格勒水電院，總攬全權，已製成此大規模計劃，定期數十年完成！爲水利部長傅作義是一個毫無科學智識的老粗，只作傀儡招牌，一切工程師和監督都是俄人。

壩長二六〇〇呎

在四月十七日，第一個大水壩「三門壩」開工。該壩長二千六百呎，高五百呎。三門峽在河南省，即渭水與黃河交滙點下游六十餘哩處。稱爲三門之原因，係石島將黃河分成三峽谷。

鬼門、神門、人門

此三門稱爲『鬼門』『神門』與『人門』。此小石島亦稱爲砥柱，此區域係一巨大自然山谷盆地，其地之石屬地質學家所謂閃綠斑岩甚堅硬。今爲俄人爆炸，以往當地居民言該地有神管理此河。俄人在該地測探已有兩年，他們稱此地爲聶伯河第二。此水閘完成後儲大量之水較過美國的大柯里斯及波爾德兩水壩所儲之總量。預定一九六二年完成。灌溉面積地等於英國可耕地三分之一，並減少水患。中共徵集奴工五千餘人建築此水壩。

在一九三八年，爲阻止日本軍前進，曾在此阻決裂堤壩，曾淹死多人。

黃河改道猶俄管

黃河改道自迄今已有二十六次，決堤已有一千五百次，治理黃河是政府應做的事。可是現在這個計劃是併入蘇聯經濟系統。俄人準備以數十年的時間，完成四十六個黃河水壩，可見處心積慮甚爲長遠。然而中共所恃者係以暴力驅迫人民奴工，所謂數十年完成，亦屬渺渺無期的紙上遠景。中共之治淮成績如何的壞，有目共睹。俄人以其在俄建築水壩之經驗施於中國，必歸失敗。

準備奴工大犧牲

退一步而言，縱然成功，也是造成奴工作場所。所獲勞動成果完全歸蘇聯主子，及中共特權階段。現在方開工，祇三門壩已準備犧牲奴工五千人。四十六個水壩之工程不知死若干奴工！在人民無法自由享受勞動成果之大前題下，一切血汗結晶至多等於萬里長城，與金字塔。（風行）

「五四」功罪和它留給我們的課題　．謝康．

（上接第一版）

第四、五四打破舊傳統引起社會許多問題

從社會方面看來，五四運動使中國社會傳統勢力經過了總清算而漸趨於瓦解，同時若干新的社會制度或思想，雖經分別介紹推行，但因此新舊衝突，在所不免，過渡時期，紛歧錯雜，五花八門，社會問題，一時也不容易解決，例如：

（一）家族主義下的大家庭制度，轉變爲個人主義的小家庭，多妻主義爲一夫一妻，多子主義變爲節制生育，盲婚變成戀愛婚或伴侶式的婚姻，父權或家長權力變爲民主式的家庭生活，實行起來，總不及思想的進度，問題也很多。

（二）宗法觀念和祖宗崇拜，受了打擊而歸於薄弱，家庭倫理不如昔日之敦厚，如果我們承認孝爲傳統美德，這點能不令人憂慮？

（三）純粹的西方式小庭與我傳統觀念社會風習是否融洽？應否折衷中西，實行混合家庭制（Composite Family）。

（四）婦女地位，因解放而昇格，女子參政權和財產繼承權如何善爲運用？女子對家庭的職能是否和男子一樣？賢妻良母的養成，今日是否還有必要？

（五）舊傳統倫理道德已趨於解體式微落，新道德尚未建立，人生哲學或不免變成眞空狀態，於是異端邪說乃得乘機而入，於是五四後的中國社會，漸變成共產主義的溫床，而青年道德的墮落，也爲有心人所深深憂慮。

（六）勞工神聖的觀念，五四也幫助了「五一」，極力地提倡，今日中國的勞工問題，也還值得我們研討和注意。

第五、文化方面的課題

從文化方面檢討起來，號稱「新文化運動」的五四，實爲中國近百年來的西化或現代化運動，開創了一個新的局面和新的基礎，則它對西方的認識還不夠，而於介紹時缺少選擇和鑑識的工夫，還大概是矯枉者必過其正的一種態，加上人類的惰性，和後人的正，自然可以達到中庸式理想的域呢。

談到中國的現代化，最爲有識者所關心，也是歷年論壇所不斷探討的問題：初期則中學神聖不許議，繼則取法西洋之礮利船堅，而仍以中學爲體，所有應該西化之處，只限於物質科學（格致），其後戊戌維新，乃認識西方法政之優良，辛亥革命又採取他們的共和政體。

（下轉第三版）

中共毒化世界的過去與現在

△年以億萬元計△

中共的毒化政策，由來已久，在盤據陝北時，即以販賣鴉片爲武裝叛亂的財源，自竊據大陸後，復又擴大種製，向世界自由國家非法販運。此種有組織的有計劃的毒化政策，不僅僅毀了無數民族的身體健康，實際目的在換取戰略物資，並資助共黨地下份子作顛覆活動，爲將來發動侵略戰爭的準備。

抗戰期間開其端

中共對鴉片的擴大種製，當以抗戰爲發端，盤據陝北邊區時爲最甚。當時彌徹整個「解放區」所謂「南泥灣政策」，就是種植鴉片，解決給養，毒化「敵人」的政策，南泥灣是距離延安不遠的一個荒涼地區，中共用一旅的兵力（三五九旅王震部），從事開墾，不久便漫山遍野長滿了黃花綠球的罌粟，開始由陝北，逐漸擴展至晉西隴東一帶，以後又蔓延到華北，同時，「邊區政府」規定收成的辦法，三分之二歸公，三分之一私有，但仍須由公家定價收買，不得自由處置。

侵佔大陸之後

中共侵佔中國大陸以後，爲彌補經濟的拮据，於是又強化鴉片的種植，海洛英毒品的製造，以及海外運銷的整套計劃，自一九五〇至五一年爲自由販賣時期，因大陸甫經淪陷，中共無法全面控制，不得不鼓勵地方流氓爲引綫，公開發證，准許民間自由運售。由一九五一至五二年，中共即開始全面控制市區，實行專賣制度，自一九五三年起，以迄今日，向海外大量運銷，以直接易貨爲主，在一九五六年度，中共向海外運售鴉片及海洛英，即達一千五百噸之鉅，眞够使人驚駭。

種植鴉片地區

中共種植鴉片地區，遍及陝西、甘肅、寧夏、四川、西康、雲南，以及華北東北一帶，產量由一九五二年約有二千噸，而逐年增加，至目前年產約達八千噸，其分佈情形，東北地區，在中韓邊境之長白山及撫松縣山區，烟田面積約四十餘萬畝，西北地區，除舊日陝甘邊區約有烟田五萬畝外，長武、涇川、會寧、靖遠、武威等縣約種烟十萬畝，寧夏之磴口、中衛等縣約種一萬餘畝，新疆之綏來、景化等縣有烟田三萬畝，華北地區即以熱河一省而言，如朝陽、承德、赤峯等縣，以往即以產鴉片出名，現在則變本加厲，約有烟田十萬畝以上，四川省之五通、江津、威遠等縣，種烟面積達三萬畝，桂滇邊區各縣，種烟面積共達二百萬畝，湘西一帶，農民均改種鴉片，達七十萬畝，廣東山區，如靖遠、英德等地區，共種烟二十餘萬畝，此外華東區，江蘇省中共老根據地東海，沭陽等縣，鄂中區，河南省之南陽，浙川、方城，湖北省之恩施、通山，以及江西省之瑞金，會昌等縣，中共強迫農民將稻田改種鴉片，總計達一百萬畝以上。

此外，另有特別種植區，如新疆軍區之八一農場，西藏軍區之江孜農場，內蒙古軍區之陶林農場，河北省有冀衡農場、黃華農場、保定農場，河南省有國營黃江區農場、永年農場，東北區有錦州農場、熊岳農場、公主嶺農場、佳木斯國營農場，寧夏省有靈武農場，雲南省有專區特設農場，其面積最少在五十畝以上，據中共財政部透露之資料，鴉片收益佔國營農場收益百分之卅以上。

製造海洛英

中共製造海洛英等毒品，係在竊據大陸後才開始，[illegible]將過去日本製造毒品的經驗，[illegible]富於經驗的大小漢奸，盡行網羅，使爲己用，製毒工廠分佈於全國各地區，如大連製藥廠，北平中國醫藥公司麻醉品製造廠，上海製藥廠、錦州化學藥廠、專製鴉片的熱河製藥廠，天津特別貨品加工廠，[illegible]則專製海洛英，其他廣州、太原、杭州、瀋陽、成都、昆明、康定、重慶、漢口等地，均設有類似性質的工廠，不是製鴉片，即製海洛英或嗎啡，鴉片商標有「一三八」、「一先」、「順風」、「康福」、「北口」、「松柏」、「紅星」、「金鳳」等類名稱，海洛英有「獅球」、「香港」、金魚等類名稱，嗎啡有「駱駝」、「雄雞」、「彩鳳」、「銀龍」等類名稱，貨色分甲乙兩等，毒品出廠，包裝上，貼有「軍要出口物資沿途軍警不得檢查」字樣的封條；當人稱之爲「特貨」。

目前向海外輸運

目前中共向海外輸運鴉片及海洛英等毒品，共分四大路綫：（一）華北綫以天津爲收集站，然後由青島、大連、威海衛等地出口，主要運銷對象爲日本；（二）華南綫以廣州爲收集站，以深圳、石岐、中山、海南等地出口，運銷對象爲港澳、（三）華西綫以車里、川、騰衝、畹町爲收集中心，在中緬泰邊界有轉運機構；（四）華東綫以上海爲收集站；廈門爲補助出口站；香港爲轉運站，轉運中東、歐美，以及台灣東南亞等地。

毒化東南亞

中共毒化東南亞，[illegible]的顛覆，和經濟的攫取，運輸路綫以雲南爲基地，以緬甸爲必經的道路，中共在雲南設有一個雲南貿易公司，在邊隴各地均有分公司，在緬甸境內，凡緬要市鎭以及重要碼頭均有代理人，專司毒品的運銷，而緬甸生產的戰略物資，如汽油、樹膠等類，則由雲南貿易公司經手套購。

運銷新加坡馬來亞

中共運銷新加坡和馬來亞的毒品，分海陸三方面進行，海路由香港、南鵬島、及海南島，陸路由緬甸和泰國輸入，由飛機運輸的較少，新加坡於一九五五年共緝獲鴉片四五千磅，其中多半係自雲南取道泰國偷運而去的。

中共運銷越北的鴉片，多爲雲南貨，槪由越共之貿易局專營，每月收入約達越幣四千五百萬元，此款除用作支援越共外，間亦套購各種物資。

中共接濟日共活動費，及套購戰略物資，即靠運銷日本的毒品，歷年運銷的數量，約爲七八百噸，時値六千萬美元，中共即以此款四分之一撥給日共。據最近調査，日本人吸毒的至少有四萬人。

美國政府的估計

據一九五五年美國政府估計，毒品在美國消耗年達三億五千萬元，紐約市至少有七千五百人吸毒，毒源多自中國大陸偷運。

中共的毒化政策，推行無遠弗及，組織的嚴密，走私的巧妙，使人防不勝防，而流毒所至，受害者不知幾千萬人，我國代表曾在聯合國揭露中共毒化陰謀，而美國百萬人委員會亦發表宣言，認中共爲國際販毒者，不配做聯合國會員國，中共的罪惡已引起自由世界的共憤。（孫願）

讀者論壇

向楚公先生請教

——關於台灣省公路局停售學生月票

·吳勇·

首先我須坦白聲明兩點：（一）我寫這篇東西向楚公先生請教，他寫的四月十七日發表的台灣通訊「關於台灣公路局停售學生月票」的大作並無甚麼惡意，祇想就事實說幾句公道話；但不隱瞞的說，我多少有點「義憤」！（二）我是台灣省的公路局從業人員並承辦台北地區的學生月票發售事宜，曾多次爲學生乘車問題請命，自信對此最爲明白。

據我所知公路局對學生乘車問題的一貫看法認爲是應該拿出全副力量來爲他們解決上學的困難的，我們也曾奉令祇要有車子儘量爲學生加班，有一個車位，就要賣一張月票，賣完了之後，就設法加車子，可憐那司機們個個都苦死了，如今無可再加時，祇好停止，因爲我們不能開空頭支票叫學生們自己去相互排斥，汽車比不得火車，一架火車頭多拖十節，八節車廂算不了甚麼。

我記得曾有一位地位很高的某先生，爲他的子弟請求破格賣給他一張學生月票，爲了責任，爲了要對得起那些成千成百因車輛不敷供給而被摒棄於車外的學生，我也歉然未辦，我不知道楚公先生也知其事否，否則也可否問問那位先生，這裏我須向楚公先生請教幾點：

第一、車輛祇有那麼多，按照車子的容量預先賣足了學生車票應不應該停止發售，以保障那些已經買票的學生的乘車權？因爲預先售票在法律上說是一種契約行爲，必須具備履行義務的條件，才可辦理。否則，豈不成了亂開空頭支票嗎？

第二、車位沒有了，應該加車子以求解決！當然是對的，楚公先生舉台北木柵綫爲例，想對此綫情形甚爲明白，此綫年來加的車次還算少嗎？你不信可以問問司機那一個不叫苦連天。祇是追不上直綫上升的學生人數而已。這是無可奈何之事。但楚公先生把員工的「效率獎金」引爲不能加車的原因，姑不說我們一天幹十多小時的工作，究應不應當得一點獎金！我們的汽車是需要外匯的，台灣的外匯是那麼容易買得到的嗎？據我所知公路局當局因此曾努力爭取，但奉准購進的車輛[illegible]補報廢數，而[illegible]繳庫，你說應該有什麼辦法呢？

第三、現在的問題是如何增加人力，比例請得外匯增加車輛，以及如何實行「學區制」讓學生能在本鄉本鎭就近入學多讀書少跑路。如楚公先生能在上列兩點提供具體辦法，不僅救了學生，實在救了我們設法調度車輛發售學生月票的公路從業人員！

新書評介

推荐「百圖戲」

易金著。東南印務出版社

·孫旗·

這部小說以周信芳（麒麟童）爲圓心所劃下的江南「戲」界被迫害的圓舞台，以梅蘭芳爲圓心而劃下北方的圓一「戲」界被迫害的圓舞台，最後則圓由對立而重合，終成一個大圓，從這大圓舞台而繪畫了「百戲」之「圖」。其間有很多小圓舞台，雖表面各有獨立，而實際都是脈息關通，每個圓舞台在暴力政權下，其結果則全是演的悲劇，合而成爲中國「戲」界的大悲劇。

談小說，人物描寫如何是其優劣取捨之最大標準，我個人覺得易金在本書中的人物描寫之成功，勝過他的其他小說；可以說其他小說人物描寫欠缺深刻，而此書他似乎將筆鋒橫進人物性格或者說靈魂的頂尖，刺出了血來。但被寫進去的男女，在暴力政權迫害下，都多多少少有些變態的。他寫身材長面型的言慧珠：她喜歡在大庭廣衆之間打人；但她也會在情緒纏綿時用了牙齒來表達她那份火熱的感情，她是個冷熱不調勻的女人，行動怪誕的女人，唱戲唱出了「你們都得臣服於我」的佔有慾的女人。

易金筆下的李玉茹：個性沉着，不易衝動，臨危應變，[illegible]的勇氣。

他描繪周信芳：他是具有兩種性格的人，他的戲演[illegible]己是人，是現代的人的舞台修養，由[illegible]人個性刻劃得很深，……而在不演戲[illegible]這些人的性格，使自己待人接物還一[illegible]了不可測喜怒不形於色的可怕人物。[illegible]是怎樣的女人：這個人有點怪，但[illegible]

周信芳的太太裘麗琳：那眼角魚紋上，不像是皺紋，而是代表輕鬆調子的音符橫綫了。她很會應變，順勢勾着丈夫的頸，湊下沙角麥的嘴，伸出鞋拔樣的舌頭，在他口腔內尋一條出路似的，儘往裏邊鑽。

平劇之王梅蘭芳：這是個老人，是藝術的老人，也是在政治邊緣上活動的老人，他活在中國人心目中的是男人的女人，但是他早年的私生活却是女人的男人，而在藝術上的成功上說，那是純粹一個女人了。

越劇之王袁雪芳：嵊縣處於浙東萬山之中，在那裏長大的，胸襟不寬，袁雪芳却自幼養成了孤芳自賞的個性，她瞧不起女人，自然更瞧不起男子。

[illegible]得做作也好，說她胸無城府也好，可[illegible]（上海）八仙橋在標妓女金蘭花而得[illegible]花齊放」的靈感，可以說是深刻、諷[illegible]之妙。[illegible]：又是一個高個子女人，眼睛、眉毛[illegible]雖，沒有一個男人見了不認爲她是最需[illegible]捉摸個性最得不到溫柔的女人。

以上都是易金寫這些藝人的常態與本性，其他變態的描寫不盡備錄，將這些帶有神秘性的藝人用速寫之筆，勾勒於讀者之前，無不維妙維肖。所以，我敢向讀者推荐，易金在這部小說裏的人物描寫是最成功的。

至於作者對「戲」界情形之熟，乃至懂得之多，根本不須再推荐他之能寫出如此好的小說，這是必須先具備的條件，否則別人寫這種題材不是一樣寫得好了嗎？

「五四」功罪和它留給我們的課題

·謝康·

（上接第二版）

但是僅得共和之名而社會文化不能配合，齊頭並進，也不能竟革命之功，於是到了五四大顯神通，主張全盤的或徹底的西化，聲勢浩大，風靡一時，國粹黨爲之側目，中體西用說亦黯然而無光，這對新文化自然有弘揚促進的功能，而對舊渣滓有摧陷廓淸的效驗。

可是五四時代對西方文化全貌仍不免缺乏澈底了解和公正而客觀的批判，因此不加選擇或自相矛盾的地方，在所不免，例如：

（一）一面提倡澈底西化而對作爲西方文化源泉之一的基督教，却加以反對，這不獨自相矛盾，且違反西方民主思想中信仰自由的原則。（二）一面提倡西方式的民主，個性尊重，却又宣傳主張階級專政和集體權力的社會主義。（三）一面親西方，一面崇拜蘇聯對馬克思主義之反民主，却毫無認識。（四）只憧憬世界主義和人類和平而忽視自己民族所處地位，正中了中山先生說苦力中彩票而投竹槓入海的譏刺。（五）五四所強調的民主、科學雖未窺其全貌或有所偏，但大體上總算抓着了西方近代文明最突出的兩方面，直到現在，還是我們最迫切的需要。

第六、莫太輕視舊的好東西，乃可建立綜合性的新文化

最後在無情打擊舊文化傳統中，五四不免犯了太輕視自己文化優良傳統的錯誤，它低估了固有文化遺產的功用，而以「禮教喫人」的罪行，作爲「打倒孔家店」的理由，因爲要全盤西化，不能不全盤否定中國乃至整個東方文化的保存價値，要將綫裝書全部扔入毛厠，這些大胆的論調，固然欠客觀和冷靜，同時在事實上也行不通，殊不知中國的毛病固多，西方文化，又何嘗沒有一點流弊？兩次大戰殺傷的慘酷，國際聯盟的壽終（？）正寢，都是西方文明獨霸世界以後的惡作劇！有些遠見之人對西方文化的霸道精神，特別是共產主義造成西方的分裂和全世界動盪不安，聯合國又將蹈國聯覆轍之時，覺得中國的道德文化和政治哲學和平主義，還不失爲補偏救弊的一服淸涼散。

這都是五四留給我們的課題，希望大家趕快作成答案！

（完）

自由談

阿斗的見解

馬五先生

日前看到監察委員陶百川氏所寫「一本萬利」的文字，才知道最近鬧得舉國中外視聽的股台公司造船案，原來是一大騙局，而且是「投資外人」的把戲，主角即為「中國石油公司」和「人人企業公司」的三幾個中國佬，國庫已經損失了百餘萬美元，如果對股台公司造船案，又繼續隨便糊糊塗塗地予以通過實行，將來尚可能招致更大的損害。名為歡迎「外人投資」，實則慷慨「投資外人」，難怪外人那末急躁了！

立法院正在聚精會神地審議這椿案件，我認爲這不僅是股台公司的造船問題，應該正本清源，先把中國石油公司和人人企業公司過去那些與本案有關的事情，切實清查出來，判明是非功罪，綜覈利害得失，究竟責任在誰？百數十萬美元是怎樣攜掉的？將全案內容，公佈於社會。如有涉及刑事犯的地方，即移送法院究處，毫無枉縱。這樣，庶幾乎像個民主法治國家的作爲。至於股台公司造船案，只要證明與上述騙局無關，當然不成問題，依約行事。但有一個條件，即曾涉嫌欺騙政府，盜竊國帑的人，決不許再參預股台公司的造船企業，以伸法紀。

前些時，有位立法委員在香港跟我們聊天，談到立法院的職責問題，他說：「立法委員是你們的代表，你們應該隨時寫信策勵，詰問，甚至於責罵他們，他們自然就有興趣，也有勁兒格盡職責了。」這話不錯。我現在即以老百姓的地位，督促立法委員先生們代表民意，對股台公司這椿大案，要打破砂鍋問到底，問它一個清楚明白，告訴我們這些阿斗。假使各位代表又崇尚中國固有文化精神，實行一面主義，息事寧人，膽量小，那我們這些阿斗，將來就要嘮叨嘮嘮的，努力吧！

湘南的召蛇術

·養之·

世界之大，無奇不有，湘南的「召蛇術」亦一奇也！這是一個流傳着的極不合乎科學邏輯的奇怪幻術。

「召蛇」習俗，可說是湘南人的一種最大娛樂；當然也是一種危險玩藝。不過具有召蛇本領的人，實少之又少。大抵廿至卅華里的範圍，至多也不過一兩個罷了。

召術須學眞傳

相傳凡是懂得這類召蛇術的人，多半屬於邪教；他們往往秘不示人。當他們延師學習召蛇時間，起碼要一年以上才能畢業。在這期間，必須絕對服從師傅才能得到眞傳；否則，便一知半解，祗知召而不知送，那是非常危險的！

但湘南召蛇者，却不像廣東的「捕蛇佬」，也不像印度專門玩蛇的土人。因爲廣東的捕蛇佬，祇是把一條或數條蛇馴服起來罷了，印度土人也不過是玩一條或兩條而已，多少有點勉強，而湘南那些召蛇者，不僅不勉強，而且等於普通人家在喜慶時開筵請客一樣。

十百千萬條蛇

至於召蛇的數目，硬要以那塊地方附近蛇的多寡而定。因此，往往多至十百千萬，但召一次之後，至少要隔三個月至六個月才能復召，並且不能老是在一塊地方召；意思是太麻煩了它們，有時它們也會覺得不高興的。

召蛇者並不是純粹以召蛇爲職業的，而多半是務農而兼習這種法術做招牌的。他們的眞正職業，還是靠耕種和替人治病以及送鬼等事。至於召蛇的方法和程序，筆者幼時曾親眼見過好幾次，回憶起來，彷彿是這樣：

口裏唸唸有詞

舉行召蛇的時期，多半是在炎熱的夏季的晚上，選擇一塊曠野，可供數百人觀賞的場面。先用五個大木桶豎起來，分爲東南西北和中央，召蛇者立於中央的木桶邊，口裏不斷唸咒，手脚也不斷地作法；約半小時的光景，便把中央那個木桶揭開，裏面果然有一條不大不小的黃腦袋蛇，向召蛇者頻頻點頭，表示牠是先來報到的。

據說這是那個範圍的「領袖蛇」，又稱之爲「頭蛇」，牠的權力相當於那個範圍的「鄉長或保長」，在牠那個範圍所有的蛇，無論大小都得要聽牠指揮。每逢緊急事件，也由牠那「頭蛇」負責通知，並指定集合的地點。

這條領袖蛇的腦袋，確比普通蛇的腦袋大一倍，且帶黃色。召蛇者便分別把東西南北的木桶次第揭開，果又陸續到了很多蛇；其中有大有小，黃色、黑色、斑色……不一而足。同時那許多蛇的腦袋，統統都豎得高高地，向着召蛇者搖搖擺擺，伸出舌頭來，其狀極爲可怖！而參觀的羣衆，提着火把，雖然站在很遠；可是，也無不提心吊胆，有時甚至有些女人或小孩，被嚇得飛跑的。

請蛇易送蛇難

記得一次，召蛇者見到蛇羣踴躍赴會情形，覺得很高興。然而臨到送蛇時候，却又大傷腦筋。他把所有的蛇送走之後，惟有那條領袖蛇不肯走，嚇得召蛇者汗流浹背，而皮頓時變爲蒼白。由於這位召蛇者的工夫還不够，祇知召而不知送。所以領袖蛇認爲他跟牠們開玩笑，非和召蛇者拚命不可！

這時的召蛇者不僅不能離開一步，還要以手作法，口唸咒語，阻止領袖蛇向他進攻。據說如果在十二小時內無法把牠送走的話，那末，領袖蛇與召蛇者都要同歸於盡！

在這相持不下的時候，召蛇者的助手們，只好飛奔前去向他原有的師傅請援。說也奇怪，那師傅到來，把自己帶來的旱烟斗向着領袖蛇連敲了三個圈，那領袖蛇便乖乖地掉頭就走呢。

蓮苑聽彈琴詩序

劉百閔

予少讀陶淵明桃花源記，心嚮往之，而羨喜武陵人之以捕魚爲業者，獨能緣溪行以入于豁然開朗之地，此中人無之語：「嬴政取天下，燔詩書百家語，又明年坑儒生，乃率妻子邑人來此絕境，不復出焉，遂與外人間隔」，不知今世是何世？」其與桑竹垂蔭，雞犬鳴吠，自成村落，其人黃髮垂髫，並怡然自得，漁父既出而不可復至，予固羨其獨能一至而留數日然後歸也。及讀唐人王維、劉禹錫、韓愈之桃源行，以桃源中人爲神仙人也，即更夢寐求之，然猶怪其殺雞爲黍，設酒作食，倘有人間之烟火，何也？

歲在丁酉，暮春三月，自予南來，蓋已八周歲矣；友人徐文鏡、趙鶴琴、周士心、吳因明四君子，簡約予赴蓮苑之治遊，予亦蹈遨而至。入門有水淙淙，木棉一樹，方發紅花，徐公蹀躞迎人，俯視而笑；蹀躞升堂，徐公兩目，正襟而坐，先後至客皆前與之存問爲禮；然後各出其書畫，張之四壁，旁有二人，相對撫琴；來者四五人，皆奏天春曉、平沙落雁、鷗鷺忘機之曲，朱絃疏越，一唱而三歎，有遺世外之思焉。中有呂君，鏗然作變，繁音促節，若昔日此霸王卸甲也，則尋而少婦二人，少女一人，歌驚夢、琴挑與卓文君鳳求凰之辭，則又風情婀旎，優然爲尋常人間男女之思也。集百數十人于一堂，俄頃之間，歡愉悲感，凡數變焉，聲音之感人，可謂深矣。

無何，暮靄四起，主人出處饌以饗客，食罷少頃，衆皆興辭而出。既出，予乃恍然若有所得：今日之遊，非桃源之遊乎？桃源固人間也，大壤之大，若此者所在皆是，豈獨桃源也哉！雖然，自晉太元中武陵人而觀之，則固世外之桃源也，然後知王維、劉禹錫、韓愈之徒之非爲遐想也。

逾月，徐公以書來，前月之遊，衆皆有詩，命予爲之序，予乃欣然序之。

壽于右老

黃天石

立功立德立言身。開國人豪欲八旬。
一擲乾坤踵湯武。終聞子弟獲贏秦。
三千世界歸南極。十萬文星拱北辰。
日月重光應不遠。飛觴同醉海天春。

沈從文與胡適之

·程外·

文壇舊話

沈從文在民國二十三年就被稱爲「多產作家」；現在在大陸是被中共文特排擠的作家。

他是以善寫湘西人物風光成名的，而且，他對於那些小人物刻劃得淋漓盡致，栩栩如生；因爲他是湘西人。他早年隨一位親戚（營長）當少爺傳令兵，慢慢的在文學上求進步下苦功，又適逢其會新文學運動剛開始之際，因而他的作品頗受到歡迎。於是，他不再當兵了，到上海住亭子間，賣文章過日子。

他在中國公學教過書。那時該校校長是胡適之。學校裏很出風頭的一位校花，綽號叫「黑鳳」。（後來，沈從文印過一個集子題名就是「黑鳳集」（開明書局出版）以紀念其妻）沈從文對她動腦筋，幾乎每天給她一封情書，惹得黑鳳光火了。她拿了他的信去見校長胡適之先生。胡先生一笑，向黑鳳說：

「沈從文很好啊！」

胡先生的一句話改變了黑鳳對沈從文的印象。之後，黑鳳嫁給沈從文。胡適之先生可謂是她們的月老了。

沈從文編過天津「大公報」的「文學」，提拔過很多左翼作家，蕭乾就是一例。他們曾合印一册「廢郵存底」。現在，沈從文在大陸上受盡壓迫，他們早就忘記他的「提拔之恩」了！

據民國二十三年某刊物的調查，沈從文印行的集子有五十多種。他有流鼻血的毛病，但仍然埋頭寫作。想不到現在潦倒不堪，備受蹂躪，苟延殘喘以度其餘生了。

海上學校

中篇小說

趙滋蕃

「學堂？在海上辦個學堂？」周曼石做出一副電影樣子，將頭儘量伸向前面。「那麼，難道眞要我們乘桴浮於海嗎？」

「哦！」[illegible]

[illegible]

（第四章完）

自由人

THE FREEMAN

（第六四四期）

中華民國僑務委員會登記證僑台新字第一第二號
中華郵政台字第五〇〇號
執照登記爲第一類新聞紙類
（半週刊每逢星期三六出版）
每份港幣壹毫
台北市零售價台幣壹元
督印人：陳文華
地址：香港高士威道二十號四樓
3RD. FL. 20 CAUSEWAY RD. HONG KONG
TEL. 771726
承印者：亮南印務出版社
地址：高士打道六十四號
台灣總經理處
台北市西寧南路壹零號二樓
台郵撥儲金戶九二五二
海外總經銷
友聯書報發行公司
港：德輔道中二十六號A二樓

不要恐懼核子戰爭

•張六師。

雖然軍事科學發展的結果，可能改變戰爭型態，但西方國家不用核子武器也能擊敗蘇俄。目前病態心理的腐蝕，竟使自由世界遭受重創，才是眞正危險。挽救之法，惟有對俄採取主動，深入的解放攻勢。

一，飛彈發展不能代替陸海空軍的工作

關心今日世界性戰爭問題的人士，對於近年美國的「新貌國防計劃」和最近英國革命性的「國防政策」白皮書，都寄予相當的重視，因爲它不僅對今天的世界兩大陣營有安危的關係，並且對未來的自由世界是否能免於遭受共產主義的奴役，也有重大的影響。

本文不擬對此問題作專門性與技術性的分析多費篇幅，而是要對美英兩國的這種軍事政策作一種補充，以闡明兩種意義：一、核子科學的發展是一種進步性的潮流，是無法反對的，而且是對人類文明有利的。二、保衛自由世界的武力，並不完全依賴核子武器。（即不使用核子武器，自由世界也必能戰勝共黨集團）。由前一種意義，我可以作一肯定的論斷，即無論美英俄等國家今後絕不會中止對原子科學的發展與試驗，就是其他科學工業比較進步的國家，如西德，法，意，瑞典，日本……也必急起直追不甘自居落後。由後一種意義而言，只要西方大國能有更高一籌的政治智慧，對蘇俄共黨元凶，掌握主動，預爲先鞭，把防止世界大戰的範圍，逐漸縮小到鐵幕地區以內，就不必使用核子武器，也可消弭世界亂源，解救被共黨剝削奴役的人民。

就戰爭的本質而論，我們不應忽略了兩個重要原則：

第一，任何世界性或區域性的戰爭，其背後絕不能離開這個地球；無論在準備方面或執行作戰方面都無不與地理因素有關。因此，戰爭如果失去土地，資源，人口……的爭取目標，或是不具備，經濟，（糧食，物資……）工業，交通，地障（即山嶺，河流，湖沼，沙漠……）的條件，簡直就無從打起。（這也就是美國能戰而不願戰，蘇俄不能戰而偏要赤化世界的原因。）

第二，任何軍事行動，都必然具有政治，經濟，社會，歷史，文化，……等複雜關係，否則政略思想，戰略決策，乃至人心，士氣，都要失去其所依據的基礎。

本此原則，我們認爲陸、海、空軍的價值仍然存在，而對目前自由世界與俄國間的戰爭型態覺得不會離開下述的範圍。

五種戰爭型態：

1.「戰爭是政治的延長」，（克勞塞維茲語），而自由世界對蘇俄的戰爭，並非出自領土佔領，人民征服的動機；反之，乃是爲了永遠消除世界亂源，解救共黨暴政奴役下的鐵幕人民。核子武器的使用目標爲軍隊與軍事潛力，雖可影響軍事的勝負，但並不能摧毀地面上的政治制度，和解決長期性的政治，經濟，文化……問題，因此，戰場地區的軍事控制，仍不可免，故必須有陸軍的配合。

2.蘇俄鑒於自己核子武器的落後，它除非具有勝利的把握，否則不會輕易冒險，故今後可能只有地區性的戰爭，和防止顚覆，對付游擊的作戰，而不會必有世界性的核子戰爭。故陸、海、空軍的需要價值還在。（飛彈還不能即代替舊有兵種。）

3,聯合國與西方國家，如果對蘇俄在每一地區所製造的不法行爲，都有決心，魄力從事制裁，不再如韓戰、越戰、東德、波蘭、匈牙利、蘇彝士……一樣的濡弱無能；而且還能更進一步，本諸「解放運動」的宣示認眞去做。則摧毀新殖民地暴政的地區性事件，解救被奴役民族的獨立運動，其範圍只有縮小到鐵幕以內，當然可能不需要打世界性的核子戰爭。

4,即令有一天會發生飛彈投擲的核子戰爭，我們還不敢苟同美英若干軍事專家認爲「十五分鐘」，「兩小時」，「六小時之內」……即可決定戰爭勝負的意見。因爲雙方的工業與城市都已正向地下，山腹移動，對輻射防護的知識和兵工建築工程的進步，也正在並駕發展中。

5,惟「時間」是對共黨陣營比較有利的。已由無到有，由有到多，至足以一舉摧毀美國「報復力量」的階段，則突然先發制人之核子閃擊攻勢——來自內部地下組織與海岸潛艇，空中飛彈……同時優勢大量陸軍的突然侵向歐亞非三洲，我不知屆時美國在環球的大小二百多個基地的後繼力量何來？如何繼續維持長期補給？甚至用什麼保護基地？（飛彈不能代替這個工作）。

在上述各種戰爭形態中，證明出西方國家避免世界大戰，與獲得勝利的唯一可走之道。不一定是核子武器，而報復的飛彈防禦則是最好的政策，尤其是在核子武器時代。

二、攻勢戰略才是良好防禦與和平保障

時至今日，世界防空技術雖已有長足的進步，但對於攔截敵人空軍的侵入，還不能辦到百分之百的程度，對於飛彈的防禦更不消說了。驅逐機（戰鬥機）自然可以攔截一部份敵人轟炸機，但至今世界還未有眞正的試驗與證明攔截效力。利用雷達和飛彈的配合防衛，效率雖可增加，但至今還是想像而已，駕駛員仍是重要，而雷達雖有改進，缺點仍多，否則中華民國的飛機……（因爲雷達電波是直線的，例如山嶺，又容易被氣候和地面所影響，其本身自然也無法辨明敵我。）所以單純的防禦是很危險的。

其次，今日在原子武器的發展中，即令能攔截到百分之五十的限度，（根據一般專家認爲是最高的限率。）但如果一旦受了侵入一半的打擊，情形就嚴重了。何況，攻者可以集中選擇目標，而守者則處處防不勝防，攻者可以隨時不斷改進技術，使防者技術不易普遍的擴展更新。這種情形，在蘇俄當更成問題。因此之故，各國軍事專家都認爲在核子武器時代，先下手者，和機權主義者勝利的可能性也最大。

（下轉第三版）

半週述評

看北大西洋公約前途

從埃及與鐵幕的軍火交易，到東歐與中東一連串事變的發展，總算挽救了北大西洋公約垂危的命運。最近這次理事會所討論的主要是冷戰基本戰略與核子武器等等問題，比起一年前要推出三位智者替公約組織覓取回生方策者，總算不可同日語了。

然而，面對蘇俄中程導向飛彈（八百哩的一種業已完成）與熱核子彈的威脅，關於以核子武器裝備西歐各國，尚有待於爲期數月的研究，則未免令人氣短。

此次理事會對於許多問題所以不能作斷然決定者，一部分原因是受今秋西德普選的牽制。西歐防衛主力恃西德，但今日西德一般情緒卻更傾向於如何保持繁榮與和平統一的幻想。可見法國固不可靠，連西德也難成爲確保西歐安全的支柱。

麥卡錫蓋棺論定

七年來在美國政局中引起最多爭端的麥卡錫參議員，以四十八歲的壯年，竟以肝疾不治逝世。麥氏死後，無論友敵都對他個人或他夫人表示哀悼，但卻絕少談到他的事業或「貢獻」。這一事實，正說明了麥氏在美國今日政局中的處境。

麥卡錫率直勇敢，嫉共如讎，近年美國朝野對於共黨滲透危險的警惕，無可否認麥氏有一部分力量在內。然而他那種機械式的看法，不負責的攻訐，一會說國務院中有二百〇五名持有黨證的共產黨員，一會自動減到五十七名，最後又變成八十一名「危害安全者」，卻又始終舉不出實際證據。而幾個重大共諜案的揭露，從懷特希斯到福克斯案，卻沒有一個是麥氏之功。麥氏因爲曾作宣傳鼓動，在反共運動中搶盡鏡頭，以致若干人視他爲反共英雄。實則他對於共黨罪惡的認識並不深入，而那種亂拋帽子作風，徒使若干善良人士飲痛，反而放鬆了眞正的共黨活動。從三年前他主持對陸軍的調查，激起絕大反感，卒致法院以六十七票對二十二票通過對他那種調查方參加以譴責，他已經不是美國政局中的風雲人物了。

有人說麥氏是五十年代的惠朗，也有人罵他是 DEMAGOGUE，我覺得他雖有野心，卻缺少積極的抱負；他有吸引選票的本領，卻還不够做一個惠朗。我們反對共黨與共產主義，也更反對共黨手法。反共黨手法，採取任何手段，決難收到實效，反予共黨以可乘之機。對於麥氏的遭遇，相信這是持平的看法。

所望於越南政府者

近來最使人痛心的事，無過於南越政府對待我們僑胞的各種措施。土生華僑要強制歸化，學校校長不許華人擔任，與十一種普通商業都不許華僑經營。華僑對於越南貢獻不少，竟遭到如此待遇，能不令人感慨！

南越是新興的國家，百事待興，鞏固民族主義高於一切是難免的。今後對我們僑胞的措施，恐不易改變既有的態度。惟中共在南越活動，亟需利用此種機會，興風作浪，此實南越政府所應注意。華僑爲了僑胞利益，自然須負擔責任，南越政府必須從反共與復土的大道着眼，對於同一立場的自由中國的僑民，應該採取寬容大度的政策，對雙方都是有利的事，否則祇有兩受其害！

•李秋生。

蘇聯與德國問題

曾旭軍

一、

北大西洋十五國在德國召開理事會，核心問題，是怎樣應付蘇聯鼓吹德國中立化和以德國統一爲餌的陰謀。

最近在德國和其他若干國家，有一種獲得多人支持的理論，以爲克姆林宮的德國政策，是以俄人的安全爲準繩。如此推論，蘇聯所畏者係德國統一而重整軍備參加北大西洋公約組織。由於此種恐懼，蘇聯便拒絕放棄對此一千八百萬東德人民的控制。

持此種理論之人，便斷定：爲要消除蘇聯此種恐懼，西方民主國家應及早同意統一的德國脫離北大西洋公約組織——換言之，他們深信德國中立是獲得蘇聯同意德國自由統一最佳的方法。

這種的理論實不了解決定蘇聯外交政策的原則與目標，尤其是在最近的四十年來。

蘇聯對德國的政策是積極侵略性的，不是消極防衛性的。在一九四六年美國當時的國務卿貝尼斯，曾向蘇聯提出一項有效四十年的條約，建議保證日本與德國解除軍備，當時英法支持此議。但蘇聯政府拒絕了。如果蘇聯眞正恐懼德國重整軍備，爲什麼不接納美國的保證建議呢？

二、

自建議德國重整軍備以來，迄今已六年，但仍在預備階段。若蘇聯眞正認爲德國之參加北大西洋公約足以危害她的安全，蘇聯可以用自由統一德國的建議去阻止德國重建軍。然而若干研究蘇聯問題的人，尤其是若干西德人，說：在一九五二年，蘇聯同意以自由選舉統一德國，祇要西方三強同意，他們引該年三月十四蘇聯一照會作證。他們指責西方三強不予考慮，因而失去德國統一的機會。

事實上，當時四國互換照會，三月十日蘇聯照會中，並不以自由選舉作基礎。直到同年廿五日西方三強照會中，以自由選舉爲德國統一第一步驟以後，蘇聯在同年四月九日和八月廿三日的照會中，提及「自由選舉」，但克姆林宮所表示的「自由選舉」，與民主國家所說的大異。一九五二年三月十日的蘇聯照會說：『民主權利——總會包括選舉權——祇能給予「民主的政黨和組織」。』又說：『在德國境內，凡與民主及和平對敵之組織，不得存在。』

這裏就是問題的核心。最堪注意的，是在蘇聯管理的德國區，摒有大量勞工的社會民主黨，因爲不獲蘇聯佔領當局和傀儡政權承認是民主組織。

三、

自一九五二年對德國統一問題，交換照會以來，蘇聯多次顯出其對自由選舉的眞正立場。在一九五四年柏林會議中，莫洛托夫率直拒絕自由選舉。一九五五年日內瓦外長會議之後，克姆林宮統治者（特別是蘇魯曉夫）發表對此問題的意見，都表示不願意德國有自由選舉，甚至欲以德國中立爲代價，亦不想要蘇聯顯意德國眞正自由統一。蘇聯除要求德國中立之外，更要求德國保一個「民主的」與「愛好和平的」國家。可是所謂「民主」「和平」的字眼裏，包含着蘇聯的陰謀。蘇聯常誇說祇有德國的蘇聯佔領區內，才是眞正實行波茨坦公約的地區，德國須依照蘇聯佔領區的共黨政權去組織統一政府，才能統一德國。所以在一九五二年八月廿三日蘇聯照會，以實行波茨坦公約爲全德國行自由選舉的先決條件。至近年甚至對波茨坦的決定也少提及。而口號是以「蘇管制之成就」爲基準，必須在統一的德國中保存此種「成就」。但簡言之，要維持其東德傀儡政權。一九五四年以來，蘇聯對德國政策唯一的目的，是共黨政權統治全德國。但克姆林宮的戰術時常變換的。他們會用自由選舉的虛偽諾言欺騙德國人，自匈牙利事件發生後，德國人民對蘇聯的陰謀更看得清楚。如肯土地改革，國營工業及戰後社會及經濟政策，欲謀取德國自由。到底脫不了俄國的枷鎖。現在德國如果想以中立，脫離北大西洋公約組織，謀統一獨立，其愚妄實有若水中撈月而已。

殷台公司案逐漸揭開

·張健生·

台灣通訊

關于本案的六個要點，中央社記者曾于本月十九日搜集各方有關資料有所說明，可與本文參照對閱。（編者）

美國殷格斯公司與台灣造船公司案，演變到今天，雖尚未獲得最後結論，內容却已逐漸揭開。

監察院指出五點

本月十八日監察院財政、經濟兩委員會聯席會議，首先指出中石公司與人人公司租賃油輪案之要點如下。（一）中石公司是在利用之機會，使利人人公司圖利，而致國家財物蒙受損失。（二）「人人」重要人員沈家楨、陳嘉元、魏重慶、屠大奎及張某利用中石給予運油資金及信用並雇用華生律師爲之策劃並介紹美公民諾來以資掩護。（三）中國國際慈善基金會係因人人公司之同一中國人爲規避美國法律，以基金會爲股東而參加組織，由美國公民爲委員管理之組織發起人。（四）組聯合公司，及至基金會係莫里士律師事務所所策劃，爲華生所主持「尋找出一穿過法律石牆之方法」，該聯合公司董事長（同時又爲基金會理事）抑一事均經華生，該公司之司庫兼秘書爲魏重慶，一切支付非經魏副署無效。（五）一九五二年三月七日至十四日，紐約衛民報載華生出席國會作證聯合公司曾爲蘇俄集團運物，並受俄租用運油自羅馬尼亞給中共。因此，對殷台公司之主要或關係人員華生，葛古森，魏、屠及夏勤鐸（去年油輪案主要關係人，今本案之重要關係人）等指出他們過去在油輪案中或多或少之關係，應爲必要之事。

監院引證行政院的一段

復據監察院糾正案中引證行政院明本年二月十四日致立法院公函，說明殷台公司的都相如下：「四十五年四月經濟財政兩部會呈，略以美國殷格斯造船公司建議與台灣造船公司合作建造二萬六千噸油輪，該公司於四十五年四月間並派專家五人來台實地考察台灣造船公司設備。台灣造船公司董事長周茂柏與該專家在台交換意見後，復專程赴美與該公司商得初步合作條款……此案爲第一次美國名廠申請來台投資」。查造船政策固爲國家目前切要之圖。然事實上美國殷格斯造船公司並未作此建議，該公司並未與台灣造船公司合作造船。所謂美國名廠來台投資者，乃爲去年十一月方在賴比瑞亞登記設立之一新公司，即上述殷台公司。其目的爲來台租賃我船廠，其資本僅爲美金一百十萬元，其中美國殷格斯造船公司，僅有百分之二十五之股份，且僅以勞務及技術抵充股本。該殷台公司之實際主持人則爲中國國際慈善基金會，此乃爲前上海人人企業公司所投資，而人人企業公司則曾非法套取吾國大量財物，前經本院對該案主管人員糾舉有案，此中情節以及我國因此遭受之損害自爲接洽此次租賃案之中國石油公司總經理與其駐美代表，經濟部長江杓，董事長張茲闓，以及其他有關人員的努[illegible]中國國際基金會以經營造船業務[illegible]賃船廠，乃因該[illegible]之工程油輪公司，曾在去年十一月間透過美國每邊公司與中國石油公司訂約，於兩年後開始爲其運油十年之久，而該工程油輪公司目前則固尚須來台訂造此項油輪，用美國殷格斯之商譽，即以該公司爲號召，向我政府洽租賃事宜，我主管人員不思懲前毖後，避免與人人企業公司有關分子作交易，抑且不惜越權違法爲彼等圖謀非法及不當利益，因此監院予以上[illegible]

關于長期租賃部分

關于長期租賃之不當，監委聯席會中指陳石油公司每年原油之運輸與航業之配合，在政策上顯有未有詳細考慮。據云：夏勤鐸爲美國公司過去油輪案中之主要介人，此次又爲與工程公司之商洽者，明知造船合作案，方在洽商未定，但豈眞如金開英電中云，顧贖回米青案之損失？抑以造成既成之事實，以促造船案之必然，不知是何用心。經濟部受其蒙混，遂予批准，豈僅在政策上不當，直屬怠忽職務而已。考慮爲保證長期租用油輪，必須遠謀自備油輪，始能眞正解決油運問題，必須調度中國石油公司長期十年之租約，旣未有爲之發展，同時因爲油工業之國，而促助本國海運發達之進步。今不此之圖，而於蘇伊士運河事件發生之第一年（四十四年）年底，即與海灣油公司商洽十年長期「油運合約」，其自稱因中東事件影響者，不無事後巧辯之嫌。即退一步言，必須預謀油運順利，儘可與已有油輪之各大油運公司訂約，而不必與聲名狼藉及受有重大損失之前人人公司有關係而尚未訂造此項油輪之工程公司，間接訂一長期十年之油運，打破該公司紀錄，爲後來造船事件種一惡因。租輪運費每月每載重噸二、七二美元計，此項運費數，係假定該輪之造價爲三百九十萬美元而規定。若造價增高時，則每月每噸運費亦跟之增加美幣四分二釐。但該輪之最高造價，不得超過五百零七萬美元。這種表面上似屬限制，殊不知此種每噸位增大而增高之造價，實已使原來約定之單位價值之提高。十年中，兩輪運費無形中增加負担近三百萬美元。

據金開英稱，台殷合作造船案「係總公司（石油公司）發動的」。而監委指「金開英夏勤鐸過去爲原始策動人」。致政府損失每年在二百數十萬元，其餘免稅，減稅，倉庫之設立及外人日用品除外。

關于違法失職部分

關于違法失職與越權部份，正如監委稱，政府辦理本案，漫無標準，逾越常軌，考慮欠週詳，態度欠明確，致滿物議沸騰，影響國家權益，有失政府威信。我政府於四十三年七月公佈外國人投資條例，旨在規定種種優越條款，鼓勵外人來台投資，此次殷台公司來台投資，於去年十一月七日申請書中，亦有「敝公司仰體政府鼓勵外人投資生產事業」之明文。經濟部正應照外國人投資條例辦理，乃該部藉口該公司聲請認許呈文中未有請用外人投資條例之要求，故不依據該項投資條例處理殷台公司之認許，是直故意避免外人投資條例第六條審議委員會之審議。

殷台公司申請認許所繳附件僅有公司證明書，登記證，公司章程，在中國營業計劃書，董事會關于請求認許之決議錄，董事名單，中國境內代理人受權證書等七項，及聲請認許呈報事項表一張。上述七種文件多與事實不符，（一）地址，（二）董事名額不符。又未依我國公司法規定之「股東之姓名、國籍、住所及認股份已繳股款」一項，顯有違公司法二九四條及三五四條之規定。

經濟部根據公司法二九七條規定予以認許，則該公司在法上之權利義務應即與中國公司相同。但經濟部所核准之殷台公司申請書所要求：（一）免徵所得稅三年。（二）免稅期滿之後，所得稅最高稅率爲百分之二十五。（三）在基隆設置保稅倉庫。（四）照中國政府優惠匯率將美匯兌換台幣。（五）所得不徵稅。（六）進口日用品。（七）機器及材料進口免稅。又中國政府對戰爭危險予以保證，而以信用狀貼現貸款。凡此特殊優厚條款，不獨超過公司法及外人投資條例所給予一般中外公司之優待，抑且違反所得稅法及外匯貿易管制規程，行政部門作此承諾，寧非違法越權。

關于殷台股權部分

關于殷台公司股權問題之處理，何由原百分之五十一爲殷格斯，百分之四十九屬于中國政府方面，竟演變爲現在百分之九十爲殷股，百分之十屬台灣航業界。行政院四月十九日舉行之四五二次會記錄，係根據財經兩部會呈會商結果及審查意見而提會討論者。已無查閱協議備忘錄，乃江部長獨斷處理，疏忽職務。有無圖利他人之處，深值研究。據美第四巡迴法院對米肯輪制決書中有「人人及陳、魏、屠三人」之語，可知彼等確屬人人份子，應懷戒心。今竟以諾大船廠出租，且借九百萬美元巨款，復爲修建三百五十萬元台幣之船台，並向長期租輪，如此對進造船工業目的，不惜孤注一擲，於協定實容如彼鬆之手。立法院五月八日緊急質詢後，江部長又向對方交涉而失敗，此中曲折矛盾，令人不解。豈僅失政府體面與威信而已。受害者自爲台船公司，台灣銀行，石油公司耳。主管部如非串通勾結，即屬顢頇失察。

最後爲戰爭保證承諾被指爲不當。各方對造船政策一致支持，而因爲政府在第一二兩期四年經建計劃中，未詳列發展造船工業的計劃，社會上尚有人不瞭解。所以引起各種紛傳。此次立監兩院在處理本案的過程中，認眞與謹愼的態度，深獲全國各方讚許，咸信渠以崇法務實的俞院長，定能本法治精神對本案失職人員予以議處。

（五月十九日午夜于台北市）

香港輿論

對台北事件的看法

台北「五、二四」事件，震動了世界，全球新聞報導當用「暴動」與「反美」來形容此不幸事件，而在共產黨的宣傳機器，則視之爲不可多得的機會。儘管反共的海外輿論一致呼籲，但另一方面不能不對美軍事法庭判決「無罪」有所表示。在基本上，這種情緒是不能也不應用「反美」字樣來形容的。

茲根據之數日來本港自由反共輿論界的反映略加介述如后：

新生晚報在五月廿七日「新聞說明」中對所謂「反美」作了界說，認爲此事件「不能與共黨方面的『反美運動』等量齊觀，兩者有着本質上的不同。」該報認爲台北的事件「是反對美國的部分措施，[illegible]的基本觀點[illegible]」，若干人士，若干[illegible]強調「反美」，若不是一種錯覺，就是一種誤解，美國人若強調這是「反美事件」，而不反省自責美軍事法庭的裁決之失當，以及當諸行爲之荒唐，實爲極不智的言論。表示美國當局並無勇氣于糾正錯誤。」這是五月廿六日香港星島日報的「社論」。該社論曾引徵美國一議員之較公正言論謂，「此事件之鬧糟實由於美國防部與國務院之聯絡不够；美駐外軍隊與美大使館聯絡不够所致」。我們相信這位參議員的話不會是無根據的。當諸之判斷，顯然是美軍方未曾體察到台灣的輿情，而大使館與軍方若事前能有深入的研商交換意見，可以相信處置不致於如此魯莽，此時此際而只知責人以「反美」，不知責己之「失當」，除足以增加不快外，於善後實無補益。

對于根本問題，廿七日的眞報「新聞說明」率直的提出：「爲什麼美軍總是不受歡迎，爲什麼美國援外總是召來反感呢？這是美國決策人士所要認眞研究的問題」。多年以來，駐外美軍與駐在國間，常因一些小小的齟齬引起磨擦和不愉快，即使在英國也不免有同類事件。照說，「美國決策人士」早應作「認眞研究」了，何以始終未能有所決定？大抵上說達美國的決策人士怕也不免受「以金錢購買友誼」（廿五日香港時報社論語）的心理作祟呢！美國決策當局既無斷然的決策用以約束其駐外人員之行爲和教育其盟軍盟國，也就使其駐外人員覺得行爲放肆一點是當然的，無所謂的了。

以二三年前香港的情況爲例，來港渡假的美軍人員風紀之糟，是人所共見的。幸而香港政府和教會當局出而與美國領事館共同研商管理之道，才使港九纍盛之區酗酒鬧事傷人，減少至無。而主動要求提出糾正者實爲本港教會之最高負責當局，似並非出於美官方之自覺自動。同時，也不能否認另一最基本的原因，即美國政府將派駐在國外的軍事顧問團人員要求被視同外交官待遇，而有「治外法權」之享受，此項特權之運用，在一些品行不良之美軍人員實無異加軍其放肆行爲的心理安全。因此，本港英文虎報廿五日的評論即指出，「只要駐在外國土地上的軍隊享有治外法權，惡感與不滿，就會醞釀，隨時引起暴亂。」而這些都是足以損傷受援國家人民的民族自尊心的。「當民族自尊心被損害時，金錢物資是抵擋不了的」（廿五日工商日報社論語），「金錢購買友誼」的關係較諸互相合軍提攜的友誼自然是脆弱得多了。

台北的不幸事件目前已經獲得了雙方當局重視和求善的處理，相信可以有圓滿的合理解決。但這不幸之事件對中美雙方言，都是極重要的教訓，我們固應冷靜以便政府作適當的處理，並也同時希望美國朝野和執政者們能反覆自省，庶能有助於未來關係之改進。（嘩）

內幕雜誌

聯合出「報」內幕

·黃泉·

（台北通訊）這是內幕的內幕。合台市自文清運動打擊過十種內幕什誌停刊以後，整整十個月，已看不見十種內幕什誌。在停刊期間，文清專家們，大肆宣傳，「不買不讀」果然它們「徙刑」滿期而捲土重來之日，銷路銳減，大非當年的「狂銷」情況如唐賢鳳賢龍弟兄之主持「中國新聞」「新聞觀察」等六種與守仁主持之「紐司」，章昌平主持之「新聞評論」，蔡麗發主持之「聯合新聞」，陳主持之「世界評論」，都不如過去那樣寶貴了。

然而在此時期，有異軍突出三種內幕什誌：「社會什誌」，「偵探世界」，「西風」，以黃色內幕而轟動寶島。且發生「小寡婦浪漫史」誨淫案，（偵探世界載）吃官司罰鈔票，而掀起了文清再活動。法院加緊檢查各種內幕什誌。而內幕什誌界自行檢舉黃色內幕。有所謂「什誌界混亂內幕」之專載。于是由熱鬧又轉入平淡。它們的銷路，慘得不忍言。

社會上的一般讀者，上够了「內幕」之當，相告「不買不讀」，內幕什誌的生意，可以說其狀甚慘。最近消息傳出，它們爲了什誌生存及發行人生活，決定出一種「聯合什誌」。用七種什誌的名稱而聯合出版逐日發行。版式由冊子改爲單張一大張，分爲四版，一版內幕新聞，二版社會新聞，三版副刊，四版影劇與經濟。

這個辦法是鑑于民族報，經濟時報，全民日報而成之「聯合版」後爲聯合報之「成功」。以及大華新聞由通訊稿而成之日報來辦「合法」。在這成功與合法之前例下，「聯合什誌」或「雜誌聯合版」，當然也可以「合法」的「成功」了。

據聞有「紐司」「聯合新聞」「西風」……七家雜誌的主持人，已經協議妥當，刻在尋覓地方，從事組織社務，一面正向主管部門呈報備查，大致在六月一日可以出刊。

回憶「大華新聞」出版之時，曾引起報業公會之反對，終以它不違出版法而至今仍在出版，且銷路日增，內容漸佳，比其它二張小報高明得多。此次又來一回雜誌改日刊的花樣，可能亦有報業公會的反對，但，它們亦可以根據出版法而力爭的。

總而言之，在政府還不開放報業登記的今日，這種「變相日報」是會層出不窮的。所以此地有請當局開放登記的呼聲。開放以後，才能自由競爭，適者生存，不讓「報僧」壟斷，要讓眞正報人出頭。

自由談

義務的答復

美國參議院外委會的一位顧問摩里斯，說是這次台北民衆爲着美國大兵雷諾事件而發生騷動時，曾有留學美國的華人亦參加，他要求國務院予以調查說明。我現在先對摩里斯先生作一次義務的答復吧！

在二次大戰以前的五六十年間，中國人到日本留學的，比最近十年來的留美學生人數，不知超過若干倍。可是，中國的留日學生之中，百分之九十九都是反對日本的。何以故呢？就因爲日本人自甲午之戰後，對中國人總是滿懷優越感，不特妄自尊大，睥睨一切而且派遣許多無知無識的浪人到中國來，非法作惡，橫行霸道。所以，越是在日本留過學的中國知識份子，越就抱有強烈的反日思想。當年日本政府也像美國一樣，曾用庚子賠款來補助中國留日學生的學費，以爲藉此可能博得留學生的好感。殊不知一個民族自尊心與愛國情操，卻不是金錢之力所能抹煞摧毀的。中國人始終反對日本帝國主義，直至經過八年戰爭而後已！

美國人如果懂得這段近代史，對於這次台北市民的示威運動，即令有留美學生參加，也就絲毫不足詫異，無需認爲是應有的現象。任何一個國家的人民皆有其民族自尊心，到外國留學是爲着求知，決不能因爲求知，即願意賣國媚外唾面自甘的。其次，我還要附帶的向摩里斯先生說明一點：貴國的大兵雷諾在台灣故意殺人的實情，決非如他自己所說的那類鬼話，美國人民代表若想澈底明瞭這次事變眞象，應該先向政府當局查詢雷諾殺人的內在因素。光是批評中國人反美，認爲錯在別人，而毫無反省自覺的心思，將來還有更糟的情況發生哩！

中國人決無反美心理，造成反美氣氛的，是美國駐在國外的自己人，知道嗎？

馬五先生

也談台北大報的報屁

・上官灡・

蝶泥先生以一個作者在本刊五月八日（六四四期）報導了台北六大報副刊的一些簡略的情形。

在這裏，我想以一個讀者的看法，對於台北幾家大報的副刊作個較詳的評介。

如蝶泥先生所說的，「每一副刊，有其『刊柱』，亦即所謂『班底』，佔據了幾塊固定的地盤，很少一點空白留給外稿塡空。」

由於此，他們所刊出的稿子除了偶爾幾篇短篇創作小說外，大都是些炒冷飯的「老八股叢談」或者是些與原文出入很大的「洋翻譯小品」。

在台灣，各報副刊的編排選稿與翻新，大都以中央日報副刊馬首是瞻的。

中央日報 初在台復刊兩三年裏，比較有生氣，那時副刊是耿修業先生主編，他以筆名茹茵寫的方塊雜文當時很受讀者們的喜愛，時人常把他和寒爵（亦雜文名作家）先生並稱。

嗣後他轉任職於大華晚報，中副變更很大，每天都是那些「老八股叢談」與一些「洋翻譯小品」簡直令人膩眼。

雖則其風格如此討人厭，然而竟羣起摹仿，

除了中副，讀者們就注意到新生報副刊。新副在馮放民（鳳兮）主編的時候水準不壞，繼後由彭歌接編，在他這一段時間，則注重創作小說，也許他是個近視眼的關係，刊登出來的幾篇連載不短不長的小說都是跟前幾個熟人，也是文壇圈內人稱爲「十人小組」的作家們。但這幾位的創作小說水準則不一致，比較受讀者喜愛的還是南郭先生。

自彭歌調任後，張明（非張民）女士（姚葳）接替下來，雖想盡力刷新一番，但仍然擺脫不了署名「厚安」的那位太上編輯的文章，以致還是舊「體」，蝶泥先生曾在其報導中提到在新副寫方塊文的鳳兮，據筆者與大多數讀者們的接觸，對鳳兮的雜文觀感尚不惡，因爲他畢竟比較敢大胆的寫，大胆的說，不似「聯副」的何凡「嚶嚶」其鳴。

第三是中華日報副刊 華副在趙之誠接替徐慰忱主編以來，一度着重於戲劇，自始到現在都有陳定山的長篇在連載，陳的長篇是非新非舊，先是「春申舊聞」，跟着一篇「龍虎門」「一代完人」，不管它的篇名如何，讀者們很少注意他的大塊文章，倒不如偶然刊出的短篇小說受人歡迎。

第四談到聯合報副刊 聯副本來是個最公開的園地，以前是牟力非先生主編，在林海音女士接下牟的繼承工作後，首先給自己的先生劃了一個「特寫」區——「玻璃墊上」——其他如女作家們的特約稿，化名稿，同行交換稿等，餘下些零碎角頭，公開給與「外人」。

不知道爲何林又搶了這塊大園地，接下聯合報的「婦女周刊」。但她還是優先給自己的先生——何凡又劃了一塊「浮生雜記」的特區，所以人常道夫以「妻榮」。

目前新任主編焦家駒先生看他月來用稿，很想恢復舊日「民主」之風，只是水準仍舊沒有提高，而且每天一塊大大的「信不信由你」的插圖佔去可貴的版面太大，實屬可惜。

第五說到徵信新聞副刊 徵信報本來是個後起之秀，它的屬性是着重於商業報導，副刊乃爲其點綴之點綴。

現任主編徐慰忱，沒有他從前主編華副時的成就，徵副過去除了連載南宮博先生的一篇「洛神」受人稱道外，現在那個「呂四娘」的長篇看起來，相差得太遠了。

其餘那些「老八股叢談」和「洋翻譯小品」也讓之味同嚼蠟。

第六是公論報 公論報的副刊一直沒有受到人的注意，這不怪編者沒盡力，原因是經濟困難，所以好作品就流不到那裏去，然則是個園地最公開的地方，這是由於誰也不想擠進那個沒錢的地方，於是對新學寫作的人倒是有發表機會的。

蝶泥先生在他的報導中漏掉了台北一家青年戰士報。

青年戰士報 自從擴版以後，主編副刊的潘壽康先生已把該刊的水準提高超過××報，××報之上，經常我們可以在其副刊上讀到很多的好短篇小說和散文。

這話說來又得歸功於「錢」上面來了，因爲他稿費發得快，所以來稿多，選好稿便容易了。

台北報紙的競爭如蝶泥先生所說的「轉向報屁股上去了」而在花樣翻新上，各報還是追不上中央日報，一則有「財力」作後盾（該報稿費千字五十元，別家則爲四十、三十元，而且算得緊緊的），再則在「人才」「印刷」方面都佔很多便宜。如它最近在第六版增加了「趣味報」，別家報想仿傚也是非常費力的。

說句歸總的話，在台北各報副刊的作者，除了那些「人情作品」「洋翻譯小品」「老八股叢談」，眞善美的創作是很少的，所以就「趕不上大陸時代京滬報紙的副刊」了。

悼念陳含光先生一首　並序

・邵鏡人・

含光先生逝世，余已撰長文紀實。詎有一二人誤解先生遺詩，余不欲辯。惟念先生高風碩學，自有千秋，乃再賦句以悼之

清風流海甸，高詠滿江東。律摵三唐壘，文收六代功。睡飛終自反，道在未應窮。太息斯人去，滔滔眼底空。

海上學校

中篇小說

趙滋蕃

「長虹，我無意與你這位公民訓育系的專家挑戰，」紅鼻子的臉上充滿了善意的表情。「不過，在一個醫生的眼光裏，總覺得那種追求死死板板，整齊劃一，拚命製造緊張嚴肅情緒的訓育制度，對孩子們的健康而言，無論如何都不會是件好事。可能是我的一點偏見：世界上其所以還殘餘着一大批橫行霸道的混蛋，還存在着這許多殘忍成性的權力狂者，與這些愛好管理的訓育主任，多少有些聯帶關係！第一，訓育管理將權力慾一道塞進了孩子們的腦袋；而嚴格的管理下，最容易孕育專制魔王。第二，孩子們在沒有辦法支配權力的情況之下，將它暫時打進潛意識的冷宮，一旦情況變遷，這些權力慾都變成了情感的酵母，意志的發動機，聯合把理智壓下去了。最後，訓育制度管理的主要對象，是那些行爲較特殊，個性較顯明的學生。訓育主任要求大致不差的均齊；他們對那些較突出的學生橫施壓抑，結果不過替未來社會，埋下反抗和仇恨的種子罷了！」

「照你的這種說法，太玄，」張長虹伸出個手指頭，敲擊着發燒的前額。「我想海上學校一開辦，就會把世界最眞實的一面，搬進學校裏來試驗了。你要知道，」他攏了攏搭在眉梢的長髮。「海上學校如果沒有健全的訓育制度，那麼，大魚吃小魚，小魚吃蝦子，蝦子吃泥巴的那套所謂『實力政策』，必定要在海上學校重演的。那豈不是只好了體力較強，性情較狡猾的狡黠之輩嗎？我們的教育效果不是全部會落空了嗎？」

「哦哦——」紅鼻子的話一時觸了礁，白麻子在眉毛縮緊時更鮮明了。「你這想頭自然也言之成理。可是我倒要問一問，」他的頭偏到了右肩膊上。「教育的效果能夠採用距離觀察，控制試驗的方法量出來嗎？我想那不一定是可能的呀！」

「教育有沒有效果，雖然不好拿到天秤上去量量，但到底可以從兩方面而探索出來。」張長虹答道。「從孩子們的內心來觀察，假如能看見他們的行爲之中，知、情、意三者都調和了，平衡了，那麼，教育的效果就顯出來了啊。」

「你的眼睛裝配得有X光嗎？」紅鼻子搖搖頭，「他們的內心，你用甚麼儀器來透視？」

「行爲是表現在外面的內心活動，有雙眼睛就夠了，並不需要X光透視的！」張長虹仰起大堆頭獅子鼻，放了一陣變筒槍。「當一個人在做某件事的時候，他明瞭了作這件事的意義和目的，他樂於做這件事；而且，他一定要把這件事好好地做完，我們就看出了知、情、意三者在他的內心之中平衡了，調和了，於是，教育的效果也擺明擺白了……」

「不要訓育制度，也可以有這個效果的，」紅鼻子眨了眨鼠皮眼，

「訓育制度就在使三者的平衡，能有效地完成。」張長虹接過話頭。「譬如說：當一件事在進行之中，遭遇到外界不必要的干擾與壓力，訓育制度就要排除這些障礙的因素，使事情能順利達到目的。訓育制度鼓勵良好動機，鼓勵做事的興趣，所以決計不能取消。」

「還有一方面呢？」周曼石打了個哈欠。

「另一方面是從個人與羣衆的關係，作爲觀察的焦點，」張長虹說。「意志有時是要失於偏激的，一個人的決心有時與另一些人的決心，可能相衝突的，教育有沒有效果，從這上面也可以看出來。」

「怎麼個看法？」周曼石捂住嘴巴繼續打哈欠。

「當衝突開始時，眞正受過教育的人，就會對目前的事故心平氣和地作全盤思考。然後，努力克制自己，尋求正當的辦法來解決。假如自己理虧，則逐步修正或率性放棄；假如人家理虧，則擇善而固執之，繼續到底。沒有受過教育或沒有受過良好教育的人，一碰到干涉就暴跳如雷，總認爲是別人故意搗蛋，一味逞意氣，頓變不可理喻；而教育的效果，就從這兩種處事的態度上，分辨得清清楚楚了。」（廿一）

亮老今昔二事

・虎岡客・

法學權威王亮疇（寵惠）氏，行年七八，常與病榻結不解緣，已暫時擺脫院務，易地台北郊區療養。日前筆者曾獲晤面，見他神色雖略有起色，惟康復尚須有待。月前曾一度因病惡化，經家人漏夜急送進台大醫院就醫，始告轉危爲安，惟此次送醫，曾留下一則佳話。

住進了「女兒國」

台大醫院本是亮老近數年來「常川」之地，此番急診，適遇該院「生意興隆」，病房客滿，管理員遍覓未得空病，院長高天成亦會爲此大傷腦筋，再四設法結果，終於發覺產婦科尚有空房一間，於是未徵得亮老之同意，遂將亮老護送居進矣。及至亮老清醒，發覺左右隔壁全是鶯燕之聲，遠處且傳來陣陣嬰兒哭聲，亮老一時大愕，未知身處何地，旋即與院方交涉，堅求退出「女兒國」無奈院方病房客滿，並經高院長再三解釋，亮老祇好暫與「鶯燕爲鄰」了，亮老平生無緋色傳聞，此舉勉算爲第一遭。

驚服了梁啓超

憶昔亮老在東瀛參加革命黨的國民日報工作時，梁啓超正是了不起的風雲人物。梁由新加坡轉抵日本後，聞人稱讚亮老之才，乃親自修書約請一談，在當時，年青人之能獲梁垂青者極不易，可是亮老不但不引以爲榮，且反而復書責梁失禮，未能「禮賢下士」，及梁向亮老道歉意始獲良晤。

梁啓超曾研讀過半年英語，即偏印一本「英文漢讀法」的書籍，自謂已得秘訣，只要照其所指研習數月後，即可從事翻譯云，亮老閱讀此書後，即把研讀的經驗告訴梁，梁是位認過的學者，也自承淺學，從此再也不談此書了。

稿約

一、本報各版園地公開，歡迎投稿，來稿以千五百字至二千字爲最相宜。特約稿不在此限

二、本報歡迎通訊、特寫、文藝、評論、書評、人物介紹、短篇小說、詩詞等，三五百字之短文尤所歡迎。

三、本報對來稿有刪改權，不同意者請於來稿預先聲明。

四、來稿請用稿紙繕寫，行文請勿過於潦草，不宜一紙兩面繕寫。

五、來稿請自行留底，外埠郵票香港不適用，請勿附退稿郵票，本報不負責退稿。

六、稿酬每千字由港幣伍元至十元計算。

自由人 THE FREEMAN

（第六五一期）

中華民國僑務委員會登記證僑字第二號
中華郵政台字第一〇〇五號執照登記爲第一類新聞紙類
（半週刊每星期三六出版）
每份港幣壹毫　台北市價台幣壹元
督印人：陳文[illegible]
地址：香港高士威道二十號四樓
3RD. FL. 20 CAUSEWAY RD. HONG KONG
TEL. 771726
承印者：東南印務出版社　地址：高士打道六十六號
台灣總經理處　台北市
台北郵政劃撥儲金帳戶
海外總經銷　友聯書報發行公司　香港

第二「四年經建計劃」

—一個初步底檢討—

● 陳式銳 ●

姑無論台灣的第一次四年經建計劃是否確及其實施有無成果，因爲它從未公佈，無從提攜；更因爲時過境遷，談也無益，似乎可以不再論列了。但今後的第二次四年經建計劃，爲自由中國經濟的榮枯得失所繫，卻爲全體人民所關心。我曾經爲此要求當局在未定案之前先予發表，以供全面討論；我並主張送立法院完成立法程序。不意，去年十二月十一日報載行政院經濟安定委員會主任委員嚴家淦在「關於四年經建計劃」中，除說每年的農工生產自有目標可逐年發表外，就關於「自然不宜公佈」，而且肯定地說：「過去如此，今後也是如此」。我在失望之餘，執起筆來再度呼籲（見自由人六一一期）。嗣經輿論不斷地作同樣要求，立法院亦有委員向政府質詢，才得行政院負責人答應於定稿後送立法院。總之，乃同由嚴兼主任委員於五月十日在行政院記者招待會宣佈了。

一、

第二次四年計劃內容分爲：（一）緒言，（二）計劃之目的，（三）計劃之時間，（四）計劃之投資及效益目標，（五）農業部門計劃要點，（六）工業部門計劃要點，（七）交通部門計劃要點，（八）其他事業建設計劃要點，（九）國際貿易及收支，（十）財政金融措施之配合，（十一）計劃之實施。緒言中說，第一次計劃配合土地改革，四十五年國民淨所得已高過四十一年基年四一%，惟因執行國策關係，「致原計劃所希能達到之國家預算平衡，國際收支平衡，物資供需平衡三大目標，迄今尚有距離」；而固定資本形成計劃，私人資本部份未能超過建設總額之半，「政府當善加誘導，改善投資環境，以策勉人民……使私人企業之發展，在我國經濟體制中，有更廣泛之活動範圍」。計劃投資：固定資本中列入計劃者，農業部門本部份，農林漁牧水產四十億七千萬元，淨值增加一九．七%，工礦電力八十四億二千萬元，工業部門淨值增加一〇四%，交通廿四億七千萬元，交通部門勞值增加四五．八%，其他計劃廿五億元；流動資本部份；效益目標：四十九年國民所得比四十五年基年增加三三．四%；其資金來源，以促成人民儲蓄投資爲主體，政府電力交通及一部份公共水利將繼續投資；此外，盡量利用美援之協助（並保留若干建設外滙），並促成外資、僑資、與自備外滙之投資。

國際貿易及收支：在擴展出口貿易之原則下，求取國際收支的平衡。四十五年基年的外滙收入一億三千萬美元，糖米占八%；四十九年希望達到一億八千三百五十萬美元，提高四一%，糖米占五八%。進口物資，四十五年基年爲二億二千九百萬美元，進出口逆差高達九千九百萬美元（又出入滙款逆差一千八百萬美元），國際收支的平衡，除少數由自備外滙物資進口（一千七百萬美元）外，大部份仰賴於美援物資進口（九千七百萬美元）來彌補。本計劃仍將把機器設備及工業原料的進口逐年增加，而消費性物資的進口，逐年減少；預期將進口物資需要水準維持在每年二億二千萬美元，一方面出口收入增加，使國際收支的逆差得以比照減少。

財政金融的配合，本計劃的主旨在改善投資環境；對於外資僑資的輸入，當發揮已有法令精神，積極予以鼓勵。在此一前提之下，對於人民的儲蓄投資，對於生產事業者，予以資本市場及開發公司的融通便利；銀行利率方面，對於建設性貸款予以優待。在稅收方面，以衡量人民負担能力，及儘量使受益者負担爲原則，而達到稅負的公平，使企業家因追求利潤而投資新事業的精神得以維持。而政府對若干建設項目的投資，應撙節開支減免預算赤字，於各級政府另立投資預算，依法送由民意機構通過。

至於本計劃的實施，則強調在「民主政體」之下，一方面須避免放任，另一方面又須避免過份干涉；而爲適應情勢之演變，「本計劃儘可顧爲政府與人民間爲促進台灣經濟建設所懸之共同目標」，在實施中，對計劃事項之定期檢討，與各項目標的適應修正與補訂，自有其必要。以上各節，係自五月十日至十一日台北報上所發表者整理所得，計劃全文未得一讀，無可多加敘述；至農工交通及其他計劃內容及所附數字，洋洋大觀，一時不及細加檢討。

二、

我就所知各點加以衡量，本計劃既欲「使私人企業之發展，在我國經濟體制中，有更廣泛之活動範圍」，而且明白指出在「民主政體」之下，放任與過份干涉同所避免；那末，本計劃活動的主體應該是私人經濟事業。如果我的瞭解無誤，這是一個進步；而在計劃中談「民主」，是近年來講經建計劃者的一個新課題，它的中心涉及人民的因素 Human Factor。我們的經建計劃既爲政府與人民的「共同目標」，讓人民參加純屬理所當然，使他們覺得這是「自己的計劃」；他們一旦以主體自居，又瞭解其目的，自然願意參加或促其實現。我一向主張把計劃公開，並完成立法，其用意在此；況且其中尚有政府的若干投資，計劃中亦明言「各級政府另立投資預算，依法送由各級民意機構通過」。我們既有實質上底轉變，我想在觀念上加以點出，此其一。

三、

戰後經建計劃普遍推行，研究其要點大別有（一）可用資源的調查而據以作成經建計劃，（二）預定發展的設計而附以監閩，並估計全盤及分期的有關成本，（三）預期生產力及所得，有關技術問題及資源運用，發展速率，暨產品市場等的估量，（四）執行計劃的行政上底安排，（五）供應資本的安排，（六）對國民經濟及全國發展進步的關係，（七）預期整個及分期成本及利益（直接及間接）的估量，（八）全盤底結論，以作行政及金融的考慮。在當局發表的內容，我看不出完全具備了上述各點，一二兩點是否做到，我不得而知；就第三點言，各經濟部門的生產計劃，曾有預期底生產量，對技術及資源運用，尤其市場等各方面估量，惟付缺如；第四點，行政上有關機關及各級政府權責的分負，公營私營範圍的劃分，執行監督與稽查，暨實施的安排如人事及技術人員的羅致與訓練等，亦未見提及；第五點，雖列有各項投資數目及總額，並其供應，則「以促成人民儲蓄投資爲主體」。

（下轉第二版）

半週述評

弄清事實再做結論

對於台北日前騷動事件，美國國防部長威爾遜對參議院外交委員會說，不要爲了一件小事，驟即做出錯誤的結論，這是在危疑震撼的局勢中，一個負責當局應該有的態度。

不幸的是，環顧日來美國官方或民間的意見，很少有人能做到這種公正而客觀的態度。一般都是對於事實眞相並未弄清，就輕率提出了結論，其所根據的是成見或偏見，而未觸到問題的徵結所在。例如通日美政府外交與軍事當局的說法，都認爲是由於美國軍隊駐在台灣，纔引起這種不幸事件。這正有如說一個人所以生胃病，是由於吃飯的緣故。而且這種說法，恰好又墮入共黨的挑撥圈套。

這種意見如果出自國會議員們或民間輿論，都無足爲異，因爲他們沒有充分的情報資料，難免由臆度而作出錯誤的結論；至於負責外交和軍事的當局，他們對於幾年來美之軍事人員駐在台灣，與當地各方面相處是否融洽，當地有無排外氣氛，總該耳熟能詳。把義和團事件與台北市民對雷諾案判決不公的反抗騷動相提於論，至少是個重大遺憾。

對台灣軍援的數量是否恰當，駐台的援外與軍事人員是否過多，都應該從整個遠東局勢與中美雙方的共同利益來裁決。美當局有權去決定，中國政府也同樣有權提出自己的意見。無論如何，台北騷動事件決不是考慮軍援或減少駐台人員的正當理由。也許一般美人目前還在感情衝動超過理智的階段，但在一時衝動下做出的結論，絕對無助於美國的威望與安全，而只會增加對美國的反感。

何不宣佈雷諾案眞象

我覺得當前最根本問題，是應該把雷諾槍殺劉自然一案弄清。假如從客觀而詳盡的調查，證明眞是劉自然該死，雷諾開槍正當，則台北以及海內外中國人民一致的憤怒和抗議自然都是多餘的，其曲也完全在中國方面。假如事實並不像美方軍事法庭所裁決的那樣，則台北市民的抗議與騷動即使有幾分過火，卻不能不承認其爲正當。例如巴黎市民攻破巴士底監獄，波士頓市民搗毀茶箱，難道一定要譴責「暴民」，甚至加以「膺懲」，反把路易十六和喬治三世的罪惡輕輕放過嗎？

劉自然與雷諾的關係，他倆發生衝突的原因，與雷諾何以要對一個業已中槍倒地的人再加一槍，致其死命，台灣市井間有許多傳聞，相信中國政府也該搜集有充分資料，爲何不據實公佈，以釋羣疑？對於軍事法庭許多扭曲迴護之處，何以不嚴正駁斥？須知市民們所以憤激抗議，正是由於積憤難伸，纔伺機一逞，如果政府能替他們宣洩了這股怨氣，美大使館的事情是不會發生的。

中美間相處之道

連日蘇俄中共正大肆宣傳，藉機挑撥，那自然不會有多少效果，但這機會卻是中美政府雙方所提供的。美方朝野一般態度，只會更傷害中國人民感情與自尊心；中國政府委曲求全的態度，也很難得到國民的充分原諒。中美雙方是爲了同一目標共同奮鬥的盟國，美人對於新舊帝國主義深惡痛疾，當不致重蹈彼等覆轍，中國政府也不必隱隱存着一種自卑感，而只求遷就。利害與是非屬於不同的範疇，卻應該相將相成，能夠雙方兼籌並顧，纔是盟國之間正當相處之道。

● 李秋生 ●

論社會風氣

● 池嘯北 ●

「可以取，可以毋取，取傷廉；可以予，可以毋予，予傷義。」——孟子

現今社會，無形中形成一種足以亡國的風氣。無論在那一個圈子裏，大都只計利害，不問是非；只崇富貴，不究順逆，至少我們不能不認這是一種通病，一種趨勢。有心人頗以這種世紀末風氣爲憂，此固非可喻之杞人憂天。

一、

孟子說：「可以取，可以毋取，取傷廉；可以予，可以毋予，予傷義」。又論伊尹的操守，「非其道也，非其義也，一介不以予諸人，一介不以取諸人」。這種慎取予的嚴正態度，正是現今社會所缺少所需要的，豈能徒以一種古人道學視之！

也許因爲亂世吧，人們升官發財的狂熱，似乎一天甚比一天，爲了滿足其個人一些個人的私圖，往往不惜不擇手段，明欺暗騙，巧取豪奪；吹牛拍馬，互相標榜，暮夜皇皇，似不知人間尚有羞恥事。他們一旦得之，又儼然要人也，紳士也，名流也，實力派也，以爲「大丈夫當如是也」，成爲社會各方面爭取之對象，甚至成爲社會不可缺少之點綴品，風氣所趨，社會又無形中在鼓勵此種人。

二、

誰也認爲小偷乘人不備，竊取他人財物之可恥可恥，誰也訕笑娼妓爲了金錢出賣靈魂肉體之卑鄙下賤？但現社會追追不可終日的自私腳色，其卑鄙可恥的程度，有甚于竊盜娼妓者，世人見而不以爲怪！甚而以「勝則爲王」之眼光視之，遂令天下父母心，人子心，無爲之麻醉至不可自拔！

金錢縱是萬能，高位雖算光榮，而得之不以其道，則臭銅錢只可視爲人格的代價，虛位僅爲盜竊的別名。何況所謂「悖入悖出」，有其自然的道理。此猶就順遂取而能順守的言之。就說財言，刑事法令密如蛛網，大半爲貪妄者而設，倖而不致于身敗名裂，也弄得寢食不安。得失之間，相去有幾？「君子坦蕩蕩，小人長戚戚」，就是這個道理。就做官言，官場如戲場，陰謀欺詐，已加之于人者，人必加之于己，勾心鬥角，終日不寧，得失之間，又相去有幾？孔子看得很透：「不義而富且貴，于我如浮雲。」說儒家道學，讀聖人書者衆，但懂得這道理而身體力行者能有幾人？

三、

「是非之心，人皆有之」，本用不着下明辯工夫。雖「紫足以亂朱」，「僞可以亂正」，「非禮之禮，非義之義」，亦足以淆亂聽聞，即莊子所謂「此亦一是非，彼亦一是非」，但公是公非，眞正的只有一個，絕對不致于無是非。祗因利害觀念，恩怨關係從中作祟，往往腦筋爲之沖昏，理智爲之塞閉，使之不別是非，甚至于顛倒是非。與自己無關係之事，不願說人是非，深恐殃及池魚，「各人自掃門前雪，休管他人瓦上霜」，遂幾乎成爲美德。對于有權有勢，或有多金可以運用的人，幹得天翻地覆，倒行逆施，更不敢置一詞，枉論直斥其非，更談不到置之于法。至于覥顏無恥，爲五斗米而競事歌功頌德者，更無論矣。

彼輩處世的法則是：利于我者雖胡作胡爲，亦曲護其短；對于有嫌怨的人，雖是也非。于是銀彈，官彈，圈（子）彈政策，大收其效。彼輩處世的觀念是：一朝權勢在手，社會公正不阿之論，其奈我何哉！于是吹拍驕之風大行其道，于是有本領爭權奪利，作奸犯科者遂得橫行無忌，于是社會雖大，潔身自好者無立足之地！

四、

在這種社會風氣下，教育的力量，猶在未來，而目前言論界之責任最大。我們需要有一支「疾惡如仇」的鐵筆，以超然無畏的態度，寫盡社會的衆生相，以糾正其善惡是非觀念。而有言責有官守者應該「先公後私」，把一班有勇氣，明是非善惡敢言敢爲的鐵漢高高舉起來，一致爲他們後盾。國事才有可爲也。

移風易俗，固非朝夕間事，然當務之急，豈有過于此者。社會憂時之士，其不以余言爲迂闊！

台北事件經緯

·華民一·

台灣通訊

（本報台灣專訊）美軍顧問團上士雷諾槍殺劉自然案，宣判雷諾無罪後，經有昨（二十四）日台北發生市民搗毀美駐華大使館的「不幸事件」，已震動台灣，百萬市民的視聽，或者也已震撼國際間人士的耳目，事件雖然不幸，但中共却不能用作宣傳「反美事件」，亦不足以認作「親痛仇快」之事。

暴亂的直接起因

台北市部份市民因劉自然案發生暴亂行爲，初係因劉自然之未亡人劉奧特華在美大使館門前請願，引起部份羣衆圍觀，經警察多方勸阻無效，羣衆愈聚愈多，至午後一時許，突有部份羣衆越過警戒線衝入使館，打毀門窗桌椅，經憲警強力彈壓，羣衆仍包圍在大使館外鼓噪，不肯散去，與憲警僵持。至下午五時許，部份羣衆又轉而擁至中山堂前美國新聞處及中華路台糖大樓（美軍顧問團辦公處），經憲警先後將主要搗亂份子拘捕後，羣衆又擁至警務局，毆打警察，要求釋放，並衝進警察局，憲警強力彈壓，並出動衛戍部隊，並以廣播車勸導後，至十時許即陸續散去。迄夜晚十一時，在衛戍軍憲警協力維持下，一場搗亂全部平息。

劉奧特華說：「我是中國人，站在中國領土上爲中國人的安危而交涉，不願進入美國駐台外交涉」。晚上中國廣播公司記者訪問她發表錄音談話；她表示茲事體大而不安，呼籲同胞冷靜，候政府合理處置，並籲請市民羣衆的同情與支持。

台大師生座談

台大法學院三百餘學生於該院禮堂座談劉自然案兇手雷諾宣判無罪事，由院長薩孟武，教授彭明敏、林紀東，律師彭占鑑等主持會議，[illegible]現場證據的重加勘察，院長當即允諾組織一班由院長主持[illegible]等十四位委員，討論資實等問題。決議交外交司法二委員會處理。

事件中的物質損失

此次事件損失統計：市民重傷者十餘人，輕傷者十餘人，致死者一人，警員十三人受傷，另一人受石塊或槍傷者，外僑受傷者十二人。

美大使館內五人，美新聞處員卜詩，政治專員梅耶均受輕傷。財物損失統計：美大使館、美新聞處、台北市警察局、台糖大樓（美軍顧問團辦公所）損失十二輛汽車，一輛大卡車；市警察局損失托車兩輛。

次爲花絮一班：（一）坐三輪車之洋太太自稱菲列賓人始免捱打。（二）美聯社某攝影記者座車被打，幸操粵語，幾經美國人追示身分。（三）大使館內羣衆一人大笑，立刻被打。（四）「賓」字轎車經搗毀，司機取出韓國國旗，始免遭打。（五）中山北路「綠葉酒吧」吧女阿里綠葉，頭髮黃赤，頗似洋婆，羣衆誤會，挨打得臉腫眼青。另一有黃頭髮曲髮者，[illegible]。

劉自然太太奧特華持木牌上書中英文「殺人者雷諾無罪！我控訴，我抗議！」立於大使館大門前鋼牌下，使館人員請其進內面商，她[illegible]

立監兩院會議

立法院昨會議決議由院長張道藩代表將各委員意見轉達行政院長。司法行政部決定就觀審雷諾案審判人員研究後送達行政院。舉國上下已一致對該案宣判有欠公平而情緒激憤，市民所有搗毀美駐華大使館，也完全是出諸愛國行爲。

此「不幸事件」之前因，乃劉自然若主劉奧特華於美大使館前之無言控訴，激起市民惻隱之心，移恨於美籍人士，本不足滋此大事，惟下午一時餘，雷諾一離台飛菲列賓轉返美國，由晚報傳出而激起市民萬人羣衆的憤怒，此爲後因。而問題的重心，却在中美高級官員忽視前事之師，導致此「不幸」之更大後果。

錯就錯在禮義風度

錯就錯在我們的禮讓風度，自民國四十年中國政府接受美援時，給予美軍顧問團人員享受外交人員同樣待遇—享免駐在國法權管轄之權。據葉公超部長說，美事人員駐外情形有二種：一種是外駐軍事基地如北大西洋各國及日本等對軍事法權都有協定，在駐在國內美軍受雙重法權管轄，美軍自己法權與當地政府法權，除軍要國家安全理由外，但美有權要求當地政府放棄法律管轄權。另一種如西班牙、希臘、中國等接受美援國家，規定顧問團軍事人員與大使館享同等待遇。既然錯之於先，但自雷案發生後，外部會與美大使館交涉雷諾不能以自衞享受外交豁免權，而無結果，可謂以體諒換來此次「不幸事件」了。

中美高級官員，忽視了年前某美軍上士帶中國女郎曾被擲石頭一事，以及其他零星小事，誰知星星之火，幾乎燎原了。美大使館曾呼籲加速行動，取銷美軍外交特權，訂立主張中國法院審判在工作時間及基地以外犯法美軍人員的「部隊身份」協議。

美駐軍不放棄特權

駐台美軍當局並未接受此類協議，致令一個殺害在他住宅外徘徊的中國人的美軍上士享受「治外法權」，俾據美國的軍法審判而宣判無罪。因此而導致中國人民的激憤，美國人應當記憶猶新的，卅九年春天英國駐華領事館在淡水被搗毀，以及現在美國大使館的被搗毀，均屬首次，這便說明中國官員可以被辱罵，中國的國格不容污辱，中國人民更不容污辱，如果當初能以其愛國之心度之於中國人民，或者不會造成這次的「不幸事件」了。

約翰不幸言中

尤其是C.L.約翰上士致劉奧特華函中謂：怕觸及此間（中國）的輿論及共黨的邪惡宣傳，不幸果爲言中。還有那位葛利格生博士也將阻妨其方便的國人誣衊附和共黨份子，如此亂扣「紅帽子」多少有點不識大體，中國人的反共精神與犧牲並不後人，對事件處理也自有理智，誰也不能愚弄。

中國政府與中國人也許以造謠第一人的共黨將以此「不幸事件」作爲「反美事件」宣傳；不過，只是反對雷諾案宣判不公一事，並非反美；相反的，中美團結反共的邦交與友誼將因此事而獲得教訓。（五月二五日寄）

美國之音廣播 六月二日

（本報訊）本刊六四一至五期人物介紹，刊載熱心僑育事業僑領陳燦勝先生一文，頃據台北消息：「美國之音」「僑之聲」節目，將於六日下午七時至八時[illegible]，將該文摘要播出，該時，在該台中波長二六三公尺，又KCH4O，到時關心僑胞人士可以收聽也。

讀者論壇

有感於台南學生之鬥毆

·張弓·

近日台灣南部連續發生學生聚衆鬥毆事件，鳳山誠正中學學生槍殺同學一案未了，接着，台南成功大學學生又和台南一中補習學校學生聚衆互毆，事態嚴重，震驚了整個台灣社會。教育當局對此事件非常重視，除派專員南下調查外，有資格人士並一再發表談話，分析肇事原因，提出妥善對策。同時，監察院對於此事也很重視，教育委員會將列爲專員研討調查，這都說明事情的不可忽視，也是負責當局應有的表示；但其辦法如何，成效如何，我們不願加以論列。

古人說：「物有本末，事有終始，知所先後，則近道矣」。這幾句話如果還有存在的價値，我們對於今日學風之敗壞，學生行動之不軌，就應該從根本上探求它的原因所在；找到了原因，對於事件的發生，也就不以爲奇怪了。

衆所周知，教育必須德智體羣四育並重，纔算完善，纔能收到完滿的效果。我們不妨靜開眼睛，看看今日台灣教育的本質究竟如何？就表面看，台灣教育可算發達，以一孤島，人口不過百萬，而大中小學校林立，誠屬蔚然可觀。但研其實際，終不免「重量不重質，重表不重裏」。就以任用教員而論，（包括校長主任）照規定祇重資格，對於品德學術才幹，概置勿論，所謂學校教育大半偏重於傳授知識，學生在校，也只知應付考試，取得分數，他（她）們的生活行爲，既不受重視，自然也就不知檢點了。學校聘任教員，既然偏重資格，不問品學，就難免有少數粗鄙荒唐甚至好勇鬥狠之分子滲入師羣，學生耳濡目染，久而久之，受其影響，鬥毆打架等類的不軌行動，必然會發生的，還有什麼可怪呢？

今日要謀教育的進步，似乎不能僅求數目字位數的增加，也不能僅求表面的漂亮；正本清源的辦法，還是在提高師資素質，尤其是師範教育爲一切教育之基礎，也是國家命脈之所繫，應該特別重視？不然，有如不培根本；希望枝榮葉茂；不濬源泉，希望水旺流長，至多也不過收到「頭痛醫頭脚痛醫脚」之效而已。

新聞資料

歷盡滄桑話越僑

·胡養之·

在越南的華僑，近幾十年來，越南僑胞可謂歷盡滄桑。自二次世界大戰發生後，越南法當局，曾實施商品統制，對出口物資的米和樹膠，援歸法國公營公賣，其對出口牛皮魚干等，則歸法商輸出；入口貨如西藥、牛奶、布疋等，惟法越人才有權分配。華僑不能分潤。而華商所能辦的入口貨是歐洲沒有出產，同時外國人又不需用的中國貨，如中國藥材、黑色綢緞、香烟紙、磁器、粉絲、蒜頭及鹹雜等而已。那時華僑商務就一落千丈。

直至勝利初年，我政府始向法國交涉，于一九四五年二月廿八日在重慶簽訂一項中法新約，其中關於旅越華僑權利的條件有三：（一）華僑繼續享受其歷來在越南享有的各種權利，如居住、出地之購置權，及內河航行權等等。（二）華僑所納之稅，不得超過越南人民所納之稅；（三）華僑對於法律手續及司法事件，均與法越人享同等待遇。從此以爲華僑地位便可以提高了，賦稅負担也可以減輕了。

不旋踵間，法越之戰發生，僑胞遭遇至慘。由于一九四五年十月，英印軍開入西貢，負責接受日軍投降。政權復歸法人手中，越人反抗搗亂，焚燬公署，破壞水廠電廠，並在市內投擲手榴彈。結果，英法人損失倒還輕微，華僑便吃虧太大了！例如是年十月廿六日，印軍因強姦華僑婦女不遂，便縱火焚燒華僑平民住戶二百餘家，僑胞無家可歸者逾二千人，生葬於火窟的確數不詳，後竟不了了之！

一九五四年七月，越南被瓜分，我國政府特派一批飛機，前往河內一帶搶救僑胞，是一段可歌可泣的歷史，旅越僑胞因爲熱于祖國愛國，且認爲吳廷琰是越南救星，大多數忍痛不顧其當地的事業與財產，赤手空拳地逃往南越。去做政治難民。據紐約紅衣主教史培爾曼當時祇察西貢的估計，華僑至少要佔難民中的三分之一以上，他們雖處若境，甘之如飴！

旅居全越的華僑，總數不下九十萬，約有半數居於西貢和堤岸兩埠。其成分包括有廣州、海南、福建、客家等，中以廣州籍佔大多數。市上最流行的方言，首推粵語，且原住越南人反而要學粵語，以便買賣方便。兩埠今日之繁榮，實有賴於華僑數十年的慘淡經營。華僑經營最大的商務，便是輾米機生意。據說大的輾米三四百噸，最小的也可以輾米四五十噸不等。

華僑商務最高機關，爲中華總商會，西堤市內的三十多個行商公會，便是它的基本會員。工會也有二十多個單位，以酒樓行公會歷史最長。此外，還有各地的同鄉會，各幫公所和會館。華僑體育會有南星、精武兩家。華文報館也有六七家，其中以遠東日報和中國日報爲最大。僑校則有私立中學爲嶺南、國民、遠東、知用、逸仙等總計中學約在二十間上下。醫院最大規模的是中正醫院，是西堤全體華僑所支持的。

華僑之落地生根，早已認爲第二家鄉，願與越南同共命運。今越南政府迫土生華僑入籍的事件，發生，造成中越兩國間的不愉快，而不得已有撤僑之舉，實令當地華僑「不堪回首話前塵」了。（五月廿四日）

第二「四年經建計劃」

（上接第一版）

此外有政府投資、美援、外資、及僑資，究其間的比例數字及可能性，亦缺乏估計；第六點，預期國民所得提高三三．四%農工等項計劃的增值各有數字，國際收支亦加估計（尚逆差四千萬美元），惟直接間接生產就業的增加，國內外貿易，擴充，及稅收的增加的並未論列；第七點付缺如，第八點，曾敍及財政金融的配合，原則上其主旨在改善投資環境。準上各點以觀，是本計劃的完整性不無斟酌之處，此其二。

四、

所列新台幣二百億元底投資，指明以人民儲蓄爲主體。查台灣資本形成毛額，根據不同底估計，四十一年多者爲三十三億元，少則二十七億元，減除固定資產消耗提存後的淨投資不過九億五千萬元，對國民所得比率爲七%；照計劃緒言所將四十五年國民所得增高四一%，其淨投資額照比例計算，也不過十三億元（內有政府份額）。再說美援，就四十四年觀之，其分配於農業及天然資源，工礦、交通等美元及相對基金合計新台幣十五億元，今後能否保持此數，尚待協商。是國內可能投資加美援之協助充其量僅是二十八億元；那末，尚有二十二億元從何而來？是否有待於遍遍不來之外資、僑資，及自備外滙？而且，大陸中共第一五年計劃的淨投資占國民所得七%，人民消費，就受着損傷；印度第一五年計劃爲顧及人民的消費，僅爲三%；我們的七%，是否估計的不確實，或不無問題。由此看來，投資的來源，實大大有待於努力，此其三。

五、

我想計劃起草人，對此非無感覺，所以指出對於財政金融的配合主旨在改善投資環境，積極鼓勵出口，謀金融市場的融通，且求稅負的公平，用以維持企業家因追求利潤而投資的精神。這些事項，輿論唱之已久，今乃正式納入計劃之內，此後即在求其實行。當前外面資金何以進不來，出口貿易何以不振，其癥結在現行外滙貿易辦法；工商業一方面缺乏金融市場之潤澤，復遭遇打開市場的困難，另一方面，稅負的繁重，束縛的嚴緊，在在使企業家呼喚奈何！我一再指出台灣工業化所具備的條件，優於東南亞任何新興國家，我又常常拿香港近年來的進步來做例子，說明只要我們革新措施，我們就有美麗的前途。那時節，僑資進來，外資何難闖之而來；因爲企業家們，爲的是追求利潤啊！那時節，我們何只有外滙一億八千美元，更何至尚有國際收支逆差四千萬美元？但是革新不能徒託空言，需要決心與勇氣，這又是我必須強調者，此其四。

總之，有計劃勝於散漫，公開又勝於暗中摸索；而一個計劃的十全十美，也是難以履致的事。所以我同情其在實施中，對計劃事項之定期檢討，籲各項目標的適應修正與補訂。但我們要指出一點，經濟建設多少有其專門性，希望涉及政策者務必有專家的參預，而儘量減少事務人員的發言或莫議其進行決定。

·陳式銳·

兩案雖不同　皆屬傷心事
相馬村事件與台北事件

觀遊

因雷諾槍殺劉自然美軍事法庭判決不當而引起的台北騷動事件，迅即震動了日本，也刺激了日本朝野，增強了日本對美軍槍殺日婦所引起的審判權的爭執，蓋案雖不盡相同，但本文却有參閱之價值。（編者）

國外通訊

（本報東京通訊）駐日美軍士官雷諾槍殺劉自然致死，美國駐軍當局組織的軍事法庭，其判決雷諾無罪，不僅失之于偏袒過護，實只是太蔑視人權了，這裏我且把今年一月三十日在日本群馬縣相馬村柏木澤美軍射擊演習場美軍槍殺日婦坂井一事的眞相報錄出來，以與劉案作對比。

相馬村事件眞相

今年一月三十日下午一時，有一日婦名坂井，闖入了危險區域的美軍演習靶場，撿拾彈殼，爲美軍格乃得擊斃，日報稱之爲相馬村事件。美軍方以格乃得乃在執行任務，對於此事不負任何責任，日方則認爲格乃得應交由日方審判，更且日方認爲格乃得並非在值勤時間把日婦擊斃的，於是雙方各執一詞，日本報紙更有說這事的發生是有損於日美友好關係的。

但是靶場是危險區域，且有「危險區域嚴禁進入」的字樣，並且日美雙方都曾告附近住民勿近危險區域；可以說事先通告一切，冒生命危險拾取彈殼，是明知隨時有被流彈擊斃的可能的，至于被守衛格乃得不幸擊斃，至少可看作是坂井「自找的」。可是現在日本人不提這些，只認爲美軍打死了日本人！使美軍當局與日本政府不得不重視此一事件，不得不愼重將事。而審判權究竟屬於美方或日方，迄未解決。

審判權誰屬？

五月十六日，日美聯席小組會決議此案審判交由日方執行，由群馬縣前橋市地方法院審判。但是美國國會對此却加以反對，所以原先決定交由日方審判一節，只好擱置了。現在艾森豪也知道了，他在五月二十二日於記者會說：美國務院與國防部正在致力解決這一問題，研究格乃得是否應交由日方審判。因此日本輿論又要起評論說，此將影響日美關係，並說不要感情衝動，整個問題應該根據日美協定公平愼重處理。

劉案的審判

再看劉案，劉案發生在三月二十日晚間，只見到中央日報報導了美軍雷諾把劉自然槍殺，至雷諾何被捕刻判尚未詳細報導。最近因劉案而引起的騷動，日本報紙可說是極盡宣傳的能事，日本英文時報五月二十三日刊登了台北UP所發的電訊說，「劉係窺視雷諾夫人沐浴遭其夫殺害」。但即使劉之行爲正是如此卑下，也決不至罪及於死。今劉某在室外，雷諾以一槍擊倒，再補以第二槍，莫乃是太兇狠了！何能視作「正當防衛」？美軍事法庭竟草率宣判雷諾無罪，實在是難以使人心服的。第一，劉係我國公務員，第二，劉窺浴行爲罪不致死，劉被擊身死，難道劉自然一命竟比不上坂井自己進入靶場，不顧危險而遭殺身的日婦嗎？劉案在台北已引起了如此大的後果，有人主張爲劉自然遺孀與小孩募款，有評論美軍方宣判不公平，這些本是善後之事，但是審判權是在人家，如果我們不嚴厲交涉，不提出抗議，則又置國家的尊嚴與人權於何地！

日本報紙的報導

現在日報已把相馬村事件與劉自然事件相提並論了，日本報紙在對坂井被槍殺一案態度更強硬了，更警告美國，台北事件正是前車之鑑。但是筆者的看法日方的目的是在想美軍多拿一點錢出來就算了事了，因爲無論怎麼說闖入禁區是自取滅亡，根本談不上誤殺，至於「審判權」的主張，是題外的話，但正因爲有了「台北事件」，美國人也就給日本七闖八鬧吵糊塗了，問題遂糾纏到了白宮當局耳裏。

看日本的輿論

岸首相常說要呼籲世界輿論制止原爆試驗，日本絕不提日本是因爲發動侵略戰爭而吃原子彈，却強調日本基於人道立場反對試驗原子彈，派特使赴英、美遊說，國內輿論一致支持，特使在國外也說得有聲有色，這一點是不能不佩服的，假如說輿論要靠什麼指示或者是出自在一定的範圍內寫文章，那就沒有意思更談不上效果了。就在日本所見而言，相馬村事件美軍方不敢輕率從事，正是受了日本輿論強烈的影響；他們自始不斷地報導不斷提出主張，這對我國的新聞機構該是一種明鏡，我們有話就得說，有事就得詳盡報導出來，不能含糊，否則有失輿論監督之實。何況我們即使不詳加報導，尚有外國通訊社呢！因爲你不說有人說，你不報導有人報導；於是初時不爲人重視的劉案遂造成很嚴重的後果。往者已矣，來者可追，寄語國人，記取此不幸的教訓！

端午龍舟弔屈原

·謝康·

史稱周成王封熊繹於楚，熊爲楚之國姓，屈原爲楚宗室，本姓熊，故離騷僅追溯及帝高陽，爲其遠祖，而不及受封之姓氏。按熊繹爲高陽（顓頊）後裔，顓頊爲黃帝孫，而黃帝則爲熊圖騰部族之領袖，其子孫之一支姓熊，亦即紀念熊圖騰之遺意。熊圖騰在黃帝時征服龍圖騰部族，楚辭天問「焉有虯龍，負熊以遊」當即兩圖騰部族合作之證，左昭七年傳「鯀死化爲黃熊」而歸藏啓筮則云「化爲黃龍」，熊龍二位一體，蓋亦疊韻字一音之轉，但熊龍兩圖騰混合爲一大部族後統治中原甚久，夏后氏亦其苗裔，故古代傳說禹本爲龍，天問「應龍何畫？河海何歷？」王逸注即以神龍解釋禹治水，所謂畫地成龍，即禹疏九河之意，易經屢言「潛龍」，「或躍在淵」及「雲從龍」，表明龍與水之關係。中土新石器時代之「交龍圖騰」與後世所云蛟龍，實不無關係。總之，龍爲古帝王立國象徵，實因以龍爲圖騰，而楚爲熊姓，黃帝之後，熊龍合一，以神龍爲其祖先來源之象徵，則楚人之紀念龍，亦天經地義，合於神話時代圖騰社會之通例也。

屈原既爲龍圖騰之後，當必隨族人信仰對龍有所崇拜，除上述天問已屢稱龍之神力外，離騷中之龍，亦屢見而不一，除乘龍以遠游（即易經時乘六龍以御天之意）外，並有與龍嬉樂之想，例如「麾蛟龍使津梁，遵赤水而容與」又云「駕八龍之婉婉兮，載雲旗之委蛇，奏九歌而舞韶兮，聊假日以媮樂」此處文字實已昭示乘龍使鳥，駕八龍奏九歌，水上嬉游之景象，所謂「遵赤水而容與」，即水上游戲或游玩之意耳。吾人此時因不明兩千餘年前屈原時代楚國水上交通，舟楫模樣及水上游戲（如划船競渡）情形，認爲作者之想像，安知自認龍種之楚國貴族，不於歲時節日，以龍飾舟作水上之游，以紀念其圖騰，並作「媚神」之用乎？證諸九章九歌遠游諸篇，有時似亦流露乘龍（或龍舟）渡江之意，例如「沛吾乘兮桂舟……」，「駕飛龍兮北征，邅吾道兮洞庭……」，「橫大江兮揚靈……不濡兮淺淺，飛龍兮翩翩……」「時不可兮再得，聊逍遙兮容與」（湘君）又如：「乘水車兮荷蓋，駕兩龍兮驂螭……乘白黿兮逐文魚，與汝游兮河之渚」（河伯）又如：「龍駕兮帝服，聊翱游兮周章」（雲中君），他如：「駕龍輈兮乘雷，載雲旗兮委蛇」（東君）此外大司命之「乘龍兮轔轔」，湘夫人之「蛟何爲兮水裔？」招魂之「仰觀刻桷畫龍蛇些」哀郢亦有「顧龍門而不見」（王逸注郢都東門）等語按上所徵引之文句，俱見於楚詞，所謂「飛龍」，「乘水車，駕兩龍」及「龍轔」，俱令人聯想及當時或已有「龍舟」之物。穆天子傳「天子乘鳥舟龍舟，浮於大沼」又隋書「煬帝御龍舟，幸江都」，意林引楊泉物理論：「龍舟整楫，」馬縞中華古今注「孫權時號舸爲赤龍……言如龍之飛於天也，」可見龍舟來源甚古，至穆王西遊之事，雖似怪誕，然龍形之舟或八駿之馬，則不能謂無此可能也，屈原既放，遨遊江潭洞庭之間，應時數載，在其「從彭咸之所居」以前，至少曾與漁父來往，則乘舟遊玩，自在意中，而舟形作龍狀，或如畫蛟龍之文，亦屬可能之事，後人以「龍舟競渡」弔屈原，猶賈誼作賦弔屈原亦用「蛟龍」及「蒼龍」字樣，蓋龍早已成爲楚之象徵，「神龍」爲屈平之先祖，即其人格化之象徵，亦圖騰部族之古俗遺風耳（？）

若夫端午爲龍之節日，從下列數事，約略可以窺見：（一）龍舟競渡相傳與屈原有關，從上段所述，已可說明，（二）粽子與龍之關係據荊楚歲時記，藝文類聚引續齊諧記及太平寰宇記引襄陽風俗記俱云角黍之作與屈原及蛟龍有關此事當必有民間傳說爲背景，由於角黍之爭奪，亦可見屈原與龍之特殊關係，（三）錦繡萬花谷前集四引異聞集言揚州以端午日鑄盤龍鏡，（四）介之推以五月五日焚死，是日有龍忌之禁，又有龍蛇之歌，見後漢書周處傳及鄴中記，與呂氏春秋介立篇，（五）相傳五月五日嚴守宮砂，以守護女貞操，守宮亦名龍子，亦表示端午與龍之因緣，（六）水經注有五月五日「魚化爲龍」之說，據此六說，可知端午起源與龍有密切關係，或即龍圖騰部落（楚貴族）舉行圖騰祭之節日，屈原於是日投江，民衆即用龍形之舟以尋之，後人踵事增華，遂成具體性及娛樂性之競渡歟，此種解釋似亦不無可能，（此外尚有若干例證，說明龍與五月之關係，因篇幅限制，不具引）

總之，龍舟競渡，當係圖騰社會遺俗，五月端五本爲龍節日屈原爲龍圖騰後裔爲適於是日自沉，於是龍舟競渡又似爲屈子而設矣，太平御覽引荊楚歲時記云：「五月五日競渡，俗爲屈原投汨羅日，傷其死所，並命舟楫以拯之，舸舟取其輕利，謂之飛鳧，……州將及土人悉臨水觀之。」則早在六朝時，已以拯溺釋龍舟競渡矣，此說蓋先入爲主，隋代杜台卿之玉燭寶典雖別有解釋，認爲「或因開懷娛目，乘水臨風，爲一時之賞，非必拯溺」，然於乘水臨風，何必五日？舟形何必似龍？則無法解釋，因除歷史意義及民衆信仰之來源不談，而專以普通娛樂釋民衆節慶日，無乃淺薄之味矣，數典忘祖矣。

詠端陽競渡詩，以唐張建封競渡歌爲最早，其詩云：「鼓聲三下紅旗開，兩龍躍出浮水來，棹影斡波飛萬劍，鼓聲劈浪鳴千雷，鼓聲漸急標將近，兩龍望標目如瞬，……須臾戲罷各東西，競脫文身請書上。」按此詩只寫龍舟而不及弔屈其重點蓋在娛樂，宋劉後村端午賀新郎詞，與文英澡蘭香淮安重午詞，清陳其年湖海樓端午園詞虞美人賀新郎，端午寄友，及乙卯端午，三闋，均兼詠靈均事較唐人競渡歌爲勝茲附錄後村詞，以作本篇之殿：

「深院榴花吐，畫簾開，練衣紈扇，午風清暑，兒女紛紛誇結束，新樣釵符艾虎，早已有游人觀渡，老大逢場慵作戲，任陌頭年少爭旗鼓，溪雨急浪花舞。靈均標致高如許，憶生平，既紉蘭佩，更懷椒糈，誰信騷魂千載後，波底垂涎角黍，又說是蛟饞龍怒，把似而今醒到了，料當年醉死差無苦，聊一笑，弔千古」（調寄賀新郎）。

此此，關於詠端午詞尚多，已另寫「端午詞話」一篇，俟有機緣，再公諸同好，茲不贅述云。

香港掃毒問題
莫任毒老虎化身衣冠羣中　剔除「國際毒品轉運站」惡名

祝修衡

在西方國家的輿論中，香港似乎已成國際私梟毒品的轉口站。數年來，經過香港轉運的毒品，數逾億計的海洛英自香港源源運出，因此幾年來美國大揭毒販之秘密，香港警方也不能辭其咎，……認爲是一件令人困惑的事。

從警方的年報看來，香港吸食「白面」替代鴉片趨勢，日形猖獗，一九五三年以來，逐年增加；販運入境而截獲的大量毒品數字，以及破獲製造嗎啡與海洛英供本地，可能外銷的機關，也大見增加。毒品何自來，根據國際禁毒最高機構及聯合國所獲有關資料，證實這些毒品係來自中國大陸，而由香港轉運。香港政府對於此種指摘，總想找些反證以推翻世人認爲香港是「毒品轉口站」的觀念。可是，從來就沒有截獲足以認定係經香港出口的毒品；除了美國自郵包中檢獲毒品……之外；大宗毒品認係香港出口或轉口者，……即某一郵船曾經在香港停泊，自不能認爲該船所運載之毒品或夾帶的毒品即令貼上港付標籤，因非香港直航船隻，香港不能默認。

三條可能路線

於是，有人想到香港的毒品來源，至少有三條路線：間從緬甸，泰國，與直接來自中國大陸。這是根據警方年報所下的結論。誰都不加否認，泰國已是南亞「白面」的主要製造地，吸食「白面」竟在公開場合出現；「每日鏡報」指出泰國政府係由高級軍官包庇；警方雖已禁止該粗入口，迄今對於包庇之說，既不承認，亦不否認。事實上，如果無人包庇，決不致日益猖獗。

泰北的「神秘」飛機

日前曼谷傳出消息：泰北部常有「私梟」飛機，竟能使用飛機，翻越三月前，約「每日鏡報」連載「曼谷的秘密」全文，不但可以相信：泰境的「神秘」飛機並非沒有來歷。這種飛機來自毒品產地的共黨飛機，經常出現泰國境內，它的任務不但是走私鴉片物資而係……

雖然不敢說香港並非「國際毒品轉口站」，但是可以斷言，今天自由世界感到白色恐怖，絕非全由香港轉口，經由香港轉口數量，相信不會太多。

年報中關於毒品來源中指出：「警方搜獲大量鴉片與嗎啡，顯示販毒者繼續藉海空爲輸入香港的主要途徑。……本港的地理形勢，使本港成爲天然的毒品轉運活動地區，……」警方雖知道毒品來源，防範也不是易事。但對中共流毒，如不能採取有效措施，今後白，黑色的恐怖，爲害何堪設想。

機關是華麗住宅

不管香港是否爲毒品轉運站，就過去吸毒，藏毒，販毒案的數字統計，大足令人震駭，如果不是有人包庇，絕不會發展到令人難以置信地步；遠的不談，且看過去一年，警方所搜獲的藏毒機關，大致多是設備華麗住宅，包庇販毒之流，顯然仗有財勢，擁有社會地位。否則，私梟怎敢擅作威福。

爲了香港市民健康，社會經濟繁榮，當局頒佈厲行禁毒條例，限期肅清境內毒氛。雖然，這還不過是消極的，積極的，獎勵告密，與密查私人財產，資金流動。那麼，一經發覺可疑，迅即追查來源；一經查明涉嫌販毒，不問其社會地位，背景如何，一律繩之於法。只有這樣，香港流毒才能戢止，剔除所謂「國際毒品轉運站」的惡名。不然，以捉蚤，捕蠅式的掃毒，不啻「縱虎爲患」。人們當會相信：那僞裝「善意」的毒老虎，不無化身衣冠羣中。警方如果籲請市民合作打「虎」，誰都願意竭誠支持的。

自由談

我的開倒車思想

馬五先生

去年「國際筆會」在倫敦舉行年會時，西方各國出席代表在一次座談中，曾要求中國筆會代表唸解一首唐詩給他們聽聽，繼而紛紛掏出日記簿，請中國代表題寫漢文字句，說中國的字與詩，都具有極優美的藝術價值，他們素所欣賞的。這些人，多係各國聞名的文藝作家，決非毫無現代知識的多烘先生，他們對我國的文字如此稱贊，可見中國固有文化在世界上實有其不能抹煞的地位，吾人未可妄自菲薄，而認爲舊有的歷史文物，皆須丟到茅廁裏去！

中國共產黨爲要消滅中華民族的固有文化，它以斬草除根的方法，先從廢棄漢文字入手，實行拼音的拉丁文，正在大力進行之中。這就是我們必須反共討共滅共的最大理由，而政權得失關係不預焉。然而，在反共的自由中國文化界，也有人鄙視中國歷史文化，認爲是不適宜於時代生活需要的玩藝，沒有研究價值了。甚至對於中國人寫毛筆字，亦指爲是開倒車的復古主義！依照這種觀念來演繹推論，則中國人吃飯用筷子而不用刀叉，行路穿布鞋而不着革履，皆無一不是開倒車的復古生活了，豈有此理！

西方人認爲中國字是一種美術品，如果眞要表現它的美術性能，則非用毛筆寫不可，寫毛筆字與研究科學、創造民主與現代化的文化思想，又有甚末妨礙？難道用毛筆寫字就是不民主嗎？反對用毛筆寫字的基本理論，不外是認定字迹乃係一種符號，一種表達語言的工具，使用鋼筆或鉛筆寫來，迅速多了，毛筆實爲無用之長物。但是，中國字既屬美術品之一，不用毛筆寫，即不能表現美術性。自己儘管不喜歡美術，却不能反對別人從事於美術的習作。假使中國人用毛筆寫字亦會妨礙現代化生活的復古主義，那就乾脆主張廢棄漢字好了。因噎廢食，何苦乃爾！

龍舟與粽子

文鑑

「五月五，龍船鼓，滿街路，焚香秉燭。」

端午雜談

有人說端午節划龍船便是紀念屈原的投入汨羅江；也有人說是根據隋煬帝的造龍船；還有人說是慶祝新穀豐登和地方太平；但以前一說爲世俗所共知。

龍船有不成文規定

你別要看見一艘龍船可以隨便建造，它却有一個不成文規定，它的全長約五丈五尺，中央寬爲四尺五，兩端稍稍狹一些。整個都用樟木製成，船頭標龍頭，船稍標龍尾，鼓、鑼、笛等則裝於船中。船頭用紅色底描成黑白兩色，加以綠底的太極八卦圖。船尾同樣用三色，船身兩側繪成圖畫，綠底之上繪以龍睛，白色的波浪，紅色的火燄，淡青色的珠子，靈龍的部份用無底，龍頭到腳多用彩色，龍肚則用天青色，也有畫多種色彩鳳凰的。所有的工具：槳是楠木製成的，長約四尺五寸，有綠的，紅的彩色繪上去。鑼是銅製的，直徑約一尺。龍頭旗插在船頭，紅色長方形，縱一尺橫五寸。龍尾旗插於船尾，紅色三角形，全長爲七尺。

划龍船也有一個陣勢

划龍船和打足球一樣是有陣勢的，普通多半是三十二人，他們的分工即敲鼓的一人，划槳的三十人，把舵的一人。打鑼的人要富於特具的技巧和敏捷的動作，船頭上的六個划手之中有兩個先鋒，都是重要的人物，技術較高的都坐在後面，他們的服裝多是很輕便的短衫短褲。

在競渡之前，還有相當準備和練習。由農曆的四月初一、十五和五月初一預先打龍船鼓，燒香，點燈，同時設壇致祭屈大夫由道師請神，伴船到河口，接迎水神。並從初一開始，龍船便緊上了鑼鼓，到了中午的一大早，他們就要拜龍船，打龍船鼓，凡是有職司的人，多集合到儲藏龍船的廠子裏，便預備把船請到附近涉濟的地面上，舉行拜龍船的儀式。先，選手的會晤，龍船的司理，經濟的出納等等，把六根香，插在船頭上的竅孔中，大家對船發誓，在競渡的時候，決不做出「不正」「不義」的事情，同時祈求着競渡比賽勝利。

競渡次數一定偶數

中午時分，船員們合力把龍船抬到河岸傍邊，並擊鼓喧天。沿途的民衆多燒香來歡迎，其情況正像那一首歌謠中所唱的：「五月五，龍船鼓，滿街路，焚香秉燭。」

競渡的次數，多半是二回，四回或六回，不過一定是偶數而不回奇數。右方的龍船勝利了，他便用右手擎着紅旗高高的舉起；左方的龍船勝利了，他便用左手舉起紅旗。敲鼓的人一定是年紀較長而且有經驗的，調子的緩急，可以鼓勵着划手。搶旗的人，要行動敏捷，所以划龍船的鑼鼓手，划手，舵手都必須眼、腦、腕三者特別的靈健，才能獲得錦標。

屈大夫爲何要食粽

至於屈原之神爲甚麼偏偏要吃植物的粽子呢？裹着米來煮熟的粽子，這是有一段由來的。據梁朝吳均續齊諧記的記載，「屈原以五月五日投汨羅而死，楚人哀之，每於此日，以竹筒貯米，投水祭之。漢建武中，長沙歐回白日忽見一人，自云三閭大夫，謂回曰：聞君當見祭，甚善。但常年所遺，並爲蛟龍所竊；今若有惠，可以揀樹葉塞上，以五色絲縛之，此物爲蛟龍所憚。回依其言，今五月五日作粽，並帶五色絲及揀樹葉，皆汨羅遺風。」

但是現在我們在這兒所見所吃的粽子，可說去古已遠了。既非以竹筒貯米，也不是並帶五色絲及揀樹葉。

價廉味美的粽子

粽子的作料是：糯米、紅豆、蓮蓉豆沙、栗子、鴨、豬、雞、火腿，蛋及其他可口的肉類料類，而用來裹粽的材料却是荷葉，竹葉，蘆兒葉，東莞的鹹木草。以味道言，大致分爲三大類：甜的，鹹的，淡的。甜的是「豆沙粽」「蓮蓉粽」；鹹的是「裹蒸粽」「鹹肉粽」。而「梘水粽」的吃法，賦有濃重的「自由主義」色彩，你好吃甜的，可以把它醮着白糖，或糖膠來吃；你好吃鹹的，可以把它醮醬「老抽」吃。

說到價錢方面，香港市上的粽子，貴的可以說是豐儉由人；你要袋裏有一毫子，也可以在街頭的白粥攤上，吃一隻梘水粽來應節應景，並且還是免費奉送白糖。至於裹蒸粽，由五毫錢一隻的細裹到十塊錢一隻的大裹而至十塊錢一隻的百鳥歸巢，都悉隨尊便；還有五塊錢一隻的巨型盧兒粽，據說可以使三個人吃到鼓腹而歎的呢！但當你吃着甘香融化的裹蒸粽時，會想到這東西原來是投擲汨羅江中以祭那牢騷滿腹，衆醉獨醒的屈子冤魂嗎？

稿酬

五月份上半月稿酬通知單，已分別付郵，惠稿諸君請憑單領取稿費爲荷！

本報編輯部啓　五月卅一日

中國古代名畫展

新亞書院自六月一日起至五日止在九龍農圃道六號該校圖書館舉行中國古代名畫展覽，每日由上午十至十二時，下午二至七時，歡迎參觀。

政客競選與「媽祖巡行」

△今年母親節被搶去鏡頭

昌增勳

母親今非昔比

本屆母親節，台灣各處循例選出模範母親，舉行慶祝，發贈獎品，可是台南今非昔比，因爲大天后宮，已請准每屆天的「聖母」媽祖的出巡，正好又代傳謂二千五百週年。

母親節的前一日（十一日）凌晨起，各寺廟香火燎繞，迎茶及金箔滿布。北港媽祖涉落聯合參加這一遍大的出巡，合南五十二個寺廟迎候媽祖鑾駕臨寺廟時，鑼鼓，旗，傘，香担及善男信女，列陣徬徨兩萬人以上，來自各處的觀衆，達十萬以上，交通爲之受阻，警局大批出動。據估計耗費達新台幣二百萬元以上，其「拜拜」遊行的目的，是求聖母「保佑合境清泰」。

媽祖大出風頭

據說：「聖母」湄洲人，福建莆田與化府都巡宮林惟慤之第六女，生於宋太祖建隆元年庚申三月廿三日。父母爲人慈善，樂善好施，篤信佛祖，家中奉祀觀音大士，朝夕禮拜，甚爲虔誠。某夕，夢觀音大士賜藥丸吞服妊娠，降生時一道紅光射進室內，光耀奪目，滿室生香。生後一月不知啼哭，故名之爲「默娘」。

民間迷信傳說

她八歲從師，十歲即喜誦經禮拜，十三歲拜玄通道士爲師，盡得秘法。十六歲開始神通廣大，法力所向無阻。一日湄洲一帶颳起大風浪，觸礁傾覆，舟人大聲呼救。默娘投草救桅，變成了大木，舟人得之而獲救。有一天，她在家織布時突然心血來潮，屈指一算，知兄溺死，遂用神力渡海，將兄屍撈得。從此以後，默娘誕辰，魚類暴集作「拜「聖母」之狀，漁人是日（三月廿三日）亦禁捕魚。她廿歲時，莆田大旱，井水亦枯，人畜死去不計其數，縣官請「聖母」求雨，果沛然大降。廿三歲，西北方出現二惡神，名千里眼，順風耳，民間受其作祟損害不淺，她特帕一拂，二惡倒地不起，從收爲左右將。當她廿六歲時，每日下雨不止，田園家舍多遭水劫，民無食住，地方官求她救災。默娘說：蟲大降災，是人作惡所致，須代請罪，焚香禱符默禱，久之，忽狂風吹掃密雲，即告放晴。唯見一蛟龍自水中滾起，騰空而去，至宋太祖雍熙四年丁亥秋九月，默娘登上湄峯，一時彩霞瀰天，默娘自此得道昇天去。如是云云。

政客靈機妙算

台灣同胞，多係福建移植，故不論繁華都市或窮鄉避地，均可見媽祖廟。這次媽祖的大規模「拜拜」，據傳係合南各寺廟壇主，向市商會陳情，該會郭理事長與楊市長乃結拜之後，鑒於政敵葉廷珪，於卅九年第一屆市長選舉時，至合南大小百餘寺廟活動選票，聲言如獲當選市長，即准媽祖巡行，因得信徒與信徒熱烈支持葉氏當選。次年（民四十年）實行他的競選諾言，媽祖曾作第二次巡行，葉市長且亦奉香參與其間。此次楊市長，搶先批准於母親節媽祖第三次大「行，係恐爲葉氏所乘，故有此次的「大拜之遊行」。

於是亦可見政客手腕畢竟不同凡響呢！

中一篇小說

海上學校

趙滋蕃

「這與訓育制度又有什麽關係呢？」紅鼻子打爛砂鍋問到底。

「訓育制度就是一位球證和評判員……」貝比殺進了重圍。「我看並不見得，」貝比斷了他的話。

「沒有球證是不會有體育精神的。」周曼石醒着鼻子。哈欠被火熱的激辯趕跑了。

「但是，事實上，沒有訓育主任也一定能辦好教育。」「一個對學問有愛好、對文化有崇敬之感的老師，比較那些喜歡干涉，喜歡管理的訓育主任，畢竟要强多了。」

「如果碰上了大魚吃小魚呢？」周曼石反駁道。

「教師的公平處理，教師在日常生活中的以身作則，這都是又『訓』又『育』的好榜樣。訓育大可不必成甚麼制度的！」貝比用手肘支着下巴，將視線移到了擦動的腳趾頭上。「我們中國人注重身教，實在大有道理，大有道理。」

「總算找到了一位同道，」紅鼻子輕鬆地聳動着肩膀。

「學校是一個公共的地方，」周曼石還是不服氣。

「團體生活還是要秩序，所以訓導制度萬萬不能隨便取消。而且，良好公民也要它來培養的。」

「壓制個性，損害健康的制度，也萬萬不能隨便取消嗎？」李太玄伸了伸懶腰。

「不要這麽梔子花茉莉花的夾纏下去了，」杜宇調解道。「就消極的一方面言，教育應安排妥善的環境，使每個人都能得到個性的充分發展，假若訓育制度是朝這方向努力的話，取消它倒是一項損失；……」

「不朝這方向努力呢？」紅鼻子插了句嘴。

「不朝這方向努力，那就是根盲腸，恐怕要麻煩您動手術了！」杜宇接下去說。「其次，就積極方面言，教育應儘量鼓勵開新方向的能力。關於這一點，我想並不是公民訓育所能辦得到的。因爲那種能力，往往與反抗精神結伴而行。」

「對啦，對啦，」紅鼻子眉飛色舞起來。「連杜宇都不贊成訓育制度嘛。」

「心理學家的意見如何？」張長虹也想班救兵。

「我的意見也許更不中聽，」崔碧說，帶孩子氣的油黑臉上，露開了一抹天真的微笑。「我覺得訓育制度與自由放任之間，還存在着一個值得注意的大問題，那就是羣衆的性質問題，或者說，羣衆心理的問題。」她爲了掩飾微暴的門牙，用力抿緊上嘴唇。

「羣衆心理也搬進了海上學校，哦哦，跑野馬跑得收不了韁哪！」紅鼻子閃開兩隻膀子，做了個騎馬的姿式。

「太玄，問題實在很重要，並非跑甚麼野馬，」崔碧嬌嗔地瞟了他一眼。「所謂學校，不過是把一定學齡的兒童，少年，從個別的家庭裏頭，集合到一個便於施教的場所，來過團體的生活。因此，羣衆心理的問題，可能會決定教育的成敗，這問題確實不容忽視。」

「嗯嗯，這話怎講？」

兩公婆又擺開『舌戰的陣式，剛才鬆弛的談話，又突然顯得劍拔弩張了。

「良好的羣衆心理，有時是可以鼓舞人，陶冶人的。但惡劣的羣衆心理，永遠只能抹殺個性，敗壞天才！辦教育而不考慮到這層，那都是些無根之談，不着邊際的空話！」

「試舉例以明之，」他揑緊拳頭浪了幾浪。

「譬如說，」崔碧也毫不避嫌地頂上來。「你爲什麽要比老子們强！這是種羣衆心理。一切的極權主義者，或集體主義者，都拿這種羣衆心理做教育設計的根據地。於是，任你孫行者千變萬化，總逃不出頭上那道鐵的紀律——緊箍咒——的控制了。結果呢，個性，天才，興趣，努力等等，都是白講的。他們要你當水管匠，你就得當水管匠；他們要你做鎖匠，你就得做鎖匠，一切服從羣衆的需要，如此而已。這種教育，本是一種工具式的教育；這種羣衆心理，本是亂世之徵。我們不多多考慮這種問題，還有別的問題比這個更重要嗎？漆黑一團的亂世，還要借教育的力量來延伸嗎？」

（廿二）

自由人

THE FREEMAN

（第六五二期）

中華民國僑務委員會類登記證台僑新字第一第二號
中華郵政台字第五〇〇號執照登記爲第一類新聞紙類
（半週刊每星期三六出版）
每份港幣壹毫
台北市售價台幣壹元
督印人：陳文華
地址：香港高士威道二十號四樓
3RD. FL. 20 CAUSEWAY RD. HONG KONG
TEL. 771726
承印者：東南印務出版社
地址：高士打道六十四號
台灣總經理處
台北市西寧南路壹壹零號二樓
台郵撥儲金戶九二五二
海外總經銷
友聯書報發行公司
香港：德輔道中二十六號A二樓

我對美國的失望與希望

所有的人都是生而平等的——布拉圖

我不知有什麼方法，能對一個整個的民族加以控訴——伯爾克

李秋生

台北發生的反美騷動事件，到現在經時在十天以上，一時的感情，虛浮的憤激，該都已告一段落。民衆行動越軌的部分，諸如搗毀美機關扯落美國旗等等，中國政府的道歉慰問和負責賠償，已盡到最大能事。在嚴密戒備和對於騷動行爲嚴厲譴責之下，當不致再有不幸事件重演。假使美方若干人士仍感不滿，一定要削減美援，裁撤駐台軍事人員，做爲變相的膺懲，那也只有聽之。即使把此次騷動比擬於義和拳事變，也總不會再產生一個辛丑條約的。

我和許多人士的看法一樣，決不相信這是一有組織行動，或背後有任何指使。要知道怨毒心理極易發展到狂激，此次事件並未釀成更大事變總算萬幸。像在日本發生的奇瑞特案，該美兵是在執行勤務期間殺死一個闖入軍事地區的日婦，與雷諾之爲了私人間某種爭端（那決不是自衞）而開槍殺人者迥乎不同，而日人竟爲此叫囂不休，日政府也毫不放鬆；因而倘使雷諾事件是發生在日本的話，那就會觸發一次大規模的反美運動，雖然卻未必也把美大使館搗毀。此次爲劉自然案抗議騷動的民衆，相信都是民族意識堅强的份子，同時也正是自由中國反共復土所需求的力量所在。我們珍視中美友誼，我們更該有以慰藉各地同胞們內心的憤懣和不平。對他們多加苛責是不公道的。

現在一般情緒已漸歸平靜，我們應該進而對於更基本的問題，特別是關於中美關係和美政府政策問題，提出一點意見。

從一九二一年華盛頓會議起，若干年來，美國一向對於中國的獨立自由與領土完整支持最力。特別是從中國政府播遷台灣以來，不必諱言是恃美援而生存——自然也不能抹殺自由中國自身的振作奮發。過去有時也曾受到美國之累，例如雅爾達密約與國共和談，那只是美當局政策上的一時錯誤，無礙於兩國傳統的友好與共同作戰的關係。

自從世界大戰結束以後，國際間的零亂形勢使美國不能不對整個世界負起更重大的任務，像那樣近乎天文數字的援外方案可說是有史以來最慷慨大量的經濟行動，因而美國也自然而然的形成自由世界盟主。然而，美國在經濟軍事上的策動儘管非常積極，在心理和政治上卻缺乏適當準備，不能配合着發展；不只經常落在援外行動後面，甚至可以說還停留在戰前的國家主義階段，甚至過去曾經引起重大弊害的孤立主義也不時有死灰復燃模樣。援外政策在原則上應該基於美國與受援國雙方的共同利益，共雙方追求着同一的目標，在施者固不必有德色，受者也不應存嗟來之食的自卑感。然而實際情形卻又不然。例如此次因雷諾案引起騷動之後，一向對中國最友好的美方人士，好像都覺得像這樣的暴亂不應出自一個受到美國援助支持最大的國家。他們卻未想到任何受援國家都有民族自尊心，都不願無端遭受傷害。一個劉自然的枉死，比起這六年來美國對中國的實惠，誠然微不足道。然而無論如何，中國總不能以殺一不辜做爲美援的代價。更何況自由中國固以美國援助支持而獲得安全與堅强，那一反共堡壘之屹立於東南大陸近岸，對於美國西太平洋防務又是何等重大的貢獻？此次威爾遜部長和雷德福上將都說：如遇有共黨在遠東進攻時，美國可以依恃將中華民國的支援。這種看法，可惜還不是大多數美人所能體會的。

其次，在美國與受援國家之間，應該時時顧到雙方共同利益，而設法克服其間的矛盾，至少不能爲了己方片面利益而妨害以至傷害對方。對於此項原則，美國對於各盟國的運用頗有參差。其在美英之間，十年來許多重大問題，美國都在遷就英方觀點，只有在最近埃及和對中共禁運事件纔開始成例外。就中美關係言，則美當局一向都是要中國曲從美國，卻很少體會中國的困難處境而對中國有所遷就，其間最主要的自然是對中共問題。自由中國與美國之反對中共，現在可說是立場一致，但基本立場並不盡同，實際政策更往往大相逕庭。不管美當局[illegible]態度如何强硬，骨子裏卻迄未脫出當年艾契遜國務卿「俟塵之治」的窠臼。唯其如此，華府方面寧肯自冒着貶損美國聲威助長中共氣焰的愆尤，還是要在日內瓦與中共繼續談判下去。就自由中國而言，反攻復土是生死攸關的基本要求，「兩個中國」路綫等於慢性自殺，但美當局只求台灣海峽平靜無波，寧讓中國國軍疲老下去，也不肯放其及鋒小試。美方這種立場在對華武器的供應上表現得最爲露骨。

最後，關於援外的執行——特別是軍援方面，執行人員也頗成問題，事前的準備和訓練工作都很不夠。像那些負責訓練部隊的士級美國軍人們，軍事技術是嫻熟的，此外便很難恭維，那種民族優越感往往使人不可嚮邇。像雷諾與此次軍事法庭一部分陪審人員就是一例，而最容易損傷民族感情鬧出不幸事件的也正是這批人。

筆者決不反美，甚至可說對於美國種種近乎盲目的崇拜。我所崇拜的是美國藉以立國的民主自由平等傳統，特別是恢宏有爲的氣度，與產業上的高度成就，科學技術和從哲弗遜林肯以迄威爾遜羅斯福的一貫精神，使人類生活得以達到更高境界的那些政治理想。然而近年來種種太使我失望，庸俗的現實主義代替了理想主義，「繁榮與和平」就是一切。這一套東西足以讓一位總統候選人入主白宮，卻不夠領導和團結整個的自由世界。因爲繁榮只限於美國自身，對於某些國家，和平就無異滅亡——實際上有共產政權存在，這世界就不會有眞正的和平。由於缺乏遠大的理想與目標，於是一切都爲現實着想，其間最大的錯誤是徒然標榜着解放政策，卻一切都反其道而行，特別是對匈牙利革命運動的坐視。相信在整個自由世界中，我只是萬千失望者中的一人。

此次由雷諾事件引起的最大損害，不是美國表面上的尊嚴，而是海內外中國人民內心中對於美國民主自由平等精神的估價。共黨任何宣傳都不相干，但這種內心中的暗影卻是一項重大隱憂。我仍竊相信美人有足夠的政治智慧，能從這一連串的拂逆中深刻反省和檢討，不讓領導世界的機能一天天蝕損下去。

半週述評

敵人仍在備戰

赫魯雪夫說，蘇聯改組工業管理制度，如遇戰事發生，可以[illegible]

他又說，蘇聯有一種最新式核彈，如果試驗的話，北極的冰山就要溶解，全世界就要被淹沒了。

赫魯雪夫的這些談話過於信口開河，但有一點是可以確定的，敵人仍然處心積慮，一切爲了備戰。

盟國外交風暴

但在另一方面，蘇聯的宣傳說，在裁軍問題上，他們同意了美國的空中視察計劃，「裁軍談判」可能產生協議了。

于是，在歐洲各國，特別是北大西洋與巴格達公約國家都產生了一種「疑慮」；美聯社的電訊說，美國向蘇聯建議限制試驗核彈，幾乎引起盟國的「外交風暴」。

美國自作自受

「風暴」雖然暫時平息了，「疑慮」並未全消除，這種不幸的「疑慮」氣氛，多少使盟國國的信心打了折扣，使巴格達十五個禁運國家所舉行的會議歸于失敗，英國放棄禁運的「單獨行動」固然難得世人的諒解，但是，美國人在「和平舞曲」中的自我陶醉，也是「自作自受」。美蘇的妥協是神話；但是美國喜歡「自我陶醉」卻是事實，特別是像史塔生先生這樣的政客們。

放棄禁運背景

中共的誘惑，商人的短見，加上盟國對于美國的「信心」多少打了折扣，這些就是產生放棄禁運的主要背景。

主張「放棄禁運」的人說，過去對中共的禁運是無效的。

這不是事實，以香港來說，一九五一年從香港輸往中國大陸的物資佔香港輸出總額的百分之四十，禁運以後直至一九五六年，就不及百分之三了。

誰受打擊最重

那麼，這是不是可以說，放棄禁運以後，英國對中國大陸的生意就大有可爲呢？

根據專家意見，中國大陸今天能夠輸入或輸出的物資和英國是直接抵觸的；中國大陸的輕工業產品，特別是紡織品的傾銷，首先受到打擊的，將是英國的市場。香港的工業發展今後也更加艱難了。

英國人說，他們期待在未來六個月內，增加對中共的輸出一千萬磅。沒有這樣好的如意算盤，事實將證明，在經濟上受打擊最重的，將是英國自身。

對共並不有利

對于中共來說，禁運對中共有嚴重的打擊；但，放棄禁運並不等于對中共有利，這話怎說？

放棄禁運，我們的敵人可能在宣傳上大做文章，我們的敵人可能收到暫時的宣傳上的效果，表示自由國家終于「被迫」放棄了禁運政策；——但在另一方面，敵人同時失掉了一項武器，——利用「禁運」作爲分化自由國家的武器。

假如我們能善用這一點收穫，則塞翁失馬，安知非福！

·司馬璐·

我們需要的「反對黨」

·丁懿安·

常在報刊上見有討論自由中國反對黨問題的文字，但似乎直至現在尚未有一個大致爲大家接受的意見。

一、

就常理說，沒有一個强大有力、名實相副的反對黨，就欠缺了現代民主政治制度的基本要件。這是常識，應爲對於現代民主政治稍具認識者所不爭。就關係上看，反對黨是與執政黨站在對立的地位，可是名相反而實相成。要促使執政黨內部的加强團結、充實、和健壯，只有反對黨在相反的立場上才能幫這個大忙。但組成一個怎樣性質的反對黨，才爲我們現時所需要呢？

二、

目前自由中國正還滯於步入眞正民主的中途，與英美等民主國家之已確立民主政治制度者，情形不同。我們所需要的「反對黨」，與英美國內的反對黨，在基本性質上，誠然是無異，但目前在功能上，卻有不盡相同之處。我們未來的反對黨，至少須有兩項作用：（一）站在人民的立場，監督執政黨，迫使其在民主制度常軌上前進，這一點是與英美等國家中的反對黨相同；（二）協助或指導人民，使其明瞭並習慣于本身權力的運用（這一點是英美國內的反對黨現刻所已不需要的）。

我國絕大多數人民，還不會正確明瞭民主國家中主人的地位和責任，以及運用其權力的方法，所以容易爲野心家所操縱、殘暴者所壓制。指導之責，應由反對黨擔負，不能求之于「執政黨」。因爲任何一個「執政黨」，只能教人民服從，教人民犧牲，教人民成奴僕，決不會教人民去運用主人權力來和自己爲難。

固然，這是一個繁重的工作，卻也是一個基本工作。倘若辦不到，就無法使眞正民主「生根」；倘若辦不到，所謂民主，正如唱戲一般，祇是任由一些政治人物，樹立排場，大家表演一番，算不得眞正的民主政治。而且這種教導人民的工作，事實上並不困難。只要反對黨的立場和表現，能獲得社會大多數人的衷心贊同和信賴，則它的言論和主張，就不難爲人們接受，而收到教導人民的效果。

三、

基此，未來的反對黨，必須做到下列要點：

一、不致成爲失意政客官僚及熱中于利祿者運用的工具；因爲這一羣人的出發點，祇是個人的投機。

二、不支持任何黨員在政治經濟及社會等方面作個人或集團利益的圖謀；

三、黨員一經參加公職，祇爲其個人立場已變更，應立即脫黨，藉以保持反對黨絕對站在人民的立場；

四、在未變到眞正自由普選的情形下，不參加政權的爭取。換句話說，即絕不用妥協的、强奪的、或强姦民意的手段和方法，來爭取政權；

五、負責人物，須有終身爲樹立民主制度而奮鬥的決心，和「富貴貧賤無動于心、安危毀譽置之度外」的修養；

六、應摒除投機型、梟友型、及市儈型的人物。因這類人物，頗難希望其能體認民主的奧諦。爲了防範「鷄鳴狗盜之出其門，此士之所以不至」現象的形成，故宜寧缺勿濫。

四、

時到今天，空言民主與反共，或從枝枝節節方面去談辦法，都是沒有多大用處的。創造口號和敷衍人事的時代已成過去。當前的問題，是要有一個全盤的計劃，和適當的步驟，與眞誠的意志來逐步促成一個適合現代的眞正民主制度。萬里之行，必從第一步開始。當前的第一步是甚麼？在自由中國組成一個名實相副的反對黨，來負擔這個任務。當然在步驟上和技術上，都需要更進一步的研究。朝野有識之士，以爲如何。

泰越將簽訂友好條約
——是受侵略國一項覺醒的措施

·胡養之·

最近泰國訪問南越代表團團長潘雅於宣布他在西貢曾與越南總統吳廷琰完成一項泰越友好條約的草案，待吳廷琰總統今秋訪問曼谷時，將予簽署。

該團係由泰國國防及內政部高級官員所組成，在與南越各領袖會談四天後曾發表聯合公報宣稱泰越兩國同意須對外國人發動的顛覆活動提高警惕。

誠然，目前泰越兩國是同病相憐者也是東南亞兩個反共最堅強的國家。友好條約，在所必需的，是受侵略國的一項覺醒的措施。

兩面的威脅

由於泰國位於中南半島中部，介於越南與緬甸之間，爲東南亞僅次於越南的一個產米區，早爲共黨所覬覦。自北越淪入鐵幕後，寮國內部的動盪不安，緬甸的中立政策，使泰國的前後左右均受到威脅。使邊境的共黨第五縱隊，也愈來愈活動。故泰總理鑾披汶也認爲共黨對泰國的包圍態勢已經完成，遲早必有突然爆發的一天。

本來，泰國在共黨的侵略藍圖上，是唯一的障礙物。韓戰發生伊始，一九五〇年七月，泰國就響應聯合國的號召，立即派兵四千名參與援韓戰爭。同年九月又與美國簽訂「美泰軍事經濟互助條約」，並在國內也頒佈了「鎮壓共黨條例」，對潛伏國內的共黨份子以徹底打擊。一九五一年一月，又認眞地執行聯合國頒佈的對中共禁運法令。因此泰國被中共視爲眼中釘是必然的。

兩個侵略步驟

據一般觀察，中共侵略泰國，可能採取的步驟不外下列兩種：

第一、中共在雲南車里，早已組成泰國地下人民政府，擁有三千至五千的游擊隊實力。主席，一說是趙瑞新，又說是乃比里），近幾年來，曾不斷地派遣大批幹部潛回泰國，煽動內亂。隨時可以進行顛覆運動。

第二、中共的野戰部隊，除大部分部署於台灣正面的浙閩沿海一帶外，其餘的都配置在滇緬、寮國邊境的雲南邊區，將來時機成熟，將必分爲兩路進軍。一路以「志願軍」名義，與寮國的越共軍合流，席捲泰國東北部各要衝，然後從側面向曼谷進攻。另一路由雲南邊境化裝開入緬甸北部，再以「志願軍」名義，與緬甸共軍合流，從泰國北部向南進擊，佔領曼谷周圍各衛星邦市而進侵曼谷，這是中共侵略泰國的第二路線。

中共的南侵

至於越南呢，也受同樣威脅。由於日內瓦停火協定後，越共胡志明垂手而取河內海防，取得一千多萬人民的力與無限的物資和地下的寶藏。蘇俄和中共，自然還要他負起南侵西征的任務，他於一九五四年訪問北平就是向北平請援。（一）希望中共供應一批糧食，以解救越境饑荒；（二）加強軍援，協助其建立陸海空三軍，（三）要求經濟及技術援助。顯然中共是要支持越共南侵的。

大家都知道：越共力量之組成及壯大，與韓共同一轍，完全得力於中共的支援。過去由於交通不便，中共以戰略物資援濟越共，極爲緩慢。正因此，乃有滇越鐵路的建設。其侵略企圖實不自今日始了。

蘇聯的野心

胡志明又到過莫斯科請援，簽署的聯合公報，特別聲明兩點：（一）蘇俄與越盟反對任何邀請寮高加入東南亞聯防組織之企圖；（二）蘇俄與越盟重申立場，履行日內瓦協定，藉選舉方式以謀南北越之統一。其政治野心，於此昭然若揭。

爲愛國的肇事者呼籲

讀者來書

編輯先生：這兩天政府正組織軍事法庭，審詢搗毀美使館的肇事者，我深恐這些肇事者成了政府討好美國的犧牲品，特草此函，敬希惠予披露爲幸。

當美軍法庭宣判雷諾上士無罪後，美軍顧問團有一位聖約翰上士，發表一封致劉自然太太的公開信，信中說到「美國法律的精神，是寧願犯罪的人逍遙法外，也不願將任何無辜的人定讞。爲了防止法律濫用，確切保護人民，這個原則實有必要。」聖約翰上士也相信雷諾有罪；但是，他指出確實明瞭槍殺案的現場情形的，只有雷諾與劉自然，而劉自然被打死了，雷諾又堅稱是爲了「自衛」開槍的，于是，在美國法律中，有所謂「合理的懷疑」，正足以助雷諾脫罪，美軍法庭審判人員又根據惟恐將無辜的人定讞的原則，終于判雷諾無罪。

我們且不論美國法律觀點，是否正確，雷諾案是否根據這觀點得判無罪，抑或另有不公平的動機；然自我國法律觀點言，殺人無罪顯然是不公的，關鍵還是——事後申雪，也感到困難。甚至人民要求公正的在審判權問題，爲什麼還審判權落在別人手上——譬如我說劉自然的太太站在美使館門前，台北市前任警察局長就對她說：「妳不要製造事件！」劉太太答道：「局長，請不要亂加帽子。」即爲一例。

現在輪到我們了。雷諾事件發展到現在，是我政府將搗毀美使館的肇事者四十一名，組設軍事法庭，提起公訴。從政府公佈的肇事者名單及其簡歷看來，絕大多數年齡很輕，智識甚低。按犯罪心理學指出精力充沛而智識較低的人，比較容易犯罪，因爲這些人往往不考慮犯罪的能因及後果；這四十一名肇事者就多半是當場激于義憤，出于一時的衝動。這種行爲於法雖屬不合，在情不無可宥，自然，其中如有匪諜混跡，也要找出證據，不能將任何無辜的人定讞。這些人是出于愛國的動機而犯「罪」，總不可拿他們做「求得美國諒解」的犧牲品。否則國事民心，不堪設想了。以爲否，敬頌撰安！

黎中天敬上　六月十八日

中國文史述評

新著簡推

謝扶雅著

香港浸會學院文學系主任謝扶雅教授，近集其數年來所寫有關中國文學及歷史人物短論，成爲「中國文史述評」一書，供高中及大專學生課外閱讀。在近年的同類出版物中，這是一本最值得鄭重推荐的好書。

全書分「中國文學」及「歷史人物」兩大部份。中國文學部分爲文論廿二篇，於中國文學源流，文學理論，歷代文體演變，派別形成，均有簡要評述。

著者於中國文史之學，博雅精審，西洋文學亦復研究有素，旁及耶佛哲理。熔鑄今古，滙通中外，故所論列，獨多精闢，不同凡響。有關唐宋論詞諸篇，更覺令人心折。

歷史人物，共列十八人，以學爲主，兼及事功，以現代眼光，詳述古人行誼思想，所以激發青年志氣，向學進取之精神的地方甚多。

全書二百餘面，近十萬言，香港太平洋圖書公司出版，今年四月初版，每冊售價港幣二元五角。（文華）

妄倡承認中共的美參議員
富布萊特

·旭軍·

美國參院議員富布萊特（J.William Fulbright）在六月十六日，電視問答中，竟然主張進行關於美國承認中共的談判，說這是不可避免的。又說「共產中國的毛澤東十分可能成爲另一個狄托」。

自由中國注意此人

這個人，說出此種言論，正是美參院議員巴特勒所痛斥爲「中共遊說份子」。這種荒謬幼稚的論調，本不值一駁，但富布萊特是美國參院外交委員會的第二號巨頭，是爲在美國中東政策小組委員會的第一號人物，也是國務卿杜爾斯的死對頭。自由中國人士對美國國會議員近日要求恢復「現實」的對華政策起疑惑，就應注意這個興風作浪之妄人。

杜卿辦公廳的幽靈

美國「記者什誌」指出富布萊特是在杜爾斯辦公所作祟的幽靈。現在的參院外交委員會主席格連，是個九十歲老人，快要辭職的了。只要民主黨仍維持着多數黨的地位於參院中，那麼承繼格連任參院外委員主席，就必然是他。

現在參院中富布萊特率領一群的民主黨少壯派，野心勃勃專和杜爾斯作死對頭。本年三月中間，他所調查政府中東政策小組委員會，硬指前任艾森豪特別助理及現任「時事周刊」公司副董事長傑克遜，曾說過美國政府取消助埃及建築艾思溫水壩，係故意引起中東危機，迫蘇聯攤牌。傑克遜力加否認有此說。

剛巧羅拔信比爾出刊一批評杜爾斯的外交政績的書中亦指出杜爾斯取消資助艾思溫水壩，係謀在冷戰上打勝蘇聯。更供給富布萊特以攻擊杜爾斯的「彈藥」。

未施烙印的初生犢

在參院外委會與軍役委員會聯合舉行的聆聽供證會議中，富布萊特宣讀一張稿子，好像對杜爾斯的外交政策實行公訴一般。後來國務院人員說他們從來沒有看見他們的上司像那天的氣憤。他們一向把富布萊特看作好惹是非的人，和未施烙印的初生犢，「但現在不能不注意富布萊特的活動背景了。」

假如富布萊特只是對杜爾斯有心病，也不過是政治上私人衝突。但有時可轉而影響到國運。

大學校長變爲政客

許多參院議員明瞭富布萊特的出身，他是一個曾旅行多處的羅德斯的學者，法律學教授，曾做過大學校長，以爲他也許是一個良好的哲學家，而不是一個有聲有色的政治家，但現在不是了。去年他曾旅行到北大西公約組織國家的首都，回來時說在海外，向外表上似信賴杜爾斯的現象也消失了。

在參院舉行聆聽艾森豪威爾主義的供證前，富布萊特在他自己的辦公室召集民主黨委員開戰略會議。

不同性質的麥加賽

共和黨死了一個好爭辯的麥加賽，而民主黨却補上一個。但他們是不同性質的。麥卡賽是反共怪傑，富布萊特有意或無意的爲蘇俄集團張目。在一九五六年初，他和杜爾斯在參院預備會議室中，在衆電視攝影機包圍之下兩人作舌戰。他又曾和駐埃及大使拜路特舌戰，使用共猛烈粗暴的詰問方法。這個多說辯的人，是否能吸引各黨派，成爲反政府政策的阻力，尙待今後事實證明。

祇在製造政治資本

儘管富布萊特說：「反對黨的任務就是反對，如果不指實執政黨的錯誤政府便自以爲是而懈怠，」但他不能亦不願立即改變對華政策，試看他說承認中共政府的談判「問題只是何時及如何進行而已。」這種說話，他自己亦無法解答。他又說中共保證台灣獨立，爲交換美國承認其政權的一個條件，這個直是癡人說夢。他這次的電視問答，是攜出反對黨的領袖姿態，製造政治資本，實際無力動搖兩黨外交平行政策，不過他這種的荒謬論調，是自貶美國的地位，亦正如巴特勒所說「替毛澤東無賴政府增高聲譽而已」。

編者　讀者

鍾靈先生：六月七日函敬悉，大文字過長，因稿擠，一時無法刊出，是否要回，請示知。

邵木仁先生：大作「關於…雷諾案…」[illegible]，只以本刊已刊多篇，不便再發，歉甚。

世靜先生：六月十九日來函及稿已收，[illegible]

更正：[illegible]

一個從新思索的時代

·林伯雅·

（上接第一版）

五、

像莫索里尼法西斯黨之建立于[illegible]，希特勒納粹政權之建立于褐衣黨的暴力上，建立于格別烏槍桿上的蘇式共產主義，[illegible]與資本主義爭半個天下，[illegible]

六、

[illegible]

自由談

談翻譯

馬五先生

蔣總統所著「蘇俄在中國」一書，英文版早已在美國發行，英國一家圖書出版公司亦快要刊行了。這本書在全世界一定引起廣泛的注意，影響不小，因為內容豐富，史料翔實，而其體裁亦精簡合度，足以引人入勝，不似一般名人著作之冗沓沉悶，令人讀之昏昏欲睡也。

英文版我沒有看過，但紐約一家報紙所寫的一篇書評，對全書推崇備至，但覺得譯文不甚高明，並指出原書內把「鬥爭」譯成「戰爭」這點小錯作證，可見外國人閱讀時頗為仔細用心，良堪贊佩。因此，我乃聯想到翻譯書籍殊非易事，必須本國文與外國文的修養有同等程度，庶足以勝任愉快。

中國人在國際間素有擅長英文的稱譽，然多半都是表現在說話方面。如顧維鈞、胡世澤等人，說洋話流利暢達，若教他把漢文譯成洋文，恐怕就不見得高明了，因其本國文字的修養工夫，與其洋文程度太不平衡之故。國父孫公在生時，認為中國當代人士真正懂得英文的，唯有陳友仁和伍朝樞兩個，他自己只算是半個而已。然陳友仁連中國字也認識不到一百個，如讓他來翻譯漢文書，一定錯誤百出無疑。

所以，今之知識份子對於本國文化每投以鄙視的眼光，一言一行，力求洋化，寫一篇中文字的文章，幾乎每一名詞、動詞、形容詞等等，皆不分青紅皂白地加上英文，譬如說：「一個封閉的社會」，這純粹是中國的語文，誰也看得懂的，然也要附以「A Closed Society」的洋文，這是為甚麼？一般中國人之所謂洋文，皆此類也！諸如此類的英文程度，就很難將大部頭的漢文著作，如「蘇俄在中國」這種書，能夠譯成好英文的。我希望教育家留意這項問題，庶幾對於中外文化交流前途，可望產生良好的結果。

故園之憶：種樹記

·李仲侯·

我到台灣快已七年，每值端節，必向市上購李而食，以回味童年在故鄉時喜食李子的那種情趣，可是台產之李，核大而味苦澀，乍食之幾於難以下咽，聽說台灣產李以屏東為最佳，但其味仍較故鄉遜遜。惆悵當年，無端勾動我過去種李的一段往事。

老圃吾何多讓

離我故居約五里許，有清末某軍門遺下一座棟宇連雲的住宅，民國廿三年，我家老屋，因人多屋窄，我父堅持要購進這座房子。據說當年此屋經營伊始，其某軍門正在維揚任上，總理鹽漕兩運，煊赫一時，纍纍白銀用船裝歸者不計其數，庀材鳩工，興建三年，始畢厥工之役，傳後一代，其家式微陵替，只剩下此龐然大物，老實說，我對這種舊式房子，殊乏興趣，最為我所喜悅的，屋後有六個大園，我把三園植李約五百餘株，二園種桃，亦不下二百株，餘下一個大園，儘是蒔蔬種菜。那時總邊逾而立之年，然憧憬未來，浪跡天涯，究非久計，每擬年滿五十，即圖拂袖還山，嘯傲林下，致力於種樹，老農或有未能，老圃則吾何敢多讓。

是當年手植之株

俗話說：「前人種樹，留與後人遮蔭」，大抵是指種樹的人，不能及身受惠而言，但我則認實這句話，未必盡然。二十三年我家園內有許多手植之株，泥方新，根荄未固，即出遠遊蜀道，迨二十九年我由四川冒險歸省父疾，那時我的縣城，繼長沙大火之後，被敵人燒得精光，但是「近鄉情更怯，不敢問來人」，總算還到家，僮僕歡迎，正值仲春時節，行裝甫卸，即去屋後作了一次巡禮，只見春色滿園，桃花李花，紅白爭妍，交織成一片絢爛世界，旅途數十日的疲勞，頓時一祓除得一乾二淨，時過三日，是我四十初度賤辰，賀客盈庭，我在這片園地上大讌賓朋，肴然燭再飲，驪暮酒闌，燃然還散，從此在家，遂與桃李結下纏綿難解之緣，（當然還有：梅，桂，梨，桔，杏，棗，栗，枇杷，楊梅各種樹），經常一把剪刀，一隻揹兜，穿梭其間，修剪枝葉，吾任之；挖土壅肥，誰保任之，我與各樹廝守，足有五個月之久，幾乎每一根樹枝都經過我的愛撫，每一寸土地都印上了我的足跡，我還於園的最高處，建立一座醉月樓，洞窗明窗，既可供閒丁瞭望防暴之用，更可偃仰其間，觀古今奇書。臨到離家的那幾日，我對着各樹發呆，有莫名其妙的惆悵，督工再度挖開樹根，加上一次羹肥，作為臨別贈禮。此後在外與家人通訊，什麼問題都提，惟有對諸植樹木，則不惜反復叮嚀，如此者又已七年。

別時容易見時難

日本投降後，大家都勝利還都，我亦由蜀隨舟東下，于三十六夏重返劫後故鄉，我這大廈已被日軍毀去一角，所幸林園無恙，桃李結實，且盛於往年，負販之徒，嚮吾門而熙攘，誰與吾幼兒剖分管，自得其趣。誰料人事變幻，實是年多，吾都滬遷即見土共蠢動，擾攘不息，一夕數驚，不寧寢饋，燕居深念，知在鄉已無安枕之日，還蕭，不得不再作出山之想，曉月當空，獨自徘徊園中，我一面摩撫着這些親植的幼苗，已看到他成陰結子，且將由壯年進入中年，「樹猶如此，人何以堪」，一瞬目山河，漫天烽火，「無限江山，別時容易見時難」，深感此次離家，實不平凡，捲土重來，未知何日，不禁五內若焚。翌晨臨別，回望園中樹木，臨風搖曳，亦恍似在揮手送別。

往往青青猶在否

現在屈指離家，快將十載，飄泊海角，亦已七年，「有弟皆分散，無家問死生」，未知故園桃李，「往日青青今在否」？我在大陸最後居西昌三年，曾將齊民要術，農政全書及古今中外各種植樹培養方法，手自抄錄，積成兩巨帙，預備作為寓藝家法本，城陷飛台日，一切均遭拋棄，僅此兩鈔本，至今猶存行篋，得一展閱，為之憮然。

壽彭海ㄏ博士范新瓊畫家伉儷花甲雙慶

·邵鏡人·

巍然衡嶽彩雲中，湘水蘭芳苗秀叢。當日花都不羈馬，于今海角白頭翁。（君早年留學巴黎，以魁梧雄健之姿，為中西女郎所傾倒。）老彭揮筆猶龍虎，小范游心到鳥蟲。（新瓊夫人老而美，望之若四十許人，其友輒以小范呼之。精繪事，與留法林風眠、徐悲鴻、方君璧，同稱藝苑巨手。）偕隱沙田添壽酒，新荷瓊月一時同。

不在其「圈」，言其「事」！談談台北的「影評」

鴻爪

公道先生在「㜑女湖東京丟人」一文中，談及台北的「影評」。有云：「從這一事件（㜑女湖丟人）的發生，我們感覺到，台灣的批評（影評）制度，有重建的必要了。」

「影評在藝術上的估價，也等于一般人所謂的「文藝批評」，因為電影是綜合藝術，可惜自由中國見諸于報刊上的影評，僅只有數得出姓名來的幾位先生。

聽說這些先生組織了一個「影劇茶座」，換句話說，他們成了一個圈子。有例會，亦有臨時會，會面時飲茶也可，喝酒也可，甚至吃飯亦可，輪流作東道主，實在是自己吃自己。

聽說他們頗有評好評歹的「評權」，因有此「權」，影片商人以及影戲院的主人，都對他們的「評權」具有「恭敬」之心，他們或者編有副刊，或者辦有雜誌，總之是可以操「評權」而還「評色」。（「色」者，上海話讓儂看看「顏色」之色也。）

于是每一影片的宣傳費，不無給影評人分潤（表面上是刊廣告）之機會，白看試片，當然不在話下了。於是所見于報刊之「影評」，與片商院主之宣傳稿，頗有異曲同工之「妙」。雖然有時成了工不同，而曲稍異者，那乃是「姿態」。若有偏的「開」起來了，那是該片成了「問題」。自然，也有為批評而批評的時候，可惜十不見一，少得出奇。不但片商院主對他們如此如此，就是當地的影星也還要與他們「親善」；或者稱兄道弟，或者叫妹喊姊。總之，一為影評人也，則有不少「舒服」焉。

有人說文藝副刊圈子太緊，倒還不如影評的圈子更緊。在如此這般下寫出來的影評，其「公道」程度，亦可以想見。（其實大家都已看見）。

記得前年一位初由香港來的作家南郭先生，他用了一個××筆名在聯合報「藝文天地」上寫小品文，偶然寫了一篇諷諷台北影評的短文，引起影評人們的圍攻。大有要逐他返回香港去做「名」作家的趨勢。後來經人出面調解，才算「和好」了，他也終止用那個筆名寫那種文章。

即此一事而論，足見台北影評人的「團結」是如何的「精誠」了！公道先生提出「重建台灣的影評」，似乎言之過早，也似乎忘了南郭（林適存）先生的往事，那末，我鴻爪何人，敢來談談兒他們的「閑話」？只為香港還有自由人報，能夠公正的給投稿者說公正話。意思是給這個影評圈子的諸大影評人，來一次影迷讀者的忠實「反映」——我是影迷之一。

實是大家都是以耳代目，或以目代耳嗎？不然——不！乃是受了「不在其位，不謀其政」的儒家思想影響，也就是不在其「圈」，不言其「事」。他們得「親善」于明星，受「恭敬」于片商與院主，也看作「吹縐一池春水，干卿底事」而已。

末了！敬向「影劇茶座」諸君子進一言，像以「㜑女湖」這種「丟人」的片子，「評」得來「丟人」的教訓，是應當記取的。

本文若不幸而引起他們的「圍攻」，我鴻爪誠緣托入「拉壓子」，惟有捱罵到底。但，我的話是由衷之言，沒有惡意，與片商院主或明星們一樣的是有親善與恭敬他們之心的。

海上學校

（中篇小說）

「長虹，我看你的刀下也過於留情，」紅鼻子笑嘻嘻地提醒他。「是嗎？」張長虹下意識地摸摸下巴。

「曼石，你的鷄窩——」

「這個我曉得，」周曼石打斷了紅鼻子的話。「我還沒有梳頭。」

「做老師的，十個有九個怕接觸瑣細的事物，尤其是儀表方面的。」杜宇含笑而談。

「麻煩死人，不接觸也罷，」貝比說。

「然而，所謂無言之教，就不能怕這點點小麻煩，」杜宇說。「我覺得：一個頭不梳、臉不洗，拿出一塊小手帕就像醃菜葉子般的老師，就身教方面而言，已經有多少不配了。」

大家沉默着。紅鼻子繼續說：

「既然如此，早餐之後，我們即刻動手裝飾門面吧。」

於是，在飯後半點鐘之內，大家又開始忙碌起來。貝比也穿上了雪白的半硬領襯衫，杜宇很有耐心的替他校正領帶，崔碧替他擦光了黑皮鞋，一條潔白的小手帕塞進了他上衣的口袋。他覺得渾身不舒服。然而他到底這麼做了。周曼石也梳好了頭。張長虹重複刮好臉。海上學校的老師們，像赴一個快樂的婚禮似的，大家都煥然一新，顯得很有精神。

海上飄散着金霧。回暖的大海上，是一片無窮無盡的翠綠。翠綠下覆蓋着千萬朵雲霞的光艷的花朵。那真是個鮮綠的時辰，充滿着鮮綠的希望，在年青人的心靈裏醞釀着醇酒似的快樂的感情。

打從上海上街，舢板載來了孫春蘭、孫秋菊兩姊妹。波平似鏡，波光燦目，變幻逗動了漣漪的細語，在盛開的顫動的薔薇花叢的頭頂滑過。

陽光的金箭，射上了避風塘的桅林。桅林上的小旗子，纖纖地翻轉着，為驍風合唱起不知名的歌，彷彿也在歡迎清新來的一對「魚姐蜆妹」（這是戴著笠竹笠的蛋家彼此間最親暱的稱呼）。

到處是光明，到處是歡笑，人的眼睛都好像搭上了蜜糖。

舢板繫定之後，崔碧和杜宇，把她倆牽上歡樂船。兩個孩子很有禮貌地向大家鞠了躬，並且道了早安，然後羞答答地跟在崔碧的背後，悶聲不響地坐到第一排板凳上面去了。

不久，鄺老頭提着滿籃的鷄鴨海鮮蔬菜，也登上了歡樂船。他向老師們寒暄了幾句，就匆匆蹺起跛頭腳，拐到後艙間去了。他是快樂的。他那笑得凹進去的扁嘴巴，他那走動時微微發抖的短腿，他那三綹飄動的花白的鬍子，都替我們說明了這個。

接着，劉全忠陪同鄺財寶，也施施而出。鄺財寶穿着全新的白香港衫，黃卡嘰長褲，足登黑皮鞋，很神氣地走在前頭。劉全忠雖然還是那雙對開襟四口袋灰椰子布唐裝，然而卻是新漿洗過的，而且今天還意外地着了平底充嗶嘰鞋，配了一雙白色的原子襪。他倆向老師們互道了「早晨，」紅着臉聽了聽先到的同學，默默地坐在接近孫春蘭的條凳上。

陌生的環境對孩子們來說，也許是不能馬上適應的，或者，暫時的心理緊張也是免不了的。但劉全忠卻是二十五六歲的壯漢了，一旦跨進學堂的門檻，渾厚粗糙的同字臉上，那種羞澀樣子，並不比鄺財寶，孫秋菊等來得鄉鎮。說怪就怪在這裏，難道學校和家庭之間，真有一道不可見的鴻溝嗎？

木欄干畔，四位老師，還在焦灼地等待來參加開學典禮的學生。崔碧在教室裏，同已到的四個學生談談笑笑，不時問東問西的，打發期待的時光。

杜宇卻回到總辦公室，再照了一會鏡，覺得眉毛畫得不如理想，又拿起眉筆描了一陣。並且，還加了一點點唇膏。今天她確實出落得很淡雅大方。天藍色的竹布旗袍，剪裁得像一封書樣的平直，環着一個輪廓分明曲線玲瓏的身體。天藍色的緞髮帶，束着她那柔曼的黑得發光的長髮。半新白麂皮的涼花鞋，穿在小巧白淨的腳上，益發顯得調和有光彩。總之，簡樸、自然、生動，全符合了美的條件。上帝的傑作，正透過她的儀容表現出來。她是美的集合，美的化身。

（廿九）

自由人

THE FREEMAN

（第六五九期）

中華民國僑務委員會登記證僑台新字第一號第二號
中華郵政台字第一〇〇五號執照登記認爲第一類新聞紙類
（半週刊每星期三、六出版）
每份港幣壹毫
台北市售價台幣壹元
承印人：文華
地址：香港高士打道二十號三樓
3RD. FL. 20 CAUSEWAY RD. HONG KONG
TEL. 771726
承印者：東南印務出版社
地址：高士打道六十四號
台灣總經理處
台北市西寧南路壹號登壹號二樓
台郵撥儲金戶九二五二
海外總經銷
友聯書報發行公司
香港：德輔道中二十六號A二樓

看過「毛和尚」一篇長文以後

大放大鳴，阿彌陀佛！

·左舜生·

在過去幾年，我們對中共在大陸的一切行爲，曾不斷有所指摘，並斷定：以他們的種種做法，不僅不能解決中國問題，而且可能使得中國數億人民，陷於更大的災難。

果然是我們的成見嗎？

像我們這種看法，有不少的人總以爲我們是由於一種成見，他們以爲我們既然站在一個無可商量的反共立場，其對中共的詛咒，當然無所不用其極，像這種不依據客觀事實，而徒然訴於一種主觀的情緒，其所得出的判斷，不會十分正確，自屬顯然。

像這種批評，並不完全來自敵人方面，甚至就在我們的朋友中間，抱着這種謹愼態度的，也大有其人。正因爲如此，乃不容許我們不對數年來所發表的言論，加以深切的反省：一、我們的反共，果然只是一種主觀的成見嗎？二、他們所標榜的『爲人民服務』，難道是絕無誠意嗎？三，中共在過去誠然是多行不義，殺人如麻，但近年他們確在從事建設，而且態度相當積極，何以斷定他們決沒有成功的可能呢？四，他們特別重視『蘇聯老大哥的經驗』，這自然是一個笑話，可是蘇聯革命後，畢竟有了四十年，對世界雖然毫無貢獻，但她却能鬧得全人類都在頭昏腦脹；中共的『一面倒』是命定的，而她要把整個世界鬧得不安，其目的也正與蘇聯一致，她不向蘇聯去學習，更向誰去學習呢？五、像中國這樣一個古老的國家，忽然來了一次『古之所無』的所謂『革命』，其不是十年八年所能搞得好，這是當然的；過去國民黨曾在大陸執政二十年以上，現在退到台灣，執政又將十年，都不曾做出如何優良的成績，大家對國民黨的責備何以這樣寬，對中共的責難又何以這樣嚴呢？凡此等等問題，我們都會不斷提出，以作爲我們反省的資料。可是經過多方反省的結果，依然不能改變我們對中共的看法，換言之，我們對中共前途的判斷，依然是：『以他們種種的做法，不僅不能解決中國問題，而且可能使得中國數億人民，陷於更大的災難。』

老和尚的思想底子

毛澤東，這正是今天儲安平所指出一羣『老和尚』中的一位『方丈』，他儘管滿口像唸阿彌陀佛一樣的唸着馬克斯和列寧，可是在中共這一羣老和尚中，却沒有任何一個曾經把馬克斯經典和列寧經典眞正的搞通過。在這裏我可以插入一個故事：毛澤東在長沙第一師範讀書的時候，他的岳父楊懷中先生，曾教毛讀胡曾左的遺著，毛經過一番涉獵以後，楊問他：『對曾（國藩）胡（林翼）左（宗棠）這三個人你最佩服那一個？』毛回答：『我最佩服胡潤之。假如沒有胡潤之，曾左要成功是不容易的。』楊說：『對，你的見解不錯，你既是這樣佩服胡，你何不就把胡的號作爲你的號呢？』據說這就是毛澤東又叫毛潤之的來歷。由此可以看出毛在成爲共產黨幾年前的思想是一個怎樣的底子。

共產理論的眞空管

從毛澤東，加上周恩來、劉少奇，以及他們的『五老』『八師』……[illegible]……大抵這一羣人，後來都只能在行動上去表現，表現在鬪爭……[illegible]……當令箭』，知道不如此，便不能嚇唬徒衆，不能欺騙羣衆，也無法取得外援。後來居然生意一天一天發達，市面也一天一天繁榮，乃至奄有整個中國大陸，於是他們乃覺得這個馬列買賣確實做得，因而到今天爲止，他們依然要裝出一個好像搞通了馬列的樣子，甚至還進一步非把別人的思想，也一一代爲搞通不可。可是經過七八年的瞎搞，由這次『大鳴大放』所表現的成績，我們才知道今天在大陸的知識分子，甚至便連『人民大會』的先生們，其不通也依然如故！這本來無奇，『以其昏昏，使人昭昭』，在事實上原來就是不可能的。從這次『大鳴大放』看到對中共的批評，大抵都是針對中共這幾年在大陸的行動，而很少涉及他們的理論，因爲中共對於所謂共產理論的建設，截至今日爲止，依然還是一個眞空管，決不能構成批評的對象，因此這班批評者，便只好就事論事，毫不客氣的暴露他們一部分惡劣的行爲。可是所暴露的儘管還只是極小的一部分，却是擊中了他們的要害，抓破了他們的臉皮，因而這位『毛和尚』乃不能不惱羞成怒，趁着在所謂『人代會』開幕以前，才把這篇『王大娘的裹腳布』拿來發表，而定出所謂六點的鳴放標準，這樣一來，於是乎章伯鈞、羅隆基、章乃器、儲安平們乃成了『毒草』，而史良、宋慶齡、何香凝這幾位婆娘，却成了又香又艷的『香花』！『香花』暫時還可插在瓶子裏，『毒草』却非來一次『斬草除根』的清除不可！

由鮮血灌溉出來的『毒草』

可是我總覺得毛和尚還得十分的當心：「離離原上草，一歲一枯榮，野火燒不盡，春風吹又生，」在中共要繼『大鳴大放』之後來一次『剷草運動』，總得首先估計估計像章、羅這類的『毒草』，在今天的大陸究竟有多少，其滋蔓的範圍究竟有多大。據一位久住北京的人說：「自從中共蟠據大陸以後，一直到去年爲止，被他們屠殺的所謂反革命分子，有案可稽的，總共是二百七十多萬；」而『毛和尚』所承認的，則爲八十萬；但據我一個最保守的估計，則至少爲兩千萬。我這個兩千萬的估計並不是隨便說的。湖南的洪江，這個湘西桐油的轉口站，本來只是一個四五萬人口的小市鎮，據一位在洪江有三十年傳教經歷的內地會牧師在他回國前在香港洞口對我說：『他在洪江住了三十年，因爲傳教的關係，對於當地這四五萬人的面孔，他幾乎一一都能熟識，他在所謂「解放」以後，在當地還繼續住了兩年，眼看見一批批的提出「公審」，一批一批的載出鎗斃，依照他逐次的紀載，其總數實超過兩千人。』

（下轉第二版）

半週述評

「三害」與「右派」

中共一屆「人代」四次會議，於廿六日在北平開幕。該會議開幕後，相信因「人民內部矛盾」所引起的事件，在大陸報紙上將逐漸失其顯著地位。實則在毛澤東發表了修改後的講話全文後，「整風」也就進入了尾聲階段；現在，周恩來在此次「人代」會上所作的「政府工作報告」中，也同樣的提出了對「右派」的反擊，他着重揭示了目前不能無視還有階級存在，也不能無視還有敵對勢力存在」，於是中共今日內部的主要敵人，已不是所謂「三害」——「官僚主義、宗派主義、主觀主義」，而是與中共有長期合作關係的「民主黨派」，即中共所指的「右派」了。

但我們相信，所謂「右派」絕不止於隱藏潛伏在「民主黨派」中，在中共黨底內部，凡屬不滿於中共中央政策及其領導的，莫不皆屬「右派」，而更廣泛的「右派」思想意識，則是深植在所有反共人民的心裏，大陸上若干知識份子的不平之鳴，正是代表反映了這一點。人民之所以不滿共產黨，是因爲他們長期過着奴役窮困的日子，但中共却要人民在批評他之前先肯定「社會主義建設的成就」。代表人民利益的知識份子對這一點是完全否定的，他們不僅否定所謂「成就」，並且還表示，「即使共產黨亡了，中國也不會亡」！

災荒死亡和通貨膨脹

中共的「成就」究有多大呢？就周恩來的報告舉例來說：

一、一九五六年財政方面，「執行國家預算的結果，當年支出超過當年收入十八億三千萬元，動用了歷年財政結餘十六億□千萬元，並且從銀行透支了一億八千萬元，銀行發行貨幣也多了一些，因而動用了庫存物資大約二十億元。」這說明甚麼？說明中共通貨膨脹和「社會主義建設」之浪費。

二、「一九五六年全國農業總產值約爲五百八十三億元比一九五五年增加了二十七億四千萬元」，但是事實上周恩來也承認一九五六年是「解放以來最大的一次災荒」，而一九五五年在他認爲是豐年，荒年比豐年的收成還要好，這不是謊言是甚麼？周恩來的報告還說了一九五六年「被災田地約二億三千萬畝，受災人口約七千萬人」的事實！但更可怕的事實是，像在廣西全省發生逃荒和有十餘縣（平樂、荔浦、橫縣等）因災荒發生餓死人事件」時，中共幹部竟熟視無睹！（六月十八日北平大公報載「嚴肅處理廣西因災餓死人事件」。）

就以上所舉二例言，餓死人絕非僅限於廣西省；通貨膨脹，物資缺乏，亦絕不止於周恩來所述的數字。

「大放，大鳴」的時候已經過去了，在以後的這一段日子裏，將難再有機會在大陸的報紙上看到知識分子對中共的咒罵和反抗，緊跟着「整風」出現的之後，必是「整肅」。我個人覺得杜爾斯對中共的「放鳴」魔術的評價是頗爲確切而幽默的。他說：毛澤東的本意是在等待百花一放，百家抬頭的時候就砍掉它！

美國對中共的態度

筆者執筆時尚未能見到杜爾斯發表的對中共政策的演辭，美國究竟對中共取何種態度呢？確已到了應該有所抉擇的時候了。這兩天英聯邦國家也正在倫敦集會中，相信對於中共的問題，必有討論。英國的一貫的態度是「我承認中共，但不等於贊成中共」。而美國現在的策略是既不承認也不贊成，但是却可以「坐下來談」！因此，杜爾斯的對中共政策就值得注意了。姑不論美國的態度如何，在我們看來，美國能有抉擇表明態度，總比含混不明爲佳。李金曄

勿讓板門店歷史重演

·瓦斯·

七年前今天（一九五〇年六月廿五日）開始打了三年多，被稱爲「小型大戰」的韓戰，于一九五三年七月二十七日在板門店簽訂了不光榮的停戰協定。

韓戰原爲聯合國制裁中共侵略韓國而起，三年戰爭雙方的死傷，據當日美聯社引據聯軍正式公佈的總數爲二百一十二萬九千三百一十名，其中聯軍佔三十六萬四千三百七十名，共軍爲一百七十六萬四千九百四十名其中又以中共軍居多（估計比韓軍多三分之一强），此外軍民死傷還未計入也數達數十萬。

這個死傷的代價，只是在韓國劃了一條綫——以板門店爲中心西達甕津川南面尖端的黃海，東達江陵北面的日本海——即所謂三八綫。這一條綫使韓國李承晚總統畢生努力統一韓國的理想不得不暫時僵化，且不啻把共黨侵韓的成果予以事實的承認。

確定這一條綫的契約根據，就是共方早已事實破壞而今日聯軍正式宣佈取銷一部份的板門店休戰協定。

被取銷的主要條款內容是：休戰協定簽字後，「立刻凍結北韓與南韓軍隊與裝備之增援，每日根據一人換一人之基礎，調防三萬五千名，但每一方軍隊及軍火均不能超過休戰簽字時所有之標準。」廢棄的理由是：簽約後北韓及中共曾非法將新武器輸入北韓。據美聯社漢城電，北韓現有一支總數達四十萬人而經過改編及重新裝備的陸軍。還有中共士兵約三十五萬人駐北韓，更有至少一百萬人在鴨綠江北岸作後備隊。此外北韓共軍還有飛機八百架，更還傳有由蘇俄技師操縱的原子砲及坦克車。至于南韓陸軍總數約七十萬，駐有美軍八萬及聯軍其他部隊約五千人；美國武器及兵力的配備祇是以簽約時的北韓實力爲假定，目的在于美軍駐守南韓時，共軍不會發動攻勢。現在這假定因爲北韓實力已非法加强，已不能阻止北韓南侵的野心，以維持休戰的目的——暫時的苟安狀態。

本來，所謂韓戰休戰協定，是自由世界妥協政策在東方的典型表現，是作繭自縛的辦法。

自西方國家言，當時的簽訂協定，是爲了苟安一時的和平；今天的宣佈取銷協定條款是爲了要增加新武器，以保存與北韓實力的均衡，目的仍然爲了要維持當前的和平。

聯軍這一措施有如美國「鬥牛勇士」的鬪合一樣，目的只在增强抵抗力量，若謂美國已在亞洲採取積極主動的政策以對付中共，言之未免過早。

遠東苟安的局勢是否能在實力後盾下而不必再用妥協方式維持下去呢？尚還有待事勢的發展。

自宣佈取銷休戰協約條款後共方的反應是：首先是振振有詞的謂聯軍破壞休戰協定，這是宣傳攻勢，同時誇說北韓今日已强大，絕非一九五〇年北韓進攻南韓時可比，這是武力的威嚇；再次是中共在金門前綫于本月廿四日在七十七分鐘內共發九千發大砲，成爲打破紀錄的瘋狂轟擊，這是配合性的示威行動；再是共方要求聯軍與共方朝鮮休戰委員會在板門店開會談判。這恐怕是共方的主要目標。

我們此刻倒未必担心亞洲戰爭會因此爆發，但板門店的歷史會不會重演呢？倒値得注意。截至現在止，美國及參加韓戰的十六個國家已表示拒絕北韓的建議。今後是否真的堅持下去而毅然以實力維持和平，而不以任何妥協方式再與共方座談呢？那還要繫乎甚本的一念。

這一念在西方國家甚至在美國今天是仍然存在的。蔣總統新著「蘇俄在中國」一書中，强調指出「欲擊敗蘇俄避免第三次大戰，惟有進行一次全亞洲對中共戰爭」，這是在避免觸忌美國各國的避戰心理，而同時希望打破西方「和平共存」觀念所得的應有的結論。

自由世界，尤其是亞洲各國，由于板門店談和失敗一段歷史教訓，應阻止板門店的「舊唱片重奏」，勿讓錯誤的歷史重演了。

國會問題與大法官任期

●梁雲平●

台灣通訊

自由中國最近發生兩件使人矚目之有關憲法案件，一爲大法官的任期問題，一爲國民大會及監察院分別作出之法律與憲法有無抵觸疑義解釋案。這兩件案子，在表面上看來，似乎是兩件事，但在骨子裏却是一件事的兩面。申言之，就是因爲國會名義之爭，經大法官會議予以解釋確定後，所引起的餘波。

一、

立委翁一凡等九十九人所提之司法院組織法修正案，正是針對大法官而發的（不得連任）而國民大會監察院所提之憲法疑義解釋案，又是針對立委之修正案而提出，兩者互爲因果，不但關係到憲法，亦關係到國家的憲政體制。這是一件嚴重的憲法問題，不能儘認爲是意氣之爭，而等閒視之。

議會獨裁專政，是有流弊的，五權憲法即所以濟其窮。權能劃分，是五權不同於三權的特點。今撰五權之一的立法院，所提之司法院組織法修正案，以及法制委員會審查案全文，不特加深對憲法之牴觸程度，而且足以破壞司法院大法官制度，凍結大法官會議，使現行憲法面臨考驗——即立法院是否專權？而代表人民行使政權的國民大會，以及監察院，司法院，能否起制衡作用？謹從法的立場，根據各方意見，申述如下，以供時賢之研究參考。

二、

國會名義之爭，起在四十五年春，而白熱化係在是年冬，總統府將本案送司法院解釋，而大法官會議對此案之解釋，則於四十六年五月三日予以公佈。其研究時間，近八月之久，參考資料，達數十種之多，並由司法院王院長函請駐英大使館，託在英友人代購一九五六年在倫敦出版之各國憲法彙編，廣爲參考。足見該院對此案之重視。

觀其解釋全文，不但得我國現行憲法之特點，予以說明，而將國民大會及立法院監察院所行使之職權，亦均予以尊重。其憲法之依據，係國民大會相當於民主國家之國會，在憲法前言及憲法第四條，第二十五條，第二十七條，均有明文規定。立監兩院按照五權憲法，原爲治權機關，但其所行使之職權，亦均爲一般民主國家國會之職權，自不能不解釋爲相當於民主國家之國會，至於三個機關，國會成分各有多少？實不易爲適當之精確分配，故只能以共同二字表達。我國法學專家，如張知本先生等，亦認爲這是合法合理的。

立委翁一凡等所提司法院組織法修正案之主因，係由於立委廣祿等十五人總辭國會聯合會中國組委員所引起，其總辭報告第五點節開：「大法官會議，對國會名義之解釋，致使本組工作無法進行，竟認國民大會，立法院、監察院共同相當於民主國家之國會，今後本組工作，勢難進行。」觀其十分明顯，因不滿解釋國會問題而發生。所以立委翁一凡等之司法院組織法修正案提出，即予審查通過，而國民大會及監察院雖未提及立委之修正案，但實際與該修正案、有其直接關係，自亦無可諱言。

三、

問題演變，已由意氣之爭，進入法理之爭，如立法院通過此一修正案，則大法官勢必去職，而國民大會監察院所提之憲法疑義解釋案，須由大法官解釋，而大法官的解釋可以否定立法院的修正案。（憲法第一七一條）所以有關當局，正在設法避免，希望立委將修正案予保留，而大法官對此案，亦固可暫安於一時，但問題並未解決，立委可能在相當時機，突然提出此案予以通過，而大法官會議亦無權延宕，久不解答，因爲國民大會及監察院所提之解釋案，就憲法立場言，無可非議。倘因解決困難，希望以不了了之，則今日之種因，勢將召致將來更大之糾紛，後果堪慮。況憲法第一七一條明文規定：「法律與憲法抵觸者無效」。自不容有違憲之法律存在，律，亦不能例外？

四、

比案究應如何處理？已爲時賢所關懷，報章雜誌，雖有刊載，但言人人殊，莫衷一是，根據多數意見，咸認爲處理本案之基本態度；不應從政治方面求諒解，而應依據憲法，予以解決。其所採之理由：（一）試閱一九五六年出版各國憲法彙編，計八十餘國之憲法，對於各種法官均無不得連任之規定。（二）大法官之任用，係根據憲法第七十九條之規定，由總統提名監察院同意任命之。如增加「不得連任」之限制，即剝奪總統之提名權及監察院不同意權。（三）法律與憲法有無抵觸發生疑義時，依憲法第一七一條第二項之規定，應由司法院解釋之。現國民大會監察院既已提出法律有無抵觸憲法疑義函請司法院解釋，則立法院理應將其原提之司法院組織法修正案，自動停止進行，俟司法院解釋後，再爲討論，以示民主政治法治精神之風度。（四）大法官既是法官，應受憲法之保障，我國憲法如此規定，各國憲法亦復如此。大法官解釋憲法，係一種硬性裁定！其解釋憲法，其效力即視同憲法，其解釋法律，亦即視同法律。此與學者所提出之理論研究性質不同，此是吾人應加注意，況司法院對憲法之解釋權，係憲法所賦予，應獲得憲法上之尊嚴與保障，不應受任何外力影響。

五、

根據上述理由，我們得到如下結論：（一）大法官任期不得連任，是於法無據的；並且違背憲法第七十九條之規定。（二）國民大會監察院，所提之憲法疑義解釋案，司法院應當即予解釋，因爲司法院有此職權，同樣也有不能不解釋的義務。（三）立法院對司法院的行動，根據憲法是無法干預的。這正是現行憲法中五院的制衡作用。值此國步艱難之際，意氣之爭，不必要之更張，不但無補時艱，而適足以增加國事艱難。想立委諸公當亦不以余言爲河漢。

國外通訊

日韓修好的第一關

●觀游●

（本報東京航訊）本月十五日下午，韓國駐日大使金裕澤赴外務省訪大野次長，傳達其本國政府來電謂：韓國對雙方所議草案需加研究，不可能在岸首相赴美前簽字。

但據說日外務省爲安排該草案簽字及等候韓國的答復，會在十四日夜忙了一個通宵，所以日外務省認爲，只要韓國同意，即使岸信介尙未返國也隨時可以簽字的。於此可見日本對之是如何的期待了。

李承晚的態度，在他十三日的談話中明白表示：任何談判都屬無益，除非日本以行動來表示其對韓國應有的友誼，主要是日本應該停止與共產黨發生關係，及放棄統治朝鮮的慾望。日本只要以反共第一，那麼與韓國恢復正常關係是隨時可以辦到的。

李承晚斯言，實以深知日人慣作投機取巧，所以一定要日本以行動來表示，更明瞭岸信介赴美前完成日韓初步協議將足以使岸信介用以向美國表功，甚至討價還價；另則因戰爭期間李承晚曾受日本憲兵奪刑，雙手之指甲盡被拔去，死裏脫生，其對日本之痛恨無時或忘。每當洗手之際往事就會出現眼前，使他對日本人不敢輕信！

十六日韓外長又在新聞記者招待會上說明：日韓雙方互釋人犯一節，尙有技術問題不易解決，故此項草約一時不能簽字，但技術問題爲何，則又拒絕透露，僅謂係爲重要云云。同時日外務省方面消息對於韓國遲延答復認係韓國堅持要求戰前韓國在日財產問題。姑勿論孰是孰非，總之日韓間仍有一段距離是無可否認的。

據傳日韓談判在十一日那天，日外務省已表示無法繼續，談判將終止，但岸信介知悉後，認爲應再放寬尺度，大處着眼，才由岸與金直接會談，情況遂得急轉直下，行情看好。當然，岸信介的讓步是值得的，假如因這小的表面的讓步而組成日韓的正常的關係的話。

目前日本報界謂李承晚對岸在美與艾克會談一事極爲注意，又說李氏將有答復云云。岸赴美前早就說要坦白向美表達一切，日韓之懸案當然列在討論中是不用說的。

關於李承晚綫（日本報紙現在已改稱和平綫了）岸信介必然會向艾克訴苦，所以又傳李氏對于草案上所稱被拘日本漁民之字樣認爲不合事實，而應該稱爲「刑餘者之日本漁民」。因爲日本漁民是闖入李承晚綫被拘捕被判刑的。換言之，日本如果在草案上承認這樣的修改，無形中就承認了並接受李承晚綫。但日本人皆不願受李承晚綫的約束，決不願意李承晚綫的存在，可是韓國事實上有監視船在該海域內巡邏，遇到闖入日漁船就捉，漁夫送入囚牢，漁船一律拍賣，使日本人啼笑皆非。因此日韓間的懸案，必以雙方互釋被拘人犯爲開端，若此死結解不開，則前途是難料的。（六月廿日）

龍雲

「喝醉了酒的鯊魚」

「雲南王」龍雲，在「大放大鳴」期間，曾向中共開炮，他認爲「土地改革使農村破產，農業合作化使人餓死，工商業[illegible]發窮，搾光，中買不到東西，大家沒飯吃。」但是，中共却形容他是「像喝醉了酒的鯊魚，昏昏然飄到水面上來，而忘了本來面目」！於是中共發動了惡毒性的攻勢說「爲什麼要打倒他」！言下之意，[illegible]雲南，讓共幹殺戮[illegible]。但是，龍云却「安然」坐在北平「人代」會的主席團交椅上，這爲的是毛澤東還須要他來裝點門面。亦有人謂，這正是毛澤東的手段高明處，但是又有誰知道龍雲將來不成爲毛澤東的倍葬品呢！

反「如是云云」

●但衡今●

自由人六月十九日三版右下角刊有總標題「如是云云」，嵩云人人如是，箇箇如是乎？因此不能已於一言。

分題一：「但願嫁國大代」。

分題內一：「傳說近日婦女們，都願嫁給國大代表」此語應該是不周延的，否則「如是」傳說不虛，豈不是醜陋之化，宜室宜家的美事嗎？（本人除外）

分題內二：「近有提倡設立公務員人壽保險，國大代表，每月僅繳三十元保險費，若非常死亡，可得六萬元賠償，若壽終正寢，可得四萬餘元賠償。……」

公務員保險事件，合理不合理，只屬質諸人壽公司同意不同意。同意，則公司自有其數字計算書。在公務員，雖然跡近以豚蹄而祝滿車，然亦社會安全制度之一。但也有不作滿車想者，本月本人曾塡過保險表，並未指定受益人，國大秘書處函詢其故，則以不答答之。我以爲不幸老死在台灣，這四大湊合的臭皮囊，火燒、土埋、與拋在海裏供養水族，任人爲之，於我無與。爲避免累及朋友計，已早有斷打算，果能狐死首邱，則喪事乘家之有無，倒不在意念中。然則內甚塡寫保險表，且月有所費，吾從衆耳。人哭我哭，人欷我欷，喜怒哀樂與人同，何暇計及許多。

分題內三：「國大代不做事，可以領一家生活費，還可兼其他職業，」兼職，是有明文規定的，「國大代」無給制，於法固不應領生活費，要知家破而來到這天涯海角的陌生地方，不賴政府又賴誰？只要同胞來到此間，政府也應以家長自處，都必爲之籌一分口糧，「國大代」何可例外，更何能例外。

殊堪詫笑的「國大代」，於政府國家好比人身的眉毛高高五官之上，既不司祭，又不司言司聽，出則無車，歸亦無廬，好在臨時爲求深淺入世之故，淡攝裝點而已，安所用其欣羨哉！若問「兼業」，則自「天子至於庶人」，一是皆以兼差爲本，又何獨怪乎「國大代」，然而，亦有不盡然者在。

本人自三十七年「國大代」開會始，（開會時規定可領房餐車船費）至入台前夕止，從未領過政府待遇分文，秘書處有賬可查，也曾任行政院顧問，入台時候解聘了，從未要求復職過，行政院有案可稽，若論自庶人至於「國大代」，非不能也，我相信如是如是者還多。

至於實以「不做事」三字，言之不勝感慨萬千，「國大代」何嘗都是蛀米虫，懶散漢，而此間行情，各有××，報界同人，容有未能「如是我聞」者，乃舉本人之事奉告。四十三年，報載華僑子弟數千，回國就學，使我意念興奮，致書教育部長張司徒，願義務担任國文或史地課，每星期四小時，自信不致教別字別義，斷句不清，引證乖謬，而竟如石投水！

不幸的我蠹書生，既不克因緣世會取斗大黃金印，又未能巧言笑，供驅使，除搖筆桿，掉三寸舌外，何處找事做，乃至計工不計酬，尙無人要，還論其他。我敢明告天下，「國大代」羣，有胸羅萬象，可爲國師者，才兼文武，堪任將相者，自此以下，無材不備，無美不具，甚至朱家郭解之流，雞鳴狗盜之雄，亦可彷彿而得之。責以不審奉世可，責以苟且偸安則未當。

分題二「出賣配給證」，內云「有了獲得水泥木材烟酒（一切公營之物）等配給物的資格者，如國大代，立法委員。」……則可轉賣出去，……只累了鎭公所警局……盜章證明。」

「如是云云」我雖不能斷其絕無，或亦明珠之類而已，以我作證，本人嗜烟，從未抽過一支配給烟，水泥木材，及一切公營之物，從未領取任何一件，住宜蘭市五年多，移居礁溪又一年有半，所在鄉鎭警察局所，我却尙未麻煩過他們一次，我相信如是如是者正多，一帶打一角落，是不公道的，就世事那能如此看，又安能如是論！（六月廿一日）

看過「毛和尚」一篇長文以後

●左舜生●

（上接第一版）大家試想：以四五萬人可以殺掉兩千以上，假定中國眞有六億人口的話，則被殺的豈不有三千萬以上？這還是說的最初一期，後來更有所謂『三反五反』，更有不少的奴役和放逐，更有一次對南韓的侵略戰爭，再加上餓死的，弔死的，跳樓死的，跳水死的，吃安眠藥死的，……我『一攬子』只估計爲兩千萬這個數字，豈不是再保守也沒有了嗎？

在這裏大家還得注意！我所指出這兩千萬被殺的人，他們大抵是有身家的，大抵是有社會關聯的，假如他們沒有身家，或沒有社會關聯，中共便不會感到有殺他們的必要。他們每一個死者的家屬，每人只以五口計，則爲一億人；他們每一個的親友只以十口計，則又爲兩億人；因此我們知道：自從中共經過這一場大屠殺以後，今天大陸的人口，至少已經有半數以上，確已變成了中共的死敵，這類的死敵，便正是『毛和尚』口中所說的『毒草』，而且這種『毒草』乃是由這兩千萬人的鮮血所灌溉而繁榮滋長出來的！我不反對『毛和尚』再掀殺戒，繼三反五反以後，再來一次大規模的『割草運動』，可是必得當心你們的手，必得當心你們的刀，專靠殺人以維持你們這個所謂社會主義的政權，終有一天是會要碰壁的。

章羅等咎由自取

自從章伯鈞，羅隆基，章乃器，儲安平們發出了他們一番正確而切當事情的議論以後，香港的朋友們有不少覺得我們應當對他們寄以相當的同情，甚至應當對他們遙爲呼應，這一點我却不敢苟同：我總覺得他們之『被割』，確實是罪有應得。他們都不是儍瓜，過去都曾受過很好的教育，他們和中共發生關係，至少都有二十年的歷史，中共之毫無人性，中共之絕對不講交情，他們應該早已明白，天下本來是中共打出來的，他們不來『黨天下』還讓誰來『黨天下』？他們容許你們這班『野和尚』在他們的廟子裏掛掛單，這已經算是天恩高厚，（下轉第三版）

推進國民教育的根本問題

張弓

年來由于學風敗壞，社會風氣不良，有心人回頭注意于國民教育問題。甚至由于最近發生的台北事件，當局也歸諸于國民教育的不善。且不論我國上下重視國民教育的原因如何，而國民教育之為立國的根本，是無可否認的！不過尤其到了國家遭遇不幸，便格外顯得它的重要性了。我以為推行國民教育，有一個根本問題，就是推行國教的人員問題。因為他們絕大多數是師範學校畢業生，所以師範教育的良窳，實在決定國民教育的成敗；要推行國民教育，就不得不先來檢討當今師範教育的得失。

我們認為當今的師範教育，值得研討的問題太多了：第一，師範學校的年限，相當於一般高中，招取初中畢業生，授以三年的師範教育，便可以為人師表了。初中畢業生年齡最小的纔十四歲，師範畢業纔十七歲，身心發育皆未完全，做人作事之道，懂得的也不多，社會經驗根本談不上；這樣天真爛漫的青年，居然負起教育國民的大責重任，縱有一知半解，恐怕也不能勝任愉快吧？第二，師範學校的課程，除外國語文可以免授，另加了若干種教育課本以外，其餘各科，大致和普通高中相同，教學時數，也按照高中的規定，其程的深淺，無大差異，（數理科程度還不及高中）至於受課時間，就遠不及高中之久了，除去參觀，實習，試教，旅行等等節目，實際整個受課時間，至多不過二年有半；何況師範生大多數不準備升學，學習精神，又不會如高中之緊張；試問在這二年半中，所學能有幾何？以一個學術淺薄常識簡單的青年，怎能擔任繁重的國民教育，因應自如呢？第三，師範教育既無獨特的精神，對於師範師資的選擇，也就沒有特別的規定祇要具有中學教員的資格，就可以當師範教員；至於品德如何？學問如何？能不能夠陶冶師資？那就無人過問了。第四，教育當局對於師範學校，既然和一般中等學校等量齊觀，所以經費預算也毋需增加，設備也不必求其完善，師範生的見聞就不免蔽塞狹隘，將來出而應世，對於國民教育興革事項，或發生問題，併致茫茫然無所措手足，還能望其推行盡利嗎？

如今師範教育的面貌既然如此，師範生所得的成果又復如彼，我們的國民教育如何？便不問可知了。政府不想提高國民教育的水準則已，如想提高，無疑地必須先從改進師範教育着手！我們確認：第一，師範生為了變化氣質，陶冶人格，既需要「人師」，更需要「經師」。第二，師範生雖不需高深的學問，卻必需豐富的常識，他們的老師既要「專技」，更要「博學」。第三，師範生畢業以後，即深入社會，不但要適應社會，還要進一步轉移社會；為取得多數人的信仰，應該才德兼備，他們的老師，須是路路皆通的「通材」。我們更懇切地希望教育當局遴選師範校長，其必備的條件為（一）德足以化人，（二）學足以教人，（三）才足以服眾。不獨校長為然，對於每一位師範教員，也必須精選慎用，務求合於標準；然後纔可儘量為國家培植優良師資，收到「百年樹人」的宏效。至於師範學校課程應怎樣調整？設備應怎樣充實？那還是次要的事，自應另行論列。

關於此一問題，本人曾向教育當局有所建議，祇因「人微言輕」未蒙重視，現在又不揣譾陋，將這淺薄之見，貢獻於邦人君子之前，希望能收到「拋磚引玉」之效，有裨於國脈民命之延續，不知當代教育家以為如何？

讀者論壇

我所感于台灣省的中學教育

蔣完白

頃讀自由人六四九期雷建先生的「台灣教育感言」，誠覺無限感慨。再讀六五一期張弓先生的「有感於台南學生之鬥毆」，尤其令我對於台灣的教育問題，不已于言。筆者現為中學教員，願對于身歷心感的。問題略述一二。

先是教育當局對中學教育似乎沒有確定的方針明知免試升學無法辦（一法收拾。譬如新竹縣的通，卻硬求貫澈弄得無一中學，曾經試辦過，高雄市本來也想今年實行，但各中學校長，一經參觀新竹縣的情況後，連忙打消計劃。學費問題也是一個矛盾點。免試升學又收學費，這祇是予有錢人以方便。況且據說有些學校，其所收學費，盡被編入縣市政府的預算中，果爾，無異變相的稅收？

某省醫學，會公開告訴教員說，不要重視會考，因為它所佔的比率（百分四十），不足輕重，而且一旦不及格，仍有兩次補考的機會，言外之意，表示會考乃是一種形式的工作，麻煩的手續。不知教育當局作何看法？

其次教育為百年大計，教員不應年年移動。計台省立師範大學的學生畢業以後須先到各中學當實習教員一年，然後參加預備軍官訓練一年。如此，教員甚難離校，學生素質不善？為此，教育部與國防部經幾次磋商，仍不得要領。生活不安定，也是教員移動的最大因素。自由人六五〇期學人先生的「哀大學教授！」說現在大學教授的待遇，連同研究費在內，差不多在千元上下。然君不知一個中學教員每月的待遇，唯有四百多元否？據說省市縣政府的公務員，每月各人可以報銷百五十元的出差費。如此，學校怎麼不想巧立名目，如家長會費，或教師節的謝師費或畢業生的贈予！——以濟教員？加上種種攤派的義賣，使得家長們總於大發牢騷。不過發覺實在是上司的命令，非學校所願意。但因此卻引起家長對學校不十分合作。

台灣小學的升學率年年增加，而中學的設備與容納量，卻無法隨之而增。因此，不但一班人數竟至五六十名，而且更不得不開辦所謂「夜班」。學生的飽和狀態，頓使訓導工作發生不少困難，何況各班導師，還得看學生週記……更得進修，那來充分的時間與學生接觸。於是訓導處，只忙於記過與記功；變成一個類同警察的機關，直至鬧出事件，始與家長接觸。更因為有些家長因有社會地位，偶過其子弟遭受學校記過，不問黑白反而責怪教員。莫怪有些學生竟恐嚇教師，甚至毆打教師。某校教員，於考試時，提起幾個作弊學生，其中竟有「一位」是市長的公子。於是校長、訓導主任均覺煩惱，然不得不予以記過。事後，還得專誠拜訪市長公館，說明一切，哀求諒解。你看這該怎麼辦呀！

總之，今日台灣的中學教育，問題重重，內容複雜，其牽涉的範圍又廣，家庭、學校、社會以及教育當局，如不虛心合作，共同解決困難，將來的效果，令人可慮。

外報推重蔣總統新著

蔣總統新著「蘇俄在中國」的中英文本，已于本月廿四日同時在國內外發行，這是自由世界出版界的一件大事。自本月十二日以來，歐美和日菲各國報刊，擷取「蘇俄在中國」的要點刊出後，報刊社論和名作家的書評，無不推崇，如紐約「前鋒論壇」報六月十二日以「蔣總統的閱歷」為題撰寫的社論，認為是蔣總統對反共戰略的偉論，一切人士細閱後，均可獲益。美國「每月新書協會」更鄭重推薦為「全體美國人民的重要讀物」。費吳生夫人亦在紐約六月廿二日出版的「民族評論」中，以「導師蔣總統」為題所寫的書評說：「這是蔣總統三十年來對蘇俄洞燭機先的一部好書，值得人人皆讀」。美國「新聞週刊」於最近一期中，也以「值得傾聽」為題，譽為一本罕見的偉構。

菲律賓名作家艾嵩格里斯塔所撰包括二十位民主國家領袖的「世界領袖」一書（包括蔣總統在內）出版後，最近也向菲報宣稱：「此一蔣總統的反共經驗巨著出版後，其聲望與地位將更為崇高。」

美國的「時代週刊」亦於六月十九日出版的一期中，特別以「中國的呼聲」為題撰為社論說：「綜觀全書，既無怨艾，亦無憤怒，而且沒有半點浪費的筆墨以歷陳他過去的光榮或者攻訐他人，只是對中國過去的缺失，和今日應當怎樣作的問題，作冷靜而客觀的探討。以及對于為什麼世界其餘地區受到共匪威脅作診斷，認為所謂「和平共存」作祟。蔣總統除將大陸之喪失，歸咎於蘇俄之陰謀，日本之侵略，中國受騙者及其叛徒，與美國之天真外，他並未曾規避他自己的責任；他並指出他自己一再犯了把蘇俄與共匪看作是具有善意的根本錯誤，每次中共將要失敗時，都是所謂「共存」的偽善一再救了他們。總之，這是一本基本讀物，值得重視。」

美國「生活雜誌」在六月廿四日出版的一期中，亦有兩篇撮要介紹的文章和許多圖片。並說：「這是出乎秉國政數十年的軍人政治家，第一次關於中華民國歷經苦難的詳盡親身敘述的一本了不起的巨著，值得大家細細地咀嚼和回味。」

還有日本「每日新聞」報，亦自六月廿日起，連續刊載「蘇俄在中國」之摘要，內容偏重有關中日關係之章節；同時，該報之東京，大阪，名古屋和門司四個地方版亦同時刊登，約二十天可以連載完竣。

此書的中文本，由中央文物供應社印行，每冊定價新台幣十元。至於英文本則名為「蘇俄在中國：七十回顧」，由法拉爾，史特勞斯和賈德希公司出版，每冊售價美元五元。（力行）

台灣物產特寫

每當我們走過街頭巷尾，看到那紅的綠的，五光十色的水果攤的寒酸狀態，乃及「力司霸雀」的水菓站給人一種黯淡的印象，可是如果你把整個台灣的街計算起來，水果攤該有多少，那就值得一跳，尤其每逢過年放節或本省拜拜時，每次消耗多的驚人，同時再想一想台灣有這麼多的酒肆，交易場所以及基隆與高雄一大堆一大堆數不清待運出口的水果那就更足驚人，不再看輕水菓這個行業了。

寶島水菓出產與檢驗

·鄭士珪·

台中出產最富

台中區，東臨花蓮，西瀕海峽，北面和新竹台北交界，南方與嘉義遙雄踞西部平原，氣候溫和，物產富饒，風景處處動人，它不僅盛產米茶甘蔗，而員林的柑桔，彰化南投的鳳梨，尤以香蕉更為著名，不但十分肥美，且產量為台省各地之冠，其交通發達，輸出便利亦遠較他地方有過之而無不及，故台中水果檢驗所轄之檢驗場達五十多個，為台省水果產地檢驗首屈一指，大部分分佈于山地，包括台中市南投，彰化台中四縣市。

檢驗場素描

檢驗場是一個看來比較冷落的地方，牠寂寞地坐落在水果產地附近的山間角落裏，但是表面雖則如此，不過它的內層卻正含着無限熱鬧有趣可愛，現在我且把檢驗場作一個簡介。檢驗場的屋蓋用竹棚搭的，四周沒有窗戶，裏面放着桌子與數張椅子及零亂堆積許多竹籠，籐繩子，每當水果檢驗時，場外就有許多零食攤，而在場的前後稀疏地有數個茅舍的村落，散布在山村裏的果農，他們從早晨奔馳于山間採割水果，絡驛不絕地挑着一担一担結實累累的果實汗流夾背地到達檢驗場，他們穿着各色各式的破舊衣服，面黃肌瘦，體格大多矮小，因為靠山吃飯沒有田地，終年生活除靠水果與林木收入賴以維持外別無他途，在檢驗開始，但見挑果的挑果，選菓的選菓，割菓柄的割菓柄，塗藥的塗藥，裝籠的裝籠，滿場充分表現工作緊張的情緒，這情景着實熱鬧有趣。

特產的輸出

台灣所產水菓，除少量自給外，大部份均輸出省外，這種出口的農產品必須標準化，就是有一定等級的標準，方便商業交易而與他國農業品在國際市場競爭，所以政府規定每逢水果採收時先由果農向檢驗局申請報驗，再由檢驗局派員分赴產地檢驗因香蕉鳳梨柑桔栽植于偏僻山間或傾斜地，多係沒有火車與交通不便之處，檢驗員必須如赴市集似的趕搭公路局的班車或檢驗場的貨車，有時東方剛現魚肚白天空還有幾顆稀疏的晨星，就要起身去趕路，如果在檢驗已開始才到達檢驗場，那麼選別水果技工因徇私情會把不合格的水菓混入外銷，等到基隆復檢退關，或運往日本腐爛，責任就歸檢驗員負担，因此檢驗人員為職責所關，只好提早抵達檢驗場等候開檢，一個檢驗場從早到晚由數十籠乃至數百籠，全部檢驗截妥是已「落日啣山紅欲紫」或「萬家燈火初上時」。

以蕉梨柑桔為主

台中所產水菓種類頗多，以香蕉鳳梨柑桔為主要，他如木瓜，蓮霧及龍眼等亦頗發達，目前除檢驗少量鳳梨罐頭外，幾全為香蕉檢驗，查香蕉檢驗項目中為病虫害之有無果形整齊與否以及重量色澤等，肉眼容易鑑別，惟有成熟度最難辨識，尤其七分到七五。八分至八五並無一定標準，而成熟度低，可多耐儲運與腐爛成正比例，換句話說：香蕉的成熟度的高低與香蕉的腐爛的日數。在需要外滙的今天，固然要增產輸出，同時更須注意成熟度不可太高，以免腐爛而減少一項無謂的損失。

看過「毛和尚」一篇長文以後

（上接第二版）

·左舜生·

河你們卻還不能安分守己，好好的接受「領導」，居然抓着機會，便想出頭來「鬧亂子」，其不幸而掉入他們的圈套，豈不是咎由自取！

毒草的培植者周恩來

正寫到這裏，周恩來這篇又長又臭的裹脚布，又送到了我們的手裏，匆匆翻閱一過，暫時還不想多說話，但借此機會，就周這個人在今天中共中所處的地位來作一番估計，也許還能幫助大家對中共前途多有一些認識。說到周恩來這個人，他本來就是以統戰起家，自從他在黃埔任教官算起，他所布置的一切力量，始終就是外重內輕，換言之，論到黨內的關係，周遠不如毛劉；反之，黨外的關係，毛劉卻不如周遠甚。今天美帝未倒，台灣尚存，「毛和尚」不能不借重統戰這面旗子來鬼混幾時，因而周恩來才取得今天這個地位，換言之，周恩來不過是今天在這一片的「毒草」中所開放出來，一棵有刺的玫瑰，本來遍身就染得有不少毒素，已經把毛劉們恨得「牙癢癢」，可是他還不自檢點，年來更要跑到四面八方去大出風頭，幾乎使得大家只知道大陸有一個周恩來，而忘記了在中國共產黨中，更有一個謎一樣的劉少奇一個人物！大凡一個獨裁者，都是天然有一種最強烈的忌刻心的，他們只能看見不如己者，決不能看見勝己者，為了一句「空梁落燕泥」的詩句，便可以使一位獨裁者殺掉這位作者的頭，周恩來在這些地方似乎還毫無警覺，風頭依然是濫出不已。即以這次毛周的講演比賽而論，「毛和尚」花了四個月的工夫，才整理出一篇二萬五千字的講稿，周恩來卻一揮筆便是三萬五千字，僅此一點，已經是死有餘辜！現在大陸上的「毒草」是這樣多，我相信經過一番「鋤草運動」以後，究竟三十年來這些「毒草」是什麼人培植出來的，一定會有人要起來追問責任，到那時候周恩來就得當心你的頭！（全文完）

稿酬

六月份上半月稿酬通知單，已分別付郵，惠稿諸君請憑單領取稿費為荷！

本報編輯部啓

時代考驗人格

馬五先生

去年匈牙利人民十月革命運動時期的內閣總理納基，最近已由莫斯科解回匈京，聽候匈共政權公審懲處。據外電消息：納基先後被扣押在羅馬尼亞和莫斯科的時候，俄共國防部長朱可夫曾經兩次勸告他承認錯誤，即可恢復自由，但納氏拒絕了。這是一個眞正爲政治家的崇高風格，在共產世界而有這樣的政治人物存在，可謂鳳毛麟角，足以廉頑立懦也矣！

返觀中國大陸上的「整風」，把幾中一些所謂「民主黨派」領袖人物，如章伯鈞、黃炎培、馬敍倫、許德珩之流，聽到共黨不許黨外人士亂說亂動的警告，馬上磨明告饒，出賣自己的同志和朋友，卽章伯鈞亦於批評共黨的暴政後，在報紙上寫文章認錯，說是「我完了」！一派懦弱相，表現着知識份子的墮落本質，以視匈牙利總理納基的人格，相去豈可以道里計？

不過，大陸上亦有一個堪與納基媲美的「民主人士」，他就是章乃器！章氏平日的社會地位雖不如上述一干人等，但他對於自己所指斥共黨暴政的言論思想，堅不承認是錯誤的，拒絕共黨的反批評，表示着置生死禍福於度外的態度，滿不在乎。作爲一個讀書明理的知識份子，如其沒有這點骨氣，那就只能作政治姐爲面已。

我現在最怕毛共對這些「右派份子」不採取腥風血雨的殺伐手段，而以「和風細雨」的慢性宰割方法。它如果向匈共加達爾政權看齊，將一般「資產階級右派份子」草薙而禽獮之。那末，大陸上廣大民衆的反共心潮，便如紙包住的一堆炸藥，爆炸的時間即加速了！

這是一個考驗知識份子人格的大時代，清者自清，濁者自濁，平時經常在嘴上掛着「忠貞」，市招的五色旗——「搖擺」——人物，終歸是要現出原形來的！

寶在「玉」乎？

——「亡人無以爲寶，仁親以爲寶」

・丁懿安・

張默君先生以所藏少玉，歸諸故宮博物院，此本尋常事，無論其爲半寶半獻，少寶多獻，或全寶，或全獻，張先生都有權可以本諸個人環境及與趣而行，其性質亦不外張先生與敎育部間之契約行爲（有無成文約定，無關宏旨）。既不必作何宣傳，第三者亦無須置喙。若爲之褒貶，更屬多餘。近在本報見敎育部長張其昀先生「論玉」一緘，對於藏玉，引古論今推崇「瘋份」；基于時代觀點，不能已于一言。

查玉之爲物，不過礦物中矽酸鹽類之一，亘塊者較爲難見，往代以偶然之機會出土，構成歷史上「得玉」之史實，可供彼代文物之考證；經人工琢磨後，晶瑩無瑕，足資悅目。其有關文化云云者，不過琢磨之精工與歷代重視之情形而已。至于玉之晶瑩堅實，係其物理性之一，爲造物者所賦予；古人借物喻人，取其行文申義之便。人性物理，本不相侔，強爲比附，近于不倫不類。古人時代所限，格物致知，有其困難之一面。吾人讀書，固不嫌以解害意。但若不加選擇作爲論據，則反增邏輯之果，似又大可不必。亘璽之玉，既不多見，則物以少爲貴，逐有連城之說。實則玉未成交，迴無隨價。古者懷璧其罪，故不能不歸之王室。而最大作用，亦不過作爲國璽之材料。國璽之價值，附麗于國家之信用與實力。若國且不國，璽又何用？玉又何用？

文物之作用，在于記錄人類創造之痕跡，因人不能永生，而物可久存。但價值本體，係發自能創造文物之人類，而非文物。故文物之附屬性之寶耳，死寶也。能創造文物之人類，始爲活寶。活寶不存，死寶何用。巴比倫之殿墟可爲殷鑒。既知該項藏玉，能値亘款，砲不建議政府于必要時將之換取亘款，作爲反攻復國，生聚敎訓之資，使目前爲用有限之「死寶」，宏其效用以救助「活寶」，豈非更有意義貢獻？默君先生因而捐獻，又于國家民族者，又豈藏玉本身之價値所能比擬。否則雖集歷世界之王于故宮博物院，又何補于目前之國是乎？

人民之能否立信守禮，另有其繫之因素，與佩玉與否之關係甚微。況單純機械之物理性，亦不足以喩人類繁複之道德含義。衣食不足而責之以榮辱，古人已知其非當。豈以該玉等爲「通靈」之寶，有尼化乖戾爲祥和抑以能使頑夫廉懦夫立志等作用乎？承平之世，朝野驟豫，文物之得失，不失爲國家大事。但今日何日，吾人逃亡於外，委棄大陸上成千成萬之「活」玉，任其與石俱焚；對於反攻復國所倚賴之海外活寶，亦任其長期折磨于流離飢寒失養失敎之中，而斤斤于死寶之移藏。衡諸輕重之義，豈能謂當。其昀先生以學者而從政，爲國人所寄望。既從政矣，豈竟忽乎急其所當急，緩其所當緩之義。

近代塑料合成方法之進步，晶瑩堅實之人造玉類，不難于最近之將來問世。價値之賤，販夫走卒亦人人得而佩之。且此等材料之用途廣大，其利于國計民生，實千百倍于張先生所獻之玉，倘能將其凍結于玉之金錢，用之于此項科學研究。古人云：「亡人無以爲寶，仁親以爲寶」，寓目時艱，不禁三復斯言！

盲者的告白

「小陽春」自序

・楊海宴・

我曾經對痛苦的來源，很下力的用心想過，覺得所謂痛苦，只是由於慾望不得滿足而已。而慾望在大多數人來說，是永無滿足之時的。當一個人停留在某種缺陷時，他的慾望是在彌補這種缺陷，可是當這個缺陷彌補之後，另一個更高的慾望又跟着產生出來。慾望永無止境，人類的痛苦也永無止境。社會的紊亂，世界的戰爭，都祇是由於彼此慾望的衝突而已。

我並不是在非難慾望，事實上所謂「人生」這個偉大的命題，簡單切實的說，只是慾望的消長而已。沒有慾望，也就沒有人生。不斷的消耗，不斷的建設。不斷的幻滅，不斷的成長。好像我們打破一個玻璃杯，又把它回爐重新做過，又打破，又做過，循環不息的做下去。這看來有點滑稽，有點愚蠢，我們何不永遠保持那麼一個玻璃杯，既不打破，也不重做，豈不省去很多麻煩嗎。但不成，這是自然的意志，這也就是實實在在的人生。

佛家主張皈空，主張從根本上消滅慾望，這種對生活的態度，究竟含有多少眞理，也不是我們所敢評的。但依我看，即便是佛家所說的空，不是絕對的「空」。絕對的空，只有生在娘肚子裏不出來，既然生出來了，他就空不了。有生則有慾，乃是無可奈何的。因爲最低限度，總要享用「人間烟火」，就得與社會發生交涉。這就無法承認是「空」的了。

古今中外多少哲學家，思想家，宗敎家，窮年兀兀，耗盡心血智慧，無非想調和人與之間的關係，把生命導致圓滿幸福之境。十幾年來，我自己讀書，生活，時時循着前哲的思想光輝，踽踽前進，儼然也想爲我個人迷惘的情，探尋一點解答出來。在開始的時候，像任何一知半解的人一樣，膽子大，不怕醜，思想上不管獲得一點甚麼渣滓，就沾沾自喜的把它寫出來，「小陽春」這個集子，就是在這種無知的勇氣下陸續寫成的。這裏包括十一個破碎的故事，都是四四年以前在各報刊發表的。昨夜校完書局寄來的大樣，覺得以前的我，完全是另外一個人似的。與現在的我，好像沒有一點連貫的痕跡。我現在只覺得自己是一個越窒息。我要一把抓住這時代的腦袋，向他要一點思想的精神，我要不是借來的，不是冒來的，撿來的東西，不是紙糊的老虎，搖頭的傀儡，蜘蛛網幕後的偶像。我要的是從靈魂裏迸出來，血液裏激出來，性靈裏透出來，生命的實在……我要你們站在我的一邊，我要你們站在對面看，我要向這時代挑戰。只剩在生活的鬥爭中，我畢竟只是一個盲者。我要把自己的信仰，是我對意志和仁慈的信仰。孔子說：「我欲仁，斯仁至矣。」這種意志和仁慈的語氣，連神聖堅決的精神導師，曾鼓舞了多少人類的心靈。……大願的時代，我需要的是理性，……下的對……的召喚。

中篇小說　海上學校

趙滋蕃

鬧鐘指向了八點三個字，距離開學典禮，只有一刻鐘了。鄺老頭同他的寡媳林金蓮，也從後艙間慢步踱進了敎室。當他看到敎室裏那種冷落的情形，笑容在不知不覺之間收斂了。他走出敎室，在木欄干邊沙啞喉嚨嚷了幾聲，一直等到那邊的歌樂船上有了回答，才踱回敎室，坐上第二排條桌的左角上。

小舢板載來了一對老年夫婦。男的大約比鄺老頭的年齡還大，至少樣子要顯得蒼老些。女的是個十足的老太婆，滿臉的深皺，腰已經駝了，梳着個粑粑頭，戴着一副特別顯眼的銀耳環，赤着一雙厚繭皮黑脚板。

張長虹把這對老年夫婦攙上船來。他以爲是來參加開學典禮的學生家長，招待他到鄺老頭坐在一道。

「十三個學生，怎麼只到得四個呢？」他問。

「大概不止四個吧，」鄺老頭不好意思地望了望張長虹。「已經有八個喇！」他做了個手式幫助他的說話。

「哦哦，」張長虹木住了。「八個？」他重複着。

「呢位是蘇登同學生，」他鄺重其事地介紹道。「呢位是阿嫂——」（急忙中忘掉了名字，爛眼睛睜得更圓了。）「你們叫她蘇阿嫂好啦，她也是學生。」

張長虹當時急得發暈，額角上結滿了汗珠。他鼓起眼睛對直地望住這位好心的老人，竟然忘記了他有義務要應酬幾句話。

但是，鄺老頭並沒有感覺到這個，雖然他的額角上也滲着冷汗，雖然他的呼吸有點像拉風箱。他腦海裏盤旋着的是魚汛，是一網撒下去提起來的白銀子，是魚汛帶走的漁船，是漁船帶走的海上學校的學生，以及冷落的開學典禮等等，等等。在他那樸實純厚的頭腦裏，他認爲海上學校的開學典禮，就像一個人結婚拜堂一般重要，那是不能夠馬馬虎虎的！今天既然還有一大批學生不能來參加開學典禮，他提議不如將「開學典禮」改期舉行，使得大家都能參加。

張長虹向他解釋道：「開學典禮不過是一種見面的儀式，有了幾個代表參加就可以了，不必一定要改期舉行的。」

「恐怕那不頂好吧，」鄺老頭迅速地說：「吃喜酒也要多多的人參加纔夠熱鬧嘛。」

張長虹客氣地點了頭，覺得比喩雖然不倫不類，但這話也不無道理。而在他點頭的一瞬之間，鄺老頭的扁嘴巴角上浮起了一抹微笑，那微笑是這麼眞純，這麼厚道，又是這麼使人寬心和使人信賴，使張長虹也充滿了虔敬與成熟的感情。他匆匆忙忙趕到辦公室，和杜宇等商量改期補行開學典禮的事去了。

不到五分鐘之久，手搖鈴響了。搖鈴的是周曼石。依時守刻地搖了一圈的走廊，位老師魚貫而入，分別在講台兩邊的椅子上坐定。

程序和節目的臨時改變，使杜宇頗感緊張。因爲她是公選出來的校長，又是海字組「自學團」的主任導師，責任全部壓在她的肩上。她含着一縷幾乎察覺不到的微笑，踏着失掉了節奏的慢步，走到講台中央，端端正正地向大家鞠了一躬。「早晨，小朋友們，」她纏繞在第一排與第二排的學生面前，覺得這稱呼不大妥當，按在講桌上的小手在輕微顫動。「早晨，」她添說，分明有些打顫，呼吸有些窘迫。（三十）

午睡頌

——「手倦抛書午夢去」——

・秀瓊・

「論語」載：「宰予晝寢，子曰：朽木不可雕也，糞土之牆不可杇也……」據注釋那是孔子反對午睡。假若宰予根本是一名懶鬼，是該罵的；如果事情正在待理，宰予偏偏放下不幹而睡他的午覺，是該罵的，但如果宰予不是這樣的人，而他的晝寢又是爲了養養神，正合乎衛生之道，也不違反工作的規律，則孔子之罵實在有點過份，而且他那些不午睡的弟子，也未見得一天讀十幾個鐘頭，如果無所用心，徒然睜大着眼睛做着白日的夢，把大好時光浪費，又能成什麼可雕之材呢？

許多生理學家和醫生對於午睡所抱的意見卻與孔子不同，據他們的主張，午睡不但不應反對，且應加以提倡，因爲現代的文明是夜的文明，所以現代人多在夜間工作的，尤其文化界的人如演員報館的人，當然在這樣晚睡的習慣下，睡眠時間是不夠的，我們必需另外找時間，那麼午飯後的辰光才眞是最適宜于睡眠。

所以懂得生活情趣的人，午睡是被當作一種日常享受的，所謂：「花竹幽窗午夢長，此中與世暫相忘，華山處士如容見，不覺仙方覺睡方。」

柳宗元有夏晝偶作詩云：「南州溽暑醉如酒，隱几熟眠開北牖，日午獨覺無餘聲，山童隔竹敲茶臼。」楊萬里亦有夏日午睡起詩云：「梅子留酸濺齒牙，芭蕉分綠上窗紗。日長睡起無情思，閒看兒童捉柳花。」

一個人有無成就和他睡不睡午覺，實在毫無關係。吃過午飯便躺在床上，不但容易入睡而且能緩和神經緊張，同時睡覺於消化比散步還要好，已經科學家證明過。所以午間小睡以恢復精力，反能增加他的思想，促進他的成就。

李笠翁有一段談論午睡的最美文字云：「午睡之樂，倍於黃昏，三時皆所不宜，而獨宜於長夏，非私之也，長夏之一日，可抵殘冬之二日，長夏之一夜，不敵殘冬之半夜，使止息於夜，而不息于晝，是以一分之逸，敵四分之勞，精力幾何，其能堪此？況暑氣鑠金，當之未有不倦者，倦極而眠，猶饑之得食，渴之得飮，養生之計，未有善於此者，午餐之後，略踰寸晷，俟所食既消，而後徘徊近榻，又勿有心覓睡，覺而有事，事未不可，必先處于有事，事未畢而忽倦，睡鄉之民，自來招我，桃源天台諸妙境，原非有意造之，皆莫知其然而然者，予最愛舊詩中有『手倦抛書午夢長』一句，手書而眠，意不在睡，抛書而寢，則又意不在書，所謂莫知其然而然也。睡中三昧，惟此得之。」

充沛的工作精力，需要有適當的休息，……午覺，那是必要的休息，尤以盛夏爲然。

史地傳記類　PC0271

自由人（六）

編　　者 / 陳正茂
責任編輯 / 邵亢虎
圖文排版 / 彭君浩
封面設計 / 陳佩蓉

法律顧問 / 毛國樑　律師
印製經銷 / 秀威資訊科技股份有限公司
114台北市內湖區瑞光路76巷65號1樓
電話：+886-2-2796-3638　傳真：+886-2-2796-1377
http://www.showwe.com.tw
劃撥帳號 / 19563868　戶名：秀威資訊科技股份有限公司
讀者服務信箱：service@showwe.com.tw
展售門市 / 國家書店（松江門市）
104台北市中山區松江路209號1樓
電話：+886-2-2518-0207　傳真：+886-2-2518-0778
網路訂購 / 秀威網路書店：http://www.bodbooks.com.tw
國家網路書店：http://www.govbooks.com.tw

2012年12月復刻版
定價：2500元